D1308455

VARNHAGEN VON ENSE ALS HISTORIKER

VARNHAGEN VON ENSE

ALS HISTORIKER

VON

KONRAD FEILCHENFELDT

★

AMSTERDAM 1970

VERLAG DER ERASMUS BUCHHANDLUNG

Ein Teil dieser Arbeit erschien zuerst als Dissertationsteildruck
mit dem Titel

ZEITBETRACHTUNG ALS LEBENSGEFÜHL

Studien zu Varnhagen von Ense und seiner Geschichtschreibung

Varnhagen von Ense. Bleistiftzeichnung, um 1850. Signiert "M.M." (Original im Besitz der Deutschen Staatsbibliothek Berlin)

MEINEN ELTERN

INHALTSVERZEICHNIS

als Rechtsgrundlage: Stein – Flassan und Varnhagens formalpolitische Polemik gegen ihn – Varnhagen, Jacob Grimm und ihre Polemiken – Die Gesellschaftsstruktur am Wiener Kongress: Die 'Physiognomie' – Die Gräfin Fuchs und ihr Salon – Einweihung und Diagnose in Varnhagens Augenzeugnis: Die Gräfin Zichy – Gentz und Fanny von Arnstein – Carpani – Der 'Wiener Tag' – Der Tugendbund: Karl Müller, Otterstedt und andere – Biographische Versuche: W. v. Humboldt – Metternich – Talleyrand – 'Karl Müller's Leben und Kleine Schriften' – Die Nachwirkung der 'Wiener-Kongress-Schilderung': Heinrich Leo – G. G. Gervinus, A. de la Garde, A. F. H. Schaumann – G. H. Pertz, K. v. Nostitz – Quellenerschliessung: Metternich und seine Berichtigung für Varnhagen – Talleyrand und der Plan einer Mirabeaubiographie – Exkurs: Borussische Geschichtsphilosophie – Friedrich der Grosse – Das Überlieferungsproblem und dessen gesellschaftliche Voraussetzungen: Beyme – Frau von Eskeles – Ministerialzeitungsplan und Monumenta-Idee.

Paris 1815 – Schlabrendorf – Der Dualismus Frankreich-Deutschland unter den Bourbonen – Frankfurt am Main 1815/16 – Die aristokratische Gesellschaft – Varnhagen und die formalpolitische Struktur im Grossherzogtum Baden – Varnhagens preussische Politik der Verantwortlichkeit – Karlsruhe – Der Hoffmannsche Bund: Gruner – Stuttgart: Otterstedt – Der Kronprinz von Württemberg – Strassburg – Varnhagens Kampf gegen die aristokratische Gesellschaft – Varnhagens Anteil an der 'Verfassungssache' in Baden – Varnhagen als Revolutionär und seine Abberufung – Die Ermordung Kotzebues: Schuld des Adels – Mannheim – Die Nähe des Geschehens – Varnhagen und K. L. Sand – Die Frage der Komplizenschaft – Der russische Geschäftsträger v. Struve – Differenzen mit Berstett – Varnhagens Beruf und Bestimmung – Sein diplomatischer Lebensstil: Briefwechsel – Quellenschriftstellerei – Gesinnungsgemeinschaft – Die publizistische Tradition aus der Zeit der Befreiungskriege – Alte Verdächtigungen – Der Varnhagensche Korrespondentenkreis – Erinnerung an 1813/14: Gneisenau – Publikationen über Tettenborn – Varnhagens Kampf um eine liberale Gesellschaft – Liebenstein und Rotteck – Varnhagens biographisch-gesellschaftliches Prinzip.

VI. SAMMLUNG Varnhagen als biographischer Publizist.

Das biographische Interesse – Johanna Stegen – Der Bankier Dehn – Karl Sieveking – Chamisso und Justinus Kerner – Quellenerschliessung: Briefe – Beziehungen zu Zeitgenossen – Berlin: Das Hauptstadtproblem – Reisen – Gesellschaftliches Interesse: Die Höflichkeit – Das Staatsgefühl – Das Prinzip des Vertrauens – Die personale Rangordnung – Das Prinzip der Vorbildlichkeit – Die Überlieferungsaufgabe.

Die Biographie des 'Grafen Wilhelm zur Lippe' – Varnhagen und Hardenberg: Die Anstellung – Varnhagen als 'Pressechef' – als Minister-Resident – Ein Gegenspieler: Schöll – Fürst und Fürstin Pückler – Hardenbergs Denkschrift vom 4. August 1815 – Der zeitgeschichtliche Zugang zur Person Hardenbergs: Artikeltätigkeit – Die 'Rigaer Denkschrift' – Biographie Steins – Die Biographie Hardenbergs: Koreff – Benzenberg – Karl Georg Jacob – Karl Ludwig Klose – Ranke – Varnhagens Beruf und die 'Rigaer Denkschrift': Preussen als Militärstaat – Militarismus und Gesellschaft – Der Charakter – Varnhagens diplomatische Agitation – Der Begriff 'Preussen' – Preussische Politik – Das preussische Lebensgefühl – Gesellschaft und Politik.

Goethe über Varnhagen – Der Goethekult und sein gesellschaftlicher Charakter – Der Saint-Simonismus – Die Zinzendorfbiographie – Die Hegelsche Schule und Varnhagen: Eduard Gans – Die Dichterbiographien – Goethe: Erste Begegnung – Geschichtliche Stellung – 'Goethe in den Zeugnissen der Mitlebenden' – Goethes Tod – Lexikographie und Überlieferungsaufgabe – Rahel: Die Überlieferung ihrer Gesellgkeit – 'Denkwürdig-keiten des Philosophen und Arztes Johann Benjamin Erhard' – Widmung für Hegel – Der Zeitpunkt der Herausgabe – Die Quellenherausgabe als revolutionäres Geschehen – Materialsammlungen – Lassalle, Gagern, Ranke – Das gesellschaftsbildende Prinzip.

Das historiographische Prinzip der Quellenverwertung – Die Biographie des 'Generals Grafen Bülow von Dennewitz': Materialbeschaffung – Eduard von Bülow – Theodor von Schön – Die Gestalt des Prinzen Louis Ferdinand von Preussen – Das Unausgesprochene – Die Blücherbiographie: Müffling – Schlossers und Wilhelm Grimms Rezensionen – Gneisenau (Exkurs): Der Graf Wilhelm zur Lippe und die Festung Wilhelmstein – Droysen – Die menschenkundliche Geschichtskritik: Die Überwindung des Faktischen in der Geschichte – Friedrich Buchholz – Exkurs: Blücher nach der Niederlage von Jena and Auerstedt – Buchholz als Zeitgenosse – Gneisenau und Blücher – Blücher und Tettenborn – Geschichtschreibung und Hypochondrie – Rühle von Liliensterns Rezension.

Die Bewegung von 1848 – Die konstitutionelle Frage – Varnhagens Aufzeichnungen: Berlin und Wien – Marie d'Agoults 'Histoire de la Révolution de 1848' – Adolf Stahr – Varnhagens Beteiligung – Sein Standortswechsel – 'Schlichter Vortrag an die Deutschen' – Varnhagens Wohnung – Der Berliner Strassenkampf – Das religiöse Erlebnis von 1848 – Die Frage der Verantwortlichkeit – Der Rückzug der Gardetruppen aus Berlin – Pfuel und der Prinz von Preussen – Der Prinz von Preussen und Prittwitz – Karl Philipp Nobiling – Varnhagens freimaurerische Dialektik und der Prinz von Preussen – Friedrich Wilhelms IV. Personalpolitik – Die Fluchtbewegung – Prittwitz und die Geschichte – Prittwitz und Friedrich Wilhelm IV. – Friedrich Wilhelm IV.: Seine personale Verantwortlichkeit – Sein Glaube – Der Geist der Revolution – Das literarische Prinzip als Weg der Verständigung – Bodelschwingh – Das Vertrauen – Varnhagens gesellschaftlicher Wirkungskreis.

Varnhagens konservativer Liberalismus – Goethe – Das 18. Jahrhundert – Gesellschaft-liches Interesse – Varnhagen als Protektor Rankes – Das revolutionäre Prinzip in der Geschichtswissenschaft – Die 'Jahrbücher für wissenschaftliche Kritik' – Ranke als Mitglied des Varnhagenschen Korrespondentenkreises – Rankes weltbürgerlicher Stand-punkt – Ranke und die gesellschaftliche Bewältigung der Zeitgeschichte – Das wissen-schaftliche Seminar: Ranke – F. A. Wolf und Johannes Schulze – Varnhagens 'Freimaurerei der Litteratur' – Gustav Schlesier – Wilhelm Dorow – Johann David Erdmann Preuss – 'Friedrich der Grosse' – Rankes 'Neun Bücher Preussischer Geschichte' – Die pragmatische und diplomatische Geschichtschreibung – Ranke und Varnhagen 1848 – 'Freimaurerei der Litteratur' (Schluss): Gottschalk Eduard Guhrauer, Karl Georg Jacob, Ölsner, Schaumann und andere – Hermann Hettner – Dahlmann – Rudolf Haym, Thomas Carlyle und andere – Alexander von Humboldt – Varnhagen und das wissenschaftliche Weltbürgertum – Die nationalistische Geschichtsforschung: Der Freiherr vom Stein – Exkurs: Rudolf Haym (Schluss), die Historische Schule – Der Ministerwechsel 1840: Altenstein – Eichhorn.

Varnhagens Stellung in der deutschen Historiographie – Die Geschichtserlebnisse von 1813 und 1848 – 'Weltmärchen' – Die existentielle Geschichtsbetrachtung und das Kausalitätsprinzip: Der Krieg von 1813/14 – Die Choleraepidemie von 1831 – Die Rettung des Obersten Bentheim – Der verschleierte Stil als politisches Bekenntnis – Das publizistische und gesellschaftliche Prinzip – 'Gesellschaft', das 'Wort der Zeit': Ranke – Fichtes 'Erlanger Universitätsplan' – Fichtes Machiavelli-Aufsatz – Varnhagen und Machiavelli – Machiavelli und der Tugendbund – Die literarische Faktizität der Geschichte – Die gesellschaftliche Relativität in der Geschichtsbetrachtung – Varnhagens

'Denkwürdigkeiten des eignen Lebens': Herder – Ölsner – Der historische Sinn von vor 1848 – Das Erlebnis und die Geschichte – Varnhagens Schule: Karl Gutzkow – Karl Georg Jacob und Theodor Mundt – Hermann Marggraf – Der Memoirenstil – Arndts 'Erinnerungen des äusseren Lebens': Polemik gegen Varnhagen – Der Anlass: Varnhagens Urteil über den Freiherrn vom Stein – Varnhagens Rezension und Erwiderung – Perthes' Stellungnahme gegen Varnhagen – Varnhagens Antwort – Perthes und die Herausgabe des 'Vaterländischen Museums' – Protestantischer Jesuitismus – Das Sprachliche in der Geschichtsbetrachtung: Perthes – Die philologische Methode als weltbürgerliches Prinzip – Das Antike als Methode und die Aufhebung der Zeitdimension im literarischen Beleg – Die gesellschaftliche Voraussetzung – Die Individualität des Charakters: Arndt und Stein – Varnhagens dialektisches Lebensgefühl (Ein schematischer Versuch) – Varnhagen als Gegner der Parteilichkeit – Seine 'Denkungsart': Rahel – Varnhagen als Demokrat – Sozialistischer und christlicher Kommunismus – Der historische Ursprung von Varnhagens 'Denkungsart' – Die historische Kritik und die 'Tradition des Verständnisses'.

VORWORT

Varnhagen ist eine schwierige Persönlichkeit, und sein individuell geistesgeschichtlicher Standpunkt nicht eindeutig zu bestimmen. "Die verschiedenen
Einflüsse lassen sich" bei ihm, wie Dorothea Kazda schreibt, "nicht scharf
scheiden, sie sind auch zeitlich nicht ganz sicher zu trennen, denn es gibt
Epochen in Varnhagens Leben und Schaffen, wo sie ineinander fliessen, neben-
einander hergehen, wo ein Einfluss sich dem anderen angleicht" [1]. Solange er
deshalb Gegenstand einer Forschung bleibt, die ihn formal nach literarisch-
künstlerischen oder politisch-ideellen Gesichtspunkten einzuordnen sucht,
entsteht von ihm ein verzerrtes Bild, und dazu gehört vor allem jene "landläufig
gewordene Formel von Varnhagens hauptsächlicher Erbitterung über seine
Zurücksetzung", die, wie Heinrich Hubert Houben treffend bemerkt, geradezu
"eine fable convenue genannt werden muss" [2].

Das Bezugssystem, in welchem Varnhagens Persönlichkeit Leben gewinnt,
kann nur der Ausdruck dessen sein, was er selbst im einzelnen Fall jeweils
als den geschichtlichen Kern eines Geschehens erkannt hat, und insofern ist bei
ihm die auf seinen historischen Sinn gerichtete Fragestellung zunächst die angemessenste. Nachdem aber Friedrich Meinecke auch für diese Fragestellung
formale Grundsätze entwickelt hat, fehlt in ihr ebenfalls die ideelle Voraus-
setzungslosigkeit, die bei Varnhagen zu einer möglichst gerechten Beurteilung
notwendig ist. Was für ihn einen geistigen Anspruch enthielt, lag ursprünglich
in keinem weltanschaulichen Bedürfnis begründet, sondern es war die zunächst
stillschweigende Voraussetzung alles Faktischen, dem er in der realen Wirklichkeit begegnen konnte; denn beispielsweise "einer Dame, die ihm vorwarf, sie
vermöge nicht klug daraus zu werden, ob er nun heidnisch oder christlich,
monarchisch oder republikanisch gesinnt sei, durfte er zur Antwort geben,
sie müsse recht gut wissen, was er sei, denn indem sie das sage, setze sie voraus,
dass er ein Mann sei, dem man dergleichen sagen könne, und eben das sei ein
ganzes Glaubensbekenntnis wert" [3].

Je nach der Beschaffenheit seiner Umwelt wechselte Varnhagen daher seinen
Standpunkt, und das einzige, was bei ihm zuletzt immer noch unverändert
blieb, war die Beweglichkeit, mit der er jede Frage in ihrem Bezug zur Person
des Fragenden zu begreifen suchte. Im Hinblick auf seine eigene innere Ent-

---

[1] D. Kazda, Varnhagen von Ense als Novellist. Masch.-Diss. Phil. I (Wien 1932) S. 2.
[2] H. H. Houben. Varnhagen v. Ense, Karl August (1785-1858) In: Verbotene Literatur
von der klassischen Zeit bis zur Gegenwart I, 600.
[3] E. Heilborn. Die gute Stube, S. 27. Vgl. Varnhagens Notiz, 6. Dez. 1840: Tgb I,242.

wicklung äusserte sich darin aber eine teilweise opportunistische Gesinnung, und es ist deshalb um so mehr zu verstehen, dass von je die Historiker zur "Vorsicht" gemahnt haben, wenn es bei Varnhagens Äusserungen um den quellenmässigen Aussagewert ging [4]; da jedoch formal und faktisch nur ein Prinzip für die Tendenz, nicht aber für die Glaubwürdigkeit seiner Aussagen gefunden werden kann, erübrigt sich diese Vorsicht erst, wenn das historische Urteil auf einer ausreichenden Quellengrundlage beruht, und dementsprechend sind die vorliegenden Studien das Ergebnis einer möglichst umfassenden Quellenbearbeitung, die es im einzelnen erlauben soll, Varnhagens subjektiven Standpunkt allenfalls in seiner als politisch erkennbaren Tendenzgebundenheit zu beurteilen.

Unter dieser Voraussetzung kann auch die Frage nach der Glaubwürdigkeit nicht mehr an faktisch überlieferte Tatsachen geknüpft sein, sondern wird Varnhagen gegenüber zur Frage des Vertrauens schlechthin. Dazu kommt als Schwierigkeit, dass die Überlieferung seiner Schriften ungenügend ist und vor allem seit dem Zweiten Weltkrieg auch sein Nachlass als verschollen gilt [5]. Was er an zahlreichen gedruckten Aufzeichnungen und Darstellungen hinterlassen hat, ist in der Regel in mehreren Fassungen erschienen, wobei eine Reihe von Erstveröffentlichungen bibliographisch bisher noch gar nicht erschlossen waren, und wenn sich deshalb Carl Misch bei Varnhagens 'Denkwürdigkeiten' auf die "dritte posthume Auflage" stützte [6], gab er seinem Urteil von vornherein eine wiederum formal beschränkte Prägung. Anders soll dagegen die vorliegende Arbeit bei aller Beschränktheit, die sich aus der Quellenlage, aber auch aus der Fragestellung selbst ergeben musste, ein Versuch sein, an Hand von teilweise noch unbenutzten Dokumenten eine im einzelnen sogar philologisch differenzierende Auffassung zu begründen, die zwar ihrerseits eine formale Struktur aufweist, aber nicht voraussetzt, und insofern kann es sich bewusstermassen auch nur um einzelne Studien handeln.

Für die Hilfe und Hinweise, die mir bei der Erschliessung neuer Quellen zuteil geworden sind, danke ich allen Leitern und Assistenten der Archive und Bibliotheken, deren Bestände mir zugänglich waren. Für ihr persönliches Entgegenkommen bin ich ganz besonders Frl. Schippang (Berlin-West), Herrn Dr. Teitge (Berlin-Ost), Herrn Dr. Blühm (Bremen), Herrn Dr. Schmidt (Hamburg), Herrn Dr. Blum (Köln), Frl. Dr. Kuhn (Marbach a.N.), Herrn Dr. Witte (Marburg a.d.L.), Herrn Waldmann (Merseburg) und Herrn Prof. Dr. Hahn (Weimar) zu Dank verpflichtet. Nicht zuletzt aber danke ich allen

[4] Vgl. G. Hermann. Einleitung. In: Das Biedermeier im Spiegel seiner Zeit, S. 4. Dazu E. Friedländer. Blüchers Austritt aus dem Heere, FBPG 12 (1889) S. 98f. Dagegen H. Haberkant. Blüchers Hypochondrie, FBPG 39 (1927) S. 117. – F. Valjavec. Die Entstehung der politischen Strömungen in Deutschland, S. 133 A. 158; 160 A. 51. Vgl. ferner W. Busch. Die Berliner Märztage von 1848, S. 50f. Dagegen ebda. S. 67. Dagegen auch L. Geiger. In: Bettine von Arnim und Friedrich Wilhelm IV., S. 169 A. 1. O. Mallon. Bibliographische Bemerkungen zu Bettina von Arnims sämtlichen Werken. Zeitschrift für deutsche Philologie, 56 (1931) S. 464f. Ferner dazu P. Küpper nach W. Milch. Die Junge Bettine, S. 218.
[5] Vgl. zuletzt auch H.-J. Schoeps. In: S. L. Steinheim zum Gedenken, S. 4 A. 4.
[6] C. Misch. Varnhagen von Ense in Beruf und Politik, S. 140.

denen, die an meiner Arbeit ihr Interesse bekundet haben und durch ihre blosse Anteilnahme neue Hinweise lieferten oder Anregungen gaben. Dabei fühle ich mich vor allem Herrn Prof. Dr. von Muralt verpflichtet, wo es grundsätzlich um die Frage der politischen Verantwortlichkeit geht.

Ihm und meinem akademischen Betreuer Herrn Prof. Dr. Stadler danke ich für ihr entgegenkommendes Vertrauen, das mir bei der Ausarbeitung und Forschungsmethode die notwendige Freiheit gewährte.

Schliesslich danke ich aber auch meinem Verleger Herrn Dr. Horodisch, dessen wohlwollendes Interesse es ermöglichte, die vorliegende Arbeit in Buchform erscheinen zu lassen.

Lessing hat im zweiundfünfzigsten seiner 'Briefe die neuere Litteratur betreffend' erklärt: "Überhaupt aber glaube ich, dass der Name eines *wahren Geschichtschreibers* nur demjenigen zukömmt, der die Geschichte seiner Zeiten und seines Landes beschreibt. Denn nur der kann selbst als Zeuge auftreten und darf hoffen, auch von der Nachwelt als ein solcher geschätzt zu werden, wenn alle andere[n], die sich nur als Abhörer der eigentlichen Zeugen erweisen, nach wenig Jahren von ihresgleichen gewiss verdrungen sind" [1]. Im Bewusstsein der modernen kritischen Geschichtsforschung haben diese Worte faktisch keine Geltung mehr, während sie als geschichtsphilosophische Maxime immer noch nicht überwunden sind [2]. Da nämlich der Historiker selbst in seiner Geschichtlichkeit einen zeitgebundenen Standpunkt vertreten muss, kann seine Geschichtschreibung nicht von subjektiven Einflüssen frei bleiben, und wenn Lessing diesem Umstand durch die Wahl des Stoffes zu begegnen suchte, hatte er die Frage grundsätzlich nicht gelöst. Andrerseits aber bewies er dabei eine geistige Beweglichkeit, die es ihm ermöglichte, den Standpunkt des Historikers als ein von der Zeit beliebig abhängiges Ereignis aufzufassen, und dementsprechend konnte Lessing beispielsweise davon ausgehen, dass sein Standpunkt zeitlich auf die Zukunft hin berechnet war und, wie er in der Schrift über die 'Erziehung des Menschengeschlechts' bemerkte, für ihn keine "Zeit... verloren gehen würde" und er selber schliesslich sogar "die ganze Ewigkeit" sein eigen nennen dürfte. Wo er nämlich an die ältesten Vorstellungen einer Seelenwanderung erinnerte [3], versuchte er gleichzeitig auch ein geistiges Erlebnis deutlich zu machen, das ihm angesichts der Zeitlosigkeit des menschlichen Daseins zuteil geworden war. Doch um diese abstrakte Erfahrung zu beschreiben, konnten die sprachlichen Mittel allein nicht ausreichen, und es ist bezeichnend, dass Lessing selbst sich nicht scheute, seinen Gedanken an Hand eines Beispiels zu erklären, dessen eigene Beschaffenheit ihm dabei unwesentlich erschien; denn der Hinweis auf die Seelenwanderung bedeutete für ihn kein letztes religiöses Bekenntnis. Von der grundsätzlichen Einsicht in die Zeitlosigkeit des menschlichen Daseins zeugt dagegen auch der Satz aus dem zweiundfünfzigsten Literaturbrief.

Wie nämlich schon Gervinus erkannt hat, war die Frage nach der historischen

---

[1] G. E. Lessings sämtliche Schriften VIII, 146f. Z. 34ff.
[2] Vgl. E. Schmidt. Lessing I, 404. Dagegen F. Wagner. Moderne Geschichtschreibung, S. 47.
[3] G. E. Lessings sämtliche Schriften XIII, 435f. Z. 12ff.

Perspektive für denjenigen, der die "Geschichte seiner Zeit" schreiben wollte, nicht von vornherein gelöst, und er brauchte deshalb eine geistige Vorbereitung, um den geschichtlichen Stoff von einem entfernten Standpunkt objektiv betrachten zu können. Für Gervinus galt "diese Aufgabe" als "der schärfste Prüfstein der historischen Befähigung" überhaupt, doch in seiner Schlussfolgerung berücksichtigte er nur die eine Möglichkeit, "eine Geschichte der Gegenwart in die Ferne der Vergangenheit zu rücken", und in diesem Vorgang sah er die Vorarbeit, die der Geschichtschreiber seiner eigenen Zeit zu leisten hatte [4]. Dagegen verkannte Gervinus, dass es ebenso möglich sein musste, umgekehrt den Standpunkt des Historikers im Bereich der Zukunft zu wählen, wodurch die Gegenwart von selbst den Anschein der Vergangenheit erhalten musste. Eine derartige Beweglichkeit des Standpunktes war in Lessings geistiger Erlebniswelt durchaus denkbar, und sie entsprach seiner eigenen Persönlichkeit ursprünglich um so mehr, als er im Gegensatz zu Gervinus keine politischen Forderungen an seine Zeit stellte.

Den sprachlich verwegensten Ausdruck hatte dieser Gedanke gefunden, als 1798 Friedrich Schlegel erklärte: "Der Historiker ist ein rückwärts gekehrter Prophet" [5]. Was aber an Lessings historischem Standortsgefühl allgemein fragwürdig erscheinen musste, war auch durch diese Definition noch nicht geklärt. Mit Gewissheit knüpfte jedoch die Gegenwartsbezogenheit in der Geschichtschreibung an die Existenz des Historikers Voraussetzungen, die ihn notgedrungen der faktischen Realität entrücken mussten, und je unabhängiger er deshalb seine eigenen gesellschaftlichen Beziehungen gestalten konnte, desto zuverlässiger war sein Urteil über die "Geschichte seiner Zeit".

Die Frage nach Lessings geschichtlicher Weltanschauung erübrigte sich für den, der ihm an allgemeinem Abstrahierungsvermögen ebenbürtig war, und es ist nicht zu verkennen, dass sich diese Geistigkeit in einem Kreis wie demjenigen der Rahel Levin am längsten erhalten hat. In einer Aufzeichnung aus dem Jahr 1819 hat sie ihr Verhältnis zur Geschichte mit folgenden Worten beschrieben: "Geschichte ist in närrischen Händen sehr schädlich, und ein Grundirrthum über sie in Umlauf; man hört überall den höchsten fast bis zu den niedrigsten Ständen empfehlen, sie möchten die Geschichte fragen und studiren. Wer ist den vermögend, Geschichte zu schreiben oder zu lesen? Doch nur solche, die sie als Gegenwart verstehen! Nur diese vermögen das Vergangene zu beleben, und es sich gleichsam in Gegenwärtiges zu übersetzen. Daher ist das Wort von Friedrich Schlegel ... so sehr richtig; ..." [6]. Wenn sich nun Rahel ausdrücklich auf Schlegel berief, ging es ihr allerdings nicht nur um die historiographische, sondern zugleich auch um eine prophetische Aufgabe. Die Tatsache aber, dass sie selbst beispielsweise im Jahr 1808 bereits

[4] G. G. Gervinus. Vorrede. In: Geschichte des neunzehnten Jahrhunderts seit den Wiener Verträgen I, S. VIIf. Vgl. J. Wach. Das Verstehen III, 81 A. 4. F. Ernst. Zeitgeschehen und Geschichtschreibung. Die Welt als Geschichte, 17 (1957) S. 171.
[5] [F. Schlegel] Fragmente. Athenaeum, I/2 (1798) S. 20.
[6] Rahels Notiz, Berlin 3. Nov. 1819: Rahel. Ein Buch des Andenkens II, 599.

Napoleons Sieg über Ósterreich vorausgesagt hatte und recht behielt [7], war für sie persönlich bei aller Genugtuung, die sie darüber empfinden musste, keine faktische Bestätigung ihres auf den Bereich des Geistigen beschränkten Geschichtsbildes. Die Verwirklichung eines geistigen Erlebnisses in der Realität bot ihrer Auffassung nach keine Gewähr für dessen Verständlichkeit, und in diesem Sinn zitierte sie später einmal aus Lessings 'Emilia Galotti': "Hast Du darum Recht, weil Dir der Ausgang Recht giebt?" [8] Sobald in Rahel eine prophetische Stimme laut werden wollte, zeigten sich ihr Zusammenhänge, in welchen ihr eigener zeitgeschichtlicher Standpunkt in den Bereich der Zukünftigkeit rückte, und in solchen Augenblicken vergegenwärtigten sich ihr die verstorbenen Persönlichkeiten, denen sie sich innerlich verwandt fühlte. Fichtes Tod im Februar 1814 war ein äusserer Anlass der sie ganz in ihre geistige Erlebniswelt zurückdrängte; denn Fichte hatte vom Standpunkt Lessings den "Ausgang" der Freiheitskriege nicht einmal mehr erleben sollen und war doch selbst moralisch an ihrer Vorbereitung beteiligt gewesen. "Fast beschämt" fühlte sich Rahel, weil sie "leben geblieben" war, und sie erachtete es als notwendige Aufgabe, wenigstens so wie Fichte, aber auch Lessing, Racine und Voltaire einer Zeit vorgearbeitet hatten, die sie selbst nicht mehr erlebten, ihrerseits "durch Wort und That" auf die Zukunft hinzuwirken. Nachdem Lessing um dasselbe hatte "kämpfen" müssen, was zu Rahels Lebzeiten bereits ein "Gemeinplatz" geworden war, kam es ihr nun darauf an, "was er *jetzt* wieder den Anderen *vor*sprechen" würde, und damit war die prophetische Aufgabe umrissen, um deren Erfüllung es Rahel ging. Wenn Lessing aber erklärt hatte, dass "alle andere[n], die sich nur als Abhörer der eigentlichen Zeugen erweisen, nach wenig Jahren von ihresgleichen gewiss verdrungen" sein würden, war nun ein Zeitpunkt erreicht, den er selbst nicht vorausgesehen hatte; denn er, der damals gerade für Friedrich Schlegel und Rahel seinerseits noch Zeuge war, lebte als ursprünglicher "Erfinder" schon nicht mehr im Bewusstsein der Nachwelt [9], und erst durch die spätere quellenmässige Erschliessung seines literarischen Nachlasses und Werks begann sich das Andenken an seine Persönlichkeit wieder zu erneuern.

Für diese Tatsache, die auch Niebuhr erkannt hatte, wo er allgemein über die "Vergesslichkeit des Publikums" klagte [10], gebrauchte Rahel den Ausdruck: "... die Geschichte geht um eine Ecke" [11]. Es handelt sich dabei um einen Vorgang, der in seiner gedanklichen Folge keinen in sich selbst begründeten, kausalen Zusammenhang zeigt und deshalb eine zunächst unvorstellbare Wendung nimmt. Was nach kausalen Gesetzen grundsätzlich als konkretes

---

[7] Vgl. Rahel an Varnhagen, 27. Dez.; 18. Dez. 1808: Bfw I, 231; 212. Dazu Varnhagen an Rahel, Tübingen 25. Dez. 1808; Wien 30. Nov. 1809: Bfw I, 230; II, 23.
[8] Rahel an Varnhagen, Prag 17. Feb. 1814: Bfw III, 303. Vgl. G. E. Lessings sämtliche Schriften II, 397 Z. 8f.
[9] Rahel an Varnhagen, 14. Feb.; Prag 17. Feb. 1814: Bfw III, 297ff.; 300.
[10] B. G. Niebuhr, Dez. 1814. In: Preussens Recht gegen den sächsischen Hof, S. 3. Vgl. auch Über geheime Verbindungen im preussischen Staat und deren Denunciation, S. 26.
[11] Varnhagen an Düntzer, Berlin 26. März 1854: Köln UuStB. Vgl. Varnhagen an A. Bölte, Berlin 5. Dez. 1848: Briefe an eine Freundin, S. 133.

Ergebnis einer Handlung zu erwarten gewesen wäre, wurde bei Rahel dadurch, dass es inzwischen den Gegenstand einer vorausblickenden Betrachtung gebildet hatte, dem Bereich der Realität entrückt und war in seiner kausalen Verknüpfung schliesslich nur als geistiges Ereignis zu erkennen. Je nach dem Standpunkt des historisch Betrachtenden könnte es allerdings auch faktisch den ursprünglichen Erwartungen scheinbar immer noch entsprechen. Aber was Rahel mit ihrer aphoristischen Bemerkung über den Weg der Geschichte aussprach, galt nur, insofern es sich um die Entwicklung fortschrittlicher Ideen handelte, deren konkrete Verwirklichung plötzlich nicht mehr greifbar zu sein schien. Dabei dachte Rahel selbst so unrealistisch, dass sie sich umgekehrt auch dem Wahrheitsgehalt alles Scheinbaren in ihrer Umgebung nicht verschliessen konnte, und nur in moralischer Hinsicht stimmte sie mit Goethes Iphigenie überein, wenn sie meinte: "Die Lüge befreit nicht die Brust, wie jedes andre wahrgesprochene Wort!" [12] Soweit jedoch Rahel ihre eigene innere Widersprüchlichkeit zu überwinden vermochte, kam es ihr zugute, dass sie eine grosse Belesenheit besass. Denn sobald sie für ihr innerlich gespaltenes Dasein einen literarischen Ausdruck gefunden hatte, rückte es in ein verlockendes Licht. Was sie aber zunächst nur im Bereich der Sprache und Literatur gegenüber bittersten Anfechtungen durchzusetzen begann, und was damit noch auf einen künstlichen Lebensraum beschränkt blieb, war für die reale Welt eine ständige Bedrohung, indem es plötzlich Ausgangspunkt einer konkreten, politisch geführten Bewegung werden konnte, und im Hinblick darauf hat Varnhagen seine 'Beyträge zur allgemeinen Geschichte' geschrieben und durch Cotta im 'Morgenblatt für gebildete Stände' veröffentlichen lassen [13].

Karl August Varnhagen von Ense, geboren am 21. Februar 1785 in Düsseldorf, gestorben in Berlin am 10. Oktober 1858, war mit Rahel seit dem Jahr 1808 aufs engste befreundet. Der Einfluss, den ihre Geistigkeit auf seine historische Denkart ausübte, hat Varnhagen auch persönlich wesentlich geprägt, obgleich ihn ursprünglich nur Rahels äussere Erscheinung und vor allem ihr gesellschaftliches Auftreten beeindruckt hatten [14]. Während sie jedoch selbst ihre historischen Betrachtungen hauptsächlich in privaten Briefen aussprach, hat Varnhagen sich zwar keine eigenständige, aber eine dennoch individuelle literarische Ausdrucksform geschaffen, wenn er in den 'Beyträgen zur allgemeinen Geschichte' die romantische Fragmentkunst auf die Geschichtschreibung anwandte.

Es handelt sich bei diesem historiographischen Versuch um eine unzusammenhängende Folge anekdotischer Schilderungen, in denen ein Vorfall zur Sprache kommt, an dessen Verlauf der Übergangsbereich zwischen geistiger und realer Existenz sichtbar wird. Die einzelnen Stücke tragen Überschriften,

---

[12] Rahels Notiz, 18. März 1825: Rahel. Ein Buch des Andenkens III, 190. Vgl. Goethes Werke X, 60 Z. 1405ff. Ferner H. Arendt. Rahel Varnhagen, S. 22f.
[13] Vgl. unten S. 31.
[14] Vgl. Varnhagen an Perthes, Berlin 15. April 1833: Rahels Tod. Berliner Tageblatt, 17. Mai 1918 Nr. 249.

die meistens abstrakte Begriffe wie "Vaterland", "Politik", "Adel", "Industrie" und ähnliche bezeichnen. Insofern nun die Vorstellung, die sich an diese Begriffe knüpft, mit dem jeweils dazu geschilderten Vorgang faktisch in keinem kausalen Verhältnis steht, rückt der Vorgang selbst in ein fragwürdiges Licht; gleichzeitig aber entsteht eine witzige Spannung. Varnhagen war sich dieser Wirkung völlig bewusst, und in ihr kam zunächst auch seine persönliche Absicht zum Ausdruck, wenn er, wie er an Cotta schrieb, mit seinen "Histörchen" namentlich "nicht langweilig" sein wollte [15]. Gegenüber der Leserschaft hat er dieses Ziel durch einen in sich selbst schon genügend witzigen Vergleich anschaulich zu machen versucht, indem er einleitend ausführte: "Wenn die Überschriften oft im Streite scheinen mit dem Inhalt, so ist zu bedenken, dass der arme Nordwind, der, in eine krumme Strasse gestürzt, und gedrängt von nachfolgenden Lüften, sich nach der Wendung der Strasse bequemen, und vielleicht wieder nach Norden herum blasen muss, doch immer Nordwind bleibt. Und so möget Ihr Euch denn gütig an den wunderlichen Sprüngen ergetzen, in denen Wahrheit und Lüge wetteifern, und genau so viel Verstand als Unsinn sich bemüht" [16].

Was Varnhagen zur Niederschrift seiner 'Beyträge' veranlasste, waren in der Regel kleinere Begebenheiten wie beispielsweise anlässlich eines Erdbebens, das sich 1809 in Wien ereignet haben soll und das er unter dem geistreich sprechenden Titel "Staatsumwälzungen" folgendermassen zu einem an sich unbedeutenden Vorfall in Beziehung setzte. "In W ...", erzählte er, "verspürte man im Jahr 1809 einen Erdstoss; der Tisch, woran der Vater mit seinem Sohne schrieb wankte plötzlich, und rasch gab der Vater dem Kinde eine Ohrfeige, weil es an den Tisch gestossen; doch dieses weinte, und betheuerte still gewesen zu seyn; endlich kamen Leute und fragten, ob denn hier auch das Erdbeben verspürt worden?" [17] In seinen Jahrzehnte später veröffentlichten 'Denkwürdigkeiten' kam Varnhagen noch einmal auf dasselbe Ereignis zu sprechen und deutete es nun ausdrücklich als ein für den allgemeinen Gang der Geschichte typisches Geschehen. Ihm selbst war es zuerst nicht eingefallen, hinter den plötzlichen Erschütterungen "eine so grosse Ursache zu vermuthen", und erst durch das "Geschichtchen" von dem Vater und seinem Kind öffnete sich ihm der Blick für den geschichtlichen Raum, in welchem die Kausalität nicht unmittelbar zu erkennen sein konnte [18].

Eine entscheidende Voraussetzung bildete dabei der Umstand, dass Varnhagen seine Einsicht aus einem persönlichen Erlebnis gewonnen hatte, und indem er überhaupt fähig wurde, ein äusseres Ereignis als Wirkung einer tieferen, nicht kausal erklärbaren Ursache wahrzunehmen, und keine von vornherein geprägten, formalen Begriffe bei seiner Beurteilungsweise gebrauchte, war ihm

---

[15] Varnhagen an Cotta, Prag 17. Sept. 1811: SNM Cotta-Archiv Nr. 5.
[16] Beyträge zur allgemeinen Geschichte. Morgenblatt für gebildete Stände, 7 (1813) S. 880.
[17] Beyträge zur allgemeinen Geschichte, a.a.O. S. 883.
[18] Aus Varnhagen's Denkwürdigkeiten. Rheinisches Jahrbuch, 1 (1846) S. 223. Dkw VIII, 66f. II³, 326f.

18

Rahels begnadete Begeisterungsfähigkeit vorbildlich. Gerade ihr konnte er deshalb auch berichten, was er bei seiner sicherlich sehr oberflächlichen Beschäftigung mit mittelalterlicher Geschichte innerlich erfahren hatte. "Von inniger Liebe", schrieb er ihr, "fühlt'ich mich eines Abends für den grossen Kaiser Friedrich Barbarossa erglüht, eine Liebe, wie sonst nur Gegenwart sie erwecken kann;...", und in einem längeren Abschnitt äusserte er sich brieflich "über die Geschichte des deutschen Kaisers Heinrich IV.", von dem er bemerkte: "Er hat manchen Zug in seinem Karakter, dieser glücklich-unglückliche Kaiser, den ich in der tiefsten Seele verstehe, Schwäche und Stärke wie ich! Und durchaus keine willkürliche Annahme ist dabei, sondern meine Ansicht ist aufgewachsen mit meinem Lesen der Geschichtbücher. Heinrich wollte geliebt sein, ohne es zu wissen, dass er dies wollte; alles was ihn nur als Kaiser, als Helden, als edlen Regenten verehrte, war ihm verhasst, ... und nur die waren ihm heilig und unveränderlich lieb, die seiner Person, dieser in ihm dargestellten Menschenformation, zugethan waren. Ein schöner, lauterer Naturtrieb!" [19].

In diesen Äusserungen, die Varnhagen im Alter von dreiundzwanzig Jahren niederschrieb, zeigen sich bereits die grundsätzlichen Schwächen einer einseitig auf das zeitgeschichtliche Standortsgefühl abgestimmten Geschichtsbetrachtung; denn was an deren Gegenwartsbezogenheit fragwürdig erscheinen musste, konnte einem zünftigen Historiker, sobald es Stoffe der Vergangenheit betraf, nicht verborgen bleiben. Als Varnhagen 1830 Stenzels zweibändige 'Geschichte Deutschlands unter den fränkischen Kaisern' öffentlich besprach, erwies es sich, dass er zur mittelalterlichen Geschichte kein Verhältnis hatte. "Der arme Varnhagen", schrieb Stenzel damals in einem Brief, "hat meine Franken... wider Willen gelobt. Er hat ja (wahrscheinlich zum ersten Mal in seinem Leben) zwei Quellen des Mittelalters nachgeschlagen" [20]. Und gerade bei der Beurteilung Heinrichs IV. durfte Varnhagen seine Meinung nicht für so "unvorgefasst" ausgeben, wie er es als Rezensent ausdrücklich tat. Auch wenn er sie nämlich direkt "nach eignem Anschauen aus den Quellen... geschöpft haben" wollte, enthielt sie doch zuletzt nur die nachträgliche Bestätigung seiner früher schon gefestigten Ansicht. Dabei war es bezeichnend, dass er erst in Zukunft eine endgültige Einsicht für möglich hielt, und damit rückte die ganze Frage in jenen geistigen Existenzbereich, in dem Zeitunterschiede die geschichtliche Betrachtung nicht mehr beeinflussen können. An diese Voraussetzung knüpften sich die Sätze, mit denen Varnhagen seine Auffassung von Heinrich IV. begründete. "Es scheint", erklärte er in der Rezension, "der wahre Schlüssel zu diesem Karakter noch nicht aufgefunden zu sein; vielleicht ist dies künftigen, mit menschenkundigerem Seherblicke begabten Forschern aufbehalten, vielleicht öffnet sich ein solches Verständniss auch von selbst aus

[19] Varnhagen an Rahel, [Tübingen] 21. Dez. 1808: Bfw I, 223f. Vgl. Varnhagen. Scheidewege. Tübingen 1808. 1809. Der Freihafen, 1 (1838) S. 29f. Dkw III, 120. II², 75. II³, 173.
[20] Stenzel an Perthes, [1830]: K. G. W. Stenzel. Gustav Adolf Harald Stenzels Leben, S. 173.

einstiger Andersstellung der Geschichtsbestandteile überhaupt, welche plötzlich einen hellen Durchblick auf das gestatten mögen, was bis dahin in tiefem Schatten lag!" [21]

Die Fragestellung, von der Varnhagen bei der kritischen Beurteilung wissenschaftlicher Literatur ausging, wurde dem einzelnen Forschungsgegenstand kaum je gerecht, und vom Standpunkt der historisch-kritischen Methode waren seine Rezensionen geradezu ein Ärgernis für die Wissenschaft. Die geistreiche Art, mit der er gegenüber den "strengen Historikern" sein zeitgeschichtliches Standortsgefühl verteidigte, führte schliesslich auch zu einer offenen publizistischen Fehde, für die gerade seine Rezension der 'Geschichte Deutschlands unter den Fränkischen Kaisern' den Anlass gab. Bei aller Hochachtung, die er Stenzel als reinem Forscher entgegenbrachte, hatte er ihm trotzdem vorgeworfen, dass er seinerseits gegen Raumers 'Geschichte der Hohenstaufen' kritische Bemerkungen gemacht habe und dabei faktisch bloss dem Urteil des Historikers Schlosser gefolgt sei, welcher andrerseits vom Standpunkt der historisch-kritischen Methode das Vertrauen Stenzels nicht hätte besitzen dürfen. Schlosser war nämlich für seine unsorgfältige Quellenbenützung ziemlich berüchtigt, und nachdem ihm sogar Stenzel diesen Vorwurf nicht ersparte, folgerte Varnhagen, dass dieser, insofern er sich gegenüber Raumer auf Schlosser berief, geradezu "partheiisch" erscheine.

Damit hatte Varnhagen dem "strengen Historiker" einen Mangel an sachlicher Konsequenz nachgewiesen, und im Hinblick auf das enge Freundschaftsverhältnis, das zwischen Stenzel und Schlosser bestand, war er bei seiner Beweisführung äusserst geistreich verfahren. Faktisch verhielt es sich dagegen nicht so einseitig, wie Varnhagen den Fall darstellte. Stenzel hatte nämlich die Ergebnisse von Schlossers Forschungen teilweise sogar bestätigt, und die mangelnde Konsequenz folgte zunächst nur aus Varnhagens zeitgeschichtlicher Gewohnheit, quellenmässig zwischen den Zeugnissen aus dem Mittelalter und den Aussagen eines Zeitgenossen wie Schlosser keinen Unterschied zu machen. Deshalb war der Widerspruch, den er bei Stenzel wahrzunehmen glaubte, schliesslich nur der Ausdruck jener gestörten Kausalität, die er in seinen 'Beyträgen zu allgemeinen Geschichte' jeweils als entscheidendes, geschichtsbildendes Ereignis zu veranschaulichen suchte. Für diesen allgemein historischen Vorgang war nun plötzlich die Methode des Historikers selbst ein Beispiel geworden, und so schloss Varnhagen seine Rezension mit folgenden entsprechend zugespitzten Worten, die er persönlich gegen Stenzel richtete: "Jemand der überall sich rühmt und sich etwas damit weiss, ein strenger Pedant zu sein, sollte doch solchen Leichtsinn und Fahrigkeit von sich entfernt halten! Wir sagen dies der sonstigen grossen Verdienste Schlossers unbeschadet, nur möchten wir warnen gegen das allzu schnöde Absprechen und Richten im stolzen Selbstgenügen eines gelehrten Wissens, das zwar allzeit nothwendig zu fordern und an sich respektabel, aber gar nicht vor dem Missgeschicke bewahrt

---

[21] Varnhagens Rezension, JfwK 1 (1830) Sp. 812. Zur Geschichtsschreibung, S. 278.

ist, mitten im schönsten Prunke bisweilen gar hässliche Blössen sehn zu lassen" [22].

Gegen diese Einwände hat sich zwar nicht Stenzel, aber Schlosser in seinem 'Archiv für Geschichte und Literatur' ausdrücklich verwahrt und die "ungebührliche Weise", mit der Varnhagen Stenzel zur "Rede gestellt" und Raumer in Schutz genommen habe, getadelt. Ehe er sich aber, wie er schrieb, "zur Sache" wandte, fügte Schlosser eine persönlich auf Varnhagen gemünzte Bemerkung ein, die der Auseinandersetzung plötzlich eine entschieden unwissenschaftliche Wendung gab. Schlosser erklärte nämlich: "Hr. Varnhagen ist ein alter Bekannter des Verf[assers] dieser Anzeige, er will ihm daher nichts Unangenehmes sagen, sondern fragt nur die Gelehrten, wie auf einmal Saul unter die Propheten, oder, wenn das höflicher ist, der Prophet unter die Saule kommt?" [23] Schlosser war, wie auch seine eigene Aussage bestätigt, mit Varnhagen genügend bekannt, um dessen verfängliche Denkweise durchschauen zu können, und nachdem er ihn von vornherein nicht für zuständig hielt, unter zünftigen Historikern das Wort zu führen, bestand für eine sachliche Lösung keine Möglichkeit mehr. Schlosser legte Varnhagen auf dessen persönlichen Standpunkt fest und zwang ihn zu einem existentiellen Bekenntnis, das sich jedoch, sobald es ausgesprochen war, gegen Schlosser selbst nachteilig auszuwirken begann. Sowie sich nämlich in ihnen nur noch der standesbewusste Fachmann und der unabhängige Publizist gegenüberstanden, konnte seinerseits Varnhagen von vornherein seinen Vorteil wahrnehmen, wenn er die ganze Frage weiterhin vor der Öffentlichkeit behandelte und den Historiker als Vertreter einer Berufsgruppe und damit einer standesmässig beschränkten Geschichtsbetrachtung für "partheiisch" erklärte. Seine Antwort 'An Herrn Schlosser in Heidelberg', die ursprünglich ausserdem den anmassenden Titel 'Abfertigung' trug, enthielt am Ende einer umständlichen, teilweise quellenmässig gestützten Darlegung der sachlichen und persönlichen Verhältnisse die wichtigen Sätze, in denen er sich wörtlich mit Schlossers polemischer Frage auseinandersetzte. "Meinen Sie", fragte er zurück, "dass ich kein *Professor* der Geschichte bin, so haben Sie recht; ich verlange es auch gar nicht zu sein, am wenigsten einer, der ohne geistige Ansicht und Richtung nur immer in den rohen Stoffen der Geschichte mit zuweilen sehr unreinen Händen umherwühlt, und eine noch zu prüfende Kunde von massenweis aufgehäuften Materialien für tiefe Geschichtseinsicht hält. Die Verdienste, welche man nicht allein um die Anordnung, sondern auch, ich gestehe es, um die blosse Durchrüttelung der Geschichtsmaterialien haben kann, bin ich jederzeit anzuerkennen willig, aber ich werde dagegen den

[22] Varnhagens Rezension, JfwK 1 (1830) Sp. 814; 815f. Zur Geschichtschreibung, S. 281; 282. Vgl. G. A. H. Stenzel. Geschichte Deutschlands unter den Fränkischen Kaisern I, 78 A. 4; 93 A. 10; 96 A. 16; 470 A.30; 477 A. 47; 521 A. 6. Dagegen ebda S. 31 A. 33; 45 A. 15; 126 A. 63; 155 A. 1; 159 A. 7; 211 A. 54; 470 A. 29; 478 A. 48. Ferner ebda II,158 u. ff. Dazu F. C. Schlosser. Vorrede. In: Weltgeschichte in zusammenhängender Erzählung III/1, S. Vff. — Vgl. auch Stenzel an Maria: K. G. W. Stenzel, a.a.O. S. 129. Schlosser an Stenzel, Heidelberg 27. Feb. 1828: ebda S. 479.
[23] F. C. Schlosser. Über die neusten Bereicherungen der Literatur der deutschen Geschichte. Archiv für Geschichte und Literatur, 2 (1831) S. 312.

thörichten Dünkel nur belächeln, der mit der halben oder viertels Arbeit schon die ganze geleistet zu haben wähnt. Sie sehen aus diesem Bekenntniss, dass, wenn ich auch Saul wäre, Sie mir noch für keinen Propheten gelten, und selbst als ein rückwärts gekehrter, wie Friedrich Schlegel einst den Historiker bezeichnete, noch kein vollständiger sein würden!" [24]

Da nun Varnhagen für den Standpunkt des Historikers verschiedene Stufen der Betrachtungsweise unterschied, befand sich auch der berufsmässige Forscher in einer entsprechenden Abhängigkeit, und solange sein Beruf mit einer auf Erwerb gerichteten Tätigkeit verbunden war, musste für ihn nach Varnhagens Auffassung ein geistiger Überblick von vornherein erschwert bleiben. Wenn es Varnhagen selber dagegen zunächst um die Geistigkeit seiner Anschauungsweise ging und er erst nachträglich an die Erhaltung seiner Existenz dachte, wurde sein Beruf für ihn persönlich immer auch der Ausdruck seiner menschlichen Bestimmung, und deshalb bewahrte er sein ganzes Leben eine Art Selbstgefälligkeit, die angesichts der Tatsache, dass er keine epochalen Leistungen vollbrachte, um so fragwürdiger erscheint [25]. Daher wird eine Beurteilung, die sich im wesentlichen nach dem äusserlich greifbaren Erfolg richtet, seiner zwiespältigen Persönlichkeit nie angemessen sein können; denn für ihn, dem ebenso wie Rahel Lessings Ausspruch aus 'Emilia Galotti' völlig geläufig war, galten die äusseren Ereignisse zunächst wenig [26]. Erst in einem allgemeinen geschichtlichen Zusammenhang erkannte Varnhagen die Bedeutung einzelner Begebenheiten, und diese Erkenntnis war ihrerseits wieder davon abhängig, dass die Widersprüchlichkeit, die sich durch den Einbruch der Kausalität in der realen Wirklichkeit offenbarte, keinen Anstoss erregte [27], sondern als ein welthistorischer Grundsatz im Bewusstsein blieb. In diesem Sinn ist die polemische Auseinandersetzung zwischen Varnhagen und Schlosser ein anschauliches Beispiel für die Anstössigkeit, die Varnhagen erregen musste, wenn er seine geschichtliche Betrachtungsweise sogar bei seinen Freunden stillschweigend voraussetzte. Aber andrerseits erwies er sich Schlosser gegenüber nicht als nachtragend, und in seinen 'Denkwürdigkeiten' schilderte er den ehemaligen Freund in einem durchaus wohlwollenden Licht [28].

[24] Varnhagens Abfertigung. An Herrn Schlosser in Heidelberg, Anzeigeblatt zu den JfwK (1831) Nr. 3 Sp. 6. Zur Geschichtschreibung, S. 289f.
[25] Vgl. E. Heilborn. Varnhagen und Rahel. Velhagen & Klasings Monatshefte, 1 (1908/1909) S. 455 "Das ist das Unmoralische an aller Erfolglosigkeit, dass sie treulos macht".
[26] Vgl. Varnhagen an Perthes, Paris 23. Aug. 1815: HH StA Perthes Nachlass I M 9b Bl 156-157 "Ich sollte vielleicht mit meiner Antwort auf Ihren Brief... noch länger warten, weil ich mich dann vielleicht eben auch wie Sie hinter die Thatsachen stellen und den Ausgang für mich reden lassen könnte, wo ich jetzt nur Ansichten und Meinungen habe; allein mir fällt Lessings 'hast Du darum Recht, weil Dir der Ausgang Recht giebt?' ein, und ich will auf solche Weise nicht Recht haben, sondern begebe mich des Vortheils, den sonst ein Paar Monate in dieser Zeit wohl bringen könnten". – Vgl. auch Varnhagen an Wessenberg, Karlsruhe 20. Nov. 1818: Hbg UB HsAbt Heid Hs 695 Bl 265-266 "Es ist für mich ausgemacht, dass... man sich alle... Anträge ersparen könnte, wenn nicht das wirkliche Misslingen für die Schwachen als Erfahrung nöthig wäre, wo der Kundige mit der Überzeugung davon beruhigt ist". Ferner Varnhagen. Karl Müller. In: Karl Müller's Leben und Kleine Schriften, S. 19. VSchr VIII, 306. III³, 106.
[27] Vgl. unten S. 31 A. 68.
[28] Vgl. Dkw NF III (= VII), 274ff. V³, 16ff. Ferner dazu Varnhagen an Gruner,

Die Gemeinschaft im materiellen Lebenskampf war für Varnhagen das Verbindende unter den Menschen, und je geistreicher der Einzelne seine eigenen Aufgaben auffasste und in Sprache umsetzte, desto wirkungsvoller gestaltete sich um ihn geselliges Leben. Wenn Varnhagen deshalb überhaupt ein gesellschaftliches Standesbewusstsein hatte, war es immer nur der Ausdruck dieser geistreichen Lebenshaltung, und es ist bezeichnend, dass er dazu ähnlich wie Lessing beim Theater die konkreten Voraussetzungen fand [29]. Was Varnhagen jedoch in geschichtlicher und beruflicher Hinsicht mit Lessing, aber auch mit Rahel verband [30], entsprang einer Vorstellungswelt, deren reale Verwirklichung Varnhagen persönlich zuerst im Umgang mit Fichte sichtbar geworden war. Schon die erste Zeit ihrer Bekanntschaft wurde nämlich für Varnhagen ein Ereignis, das sich in der Folge auf sein ganzes späteres Leben auswirken sollte. Was ihn bereits damals in den Jahren 1803 und 1804 an Fichte beeindruckte, war die innere Folgerichtigkeit, mit der er seine Anschauungen in die Realität umsetzte. "Hier", schrieb Varnhagen rückblickend, "sah ich einen Weisen, dessen Handlungen mit seinen Worten und Lehren Eins waren, und der vom Lichte der Gedanken wie von sittlicher Würde strahlte" [31].

Das Beispiel Fichtes war dabei um so eindrücklicher, als es zugleich auch die Frage nach der Geschichtlichkeit anschaulich machte. Denn Varnhagens zeitgeschichtliche Betrachtungsweise leitete sich von der philosophischen Geschichtsauffassung her, die Fichte 1804 und 1805 in seinen Vorlesungen über 'Die Grundzüge des gegenwärtigen Zeitalters' ausführlich dargelegt hatte. Im einzelnen jedoch blieben Fichtes theoretische Erörterungen für Varnhagen wertlos, und was er sich von dessen Ausdrucksweise aneignete, konnte ihm ebenso auch durch die geistige Vermittlung Rahels geläufig sein. Solange er aber persönlich mit Fichte in Verbindung stand, hatte Varnhagen faktisch den unmittelbarsten Einblick in die Anwendung seiner Philosophie. Denn als Fichte beispielsweise in den 'Grundzügen des gegenwärtigen Zeitalters' fünf sogenannte "Hauptepochen" unterschied und sie mit allgemein bekannten biblischen Ausdrücken

---

Karlsruhe 20. Dez. 1817: Bln StB StPrKb HsAbt Ms. Germ. Quart. 1988 Bl 21-22 "...davon sei Ihnen die Empfehlung Zeugniss, die ich hier von F. C. Schlossers allgemeiner Weltgeschichte beifügen will... Der Verfasser... ist zuverlässig der ausgezeichnetste Geschichtslehrer, den wir haben". Varnhagen an Ölsner, Berlin 19. Sept. 1823: Ölsner-Bfw III, 139f. Varnhagen an Goethe, Berlin 10. Aug. 1831: Goethe-Jb 14 (1893) S. 92f. Varnhagen an Lappenberg, Berlin 10. Aug. 1831: HH StA Familie Lappenberg C 38a "...meine Abfertigung Schlossers, die der tolle Mensch endlich abgedrungen hat. Ich hätte ihm die harten Streiche gern erspart, ...". Dagegen Varnhagen an Rahel, Berlin 26. Okt. 1817: Bfw V, 257. Vgl. auch R. Haym. Varnhagen von Ense. Preussische Jahrbücher, 11 (1863) S. 500.
[29] [Varnhagens Artikel] Prag Okt. Morgenblatt für gebildete Stände, 5 (1811) S. 1040; 1044. Dazu ferner Aus Varnhagen's Denkwürdigkeiten. Rheinisches Jahrbuch, 1 (1846) S. 213ff. Dkw VIII, 56ff. II³, 318ff. Vgl. auch Varnhagen. Reiz und Liebe. In: Deutsche Erzählungen, S. 109ff. Dazu D. Kazda, a.a.O. S. 18 "Einen realen Erlebnishintergrund hat vielleicht auch die Novelle 'Reiz und Liebe', zumindesten in der Milieuzeichnung, die die Eintönigkeit der Prager Garnison... und die Abwechslung, die der Wiener Aufenthalt brachte, wiederspiegelt".
[30] Vgl. dazu Varnhagen an Lappenberg, Berlin 28. Sept. 1834: HH StuUB HsAbt Literatur-Archiv 1930. 309 "Dass Sie meiner Rahel so gut gedenken, thut meiner innersten Seele wohl. 'Ein weiblicher Lessing', sehr schön und bezeichnend; ich bejahe es gern...".
[31] Dkw II, 34. I², 287f. I³, 235. Vgl. F. Römer. Varnhagen von Ense als Romantiker, S. 25.

bezeichnete, stimmte er seine Rede pädagogisch geschickt auf ein Publikum ab, dem die paradoxe Erläuterung der existentiellen Lebensfrage unmittelbar kaum verständlich sein konnte, und dementsprechend verzerrte sich in seinen von ihm publizistisch aufgefassten Schriften seine eigene Ansicht. Die Bezeichnungen "Stand der Unschuld des Menschengeschlechts", "Stand der anhebenden Sünde", "Stand der vollendeten Sündhaftigkeit", "Stand der anhebenden Rechtfertigung" und "Stand der vollendeten Rechtfertigung und Heiligung" gebrauchte Fichte grundsätzlich nur als Sinnbilder jener geistigen Entwicklung, die den inneren Übergang aus dem Bereich der Realität in den des Bewusstseins ausmacht [32]. Auf die Geschichtlichkeit dieses Geschehens und auf die Gefahr, die es für die individuelle Existenz darstellte, kam er dagegen unmissverständlich in einem erst nach seinem Tod veröffentlichten 'politischen Fragment' zu sprechen, wo er zusammenfassend feststellte: "Ein Zeitalter erkennen, heisst: den allgemeinen Glauben desselben erkennen und den Punkt, wo der Verstand durchbrechen will ... Der Standpunkt des Krieges zwischen Glauben und Verstand ist der Standpunkt der Zeitgeschichte" [33]. Bloss insofern die geschichtlich-existentielle Betrachtungsweise zur Überprüfung des eigenen Standpunkts führte und der Einzelne gewissermassen die Rolle seines eigenen "Menschenbeobachters" übernehmen sollte, konnte in Fichtes philosophischer Haltung ein religiöses Empfinden sichtbar werden [34]. Für Varnhagen dagegen ergab sich der geistige Zugang zur Fichteschen Philosophie grundsätzlich nur aus seiner direkten Bekanntschaft mit Fichte selber, und dementsprechend hat dieser seinerseits dem geselligen Verkehr einen grossen Wert beigelegt, wenn er seine Anschauungen persönlich zunächst in Vorträgen aussprach und erst nachträglich in publizistischer Form bekannt machte. Wie begrenzt dadurch sein Wirkungskreis bleiben konnte, zeigte sich am auffallendsten anlässlich seiner 'Reden an die deutsche Nation', deren weite Verbreitung später vergessen liess, dass sie ursprünglich kaum an die Öffentlichkeit gelangt waren. Nachdem nämlich Zensurschwierigkeiten den Abdruck verzögerten und vor allem die Höhe des Eintrittspreises auf das breite Publikum abschreckend wirkte [35], bildete die um Fichte versammelte Hörerschaft schliesslich eine geradezu exklusive Gemeinschaft, in der Varnhagen fast alle seiner zahlreichen vertrauteren Freunde vermisste, und überhaupt erwähnte er in den 'Denkwürdig-

[32] J. G. Fichte's sämmtliche Werke VII, 67 u. ff.; 11f. Vgl. W. Windelband. Fichtes Geschichtsphilosophie. In: Präludien I, 266f.
[33] J. G. Fichte's sämmtliche Werke VII, 599.
[34] Vgl. E. Bergmann. J. G. Fichte, der Erzieher, S. 67ff. Ferner auch E. Hirsch. Christentum und Geschichte in Fichtes Philosophie, S. 61. Dazu J. G. Fichte's sämmtliche Werke VII, 5.
[35] Vgl. R. Körner. Die Wirkung der Reden Fichtes, FBPG 40 (1927) S. 69. Dazu Fichtes Anzeige in der Beilage der Vossischen Zeitung, Berlin 10. Dez. 1807: F. Fröhlich. Fichtes Reden an die deutsche Nation, S. 4f. Dagegen Dkw II[3], 84 "... die andern hielten sich davon zurück, ungeachtet das geringe, einem wohlthätigen Zwecke bestimmte Honorar von noch nicht voll zwei Thalern den Eintritt möglichst erleichterte". Vgl. Dkw III, 58. I[2], 493. Ferner M. Lehmann. Fichtes Reden an die deutsche Nation vor der preussischen Zensur. Preussische Jahrbücher, 82 (1895) S. 501ff. F. Fröhlich, a.a.O. S. 98 u. ff.

keiten' nur vier der Anwesenden mit Namen, zu denen allerdings derjenige Rahels gehörte [36].

Die Bedeutung, die gerade dem Historiker in der Gesellschaft zukommen musste, war durch die philosophische Prägung bei Fichte nicht unmittelbar zu erkennen, und für diese Tatsache erwies sich eine andere Begegnung im Leben Varnhagens als wesentlich. Im selben Jahr, in dem Fichte seine 'Reden an die deutsche Nation' ankündigte, hatte Varnhagen in Berlin den ehemals königlichen Historiographen Johannes von Müller kennengelernt, und an diese Bekanntschaft knüpften sich weitere Verbindungen, die Varnhagen einen neuen gesellschaftlichen Lebensraum erschlossen. Um sich aber für Johannes von Müller ebenso wie für Fichte begeistern zu können, fehlte Varnhagen die Bestätigung durch den äusseren Eindruck. Denn was bei Fichte "sittlicher Würde" zu entspringen schien, war bei Johannes von Müller zunächst nur beklemmend oder lächerlich, je nachdem die innere Zwiespältigkeit seiner Person Mitleid oder Heiterkeit erregte. Varnhagen und sein damals vielleicht innigster Freund Wilhelm Neumann haben die lächerliche Seite mit grossem Vergnügen betrachtet, und in dem von ihnen gemeinsam zusammengestellten Romanfragment 'Die Versuche und Hindernisse Karls' waren sie schamlos genug, den berühmten Historiker als komische Figur literarisch zu verspotten [37]. Erst nachdem Rahel Johannes von Müllers persönliche Schwächen als Ausdruck seiner eigenen Geschichtlichkeit begreifen wollte, sah auch Varnhagen, inwiefern der Mensch in seinem Inneren selbst der Schauplatz eines materiellen Lebenskampfes sein konnte, und reuevoll erklärte er ihr: "Was Du über Johannes Müller sagst, hat mich hart geschlagen wegen meines einseitigen Hasses, ich beuge mich beschämt!" Wenn ihn Rahel aber "in seiner Seele und *eigentlichen* Geschichte" erkennen zu können glaubte [38], verfügte sie über ganz andere Voraussetzungen, als Varnhagen bei seiner persönlichen Begegnung gegeben waren. Rahel urteilte nämlich nach den Briefen, die sie in Gleims Briefwechsel gelesen hatte [39], und insofern sie in ihnen überhaupt eine geschichtliche Wirkung verspürte, war sie bereits auf dem Weg zu jener Einsicht, die ihr späterer Verehrer und Freund Leopold Ranke vom Standpunkt des Historikers ausdrücklich wiederholte [40]. Ähnlich äusserte sich schliesslich auch Varnhagen, doch waren die Briefe in ihrer geschichtlichen Bedeutung für

[36] Vgl. Dkw III, 59. I², 494. II³, 84f. Dazu Stägemann an Brinkmann, Berlin 13. März 1808: Briefe und Aktenstücke zur Geschichte Preussens I, 31.
[37] Vgl. [Varnhagen und Neumann] Die Versuche und Hindernisse Karls. In: Der Doppelroman der Berliner Romantik I, 14ff.; 93f.; 331. Zur Verfasserschaft ebda II, 357f. Ferner F. Römer, a.a.O. S. 107f. H. Ryser. Johannes von Müller im Urteil seiner schweizerischen und deutschen Zeitgenossen, S. 92.
[38] Rahel an Varnhagen, 17. Dez. 1808: Bfw I, 211. Vgl. Varnhagen an Rahel, Tübingen 5. Jan. 1809: Bfw I, 249. Ferner dazu L. Geiger. Aus Chamissos Frühzeit, S. 173. H. Ryser, a.a.O. S. 114.
[39] Vgl. Briefe zwischen Gleim, Wilhelm Heinse und Johann von Müller. Aus Gleims litterarischem Nachlasse herausgegeben von Wilhelm Körte. Erster und Zweyter Band. Zürich 1806 (= Briefe deutscher Gelehrten. Zweyter und Dritter Band).
[40] Ranke an H. Ranke, Berlin 26. Feb. 1835: L. v. Ranke. Das Briefwerk, S. 267. Vgl. P. Requadt. Johannes von Müller und der Frühhistorismus, S. 168. J. Wach, a.a.O. S. 54 A. 1.

ihn zugleich Zeugnis einer gesellschaftlichen Durchdringung des Lebens [41].

Die weltbürgerlichen Kreise, in denen Johannes von Müller verkehrte, kündigten sich Varnhagen schon bei ihrer ersten persönlichen Begegnung an, nachdem er die, wie er schreibt, "mit französischen Einschiebseln durchbrochene Sprache" vernommen hatte [42]. Die Bekanntschaft mit dem spanischen Gesandten Pardo de Figeroa, die er Johannes von Müller verdankte [43], hätte auch von Varnhagen eine entsprechende selbstverständliche Fremdsprachenkenntnis gefordert; aber die "ungefähre Kenntnis des Spanischen", deren er sich in den 'Denkwürdigkeiten' rühmt, bedeutete schliesslich nur, dass er den früheren spanischen Geschäftsträger in Berlin, Casa Valencia, persönlich gekannt hatte und dadurch für ihn von vornherein sogar politisch ein Vertrauensverhältnis mit anderen gleichgesinnten Spaniern anzuknüpfen war. In diesem Kreis, dem später auch der Philologe Wolf angehörte [44], zeigte sich Johannes von Müller als ein wahrer Mann von Welt, und in dieser Rolle bestätigte ihn schliesslich das zweifelhafte Bekenntnis zu Napoleon, dessen Aufstieg er anfangs mit Hass beobachtet hatte. Immer wieder kam er damals auf Napoleon zu sprechen, über den die Meinung der Anwesenden eher ungünstig, aber keineswegs so engstirnig war, dass keine andere mehr gelten durfte. Ausdrücklich bemerkt Varnhagen jedoch, inwiefern die Audienz bei Napoleon ein Ereignis bildete, dessen Erwähnung überhaupt nur dann ein Verständnis finden konnte, wenn in einem geselligen Verein ein grundsätzliches Einvernehmen herrschte.

Was dagegen Johannes von Müller brieflich seinem Bruder mitgeteilt hatte, entbehrte dieser Voraussetzung, und, wie er selber gestand, war er von Anfang an entschlossen gewesen, gewisse Umstände des Gesprächs niemals zu verraten. Nachdem Varnhagen aber diesen Brief in Müllers gedruckter Briefsammlung gelesen hatte, begann er plötzlich einen geschichtlichen Hintergrund zu begreifen, dessen gesellschaftliche Beziehung allerdings einen damals aktuellen politischen Zusammenhang enthüllte. Denn nach der Erzählung, die Johannes von Müller im Kreis des spanischen Gesandten wiederholte, hatte er sich mit Napoleon auch über Caesar unterhalten, und auf die Frage, ob es ohne dessen Ermordung zu einer staatlichen Neuordnung oder zu einem Krieg gegen die Parther gekommen wäre, soll Napoleon entschieden den Krieg bejaht haben [45].

[41] Vgl. Varnhagens Notiz, 4. Nov. 1854: Tgb XI, 299f. Varnhagen. Hans von Held, S. 217. Dkm VII³, 297.
[42] Dkw III, 7. I², 448. II³, 23. Vgl. P. Requadt, a.a.O. S. 97.
[43] Vgl. Dkw III, 4ff. I², 445ff. II³, 21ff. Ferner Varnhagen an J. v. Müller, [Berlin 1807]: Schaffhausen StB Ms C Müll. 237 Bl 295 "Ich sage Ihnen den herzlichsten Dank für die Güte, die Sie gehabt haben, dem Herrn Grafen Pardo-Figuroa [sic!] von mir zu reden". Vgl. auch J. v. Müller an [J. G. Müller], Berlin 20. März; 24. April 1807: J. v. Müllers sämmtliche Werke XXXIII, 130; 135. J. v. Müller an Wolf, 7. März 1807: F. A. Wolf. Ein Leben in Briefen III, 150.
[44] Vgl. Dkw III, 8f. I², 449f. II³, 24. Dazu Dkw II, 27; 64ff. I², 282; 314f. I³, 227; 270f. Ferner Wolf an Goethe, Berlin 17. Mai; 9. Dez. 1807: F. A. Wolf. Ein Leben in Briefen II, 2 z. 19ff.; 23 z. 14f.
[45] Vgl. Dkw III, 9f. I², 450f. II³, 24f. Ferner W. Kirchner. Napoleons Unterredung mit Johannes v. Müller. Jahrbuch der Goethe-Gesellschaft, 16 (1930) S. 113; 115f. Dazu J. v. Müller an [J. G. Müller], B[erlin] 25. Nov. 1806: J. v. Müllers sämmtliche Werke XXXIII, 113.

Die Kenntnis eines Umstandes, den die literarische Überlieferung verschwieg, war für Varnhagen ein Anlass, der ihm seine eigene zeitgeschichtliche Stellung vergegenwärtigte, und so, wie Rahel nach der Brieflektüre erklärte, dass ihr der für sie *so sehr bekannte* Johannes Müller" geradezu "lieb geworden" sei [46], kam auch Varnhagen schliesslich zu einer Beurteilung, bei der er, wie er sich ausdrückte, "über die bemitleidenswerthen Unwürdigkeiten... wie über Ungeziefer hinwegsehen" konnte und eine wichtigere Gemeinsamkeit voraussetzte. Was sie zunächst nur im geselligen Umgang zusammenzuführen schien, war gleichzeitig Ausdruck einer übereinstimmenden "Gesinnung" [47], und für diese geistige Beziehung war der Briefwechsel an sich schon ein ausreichendes Zeugnis, ohne dass es dabei auf den Inhalt jedes einzelnen Briefes angekommen wäre. "Welch ein Schatz ist diese Briefsammlung selber", schrieb Varnhagen an den Verleger Hitzig und wies ihn gleichzeitig auch auf eine Stelle hin, an der Johannes von Müller seinerseits schon früher eine entsprechende Auffassung vertreten hatte [48].

Welcher Art die "Gesinnung" aber war und wie sie sich faktisch durch eine gesellschaftliche Gruppierung auswirken konnte, zeigte sich an Hand einzelner Briefe, von denen einige bezeichnenderweise bereits im Frühling des Jahres 1813 veröffentlicht wurden. Der Rückzug Napoleons aus Russland und die Erhebung Preussens hatten damals eine Lage geschaffen, in der die nationale Idee in Deutschland Wirklichkeit zu werden schien, und die erste Stadt, die dieses Ereignis geradezu schon wie eine Tatsache feierte, war Hamburg, wo nach dem Abzug der Franzosen am 18. März der in russischen Diensten stehende Oberst von Tettenborn als Befreier Einzug gehalten hatte. Unter diesen Voraussetzungen blieb jede publizistische Tat ein Geschehen, das unmittelbar auf die zeitgeschichtliche Lage bezogen war, und wenn deshalb ein öffentliches Blatt in Hamburg erstmals 1813 Bruchstücke aus Briefen abdruckte, die Johannes von Müller 1805 und 1806 an Perthes geschrieben hatte, war allein schon der Umstand, dass sie bekannt gemacht wurden, eine Deutung ihres Inhalts. Der erste Abschnitt entstammt einem Brief vom 13. August 1805 und lautet: "Die Zeit ist da, wo alle Gleichgesinnten sich einander brüderlich anschliessen müssen, in dem Werk der Nationalrettung, und wenn es missglückte, in Aufrechterhaltung eines unüberwindlichen Bestrebens für Herstellung und in warmer Theilnehmung eines jeden an dem Schicksal des andern, wie Ein Mann zu seyn... Nun bald ohne Vaterland fühle ich desto mehr, dass ich der Gesellschaft männlicher Vertheidiger des Rechts und der Wahrheit allein zugehöre". – Der zweite Abschnitt ist angeblich einem Brief vom 11. September 1805 entnommen und lautet: "... Es ist eine innere Kirche, eine unsichtbare

---

[46] Rahel an Varnhagen, 17. Dez. 1808: Bfw I, 211.
[47] Dkw III, 7. I², 448f. II³, 23.
[48] Varnhagen an Hitzig, 4. April 1842: Bln Märkisches Museum Nachlass Hitzig. XV 875. Dazu J. v. Müller an Perthes, 1. Juli 1806: J. v. Müllers sämmtliche Werke XXXIX, 192f. Vgl. auch Varnhagen an Cotta, [März 1831]: SNM Cotta-Archiv Nr. 156 "Glück auf! Zum Johannes Müller. Ich freue mich darauf. Die Auswahl der Briefe nur nicht zu spärlich!"

Verbrüderung der Gleichgesinnten, die bey jedem Worte sich erkennt; diese ist das Salz der Erde, wer da sich zusammen findet, ist Bruder und Freund, mehr, als mit vielen die er lebendig gesehen! Darauf hin muss man arbeiten, dass, wenn das ganze Machwerk, von dessen Erhaltung die, welche es am wenigsten sollten, die Hände abziehn, zerbrechen sollte, der Keim einer Erneuerung doch bleibe, und nicht ein paar unglückliche Schlachten ein allzugutes Volk, wie wir Deutsche sind, dem Joche der Übermüthigen unterwerfe. Könnte ich machen, dass alle Rechtlichen in diesen Bund vereiniget wären, diese Coalition sollte die kräftigste seyn" [49].

Was also Johannes von Müller zeitlich noch vor Napoleons Sieg über Preussen ausgesprochen hatte, rückte durch die Ereignisse des Jahres 1813 in einen direkten Bezug zur Gegenwart, und dabei war, gerade nachdem Johannes von Müller selbst nicht mehr lebte, die Aktualität seiner prophetischen Äusserungen um so stärker. Wenn Perthes deshalb die Briefe veröffentlichte, wandte er sich von vornherein an eine Gruppe von Gleichgesinnten, und diese Absicht äusserte sich auch darin, dass er sie in dem extrem vaterländischen 'deutschen Beobachter' abdrucken liess. Insofern es sich aber faktisch um eine gesellschaftliche Gruppierung handelte, deren Tätigkeit auf ein politisches Ziel gerichtet war, kam durch die Briefe zum Ausdruck, dass dieses Ziel nicht mehr fern sein konnte. Als zeitgeschichtlicher Vorgang erhielt damit die nationale Erhebung in Deutschland ein Gepräge, das sich eng an die Vorstellungen Fichtes anknüpfte, da er es für "denkbar" gehalten hatte, *"dass die öffentliche Geschichte sich aus der geheimen werde erklären lassen können"* [50].

Fichte hatte in den 'Briefen an Konstant' bereits 1803 auf einen geschichtlichen "Zweck" hingewiesen, der nach seinen eigenen Worten im Hinblick auf eine geistige Entwicklung der Menschheit "nur durch *Ausgehen von der Gesellschaft* und *Absonderung von ihr* erreicht werden" könnte [51]. Inwieweit er bei der Verwirklichung dieser Absicht freimaurerische Gedanken zu erweisen suchte, ist von vornherein schwierig zu beurteilen, weil sein grundsätzliches Verhältnis zur Freimaurerei ein "ironisches" war [52], und davon zeugt nicht zuletzt die Exklusivität, die anlässlich seiner 'Reden an die deutsche Nation' den äusseren Rahmen bildete, aber auch die Nachricht, derzufolge Fichte innerhalb des Ordens nie die "Lehrlingsstufe" überschritten habe, ist nichts als eine geistreiche Zweckmeldung, die Varnhagen allenfalls sogar mit reinem Gewissen für zuverlässig gehalten hatte. Fichte, der in der Loge Royal York dem sogenannten "Innersten Orient" angehörte, war in seinen Gesprächen, die er mit Varnhagen über die Freimaurerei geführt hatte, aufrichtig genug

[49] J. v. Müller an [Perthes], 13. Aug.; 11. Sept. 1805: Aus Johannes v. Müllers Briefen an einen Freund. Der deutsche Beobachter, (1813) Nr. 15. Vgl. J. v. Müllers sämmtliche Werke XXXIX, 145f.; 147f. Ferner F. Valjavec, a.a.O. S. 339.
[50] J. G. Fichte. Briefe an Konstant. In: Philosophie der Maurerei, S. 57. Vgl. F. Medicus. Fichtes Leben, S. 191f.
[51] J. G. Fichte. Briefe an Konstant, a.a.O. S. 17. Vgl. W. Flitner. Einleitung. In: J. G. Fichte. Philosophie der Maurerei, S. VII. F. Medicus, a.a.O. S. 191.
[52] P. Müller. Untersuchungen zum Problem der Freimaurerei bei Lessing, Herder und Fichte, S. 75.

gewesen, um auch einer falschen Angabe den Schein von Glaubwürdigkeit geben zu können [53]. Andrerseits aber war Varnhagen schon bald, nachdem er Fichte kennengelernt hatte, in der freimaurerischen Dialektik so beschlagen, dass er selber zu beurteilen vermochte, was es zu verfälschen oder überhaupt zu verschweigen galt, und ausdrücklich erklärt er dazu in den 'Denkwürdigkeiten': "In allen Klassen und Gebieten findet sich dergleichen, was der Wissende nicht leicht preisgiebt, und die Freimaurer sagen nicht ohne Grund, wer ihr Geheimnis verrathe, habe dasselbe nie recht gewusst" [54]. Demnach kam es, um Freimaurer zu sein, nicht auf die ordentliche Mitgliedschaft an, und so verdankte Varnhagen schliesslich sein Verständnis der Freimaurerei einem Abenteurer und Weltbürger wie dem Maler Darbes, der wie Fichte dem 'Innersten Orient' der Loge Royal York angehörte und dabei trotzdem für eine Lockerung der strengen Rituale und eine grössere Verbreitung des Ordens eintrat [55]. Unter dieser Voraussetzung mussten eine Reihe von Gleichgesinnten als Mitglieder gelten, und zu ihnen zählte wiederum nicht nur Fichte, der nicht länger als drei Monate ordentliches Mitglied gewesen war [56], sondern auch Johannes von Müller und Perthes [57].

Indem sich nun innerhalb der freimaurerischen Kreise eine ganze Gruppe von den ehemals festgesetzten Einrichtungen lossagte, entstand eine gesellschaftliche "Verbindung", für die eine Bewährung ihrer freiheitlichen Gesinnung im Bereich einer formal begrenzten "Institution" von vornherein unmöglich sein konnte. Der Handlungsraum des einzelnen musste sich durch dessen eigene Fähigkeiten begrenzen lassen, wie beispielsweise Fichte andeutete, wenn er erklärte: "Jeder bringt und gibt, was er hat: ... Aber keiner gibt es auf *dieselbe Weise*, wie er es in seinem Stande erhalten hat und in seinem Stande fortpflanzen würde" [58]. Was für die Handlungsweise des einzelnen eine Richtschnur sein konnte, war schliesslich nur der zeitgeschichtliche Zusammenhang, in welchem er seine Stellung in ihrer Kausalität zu behaupten hatte. Im Hinblick darauf war der Brief Johannes von Müllers an Perthes ein Zeugnis gewesen, und wie stark sich das Zeitgefühl damals auszuprägen begann, wurde nicht zuletzt durch Fichtes Vorlesungen über die 'Grundzüge des gegenwärtigen Zeitalters' und seine 'Reden an die deutsche Nation' bestätigt. Demgegenüber hatte sich Lessing einen geistigeren Überblick bewahrt und ein zeitgemässes

[53] Vgl. W. Flitner, a.a.O. S. XV u. A. 2. E. Hirsch, a.a.O. S. 53 u.f. A. 21. P. Müller, a.a.O. S. 24. Dagegen Dkw II², 329. III³, 213. Dazu F. Medicus, a.a.O. S. 189. Ferner W. Flitner, a.a.O. S. XIX.
[54] Aus Varnhagen's Denkwürdigkeiten. Rheinisches Jahrbuch, 1 (1846) S. 185. Dkw VIII, 24. II³, 294.
[55] Vgl. Dkw II, 37ff. I², 290ff. I³, 246ff. Vgl. dazu Fesslers Gegenbemerkung. In: J. G. Fichte. Philosophie der Maurerei, S. 83. Ferner W. Flitner, a.a.O. S. XII.
[56] Vgl. F. Medicus, a.a.O. S. 189f. W. Flitner, a.a.O. S. XVIIIf. P. Müller, a.a.O. S. 24.
[57] Vgl. G. Schuster. Die geheimen Gesellschaften, Verbindungen und Orden II, 271. Dazu J. v. Müller an [Perthes], 13. Aug. 1805: a.a.O. Ferner T. F. Böttiger. Das Einströmen des Nationalgefühls in Hamburg während der Franzosenzeit (1800-1814), S. 42. F. Valjavec, a.a.O. S. 230 A. 3. Vgl. auch Dkw NF II (= VII), 31ff. II², 297ff. III³, 189ff. Dazu F. Meier an W. v. Gerlach, Dresden 6. Jan. 1810: Aus den Jahren preussischer Not und Erneuerung, S. 448.
[58] J. G. Fichte. Briefe an Konstant, a.a.O. S. 21. Vgl. F. Medicus, a.a.O. S. 191.

Handeln auch unabhängig von einem äusserlich sichtbaren Erfolg für möglich gehalten. Ihm ging es zunächst um die folgerichtige Entwicklung seiner geistigen Existenz und nicht um deren reale Verwirklichung [59]. Was er im Bereich der Bühne wahrnehmen konnte, war ein gesellschaftlicher Gemeinschaftssinn [60], den Fichte durch die Freimaurerei erst zu erwecken suchte, und in der literarischen Gestalt, die Lessing seinen freimaurerischen Ideen gab, äusserte sich bei ihm seine eigene Mitgliedschaft.

Dasselbe gilt für Varnhagen, der allerdings in künstlerischer Hinsicht Lessing unterlegen war und insofern seine gefährdete Lage weniger glücklich meisterte. Unter diesem Gesichtspunkt enthalten aber seine 'Beyträge zur allgemeinen Geschichte' eine literarische Umsetzung und Erfassung des zeitgeschichtlichen Geschehens, die im Vergleich mit den 'Versuchen und Hindernissen Karls' geistreicher und damit auch besser gelungen ist. Was Varnhagen und Neumann innerlich veranlassen konnte, ihren Roman 'Eine deutsche Geschichte aus neuerer Zeit' zu nennen, lag in der von Kapitel zu Kapitel wechselnden Verfasserschaft begründet, derzufolge der scheinbar zusammenhängende Ablauf der Erzählung in seiner inneren Kausalität ständig gestört blieb [61]. Diesen Vorgang vermochten jedoch nur eingeweihte Mitwisser zu verstehen; denn das Buch erschien anonym und erfuhr keine grössere Verbreitung. So, wie Varnhagen dagegen die 'Beyträge zur allgemeinen Geschichte' aphoristisch prägte, erhielt seine Geschichtsauffassung ihre erste literarische Gestalt "in Anekdoten über die Universalgeschichte", und mit dieser Bezeichnung, die er in einem Brief an Cotta gebrauchte [62], war zugleich angedeutet, dass er seine Beispiele nicht selber erfunden hatte.

Wenn er also "Parvenüs... Leute" nannte, " die man nicht sehen kann, wegen des Glückes, das vor ihnen steht", eignete er sich einen Ausspruch Tiedges über Napoleon an [63], oder was er unter "Urbanität" erwähnte, veranschaulichte ihm eine Begebenheit, die zwischen Baggesen und Frau von Pilat in Paris vorgefallen war und in Varnhagens Formulierung folgendermassen lautete: "Der Dichter Bn. las einer Dame, die er allein fand, von seinen Gedichten vor, und endlich merkend, dass ihm nur geringe Aufmerksamkeit zu Theil wurde, sagte er: Aber ich langweile Sie wohl! — O, das thut nichts! erwiederte die Dame mit lieblicher Stimme" [64]. — Eine weitere Anekdote enthielt einen Ausspruch des Konditors Schelling in Halle, dessen lächerlichen Eigensinn Varnhagen auch in seinen 'Denkwürdigkeiten' schilderte und dabei als Beispiel für den allgemeinen Zustand der Menschheit betrachtete. Sie trägt

[59] Vgl. P. Müller, a.a.O. S. 26ff.; 38ff.; 48f.; 75ff. Ferner E. Hirsch, a.a.O. S. 53 u.f. A. 21. Dazu F. Medicus, a.a.O. S. 192 A. 1. Vgl. auch W. Windelband, a.a.O. S. 270.
[60] Vgl. W. Flitner, a.a.O. S. VII.
[61] Vgl. H. Rogge. Inhaltsverzeichnis. In: Der Doppelroman der Berliner Romantik II, 357f. Ferner Dkw II, 145ff. I², 437ff. II³, 14ff.
[62] Varnhagen an Cotta, Berlin 7. Nov. 1812: SNM Cotta-Archiv Nr. 15.
[63] Beyträge zur allgemeinen Geschichte, a.a.O. S. 899. Vgl. Dkw II², 347. III³, 228. Ferner auch Varnhagen an Bentheim, Teplitz 9. Sept. 1811: E. Jacobs. Beethoven, Goethe und Varnhagen von Ense. Die Musik, 13/1 (1904-1905) S. 389.
[64] Beyträge zur allgemeinen Geschichte, a.a.O. S. 1003f. Vgl. Varnhagen an Kerner, Lich b. Frankfurt 11. Feb. 1811: Kerner-Bfw II, 179.

den Titel *"Patriotismus"* und lautet: "Man fragte den Conditor S ... in Halle, wie es denn hergegangen, als das *Braunschweig-Oels'sche* Corps hier durchzog; O, rief er aus, das war der glücklichste Tag für Halle; den ganzen Tag ist mein Laden nicht leer geworden!" [65]

Für den witzigen Charakter dieser Begebenheiten, die trotz des wahrheitsgetreuen Hintergrundes häufig wie konstruiert wirken, findet sich schliesslich auch ein Beispiel, das Varnhagen später in seinen Denkwürdigkeiten ausdrücklich aus "dem Witze des Schicksals" verstanden wissen wollte und das folgenden Wortlaut hat: "Industrie. Ein junger Schriftsteller gab einem Verleger eine Sammlung vermischter Schriften, die bogenweise bezahlt wurden. Seine Gedichte bot er dem Manne umsonst an, aber als dieser nicht wollte, that er sie in das erstere Buch, und hier musste der arme Verleger bezahlen, was er umsonst nicht hatte annehmen wollen". Faktisch liegt dieser Anekdote eine Erfahrung zugrunde, die Varnhagen und seine Freunde anlässlich der Herausgabe ihrer Gedichts- und Novellensammlung 'Erzählungen und Spiele' gemacht hatten, und offenbar war es Chamisso gewesen, der als erster auf das Merkwürdige im Verhalten des Verlegers hingewiesen hatte [66].

Je eindringlicher sich in den einzelnen Stücken das Paradoxe ausdrückte, desto deutlicher glaubte Varnhagen, das Wesen der Geschichte wahrnehmen zu können, und an dieser Auffassung hat er auch später noch festgehalten. "Die Weltgeschichte", schrieb er 1852 an seinen Freund Troxler, "hat seltsame Launen, und es ist ein Vergnügen zu sehen, welche Überraschungen sie stets im Hinterhalte hat" [67]. Sobald die äusseren Umstände aber faktisch eine derart unmittelbare Wirkung besassen, dass die paradoxe Hintergründigkeit gar nicht erst spürbar wurde, musste sich Varnhagens anekdotische Geschichtschreibung als unzulänglich erweisen. Bereits am 17. September 1811 hatte er die 'Beyträge zur allgemeinen Geschichte' Cotta zugeschickt [68], doch die Wiedergabe im 'Morgenblatt für gebildete Stände' erfolgte erst im September 1813, und damals erschienen einzelne der Aphorismen auch in Hamburg in der, dem Titel nach zu schliessen, freimaurerischen Zeitung 'Orient' [69]. Zu diesem Zeitpunkt waren aber seit dem Ausbruch der Erhebung gegen Frankreich neue zeitgeschichtliche Verhältnisse entstanden, und was Varnhagen früher um der blossen Unterhaltung willen geistreich aussprechen konnte, hatte angesichts der Auseinandersetzung mit Napoleon einen ähnlichen Bezug zur Wirklichkeit wie die im

[65] Beyträge zur allgemeinen Geschichte, a.a.O. S. 880. Vgl. Dkw II, 143ff. I², 436f. II³, 13f.
[66] Vgl. Beyträge zur allgemeinen Geschichte, a.a.O. S. 891. Dazu Dkw II, 110f. I², 380f. I³, 343f.
[67] Varnhagen an Troxler, Berlin 3. Mai 1852: Troxler-Bfw S. 365. Vgl. auch Varnhagen an Ölsner, Berlin 4. Feb. 1820: Ölsner-Bfw II, 5.
[68] Vgl. Varnhagen an Cotta, Prag 17. Sept. 1811: SNM Cotta-Archiv Nr. 5. "Hierbei folgt ein Aufsatz für das Morgenblatt; er ist etwas lang, aber ich hoffe deshalb nicht langweilig, und kann sehr gut abgebrochen werden. Sollte er nicht erscheinen können, so bitte ich ihn zurück, Änderungen erlaubte ich *Ihnen* recht gerne, aber von einer andern Hand wären sie mir ungelegen; unter den Histörchen ist jedoch keines, das mir auf irgend eine Art anstössig scheinen könnte".
[69] Vgl. Orient oder Hamburgisches Morgenblatt, (1813) Sp. 214f.

'deutschen Beobachter' veröffentlichten Briefe Johannes von Müllers. Ein prophetischer Gedanke war eingetroffen, und in diesem Sinn zeigte auch die einleitende Erklärung, die Varnhagen seinen 'Beyträgen' vorangestellt hatte, inwiefern der Krieg bei aller Schrecklichkeit für den einzelnen faktisch die natürliche Bestätigung seiner inneren Gefährdung werden musste. "Das Menschengeschlecht", lautete nämlich sein Anfang, "von den Athemzügen der Natur wie von Sturmwinden erschüttert, floh scheu in die Sicherheit künstlicher Einrichtungen, wo die starken Bewegungen zu sanftem Wehen sollten vermindert werden. Viel Werkzeuge sind erfunden, Begriffe geweckt, Kenntnisse gelernt, Sitten geübt worden; die Natur selbst drang unvermerkt, nur leise verändert, in alle Gebilde, und in Allem, was gegen sie geschieht, liegt sie als Witz verborgen, der den Menscher zum verwirrenden Unheil dann plötzlich lebendig wird . . ." [70].

[70] Beyträge zur allgemeinen Geschichte, a.a.O. S. 879.

II. DURCHBRUCH "Geschichte der hamburgischen Begebenheiten während des Frühjahrs 1813".

1. *Darstellung*

Das Jahr 1813 brachte Varnhagen die Entscheidung, zu der ihm bis dahin der äussere Anlass gefehlt hatte.

Schon während seines Studienaufenthaltes in Tübingen, im Winter 1808/9, war er sich im Klaren, dass er auf eigene Verantwortung seinem Leben eine Bestimmung geben musste [1]. Seine pekuniäre Bedrängnis liess ihn fürs erste nach einem Beruf suchen, durch den er seine Existenz sichern konnte [2]. Aber Tübingen war nicht der Ort, wo er für seine dringendsten Fragen eine allgemeine Lösung zu finden vermochte. Es ist deshalb um so bemerkenswerter, dass er trotzdem schon damals, was sein späteres Leben betraf, die Bestimmung zum Kriegsdienst voraussah und die Hoffnung hegte, "eine Offizierstelle, oder doch ein gutes Sekretariat zu erlangen". Dabei war es sicherlich nicht anmassend von ihm, wenn er sich persönlich nicht als "unbrauchbar" erachtete und sich bereits vorstellte, inwiefern er "an die Person irgend eines Grossen attachirt" sein konnte. Denn auch ohne dass "gleich anfangs *alles* sich fügte" [3], war er von der Richtung, die er einschlagen musste, überzeugt. Aus dieser zunächst abwartenden Haltung entwickelte sich seine Teilnahme am Kriegsgeschehen in Österreich 1809 zu keiner entscheidenden Lebenswende [4], da er sich schon während des Tübinger Winters überlegt hatte, allenfalls in Wien seine medizinischen Studien fortsetzen zu können [5]. Dementsprechend fand er auch in der Gestalt des Obersten Bentheim, dessen Sekretär er wurde, keine volle Bestätigung seiner ursprünglichen Wünsche, und bei aller Vertraulichkeit, die sich zwischen ihnen entspann, blieb doch der Wirkungskreis, in den er

[1] Vgl. Varnhagen. Scheidewege, a.a.O. S. 2. Dkw III, 88. II², 47. II³, 153.
[2] Vgl. Varnhagen an Rahel, Tübingen 10. Nov. 1808: Bfw I, 125. Dazu Rahel an Varnhagen, 14. Dez. 1808: Bfw I, 197. Vgl. auch K. Bömer. Varnhagen von Ense, ein "Offiziosus" von ehedem. Der Türmer XXXI/2 (1929) S. 61. – Ferner Varnhagen an [J. A. Lüders, Berlin Juli 1804]: E. Lüders. Ein Hamburger Lüders und Varnhagen von Ense. Lüders, 4 (1936) S. 79 "Auf alle Fälle frage ich an, ob es Dir wahrscheinlich ist, dass Du die ansehnliche Summe, die Du bisher mir vierteljährlich geschenkt, (und wofür ich Dir mehr, als ich es sage, danke) mir in der Folge auch gewiss wirst geben können. Auf jeden Fall kann die bestimmte Antwort darauf meine Pläne leiten". Vgl. auch C. Misch, a.a.O. S. 12.
[3] Varnhagen an Rahel, Tübingen 6. Dez. 1808: Bfw I, 192.
[4] Vgl. Varnhagen an Cotta, Wien 10. Jan. 1810: SNM Cotta-Archiv Nr. 1 "Der Krieg brach aus, und ich wollte nicht meinen geringen Antheil dem Vaterlande versagen, . . .". Dagegen vgl. H. Haering. Varnhagen von Enses Denkwürdigkeiten. Die Pyramide, 12 (1923) Nr. 33. C. Misch, a.a.O. S. 13f.
[5] Vgl. Varnhagen an Rahel, Hamburg 25. April 1809: Bfw I, 331f. C. Misch, a.a.O.

sich gestellt sah, beschränkt [6]. War Varnhagen damals auch noch kein diplomatischer Schriftsteller oder gar Geschichtschreiber, so hatte er doch eine gute
Erfahrung als Redaktor literarischer Gemeinschaftspublikationen [7], und sein
Arbeitsfeld lag grundsätzlich dort, wo, wie er selbst erklärte, "viel zu schreiben
sein" würde, aber nicht im Gelehrtenfach, sondern allgemein "dans les
affaires" [8].

In der Folge hielt sich Varnhagen abwechselnd in verschiedenen europäischen
Städten auf und kam dabei in Wien, Paris und Prag sowie in Teplitz mit
Bedeutendsten seiner Zeitgenossen zusammen. Was er diesem Umstand verdankte, waren nicht nur die persönlichen Beziehungen, die ihm später bei der
Beschaffung einer angemesseneren Stelle zustatten kommen sollten [9], sondern
vor allem waren es die Einblicke in das Zeitgeschehen, das er erst im menschlichen Verkehr verstehen lernte. So schuf er sich selbst die Voraussetzung für
den historisierenden Memoirenstil, den er in seinen 'Denkwürdigkeiten des
eignen Lebens' verwirklichte, und aus der Fülle der Erlebnisse dieser Jahre hat
er später im Historischen Taschenbuch von Raumer seine Schilderungen vom
'Fest des Fürsten von Schwarzenberg', von der 'Schlacht von Deutsch-Wagram'
und von seinem 'Aufenthalt in Paris im Jahre 1810' als in sich geschlossene
Episoden erstmalig veröffentlicht [10]. Dabei standen ihm allerdings Aufzeichnungen zu Gebot, die er nicht mehr völlig neu zu gestalten brauchte, sondern
bereits unter dem ersten Eindruck niedergeschrieben hatte [11]. Solange er aber nicht
unmittelbar als Zeuge seiner Erlebnisse an die Öffentlichkeit getreten war und
seine Ansichten und Beobachtungen nur für sich selbst und allenfalls in Briefen
festhielt, hatte er sich in seinem literarischen Beruf noch nicht zurechtgefunden.
Die Bestimmung dagegen, die sich seinem Dasein immer bewusster aufdrängte,

[6] Vgl. Varnhagen an [Neumann], Teplitz 12. Aug. 1811: Köln UuStB XI 1282 "... inzwischen dauern [sic!] meine Verhältnisse mit dem Grafen [Bentheim] fort, angenehm
doch ungenügend". – Einer dem Original beigefügten handschriftlichen Notiz zufolge
soll der Brief an Humboldt gerichtet gewesen sein. Dem Inhalt aber und Varnhagens
damaligen persönlichen Beziehungen nach zu schliessen, kann der in der Anrede ange-
sprochene "Wilhelm" kein anderer als Neumann gewesen sein.
[7] Vgl. O. F. Walzel. [Varnhagen-Artikel] In: ADB 39 (1895) S. 771. H. H. Houben.
Varnhagen von Ense. Königlich privilegirte Berlinische Zeitung von Staats- und gelehrten
Sachen, SB (1908) S. 322. D. Kazda, a.a.O. S. 9 "Varnhagen war das eigentliche
Organisationstalent ..." F. Römer, a.a.O. S. 25; 85ff.; 88.
[8] Varnhagen an Rahel, Kassel 24. April 1810: Bfw II, 61.
[9] Vgl. C. Misch, a.a.O. S. 19.
[10] Vgl. Varnhagen. Das Fest des Fürsten von Schwarzenberg zu Paris. Historisches
Taschenbuch, 4 (1833) S. 1ff. Varnhagen. Die Schlacht von Deutsch-Wagram. Historisches
Taschenbuch, 7 (1836) S. 1ff. Varnhagen. Aufenthalt in Paris im Jahre 1810. Historisches
Taschenbuch, NF 6 (1845) S. 307ff. Vgl. dazu R. Haym, a.a.O. S. 467. E. Jacobs. Aus
Gottfried Kellers Berliner Zeit, WIDM 97 (1904/5) S. 59. E. Howald. Varnhagen von
Ense. In: Deutsch-Französisches Mosaik, S. 153. Ferner Mundt an Varnhagen, Leipzig
5. Nov. 1835: H. H. Houben. Jungdeutscher Sturm und Drang, S. 470. Eckermann an
Varnhagen, Weimar 6. April 1838: H. H. Houben. J. P. Eckermann II, 201. C. Pichler.
Denkwürdigkeiten I, 376. T. Carlyle. Varnhagen von Ense's Memoirs (1838). In: Critical
and miscellaneous Essays. Second edition V, 314ff. Vgl. dazu auch Varnhagens Notiz,
2. Nov. 1852: Tgb IX, 400.
[11] Vgl. Varnhagen an Rahel, Prag 24. Jan. 1812: Bfw II, 231. Varnhagen an K. v.
Humboldt, Prag 8. Aug. 1812: K. v. Humboldt-Bfw S. 60 Z. 30ff.

34

lag in der steten Aufnahme und Fixierung des Erlebten, das, sobald es im Zusammenhang mit der laufenden politischen Entwicklung stand, auch wert war, festgehalten zu werden. Noch in Tübingen hatte sich Varnhagen fern von diesem Beruf befunden, zu dessen Verwirklichung er dort am falschen Ort lebte [12], und es ist bezeichnend, dass er damals mühelos Einblick in die eigene *zukünftige* Entwicklung gewinnen konnte. Aber trotzdem war in ihm der Sinn für Gegenwärtiges so ausgeprägt, dass er selbst in "diesem Bussort" seines "Lebens", wie er Tübingen nannte [13], nicht versäumte, die für ihn lebenswichtige Bekanntschaft mit dem Verleger Cotta zu machen [14]. Denn an Cotta gewann er jenen Partner, den er brauchte, wenn er seine Eindrücke verarbeiten und zu einer regelmässigen Veröffentlichung niederschreiben wollte, um davon schliesslich auch seine eigene Existenz zu erhalten. Aber gerade deswegen waren ihre Beziehungen vorübergehend getrübt [15].

Auch nachdem Varnhagen von Tübingen weggezogen war, trat in seiner Entwicklung keine plötzliche Veränderung ein, und obwohl er seine Möglichkeiten richtig vorausgesehen hatte, wagte er doch selbst keine Entscheidung zu fällen, die ihn, wie er überzeugt war, seiner persönlichen Freiheit hätte berauben müssen [16]. Die Problematik rührte bei ihm von der im Sinne Rahels feststehenden Tatsache, dass zwar die Entscheidung frei sei, die folgende Tat aber bereits Ausdruck einer Bestimmung sein könne, die ihre eigene Gesetzmässigkeit besitze und insofern keine Befreiung bedeute [17]. Deshalb war Varnhagens inneres Leben, wie er selbst schrieb, vorerst "Kampf mit Möglichkeiten" [18], welcher angesichts der Not, die ihn umgab, geradezu unbegreiflich anmutet. Er selbst aber kannte und beherzigte diesen Widerspruch seiner inneren und äusseren Existenz, und so schrieb er 1811 an Neumann: "Ich bin ganz dumm geworden in diesem Sommer, matt, albern, unselig, missgestimmt, verzweifelt, im übrigen ziemlich vergnügt, lustig, und stark. Verstehst du das? ich muss es leider verstehn". Zur Begründung seiner Misstimmung fügte er hinzu: "Geld fehlt, und damit alles, unsre Klugheit, Kenntnisse, Gaben existiren nicht mehr für uns". Sein ganzer Zustand war damals "zweifelhafter, als je" [19].

Wenn Varnhagen aber nicht entschieden nach Veränderung seiner Verhältnisse strebte, folgte er seiner von Rahel angeregten Überzeugung, dass er

[12] Vgl. Rahel an Varnhagen, 19. Feb. 1809: Bfw I, 296. Ferner C. Misch, a.a.O. S. 12.
[13] Varnhagen an Rahel, Burgsteinfurt 27. Dez. 1810: Bfw II, 113.
[14] Vgl. Varnhagen an Rahel, Tübingen 15. Dez. 1808: Bfw I, 205.
[15] Vgl. Varnhagen an Cotta, Komotau 30. März 1811: SNM Cotta-Archiv Nr. 2. "Bei dem wandernden Leben, das ich seit langer Zeit führe, und für das ich auch jetzt kein Ende sehe, hätte ich mich sehr oft veranlasst gefunden, Aufsätze mancherlei Art für das Morgenblatt abzufassen, wie das Leben oder die Studien sie mir eingegeben hätten, aber die Ungewissheit, ob sie auch würden gedruckt erscheinen, liess mich solche Sachen lieber in einer andern Form in Briefen an meine Freunde schreiben". Dazu F. Römer, a.a.O. S. 63. Vgl. auch oben S. 30.
[16] Vgl. Varnhagen an Rahel, Tübingen 15. Dez. 1808: Bfw I, 207.
[17] Vgl. Rahels Notiz, 1. Dez. 1825: Rahel. Ein Buch des Andenkens III, 236. Dazu auch J. Moleschott. Für meine Freunde, S. 293f.
[18] Varnhagen an Rahel, Tübingen 1. Dez. 1808: Bfw I, 175. Vgl. Varnhagen. Scheidewege, a.a.O. S. 3. Dkw III, 89. II², 47. II³, 153.
[19] Varnhagen an [Neumann], Teplitz 12. Aug. 1811: Köln UuStB XI 1282.

"in Stummheit, und in anständiger Haltung" abwarten müsse, "was geschehen ... und was einem werden" könne [20]. Was ihn zu leiten vermochte, waren nicht seine "Plane" und "das wenige Positive", woran sie hingen, vielmehr entstand seine Bestimmung allmählich "aus den sich aneinander drängenden kleinsten Bildungen und Richtungen des Augenblicks", in welchem er zugleich seine individuelle "Bildung und Richtung" wahrnahm. So fühlte er sich schon nach dem Tübinger Aufenthalt von "dieser positiven Bindung an Reales" duch blosse "Freiheit gereinigt" [21], aber die äusseren "Umstände", die zu "provoziren" Rahel ihrem Freund abgeraten hatte [22], gestalteten sich nicht zum Ausdruck dessen, was er als "allgemeine Richtung" verstand. Die Beendung des Krieges gegen Napoleon, der Friedensschluss von Schönbrunn nahmen Varnhagen die Möglichkeit, weiterhin unter deutscher Fahne zu dienen, und er verfiel in einen Zustand der "Abwartung", wie ihn Rahel geradezu im Sinne einer Krankheit verstehen konnte [23]. Dass jedoch Österreich nicht Repräsentant der allgemeinen Richtung sein würde, ergab sich für Varnhagen erst, als er österreichischen Boden betrat; denn noch kurz nach seiner Abreise von Tübingen hatte er vertrauenerweckende Eindrücke von der Stimmung in Deutschland empfangen [24]. Selbst in Mähren spürte er eine "Begeisterung, die augenblicklich bei jedem zur That" wurde [25]; aber schon vor der Schlacht, die schliesslich verloren ging, hatte er "alle Hoffnung aufgegeben", selbst durch den Anteil an der allgemeinen Bewegung tätig zu werden [26], und nachträglich hat sich in seiner Schilderung dieser Eindrücke eine politische Färbung ergeben, indem, wie er meinte, bereits in Mähren eine düstere Stimmung geherrscht habe, während umgekehrt in Berlin und Schlesien noch grosse Erwartungen gehegt worden seien [27]. Darin aber sollte Varnhagen trotzdem recht behalten, wenn er angesichts des bevorstehenden Kampfes seine Hoffnung auf "Norddeutschland" setzte [28]. Denn drei Jahre später wusste er, dass ihm in "Preussen oder doch in preussischen Verhältnissen zu leben ... persönlich wie politisch das Nächste" sei [29], und durch diese Aussicht überwand er später jene "Spaltung", die, wie er wusste, allgemein "den Deutschen" zum Vorwurf gereiche [30].

Der Beruf, der Varnhagen in Berlin erwarten sollte, war ihm selbst wohl nicht

---

[20] Rahel an Varnhagen, 31. Jan. 1809: Bfw I, 276f.
[21] Varnhagen an Rahel, Tübingen 14. Feb. 1809: Bfw I, 290.
[22] Rahel an Varnhagen, 31. Jan. 1809: Bfw I, 276.
[23] Rahel an Varnhagen, 31. Jan. 1809: Bfw I, 278.
[24] Varnhagen an Kerner, Kassel 10. März 1809: Kerner-Bfw I, 32.
[25] Varnhagen an Rahel, Nikolsburg 20. Juni 1809: Bfw II, 3.
[26] Varnhagen an Rahel, Zistersdorf 4. Aug. 1809: Bfw II, 12.
[27] Vgl. Varnhagen. Die Schlacht von Deutsch-Wagram, a.a.O. S. 4f. Dkw II, 181. II², 83. II³, 193.
[28] Varnhagen an Rahel, Deutsch-Wagram 25. Juni 1809: Bfw II, 5. Vgl. Varnhagen an Cotta, Prag 8. Juli 1812: SNM Cotta-Archiv Nr. 12 "Ich benütze den friedlichen Zustand desto lieber, da mich der Krieg überhaupt jetzt nicht lockt; ich möcht' ihn lieber von Norden nach Süden mitmachen".
[29] Varnhagen an K. v. Humboldt, Prag 5. Aug. 1812: K. v. Humboldt-Bfw S. 56 Z. 29ff. Vgl. Varnhagen an Cotta, Prag 15. Juni 1812: SNM Cotta-Archiv Nr. 11 "Ich glaube nicht lange mehr in Prag zu sein; manche Verhältnisse rufen mich nach Berlin ...".
[30] Varnhagen an Rahel, Deutsch-Wagram 25. Juni 1809: Bfw II, 7.

völlig vertraut, und da er sich von jeder Entscheidung entbunden fühlte [31], verzögerte sich auch seine Abreise von Prag, wo er stationiert gewesen war. Nachdem er sogar die österreichische Urlaubserteilung schon empfangen hatte [32], hielten ihn andere Umstände immer noch zurück, und es handelte sich dabei vor allem um neue und, wie er Rahel schrieb, "befestigte Bekanntschaften mit wirkenden Männern", in deren Dienst er eine Möglichkeit seines Berufs zu verwirklichen hoffte. Eine selbstlose Form des Gesprächs und der Verständigung konnte sich ihm jedoch nicht darbieten, weil er an ein Verantwortungsbewusstsein dieser Männer glaubte, zu dem deren eigene Machtstellung im Sommer 1812 noch nicht ausgereift war [33]. Metternich, den Varnhagen seit 1810 von seinem Pariser Aufenthalt her kannte [34] und dem er nun in Prag aufs neue begegnete, war selbst seiner Haltung nach auch nicht der Mann, um in Varnhagen eine Entscheidung durchzusetzen, die ihn seiner individuellen Bestimmung zugeführt hätte. Dabei wäre er in einer besseren wirtschaftlichen Situation bereit gewesen, Varnhagen ein Auskommen zu sichern [35], und eine Stellung, derjenigen von Friedrich Schlegel oder sogar von Gentz vergleichbar, hätte er ihm auch später noch verschaffen wollen [36]. Sobald es Varnhagen aber um seine persönliche Bestimmung ging, hatte für ihn die Geldfrage, die ihn zeitweilig allerdings an sich selbst irre werden liess, keine Bedeutung. Er brauchte grundsätzlich eine Stellung, die es ihm ermöglichte, äussere Begebenheiten von einem von Natur aus dazu geeigneten Standpunkt aufnehmen zu können und davon mit letztem persönlichem Einsatz Zeugnis abzulegen. Aber gerade die persönliche Einsatzbereitschaft, das Verantwortungsbewusstsein mussten Humboldt, Stein und Beyme [37] abschrecken, Varnhagen für den Dienst in "auswärtigen Angelegenheiten" zu empfehlen, obwohl er selbst erst allmählich sich dessen "Möglichkeiten" zu verdeutlichen begann. "Die Leute", schrieb er an Rahel, "sehen weder meine Lage, noch mein Wollen; ihre Meinung kann mich nicht irre machen, ich bin darauf achtsam, sofern sie Dinge betrifft, die man äusserlich erfahren kann, z.B. eben jene Abneigung vor dem diplomatischen Fach. Diejenigen, die da meinen, es sei mir um eine ordentliche, haltbare Laufbahn zu thun, urtheilen am unglücklichsten; soll ich je zu etwas kommen, so geschieht es durch Begebenheiten, nicht durch eine Laufbahn, und grade mir steht der Wechsel zu; der Augenblick gebietet mir, und eine Stelle suche ich vielleicht am meisten darum, um für die Füsse einen Punkt zum Springen zu haben. Die ungeheuren Möglichkeiten, die eröffnet sind, halten mich wach, und das Wünschenswerthe, wenn es einen sichtbaren Anfang darbietet, soll meine Theilnahme nicht vermissen. Doch bin ich mehr als je besonnen in allen Dingen, die das öffentliche Leben angehen" [38].

[31] Vgl. Varnhagen an Rahel, Prag 19. April 1812: Bfw II, 278.
[32] Vgl. Dkw III³, 244. Dazu III, 209. II², 365.
[33] Varnhagen an Rahel, Prag 2. Juli 1812: Bfw II, 297.
[34] Vgl. Varnhagen an Rahel, Paris 4. Sept. 1810: Bfw II, 85.
[35] Vgl. Varnhagen an Rahel, Prag. 2. Juli 1812: Bfw II, 298.
[36] Vgl. H. H. Houben. Jungdeutscher Sturm und Drang, S. 574ff.
[37] Vgl. Varnhagen an Rahel, Prag 6. Juni; 6. Jan. 1812: Bfw II, 292; 211f.
[38] Varnhagen an Rahel, Prag 6. Juni 1812: Bfw II, 293.

Die Vorbereitungen, die Varnhagen zu seinem Eintritt in den preussischen Dienst getroffen hatte [39], brachten keine sofortige Wendung. Als er sich im Winter 1812/13 bereits in Berlin aufhielt, um seine Anstellung abzuwarten, musste er die grössten Entbehrungen auf sich nehmen [40], bis er schliesslich Hardenbergs "Schreiben ... zu einer militärischen Bestimmung nach Breslau" erhielt [41]. Wesentlich war für ihn, dass er diesen neuen Beruf aus der "Wendung der Ereignisse" heraus erleben und verstehen konnte [42]. Sein persönliches "Schicksal, das für sich selbst einer abgesonderten Entscheidung entgegen sah", hatte sich "an die allgemeinen Entscheidungen" angeglichen [43]. Die günstige Veränderung des Standpunkts, die Varnhagen seit dem Tübinger Winter für seine Erlebnisfähigkeit als wichtig zu erkennen begann, und die Übereinstimmung seiner persönlichen und der allgemeinen Entwicklung der Weltereignisse, ihrer geistigen Bewegung, waren die entscheidenden Voraussetzungen, durch die Varnhagen zum historischen Schilderer seiner Zeit wurde. Sein in diesem Sinn erstes historiographisches Werk mit dem Titel "Geschichte der hamburgischen Begebenheiten während des Frühjahrs 1813. London 1813" ist *deshalb* überhaupt das Gelungenste, was Varnhagen wohl je geschrieben hat, weil es ein Werk der unmittelbarsten Gegenwärtigkeit ist und dadurch, dass es zudem anonym erschien [44], auch äusserlich gesehen keine profilierte Meinungsäusserung vermitteln wollte. Umgekehrt macht es daher den Eindruck eines im ganzen unfertigen literarischen Versuchs, und es ist als Dokument persönlicher Eindrücke und Beobachtungen quellenmässig durchaus missverständlich und anfechtbar.

In den einleitenden Absätzen zur 'Geschichte der hamburgischen Begebenheiten', in denen Varnhagen zuerst seinen Standpunkt erläutert, heisst es: "Der Verfasser konnte nicht ohne die höchste Bewegung des Geistes und Herzens die unter seinen Augen geschehenden Vorgänge betrachten, und fasste früh den Gedanken, sich einen Antheil an dem Geschehenden wenigstens durch dessen Überlieferung und Ausbreitung zu erwerben" [45]. Nun ist aber gerade der Erlebnischarakter in seiner Schrift nicht durchgehend im Faktischen begründet, und sogar das wesentlichste Ereignis, dessen Grossartigkeit von allen, die

---

[39] C. Misch, a.a.O. S. 20.
[40] C. Misch, a.a.O. S. 21f.
[41] Varnhagen an Cotta, Berlin 27. Feb. 1813: SNM Cotta-Archiv Nr. 19.
[42] Varnhagen an K. v. Humboldt, Berlin 26. Feb. 1813: K. v. Humboldt-Bfw S. 83 Z. 3ff. Vgl. auch F. Römer, a.a.O. S. 64.
[43] Varnhagen an K. v. Humboldt, Berlin 7. Feb. 1813: K. v. Humboldt-Bfw S. 72 Z. 26ff.
[44] Der Druckort von Varnhagens Broschüre war Bremen. – Vgl. dazu das Verzeichnis im Jahre 1845 in Berlin lebender Schriftsteller und ihrer Werke, S. 352. Ferner Varnhagens eigenhändig ausgefüllten Fragebogen für das Gelehrte Berlin: Ddf LuStB 54.2196 [Druckort]: "Bremen. Friedrich Perthes". Vgl. auch Varnhagen an Rahel, Boitzenburg 3. Dez. 1813; Bremen 2. Feb. 1814: Bfw III, 220; 291. Unrichtig dagegen "Hamburg" bei E. Weller. Die falschen und fingirten Druckorte, S. 214. M. Holzmann u. H. Bohatta. In: Deutsches Anonymen-Lexikon II, 190 Nr. 6393. Dazu auch K. Goedeke. Grundriss zur Geschichte der deutschen Dichtung IV, 179. G. v. Wilpert u. A. Gühring Erstausgaben deutscher Dichtung, S. 1296.
[45] Geschichte der hamburgischen Begebenheiten, S. 4. Vgl. Dkw III, 249f. II², 400f. III³, 274f.

38

dabei waren, bezeugt wird [46], den Einzug des Obersten Tettenborn in Hamburg und die sich daran anschliessenden Festlichkeiten hatte Varnhagen versäumt, und was er davon überlieferte, konnte ihm nur aus zweiter Hand bekannt geworden sein [47]. Er hatte sich nämlich am 13. März noch in Breslau aufgehalten und war erst vier Tage nach jenem Einzug am 22. März in Hamburg eingetroffen [48]. Dass er aber trotzdem eine ”lebendige Schilderung“ dieses Geschehens zustande gebracht hat, deren Eindruck demjenigen eines Augenzeugenberichts sogar täuschend ähnlich war [47], zeugt allerdings von einer erstaunlichen literarischen Fertigkeit; doch gleichzeitig rührte diese Wirkung von einer anderen Eigenschaft, die der junge Leopold von Gerlach an Varnhagen, ohne ihn übrigens als Verfasser zu kennen, zum mindesten vom militärischen Standpunkt als ”Pretension auf Kenntnis und Praxis“ mit Recht tadelte [49]. Denn weder hatte Varnhagen in Hamburg einen militärischen Überblick bewiesen, noch eine entsprechende Funktion innegehabt [50], noch überhaupt je militärische Fachkenntnisse besessen [51]. Die Prätention war bei ihm deshalb auch viel weniger auf das Militärische als auf die durch persönliche Anteilnahme und Wirksamkeit in seinem Sinn beglaubigte Überlieferungsaufgabe gerichtet, und darin hat auch der Historiker Woltmann in seiner wohlwollenden Rezension das Fruchtbare und die das Feld der deutschen Geschichtschreibung erweiternde Perspektive an Varnhagens Schrift richtig gesehen und hervorgehoben. Woltmann hat ihn ausserdem als erster ganz ”besonders ... für die Abfassung von historischen Denkwürdigkeiten, wo der Historiker als Augenzeuge spricht“, zu erwärmen gesucht [52]. Dass er ihm gleichzeitig aber den Vorwurf mangelnder Unmittelbarkeit nicht ersparte, erklärt sich aus der Distanz, in der Varnhagen den äusseren Vorgängen in Hamburg gegenüber stand. War er am Anfang des geschilderten Zeitabschnittes noch nicht einmal am Schauplatz der Ereignisse, so hatte er auch während seiner Anwesenheit nicht den Ehrgeiz, um aus der allgemeinen Begeisterung, in der seine Existenz sich gerade neu zu festigen begann, seine eigene Person

[46] Vgl. E. L. F. Meyer an C. de la Camp-Pehmöller, Hamburg 24. März 1813: A. Heskel. Ein Brief aus den ersten Monaten des Jahres 1813, MVHG 24 (1904) S. 457. Abendroths Anmerkung: P. Poel. Hamburgs Untergang, ZsVHG 4 (1858) S. 24 A. 1. J. G. Rist. Lebenserinnerungen II, 176. Ferner A. Wohlwill. Neuere Geschichte der Freien und Hansestadt Hamburg, S. 461.
[47] Vgl. dagegen K. D. Möller. Beiträge zur Geschichte des kirchlichen und religiösen Lebens in Hamburg in den ersten Jahrzehnten des 19. Jahrhunderts, ZsVHG 27 (1926) S. 3 A. 2. Vgl. dazu unten S. 77 A. 263.
[48] Vgl. Varnhagen an Rahel, Breslau 13. März 1813: Bfw III, 3. Ferner Dkw III, 212. II², 368. III³, 249. Dazu Varnhagen an Rahel, Hamburg 22. März 1813: Bfw III, 6.
[49] L. v. Gerlach an K. Sieveking, Höchst 12. Dez. 1813: L. v. Keyserling. Studien zu den Entwicklungsjahren der Brüder Gerlach. S. 157. Vgl. H. Sieveking. Karl Sieveking II, 25.
[50] Vgl. Varnhagen an Rahel, Hamburg 30. März; 3 April 1813: Bfw III, 21f.; 29.
[51] Vgl. J. G. Rist. Lebenserinnerungen II, 179. L. v. Ompteda. Lebenserinnerungen: Politischer Nachlass III, 68f. C. Misch, a.a.O. S. 17.
[52] [K. L. v. Woltmanns Rezension] JALZ XI/4 (1814) Sp. 203. Zur Verfasserschaft vgl. Rahel an Varnhagen, Teplitz 23. Aug.; Dresden 25. Aug. 1814: Bfw IV, 23f.; 28. Dazu Varnhagen an Rahel, Hamburg 2. Sept. 1814: Bfw IV, 44. Ferner Varnhagen an Perthes, Wien 24. Nov. 1814: HH StA Perthes Nachlass I M 7b Bl 149-150 Die 'Geschichte der hamburgischen Begebenheiten' sei ”von Woltmann äusserst günstig recensirt“ worden.

im Kriegsgeschehen zu gefährden [53]. Insofern aber ist sein Werk zwiespältig, als er von der kritischen Bewältigung des Stoffes her gesehen keine Schwierigkeiten kannte und deshalb die innere Problematik des Geschehens nicht konkret aus ihm heraus reflektierte, sondern, wie es Leopold von Gerlach aussprach, auch "die innern Angelegenheiten ... ungenügend und so wie man sie sich, ohne diese Geschichte gelesen zu haben, ungefähr denken konnte, dargestellt" hat [54]. Literarisch hat Varnhagen dagegen ein in angenehmer Prosa leicht zu lesendes Schriftwerk verfasst, das er sich sogar in Damengesellschaft mit Erfolg vorzulesen getrauen durfte [55]. Aber gerade hierin gab Varnhagen einer Verlockung nach, die sich ihm durch sein schriftstellerisches Talent aufdrängte, wogegen sie ihn als strengen Historiker in ein fragwürdiges Licht rückte. Jedoch für den Vorwurf der Eitelkeit, dem sich Varnhagen schon zu seinen Lebzeiten ausgesetzt sah [56], ist der Einwand Gerlachs noch lange kein eindeutiger Beweis, und gerade bei der 'Geschichte der hamburgischen Begebenheiten' reicht er schon deshalb nicht aus, weil die Anonymität jede ruhmrednerische Anspielung des Verfassers auf sich selbst gegenstandslos machte. Zwar hat auch Woltmann den Mangel an Varnhagens historiographischer Darstellung in derselben Richtung gesucht, aber indem er ihn, wie er sich ausdrückte, aus "zuviel Courtoisie" herleitete, zeigte er doch ein differenzierenderes Verständnisvermögen [57]. Er hat damit grundsätzlich die Schwierigkeit deutlich gemacht, die sich immer dann einstellen wird, wenn man kritisch nach der Authentizität von Varnhagens Aussage fragt, aber dem befreundeten Verfasser gegenüber war er doch wohl selbst zu stark in "Courtoisie" befangen, als dass er ihn einer vernichtenden Kritik unterzogen hätte, und das persönliche Vertrauen, das ihm Woltmann bewies, hat Varnhagen in seiner wohlwollenden Rezension von dessen 'Deutschen Blättern' seinerseits entsprechend erwidert [58]. Obwohl sich Woltmann nämlich bei Varnhagens Schrift im Klaren war, dass "mit der Zeit von der Gegenseite, oder von einem höheren Standpunct, ein anderes Licht fallen" könnte, "als wir hier sehen", würde er als Freund doch nie so weit gegangen sein, dass er diese erweiterten Masstäbe an die Gattung "von historischen Denkwürdigkeiten" gelegt hätte [59]. Bis zu welchem Grad aber Varnhagen selber solche Masstäbe für seine Darstellung anwenden mochte,

---

[53] Vgl. Varnhagen an Rahel, Hamburg 7. Mai 1813: Bfw III, 65.

[54] L. v. Gerlach an K. Sieveking, Höchst 12. Dez. 1813: L. v. Keyserling, a.a.O. S. 157.

[55] Vgl. Varnhagen an E. Wolbrecht, Teplitz 25. Juli 1814: Ddf LuStB 62.2543 "Sie, theuerste Schwestern, hörten im vorigen Sommer die Ersten gütig und wohlwollend meine Schrift über Hamburg an, ..." Ferner Varnhagen an Rahel, München 5. Sept. 1827: Bfw VI, 145. Dazu Rahel an Varnhagen, 29. Aug. 1827: Bfw VI, 122f. Ferner Varnhagen an Rahel, Lauenburg 12. Juni; Boitzenburg 13. Juli; 13. Aug. 1813: Bfw III, 112; 135; 148. Rahel an Varnhagen, Prag 30. Juli 1813: Bfw III, 143. — Vgl. auch D. Gries an K. Gries, Jena 22. Juli 1814: H. Reincke. Aus dem Briefwechsel von Karl und Dietrich Gries, ZsVHG 25 (1924) S. 267.

[56] Vgl. Varnhagens Notiz, 19. Sept. 1846: Briefe von Stägemann, Metternich, Heine, S. 5f. Ferner C. Misch, a.a.O. S. 3.

[57] [K. L. v. Woltmanns Rezension] JALZ XI/4 (1814) Sp. 203.

[58] [Varnhagens Rezension] JALZ XII/2 (1815) Sp. 225. Zur Verfasserschaft vgl. C. Misch, a.a.O. S. 170.

[59] [K. L. v. Woltmanns Rezension] JALZ XI/4 (1814) Sp. 202 u.f.

kann nur im einzelnen Fall an Hand des konkret geschichtlichen Hintergrundes beurteilt werden.

Die Ereignisse, die zu Varnhagens 'Geschichte der hamburgischen Begebenheiten' den Stoff lieferten, sind, wie schon der Titel andeutet, in erster Linie ein Stück hamburgischer Lokalgeschichte. Es umfasst die kurze Zeitspanne, in welcher Hamburg nach schweren Unruhen unter der Bevölkerung und dem daraufhin am 12. März 1813 erfolgten Abzug der französischen Besatzung vorübergehend frei wurde und dann den russischen Kosakenregimentern unter Tettenborn eine Operationsbasis gewährte, bis sich dieser gegen den Druck der inzwischen neu gebildeten französischen Regimenter unter dem Marschall Davout nicht mehr halten konnte und die Stadt am 30. Mai räumte. Es handelt sich dabei zeitlich um eine in sich selbst geschlossene Folge von Ereignissen, die im Frühjahr 1813 zwar am Rande, aber doch nicht ausserhalb des Zusammenhangs der allgemeinen Entwicklung stand. Varnhagen hat dies selber deutlich empfunden, wenn er am Anfang seiner Schrift erklärte: "Die Geschichte der Tage, welche der Verfasser dieses zu beschreiben unternommen, schien anfangs in dem Aufstehn anderer Städte und Landschaften Deutschlands, wozu damals Hoffnung und Aussicht war, sich wiederholen zu müssen, und nur als mitwirkendes Glied einer allgemeinen Anstrengung die öffentliche Aufmerksamkeit in Anspruch nehmen zu können. Seitdem aber die Anstrengung dieser Stadt ohne Nachahmung geblieben, und sie allein in Folge derselben von einem Schicksal getroffen worden, das wie ein grosses Trauerspiel die Theilnahme der Zeitgenossen heftig erregt hat, seitdem steht ihre Geschichte auch für sich als Ganzes da, und gewinnt eine von den allgemeinen Begebenheiten auch unabhängige Wichtigkeit" [60]. Mit diesen Worten legte Varnhagen, was seinen historiographischen Standpunkt betraf, Rechenschaft ab, und dieser bedeutete, insofern Varnhagen sich selbst nicht nur als Zeitgenossen, sondern zudem als Repräsentanten seiner Zeit betrachtete, "Theilnahme" auf jene persönliche Art, die sich bei ihm aus dem unmittelbaren Eindruck eines Erlebnisses herleitete. Dabei ging er nun so weit, dass er darüber hinaus "Theilnahme" nicht nur prägnant als persönliche Mitwirkung verstand, sondern auch den "Standpunkt" ganz realistisch im örtlichen Sinn festgelegt berücksichtigte und sich sogar "glücklich" pries, ihn innegehabt zu haben. Insbesondere führte er weiter über diesen Standpunkt aus, dass er "ihm die Erforschung des Einzelnen und den Überblick des Ganzen gleichermassen" zu verdanken habe [61]. Er behauptete also nicht ohne Prätention, innerhalb der Gegenwart einen bestehenden geschichtlichen Zusammenhang als Ausdruck eines Allgemeinen erkennen zu können. Die Prätention dieser Annahme lag in der Beschränkung des Blickfeldes auf die Zeit der Gegenwart, in deren Bereich die perspektivische Annäherung an den betrachteten Gegenstand keine zünftigen

---

[60] Geschichte der hamburgischen Begebenheiten, S. 3. Vgl. den etwas knapperen Wortlaut Dkw III, 249. II², 400. III³, 274.
[61] Geschichte der hamburgischen Begebenheiten, S. 5. Ferner Dkw III, 251. II², 401. III³, 275.

Dimensionen umspannen konnte, sie lag aber auch in einer persönlichen Überbewertung jenes Menschen, der eben gerade den einzigen richtigen Standpunkt innerhalb dieses beschränkten Blickfeldes haben konnte. Es ist dabei nicht zu zweifeln, dass Varnhagen wegen dieser Überschätzung des Augenzeugenberichts in der Geschichtschreibung sich persönlich unbeliebt gemacht hat [62], doch verfocht er die Bedeutung des Augenzeugen nicht, um einseitig seine eigene Tätigkeit zu beschönigen, sondern er würdigte diesen Umstand allgemein auch an anderen zeitgeschichtlichen Schriften [63]. Er betrachtete es nämlich als eine durchaus weihevolle Aufgabe, Zeuge historischer Geschehnisse zu sein, solange deren Erkenntnis unmittelbar, unabsichtlich und seiner Vorstellung nach eine Art Eingebung war, da sich sonst die Beziehung zum Gegenstand verflüchtigt haben würde, noch ehe selbst ein aufopferungsvoller Forscher Zeit gefunden hätte, einen konkreten Inhalt in sich aufzunehmen und sich einzuprägen. Deshalb lag im Verstehen des Augenzeugen etwas Begnadetes, das Varnhagen selber für sich nicht ausdrücklich beanspruchte, mit dem er aber in Gedanken spielte, wenn er von sich selbst bemerkte: "Diejenigen, welche eingeweiht sind, werden leicht erkennen, wie sehr oder wenig der Verfasser es ist" [64]. Demgegenüber hat er in der überarbeiteten Fassung seiner Schrift, die in den 'Denkwürdigkeiten' erschien, denselben Satz distanzierter formuliert und den gewollten Ausdruck, der sich ihm in der ersten Begeisterung des Erlebens aufgedrängt hatte, folgendermassen abgeschwächt: "Wer selbst eingeweiht ist", schrieb er nun, "in dem ganzen Zusammenhang, wird leicht erkennen, wie fern der Verfasser es ist" [65].

Die für die Folge wesentliche Frage ergibt sich aus dem, was Varnhagen selbst als "Zusammenhang" bezeichnete, denn darin offenbart sich sogleich eine Fülle von Ansichten, die der Erklärung bedürfen. Zunächst handelt es sich um zwei Gesichtspunkte eines Zusammenhangs, denen zufolge der Standpunkt bald konkret auf die Örtlichkeit, bald allgemein auf die historische Entwicklung bezogen war. Varnhagen hatte, wie er in den ersten Sätzen seiner Schrift erklärte, in den "hamburgischen Begebenheiten" ein Symptom der Zeit erkennen wollen und erst nachträglich ihren Ausnahmecharakter begriffen. Es ist dabei nicht auszumachen, wann genau er zu seiner veränderten Auffassung kam; denn mit der Niederschrift seiner Schilderung begann er schon zur Zeit des Waffenstillstands, den die Verbündeten und Napoleon am 4. Juni 1813 geschlossen hatten [66], und bis zur Drucklegung blieb ihm jedenfalls genügend Zeit, um

---

[62] Vgl. E. Howald. Varnhagen von Ense. In: Deutsch-Französisches Mosaik, S. 170f.
[63] Vgl. [Varnhagens Rezension] JALZ XII/1 (1815) Sp. 121f.; 126f. Zur Verfasserschaft vgl. C. Misch, a.a.O. S. 170. Vgl. auch mit Auslassungen VSchr V², 215ff.; 224.
[64] Geschichte der hamburgischen Begebenheiten, S. 5.
[65] Dkw III, 251. II², 402. III³, 275. – Im übrigen ist die Fassung der ersten Auflage derjenigen der folgenden vorzuziehen; es heisst hier: "Wer selbst eingeweiht ist in den ganzen Zusammenhang, wird leicht erkennen, wiefern der Verfasser es ist; ...". Das 'In dem Zusammenhang Eingeweihtsein' verdeutlicht nämlich den Begriff der 'Theilnahme' besser als das 'In den Zusammenhang' und zudem ist das 'Wie fern' Varnhagens konkret örtlicher Standpunktsvorstellung näher als das abstrakte 'Wiefern'.
[66] Vgl. Varnhagen an E. Wolbrecht, Teplitz 25. Juli 1814: Ddf LuStB 62.2543 Er

Änderungen anzubringen. Gedruckt wurde die Schrift im Dezember 1813 [67], und damit ist der Zeitraum, in welchem Varnhagen seine Ansicht über das Verhältnis Hamburgs und der allgemeinen Zeitentwicklung berichtigen konnte, zu bestimmen. Was Hamburg aber im geistigen wie im praktischen Leben für Varnhagen bedeutete, als er von dort aus 1813 einen "Überblick des Ganzen" hatte, drückt sich schliesslich am deutlichsten in der überarbeiteten Fassung aus, die den Titel "Hamburg im Frühjahr 1813" erhielt [68]. Wenn sich aber dieser Standpunkt, der geradezu geographisch in der Stadt Hamburg festgelegt war, für Varnhagen als günstig erwies, lag es daran, dass er dort bereits seit seiner Jugend eine Art Zuhause hatte und also nicht in unvertrauter Umgebung den Zeitereignissen entgegenblicken musste.

Was Varnhagen selber über Hamburg aussagte, stellt allerdings kein Ergebnis zünftiger historische Forschung dar, sondern beschränkt sich auf eine allgemeine Charakteristik freiheitlicher Bestrebungen, die in dieser Stadt, wie er ausdrücklich betonte, "von jeher" lebendig waren. Für ihn selbst verband sich damit das "Andenken der *Büsch, Reimarus, Sieveking, Kirchhof* und vieler Andern, die diesen ähnlich waren" [69]. Wichtig als Voraussetzung für die innere Teilnahme wurde dabei die Folge von persönlichen Begegnungen, denen er wenigstens eine oberflächliche Bekanntschaft mit einigen dieser berühmtesten Einwohner Hamburgs verdankte, und wenn er es sich auch erst rückblickend in seinen 'Denkwürdigkeiten' vergegenwärtigen konnte [70], war die Tatsache, dass er es gewissermassen stillschweigend voraussetzen durfte, um so schwerwiegender, weil er selbst in Hamburg zuerst nur ein gerade neunjähriger Knabe gewesen war und deshalb damals kaum schon die Verdienstlichkeit eines Mathematikers wie Büsch richtig zu würdigen verstanden hätte. Aber auch an den Hinweis auf "England mit den anlockenden Bewegungen seines politischen Lebens" und an die "vorurtheilsfreiere Beurtheilung" von "Frankreichs Veränderungen", denen Hamburg offenstand [71], knüpfte sich

schreibe an den 'Kriegszügen Tettenborns' und es seien "dieselben Sommertage, dieselbe Beschäftigung wie damals während des Waffenstillstandes, . . .".
[67] Vgl. Varnhagen an Rahel, Boitzenburg 3. Dez. 1813: Bfw III, 220. – Das Erscheinen der Schrift fiel aber erst ins Jahr 1814. Vgl. Varnhagen an Cotta, Hamburg 3. Sept. 1814: SNM Cotta-Archiv Nr. 22. Dazu die Übersicht der neuesten Literatur 1815. Morgenblatt für gebildete Stände, 9 (1815) Nr. 10 S. 38. "Geschichte der Hamburgischen [sic!] Begebenheiten während des Frühjahrs 1813. London 1814 [sic!]". Ferner Varnhagen an Rahel, Bremen 2. Feb. 1814: Bfw III, 291.
[68] Dkw III, 249. Vgl. II², 400. III³, 274.
[69] Geschichte der hamburgischen Begebenheiten, S. 32f.
[70] Varnhagen. Ankunft und erster Aufenthalt in Hamburg. Berliner Taschenbuch, S. 14f.; 12ff.; 18f. Dkw I², 168f.; 166ff.; 171. I³, 132f.; 131f.; 134f. Beim Namen Sieveking unterlief Varnhagen offenbar eine Verwechslung Georg Heinrichs und seines Sohnes, des Varnhagen befreundeten späteren Syndikus Karl. Vgl. J. Kühn. Anmerkungen. In: Dkw II, 403. – Vgl. auch Varnhagen an A. Bölte, Berlin 8. Juli 1850: Briefe an eine Freundin, S. 226f. Ferner Varnhagen an Perthes, Berlin 25. Nov. 1827: HH StA Perthes Nachlass I M 17a Bl 124-125 ". . .ich sah Niethammer, Roth . . .die Trümmer des Jacobi'schen Lebenskreises, dessen Berührung mich noch wohlthätig ergriff, und auch sogleich nach Hamburg im Geist versetzte, wo Sie mit Reimarus, Sieveking, Büsch, und Andern, die ich zum Teil nur als Knabe noch erblickt, mir lebhaft vorschwebten!"
[71] Geschichte der hamburgischen Begebenheiten, S. 33.

eine Reminiszenz persönlicher Erlebnisse, von denen Varnhagen erstmals wohl in 'Kletkes Taschenbuch' in einem gedruckten Auszug seiner 'Denkwürdigkeiten' berichtete. Bezeichnenderweise erzählte er darin von einer Gesellschaft, die sich biedermännisch genug bei einem, wie er schrieb, "wackern Wirth auf dem Alten Steinwege" traf und der er selbst hatte beiwohnen dürfen [72]; einen anderen Eindruck als diesen äusseren konnte er nämlich aus seiner Jugendzeit allerdings nicht, ohne unglaubwürdig zu erscheinen, überliefern, und erst nachträglich durfte er es wagen, einer solchen Gesellschaft höhere Ideale unterzuschieben. Dies gilt schliesslich auch für Hamburgs "Kraft altdeutscher Staatseinrichtungen", als deren lebendiger Zeuge er sich später geradezu programmatisch selbst offenbarte. Wieder handelte es sich um eine Gesellschaft, die ihrerseits auf "dem Baumhause" zusammenkam und die in jener für Varnhagen so bedeutsamen Art des Eingeweihtseins "ganz das Vertrauliche eines geschlossenen Klubs hatte" [73]. Was Varnhagen hier stillschweigend in sich aufgenommen hatte, war ein Teil jener zwischenstaatlichen Beziehungen, die sich ihm beim Anblick des Hamburger Hafens und der unter verschiedener Flagge erkennbaren Handelsschiffe von selbst veranschaulichen mussten [74]. Er war dabei nicht gezwungen, seine Kenntnisse mühevoll zu vertiefen, sondern "brauchte . . . nur hinzuhören, um", wie er schrieb, in den Versammlungen "aus zufälligen Äusserungen manchen willkommenen Aufschluss über die . . . wichtig gewordenen Gegenstände zu empfangen". In dieser Haltung äusserer Verhaltenheit und innerer Aufnahmebereitschaft lag ein Grundzug von Varnhagens historischem Vorgehen, und dementsprechend eignete er sich auch ein so theoretisches Wissen wie die Kenntnis der hamburgischen Verfassung an [75]. Diese Haltung konnte jedoch nur fruchtbar sein, solange sie durch die örtlichen Verhältnisse begünstigt wurde und zugleich auch in den allgemeinen Zeitumständen begründet blieb. Varnhagen glaubte diese Voraussetzungen als für Hamburg gültige erkannt zu haben und denjenigen, die in der Weihe dieser Erkenntnis eingeschlossen wären, "mit Einem Worte" mitteilen zu können; denn "hier", meinte er, ". . . fand sich vielfach vorbereitet und angesammelt", wessen die "Zeit nur immer bedurfte" [76]. Damit stellt sich nun im Hinblick auf die allgemeine Zeitentwicklung aufs neue die grundsätzliche Frage nach dem Zusammenhang von Standpunkt und Allgemeinem.

---

[72] Varnhagen. Ankunft und erster Aufenthalt in Hamburg, a.a.O. S. 30ff. Dkw I², 180f. I³, 141f.
[73] Geschichte der hamburgischen Begebenheiten, S. 33. Vgl. Varnhagen. Ankunft und erster Aufenthalt in Hamburg, a.a.O. S. 26. Dkw I², 177. I³, 139. Ferner C. A. Geil. Karl August Varnhagen von Ense. Rheinische Blätter für Erziehung und Unterricht, 60 (1886) S. 258 u.f. Vgl. auch O. F. Walzel, a.a.O. S. 770.
[74] Vgl. Varnhagen. Ankunft und erster Aufenthalt in Hamburg, a.a.O. S. 26f. Dkw I², 177f. I³, 139.
[75] Vgl. Varnhagen. Ankunft und erster Aufenthalt in Hamburg, a.a.O. S. 27ff. Dkw I², 178f. I³, 140f. Vgl. auch Varnhagen an R. M. Varnhagen, Feb. 1804: F. Römer, a.a.O. S. 21. Ferner H. H. Houben. Jungdeutscher Sturm und Drang, S. 584f.
[76] Geschichte der hamburgischen Begebenheiten, S. 33. Ferner Dkw III, 272f. II², 420. III³, 289.

Mit dem Hinweis auf die Verbindungen Hamburgs zu Frankreich und England hat Varnhagen selbst bereits eine Perspektive aufgezeigt, die in den Zusammenhang des Allgemeinen hineinweist. Bei seinem Verständnis des Allgemeinen jedoch ist diese Perspektive ihrerseits derjenigen untergeordnet, die er als die umfassendste seiner Zeit betrachtete, der freiheitlichen Bewegung. Die Erhebung in Deutschland und der Befreiungskrieg waren für ihn aber nicht die einzig reale Verwirklichung dieser Idee, weil er im Innersten seiner Überzeugung den Krieg verabscheute und das angegriffene Frankreich als geistige Macht weit höher schätzte, als es sich mit einem nationalen Bewusstsein für Preussen oder gar Deutschland vereinen lassen konnte [77]. Das Allgemeine stellte sich Varnhagen auf rein geistige Weise dar und entwickelte sich dementsprechend gleichzeitig mit den tatsächlichen Ereignissen, deren inneres Verständnis es bewirkte. Sooft Varnhagen deshalb von "Gesinnung", "Begeisterung" und ähnlichem sprach [78], meinte er damit den Durchbruch des Allgemeinen, welcher sich in der Äusserung, also in der Rede oder, was mehr ins Gewicht fallen musste, in der Tat eines Menschen kundgab. Dies waren für Varnhagen die Voraussetzungen, unter denen er die Gestalt Tettenborns beurteilt und gewürdigt hat. Die Fragwürdigkeit von dessen militärischer Befähigung, die sich nach der Meinung von Zeitgenossen und neueren Geschichtsforschern in der unzulänglichen Verteidigung und schliesslich in der Preisgabe Hamburgs herausgestellt habe [79], war für Varnhagens tiefer gehendes Erleben und Verständnis Tettenborn gegenüber gar nicht zu spüren. Was er selbst dagegen von den militärischen Massregeln anführt, entbehrt jeder Sachkenntnis [80], und im Vergleich mit dem, was über Tettenborn aus anderen Zeugnissen bekannt ist, zeigt sich hier die Grenze, wo Varnhagens Idealisierung auf Widerspruch stossen musste [81]. Andrerseits aber liegt an dieser Grenze der Masstab, welcher grundsätzlich für alles von Varnhagen Überlieferte angewendet werden muss.

Es überrascht nicht, dass Varnhagen, der bekanntlich den für die Freiheitsbewegung repräsentativen Einzug Tettenborns in Hamburg gar nicht miterlebt

[77] Vgl. Geschichte der Kriegszüge des Generals Tettenborn, S. 28f. Dkw III, 401. III², 17f. IV³, 13. Ferner Varnhagen an E. Wolbrecht, Teplitz 25. Juli 1814: Ddf LuStB 62.2543 über den Krieg: "... das Durchgehn seiner Zustände in Gedanken macht ihn mir noch widerwärtiger, als verhasst. Dem Unsinn und dem Aberwitz hingegeben ist man es zugleich den Gefahren der Verstümmelung, des schmählichen Todes ...".

[78] Geschichte der hamburgischen Begebenheiten, S. 33, 37, 86f. u.ö. Dkw III, 273, 275f., 321. II², 420, 423, 462. III³, 289, 291, 321. Geschichte der hamburgischen Begebenheiten, S. 20, 28, u.ö. Dkw III, 262, 269. II², 411, 417. III³, 282, 287.

[79] Vgl. P. Poel. Hamburgs Untergang., a.a.O. S. 63f. J. G. Rist. Lebenserinnerungen II, 193; 198. B. Jacobi. Hannover's Theilnahme an der deutschen Erhebung, S. 122 A.*. C. T. Perthes. Friedrich Perthes Leben I, 269. [R]. v. Caemmerer. Geschichte des Frühjahrsfeldzuges 1813 II, 324. A. Heskel. Hamburgs Schicksale während der Jahre 1813 und 1814, ZsVHG 18 (1914) S. 264. A. Wohlwill, a.a.O. S. 450. H. Sieveking. Karl Sieveking II, 17. H. Herfurth. Die französische Fremdherrschaft und die Volksaufstände, S. 72.

[80] Vgl. Geschichte der hamburgischen Begebenheiten, S. 95ff. Dkw III, 328ff. II², 468ff. III³, 325ff.

[81] Nostitz an Varnhagen, Dresden 22. Feb. 1815: Aus K. v. Nostitz Leben, S. 183f. Denkschriften und Briefe IV, 85f.

hat, dort mit der Schilderung von dessen Auftreten einsetzte, wo er selbst Augenzeuge gewesen war, nämlich in Berlin. Im Sinne des allgemeinen Zeitgeschehens konnte Varnhagen aber nicht daran gelegen sein, eine ins Einzelne gehende Beschreibung von dem unerwarteten Einfall zu geben, den Tettenborn am 20. Februar 1813 auf Berlin ausgeführt hatte. Was in seinen "Kriegsberichten" und sogar in einem Brief als blosse Nachricht wichtig genug sein konnte [82], war für Varnhagen im Bezug des historischen Zusammenhangs nicht von Belang. In der 'Geschichte der hamburgischen Begebenheiten' schrieb er nur ganz knapp und allgemein von der Besetzung Berlins durch "die Russen ..., nachdem", wie er dann hinzusetzt, "acht Tage vorher der russische Oberst *Tettenborn* an der Spitze von tausend Kosacken auf eine in der Kriegsgeschichte fast beispiellose Art die mit vielen Kanonen ... vertheidigte Stadt nach allen Richtungen durchsprengt hatte" [83]. Später dagegen hat Varnhagen diese Episode in seinem in der Reihe 'Zeitgenossen' erschienenen Beitrag über Tettenborn ausführlich geschildert [84]. Doch während des ersten Jahrs der Befreiungszeit beschäftigte ihn Tettenborns äusserer Lebensgang nur ganz am Rande [85], und wichtig erschien ihm bloss die Verwirklichung jener allgemeinen Bewegung, als deren Vollstrecker er Tettenborn erkannt zu haben glaubte. "Mit der glücklichsten Persönlichkeit begabt", charakterisierte er ihn, "die seine Erscheinung ebenso bedeutend als einnehmend macht, ist er ganz dazu geeignet, die Begeisterung auf sich zu ziehen, und kraftvoll im entscheidenden Augenblicke fortzureissen; ..." [86]. Im Fall der beabsichtigten Einnahme Berlins war Tettenborn offenbar an dieser Eigenschaft seiner Persönlichkeit gescheitert und musste sich gefallen lassen, dass man ihn der Übereilung zieh [87]. Dieser Vorwurf aber bedeutete für ihn, der seiner Bestimmung nach niemals falsch handeln, sondern nur den rechten Zeitpunkt jeweils überstürzen oder versäumen konnte, einen Angriff gegen seine individuelle Existenzform, deren Veranlagung Varnhagen dagegen in seiner Auffassung liebevoll berücksichtigte. Dass Tettenborn im Zeitpunkt seines Angriffs auf Berlin mit der Unterstützung der Bevölkerung rechnete, steht ausser Zweifel [88], und er konnte sich deshalb, nachdem er zuerst lange gezögert hatte, schliesslich für genügend ausgerüstet und vorbereitet erachten, wobei er die taktischen Ratschläge seiner Umgebung völlig überhörte. Zeitgenossen erblickten aber gerade darin einen Mangel an Umsich-

---

[82] Vgl. Varnhagen an K. v. Humboldt, Berlin 26. Feb. 1813: K. v. Humboldt-Bfw S. 82 Z. 21ff.
[83] Geschichte der hamburgischen Begebenheiten, S. 11.
[84] [Varnhagen] Fr. Carl Freiherr v. Tettenborn. In: Zeitgenossen, II/1 (1818) S. 23f. Vgl. Dkw III, 243ff. II², 395ff. III³, 269ff. Zur Verfasserschaft vgl. C. Misch, a.a.O. S. 169f.
[85] Vgl. Geschichte der hamburgischen Begebenheiten, S. 12.
[86] Geschichte der hamburgischen Begebenheiten, S. 12.
[87] Ompteda an Münster, Breslau 25. Feb. 1813: L. v. Ompteda. Politischer Nachlass III, 32. Vgl. auch B. Heinemann. Wilhelm und Alexander von Blomberg. S. 65f.
[88] Vgl. Tettenborn an Stein, Oranienburg 22. Feb. 1813: Stein-Bfw IV, 227. Ompteda an Münster, Breslau 25. Feb. 1813: a.a.O. Boyens Notiz, 14. Feb. 1838: H. v. Boyen. Erinnerungen II, 323.

tigkeit [89], und wenn Varnhagen diesen Mangel verschwieg oder gar nicht bemerkte, war es das Ergebnis seiner verallgemeinernden Betrachtungsweise. Dabei wurde er sich gar nicht bewusst, dass er Tettenborns Individualität in seinem Urteil vernachlässigte und sich selbst dafür in seiner fachlichen Unwissenheit als Nichtmilitär blossstellte.

Die aus dem Allgemeinen gewonnene Ansicht setzt bei Varnhagen nicht grundsätzlich den Überblick über die einzelnen Fakten voraus. Wesentlich war für ihn zunächst die geistige Übereinstimmung zwischen sich selbst und dem Gegenstand seiner Betrachtung [90]. Es verwundert deshalb auch nicht, dass Tettenborn, wenn er zögerte oder sobald er geradezu tollkühn handelte, Varnhagen selbst am ähnlichsten war [91], und so blieb der Zusammenhang, in welchem er Tettenborns Kriegszug nach Hamburg einzuordnen vermochte, von der Stärke der Erlebnisfähigkeit, den Kenntnissen, die er von Tettenborns Absichten hatte, und von der Einsicht abhängig, die er sich zugleich noch für den allgemeinen Überblick bewahren konnte. Nachdem Varnhagen bereits vor Wagram den Norden Deutschlands als Ausgangspunkt einer freiheitlichen Bewegung vorausgesehen hatte, musste ihm Tettenborn, der, wie er selbst bezeugt, seine ”Operationen“ nach der Einnahme von Berlin ”nördlich fortsetzen“ sollte [92], aus innerer Notwendigkeit Vertrauen erweckt haben. Doch übersah Varnhagen abgesehen davon, dass er bloss nicht unterrichtet gewesen zu sein brauchte, oder dass er absichtlich etwas verschwieg, den tatsächlichen historischen Hintergrund von Tettenborns Expedition, und dementsprechend begnügte er sich mit folgender Begründung: ”Schon früh“, schrieb er, ”hatte man ein Hauptaugenmerk auf Hamburg gerichtet, welches in jeder Rücksicht der günstigste Ort schien, die beabsichtigte Erhebung von ganz Deutschland zu beginnen und zu fördern; die von dort einlaufenden Nachrichten beschleunigten die Ausführung eines dahin beschlossenen Zuges. Diese Unternehmung kam an einen Mann, der sie zuerst angeregt und betrieben hatte, und vor allen andern geschickt war, sie mit glänzendem Erfolge zu führen“ [93]. Ein solcher im prägnanten Sinn des Wortes 'geschickter' Mann war Tettenborn, und wenn er auch vergeblich in Berlin mit einer Volkserhebung gerechnet hatte, liess er sich durch diese Erfahrung doch nicht abschrecken, sondern er setzte nunmehr seine ganze Hoffnung auf Hamburg [94]. Die Gewissheit, dass es sich bei diesem Zug um eine höhere Schickung handelte, war für Varnhagen dagegen bereits

[89] Vgl. Ompteda an Münster, Breslau 25. Feb. 1813: a.a.O. S. 31. F. A. L. v. d. Marwitz I, 547f.
[90] Vgl. Varnhagen an Rahel, Hamburg 21. Mai; Lauenburg 12. Juni 1813: Bfw III, 90; 112. Varnhagen an K. v. Humboldt, Hamburg 17. April 1813: K. v. Humboldt-Bfw S. 87 Z. 15ff.
[91] Vgl. über Varnhagens ”Balgsucht“ Kerner an Uhland, Wien 6. Jan. 1810: Kerner-Bfw I, 89. Ferner Chamisso an Lafoye, 19. Okt. 1805: L. Geiger, a.a.O. S. 93. Vgl. auch Varnhagen. Aufenthalt in Paris im Jahre 1810, a.a.O. S. 368f. Dkw NF III (= VII), 117f. III³, 128f. Dazu Varnhagens Notiz, Paris 1810 (Handschriftenprobe): C. Misch, a.a.O. Frontispiz.
[92] Tettenborn an Stein, Oranienburg 22. Feb. 1813: Stein-Bfw IV, 228.
[93] Geschichte der hamburgischen Begebenheiten, S. 11f.
[94] Vgl. F. Straube. Frühjahrsfeldzug 1813, S. 158.

eine ausreichende Begründung, weil sie ihm zugleich auch Tettenborns persönliche Bestimmung veranschaulichte, und insofern hatte Varnhagen subjektiv sogar recht. Was aber die militärische Planung der Mächte Russland und Preussen betraf, zeigte es sich, dass Varnhagens Anschauungsweise nicht genügen konnte. Denn schon bevor die russischen Truppen den Übergang über die Oder bewerkstelligt hatten, lag spätestens Ende Februar ein französisch geschriebenes 'Projet d'une expédition dans le Nord de l'Allemagne' vor, in welchem von einer Einbeziehung Hamburgs keine Rede war. Als wichtigstes Ziel sah dieser Plan die Aufhebung des Königreichs Westfalen vor, und dazu wollte man die verschiedenen Truppenteile der Verbündeten zuerst auf ehemals hannoverschem Gebiet vereinen, um dann einen direkten Angriff auf die Hauptstadt Kassel zu wagen. Dabei sollten vorher Czernitscheff, Dörnberg und Tettenborn durch Streifzüge die Verbindungen im Rücken des Feindes stören und Nachrichten beschaffen [95]. Dass Tettenborn bei dem ihm zugedachten "Umweg durch das Mecklenburgische" Hamburg einnahm, veränderte faktisch den ganzen Feldzugsplan, den erst im September 1813 Czernitscheff mit seinem Streifzug nach Kassel zu Ende führte. Tettenborn hatte sich damit eine Freiheit erlaubt, die seinem Charakter durchaus entsprach [96] und sich zugleich allgemein als geistige Kraft auf die Ereignisse auszuwirken begann. Seine Handlungsweise entsprach dabei einem Grundsatz, den Scharnhorst ausdrücklich befürwortete, wenn er damals den Offizieren, wie er sich ausdrückte, "ein grosses Feld" überliess, "ihre Talente zu zeigen, und sich der Welt auf eine ausgezeichnete Art bekannt zu machen" [97].

Die in ihrer Subjektivität verständliche Begründung, die Varnhagen in der 'Geschichte der hamburgischen Begebenheiten' für Tettenborns Zug nach Hamburg angab, musste ihm selbst später als unzureichend erschienen sein. Denn in der überarbeiteten Fassung seiner Schrift hob er neben den bereits erwähnten Ursachen zudem auch "politische Absichten" hervor, "unter welchen", wie er schrieb, "die nahe Einwirkung auf Dänemark, die Eröffnung der unmittelbaren Verbindung mit England, und selbst der Eindruck, welchen die Befreiung der wichtigen Handelsstadt in St. Petersburg machen musste,

[95] Projet d'une expédition dans le Nord de l'Allemagne, Jan. od. Feb. 1813: G. H. Pertz. Gneisenau II, 693ff. Zur Datierung vgl. C. Henke. Hamburg in den Kriegsereignissen der Jahre 1813 und 1814, ZsVHG 18 (1914) S. 287. Vgl. Tschuikewitschs Exposé, Wilna [13. April] 1812: F. Straube, a.a.O. S. 226. Ferner auch Stein an Alopaeus, [Reichenbach 30. Juli 1813]: Stein-Bfw IV, 386.

[96] Vgl. M. Lehmann. Freiherr vom Stein III, 273. Dazu auch Varnhagen an Rahel, Boitzenburg 1. Juli 1813: Bfw III, 119. Varnhagens Notiz, 15. März 1853: Pückler-Bfw S. 445. Ferner Varnhagen an Rahel, Boitzenburg 22. Juli 1813: Bfw III, 138. Dkw III, 225. II², 379f. III³, 288. A. Wohlwill, a.a.O. S. 443. – Ferner die unklare Stelle bei Rahel an Varnhagen, 8. Nov. 1808: Bfw I, 115.

[97] Scharnhorsts Aufzeichnung, April 1813 (Kopie mit Angabe der Verfasserschaft): MGFA Rep. 92 Nachlass Gneisenau Karton 1 A 110-112. Vgl. ebda "Wie die Detachements sich mit den gegen die NiederWeser [sic!] vorgerückten Detachements / nämlich denen der Generale von Dörnberg, Czernitscheff, und Tettenborn [Randbemerkung!] /, in Verbindung setzen, ist eine Sache, welche man ihnen überlässt". – Vgl. auch Scharnhorsts Aufzeichnung, 13. April 1813: M. Lehmann. Scharnhorst II, 659. Ferner Tschuikewitschs Exposé, Wilna [13. April] 1812: F. Straube, a.a.O. S. 228.

sehr in Betracht kamen". Hamburg war seiner Meinung nach für Russland von politischem Interesse [98]. Im Augenblick der Rückgewinnung von Berlin gesprochen wäre diese Behauptung aber völlig unzeitgemäss gewesen, da sie von einem Überblick gezeugt hätte, den Varnhagen damals auf politischem Gebiet noch gar nicht besass. Erst in Hamburg, wo er den russischen Geschäftsträger und Agitator Struve kennenlernte [99], konnte er mit den politischen Zielen Russlands vertraut geworden sein, und ausserdem war die russische Politik, deren geistige Führung zu diesem Zeitpunkt beim Freiherrn vom Stein lag, an England nur insofern interessiert, als von dort militärische Hilfe für Preussen zu erwarten stand [100]. Ebenso wenig war Varnhagen aber nachher in Hamburg in der Lage, eine Sendung wie diejenige des russischen Sondergesandten Dolgorucki als ein im Sinne der Freiheitsbewegung welthistorisches Politikum zu betrachten, und wenn dieser auch nur Dänemark für die Sache der Verbündeten gewinnen sollte und dazu in Kopenhagen eingewilligt hatte, ausser Travemünde und Lübeck als letztes noch Hamburg durch dänische Truppen besetzen zu lassen [101], sah Varnhagen darin bloss den Verrat an der geistigen Zeitrichtung. Er misstraute Dolgorucki, der sich auf einen Befehl Zar Alexanders berief, aus reinem Instinkt und sah sich nachträglich sogar völlig gerechtfertigt, weil Alexander Dolgorucki wirklich desavouiert hat [102]. Insofern ihm aber der Ausgang recht gab, hatte Varnhagen noch lange keinen realpolitischen Überblick bewiesen; denn seitdem Schweden durch den Vertrag von Åbo einen Anspruch auf das in dänischem Besitz befindliche Norwegen geltend machen konnte, war die Politik Dänemarks einseitig auf diese Frage gerichtet und nur aus ihr heraus zu verstehen. Varnhagen hat jedoch diesen Sachverhalt erst in der späteren Fassung seiner Schrift klargestellt [103], und seine

[98] Dkw III, 264f. II², 398. III³, 272. Ferner [Varnhagen] Fr. Carl Freiherr v. Tettenborn. In: Zeitgenossen, II/1 (1818) S. 24.
[99] Vgl. Varnhagen an Rahel, Hamburg 30. März 1813: Bfw III, 21. Dazu Rahel an Varnhagen, 3. April 1813: Bfw III, 24. Varnhagen an Rahel, Hamburg 9. Sept. 1814: Bfw IV, 60. Ferner Varnhagens Notiz, 25. Jan. 1852: Tgb IX, 35. – Vgl. auch Struve an N. P. Rumjanzew, Altona 2. Feb. 1813: F. Straube, a.a.O. S. 228ff. Struves Exposé, Altona 4. März 1813: ebda S. 230f. Dazu F. Straube, a.a.O. S. 151; 163. Struve an Perthes, 13. März [1813]: C. T. Perthes. Friedrich Perthes Leben I, 253. Ferner J. G. Rist. Lebenserinnerungen II, 158. P. Poel. Hamburgs Untergang., ZsVHG 4 (1858) S. 19. J. G. Gallois. Geschichte der Stadt Hamburg II, 642. T. F. Böttiger, a.a.O. S. 113; 121f.
[100] Vgl. G. H. Pertz. Stein III, 305; 316f.
[101] Vgl. J. G. Rist. Lebenserinnerungen II, 189. Ferner Dolgorucki an Tettenborn, Kopenhagen 24. März [1813]: Correspondence, Despatches, and other Papers of Viscount Castlereagh VIII, 366.
[102] Geschichte der hamburgischen Begebenheiten, S. 78ff.; 100. Dkw III, 314ff.; 333. II², 455ff.; 472f. III³, 316ff.; 328f. Vgl. Rosencrantz an [Rist], Kopenhagen 17. April 1813: J. G. Rist. Historische Denkschrift über das Verhältniss Dännemarks zu Hamburg, ZsVHG 4 (1858) S. 137. Dolgorucki an Tettenborn, Kopenhagen 24. März [1813]: Correspondence, Despatches, and other Papers of Viscount Castlereagh VIII, 366. J. G. Rist. Lebenserinnerungen II, 191. – Für Varnhagens Auffassung vgl. den Rapport, (März 1815): A. Fournier. Die Geheimpolizei auf dem Wiener Kongress, S. 423. Dazu H. J[oachim]. In: Hinweise und Nachrichten, ZsVHG 21 (1916) S. 228. C. Misch, a.a.O. S. 25f.; 144.
[103] Dkw III, 282f. II², 429. III³, 295f. Dagegen Geschichte der hamburgischen Begebenheiten, S. 45.

Parteinahme gegen Dänemark war ganz subjektiv begründet [104], da umgekehrt der Vorwurf, den er wegen ihrer Unentschlossenheit den dänischen Verantwortlichen machte [105], ebenso den schwedischen Kronprinzen treffen musste [106], und so gewann von dessen Gefolge nur der General Döbeln dafür, dass er auf eigene Verantwortung gehandelt hatte, ein Lob von Varnhagen [107].

Varnhagens unmittelbar politisches Verstehen – und darin lag weniger Prätention als praktische Erfahrung – beruhte auf den Kenntnissen, die er von den militärischen Massnahmen der Mächte selbst wahrzunehmen vermochte. Wenn er deshalb den König von Dänemark in der 'Geschichte der hamburgischen Begebenheiten' ausdrücklich erwähnte, setzte er ihn damit nur seiner Missachtung aus [108], und dass er die "Verbindung mit England" als politisch notwendig erachten konnte, wäre ohne die Waffenlieferungen von dort nicht denkbar gewesen [109]. Dagegen blieb ihm der Zusammenhang einer diplomatischen Sendung, die den General Stewart über Hamburg in das Hauptquartier der Verbündeten führte, unbekannt [110], und nur mit dessen Reisebegleiter, dem hannoverschen Gesandten Ompteda, dem er einen Brief an Rahel mitgeben durfte, trat er in ein näheres Verhältnis [111]. Ausdrücklich berichtete er andrerseits von der Anwesenheit des "grossbritannischen" Generals Wallmoden, der, da er Tettenborns Vorgesetzter und ausserdem ein Schwager des Freiherrn vom Stein war, besondere Teilnahme verdiente [112]. Wenn deshalb aber zugleich die Gefahr einer Spannung zwischen Wallmoden und Tettenborn bestand, so war für Varnhagen die Tatsache, dass aus ihrer Begegnung keine plötzlichen Veränderungen folgten, ein hinreichender Beweis ihres Einvernehmens, und er selbst wusste nicht oder übersah von seinem historischen Standpunkt, dass Wallmoden in erster Linie, um Stewart zu sehen, nach Hamburg gekommen war [113]. Die englischen Interessen wurden ihm nur verständlich, soweit sie

[104] Vgl. Varnhagen an Rahel, Hamburg 7. Mai 1813: Bfw III, 66.
[105] Geschichte der hamburgischen Begebenheiten, S. 45; 111; 130f. Dkw III, 283; 344; 361f. II², 429; 481f.; 496f. III³, 296; 335f.; 347f.
[106] Vgl. Geschichte der hamburgischen Begebenheiten, S. 46; 141f.; 148. Dkw III, 283f.; 370f.; 375f. II², 429; 504f.; 509. III³, 296; 353, 356f. Vgl. ferner K. Woynar. Österreichs Beziehungen zu Schweden und Dänemark vornehmlich seine Politik bei der Vereinigung Norwegens mit Schweden, Archiv für österreichische Geschichte, 77/1 (1891) S. 418.
[107] Geschichte der Kriegszüge des Generals Tettenborn, S. 24f. Dkw III, 397f. III², 14f. IV², 10f.
[108] Geschichte der hamburgischen Begebenheiten, S. 45.
[109] Vgl. Geschichte der hamburgischen Begebenheiten, S. 44; 64; 67; 97. Dkw III, 282; 302; 305; 331. II², 428; 446; 448; 470. III³, 295; 308; 310; 327. Ferner dazu J. G. Rist. Lebenserinnerungen II, 192.
[110] Vgl. Stewart an Castlereagh, Hamburg 18. April 1813: Correspondence, Despatches, and other Papers of Viscount Castlereagh VIII, 367ff. Stewart an Castlereagh, Hamburg 19. April 1813: ebda S. 360ff. Ferner auch Niebuhrs Artikel. Preussischer Correspondent, (1813) Nr. 151. In: F. Eyssenhardt. Barthold Georg Niebuhr, S. 89. Dazu Niebuhr an Nicolovius, Prag 7. Okt. 1813: B. G. Niebuhr. Briefe II, 431. Niebuhr an D. Hensler, Prag 7. Okt. 1813: ebda S. 434; 436.
[111] Vgl. Rahel an Varnhagen, 23. April 1813: Bfw III, 51.
[112] Vgl. Geschichte der hamburgischen Begebenheiten, S. 84f. Dkw III, 319f. II², 460f. III³, 319f. Vgl. Tettenborn an Stein, Oranienburg 22. Feb. 1813: Stein-Bfw IV, 229.
[113] Wallmoden an Stein, Hamburg 22. April 1813: Stein-Bfw IV, 297. Vgl. Stewart an Castlereagh, Hamburg 19. April 1813: a.a.O. S. 365. Dagegen J. G. Rist. Lebenserinnerungen II, 193. Rahel an Varnhagen, 20. April 1813: Bfw III, 50.

sich eindeutig mit dem Ziel der Befreiungsbewegung deckten [114], und darin erwies sich seine Ansicht schliesslich bloss als Ausdruck der Verbündetenpolitik.

Was Varnhagen jedoch bei seiner späteren politischen Begründung von Tettenborns Zug verschwieg, waren die existentiellen Voraussetzungen. So, wie er selbst damals die bitterste Zeit seines Lebens erduldete [115], war auch Tettenborns Lage äusserst prekär, und es ist bezeugt, dass er damals Schulden hatte [116]. Sein ganzes Sinnen konnte deshalb nur auf Verbesserung seiner persönlichen Verhältnisse gerichtet sein, und sogar in Varnhagens Versicherung, dass Tettenborn der einzige gewesen sei, "der kein Bedenken trug, sich mit einer kleinen Schaar auf vierzig Meilen weit von der Hauptstärke zu entfernen, und sich in eine Verwicklung von Ereignissen einzulassen, deren Wendung niemand absehen konnte", klingt die Verzweiflung des Entschlusses durch. Die persönliche Initiative lag jedenfalls bei Tettenborn, der sich nicht einmal durch vorübergehende Erkrankungserscheinungen abhalten liess, seinen Plan vorzubereiten [117]. Aber trotzdem handelte er nicht völlig selbständig, als er den Befehl über die ihm zugeteilten "1300 bis 1400 Mann Reiter" mit zwei Geschützen erhielt. "Man schien", schrieb Varnhagen, ohne die Mitwisser des Plans zu verraten, "darauf schon zu rechnen, dass man von ihm etwas Ausserordentliches auch unter den grössten Schwierigkeiten erwarten könne, ..." [118].

Zu den "hohen Stellen" mit denen Tettenborn damals in Berlin verhandelte, gehörten eine Reihe von Nichtmilitärs, und deshalb ist es um so verwirrender, als schliesslich doch der russische Oberkommandierende Graf Wittgenstein den Befehl gab, "Hamburg zu besetzen, die Einwohner dieser Stadt und des Landes am linken Ufer der unteren Elbe gegen die Franzosen zu bewaffnen und die Depots und Vorräte des Feindes im nördlichen Deutschland zu zerstören" [119]; damit hätte Wittgenstein sogar auf eigene Verantwortung den Feldzugsplan der Verbündeten durchkreuzt, wenn er nicht seinerseits erst

[114] Vgl. Geschichte der hamburgischen Begebenheiten, S. 103. Dkw III, 336. II², 475. III³, 330f.

[115] Vgl. Dkw III, 210. II², 366. III³, 247. Ferner C. Misch, a.a.O. S. 26f.; 145. Vgl. auch Varnhagen an Cotta, Berlin 21. Jan. 1813: SNM Cotta-Archiv Nr 17 "Die jetzige Lage der Sachen, die meinen Aufenthalt hieselbst sehr prekär macht, nöthigt mich, Sie nochmals dringend zu ersuchen, jene Summe mir sobald als möglich durch Herrn Hitzig gefälligst zu überweisen".

[116] Abendroths Anmerkung: P. Poel. Hamburgs Untergang, ZsVHG 4 (1858) S. 15 A. 1. J. H. W. Smidt. Erinnerungen aus der Zeit der Freiheitskriege. Bremisches Jahrbuch, 4 (1869) S. 402f. A. de la Garde. Gemälde des Wiener Kongresses I, 46. Nostitz an Merian, [o.D.]: Aus K. v. Nostitz Leben, S. 109. Ferner J. G. Gallois. Geschichte der Stadt Hamburg II, 646f. C. Misch, a.a.O. S. 26; 144f.

[117] Geschichte der hamburgischen Begebenheiten, S. 11f. Dkw III, 246f. II², 398. III³, 271f.

[118] Geschichte der hamburgischen Begebenheiten, S. 13. Vgl. Dkw III, 247. II², 398f. III³, 272.

[119] d'Auvrays Disposition: [A.] v. Holleben, Geschichte des Frühjahrsfeldzuges 1813 I, 209. Vgl. A. Heskel. Hamburgs Schicksale während der Jahre 1813 und 1814, ZsVHG 18 (1914) S. 257. H. Herfurth, a.a.O. S. 66. Ferner Abendroths Anmerkung: P. Poel. Hamburgs Untergang, ZsVHG 4 (1858) S. 15 A. 1. Vgl. auch Blomberg an Stein Dömitz 20. Mai 1813: Stein-Bfw IV, 338.

durch Tettenborn von der Richtigkeit dieses Entschlusses überzeugt worden wäre [120]. Tettenborn wurde die entscheidende Vermittlung durch den in Berlin wirkenden Geheimen Rat Friedrich August von Stägemann zuteil, der ihn an Jonas Ludwig von Hess in Hamburg empfahl [121], und über diese Personen liefen die Nachrichten, die Wittgenstein zu seiner insofern unfreiwilligen Entscheidung führten. Hess verhandelte später mit Tettenborn in dem elbaufwärts vor Hamburg gelegenen Bergedorf und erreichte, dass der Maire in Hamburg zurücktrat und die "Wiedereinsetzung der alten Magistratur" erfolgte [122]. Für die Schilderung dieser Vorgänge, wie sie Varnhagen lieferte, ist es bezeichnend, dass er sie nicht selbst in nächster Nähe erlebt hat, denn ihm blieb die "bedeutende Rolle", die Hess damals in Hamburg spielen konnte, nicht geheuer [123]. Da er sich aber allein Tettenborn gegenüber in einem Vertrauensverhältnis befand, begnügte er sich auch für äussere Vorgänge mit Erklärungen, die er aus dessen Charakter im persönlichen Umgang leicht zu finden vermochte, und so hat er Tettenborns Zug nach Hamburg im Grunde psychologisch als inneren Seelenkampf durchschaut und dargestellt [124]. Ihm selbst "erschien" der Zug nicht innerlich "zweckmässig und günstig" [125], aber "etwas Hinreissendes und Genialisches", musste er gestehen [126], hatte Tettenborn gleich am Anfang ein Gelingen ermöglicht. Die Ursache davon lag, wie es ihm aus dem Verständnis seiner selbst bekannt war, darin, dass der einzelne Mensch Einsicht in die allgemeinen Zusammenhänge der Zeitentwicklung gewonnen hatte und damit als deren Vollstrecker tätig werden konnte. Varnhagens Charakteristik Tettenborns war daher kein übertrieben gesteigertes Lobgedicht, sondern Ausdruck seiner inneren Dankbarkeit, dass er durch die Bekanntschaft mit ihm an der allgemeinen Situation hatte teilnehmen dürfen [127]. Ebenso bemühte er sich dankbar um ein idealisierendes Verständnis für die teilweise erstaunlichen, aber trotzdem nicht zu überschätzenden Verdienste der Kosaken, und insofern ihre "Führung" mit jeder Art von "Engherzigkeit durchaus unverträglich" sei, betrachtete er sie zugleich als die

[120] Tettenborn an Wittgenstein, 10. März 1813; Wittgenstein an Kutusoff, 10. März 1813: F. Straube, a.a.O. S. 158 u. ebda. Ferner Wittgenstein an Blücher, Berlin 26. März 1813: G. H. Pertz. Gneisenau II, 695f. Varnhagen an Rahel, Hamburg 25. März 1813: Bfw III, 9f.
[121] Vgl. J. G. Rist. Lebenserinnerungen II, 171 u.A.*. J. G. Gallois. Geschichte der Stadt Hamburg II, 646f. J. L. v. Hess. Agonieen der Republik Hamburg, S. 43; 49. A. Wohlwill, a.a.O. S. 436. T. F. Böttiger, a.a.O. S. 113. C. Misch, a.a.O. S. 26; 144f.
[122] Vgl. J. G. Rist. Lebenserinnerungen II, 171ff.; 173. A. Wohlwill, a.a.O. S. 436f.
[123] Varnhagen an Rahel, Hamburg 1. April 1813: Bfw III, 23. Vgl. Varnhagen. Ankunft und erster Aufenthalt in Hamburg, a.a.O. S. 15f. Dkw I², 169f. I³, 133. Varnhagens Notiz, 5. Nov. 1857: Tgb XIV, 129. Dagegen J. G. Rist. Lebenserinnerungen I, 44.
[124] Vgl. Nostitz an Varnhagen, Dresden 22. Feb. 1815: Aus K. v. Nostitz Leben, S. 183f. Denkschriften und Briefe IV, 85f. Ferner D. Kazda, a.a.O. S. 14 "Varnhagen ist vor allem Psychologe, genauer Beobachter des menschlichen Seelenlebens...". Dagegen E. Howald, a.a.O. S. 171f.
[125] Dkw III, 247. II², 398. III³, 272. Vgl. [Varnhagen]. Fr. Carl Freiherr v. Tettenborn. In: Zeitgenossen II/1 (1818) S. 24f.
[126] Geschichte der hamburgischen Begebenheiten, S. 16.
[127] Vgl. Varnhagen an K. v. Humboldt, Hamburg 17. April 1813: K. v. Humboldt-Bfw S. 87 Z. 15ff. Varnhagen an Rahel, Tönningen 22. Dez. 1813: Bfw III, 253.

am meisten zeitgemässe militärische Truppe [128]. Die militärischen Voraussetzungen lagen aber nicht von selbst im allgemeinen Freiheitsbewusstsein, wie Varnhagen annahm [129], da Hamburg zwar als Etappe, aber nicht als Ziel gedacht war und zudem noch ausdrücklich Infanterie zugesichert blieb [130]. Deshalb würde sich der geistige Strom der Zeitentwicklung kaum so deutlich offenbart haben, wenn sich nicht im Augenblick, da der Zug nach Hamburg erfolgte, eine Gemeinschaft von Gesinnungsgenossen, unter denen jener Geist lebendig war, hinter Tettenborn gestellt hätte. Um dabei noch militärische Ursachen richtig einbeziehen zu können, fehlten Varnhagen die fachlichen Voraussetzungen, und politische Gründe konnten ihn durchaus nicht überzeugen, wenn sie nicht in der Gesinnung des Befreiungskampfes verwurzelt waren. Varnhagen hat die allgemein politischen Verhältnisse erst später als dem Gegenstand seiner Darstellung angemessen zu berücksichtigen vermocht, aber auch dann immer noch rationalistisch und nicht quellenmässig empirisch [131]. Die wirklichen Zusammenhänge der erlebten und damit für ihn geschichtlichen Ereignisse zu durchdringen, fehlte es ihm stets an Zeit, in welcher er Abstand hätte gewinnen können.

Seine geschichtliche Entstehung verdankt der Kriegszug nach Hamburg den Bemühungen einiger patriotisch gesinnter Freunde, Befürwortern freiheitlicher Bestrebungen, Angehörigen und Förderern des sogenannten Tugendbundes, die sich offenbar Tettenborns finanzielle Verlegenheit zunutze machten und ihn an die Spitze eines Unternehmens stellten, das durchaus dem von ihnen geplanten Agentursystem für die deutschen Länder entsprach [132]. Inwieweit

---

[128] Geschichte der hamburgischen Begebenheiten, S. 16. Vgl. Napoleon an Eugen und Lauriston, 17. März; an Clarque 19. März [1813]: Correspondance de Napoléon XXV, 100; 101. Dazu A. Schwertmann. Hamburgs Schicksal im Jahre 1813, S. 21.

[129] Vgl. Dkw III, 246. II², 398. III³, 272. Ferner Geschichte der hamburgischen Begebenheiten, S. 95. Dkw III, 329. II², 468f. III³, 326.

[130] Vgl. [A.] v. Holleben. Geschichte des Frühjahrsfeldzuges 1813 I, 146ff.; 149; 209. Dagegen das Projet d'une expédition dans le Nord de l'Allemagne, Jan. od. Feb. 1813: G. H. Pertz. Gneisenau II, 693ff.

[131] Zuerst [Varnhagen] Fr. Carl Freiherr von Tettenborn. In: Zeitgenossen II/1 (1818).

[132] Vgl. P. Poel. Hamburgs Untergang, ZsVHG 4 (1858) S. 6f. Abendroths Anmerkung: ebda S. 15 A. 1. J. G. Rist. Lebenserinnerungen II, 171 u.A.*. – Vgl. ferner die Anwesenheit verschiedener dem Tugendbund angehöriger oder nahestehender Personen in Tettenborns Gefolge:

a) Wilhelm von Blomberg,
   erwähnt im Schreiben seines Bruders Ludwig an Stein, Dömitz 20. Mai 1813: Stein-Bfw IV, 337 u. A. 1; ferner in J. G. Rist. Lebenserinnerungen II, 179, wo die Anmerkung * wohl aus einer Verwechslung mit dem weiteren am 20. Feb. 1813 vor Berlin gefallenen Bruder Alexander zu verstehen ist. Vgl. dazu Blomberg an Stein, Dömitz 20. Mai 1813: a.a.O. S. 334 u. A. 1. Aus demselben Brief geht ferner hervor, dass Ludwig von Blomberg durch seinen Bruder Wilhelm Nachrichten aus Hamburg bezieht und mit Gruner und Friesen in Kontakt steht. Vgl. damit übereinstimmend in Gruners Papieren die Aufstellung 'Deutsche Agenten in Deutschland', unter denen von Blomberg und Friesen genannt sind, ersterer gerade für den Raum, in welchem Tettenborn operieren soll, nämlich gegen die Strasse von der Weser nach der Elbe. Vgl. A. Fournier. Stein und Gruner in Österreich, DtRs 53 (1887) S. 235. Vgl. auch B. Heinemann, a.a.O. S. 18; 65.

aber Varnhagen selbst dem Tugendbund angehörte und in Hamburg also allenfalls zu jenen Offizieren zu zählen war, die, wie ein Augenzeuge erzählt, "eine Kette um den linken Arm und Dolche und Ringe trugen" [133], lässt sich kaum mehr feststellen. Er selbst hat den Verdächtigungen nicht widersprochen [134], aber da diese Frage für ihn grundsätzlich nur den Charakter einer Denunziation haben konnte, war auch seine Antwort jeweils auf den Denunzianten berechnet, der sich in der Person des Barons von Haynau sogar als Kamerad im österreichischen Kriegsdienst entpuppte [135]. Den geistigen Einfluss eingeweihter Kreise hatte Varnhagen aber schon seit seiner Jugend in sich getragen und durch den Umgang mit Fichte und Johannes von Müller in unmittelbarer Lebendigkeit jene Sehnsucht nach persönlicher Freiheit in sich aufgenommen, deren Maxime eine allgemeine Forderung der Zeit darstellte und nicht nur für den Tugendbund Geltung besass; auch Scharnhorst, der wie Varnhagen angeblich Mitglied gewesen sein soll [136], hat dementsprechend in seiner Disposition für die Avantgarde dem einzelnen Offizier Entscheidungsfreiheit gewährt [137].

Das Jahr 1813 enthielt eine "Gelegenheit und Aufforderung", die man nur "unglücklich versäumen" konnte [138], und darin lag das Entscheidende, aber ebenso das Zeichen von Eingeweihtsein, dass Tettenborn diese Gelegenheit ergriff. Das Vertrauen, welches er damit in Varnhagen weckte, konnte er weder durch die heftigsten Schwankungen seines Gemüts [139], noch durch die aufwendige Art, mit der er seinen Unterhalt in Hamburg bestritt, erschüttern [140]. Varnhagen nahm daran keinen Anstoss, weil er selbst die

b) Major Schill, Bruder des bei Stralsund gefallenen Freiheitshelden,
   Vgl. Geschichte der hamburgischen Begebenheiten, S. 83. Dkw III, 318. II², 460. III³, 319. Ferner G. Baersch. Beiträge zur Geschichte des Tugendbundes, S. 15.

c) Georg Baersch,
   Vgl. Der Tugendbund, S. 53 A. 7. A. Wohlwill, a.a.O. S. 439. G. Schuster. Die geheimen Gesellschaften, Verbindungen und Orden II, 276 A.*. Ferner Varnhagens Notizen, 21. Mai 1852; Bonn 19. Juli 1853: Tgb IX, 220; X, 192. Vgl. auch Chamisso an Varnhagen, Kunersdorf 27. Mai 1813: Varnhagen. Zum Gedächtnisse Adelbert's von Chamisso. Der Freihafen, 4 (1838) S. 60. A. v. Chamisso. Leben und Briefe I, 342.

Ferner H. Kamnitzer. Stein und das 'Deutsche Comité' in Russland 1812/13. Zeitschrift für Geschichtswissenschaft, 1 (1953) S. 65.

[133] J. G. Rist. Lebenserinnerungen II, 171 A.*. Vgl. dazu unten S. 106f. A. 99 u. 101.

[134] Vgl. Dkw III, 209. II², 365. III³, 242ff. C. Misch, a.a.O. S. 21.

[135] Vgl. Varnhagens Notiz, 3. Juni 1849: Tgb VI, 202f.

[136] Vgl. Clérembault an Napoleon, 30. Mai 1809: A. Stern. Documents sur le Premier Empire. Revue historique, IX/24 (1884) S. 320f. Hatzfeld an Hardenberg, 6. Jan. 1812: ebda IX/25 (1884) S. 102. Dagegen Scharnhorsts Aufzeichnung, 1811: M. Lehmann. Scharnhorst II, 656f. Ferner P. Stettiner. Der Tugendbund, S. 13. Vgl. auch G. Ritter. Stein, S. 338.

[137] Vgl. oben S. 48 A. 97.

[138] Dkw II³, 55f.

[139] Vgl. Tettenborn an Hess, 6. April [1813]: A. Heskel. Hamburgs Schicksale während der Jahre 1813 und 1814, ZsVHG 18 (1914) S. 262f.

[140] Vgl. P. Poel. Hamburgs Untergang, ZsVHG 4 (1858) S. 33f. J. G. Rist. Lebenserinnerungen II, 182; 213; 214. Alopaeus an Stein, Ludwigslust 21. Mai; 26. Juni 1813 [Regest]: Stein-Bfw IV, 345; 364. — Dagegen Alopaeus an Stein, Ludwigslust 14. Mai 1813 [Regest]: ebda S. 326 u. A. 1. Vgl. dazu J. G. Rist. Lebenserinnerungen II, 325.

Widerspruchlichkeit des realen Lebens erfahren hatte. Der wesentliche Gesichtspunkt, an dem er übrigens wie Tettenborn auch in Hamburg festhielt, blieb für ihn durch das Bekenntnis zur Tat geprägt, und insbesondere ging es ihm um die Frage, ob Tettenborn durch seine Anwesenheit die öffentliche Meinung im allgemeinen Sinn zu beeinflussen vermochte. Denn nach Varnhagens Darstellung hatte Tettenborn durch "seine Unternehmung" bereits anlässlich des Einzuges in die Stadt "die öffentliche Meinung..." gewonnen [141] und damit ein "Beispiel" geliefert, das dem einzelnen zwar keine persönliche Entscheidung abnehmen sollte, aber wenigstens eine Anregung enthielt. So stand Varnhagen in Hamburg unvermutet inmitten einer zuerst rein lokalpolitischen Auseinandersetzung zwischen retardierenden und progressiven Kräften, die ihm schliesslich sogar die Perspektive für den allgemeinen Zusammenhang der europäischen Politik eröffnete. Tettenborn war dabei den politischen Aufgaben ebenso wenig gewachsen wie den militärischen, aber da er sich vor keinem Vorgesetzten direkt zu verantworten brauchte, sondern als Offizier im Sinne Scharnhorsts nach eigenem Ermessen handeln durfte, war er auch niemandem Rechenschaft schuldig, und solange er in Übereinstimmung mit der Zeit gehandelt zu haben glaubte, brauchte er sich für den Verlust von Hamburg nicht als verantwortlich zu betrachten [142]. Die dänischen Militärs dagegen, die von Altona aus auf die Geschehnisse in Hamburg Einfluss genommen und auf eigene Verantwortung zu dessen Gunsten gewirkt hatten, wurden ihrer Stellen enthoben, und ebenso wie ihnen erging es auch dem schwedischen General von Döbeln [143]. Der dänische Generalkonsul Rist war so klug gewesen, dass er noch rechtzeitig seine Entlassung gefordert hatte [144], denn der russische Diplomat Fürst Dolgorucki wurde desavouiert [145]. In Hamburg drängten im Jahr 1813 die Zeit und die örtlichen Verhältnisse zur Entscheidung [146], und für Varnhagen lagen darin die besten Voraussetzungen, um ein gerechter Zeuge der dort spielenden Ereignisse zu sein; dieser unmittelbaren Erkenntnis verdankte er die Berufung zu seinem ersten historiographischen Werk.

Ferner Tettenborn an Stein, Boitzenburg 5. Aug. 1813: Stein-Bfw IV, 389f. Geschichte der hamburgischen Begebenheiten, S. 24f. Dkw III, 266. II², 414f. III³, 285. Varnhagens Notiz, 5. Nov. 1857: Tgb XIV, 129. Vgl. auch C. Misch, a.a.O. S. 27.
[141] Geschichte der hamburgischen Begebenheiten, S. 23; 27.
[142] Vgl. Tettenborn an Stein, Lauenburg 31. Mai 1813: Stein-Bfw IV, 349f. Dagegen [R.] v. Caemmerer. Geschichte des Frühjahrsfeldzuges 1813 II, 324. Ferner Davout an Vandamme, Hamburg 30. Mai 1813: Le Général Vandamme et sa Correspondance II, 461; 462.
[143] Vgl. J. G. Rist. Lebenserinnerungen II, 225. Ferner Geschichte der Kriegszüge des Generals Tettenborn, S. 24f. Dkw III, 397f. III², 14f. IV³, 10f. P. Poel. Hamburgs Untergang, ZsVHG 4 (1858) S. 58.
[144] A. Wohlwill. Das Urlaubsgesuch Joh. Georg Rist's vom 18. Mai 1813, MVHG 16 (1893/94) S. 76ff. Ferner J. G. Rist. Historische Denkschrift über das Verhältniss Dännemarks zu Hamburg, ZsVHG 4 (1858) S. 120. J. G. Rist. Lebenserinnerungen II, 223.
[145] J. G. Rist. Lebenserinnerungen II, 210f.
[146] Vgl. H. Sieveking. Zur Geschichte der geistigen Bewegung in Hamburg nach den Freiheitskriegen, ZsVHG 28 (1927) S. 129f.

Varnhagen blieb aber nicht der einzige, obwohl er gewiss einer der ersten war, die allein aus ihrer geschärften Erlebnisfähigkeit die historische Bedeutung Hamburgs im Frühjahr 1813 erkannten. Was er hier als Zeitgenosse erleben konnte, hat die neuere Geschichtsforschung nur bestätigt. Die hamburgische Erhebung hatte welthistorische – Varnhagen nannte es allgemeine – Bedeutung [147]. Aber auch andere Zeitgenossen waren sich der Geschichtlichkeit dieses Ereignisses durchaus bewusst geworden [148], von deren Veröffentlichungen Johann Georg Rists 'Historische Denkschrift über das Verhältniss Dännemarks zu Hamburg im Frühjahr 1813' und der von seinem Freunde Poel aus Altona stammende Aufsatz 'Hamburgs Untergang' jener geistigen Haltung nahekamen, die auch Varnhagen historiographisch zu veranschaulichen gesucht hat. Varnhagen war dem Aufsatz Poels bereits bei seinem ersten Erscheinen im Jahr 1814 begegnet, und er hat später Poel persönlich bei der Anzeige seiner anonym erschienenen 'Erinnerungen' alle Anerkennung "für den hellen Geist und redlichen Wahrheitseifer" zuteil werden lassen. Doch war sich Varnhagen noch im Klaren geblieben, dass er selbst von einem anderen "Standpunkte" aus auch zu anderen Ansichten gelangt sein musste, aber er schätzte die von vielen bezeugte Integrität von Poels Persönlichkeit, und indem er dies tat, vermochte er auch dessen individuellen Standpunkt "überall als ehrenwerth" gelten zu lassen [149].

Varnhagens historisches Verständnis gründete vorerst nicht auf objektiver Forschung, sondern suchte in der Begegnung mit ebenso eingeweihten Zeitgenossen, wie er einer zu sein glaubte, die Wahrheit der Gesinnung zu bestimmen. Wenn deshalb Poel auf der ersten Seite seines Aufsatzes von dem "Schicksal Hamburgs" als der "unstreitig interessantesten Episode in der Geschichte" des damals anhaltenden Krieges sprach und darauf fortfuhr: "Schon an sich dazu geeignet, die allgemeine Theilnahme zu erregen, gewinnt diese Begebenheit dadurch noch sehr an Wichtigkeit, dass sie einen so bedeutenden Einfluss auf die Wendung hat, die die grosse Sache Deutschlands nehmen wird" [150], so brauchte Varnhagen nicht zu zweifeln, dass er einen jener eingeweihten Mitwisser vor sich hatte. War Poel auch nicht Angehöriger des Tugendbundes, so hatte er doch die geistige Macht dieser Vereinigung für seine Zeit wohl wie kein anderer zutreffend umschrieben. Es sei nämlich, stellte er fest, im Gegensatz zu solchen Gruppen, die im Grunde "Abenteurer", "ein Spiel mit der heiligsten Sache getrieben und sie zum Gegenstand ihrer Verbrüderungen und geheimen Gesellschaften gemacht" hätten, ein "offner Bund von Männern"

[147] Vgl. A. Heskel. Hamburgs Schicksale während der Jahre 1813 und 1814, ZsVHG 18 (1914) S. 259. A. Wohlwill, a.a.O. S. 439; 461.
[148] Vgl. D. Gries an K. Gries, Jena 22. Juli 1814: H. Reincke. Aus dem Briefwechsel von Karl und Dietrich Gries, ZsVHG 25 (1924) S. 267.
[149] VSchr IV, 362f.; 387. V², 476f.; 497. Vgl. C. F. W[urm] Vorbemerkung zu den beiden Aufsätzen von P. Poel und J. G. Rist. In: ZsVHG 4 (1858) S. IIIf. Ferner Lyr. [?]'s Rezension. Orient oder Hamburgisches Morgenblatt, (1814) Sp. 263. Vgl. auch W. v. Humboldt. Tagebuch von seiner Reise nach Norddeutschland, S. 95.
[150] P. Poel. Hamburgs Untergang, ZsVHG 4 (1858) S. 1. Vgl. Geschichte der hamburgischen Begebenheiten S. 3.

gewesen, "die überall ihren Abscheu gegen Unterdrückung zu erkennen geben" wollten; zu "diesem Bunde" hätten "mit wenigen Ausnahmen alle rechtlichen und aufgeklärten Männer jedes Standes nicht nur in allen Städten und Provinzen Deutschlands, sondern in dem grössten Theil von Europa und in Frankreich selbst" gehört, und solche "Männer", erklärte Poel, "traten nun auch in dieser Gegend zusammen und sie verstanden sich beim ersten Wort" [151].

Darin lag das Entscheidende an Poels Ausführungen; denn für Varnhagen war das unmittelbare Verständnis eine Notwendigkeit, weil ihm sonst die Zeit dazu zu entschwinden drohte und das Vertrauen sich bei ihm gerade im Augenblick der Begegnung, nicht zuletzt durch den ersten Eindruck des Betrachteten einstellte. Die Subjektivität dieser Verständigungsweise steht ausser Zweifel, und sie belastet auch den Eindruck von Varnhagens eigener Ursprünglichkeit des Erlebens, da er allzu viele einzelne Erlebnisse als Ausdruck eines Allgemeinen nahm und dabei trotzdem bloss wegen politischer Differenzen den persönlichen Zugang zu Gleichgesonnenen versäumte. Darin lag eine Schwierigkeit, die auf seine Haltung beim politischen Spiel der Mächte und Lokalgewalten abfärbte und ihn den Zusammenhang, den er in der Geschichtschreibung zwischen dem Einzelnen und dem Ganzen erkannt zu haben glaubte [152], in der Wirklichkeit des Lebens nicht finden liess.

Hatte Varnhagen an Poels 'Erinnerungen' als Wesentliches hervorgehoben, dass dieser dank seiner ehemaligen Stellung im diplomatischen Dienst "die Gelegenheit erlangt" habe, grundsätzlich "nicht nur durch seine persönlichen Erfahrungen zu unterhalten, sondern auch die trefflichsten Übersichten neuerer Geschichtskenntnisse ... mit reifer Sachkenntniss" zu entwickeln [153], so war diese Feststellung für ihn erst möglich, als er seinerseits ein diplomatisches Amt bereits innegehabt hatte [154]. Im Jahr 1813 war er dagegen als Sekretär von Tettenborn noch Anfänger im diplomatischen Fach, und er verkannte damals die Stellung des dänischen Generalkonsuls Rist, der sich durchaus in jener für die Geschichtschreibung fruchtbaren Situation befand, die Varnhagen, wie er später an Poel zeigte, für besonders günstig hielt [155]. Dabei war auch Rist eine völlig integre Persönlichkeit und sich selbst vor allem in seiner politischen Wirkung der eigenen "Beschränkung" wohl bewusst. Er versicherte nämlich, dass in tragischen Augenblicken des Lebens "nur das Bewusstsein des Rechten, welches auch die schwerste Verantwortung" tragen könne, zur richtigen Entscheidung führe [156], und wenn er dementsprechend Instruktionen, denen er innerlich entgegenstand, nicht befolgte, handelte er durchaus charakter-

---

[151] P. Poel. Hamburgs Untergang, ZsVHG 4 (1858) S. 7.
[152] Vgl. VSchr IV, 367f. V², 480f.
[153] VSchr IV, 385f. V², 496.
[154] Vgl. Rahel an Varnhagen, Prag 2. Sept. 1813: Bfw III, 155.
[155] Geschichte der hamburgischen Begebenheiten, S. 103. Dkw III, 336. II², 475. III³, 330. Vgl. dagegen VSchr IV, 365. V², 479.
[156] J. G. Rist. Historische Denkschrift über das Verhältniss Dännemarks zu Hamburg, ZsVHG 4 (1858) S. 106. Vgl. J. G. Rist. Lebenserinnerungen II, 142. Ferner A. Wohlwill. Zur neueren Literatur über Davoust in Hamburg, ZsVHG 16 (1911) S. 346f.

voll [157]. Während er aber grundsätzlich das Geschichtliche einer Zeit in "Memoiren, Lebensbeschreibungen und Bekenntnissen" gleichsam als den "Schlüssel", wie er schrieb, "zu den wunderlichen Erscheinungen der inneren Welt" wahrzunehmen glaubte [158], fühlte er sich anlässlich der Ereignisse im Frühjahr 1813 durch die eigene zudem politische Verstrickung aufgefordert, "die Geschichte dieser Zeit ausführlicher zu beschreiben". Damit wollte Rist wie Varnhagen für die Überlieferung schreiben [159], und im einzelnen bewahrten sie beide gerade für Hamburg und die dort ehemals bestehenden gesellligen Kreise ein ähnlich günstiges Andenken [160]. Wie Varnhagen war aber auch Rist mit Fichte persönlich bekannt geworden und hatte von ihm für seine geistige Entwicklung Anregungen empfangen, und ebenso standen sie beide historiographisch unter Woltmanns Einfluss [161].

Die entscheidende Differenz war rein politischer Art. Rist gehörte der dänischen Seite an, Varnhagen derjenigen der Verbündeten; Rist war, wie er sich selbst einmal nannte, von Beruf diplomatischer "Agent" [162], Varnhagen hatte noch keinen Beruf und war insofern freier, aber trotzdem ebenso unterrichtet, wie es Rist als Diplomat sein musste, weil auch Tettenborn einen eigentlichen diplomatischen Schriftwechsel führte und nach Rists Zeugnis geradezu Politik machte [163]. Darin lag für Varnhagen eine weitere geschichtliche Perspektive, die ihm in der Frage Hamburgs einen Einblick in die Haltung der Mächte gewähren konnte. Doch dieser Zusammenhang des Mächtespiels war in seiner politischen Struktur für Varnhagen nur durchschaubar, solange seine politische Teilnahme ihrerseits keine Verwirrung stiftete. Als er nämlich nach Hamburg zu Tettenborn kam, war seine Kenntnis politischer Druckmittel noch nicht gereift. Die ersten Äusserungen, die er über diplomatische Vorgänge verlauten liess, waren spontan und unreflektiert [164], und auch später, als er in Damengesellschaft aus seiner geschichtlichen Darstellung vorlas, war er im Grunde immer noch der Dichter des Musenalmanachs. Bereits während des Hamburger Aufenthalts nahm er aber manche Einzelheit wahr, die sich später bei ihm in politisches Selbstgefühl umsetzte, und entscheidend war dabei die

---

[157] Vgl. Rist an Rosenkrantz, Hamburg 18. Mai 1813: A. Wohlwill. Das Urlaubsgesuch Joh. Georg Rist's vom 18. Mai 1813, MVHG 16 (1893/94) S. 79.
[158] J. G. Rist. Lebenserinnerungen I, 33.
[159] J. G. Rist. Lebenserinnerungen II, 229; 97. Vgl. Geschichte der hamburgischen Begebenheiten, S. 4.
[160] Vgl. J. G. Rist. Lebenserinnerungen I, 40ff.
[161] Vgl. J. G. Rist. Lebenserinnerungen I, 69ff.
[162] J. G. Rist. Lebenserinnerungen II, 194.
[163] Vgl. J. G. Rist. Lebenserinnerungen II, 191; 198; 222. Geschichte der hamburgischen Begebenheiten, S. 19f. Dkw III, 261. II², 410. III³, 281. Dazu [K. L. v. Woltmanns Rezension] JALZ XI/4 (1814) Sp. 200. Ompteda an Münster, Hamburg 12. April 1813: L. v. Ompteda. Politischer Nachlass III, 65f. Tettenborn an [Nesselrode], Hamburg 19. März 1813: G. H. Pertz. Stein III, 658ff. Zur Empfängerschaft vgl. Varnhagens Notiz: ebda. Bibl. Varnh. Nr. 1186. – Ferner Varnhagen an Rahel, Hamburg 18. Mai 1813: Bfw III, 80. D. Gries an K. Gries, Jena 22. Juli 1814: H. Reincke. Aus dem Briefwechsel von Karl und Dietrich Gries, ZsVHG 25 (1924) S. 267. Varnhagen an Rahel, Hamburg 4. April 1813: Bfw III, 35.
[164] Vgl. Varnhagen an Rahel, Hamburg 4. April; 7. Mai 1813: Bfw III, 35; 66.

öffentliche Wirkung seiner Schrift, durch die er ganz unvermutet auf das politisch-diplomatische Feld gedrängt wurde.

Nachdem Varnhagen seinen Standpunkt als Historiker der Freiheitsidee gefunden zu haben überzeugt war, musste er ihn plötzlich im Bereich des praktischen Lebens als unbrauchbar erkennen. Denn die abstrakte Unterscheidung, die er in seiner Schrift zwischen den im Sinne der Freiheitsidee tatkräftig Handelnden und Zögernden machte, ordnete den Dänen eine Rolle zu, die historisch nur subjektiv von ihm selbst aus betrachtet verständlich sein konnte. In der damaligen Zeit musste sich daran politisch eine Auseinandersetzung entzünden, die nur deshalb in Varnhagen keinen Zweifel an der Unmittelbarkeit alles Geschichtlichen aufkommen liess, weil sein Gegenspieler eine so zeitgeschichtlich denkende Persönlichkeit wie Rist war und sich somit nicht für eine Ehrenrettung der dänischen Politik, sondern der ihrer Verantwortung durchaus bewussten "dänischen Behörden" bemühte [165].

Der politische Hintergrund, der im Frühjahr 1813 Hamburgs Schicksal tragisch bestimmt hat [166], lag in der Gruppierung der Mächte und ihrem Verhalten Napoleon gegenüber. Russland und Preussen waren seit dem 28. Februar durch das Bündnis von Kalisch im Befreiungskampf vereint. Österreich unter Metternich hatte sich noch nicht gegen Napoleon entschieden, obgleich es seine Partnerschaft während des Russlandfeldzuges gelockert hatte. Schweden unter seinem Kronprinzen Bernadotte verhielt sich damals abwartend, nachdem es im Vertrag von Åbo 1812 Finnland an Russland abgetreten hatte und gleichzeitig auf dessen Hilfe beim voraussichtlichen Erwerb Norwegens vertröstet worden war. Während Bernadotte mit englischer Finanzkraft und preussischen Truppen ein schwedisches Heer aufstellen sollte, um in den Kampf gegen Napoleon miteinzugreifen, erwog er von sich aus eine Annäherung an den Standpunkt Österreichs, da er sich ausserdem Hoffnungen auf den französischen Thron machte und deshalb vorerst nicht gegen Frankreich kämpfen wollte [167]. Österreich ging auf dieses schwedische Angebot ein und suchte Dänemark, welches mit England verhandeln wollte, um Norwegen behaupten zu können, auf die Seite von Russland und Preussen zu bringen; denn damit wäre der Ausfall des schwedischen Heeres vorerst zu verschmerzen

[165] J. G. Rist. Lebenserinnerungen II, 229; 303ff. Vgl. Varnhagen an Rahel, Hamburg 6. Sept. 1814: Bfw IV, 50f. Vgl. ferner Varnhagen an Rahel, Boitzenburg 16. Juni; Tönningen 22. Dez. 1813: Bfw III, 114; 253.
[166] Vgl. A. Wahl. Hamburg und die europäische Politik im Zeitalter Napoleons, ZsVHG 18 (1914) S. 329. A. Wohlwill, a.a.O. S. 459. Dazu H. Sievekings Rezension, ZsVHG 21 (1916) S. 205. J. G. Rist. Lebenserinnerungen II, 231f. Vgl. auch Stein an Tettenborn, Reichenbach 12. Juni 1813: Stein-Bfw IV, 359.
[167] Vgl. H. Sieveking. Karl Sieveking II, 28. O. Brandt. August Wilhelm Schlegel, S. 173f.; 192ff. K. Woynar. Österreichs Beziehungen zu Schweden und Dänemark vornehmlich seine Politik bei der Vereinigung Norwegens mit Schweden. Archiv für österreichische Geschichte, 77/1 (1891) S. 440. H. Ulmann. Zur Beurteilung des Kronprinzen von Schweden im Befreiungskriege, HZ 102 (1909) S. 308f. J. G. Rist. Lebenserinnerungen II, 186f. – E. Thornton an Castlereagh, Stockholm 27. Jan. 1813: Correspondence, Despatches, and other Papers of Viscount Castlereagh VIII, 314f. Dazu C. F. Wurm. In: ZsVHG 4 (1858) S. 169.

gewesen. Verhandlungen zwischen England und Dänemark kamen aber gar nicht zustande, die Schweden landeten in Stralsund, und Dänemark, nicht mehr in der Lage, seine Neutralität vor dieser militärischen Gefahr selbständig zu schützen, schloss sich nun endgültig Frankreich an [168].

Bei dieser allgemeinen Lage, der zufolge Hamburg örtlich jenen Punkt bezeichnete, an welchem sich die militärischen Kräfte Frankreichs, Dänemarks, Russlands unter Tettenborn und Schwedens auf engem Raum gegenüberstanden, und bei dem regen diplomatischen Verkehr, der notgedrungen über diese Stadt erfolgen musste, durfte Varnhagen als Historiker mit Recht behaupten, von dort aus den "Überblick des Ganzen" gehabt zu haben [169], auch wenn er ihn subjektiv nur als auf die geistige Zeitentwicklung bezogen verstanden hätte. Dabei hat Varnhagens Standpunkt eine politische Färbung annehmen müssen, die in der ersten Fassung seiner Schrift jedoch kein ausgesprochenes Anliegen verdeutlichte, sondern die sich ausschliesslich aus dem konkreten Umstand erklärt, dass er bei seiner diplomatischen Schreibarbeit ständig mit den staatenpolitischen Zusammenhängen konfrontiert wurde [170]. Denn er unterschied die Mächte vorerst doch nur als fortschrittliche und säumige und tadelte diese, weil er die Entscheidung im Sinne der Freiheitsbewegung nicht für schwierig hielt. Wie Rist verurteilte er das zögernde Österreich [171]. Aber die Ziele der österreichischen Politik lagen ihm um so ferner, als er nicht einmal die konservativ verantwortliche Haltung des Senats in Hamburg verstehen konnte [172]; doch war er zudem ebenso wenig unterrichtet wie Rist, dass die Sendung Dolgoruckis eine Metternichsche Intrige darstellte [173]. Wesentlich für die Beurteilung von Varnhagens Überblick bleibt dabei nur die offizielle Begründung für Dolgoruckis Desavouierung, weil diesem tatsächlich der unzeitige Gebrauch seiner Kompetenzen zum Verhängnis wurde [174]. Varnhagen hatte also einmal wirklich einen konkreten Fall, an dem sich seine auf das Zeitgemässe gerichtete Fragestellung durchaus realistisch anwenden liess. Inwieweit aber Dolgorucki dem dänischen Hof Zusicherungen gab, dass von einem Verlust Norwegens

[168] Vgl. O. Brandt. August Wilhelm Schlegel, S. 164. Ferner Metternich an Neipperg, 8. April 1813: K. Woynar. Österreichs Beziehungen zu Schweden und Dänemark vornehmlich seine Politik bei der Vereinigung Norwegens mit Schweden, a.a.O. S. 443; 521f. Stewart an Castlereagh, Hamburg 18. April 1813: Correspondence, Despatches, and other Papers of Viscount Castlereagh VIII, 368. Münster an Ompteda, London 27. April 1813: L. v. Ompteda. Politischer Nachlass III, 114.
[169] Geschichte der hamburgischen Begebenheiten, S. 5.
[170] Vgl. Varnhagen an Rahel, Hamburg 18. Mai 1813: Bfw III, 80. Ferner Geschichte der hamburgischen Begebenheiten, S. 44; 76; 80. Dkw III, 282; 312; 315. II², 428; 454; 457. III³, 295; 315; 317. Vgl. auch den Hinweis auf ein wahrscheinlich von Varnhagen aufgesetztes Schreiben an den Prinzregenten H. Herfurth, a.a.O. S. 89.
[171] Geschichte der hamburgischen Begebenheiten, S. 102. Vgl. Dkw III, 335. II², 474. III³, 330. Ferner J. G. Rist. Lebenserinnerungen II, 157.
[172] Vgl. Geschichte der hamburgischen Begebenheiten, S. 30f.; 34ff.; 37. Dkw III, 270f.; 273ff.; 276. II², 418f.; 421f.; 423. III³, 288; 289f.; 291.
[173] Vgl. O. Brandt. August Wilhelm Schlegel, S. 164 nach K. Woynar.
[174] Vgl. J. G. Rist. Lebenserinnerungen II, 211. J. G. Rist. Historische Denkschrift über das Verhältniss Dännemarks zu Hamburg, ZsVHG 4 (1858) S. 92. K. Woynar. Österreichs Beziehungen zu Schweden und Dänemark vornehmlich seine Politik bei der Vereinigung Norwegens mit Schweden, a.a.O. S. 438.

nicht die Rede sein könne oder sonst Entschädigungen in Norddeutschland erwogen würden [175], berührte Varnhagen nur vom Standpunkt Hamburgs und der die Sache der Freiheit verfechtenden Mächte. Denn Dolgorucki selbst war, nachdem er die Freiheit seiner Instruktion nicht erfolgreich zu gebrauchen vermocht hatte [176], für Varnhagen nicht mehr von geschichtlichem Interesse. Ebenso einseitig, wie er Dolgorucki schliesslich alle Schuld gab [177], verteidigte er die verbündeten Mächte gegen die Annahme, dass sie Hamburg und Lübeck den Dänen hätten als Pfand überlassen wollen, und er fragte sich gar nicht konkret, ob Dolgorucki allenfalls dergleichen in Kopenhagen zur Sprache gebracht haben könnte; denn die blosse Verbreitung eines solchen Gerüchts hätte auch nachträglich, sogar im Rahmen einer geschichtlichen Darstellung, den ''hohen Beruf'' der Freiheitsbewegung zu schmälern vermocht [178], und den dänischen Generalkonsul Rist, der bei seinem Ansehen Dolgoruckis Vorschlägen in der Öffentlichkeit leicht hätte Eingang verschaffen können, fühlte sich Varnhagen schon damals unmittelbar genötigt publizistisch anzugreifen [179]. Wenn sie sich aber als politische Gegner gegenüber standen, konnte wohl nichts paradoxer sein, da sie beide in den führenden Persönlichkeiten jener Mächte, denen sie dienten, Träger oder wenigstens Mitstreiter der Freiheitsbewegung tätig sehen wollten. Rist hatte nämlich schon vor den Hamburger Unruhen vom 24. Februar der dänischen Regierung die Besetzung Hamburgs vorgeschlagen, und zum militärischen Führer dieser Aktion war ihm keiner geeigneter erschienen als der damals in Wellingsbüttel bei Hamburg lebende Herzog von Holstein-Beck, dessen ehemalige Zugehörigkeit zum Tugendbund ihm allerdings von seinem Standpunkt aus berechtigte Bedenken machen musste [180].

[175] Vgl. J. G. Rist. Lebenserinnerungen II, 200.
[176] Vgl. C. F. Wurm. In: ZsVHG 4 (1858) S. 177. P. Poel. Hamburgs Untergang, ZsVHG 4 (1858) S. 48. E. Botzenhart. In: Stein-Bfw IV, 296 A. 2. K. Woynar. Österreichs Beziehungen zu Schweden und Dänemark vornehmlich seine Politik bei der Vereinigung Norwegens mit Schweden, a.a.O. S. 435. – J. G. Rist. Lebenserinnerungen II, 189.
[177] Vgl. Geschichte der hamburgischen Begebenheiten, S. 80. Dkw III, 315f. II², 457. III³, 317.
[178] Vgl. J. G. Rist. Lebenserinnerungen II, 158.
[179] Vgl. Geschichte der hamburgischen Begebenheiten, S. 103. Dagegen Dkw III, 336. II², 475. III³, 330. Vgl. auch Dkw III, 317. II², 459. III³, 318. Ferner Tettenborn an Stein, Lauenburg 31. Mai 1813: Stein-Bfw IV, 348.
[180] Vgl. Der Tugendbund, S. 33; 37 A. 31. – Ferner J. G. Rist. Lebenserinnerungen II, 168. Inwieweit Holstein-Beck mit den dem Tugendbund nahestehenden Führern der in Hamburg befindlichen Truppen im Einklang gehandelt haben könnte, als er dem Brigadekommandanten Reuss den Anschluss Dänemarks an Frankreich mitteilte, bezieht Rist nicht in seine Überlegungen mit ein. Da nämlich gleichzeitig der dänische General Haffner noch mit Vandamme in Verhandlungen stand, um mit ihm eine interne Verabredung zu treffen, konnte Holstein-Beck nur entweder nicht von Haffners Absicht unterrichtet gewesen sein oder versucht haben – im Sinne Tettenborns – die Dänen von Hamburg fernzuhalten. Vgl. dazu Geschichte der hamburgischen Begebenheiten, S. 79. Dkw III, 315. II², 456f. III³, 316f. J. G. Rist. Lebenserinnerungen II, 205; 99. Varnhagen bringt von der Episode nur deren Ausgang, nämlich den Anschluss der Brigade Reuss an die Franzosen. Vgl. Geschichte der hamburgischen Begebenheiten, S. 117 ''... aber bald drang der Feind, der inzwischen durch die Brigade *Reuss* verstärkt worden war, mit grosser Übermacht auf die Hanseaten ein...''. Vgl. Dkw III, 350 ''... bald aber drang auch hier der Feind, der inzwischen durch eine ganze Brigade, deren Anführer ein in französische

Rist leiteten jedoch nur realpolitische Überlegungen, da er glaubte, Dänemark aus seiner "Unbedeutendheit" herausverhelfen und "die durch ein günstiges Geschick dargebotene Selbstständigkeit in Anspruch ... nehmen" zu können, und damit strebte er auf eigene Verantwortung an, was ihm – so zeitgeschichtlich dachte er – "bequemer" gewesen wäre, wenn er "einem Impuls" hätte "folgen und sich nachher mit der unabwendbaren Notwendigkeit ... entschuldigen" können [181]. Umgekehrt war es jedoch Tettenborn, der aus seiner Unbedeutendheit heraustrat und, wie Rist bemerkt, "selbst gleichsam erstaunt über die Wichtigkeit der Rolle" wirkte, "die ihm unerwartet zugeteilt war" [182]. Um so bitterer musste deshalb Rist über Varnhagens Schrift urteilen, in der dieser entgegen jener Vorstellung von politisch selbständiger Handlungsfreiheit Tettenborns Zug nach Hamburg als den geschichtlich notwendigen Ausdruck der allgemeinen Entwicklung schilderte [183]. Denn Rist betrachtete diesen geschichtlichen Zeitraum vom persönlichen und politischen Standpunkt, und dementsprechend war auch seine Antwort auf die rein historisch begründete Schrift.

Varnhagen dagegen erlebte Geschichte aus der in ihr selbst ausgedrückten Gesinnung, der die äusseren Umstände jeweils hemmend entgegenwirken mussten [184], und solange daher zwischen seiner eigenen und der allgemeinen zeitgeschichtlichen Gesinnung ein übereinstimmendes Verhältnis herrschte, war er leicht imstande, seine Erlebnisse auch in Worte umzusetzen. Nachdem Rist später aber von Varnhagen Rechenschaft für das angeblich politische Ansinnen gegenüber Dänemark gefordert hatte und es deswegen zwischen ihnen zu einer persönlichen Aussprache gekommen war [185], sah sich Varnhagen veranlasst, seinen historiographischen Standpunkt auf politische Weise vor der Öffentlichkeit zu erläutern und bat deshalb Cotta unverzüglich um eine "kritische Anzeige, die besonders die Behandlung und geschichtliche Schreibart" betreffen sollte, und so lautete der entsprechende Abschnitt im 'Morgenblatt für gebildete Stände': "... nicht blos wegen der authentischen und merkwürdigen Nachrichten, welche über ein Vorspiel der Befreyung Deutschlands gegeben werden, verdient diese Schrift eine besondere Auszeichnung, sondern auch wegen des ausgezeichneten durch alte Historiker sichtbar ausgebildeten Talents ihres Verfassers" [186]. Es waren dies zum Teil dieselben Worte, welche auch Woltmann

Dienste getretener Fürst von Reuss war, mit grosser Übermacht auf die Hanseaten ein [sic!] ...".
[181] J. G. Rist. Lebenserinnerungen II, 167f.
[182] J. G. Rist. Lebenserinnerungen II, 178. Vgl. A. Heskel. Hamburgs Schicksale während der Jahre 1813 und 1814, ZsVHG 18 (1914) S. 264. Ferner auch Varnhagen an Cotta, Teplitz 20. Juli 1814: SNM Cotta-Archiv Nr. 21. Tettenborn habe "keine der letzten Rollen gespielt".
[183] Vgl. J. G. Rist. Lebenserinnerungen II, 179ff.; 303ff. Ferner ebda S. 92 [Varnhagen gemeint!].
[184] Vgl. Varnhagen. Geschichte der hamburgischen Begebenheiten, S. 12; 15. Dkw III, 258. II², 408. III³, 280.
[185] Vgl. J. G. Rist. Lebenserinnerungen II, 304f. Ferner Varnhagen an Rahel, Hamburg 6. Sept. 1814: Bfw IV, 50f.
[186] Übersicht der neuesten Literatur 1815. Morgenblatt für gebildete Stände, 9 (1815) Nr. 10 S. 38. Vgl. Varnhagen an Cotta, Hamburg 3. Sept. 1814: SNM Cotta-Archiv Nr. 22.

auf Varnhagens Schrift angewendet hatte, wenn er ihn ein "durch Liebe zu den alten Historikern, ausgebildetes Talent für die Geschichtschreibung überhaupt" nannte [187].

Das Vorbild der Antike war für Varnhagen durch den Umgang mit Fichte selbstverständlich geworden [188], und in Woltmann fand er einen Rezensenten, der als Übersetzer von Sallusts historischen Schriften durchaus in der Lage war, den antikischen Geist in der 'Geschichte der hamburgischen Begebenheiten' wahrzunehmen, wobei deren faktischer Hintergrund auch bei anderen Zeitgenossen die Erinnerung an die "schönsten Zeiten des Alterthumes" geweckt hatte [189]. Gerade Sallust aber, dessen Lektüre Varnhagen bis ins hohe Alter fortsetzte [190], diente ihm für seine eigenen, zeitgeschichtlich monographischen Publikationen als Vorbild, wobei er sich vor allem auf die Tatsache berief, dass auch Sallust in seinen Schriften jeweils "nur ein abgerissenes Stück grösserer Geschichtschreibung" geliefert habe [191]. Wenn daher Varnhagen mit dem Hinweis auf Sallust keine geschichtsphilosophische Ansicht begründete, sondern ein rein kompositorisches Ziel verfolgte, ging es ihm jedoch trotzdem auch um eine echte moralische Aufgabe, bei der die Geschichte weniger wegen ihrer individuellen Erscheinungen als allgemein im Sinne einer höheren Offenbarung von Bedeutung wurde. Deshalb lag auch in jeder Veröffentlichung etwas Bekenntnishaftes, das weit über den grundsätzlich wissenschaftlichen Zweck hinausreichen musste und umgekehrt allerdings einen gewissen Dilettantismus verriet [192]. Denn restlos verstehen konnten seine Schrift nur Gesinnungsgenossen wie Woltmann, Perthes oder Karl Sieveking [193]. Die politische Tendenz aber — und darin äussert sich das Paradoxe dieser Geschichtsgläubigkeit [194] — gewann in Varnhagen erst als Folge ihrer eigenen Wirkung eine fest umrissene Gestalt,

[187] [K. L. v. Woltmanns Rezension], JALZ XI/4 (1814) Sp. 203.
[188] Vgl. Dkw II, 34. I², 288. I³, 235. Ferner F. Römer, a.a.O. S. 25.
[189] Vgl. Niebuhr an Perthes, Meldorf 15. Sept. 1814: B. G. Niebuhr. Briefe II, 500. Ferner K., Dr. [?] Hamburg unter Französischer Herrschaft. Nemesis, 3 (1814) S. 187. [F. G. Zimmermann?] Schriften, die neueste Geschichte der freyen Hansestadt Hamburg betreffend, ALZ 4 (1816) Sp. 193. Zur Verfasserschaft vgl. Varnhagen an Perthes, Frankfurt a.M. 13. Mai 1816: HH StA Perthes Nachlass I M 10a Bl 69-70 "Dahin zielt auch häufig der Rezensent in der Hallischen A.L.Z. ... Ist es wahr dass Prof. Zimmermann der Verfasser ist? Ich möchte es glauben".
[190] Vgl. Varnhagens Notizen, 6. Jan. 1837; 19. Juni 1845; 17. Feb. 1850: Tgb I, 33; III, 95; VII, 68.
[191] [Varnhagens Anzeige] Der deutsche Beobachter oder die Hanseatische Zeitung von Staats- und Gelehrten Sachen, (1814) Nr. 37. Dazu vgl. unten S. 105 u. A. 92. Ferner Geschichte der Kriegszüge des Generals Tettenborn, S. 7. Dkw III, 382f. III², 1f. IV³, 1. Deutsche Ansicht der Vereinigung Sachsens mit Preussen, Titelseite. Vgl. auch Varnhagen an Schlesier, Berlin 20. April 1835: H. H. Houben. Jungdeutscher Sturm und Drang, S. 593.
[192] Vgl. R. Haym. Varnhagen von Ense, a.a.O. S. 450. F. Römer, a.a.O. S. 172. Ders. Ein Lebensbild: Karl August Varnhagen von Ense. Geistige Arbeit, 2 (1935) Nr. 10. S. 12. Dagegen K. Hillebrand. Briefwechsel zwischen Varnhagen und Rahel. Die Gegenwart, 7 (1875) S. 86. A.*.; Varnhagen, Rahel und ihre Zeit. In: Wälsches und Deutsches (= Zeiten, Völker und Menschen II, 447 A.*.)
[193] Vgl. Varnhagen an Rahel, Boitzenburg 3. Dez. 1813: Bfw III, 220. Varnhagen an Rahel, Hamburg 18.; 25. Mai 1813: Bfw III, 79; 103f. Ferner H. Sieveking. Karl Sieveking II, 25f.
[194] Vgl. J. G. Rist. Lebenserinnerungen I, 71.

indem alle persönlich betroffenen Zeitgenossen, die beispielsweise wie Rist nicht völlig eingeweiht waren, ihrerseits sein ganz ursprüngliches Mitteilungsbedürfnis auf sich selbst bezogen und insofern auch politisch auffassen zu müssen glaubten. Nachdem aber andrerseits Metternich und sogar Friedrich Wilhelm III. von Preussen Varnhagen mit Lob auszeichneten [195] und seine Schrift ausserdem durch den Buchhändler Schöll ins Französische übersetzt wurde, fühlte sich Varnhagen um so mehr verpflichtet, als Verfasser mit seinem Namen an die Öffentlichkeit zu treten [196], und dadurch verlor er als unabhängiger und bekenntnishaft ergründender Historiker stark an Glaubwürdigkeit und persönlichem Vertrauen.

Die Wirkung publizistischer Tätigkeit enthielt ein psychologisches Geheimnis, dessen bewusste Anwendungsmöglichkeiten Woltmann und Perthes lange vor Varnhagen durchschaut hatten, und Woltmann war es, der ihn zuerst ins tiefere Vertrauen zog. Was er ihm vorschlug, war "ein kritisches Zusammenwirken" in der 'Jenaischen Allgemeinen Literaturzeitung', wobei die Anonymität ihre persönliche Urheberschaft weitgehend verschleiern sollte [197]. Dass hinter einer solchen publizistischen Arbeitsgemeinschaft, deren es später unter den Vertretern des 'Jungen Deutschlands' zahlreiche gab, ein Zusammenhalt in der Art des Tugendbunds bestand, dürfte Varnhagen zwar nicht gegenwärtig, aber doch ein heimlicher Anreiz gewesen sein. Gehörte nämlich schon der klassische Geschmack, dem Woltmann folgte, zu den statutenmässig festgelegten Forderungen dieser Gruppe, so war erst recht die publizistische Einwirkung eine anerkannte Kraft, der im Organ des Tugendbunds auch Nichtmitglieder wie Scharnhorst und Gneisenau ihre Feder nicht versagten [198]. Hatte sich aber in den Statuten die Beeinflussung der Öffentlichkeit "auf dem Wege literarischer Mitteilungen" auch nur auf Gegenstände der Literatur beschränkt, wobei allerdings auch "Aufsätze über die Geschichte des Tages" nicht ausgeschlossen blieben [199], so wurde während des Frühjahrsfeldzugs von 1813 diese Form von

[195] Vgl. Varnhagen an Rahel, Villeneuve-le-Roi 10. April 1814: Bfw III, 318. Friedrich Wilhelm III. an Varnhagen, Chaumont 3. März 1814. In: Varnhagen an Rahel, Paris 21. Mai 1814: Bfw III, 364. Dazu Dkw NF II (= VI), 124. III², 200. IV³, 156.
[196] Vgl. Varnhagen an Cotta, Hamburg 3. Sept. 1814: SNM Cotta-Archiv Nr. 22 "... die französische Übersetzung, die in Paris ... erschienen ist, droht die Urschrift ganz beiseite zu drängen. Die mancherlei Anfechtungen, welche der Verfasser dieser Schrift erleiden soll, nöthigt mich als solcher mit meinem Namen hervorzutreten, damit ich zu meinen Worten stehe, und die Wahrheit nicht ohne Namen schwächer erscheine". Dazu Varnhagen d'Ense. Hambourg avant Davoust, ou relation de ce qui s'est passé à Hambourg en 1813 depuis la sortie des François jusqu'à leur rentrée. [Traduction de M. Schoell] Paris 1814. Ferner die anonyme Rezension. Le Spectateur ou variétés historiques, littéraires, critiques, politiques, et morales, II/13 (1814) S. 122 Vom Verfasser heisst es: "Il regrette avec raison que les Danois aient été dans le cas d'abandonner la cause de Hambourg ...; mais il ne développe pas les motifs impérieux qui forcèrent le Danemarck à cette démarche".
[197] Vgl. Woltmann an Varnhagen, Prag 20. Okt. 1814: Deutsche Briefe I, 87. Ferner T. F. Böttiger, a.a.O. S. 35.
[198] Vgl. Der Tugendbund, S. 53 A. 12. Ferner Verfassung der Gesellschaft zur Hebung öffentlicher Tugenden, oder des sittlich-wissenschaftlichen Vereins, 1808: ebda S. 179.
[199] Verfassung der Gesellschaft zur Hebung öffentlicher Tugenden, oder des sittlich-wissenschaftlichen Vereins, 1808: Der Tugendbund, S. 179.

Beeinflussung plötzlich ein allgemein angewandtes Mittel der Kriegführung. Tettenborn war im Gebrauch von Proklamationen, die ihm übrigens der unter denselben Umständen wie Varnhagen als Tugendbündler verdächtigte Ernst von Pfuel schrieb [200], nur ein Schüler des russischen Oberkommandierenden Grafen Wittgenstein, den Rist in seinen 'Lebenserinnerungen' überhaupt als Urheber aller unberechtigten "Verheissungen der Freiheit unter deutschen Völkern" bezeichnete und der "solchergestalt schwärmerische und verderbliche Hoffnungen unter dem Volke genährt" habe [201]. Varnhagen aber, den Wittgensteins Proklamationen mit Begeisterung erfüllten [202], konnte sich schon deshalb ihrem Eindruck nicht entziehen, weil er selbst Zeuge jener propagandistischen Wirkung geworden zu sein glaubte, als der General Dörnberg bei Lüneburg den französischen General Morand zwar geschlagen, Tettenborn jedoch diesen Sieg durch entsprechende "Nachrichten und Anstalten" vorbereitet hatte [203]. Dieselbe Erfahrung wiederholte sich ihm später während der Belagerung Hamburgs, denn nur einem "wunderbaren Einfluss" schrieb er es zu, dass die Franzosen damals ihrer Überlegenheit gar nicht innewurden und sich somit auch die katastrophale Lage der Stadt gar nicht von Anfang an zunutze machen konnten [204].

Unter der Voraussetzung einer solchen publizistisch greifbaren Faktizität der Geschichte sind Varnhagens offensichtlich tendenziöse Angaben nach den üblichen Kriterien der Glaubwürdigkeit selten zu beweisen, und er wurde deshalb immer, wo Belege fehlten, einer politischen Schönrednerei beschuldigt, die jeweils vom Standpunkt dessen, der an ihr Interesse haben konnte, auch entsprechend sinnvoll erscheinen konnte. So naheliegend diese die Tendenz erfassende Begründung ist, hat sie doch im Fall von Tettenborn eine einseitig verzerrte Anschauung seiner mit Varnhagen geschlossenen Freundschaft vermittelt, und selbst wenn sich Tettenborn von einer panegyrischen Beschreibung seiner Taten persönlichen Vorteil versprach [205], erklärt sich Varnhagens Schrift doch nicht eindeutig aus seiner materiellen Dankbarkeit. Varnhagen schrieb keine Ehrenrettung seines Vorgesetzten, die zugleich nur der Ausdruck davon gewesen wäre, dass er ihm einen Beuteanteil und damit auch die Mittel zu seiner späteren Existenz verdankte, sondern ursprünglich war es ihm um die Überwindung der eigenen inneren Richtungslosigkeit gegangen und dazu hatte er in Tettenborn einen Menschen gefunden, der für ihn ein geradezu anthro-

---

[200] Vgl. Varnhagen an Rahel, Hamburg 30. März 1813: Bfw III, 21. Dazu C. Misch, a.a.O. S. 21.

[201] J. G. Rist. Lebenserinnerungen II, 158.

[202] Varnhagen an Rahel, Hamburg 25. März; 5. April 1813: Bfw III, 11; 35. Vgl. Geschichte der hamburgischen Begebenheiten, S. 22. Dkw III, 264. II², 413. III³, 283.

[203] Vgl. Varnhagen an Rahel, Hamburg 6. April 1813: Bfw III, 37. Ferner Geschichte der hamburgischen Begebenheiten, S. 62. Dkw III, 219f. II², 443. III³, 306f. Vgl. auch Tettenborns Aufruf: Geschichte der hamburgischen Begebenheiten, S. 57. Dkw III, 296. II², 440. III³, 304. J. L. v. Hess. Agonieen der Republik Hamburg, S. 388. H. Herfurth, a.a.O. S. 72f.

[204] Vgl. Geschichte der hamburgischen Begebenheiten, S. 135. Dkw III, 365. II², 450. III³, 349f.

[205] Vgl. Varnhagen an Rahel, Bremen 7. Nov. 1813: Bfw III, 196f.

pologisches Beispiel und Muster seiner Zeit wurde [206]. Demnach sah Varnhagen die Geschichte allgemein im Spiegel von "Begebenheiten", deren geistigen Inhalt er bekenntnishaft behaupten konnte, aber meistens gar nicht nachweisen wollte, und die deshalb nur für Gleichgesonnene denselben Wert hatten. So hat auch Ranke ursprünglich die 'Geschichte der hamburgischen Begebenheiten' im vollen Vertrauen auf die Richtigkeit der Betrachtungsweise gelesen [207].

Dabei ging Varnhagen jedoch von keiner dogmatisch festgelegten Vorstellung aus, sondern setzte auch beim Leser bloss die freie Bereitschaft und Anteilnahme voraus, und so standen für ihn der faktische Ablauf der Ereignisse, die handelnden und selbst die zögernden Akteure, solange sie nicht aus Gleichgültigkeit untätig waren [208], sowie der Verfasser und die Leser in einem von ihm als geschichtlich betrachteten Zusammenhang, in welchem auch das Wort Tat bedeutete. Diese politisch zunächst nicht zu verantwortende Maxime, der zufolge, wie Rist schon damals erkannt hat, "Lüge" und "Wahrheit" nicht mehr zu unterscheiden waren [209], hatte Varnhagen seinerseits im persönlichen Umgang mit Gleichgesonnenen gewonnen. Fichte vermittelte ihm das Freiheitsbewusstsein, welches er im Krieg gegen Frankreich als allgemein zeitgeschichtliche Bewegung wahrnehmen sollte. Ihn wiederum verstehen konnten seinerzeit nur diejenigen, die mit Fichte wenigstens insofern übereinstimmten, als sie wie dieser davon überzeugt waren, dass sie freiheitliches Bewusstsein literarisch in die Tat umzusetzen vermochten. Dazu gehörten alle bündischen Gruppen, die über geheime Nachrichtenwege verfügten, aber auch alle Militärs, Diplomaten und Minister, die in ihren Entscheidungen von Informationen abhängig waren, und in diesem Rahmen war sich auch Varnhagen seiner konkreten Wirkungsmöglichkeit und damit seiner Beziehung zur Geschichte bewusst. Ob es sich um Fichtes Reden, um den Korrespondenzverkehr des Freiherrn vom Stein und seiner Schützlinge, um Wittgensteins Proklamationen oder um seine eigene Geschichtschreibung handelte, spielte dabei keine Rolle.

2. Verantwortung

Die halbjährige Zeitspanne vom Juli bis zum Dezember 1813, in welcher Varnhagen seine 'Geschichte der hamburgischen Begebenheiten' ausarbeitete,

[206] Vgl. Varnhagen an Perthes, Boitzenburg 4. Juli 1813: HH StA Perthes Nachlass I M 5c Bl 73 "Ich will die Hamburgischen Ereignisse erzählen und drucken lassen . . ., und niemand darf wissen, dass ich der Verfasser bin, am wenigsten mein General, den ich zwar Ursache habe, vielfältig zu loben, der aber das Ganze doch wahrscheinlich verbieten würde". Dagegen B. Poten. [Tettenborn-Artikel] In: ADB 37 (1894) S. 600. O. F. Walzel. [Varnhagen-Artikel] In: ADB 39 (1895) S. 772. G. Gugitz. In: A. de la Garde. Gemälde des Wiener Kongresses I, 46 A. 1. T. F. Böttiger, a.a.O. S. 124 A. 1. C. Misch, a.a.O. S. 26ff.; 139. – Vgl. auch Varnhagen an Rahel, Bremen 17.; 24. Okt. 1813: Bfw III, 183f.; 185. Ferner J. H. W. Smidt. Erinnerungen aus der Zeit der Freiheitskriege, a.a.O. S. 402.
[207] Vgl. Ranke an Perthes, Berlin 12. Juni 1825: L. v. Ranke. Das Briefwerk, S. 84.
[208] Vgl. dazu über Bernadotte Varnhagen an Rahel, Hamburg 7.; 21. Mai; Bremen 14. Nov. 1813: Bfw III, 66; 88; 202. Varnhagen an K. v. Humboldt, Bremen 14. Nov. 1813: K. v. Humboldt-Bfw S. 134 Z. 18ff.
[209] J. G. Rist. Lebenserinnerungen II, 158.

verzögerte und schwächte die unmittelbare Formulierung des geistigen Erlebnisses, als dessen Zeuge er aufzutreten beabsichtigte.

Ursprünglich hatte er aus dem Plan seiner 'Geschichte' "das tiefste Geheimniss" gemacht und vor allem Tettenborn nichts davon mitgeteilt. Er wollte wirklich ohne persönliche Rücksicht seine eigene Ansicht der "Hamburgischen Ereignisse erzählen und drucken lassen", und dazu war ihm nicht einmal mit der Verschwiegenheit und "Liberalität" eines deutschen Verlegers genügend Gewähr geboten; "nur in England", schrieb er Perthes, "kann das geschehn" [210]. Aber sogar die Mitwisserschaft eines Gesinnungsgenossen wie Perthes hat die anfängliche Unbefangenheit verscheucht, die Varnhagen, als er seine Schrift zu schreiben begann, noch besessen hatte. Nachdem sie nämlich zuerst Mitte August "noch vor den Feindseligkeiten fertig geworden" war [211], hatte sie später bei ihrem Erscheinen im Jahr 1814 nicht mehr jene möglichst ideale Gestalt, die für Varnhagens Geschichtsauffassung angemessen gewesen wäre und die sich am deutlichsten noch in der geheimnisvoll unzutreffenden Angabe des Druckorts und Druckjahrs "London 1813" erhalten hat. Ganz abgesehen davon aber, dass er "Geld ... dafür" und zwar "so viel als möglich" zu bekommen hoffte, war er sich zugleich in einem höheren Sinn der Anfechtungen bewusst, denen er sich notgedrungen mit seiner persönlichen Auffassung aussetzen musste. Deshalb zog er auch gerne Perthes ins Vertrauen, und um sich seiner eigenen Verantwortung etwas zu entledigen, schrieb er ihm: "... wo ich neben den Thatsachen Ansicht und Urtheil geben musste, ist dies ganz nach meinem besten Gewissen abgefasst; es wäre sehr glücklich gewesen, wenn ich Sie dabei hätte zu Rathe ziehen können, Ihre Prüfung könnte noch jetzt Manches berichtigen" [212]. In der langwierigen publizistischen Fehde, die sich um die Schuldfrage anlässlich der Preisgabe Hamburgs durch Tettenborn

---

[210] Varnhagen an Perthes, Boitzenburg 4. Juli 1813: HH StA Perthes Nachlass I M 5c Bl 73. Vgl. dazu Renfners Verzeichnis der im Monat März 1814 zur Zensur vorgelegten historisch-politischen Schriften: P. Czygan. Zur Geschichte der Tagesliteratur II/2, 325. Vgl. dagegen Varnhagen an Reimer, [Teplitz] 8. Aug. 1814: DZA, Hist. Abt. II, Merseburg, Rep. 92 Nachlass G. A. Reimer VII Bl 1 "Perthes schreibt mir, er habe meine Geschichte der hamburgischen Begebenheiten Ihnen überlassen, weil er Ihnen viel schuldig gewesen; das Buch könnte in keinen bessern Händen sein, als in den Ihrigen, ...". Ferner auch K. D. Möller. Johann Daniel Runge. In: Hamburger geschichtliche Beiträge. H. Nirrnheim zum siebzigsten Geburtstage, S. 201.

[211] Varnhagen an Perthes, Zarensdorf 8. Sept. 1813: HH StA Perthes Nachlass I M 5c Bl 144-145. – Es kann nicht ausgemacht werden, ob es sich dabei um eine selbständige erste Fassung der erst in den Monaten Dezember und Januar 1813/14 gedruckten Schrift handelt. Unter Freunden war die Schrift schon anfangs Dezember vielleicht auch nur handschriftlich bekannt. Vgl. das Bruchstück von Varnhagens Hand: HH StA Perthes Nachlass I M 7c Bl 152-163. Ferner L. v. Gerlach an K. Sieveking, Höchst 12. Dez. 1813: L. v. Keyserling, a.a.O. S. 157. Dazu die betreffenden Stellen Geschichte der hamburgischen Begebenheiten, S. 127; 150. Dkw III, 358; 377. II², 494; 510. III³, 345; 357f. Ferner Varnhagen an Rahel, Boitzenburg 3. Dez. 1813; Bremen 2. Feb. 1814: Bfw III, 220; 291.

[212] Varnhagen an Perthes, Zarensdorf 8. Sept. 1813: HH StA Perthes Nachlass I M 5c Bl 144-145. Vgl. Varnhagen an Perthes, Boitzenburg 4. Juli 1813: HH StA Perthes Nachlass I M 5c Bl 73 "In vierzehn Tagen kann das Manuskript fertig sein; wie glücklich wäre ich, Sie dabei zum Gehülfen haben zu können!".

entspann [213], zeigte sich nämlich bald die Grenze von Varnhagens Zuständigkeit. Doch er brauchte sich selbst wenigstens insofern keine Vorwürfe zu machen, als er an Perthes, der schliesslich sein Verleger geworden war [214], einen der Hauptbeteiligten auf seiner Seite hatte. Die persönliche Anteilnahme, in der für Varnhagen die ursprünglichste Form geistigen Verständnisses lag, erwies sich an seiner freundschaftlichen Beziehung zu Perthes innerhalb der äusseren Lebensverhältnisse als folgenschwere Kraft. Seine Stellung hatte unter den führenden Persönlichkeiten in Hamburg plötzlich ein solches Gewicht, dass sogar die dort seit der Franzosenzeit in patriotischer Gesinnung verbundenen Kameraden Jonas Ludwig von Hess und Perthes in entgegengesetzte Positionen gedrängt wurden [215]. Danach zu schliessen, musste eine Formulierung wie diejenige Varnhagens, welcher Hess als dem Chef der Bürgergarde deren "Unzulänglichkeit" zum Vorwurf machte, geradezu den Eindruck von Perfidie erwecken; denn Varnhagen hatte sich bei dieser heiklen Frage nicht zuletzt, wie es scheint, im eigensten Interesse gegen Einwände von seiten hamburgischer Magistratspersonen gesichert, indem er gleichzeitig das, was er von Hess Nachteiliges öffentlich auszusprechen wagte, wenigstens dessen ehemaligem Adjutanten, nämlich Perthes, zugute hielt [216]. Gegen diese Darstellung der Tatsachen hatte Hess keine Alternative, die ohne gegen Perthes gerichtet zu sein, ihn selbst gerechtfertigt hätte. Solange jedoch Varnhagen in seiner überhaupt mehr beredten als faktisch interessierten Weise seinen Standpunkt vertrat, konnte es Hess unmöglich gelingen, ihn auf Irrtümern zu behaften, und er musste dort, wo er Varnhagen eine Antwort erteilen wollte, dessen persönliches Vertrauen missbrauchen und ihm eine Absicht unterstellen, um ihn zum mindesten einigermassen treffen zu können.

Varnhagen dagegen stand in seinen schöpferischen Augenblicken immer ausserhalb aller realen Beziehungen, ohne dass er sich dabei zugleich auf eine

---

[213] Vgl. [F. G. Zimmermann?] Schriften, die neueste Geschichte der freyen Hansestadt Hamburg betreffend, ALZ 4 (1816) Sp. 193ff. E.C.G.F.[?] Schriften, den Krieg an der Unterelbe und besonders die Hamburgischen Angelegenheiten in den Jahren 1813 und 14 betreffend, JALZ XV/2 (1818) Sp. 305ff. F. Perthes. Berichtigender Nachtrag zu der Recension der Schriften über die Hamburgischen Begebenheiten im Jahre 1813, Intelligenzblatt der JALZ (1818) Sp. 484ff. E.C.G.F.[?] Antwort des Recensenten auf Hrn. Fr. Perthes Aufsatz im Intell. Bl. No. 61, Intelligenzblatt der JALZ (1818) Sp. 713ff. F. Beneke. Abgenöthigte Erklärung, Intelligenzblatt der JALZ (1819) Sp. 27f. F. Perthes. Erwiederung, Intelligenzblatt der JALZ (1819) Sp. 57ff. F. Perthes. Nachschrift, nicht für den Recensenten, Intelligenzblatt der JALZ (1819) Sp. 64f. E.C.G.F.[?] Antwort des Recensenten, Intelligenzblatt der JALZ (1819) Sp. 65ff. E.C.G.F.[?] Antwort desselben Recensenten auf Herrn Ferd. Beneke's abgenöthigte Erklärung in No. 4 des Int. Blattes von diesem Jahr, Intelligenzblatt der JALZ (1819) Sp. 78ff. u.a.
[214] Vgl. Varnhagens eigenhändig ausgefüllten Fragebogen für das Gelehrte Berlin: Ddf LuStB 54.2196 [Druckort]: "Bremen. Friedrich Perthes". Ferner F. R. Bertheau. Geschichte der Buchhandlung W. Mauke Söhne vormals Perthes, Besser & Mauke in Hamburg, S. 65.
[215] Vgl. A. Wohlwill, a.a.O. S. 436f. T. F. Böttiger, a.a.O. S. 112f.
[216] Geschichte der hamburgischen Begebenheiten, S. 71f. Dkw III, 308f. II², 451. III³, 312f. Vgl. dazu J. L. v. Hess. Agonieen der Republik Hamburg, S. 156ff. A.*. Vgl. auch P. Wetzel. Die Genesis des am 4. April 1813 eingesetzten Zentral-Verwaltungsrates und seine Wirksamkeit bis zum Herbst dieses Jahres, S. 103 A. 4.

Kritik gefasst gemacht hätte. Einen solchen Augenblick war er überzeugt mit Perthes gemeinsam erlebt zu haben, und er hatte ihn deshalb auch ohne Bedenken in den Plan seiner hamburgischen 'Geschichte' eingeweiht. Was ihm aber fehlte, war der Weitblick für die Wirkung, welche seine Darstellung allenfalls auf die Umwelt haben konnte, und er begriff erst, als er selber in die polemische Auseinandersetzung verstrickt wurde, warum Perthes sich bemühen konnte, zwischen ihm und Hess zu vermitteln [217]. Für Varnhagen war die ganze "Sache" anfangs darum keine Frage, weil sie für ihn zugleich auch *den* Standpunkt umfasste, von welchem aus er sich sogar Kritik gefallen lassen durfte [218]. Unter dieser Voraussetzung kam er Perthes 'Bitte' unverzüglich entgegen und gab ihm seine rein persönliche Anschauung jener einzelnen Vorgänge bekannt, nach denen er von ihm gefragt worden war [219]. Ihm gegenüber empfand es Varnhagen nicht als Nötigung, da er ihm bloss seinen Standpunkt zu erläutern brauchte und ihn rückhaltlos zum Kreis der Eingeweihten zählte, während er zu Hess kein solches Vertrauen hegte [220]. Als er deshalb in der Darstellung, die Hess veröffentlichte, seine eigenen vertraulich Perthes mitgeteilten Aufzeichnungen zur Dokumentation einer polemischen Kritik gegen sich selbst verwendet sah, fühlte er sich in seinem Freundschafts-verhältnis mit Perthes stärker angefochten, als er es in einem daraufhin an ihn gerichteten Schreiben auszudrücken vermochte [218].

Hess hätte die Stelle, an welcher ihn Varnhagen für die "Unzulänglichkeit der Bürgergarde" verantwortlich machte und zugleich seine Schwäche zu Perthes' Gunsten umdeutete, nicht sofort erwidern können, ohne dabei seiner-

[217] Vgl. Varnhagen an Perthes, [Wien Frühjahr 1815] [Kopie]: HH StA Perthes Nachlass I M 9b Bl 3-5 "Auch ich hätte gewünscht, Herrn von Hess noch vor meiner Abreise zu sehen, doch nicht aber, um die Sache ferner zu erörtern, über welche ich Ihnen, als Sie in seinem Auftrage zu mir kamen, Genügendes glaube gesagt zu haben, sondern bloss aus verehrender Zuneigung zu dem trefflichen Mann, den in meiner Schrift über einiges zu tadeln, mir die Kraft der Wahrheit gegen mein persönliches Gefühl abgewinnen musste". Dazu Varnhagen an Rahel, Hamburg 16. Sept. 1814: Bfw IV, 72. Ferner Varnhagen. Berichtigende Mittheilungen an das Publicum, Intelligenzblatt der JALZ (1816) Sp. 140. Varnhagen an Perthes, Frankfurt a.M. 13. Mai 1816: HH StA Perthes Nachlass I M 10a Bl 69-70 "Ich kann ganz fühlen wie Sie besonders durch die heftige, persönliche Wendung dieser Sachen innnerlich berührt werden, ...". Vgl. auch Perthes an Fouqué, Hamburg 1. Okt. 1815: Briefe an Friedrich Baron de la Motte Fouqué, S. 295.
[218] Vgl. Varnhagen an Perthes, Paris 13. Okt. 1815: HH StA Perthes Nachlass I M 9b Bl 214. "Dies fordert eine Berichtigung und Ergänzung von meiner Seite, die Herr von Hess wohl so, wie ich sie geben werde, nicht erwartet, in der Sache werde ich stark, im Ausdruck milde sein, und so auf doppelte Weise ihm überlegen. Ich bedarf dazu jenes Briefs, den ich voriges Jahr an Sie schrieb, und aus dem auch Herr von Hess das ihm beliebige geschöpft hat; ich bitte Sie, mir ihn umgehend zu schicken, da ich nicht, wie Herr von Hess gethan zu haben scheint, jeden Umstand der kleinsten Persönlichkeiten zu künftigem Klatschereigebrauch in besondern Gedenkblättern genau verzeichnet habe". Vgl. J. L. v. Hess. Agonieen der Republik Hamburg, S. 295 A. spricht von "einer Rechtfertigung" Varnhagens, "die er über diese und ein Paar andere Stellen seiner Schrift mittelbar an mich hat gelangen lassen". Ferner Varnhagen. Berichtigende Mittheilungen an das Publicum, a.a.O. Sp. 140. Vgl. auch Dkw NF III (= VII), 249. IV³, 374.
[219] Perthes an Varnhagen, Hamburg 27. Sept.[?]. 1814 [Konzept]: HH StA Perthes Nachlass I M 7b Bl 145-148.
[220] Vgl. oben S. 52 A. 123.

seits dessen Ansehen zu beeinträchtigen. Deshalb war er auch geschickt genug, um den Kreis der in die Schuldfrage verstrickten Personen zu erweitern, und in diesen Kreis gehörte nun, wie selbst Varnhagen nicht bestritt, der russisch-preussische Offizier von Canitz, gegen dessen anerkennende Erwähnung Hess Fakten in die Diskussion warf, die Varnhagen willentlich zum Teil verschwiegen hatte [221]. Denn für ihn war schon die blosse Gegenwart eines auch nur ehemals preussischen Offiziers von solch überragender geistiger Bedeutung [222], dass es ihm damals unter dem Druck der Zeitumstände gleichgültig blieb, inwieweit Canitz seine "schriftliche Anweisung und Regel" für die Bürgergarde in die Tat umsetzte [223]. Hess dagegen, ohne jenes borussische Selbstbewusstsein [224], ging in seiner Polemik quellenmässig auf das Canitzsche "Dienstreglement" ein und beurteilte es wegen seiner "Kürze" ziemlich ungünstig. Ausserdem warf er Tettenborns Stabschef Ernst von Pfuel vor, dass er es versäumt habe, den letzten Paragraphen über den "Dienst vor dem Feinde" hinzuzufügen, und schloss schliesslich mit dem Hinweis, dass bei Canitz von einem "Einfluss auf die Bürgergarde" schon deshalb nichts zu spüren gewesen sei, weil er sich einmal während der Ereignisse von Hamburg fortbegeben und sonst nicht in der Stadt selbst, sondern auf der Insel Wilhelmsburg ein Kommando innegehabt habe. Mit diesen Tatsachen meinte Hess, Varnhagens Vertrauenswürdigkeit als Historiker grundsätzlich in Zweifel gezogen zu haben; denn indem er seinen eigenen Mangel an Mut offen zugab, konnte er um so glaubwürdiger Varnhagens heroisierende Beschreibung von der Verteidigung Hamburgs an den konkreten Umständen gemessen widerlegen [225].

Da aber Varnhagen gegen Hess keine nachtragenden Gefühle hegte [226], liess

[221] Varnhagen an Perthes, [Wien Frühjahr 1815] [Kopie]: HH StA Perthes Nachlass I M 9b Bl 3-5.
[222] Vgl. Varnhagen an Rahel, Hamburg 18. Mai 1813: Bfw III, 79.
[223] Geschichte der hamburgischen Begebenheiten, S. 72f. Dkw III, 308f. II², 451f. III³, 312f. Vgl. J. L. v. Hess. Agonieen der Republik Hamburg, S. 156ff. A.*.
[224] Vgl. T. F. Böttiger, a.a.O. S. 114f.
[225] J. L. v. Hess. Agonieen der Republik Hamburg, S. 157 u.f.A "So aber darf das Mangelhafte, das Missgreifen, welches sich der Organisation und Formirung *dieser* Bürgergarde vorwerfen lässt, Niemand als den ungünstigen Umständen und *mir allein* zugerechnet werden". Vgl. ebda S. 297f. A "Wenn hier von einem Muthe für den guten Ausgang des derzeitigen, im hohen Grade bedrängten, Hamburgs die Rede seyn soll: so gestehe ich, dass ich einen solchen in der letzten Zeit nicht habe aufbringen können ... Der Heroismus, der hier gefordert wird, hätte demnach darin bestehen müssen: Eine Bevölkerung von 100.000 Seelen der härtesten Schmach, der Rache ihres unversöhnlichsten Feindes Preis geben, ...; – dieses alles mit einer kühnen Nichtachtung jeden Tag ... gewisser eintreffen zu sehen, solch einen hohen Muth gestehe ich, für meine Person, nicht zu besitzen, ... Ein anderes wäre es, wenn Niemand und nichts auf dem gefährlichen Spiele gestanden hätte, als meine eigene geringe Persönlichkeit".
[226] Varnhagen an Rahel, Paris 13. Okt. 1815: Bfw V, 78. Varnhagen an Perthes, Paris 13. Okt. 1815: HH StA Perthes Nachlass I M 9b Bl 214 "Es wird Sie freuen, ... wenn ich Ihnen sage, dass ich es vor dem Prüfen der Herzen betheuren kann, gegen Hess keine Feindschaft oder Erbitterung zu fühlen, ...". Ferner Varnhagen an Perthes, Frankfurt a.M. 4. März 1816: HH StA Perthes Nachlass I M 10a Bl 38 wo es von Hess heisst: "... der Verfasser ist hier durchaus nicht einzeln nach seinem Buch zu beurtheilen, und darum that es mir auch so sehr leid, durch meine Erwiederung gegen das Buch auch den Mann angreifen zu müssen". Vgl. auch Dkw NF III (= VII), 248f. IV³, 373f.

er sich auch in keine persönlich gefärbte Auseinandersetzung mit ihm ein, und weil er im Gegenteil nur auf seinem Standpunkt beharrte, sah er sich in dem, was Hess von Canitz' "vorzüglichen Eigenschaften" anerkennend hervorhob, bloss bestätigt [227]. Deshalb wurde auch seine Antwort in der 'Jenaischen Allgemeinen Literaturzeitung' nur die Wiederholung seiner bisherigen Behauptungen, wobei er die Fragestellung, wie sie Hess für seine Polemik benötigt hatte, gar nicht berührte. Was dieser nämlich bloss konkret von ihm berichtigt haben wollte, glaubte sich Varnhagen als unsachliche Frage und mangelnde Einweihung einfach verbeten zu dürfen, und dementsprechend schrieb er an Perthes: "... wer heisst ihn meine Ausdrücke in einer gedehnten Bedeutung nehmen, zu der keine Nöthigung in ihnen ist! Was er selber von Canitz sagt, rechtfertigt meinen Ausdruck" [228].

In seiner Erfassung des zeitgeschichtlichen Lebens war Varnhagen Hess wohl überlegen, aber in der historiographischen Darstellung – und dazu gehörten auch nach Varnhagens Begriffen Quellen – konnte er mit Hess nicht wetteifern. Denn darin lag ja gerade der Kern von Varnhagens geschichtlicher Auffassungsgabe, dass er beinahe unmittelbar aus dem Erlebnis eines Geschehens dessen Geschichte schreiben konnte, und sich allenfalls nicht einmal scheute, ein Erlebnis historiographisch vorzutäuschen. Daher war für ihn der Vorwurf, mit der Veröffentlichung seiner Schrift voreilig gewesen zu sein, das Schärfste, was Hess einwenden konnte [229]; denn damit stellte er die Unmittelbarkeit in Frage und griff Varnhagen von dessen eigenstem Vorstellungsbereich her an, wobei er ihn zu Argumenten verlockte, deren Gebrauch ihm zugleich die Grenzen seiner eigenen geistigen Überlegenheit zeigte [230].

Varnhagen. Berichtigende Mittheilungen an das Publicum, a.a.O. Sp. 144. Vgl. dazu auch Varnhagen an Rahel, Paris 16.; 20. Okt. 1815: Bfw V, 84, 96.

[227] J. L. v. Hess. Agonieen der Republik Hamburg, S. 158 A.

[228] Varnhagen an Perthes, Paris 13. Okt. 1815: HH StA Perthes Nachlass I M 9b Bl 214. Ferner Varnhagen. Berichtigende Mittheilungen an das Publicum, a.a.O. Sp. 139 "Allein ich frage, ob diese Einwendung wirklich eine gegen das von mir Gesagte ist". Ferner Varnhagen an Perthes, Frankfurt a.M. 14. Dez. 1815: HH StA Perthes Nachlass I M 9b Bl 247-248 wo es von Hess heisst: "... er ziert sich gegen mich so sehr mit der gewaltsam herausgedeuteten Auslegung meiner Worte, als könnten sie ihm Feigheit vorzuwerfen scheinen, ...".

[229] J. L. v. Hess. Agonieen der Republik Hamburg, S. 296. A "Es ist oben erwähnt worden, dass dieser Autor über einige auf mich Beziehung habende Stellen, in seiner mehrmals erwähnten voreiligen Schrift, sich zu einer Rechtfertigung verbunden hat".

[230] Vgl. Varnhagen. Berichtigende Mittheilungen an das Publicum, a.a.O. Sp. 144. Dazu ferner [Varnhagens Anzeige der 'Geschichte der hamburgischen Begebenheiten]. Der deutsche Beobachter oder die Hanseatische Zeitung von Staats- und Gelehrten Sachen, (1814) Nr. 37 "Von *Ludwig v. Hess*, der eine schon fertige Schrift dem Drucke aus unbekannten Gründen noch vorenthält, haben wir gewiss Eigenthümliches und Bedeutendes zu erwarten, wenn auch seiner persönlichen Verhältnisse und Absichten wegen ihm schwer fallen musste, eine gewisse Einseitigkeit zu vermeiden". Zur Verfasserschaft vgl. Varnhagen an Perthes, Villeneuve[-le-Roi] 10. April 1814: HH StA Perthes Nachlass I M 7b Bl 130-131 "Eine Anzeige, die ich selbst geschrieben ist wahrscheinlich im Deutschen Beobachter gedruckt worden". Dagegen Varnhagen an Perthes, Baden b. Rastatt 22. Juni 1814: HH StA Perthes Nachlass I M 7b Bl 135-136 "Eine rezensirende Anzeige meiner hamburgischen Schrift von mir selbst, die ich nach Bremen geschickt hatte, ist bisher verloren gegangen". – Das entsprechende Exemplar des Deutschen Beobachters ist von Varnhagen wohl übersehen worden.

Indem sich Varnhagen nämlich allein schon mit der Tatsache auseinandersetzte, dass Hess seinen Brief an Perthes mit den entsprechenden Stellen in der 'Geschichte der hamburgischen Begebenheiten' verglichen hatte [231], handelte er gegen seine eigenen Richtlinien, denen zufolge er ihm umgekehrt für die Art der Quellenbenützung "Indiskretion" vorwerfen konnte [232]. Denn in seiner öffentlichen Stellungnahme musste Varnhagen andere Gesichtspunkte beobachten als im Kreis der eingeweihten Freunde, und so war er plötzlich selber genötigt, seine Auffassung quellenmässig zu dokumentieren, während er sonst nur die ihm durch gesellschaftliche Beziehungen bekannt gewordenen Gesinnungen einzelner Personen berücksichtigte und seine Aussagen nicht erst an anderen literarischen Zeugnissen prüfte. Dabei stand er sich selbst zwar nicht kritisch, aber wenigstens so gerecht gegenüber, dass er die ihm aus blosser Anschauung vertrauten "Thatsachen und Zeugnisse" doch nur als "vorläufige" und, wie er sich ausdrückte, ihm "persönliche" betrachtete [233]. "Wesentlich und entscheidend" war für ihn damals jedoch erst, was er aus "amtlicher Überlieferung" zu seinen Gunsten in Rechnung stellen konnte, und dazu fand er nichts "beglaubigter" als die mündlichen Versicherungen, die er von Tettenborn erhielt [234].

Die strittigste Frage, welche Hess gegen Varnhagen geäussert hatte, betraf den Inhalt einer Aussprache mit Tettenborn, in der ihm, wie er behauptete, von Varnhagen eine Ansicht beigelegt worden sei, die er seinerseits bei anderer Gelegenheit und nicht in *der* Form, die Varnhagen wählte, ausgesprochen haben wollte. Nach Hess' Aussage waren der "Oberste von Both, der Graf Carl Nostitz und Herr von Droste" die einzigen Zeugen des Gesprächs, während in Varnhagens Erinnerung nur Pfuel und er selbst gegenwärtig gewesen waren [235]. Um dies zu erhärten, wandte nun Varnhagen ein, "dass der Oberst v. Nostitz und der Major v. Droste ... niemals irgend etwas gegen die in" seiner "Schrift davon gegebene Darstellung erinnert" hätten, "obwohl sie beide diese gelesen, mehrmals mit" ihm "besprochen, und geraume Zeit in täglichem Zusammenseyn ... häufige Gelegenheit zu solcher Erinnerung" geboten gewesen wäre. Allerdings berührte er damit von seinem sonst höheren

[231] J. L. v. Hess. Agonieen der Republik Hamburg, S. 295ff. A. Vgl. Varnhagen. Berichtigende Mittheilungen an das Publicum, a.a.O. Sp. 140.
[232] Varnhagen an Perthes, Paris 13. Okt. 1815: HH StA Perthes Nachlass I M 9b Bl 214 wo es von Hess heisst: "Sein Angriff gegen mich ist bitter und unschicklich, die durch das ganze Buch gehende Indiskretion, mit welcher er jeden Zettel, worin schon die Ausdrücke Du, lieber Hess ... das Inofficielle deutlich anzeigen, ferner mündliche Äusserungen und selbst Geberden des Augenblicks vor das Publikum bringt, verdient schon an sich eine scharfe Rüge, ...".
[233] Varnhagen. Berichtigende Mittheilungen an das Publicum, a.a.O. Sp. 139.
[234] Varnhagen. Berichtigende Mittheilungen an das Publicum, a.a.O. Sp. 140. Ferner Varnhagen an Rahel, Paris 13. Okt. 1815: Bfw V, 78.
[235] J. L. v. Hess. Agonieen der Republik Hamburg, S. 295f. A. Varnhagen. Berichtigende Mittheilungen an das Publicum, a.a.O. Sp. 139ff. Ferner Geschichte der hamburgischen Begebenheiten, S. 144f. Dkw III, 373. II², 507. III³, 355. Varnhagen an Perthes, [Wien Frühjahr 1815] [Kopie]; Paris 13. Okt. 1815: HH StA Perthes Nachlass I M 9b Bl 3-5; 214.

Standpunkt nur "Nebensachen" [236], und wenn er deshalb das Gespräch trotzdem ausdrücklich erwähnte, konnte er ihm innerhalb seiner Darstellung keinen allzu breiten Raum gewähren, sondern "musste" es, wie er grundsätzlich auch später noch überzeugt war, "zu einem bündigen Satze vereinigen". Darin aber fühlte er sich ganz als Historiker seiner Zeit, der im Gegensatz zu Hess keine "weitschweifigen Denkwürdigkeiten", sondern ein "gedrängtes Geschichtbuch" verfasste [237]. Dass er dabei, wie er es eigentlich nur im engsten Vertrautenkreis bekennen durfte, "auf Pfuels" und "Tettenborns Aussage mit unbedingtem Glauben" rechnete, "solange dieser Männer nicht zum Widerrufe" bereit waren [238], zeugt von der Stärke seiner Auffassungsweise.

Erst die Anfechtungen, denen sich Varnhagen bei der historiographischen Würdigung seines Vorgesetzten und Freundes Tettenborn ausgesetzt sah, brachten ihm zum Bewusstsein, dass er seine Darstellung noch so "geschichtlich treu" gestalten konnte [239], niemals aber zugleich die ins Persönliche gewendete Auslegung seiner Auffassung zu verhindern vermochte. Deshalb blieb die individuelle Absicht, die Varnhagen von sich aus in seiner Schrift veranschaulichen wollte, ohne Wirkung, und von jener "Art von geschicktem Zwang", wie er sich sendungsbewusst ausdrückte, mit welchem er unter den aus ihrer Stadt vertriebenen Hamburgern eine "Vereinigung für gemeinschaftliche Zwecke" zu errichten suchte, erhielt sich allein der proklamatorische Geist in der Sprache [240].

Varnhagens Anstrengungen, seine geschichtliche Lebenserfahrung für die Sache der Freiheit einzusetzen, scheiterten, solange er nicht einer nach aussen erkennbaren politischen Macht diente. Denn von sich aus war er, selbst wenn er den politischen Realitäten Rechnung zu tragen glaubte, nicht in der Lage, den geistigen Überblick zu verdrängen [241], und die Haltung, die er damals einnahm, hat er selbst unter dem Titel 'Aussichten der Gegenwart' in der

[236] Varnhagen. Berichtigende Mittheilungen an das Publicum, a.a.O. Sp. 140. – Das Zeugnis des Obersten von Both hat Varnhagen nicht berücksichtigt.
[237] Varnhagen an Perthes, [Wien Frühjahr 1815] [Kopie]: HH StA Perthes Nachlass I M 9b Bl 3-5. Varnhagen. Berichtigende Mittheilungen an das Publicum, a.a.O. Sp. 141. Ferner auch Varnhagen an Rosenkranz, Berlin 17. Juni 1843: Rosenkranz-Bfw S. 106f.
[238] Varnhagen an Perthes, [Wien Frühjahr 1815] [Kopie]: HH StA Perthes Nachlass I M 9b Bl 3-5. Vgl. Varnhagen an Rahel, Paris 13. Okt. 1815: Bfw V, 78.
[239] Varnhagen an Perthes, Zarensdorf 8. Sept. 1813: HH StA Perthes Nachlass I M 5c Bl 144-145.
[240] Varnhagen an Perthes, Zarensdorf 8. Sept. 1813: HH StA Perthes Nachlass I M 5c Bl. 144-145. Vgl. dazu die Bekanntmachung über die Hanseatische Legion, Güstrow 16. Aug. 1813: Neue Bremer Zeitung, (1813) Nr. 3. "Schon hat ein guter Erfolg die Bemühungen gekrönt, welche angewandt worden sind, um die jungen Bürger der Hansestädte, welche ihre Heimath verlassen haben, zu vereinigen... Eilet herbei, ihr jungen Bürger der Hansestädte, denen die Sache des Rechts und der Freiheit ernstlich am Herzen liegt, die ihr den Willen habt, für sie nicht nur Gefahren sondern auch Beschwerden zu tragen".
[241] Vgl. Varnhagen an Perthes, Zarensdorf 8. Sept. 1813: HH StA Perthes Nachlass I M 5c Bl 144-145 "...es gilt ja hier nicht bloss die Pflege und Bewahrung von Ideen, sondern auch politische Thatsachen, die erzielt werden sollen, und die das Rüstzeug unendlicher Äusserlichkeiten bedürfen".

'Zeitung aus dem Feldlager' zu begründen versucht. "Zu lange schon", schrieb er dort, "war das, was man Politik zu nennen pflegt, in einem verabscheuungswürdigen Missbrauch derjenigen Klugheit hinabgesunken, die zur Leitung der Staaten zwar allerdings nöthig ist, aber ohne beständige Rücksicht auf höhere Sittlichkeit und Rechtschaffenheit für sich allein am Ende so wenig ausreicht [242], als die blossen Grundsätze der Tugend ohne die andern Eigenschaften des Talents und der Kraft. Es war der jetzigen Zeit aufbewahrt, die Politik von den Schleichwegen der Hinterlist und der Unredlichkeit zu den offenen und reinen Bahnen des Edelmuths und der Grossherzigkeit zurückkehren, und die so geleiteten Staaten triumphiren zu sehn. Die seit langer Zeit entweihte und geschwächte Politik tritt endlich wieder als wahre Staatskunst, in der höchsten Bedeutung des Wortes auf. Dieses erhabene Schauspiel verdankt die Welt der glücklichen und segenreichen Schickung, dass zu gleicher Zeit drei der mächtigsten europäischen Throne von Fürsten besetzt sind, deren Seele von den Grundsätzen des Guten und Edlen durchdrungen ist, und deren Willen niemals etwas anderes zum Ziel gehabt, als das Wohl der Völker und Heil der Menschheit" [243]. Diese Erneuerung im Politischen fand ihren Ausdruck aber nicht als staatliche Umwälzung, sondern als ein geistiges Vorbild in der Erinnerung der heranwachsenden "Nachkommen". "Der befreiende Alexander", meinte er, "wird glorreicher in der Geschichte dastehn, als der erobernde, und wie viel glorreicher, als der Eroberer unserer Tage, der dem das Alterthum weder an Glück noch an edlen Eigenschaften gleichkommt!" [244]

Solange Varnhagen seine Gegenwartsschau vom rein geistigen Gesichtspunkt formulierte, fragte er nicht, welche konkreten politischen Schwierigkeiten damals beispielsweise in Reichenbach und Prag der Vereinigung der drei gepriesenen Fürsten entgegenstanden [245]. Sobald sein Standpunkt sich jedoch als nur lokal bedingt erwies und er selbst nicht wie durch Tettenborns diplomatischen Schriftwechsel über offizielle Nachrichten verfügte, lief er Gefahr, dass die insofern bestehende Beschränkung seines Überblicks für ihn persönlich Anlass einer politischen Auseinandersetzung wurde. In einer solchen beschränkten Umgebung musste sich die geistige Überlegenheit als Anmassung entpuppen, und was politisch durchaus in latenter Spannung hätte bestehen können, gestaltete sich bei der ersten Gelegenheit zu einer persönlich geführten Polemik [246]. Nachdem er den allgemeinen Zusammenhang des politischen Mächtespiels im Frühjahr 1813 mit den ihm zur Verfügung stehenden Nachrichten weitgehend zutreffend aufgefasst hatte, war er zugleich seiner eigenen

---

[242] Text: "ausruht".
[243] [Varnhagen] Aussichten der Gegenwart. Zeitung aus dem Feldlager, (1813) Nr. 8 S. 2. Zur Verfasserschaft vgl. Rahel an Varnhagen, Augustenburg 14. Nov. 1813: Bfw III, 207. Varnhagen an Rahel, Boitzenburg 3. Dez. 1813: Bfw III, 221.
[244] [Varnhagen] Aussichten der Gegenwart, a.a.O. S. 2; 3.
[245] Vgl. G. H. Pertz. Stein III, 368ff.; 376ff. G. Ritter. Stein, S. 448ff. Ferner Geschichte der hamburgischen Begebenheiten, S. 102. Dagegen Dkw III, 335. II², 474. III³, 330.
[246] Vgl. H. Dreyhaus. Der Preussische Correspondent von 1813/14 und der Anteil seiner Gründer Niebuhr und Schleiermacher, FBPG 22 (1909) S. 415.

politischen Stellung nicht mehr sicher [247]. Denn die Hoffnungen, die er für sich selbst in Preussen gehegt hatte [248], zerschlugen sich unter dem Eindruck der Freiheitsbewegung in Hamburg, wo ihn das plötzlich sichtbare Beispiel der Erhebung moralisch zur Teilnahme verpflichtete und ihn nicht zuletzt auch zur Niederschrift des geschichtlichen Vorgangs dieser 'Begebenheiten' veranlasst hat [249]. Dementsprechend war er damals aber weit von jener Rolle entfernt, derer er sich später, als er am Wiener Kongress weilte, im Sinne einer preussischen Interessenvertretung in Tettenborns Hauptquartier rühmte [250].

Bis zu dem Augenblick, da Varnhagen während der Pariser Friedensverhandlungen im Sommer 1814 in preussischen Dienst getreten war, erkannte er aus eigener Anschauung Preussen nur militärische Bedeutung zu, deren lebendigen Ausdruck er in der Gruppe der ehemals preussischen Offiziere in Tettenborns Stab wahrgenommen hatte [251]. Der Einfluss, den Preussen durch seinen diplomatischen Vertreter Grote in Hamburg geltend zu machen suchte, blieb beschränkt [252], wogegen sich der preussische Geist Varnhagen nirgends deutlicher offenbarte, als beispielsweise an dem "Heldenstück" des Oberstleutnants Borck, der mit nur achtzig Mann eines pommerschen Füsilierbataillons eine französische Übermacht bloss "mit dem Bajonett angreifen" liess und ohne eigene Verluste zurückdrängte [253]. Solange deshalb die Wirkung des preussischen Geistes zu konkreten Ergebnissen führte, war sie die Folge einer Macht, der gegenüber sich Varnhagen allerdings als ihr eigener Verkünder und insofern auch als im Dienste Preussens stehend betrachten durfte [254]. Unter diesem Gesichtspunkt war auch seine Ansicht von der Schlacht von Gross-Görschen keine böswillige Verfälschung der Tatsachen, sondern nachdem er ihren Ausgang preussischerseits als Sieg auffasste und dabei bloss den entsprechenden von Scharnhorst stammenden Bericht des 'Preussischen

[247] Vgl. C. Misch, a.a.O. S. 32.
[248] Vgl. Varnhagen an K. v. Humboldt, Prag 5. Aug. 1812: K. v. Humboldt-Bfw S. 56 Z. 29ff.
[249] Vgl. K. Wolff. Die deutsche Publizistik in der Zeit der Freiheitskämpfe und des Wiener Kongresses 1813-1815, S. 83.
[250] Vgl. den Rapport, (März 1815): A. Fournier. Die Geheimpolizei auf dem Wiener Kongress, S. 423. Dazu H. J[oachim]. In: Hinweise und Nachrichten, ZsVHG 21 (1916) S. 228. C. Misch, a.a.O. S. 25f.; 144.
[251] Dkw III, 286f. II², 432. III³, 298. Vgl. dazu Geschichte der hamburgischen Begebenheiten, S. 48. Dkw III, 303. II², 446. III³, 309. Ferner Varnhagen an R. M. Varnhagen, Boitzenburg 28. Juni 1813: L. Geiger. Ein Stimmungsbild aus dem Jahre 1813, MVGB (1917) Nr. 3 S. 20 "Die Preussen sind ein Volk von Soldaten zu werden im Begriff. Alle Leute, die von dort herkommen, können nicht genug rühmen, wie einzig gut unsere Armee sich zeigt und in welch vortrefflicher Stimmung. Also gutes Mutes!".
[252] Vgl. Varnhagen an Rahel, Hamburg 6. April 1813: Bfw III, 37. Dohnas Bericht, Kopenhagen 22. Mai 1813: A. Wohlwill. Zur Geschichte Hamburgs im Jahre 1813, MVHG 11 (1888) S. 191f. Ferner T. F. Böttiger, a.a.O. S. 141.
[253] Vgl. Varnhagen an Rahel, Hamburg 28. Mai 1813: Bfw III, 107. Dazu Geschichte der hamburgischen Begebenheiten, S. 155f. Dkw III, 380f. II², 513. III³, 360. Vgl. auch Blücher, Dkm III, 213. III², 186. III³, 125.
[254] Vgl. den Rapport, (März 1815): A. Fournier. Die Geheimpolizei auf dem Wiener Kongress, S. 423. Dazu H. J[oachim]. In: Hinweise und Nachrichten, ZsVHG 21 (1916) S. 288. C. Misch, a.a.O. S. 25f.; 144.

Correspondenten' vor Augen zu haben brauchte, urteilte er von der Gesinnung her und übersah, inwiefern dieses Zeugnis in erster Linie eine Falschmeldung für die französischen Heerteile enthielt [255]. Sowie er sich aber des proklamatorischen Inhalts dieser Nachricht bewusst war [256], konnte auch er den für Preussen nachteiligen Ausgang nicht völlig in Abrede stellen [257]. Das wesentlich Geschichtliche zeigte sich Varnhagen aber in der Erkenntnis des geistigen Hintergrundes, dessen er durch das äussere Ereignis gewahr zu werden glaubte [258], und aus dieser Einsicht entsprang die Zuversichtlichkeit, mit der er seinen Standpunkt vertrat [259], und dabei auch später noch in Entrüstung geriet, wenn er sich als Historiker gesinnungsmässig nicht verstanden sah. Deshalb konnte selbst eine auf faktisch unrichtigen Voraussetzungen aufgebaute Deutung, wie sie Woltmann in seiner Rezension der 'Geschichte der hamburgischen Begebenheiten' zu geben versuchte, dem Sinn nach von durchaus geschichtlicher Betrachtungsweise zeugen.

Varnhagen hatte nämlich berichtet, dass am Abend des 18. März, als Tettenborn in Hamburg eingezogen war, eine Festvorstellung im Theater stattfand, anlässlich derer "alle Zuschauer ... feierlichst God save the King" gesungen hätten [260]. An diesen Umstand knüpfte Woltmann die Frage: "Warum denn wohl dieses englische Lied?", und meinte dazu: "Wahrscheinlich, weil nun dem englischen Handel der Lauf wieder frey war, und Hamburg sich trotz seiner deutschen republicanischen Freyheit gern als eine englische Stadt fühlt; oder müssen wir überhaupt, wenn auf dem Continent der Ton der Freyheit angeschlagen werden soll, uns erst Englands erinnern?" [261] Da Varnhagen gerade auf diese Frage bejahend geantwortet hätte, musste er sich durch Woltmanns Erklärungsversuche wie von einem Eingeweihten angesprochen fühlen. Aber dass es sich dabei um eine Annahme

---

[255] Vgl. Scharnhorsts Bericht: G. H. Pertz. Gneisenau II, 716. Ferner Vorläufiger Bericht von der Schlacht bey Gross-Görschen am 2. May. Der deutsche Beobachter, (1813) Nr. 18. Dazu J. G. Rist. Lebenserinnerungen II, 206.

[256] Geschichte der hamburgischen Begebenheiten, S. 127f. Dkw III, 358f. II², 494. III³, 345.

[257] Geschichte der hamburgischen Begebenheiten, S. 112. Dkw III, 345. II², 482. III³, 336. Dazu Varnhagen an Rahel, Hamburg 12.; 18. Mai 1813: Bfw III, 69f.; 81. Ferner Varnhagen an R. M. Varnhagen, Boitzenburg 28. Juni 1813: L. Geiger. Ein Stimmungsbild aus dem Jahre 1813, MVGB (1917) Nr. 3 S. 20 "Napoleon hat in den letzten Schlachten mehr als 2000 Offiziere verloren und über 100 Kanonen sind ihm schon genommen, uns nicht eine. Beharrlichkeit wird seiner Meister. Gott gebe sie unseren Gewalthabern, wie unsere Völker sie haben!"

[258] Vgl. dazu Varnhagen an A. Frommann, Feb. 1835: NFG (GSA) Frommann[-Nachlass] Nr. 292. 6. Bl V 3 "Ich habe es in diesen Tagen beim Erwachen einmal klar erkannt – gedacht und angeschaut zusammen, als unwidersprechliche Wahrheit – wie es mit dem hiesigen Leben ist; dass ein ewiges daneben ist, dass uns ewige Bezüge auch hier halten und tragen". Vgl. Varnhagens Notiz, 7. März 1856: Tgb XII, 396. Vgl. über Varnhagens 'Bezüge' W. Robert-tornow. Ferdinand Robert-tornow, DtRs 65 (1890) S. 433.

[259] Vgl. C. Misch, a.a.O. S. 109.

[260] Geschichte der hamburgischen Begebenheiten, S. 24. Vgl. auch E. L. F. Meyer an C. de la Camp-Pehmöller, Hamburg 24. März 1813. A. Heskel. Ein Brief aus den ersten Monaten des Jahres 1813, MVHG 24 (1904) S. 457.

[261] [K. L. v. Woltmanns Rezension] JALZ XI/4 (1814) Sp. 200.

handelte, die auf einer faktisch unzutreffenden Angabe beruhte, war für die in Varnhagens Sinn geschichtliche Wahrnehmung ohne Einfluss. Gesungen wurde nämlich nicht 'God save the King', sondern, wie Varnhagen nachträglich berichtigte, "auf Hamburgs Wohlergehn (nach der Melodie von God save ...)" [262]. Dieser Sachverhalt konnte ihm persönlich erst später bekannt geworden sein, weil er selbst bei den damaligen Feierlichkeiten gar nicht anwesend war und weil er überhaupt bei deren Darstellung teilweise wörtlich die Aufzeichnungen eines dem Gefolge Tettenborns angehörigen ungenannten Offiziers verwendete. Dabei liess er sich offensichtlich nur durch seine Gesinnung leiten und übernahm vertrauensvoll auch Einzelheiten, die er keiner strengen Prüfung unterzog [263], wogegen er durchaus in der Lage gewesen wäre, an Hand des 'Liederbuchs der Hanseatischen Legion', das er selbst sogar erwähnte, zu ergründen, inwiefern das Zeugnis seines Gewährsmanns unzutreffend war [264].

Von den individuell abgestimmten Äusserungen, mit denen Varnhagen auf politischer Ebene und gegenüber publizistischen Aufsätzen, die ihm als Quelle dienten, das Ansehen seiner eigenen Person zu behaupten suchte, war sein Urteil über Barthold Georg Niebuhr das fragwürdigste. Während er in Hess allenfalls aus echter Rivalität den Agenten des preussischen Geheimen Rats Stägemann um seinen Posten beneidete und ihn deshalb, wo er konnte, in Verruf zu bringen trachtete [265], hätte er, wenn Niebuhr wirklich als Vertreter

[262] Varnhagens Notiz: Geschichte der hamburgischen Begebenheiten, S. 24 Bibl. Varnh. Nr. 1124. Vgl. auch Dkw III, 265. II², 414. III³, 284.
[263] Vgl. den Augenzeugenbericht: P. Roloff. Tettenborns Einzug in Hamburg. Hamburgische Schulzeitung, 21 (1913) S. 110 "Das Schauspiel, in welchem sich bei der Erscheinung des Obristen Frhr. v. Tettenborn und seiner Offiziere in der Loge, das rauschende Getümmel des Beifalls wiederholte, wurde mit einer geistreichen Rede, gesprochen von Mad. Schröder und dem Gesang des Liedes: God save the King, wobei alle Zuschauer standen, eröffnet, worauf das Stück: Die Russen in Deutschland, gegeben wurde. Als der Obrist das Schauspiel verliess, spannten ihm die Bürger die Pferde von seinem Wagen aus und zogen ihn mit Jubelgeschrei im Triumph nach Hause, wo sie ihn auf ihren Schultern aus dem Wagen trugen". – Dazu Geschichte der hamburgischen Begebenheiten, S. 24 "Im Schauspiel wiederholte sich das rauschende Getümmel des Beifalls, sobald der Oberst mit seinen Offizieren in der Loge erschien, alle Zuschauer, auch die Frauen, standen, und sangen feierlichst God save the King, worauf das Schauspiel begann und unzähligemal bei jeder leisen Anspielung durch ungeheuren Beifall unterbrochen wurde. Als der Oberst das Schauspiel verliess, spannten ihm die Bürger die Pferde aus, und zogen ihn mit Jubelgeschrei im Triumph nach Hause; wo sie ihn auf ihren Schultern aus dem Wagen trugen".
[264] Geschichte der hamburgischen Begebenheiten, S. 52. Dkw III, 292. II², 437. III³, 302. Vgl. das Liederbuch der Hanseatischen Legion gewidmet, S. 8f.
[265] Vgl. J. L. v. Hess. Agonieen der Republik Hamburg, S. 43. J. G. Rist. Lebenserinnerungen II, 171 A.*. – Zu Varnhagens Absichten gegenüber Stägemann vgl. Varnhagen an Rahel, Hamburg 7. Mai 1813: Bfw III, 66f. Dazu Rahel an Varnhagen, 4. Mai 1813: Bfw III, 62. Ferner [Varnhagens Rezension von Stägemanns Gedichten] Der deutsche Beobachter, (1813) Nr. 12; Ergänzungsblätter zur JALZ III/1 (1815) Sp. 11ff. Zur Verfasserschaft vgl. C. Misch, a.a.O. S. 170.

der Steinschen Zentralverwaltung nach Hamburg gekommen wäre [266], sich ihm gegenüber nicht behaupten können.

Varnhagen stand zu Niebuhr in einem zwiespältigen Verhältnis, dessen tiefere Ursache rein persönlich zu erklären ist. Sowohl gesinnungsmässig als politisch gehörten sie zu den Vorkämpfern einer von Preussen ausgehenden freiheitlichen Richtung, waren ihr aber beide innerlich nicht gewachsen und vermochten in preussischen Diensten damals nicht sofort eine allgemein anerkannte Aufgabe, die ihnen persönlich entsprochen hätte, zu finden [267]. Niebuhr hatte ursprünglich als Redaktor des 'Preussischen Correspondenten' durch die Vermittlung des Altonaer Bankiers Dehn und Perthes' in Varnhagen einen Berichterstatter für Hamburg gewonnen [268]. Aber bei aller Neigung, die Varnhagen dabei bewies, sah er doch die Zeitung selbst durch die Konkurrenz von Kotzebues 'Russisch-Deutschem Volksblatt' gefährdet [269], und als Niebuhr nach fünfundzwanzigtägiger Redaktionstätigkeit im Auftrag des Königs von Berlin nach Dresden ging und seine Stellung aufgab, war für sie beide die Möglichkeit einer Zusammenarbeit bereits versäumt [270]. Danach konnte Varnhagen persönlich nicht mehr an einer günstigen Beurteilung Niebuhrs gelegen sein, und unter diesem Gesichtspunkt dienten die von Hochachtung zeugenden Worte in der 'Geschichte der hamburgischen Begebenheiten' bloss dem Ruhm jener Freunde in Hamburg, denen er die Beziehung zu Niebuhr verdankte.

Hätte sich Varnhagen ohne persönliche Absicht über Niebuhr geäussert, wäre er gewiss ebensowenig von Rahels ungünstigen Urteil abgewichen, wie er es in dem, was sie ihm gleichzeitig von Ferdinand Beneke schrieb, bestätigte [271]. Der Vergleich von Beneke und Niebuhr ist dabei nicht ohne Bedeutung für Varnhagens historische Darstellungsweise gewesen, weil er Benekes Schrift 'Heergeräth für die hanseatische Legion' unter den wichtigsten publizistischen Erscheinungen in der Zeitspanne der 'hamburgischen Begebenheiten' ausdrücklich erwähnte, während er den 'Preussischen Correspondenten'

[266] Vgl. Geschichte der hamburgischen Begebenheiten, S. 75. Dkw III, 311f. II², 453f. III³, 314. Niebuhr an Perthes, Berlin 3. April 1813: B. G. Niebuhr. Briefe II, 383. Vgl. auch P. Wetzel, a.a.O. S. 85f.
[267] Vgl. Niebuhr an Perthes, Berlin 3. April 1813: a.a.O. Niebuhr an D. Hensler, Berlin 9. April 1813: B. G. Niebuhr. Briefe II, 384. Vgl. H. Dreyhaus, a.a.O. S. 391. Ferner dagegen Varnhagens Notiz, 16. Okt. 1840; Tgb I, 230f.
[268] Vgl. Varnhagen an Rahel, Hamburg 3. April 1813: Bfw III, 30. Rahel an Varnhagen, Berlin 27. April 1813: Bfw III, 57. Vgl. dazu M. v. Lettow Vorbeck. Zur Geschichte des Preussischen Correspondenten von 1813 und 1814 I, 51f. Ferner Dkw III, 312. II², 454. III³, 314f.
[269] Varnhagen an Rahel, Hamburg 6. April 1813: Bfw III, 38. Vgl. H. Dreyhaus, a.a.O. S. 383ff. M. v. Lettow Vorbeck. Zur Geschichte des Preussischen Correspondenten von 1813 und 1814 I, 60ff.
[270] Vgl. Rahel an Varnhagen, Berlin 27. April 1813: Bfw III, 57. Vgl. H. Dreyhaus, a.a.O. S. 391. M. v. Lettow Vorbeck. Zur Geschichte des Preussischen Correspondenten von 1813 und 1814 I, 63f.
[271] Vgl. Rahel an Varnhagen, Berlin 27. April 1813: Bfw III, 57. Dazu M. v. Lettow Vorbeck. Zur Geschichte des Preussischen Correspondenten von 1813 und 1814 I, 62.

verschwieg [272]. Niebuhr hatte nämlich seine Redaktionstätigkeit bewusst im Hinblick auf die Kreise der 'Gutgesinnten' verstanden [273], aber seine innere "Abhängigkeit von der realen Wirklichkeit", worin er selbst für sich den hauptsächlichsten Gewinn seines Englandaufenthalts erkannt hatte [274], war für Varnhagen, der sich seinerseits an Englands geistiger Entwicklung zwar begeistern konnte, nicht vertrauenerweckend. Er fand bei Niebuhr nicht den abstrahiert geschichtlichen Hintergrund der eigenen Zeit, und deshalb lag ihm auch so viel an Rahels Urteil, weil sich ihre Kritik am 'Preussischen Correspondenten' gerade gegen dessen Wirklichkeitsnähe richtete. "Wie hart", schrieb sie Varnhagen, "Wie verblindet. Wie hetzend! Nur Saragossa und Moskau! Die *Welt* mag untergehen, wenn nur ein wichtiger – unwichtiger – Geschichtsparagraph daraus ersteht. Wie hart und ungefügt und unverständlich ist auch sein Stil. Wie ehre ich dagegen 'Heeresgeräth'! Religion ist Vokal, und Geschichte Konsonant: und wie klar, wie verständlich ist das Stück Geschichte darin vorgetragen! wie nirgend" [275]. Dieses Urteil wiederholte Varnhagen dem Sinn nach in seiner 'Geschichte der hamburgischen Begebenheiten', wobei er selbst persönlicher, als es seine Anonymität sonst zu erlauben schien, Stellung nahm und bemerkte: ". . . wir tragen kein Bedenken, diese Schrift" – nämlich 'Heer-Geräth für die hanseatische Legion' – "für die bei weitem beste zu erklären, welche diese Zeitbegebenheiten hervorgerufen haben" [276]. Da er dabei Benekes Namen ausdrücklich erwähnte, mussten wenigstens Rahel und Alexander von der Marwitz, welcher den von ihr an Varnhagen geschriebenen Brief in Hamburg hatte lesen dürfen [277], an den polemischen Vergleich mit Niebuhr erinnert werden, und die namentliche Erwähnung geschah durchaus nicht absichtslos, sondern war unter denjenigen, deren Schriften Varnhagen nannte, die einzige.

Falls er damit also nur persönlich gegen Niebuhr hatte polemisieren wollen,

---

[272] Geschichte der hamburgischen Begebenheiten, S. 52. Dkw III, 292. II², 437. III³, 301f. Vgl. ferner dagegen Varnhagens Notizen: Blücher, Dkm III, 626. III², 547. III³, 369. Bülow, S. 462. Dkm VIII³, 411.
[273] Vgl. H. Dreyhaus, a.a.O. S. 384. Dazu Marwitz an Rahel, Lauenburg 3. Mai 1813: Rahel und A. v. d. Marwitz in ihren Briefen, S. 280f. Ferner Niebuhrs Aufruf, Berlin 14. März 1813: Briefe von B. G. Niebuhr und G. A. Reimer. Preussische Jahrbücher, 38 (1876) S. 176.
[274] Niebuhr an Jacobi, Berlin 21. Nov. 1811: B. G. Niebuhr. Briefe II, 240. Vgl. E. Kornemann. Niebuhr und der Aufbau der Altrömischen Geschichte, HZ 145 (1932) S. 282f.
[275] Rahel an Varnhagen, Berlin 27. April 1813: a.a.O. Vgl. Varnhagens Notiz, 16. Okt. 1840: Tgb I, 230f. Ferner [F. Beneke] Heer-Geräth für die hanseatische Legion, S. 1 "Hanseatische Krieger! Euer kaum erwecktes Hochgefühl für das Vaterland will die Waffen-That. Euer Willen entstand in einem begeisternden Augenblicke. Manchem unter Euch ist das Woher? und Wohin? noch dunkel. Ernste That aber fodert würdige Gesinnung, und klares Bewusstseyn des Grundes und Zweckes. Der Gedanken fodert deutliches Wort. Die Religion giebt Euch die Vokale, Geschichtskunde die Konsonanten."
[276] Geschichte der hamburgischen Begebenheiten, S. 52. Dkw III, 292. II², 437. III³, 301f. Vgl. dagegen, wo vom "Verfasser" die Rede ist, Geschichte der hamburgischen Begebenheiten, S. 1ff. Dkw III, 249ff. II², 400ff. III³, 274ff.
[277] Marwitz an Rahel, Lauenburg 3. Mai 1813: Rahel und A. v. d. Marwitz in ihren Briefen, S.280.

konnte ihm dazu Benekes Schrift allerdings vorzüglich dienen; denn in ihr drückte sich, wie auch der Titel ankündigte, jene Art von Anteilnahme aus, die sich schriftstellerisch für den Freiheitskampf rüstete und dabei weniger persönlichen Mut als Klarheit über den Beruf der Zeit und das geschichtlich Notwendige erforderte [278]. Einem Marwitz, dessen soldatischer Sinn einer ganz anderen Auffassung vom Krieg entsprang, kam Benekes "Büchelchen", wie er Rahel schrieb, begreiflicherweise als "triviale Deklamation" vor [279]. Niebuhr dagegen hätte es zur persönlichen Anwendung nützen können, weil er vergeblich seinen Eintritt in den preussischen Kriegsdienst zu vollziehen versuchte und zuletzt nur publizistisch an der allgemeinen Freiheitsbewegung teilhatte [280]. Wenn nun Varnhagen gegen Niebuhr überhaupt mit solcher Perfidie polemisieren konnte, musste er über dessen inneres und äusseres Leben ausserordentlich gut unterrichtet sein. Ob er aber Niebuhrs Brief an Perthes vom 3. April 1813 selbst in Händen gehalten und gelesen oder ob er nur seinen Inhalt zur Kenntnis genommen hat, lässt sich nicht mit Gewissheit bestimmen, obwohl die Mitteilung von Briefen unter Freunden damals selbstverständlich war. Immerhin wäre es möglich gewesen, dass Varnhagen aus dieser Quelle von den Plänen wusste, denen zufolge Niebuhr im Auftrag der Zentralverwaltung in Hamburg auftreten sollte, und so, wie die Formulierung des betreffenden Briefes lautete, hätte darin allerdings für eine persönliche Polemik genügend Stoff gelegen [281]. Solange sich Varnhagen aber nicht unmittelbar durch ein äusseres Ereignis veranlasst fühlte, konnte er ebenso gut schweigen, und erst als im Jahr 1838 der erste Band von Niebuhrs 'Lebensnachrichten' erschienen

[278] Vgl. [F. Beneke] Heer-Geräth für die hanseatische Legion, S. 1f. *"Vaterländische Geschichtskunde* aber, soviel Euch davon für Eure Kriegs-Bestimmung und in diesem Augenblicke vonnöthen, damit Ihr Euch selbst, und Eure Kriegs-Bestimmung begreift; das ist es, was ich, brüderlichen Herzens, mit andern Gedanken Euch auf den Weg geben will. Sie möge Euch Vergangenheit und Gegenwart in einem innigen, von Gottes Absicht durchschimmerten, Zusammenhange zeigen, und verständigen, sie möge Eure Erwartungen von der Zukunft berichtigen, sie möge Euch dem dunkeln Wirrwarr kurzsichtiger Tages-Neuigkeit entreissen, um Euch auf den Berg-Gipfel der Geschichte zu stellen, damit Euer Total-Blick Jahrhunderte umfasse. Denn wie Religion die Vaterlandsliebe wecket und beseelt, so kann diese erst durch Geschichtskunde zu einem *verständigen Bewusstseyn ihres Grundes und Zweckes,* zu einer deutlichen (menschlicher Liebe unentbehrlichen) *Vertrautheit mit ihrem Gegenstande* gelangen. *Dann* wird die Vaterlandsliebe, innig verknüpft, und eins mit der Liebe zu den Eurigen, Eure Herzen begeistern zu unverdrossenem Streben nach Kriegs-Tüchtigkeit, zu ernster Waffen-That. — " — Vgl. ferner auch K. Wolff, a.a.O. S. 83.
[279] Marwitz an Rahel, Lauenburg 3. Mai 1813: a.a.O. S. 281.
[280] Vgl. Niebuhr an Arndt, Berlin 15. April 1813; Niebuhr an Perthes, Berlin 3. April 1813; Niebuhr an D. Hensler, Berlin 9. April 1813: B. G. Niebuhr. Briefe II, 388; 383; 384. Ferner D. Gerhard. Zur Einführung. In: B. G. Niebuhr. Briefe I, S. LXXIIIf.
[281] Vgl. Niebuhr an Perthes, Berlin 3. April 1813: B. G. Niebuhr. Briefe II, 383 wo es im Hinblick auf eine allfällige Mission Niebuhrs in Hamburg heisst: "Nun über Ihren Vorschlag — Geschähe es doch! Mir könnte nichts erfreulicheres sein. Für die Dauer des Kriegs; — denn Preussen verlasse ich nicht. Hier aber kann ich, wie alles steht, nur als Zeitungschreiber eine Zeitlang, dann als Soldat, wirken, und wie wenig ist das gegen einen solchen Beruf".

war, fand er die Gelegenheit, um sich mit dessen "Persönlichkeit" auseinanderzusetzen [282].

Die Leidenschaftlichkeit, mit der sich Varnhagen in den Jahren 1813/14 über Niebuhr äusserte, hatte neben den persönlichen Bedenken, die sich gegen dessen Berufung nach Hamburg richten mussten, noch eine andere Ursache. Durch das Freundschaftsverhältnis mit Perthes, dessen geistige Haltung Varnhagen ebenso wie diejenige Tettenborns überschätzte, geriet er, ohne dass er sich dessen bewusst geworden wäre, in die Abhängigkeit von einer Person, die sich anders als bei Tettenborn, durch den er höchstens, wie er selber fühlte [283], den Vorwurf der Schmeichelei hatte auf sich nehmen müssen, politisch auswirkte. Indem er sich Perthes' geistiger Führung anvertraute, merkte er nicht, dass er plötzlich zum Sprecher eines militanten Hanseatentums aufrückte [284], sondern glaubte offenbar weiterhin, dem allgemeinen Zweck der Geschichte zu dienen, und diese Auffassung drückte sich unverkennbar auch in dem von ihm als 'Rüge' bezeichneten Artikel aus, mit dem er auf der Seite von Perthes öffentlich gegen Niebuhr auftrat; aber sogar noch Jahrzehnte später hat Varnhagen Perthes' politischen Standpunkt nicht zu durchschauen vermocht [285]. Als er deshalb Niebuhr publizistisch angriff, war Varnhagen unbefangen genug, seinerseits die eigene geschichtliche Erfahrung geltend zu machen und ihm vorzuwerfen, dass er in einem Aufsatz im 'Preussischen Correspondenten' die Bedeutung der hamburgischen Erhebung in unangemessener Weise mit den Leistungen Preussens verglichen habe, wogegen er individuell betrachtet, hätte anerkennen sollen, was in Hamburg die Bevölke-

---

[282] Vgl. Varnhagens Rezension, JfwK 1 (1838) Sp. 161f. VSchr NF I (= V), 226. V², 566f. Dazu D. Gerhard. Zur Einführung. In: B. G. Niebuhr. Briefe I, S.CXf.; II, 565 A. 1. Ferner Varnhagens Notizen, 6.; 8. Jan.; 9. Feb. 1838: Tgb I, 73; 76f. Varnhagen an Perthes, Berlin 15. April 1838: HH StA Perthes Nachlass I M 21a Bl 116 "Meine Anzeige war mit redlicher Meinung und aufrichtiger Schätzung geschrieben; die Freunde Niebuhr's aber, denen der Name nun für sie selber ein Glanz werden soll, sind höchst aufgebracht, dass ich ihren Heiligen nicht unbedingt gepriesen". Varnhagen an Troxler, Berlin 18. April 1838: Troxler-Bfw S. 235. Dazu E. Vischer. Troxler und Varnhagen, SZsG 4 (1954) S. 138. Vgl. auch Varnhagens Notiz, 26. Nov. 1820: BpG I, 233. Dazu A. Harnack. Geschichte der Akademie I/2, 673 A. 1. Ferner Mundt an Varnhagen, 27. Juli 1838: O. Dräger. Theodor Mundt und seine Beziehungen zum jungen Deutschland, S. 114f. u. ebda. Dagegen Varnhagen an Rahel, Bonn 28. Feb.; 15. März; 18. März 1829: Bfw VI, 302; 362; 376.
[283] Vgl. Varnhagen an Perthes, Boitzenburg 4. Juli 1813: HH StA Perthes Nachlass I M 5c Bl 73. Dazu oben S. 66 A. 206.
[284] Vgl. Varnhagen an Rahel, Paris 4.; 21. Mai 1814: Bfw III, 339; 364. Ferner [Varnhagen] Hanseatische Anregungen, S. 1ff. Dazu [Woltmanns Rezension?] JALZ XI/4 (1814) Sp. 203ff. Vgl. auch Varnhagen. Geschichtsandacht. Minerva, 3 (1814) S. 335f. Ferner C. Misch, a.a.O. S. 147.
[285] Varnhagen. Rüge. Der deutsche Beobachter, (1814) Nr. 7. Dazu L. Assing[?] unrichtig in: Bfw III, 302. Vgl. F. Eyssenhardt. Barthold Georg Niebuhr, S. 92ff. – Ferner C. T. Perthes. Friedrich Perthes Leben I, 353ff. Dazu Varnhagens Notiz, 21. Aug. 1857: Tgb XIV, 50f. Niebuhr an Perthes, Meldorf 15. Sept. 1814: B. G. Niebuhr. Briefe II, 497f. u. A. 1. Vgl. H. Dreyhaus, a.a.O. S. 415. M. v. Lettow Vorbeck. Zur Geschichte des Preussischen Correspondenten von 1813 und 1814 II, 59. Vgl. ferner C. T. Perthes. Friedrich Perthes Leben II, 88. H. Sieveking. Karl Sieveking II, 26. T. F. Böttiger, a.a.O. S. 32.

rung einer einzelnen Stadt erreichen konnte [286]. Varnhagen forderte ein relativierendes Urteil, das den "Umständen" insofern Rechnung getragen hätte, als in Hamburg und Berlin "andere Grundverhältnisse" bestanden, und indem er sich geradezu existentiell in die Rolle der beiden Alternativen versetzte, meinte er: "Was den Muth, den Aufwand und die Ausdauer der Bürger betrifft, so möge Berlin sich freuen, keine Prüfung bestanden zu haben, die ihm ein Recht auf den nicht beneidenswerthen Vergleich mit Hamburg gäbe!" [287]

Varnhagens Standpunkt unterschied sich demnach trotz des Aufwands, mit dem er ihn vertrat, nicht von jenem, den er in der 'Geschichte der hamburgischen Begebenheiten' einleitend dargelegt hatte. Denn indem er seine Betrachtung auf den Vergleich der beiden Städte beschränkte, musste ihm die grundsätzlich politische Wendung innerhalb der Auseinandersetzung entgehen. Umgekehrt durfte er sich dagegen, weil er "weder aus Hamburg noch aus Berlin" stammte, "in dieser Hinsicht" sogar als unbefangen betrachten und konnte zudem mit gewissem Recht behaupten, dass er "in beiden Städten... Zeuge der wiederkehrenden Freiheit" gewesen sei [288]. Darin lag aber auch der persönlich anmassende Ton [289], mit welchem er Niebuhr entgegenhielt, dass er "die hamburgische Insurrection... nicht einmal äusserlich angesehen, geschweige denn die tieferen Springfedern dieser wunderbar zusammengesetzten, und selbst den meisten ihrer thätigsten Theilnehmer im Zusammenhange noch zur Zeit dunkeln Begebenheit im geringsten erkannt" habe [290]. So, wie Varnhagen später in der Anzeige der 'Geschichte der hamburgischen Begebenheiten' Perthes, Beneke, Hess, Geibel [291], Sieveking und Dehn zur Niederschrift historischer Augenzeugenberichte auffordete [292], konnte er für Niebuhr keine entsprechende historiographische Aufgabe finden und ihn nicht ebenso unter die voraussichtlich ernst zu nehmenden Historiker der 'hamburgischen Begebenheiten' zählen. Noch im Herbst 1814, als Niebuhr mit Perthes zu einer Verständigung kommen wollte, machte Varnhagen dagegen geschichtliche Bedenken geltend und schrieb: "Wie steht es mit Niebuhr? Dass er ja nicht Marwitz citiere! ich habe hier ein hundert Briefe von ihm vorgefunden, lauter Beweise der Unfähigkeit, das Geschehende zu erkennen und zu beurthei-

---

[286] Varnhagen [Rüge] In: F. Eyssenhardt, a.a.O. S. 92f. Vgl. Niebuhrs Artikel. Preussischer Correspondent, (1813) Nr. 151: ebda S. 88ff.
[287] Varnhagen [Rüge] In: F. Eyssenhardt, a.a.O. S. 93f.
[288] Varnhagen [Rüge] In: F. Eyssenhardt, a.a.O. S. 93f. Vgl. Varnhagen an K. v. Humboldt, Berlin 26. Feb. 1813: K. v. Humboldt-Bfw S. 82f. Z. 21f. Ferner dagegen oben S. 38f.
[289] Vgl. H. Dreyhaus, a.a.O. S. 415.
[290] Varnhagen. Rüge. Der deutsche Beobachter, (1814) Nr. 7. Vgl. F. Eyssenhardt, a.a.O. S. 93.
[291] Vgl. über ihn M. v. Lettow Vorbeck. Zur Geschichte des Preussischen Correspondenten von 1813 und 1814 I, 28. H. Sieveking. Karl Sieveking II, 39f.
[292] Vgl. [Varnhagens Anzeige]. Der deutsche Beobachter oder die Hanseatische Zeitung von Staats- und Gelehrten Sachen, (1814) Nr. 37.

len, das sind keine Geschichtskundige"[293]. Dabei enthüllte die Art, mit der Varnhagen Niebuhr und Marwitz gemeinsam wegen ihres Mangels an geschichtlichem Erlebnisvermögen blossstellte, bei Marwitz aber ausserdem die Glaubwürdigkeit in Zweifel zog, wiederum einen versteckten Zug von Perfidie. Nachdem er jedoch Marwitz' Briefe an Rahel gelesen hatte und in ihnen nicht nur dessen abschätziges Urteil über den 'Preussischen Correspondenten' geschrieben fand[294], sondern auch sich selbst aufs bösartigste verleumdet sah[295], enthielt die Aufforderung für Niebuhr, "ja nicht Marwitz" zu zitieren, geradezu eine freundschaftliche Warnung.

Ebensowenig, wie Varnhagen Marwitz gegen Niebuhr als Zeugen anführte, war er Rahel darin gefolgt, dass er ihre Abneigung gegen die totale Verteidigung einer Stadt zu seiner eigenen Auffassung machte. Im Gegenteil stimmte er in dieser Frage gesinnungsmässig mit Niebuhr überein und hatte deshalb schon in der 'Geschichte der hamburgischen Begebenheiten' eine innere Fehlentwicklung gesehen, weil das Beispiel Rostoptschins in Hamburg ohne Nachahmung geblieben sei[296]. In dem Artikel 'Rüge' trat er dagegen entschieden für Perthes' Auffassung ein und beschönigte im Gegensatz zu Niebuhr das für Hamburgs Bevölkerung ruhmlose Ende ihrer Befreiung mit dem Hinweis, "dass auch Helden nicht grade des Heldentodes versichert, sondern auch jedem schmählichen Untergange ausgesetzt" seien[297]. Rahel war von dieser Umdeutung zwar persönlich überzeugt, aber zugleich wusste sie, wie sie Varnhagen versicherte, dass sein "Buch über Hamburg ... im Sinne der Regierung" sein musste, "deren Rock" er trug[298], wogegen er selbst sich eines Zwanges aus politischer Verpflichtung noch nicht klar geworden war. Solange aber Niebuhr als gewissermassen offizieller Sprecher Preussens in der öffentlichen Meinung auftrat, konnte sich Varnhagen nicht mit ihm verständigen, weil er selbst diese Rolle gerne innegehabt hätte, und noch während des Wiener Kongresses, als sie sich beide publizistisch für den Anschluss Sachsens an

[293] Varnhagen an Perthes, Berlin 29. Sept. 1814: HH StA Perthes Nachlass I M 7b Bl 143. Vgl. dazu Niebuhr an Perthes, Meldorf 15. Sept. 1814: B. G. Niebuhr. Briefe II, 497ff.; 500 "Tettenborns Ankläger – unter ihnen mein seliger Alexander v. d. Marwitz, – warfen freilich hauptsächlich auf ihn ... die Verantwortung, dass das Notwendigste versäumt sei: ..."
[294] Vgl. Marwitz an Rahel, Lauenburg 3. Mai 1813: Rahel und A. v. d. Marwitz in ihren Briefen, S. 280f.
[295] Marwitz an Rahel, Nicolsburg 26. Juni 1809: Rahel und A. v. d. Marwitz in ihren Briefen, S. 15f. Vgl. auch die durch Varnhagen getroffene Auswahl von Marwitz' Briefen in: Galerie von Bildnissen aus Rahel's Umgang II, 1; 102ff. Ferner F. Meusel. Alexander von der Marwitz. Königlich privilegirte Berlinische Zeitung von Staats- und gelehrten Sachen, SB (1908) S. 5.
[296] Geschichte der hamburgischen Begebenheiten, S. 145ff. Dkw III, 374f. II², 507. III³, 355f. Vgl. H. Dreyhaus, a.a.O. S. 421. M. v. Lettow Vorbeck. Zur Geschichte des Preussischen Correspondenten von 1813 und 1814 I, 35f. Dazu Rahel an Varnhagen, Berlin 27. April 1813: Bfw III, 57. Zu Varnhagens Plan gegen Niebuhr zu schreiben Varnhagen an Rahel, Hadersleben 11. Jan. 1814: Bfw III, 281. – Die Schrift über Hamburg war zu diesem Zeitpunkt bereits gedruckt.
[297] Varnhagen [Rüge] In: F. Eyssenhardt, a.a.O. S. 94f.
[298] Rahel an Varnhagen, Prag 17. Feb. 1814: Bfw III, 302.

Preussen einsetzten [299], veränderte sich nichts an diesem persönlichem Gegensatz. Dabei glaubte Niebuhr, nachdem er Varnhagens Schrift gelesen hatte, in ihm einen Gesinnungsgenossen gefunden zu haben und vertraute ihm an, dass er seine tiefe Bewunderung für Mirabeau teile [300]. Varnhagen dagegen verstand dieses Vertrauen nicht zu würdigen, sondern sah in Niebuhr bei aller Achtung vor dessen wissenschaftlicher und auch politischer Bedeutung [301] zugleich immer den persönlichen Gegenspieler, der er anlässlich der Polemik im 'Preussischen Correspondenten' und 'deutschen Beobachter' gewesen war. Rahels Lob und der Umstand, dass ihm Niebuhr "öffentlich und sehr ehrenvoll geantwortet" hatte [302], stärkten dabei sein eigenes Selbstbewusstsein und verhinderten ihn, sich selbst gegenüber kritisch zu bleiben. Im Grunde teilte er Niebuhrs idealistische Ansicht, der zufolge eine Stadt um der Freiheit willen lieber untergehen, als sich dem Feind ausliefern solle, und auch in der 'Rüge' vertrat er diese Auffassung, wo er zugab, dass, wie er schrieb, Hamburg "freilich nicht verbrannt wurde" [303]. Er bedachte aber nicht, dass im Rahmen einer polemisch geführten Auseinandersetzung kein idealistischer Wortsinn mehr hörbar sein konnte und sich Niebuhr deshalb dagegen verwahren musste, der Selbstzerstörung von Hamburg das Wort geredet zu haben. Varnhagen blieb davon nur der Erfolg, Niebuhr zu einer 'Erwiederung' veranlasst zu haben [304], und damit zwang er ihn gleichzeitig zu einer Formulierung, die ihm jede Idealisierung verbot und einer Verständigung zwischen ihnen den Weg versperrte. Sogar die Erinnerung an die Antike erlosch bei Niebuhr anlässlich dessen, was in Hamburg geschah [305], und doch war er ursprünglich Varnhagen darin vorangegangen, dass er die Zeit der Erhebung an der alten "Geschichte" mass und angesichts der "ungeheuern Begebenheiten", deren Zeuge er zu sein glaubte, die historisch-kritische Arbeit allenfalls vernachlässigte und an ihrer Stelle jene "Kunst" ergreifen wollte, "mit der jeder Geschichtsschreiber ausgestattet sein müsste wie Thucydides und Polyb [ius] waren" [306].

Niebuhr und Varnhagen waren beide an der Geschichte des klassischen

[299] Vgl. F. Troska. Die Publizistik zur sächsischen Frage auf dem Wiener Kongress, S. 27ff. C. Misch, a.a.O. S. 36. Ferner Niebuhr an Hardenberg, Berlin 28. Nov. 1814: B. G. Niebuhr. Briefe II, 531f. Renfner an Hardenberg, Berlin 8. Nov. 1813: P. Czygan. Zur Geschichte der Tagesliteratur II/2, 84. Dagegen Rahel an L. u. M. Robert, 8. Feb. 1815: L. Geiger. Vom Wiener Kongress I. Die Zeit, (1917) Nr. 5393 "Hast Du Niebuhrs Schrift gelesen? Es sind sehr gute Sachen drin. Oft sehr schlecht geschrieben. Die schönen Gedanken sind aber gut geschrieben".
[300] Niebuhr an Varnhagen, Berlin 21. Feb. 1815: B. G. Niebuhr. Briefe II, 565ff. Vgl. Varnhagen an Rahel, Hamburg 3. April 1813: Bfw III, 30. Dazu Varnhagens Notiz, Bonn 30. Juli 1846: Tgb III, 416.
[301] Vgl. Dkw NF III (= VII), 143. IV³, 291. Ferner Varnhagen an Reimer, Frankfurt a.M. 8. Nov. 1815: Ungedruckte Briefe an Georg Andreas Reimer, DtR XVIII/4 (1893) S. 244.
[302] Varnhagen an Rahel, Hamburg 29.; 30. Aug. 1814: Bfw IV, 32; 36.
[303] Varnhagen [Rüge] In Eyssenhardt, a.a.O. S. 94.
[304] B. G. Niebuhr. Erwiederung. In: F. Eyssenhardt, a.a.O. S. 96.
[305] Vgl. Niebuhr an Perthes, Meldorf 15. Sept. 1814: B. G. Niebuhr. Briefe II, 500.
[306] Niebuhr an Perthes, Berlin 29. Dez. 1812: B. G. Niebuhr. Briefe II, 354. Vgl. Niebuhr an Perthes, Berlin 2. März 1813. B. G. Niebuhr. Briefe II, 372f.

Altertums zu geschichtsbewussten Zeugen ihrer eigenen Zeit geworden [307], beide nahmen sie den literarischen Gehalt der antiken Geschichtschreibung wahr, verarbeiteten ihn jedoch unter verschiedenen Gesichtspunkten, wobei Niebuhr kritisch nach dem faktischen Wert der Aussage, Varnhagen dagegen moralisch nach dem Aussagezweck fragte. Im Gegensatz zu Niebuhr verstand er schon die literarische Aussageform aus seiner Zeit heraus als eine geschichtlich wirksame, und in diesem Sinn schätzte er gemessen an der inneren Beteiligung Stägemanns Kriegslyrik ebenso hoch ein wie eine glänzende Waffentat [308]. Der Anspruch, den er damit zugleich für seine eigenen Veröffentlichungen erhob, stellte an ihn die grösste Anforderung, weil er dabei im Augenblick des Erlebnisses und der Niederschrift seiner Ansicht bereits für deren publizistische Wirkung verantwortlich sein musste, und so hat er in der 'Geschichte der hamburgischen Begebenheiten' den moralisch-geistigen Standpunkt, von dem aus er auch den Überblick über die Ereignisse gewann, durchaus behauptet, während er die Folgen seiner Veröffentlichung nicht abzusehen vermochte. Auch nachdem sich die Drucklegung seiner Schrift offenbar verzögerte und er sich selbst dabei der Führung seiner Hamburger Freunde Perthes und Sieveking überlassen hatte [309], konnte er dadurch einer politischen und persönlichen Beurteilung in der Öffentlichkeit nicht entgegenwirken. Deshalb brauchte es für seine Geschichtschreibung eine offenkundige Sinngebung allenfalls moralischer Art, oder sie musste im Dienst einer realpolitischen Macht stehen. Solange er aber nicht gerade nur sein eigenes Leben schilderte, um sich damit vor der Öffentlichkeit zu verantworten, sondern in erster Linie seinem persönlichen geschichtlich gereiften Zeitgefühl Ausdruck gab und ihm auch die Handlungen der einzelnen zeitgenössischen Personen unterzuordnen suchte, konnte ihn ausser den wenigen Eingeweihten seiner Hamburger Umgebung niemand verstehen [310], und ehe sich sein geschichtsbewusster Erlebnisdrang verringern und seine innerlich überspannte Haltung beruhigen konnte, war es notwendig, dass er dem Eindruck der 'hamburgischen Begebenheiten' zuerst einmal entrückt wurde, um sich von den Anstrengungen des Krieges zu erholen. Doch bereits während seines Aufenthalts in Paris, wo er im Sommer 1814 den Friedensverhandlungen folgte, schrieb er einen Aufsatz, der im Rückblick noch einmal die für ihn geschichtlich gewordenen Erfahrungen zusammenfasste. Der Titel lautete 'Geschichtsandacht', wobei Varnhagen selbst einen "Zusatz, der die hamburgische Localität bezeichnete", unterdrückte und Perthes' Gutdünken anheimstellte. "Die Gesinnung darin", meinte er dagegen voller Selbstvertrauen, "darf sich wohl zu dem Besten rechnen, was der Einzelne geben kann, und wenn ich nach meinem Gefühl, das mich dabei beseelte,

---

[307] Vgl. dazu Varnhagens Notiz, 6. Jan. 1837: Tgb I, 33.
[308] Vgl. [Varnhagens Rezension von Stägemanns Gedichten] Der deutsche Beobachter, (1813) Nr. 12; Ergänzungsblätter zur JALZ III/1 (1815) Sp. 12. Ferner dagegen Niebuhr an Perthes, Berlin 11. Feb. 1815: B. G. Niebuhr. Briefe II, 561.
[309] Vgl. Varnhagen an Rahel, Boitzenburg 3. Dez. 1813: Bfw II, 220. Ferner H. Sieveking. Karl Sieveking II, 55ff.
[310] Vgl. dazu über den Sprachgebrauch im Kreis G. A. Reimers T. Roller. Georg Andreas Reimer und sein Kreis, S. 46ff.

urtheilen will, so muss ich diese Worte für eine Art Predigt halten" [311].

Der Hauptgedanke dieser "Predigt" enthielt die Frage nach "den Rathschlüssen des Himmels", die es dazu geführt hatten, dass Hamburg nach der vorübergehenden Entsetzung ein ganzes Jahr lang vom Feind gehalten bleiben konnte, wogegen im übrigen Teil der deutschen Länder die französische Herrschaft zu bestehen aufgehört hatte. Varnhagen sah darin die Macht der "Vergeltung", die sich überhaupt durch die "ganze Geschichte" hindurchzöge und nur deshalb "ungerecht" erscheine, weil ein "Frevel... unsichtbar" geblieben sein könne [312]. Dagegen, meinte er, gäbe es, wenn auch keine Einsicht in die "Unerforschlichkeit der himmlischen Gerechtigkeit", doch die "Hoffnung" auf ein folgerichtiges Walten der "Nemesis", und so diene die Geschichte nicht allein der Betrachtung des Vergangenen, sondern sie blicke – wie es Varnhagen Benekes 'Heergeräth' hatte entnehmen können [313] – ebenso auch "vorwärts"; dieser "Blick in die Zukunft" sei aber "gütig und mild" und sähe "über das gegenwärtige Übel hinweg unverwandt zu dem Guten, das die Folge der Zeit daraus enthüllen" werde und "um dessentwillen jenes" habe geschehen dürfen. Deshalb, fuhr er fort, liesse sich das künftige Urteil, das, nachdem "die Zeit den Zusammenhang sichtlich" aufgedeckt habe, gültig sein werde, angesichts der unmittelbaren Vergeltung nur "mit inniger und fester Überzeugung" erwarten [314]; denn der Zeitpunkt dafür sei nicht von vornherein abzusehen, oft geschehe "diess bald, oft erst spät, bisweilen erst für den entfernten Geschichtsforscher, dem aller persönliche Antheil schon längst durch die Zeit erloschen" sein müsse. Da sich aber – und damit schloss Varnhagen den Gedankengang – "die Erscheinungen" bereits in der Gegenwart zu ordnen begännen, "die Klarheit vernunftvoller Gesetzmässigkeit" sich enthülle, könnten unvermittelt "Zeichen erfüllteren Daseyns" geschehen, und "da wollen wir glauben", schrieb er, "dass eines der Saatkörner jener Prüfungszeit aufgegangen ist, und thätig sein Gedeihen nach allen Kräften zu fördern bemüht seyn, um desto eifriger, je mehr wir selbst von dem Unglück betroffen und zu solcher Pflege dadurch geweiht worden" [315].

Indem Varnhagen im Hinblick auf zukünftiges Geschehen bereits in der Gegenwart Geschichtlichbleibendes zu erkennen glaubte und sich auch bemühte, es auszudrücken, erhielt seine Geschichtschreibung eine Bestimmung, in der er zugleich die Frage seines Berufs wenigstens teilweise gelöst fand. Da er auch in späteren Jahren nicht wie beispielsweise Niebuhr oder Arndt die akademische Laufbahn einschlug, war er doch persönlich weniger angefochten, wenn er, statt den Erlebnischarakter seiner Geschichtschreibung zu überschätzen, ohne allzu viel Prätention bloss das, was er gesehen hatte, darstellte. Schon in der Anzeige,

[311] Varnhagen an Perthes, Baden b. Rastatt 22. Juni 1814: HH StA Perthes Nachlass I M 7b Bl 135-136.
[312] Varnhagen. Geschichtsandacht. Minerva, 3 (1814) S. 344.
[313] Vgl. oben S. 80 u. A. 278.
[314] Varnhagen. Geschichtsandacht. Minerva, 3 (1814) S. 345.
[315] Varnhagen. Geschichtsandacht. Minerva, 3 (1814) S. 346. Vgl. dazu A. Wahl. Hamburg und die europäische Politik im Zeitalter Napoleons, ZsVHG 18 (1914) S. 330. A. Wohlwill, a.a.O. S. 461f.

die er selbst für die 'Geschichte der hamburgischen Begebenheiten' geschrieben hatte, fasste er sich sachlicher und machte seiner Schrift gegenüber den Vorbehalt, dass sie allerdings nicht "vollständige Geschichtbücher über die letzten zwei Jahre" ersetzen könnte. Doch war er damals völlig überzeugt, dass den "hamburgischen Angelegenheiten" früher oder später "in dem grösseren Zusammenhang" die ihnen gemässe Würdigung und Beurteilung zuteil werden müsse. Aber solange er selbst nicht entschieden ein moralisches Anliegen in der Geschichtschreibung verfolgte, "damit", wie er hoffte, "das Urtheil der Zeitgenossen sich an die Geschichte mitbildend anschliessen könne"[316], gelang es ihm nicht, unabhängig von einem lokal beschränkten Standpunkt faktenmässig Geschichte zu schreiben. Erst nachdem sich ihm die geistige Schau der Geschichte auch in politischer Hinsicht geordnet hatte, konnte er die unmittelbare Teilnahme und Wirkung im aktuellen Weltgeschehen entbehren, und darin lag die entscheidende Wende seines Lebens, als er im Juli 1819 seinen Posten als preussischer Minister-Resident in Karlsruhe verlor[317].

[316] [Varnhagens Anzeige] Der deutsche Beobachter oder die Hanseatische Zeitung von Staats- und Gelehrten Sachen, (1814) Nr. 37.
[317] Vgl. C. Misch, a.a.O. S. 51ff.

III. ZIEL "Geschichte der Kriegszüge des Generals Tettenborn während der Jahre 1813 und 1814".

Für die historiographische Entwicklung bei Varnhagen stellt die 'Geschichte der hamburgischen Begebenheiten' ein wesentliches Ereignis dar. Es bestätigte die in einem konkreten Erlebnis wurzelnde, teilweise sogar religiöse Vorstellung, die er von Geschichte allgemein hatte, und gestaltete sich gleichzeitig unter seiner Hand zu einem leicht zu durchdringenden geschichtlichen Gegenstand. Diese in ihrer Unmittelbarkeit notwendige Übereinstimmung zwischen Verfasserschaft und Stoff hat Varnhagen später nicht mehr nachvollziehen können, und wenn er sich darum auch bemühte und auf Woltmanns Anregung hin seinen Erlebnisschilderungen einen mehr autobiographischen Charakter verlieh [1], lag darin andrerseits in erster Linie ein literarischer Anspruch, der für Varnhagen allerdings jeder publizistischen Äusserung innewohnen musste. Damit blieb jedoch der Erlebnisgehalt in seinen späteren Veröffentlichungen stark idealisiert, obgleich diese Auffassungsweise schliesslich nicht mehr an ein wirkliches Ereignis geknüpft war, sondern einem persönlichen Stilwillen entsprang [2]. Insofern Varnhagen dagegen Geschichte schrieb, bedurfte es bestimmter äusserer Umstände, die sich ihm in einem geistigen Zusammenhang offenbarten, und dies bedeutete, dass er als Historiker stets eine Art begnadeter Vermittlerrolle beanspruchte und letztlich auch behauptete [3], doch war es ihm nur in der 'Geschichte der hamburgischen Begebenheiten' gegeben, dieser Aufgabe historiographisch gerecht zu werden. Bereits die 'Geschichte der Kriegszüge des Generals Tettenborn', die er als "eine Fortsetzung von jener" weiterführte [4], wurde formal eine bewusste Nachbildung gemäss der geschicht-

---

[1] [Woltmanns Rezension], JALZ XI/4 (1814) Sp. 203.

[2] Vgl. P. A. v. Segesser. Erinnerungen, S. 35. Ferner Hebbels Notiz, [München 15. Dez. 1838]: F. Hebbel. Tagebücher I, 304. Vgl. auch F. Lewald. Befreiung und Wanderleben III/2, 117. Dagegen Pückler an Varnhagen, 19. Mai 1837: Pückler-Bfw S. 350. Heine an Laube, Paris 1846: H. Heine. Briefe III, 53. Dazu F. Rühl. Einleitung. In: T. v. Schön-Bfw S. XV. Ferner Keller an L. Assing, Zürich 28. April 1859: G. Keller. Gesammelte Briefe II, 83. Heine an Varnhagen, 28. Feb. 1830: H. Heine. Briefe I, 426. Dagegen A. Stockmann. Varnhagen und sein Zerwürfnis mit Klemens Brentano. Stimmen der Zeit (= Stimmen aus Maria-Laach, 89 (1915) S. 466.) Ferner J. Kühn. Einleitung. In: Dkw I, S. XXVf. F. Römer, a.a.O. S. 134f.

[3] Vgl. J. Kühn. Einleitung. In: Dkw I, S. XXIII.

[4] Varnhagen an Reimer, [Teplitz] 8. Aug. 1814: DZA, Hist. Abt. II, Merseburg, Rep. 92 Nachlass G. A. Reimer VII Bl 1. Vgl. Varnhagen an Perthes, Baden b. Rastatt 22. Juni 1814: HH StA Perthes Nachlass I M 7b Bl 135-136. Varnhagen an Cotta, Teplitz 20. Juli 1814: SNM Cotta-Archiv Nr. 21. Varnhagen an E. Wolbrecht, Teplitz 25. Juli 1814: Ddf LuStB 62.2543. Varnhagen an Rahel, Baden b. Rastatt 21. Juni 1814: Bfw IV, 16. Ferner Geschichte der Kriegszüge des Generals Tettenborn, S. 10f. Dazu auch die Anzeige. Deutsche Blätter, 6 (1815) S. 480.

lichen Bestimmungen, die ursprünglich nur für den Raum der Stadt Hamburg galten. Als wesentlicher Bestandteil dieser Voraussetzung erhielt sich jedoch auch später sein Vertrauensverhältnis mit Tettenborn. Denn indem er, wie es Rahel nannte, "Tettenborn's Schicksal gewählt" hatte [5], fühlte er sich noch immer in genügender Unmittelbarkeit der allgemeinen Bewegung. Gemessen an den siegreichen Kämpfen, die die verbündeten Hauptheere über Napoleon erringen konnten, erschienen Tettenborns gleichzeitige Taten aber trotzdem weniger glänzend als vorher [6]. Tettenborn war damals dem verbündeten Armeekorps unter Wallmoden zugeteilt worden, der nominell schon seit April 1813 den Oberbefehl an der Niederelbe geführt hatte [7], und stand damit abseits der grossen Entscheidungen, deren unwiderstehliche Kraft er für Varnhagen in Hamburg verkörpert hatte. Nachdem er aber nicht mehr im Mittelpunkt des allgemeinen Geschehens stand, gewann sein persönliches Schicksal einen eigenen Reiz, der sich gerade bei unscheinbaren Verhältnissen um so deutlicher übertragen musste [8].

Die Darstellung der äusseren Ereignisse in der 'Geschichte der Kriegszüge' setzt mit dem "Beobachtungskrieg" in Mecklenburg ein, bei dem sich Davout und Wallmoden gegenseitig in Schach hielten [9]; dann berichtet Varnhagen von der Schlacht in der Göhrde und der Niederlage des französischen Generals Pecheux am 16. September 1813 [10], daran anschliessend folgt die Schilderung von Tettenborns Streifzug nach Bremen und von der Befreiung dieser Stadt am 15. Oktober [11]; den nächsten Abschnitt bildet der Krieg, welchen Bernadotte gegen Dänemark führte und der mit dem Kieler Frieden am 14. Januar 1814 endete [12], und am Schluss stehen die Ereignisse vom Feldzug der Verbündeten in Frankreich während des Februars und März 1814 [13].

Indem nun Varnhagen Tettenborns Anteil an den verschiedenen militärischen Operationen verfolgte, suchte und fand er zuletzt zu seiner eigenen Verwunderung fast in allem die Bestätigung dessen, was er schon in Hamburg wahrgenommen hatte. Das Wunderbare, das Varnhagen rückblickend empfand [14], verband sich für ihn mit Tettenborns Auftreten überhaupt, und in dieser

[5] Rahel an Varnhagen, Prag 18. Nov. 1813: Bfw III, 211.
[6] Vgl. Varnhagen an Rahel, Verden 24. Okt. 1813: Bfw III, 185. Vgl. Geschichte der Kriegszüge des Generals Tettenborn, S. 114f. Dkw IV, 24f. III², 87f. IV³, 65f.
[7] Vgl. die Eintheilung des verbündeten Armeekorps an der Nieder-Elbe, Mitte Aug. 1813: B. v. Quistorp. Geschichte der Nord-Armee III, 25f. Ferner dazu Geschichte der hamburgischen Begebenheiten, S. 84. Dkw III, 319. II², 460. III³, 319.
[8] Vgl. dazu Varnhagen an Rahel, Bremen 14. Nov. 1813: Bfw III, 202.
[9] Geschichte der Kriegszüge des Generals Tettenborn, S. 33ff. Dkw III, 405ff. III², 21ff. IV³, 16ff.
[10] Geschichte der Kriegszüge des Generals Tettenborn, S. 63ff. Dkw III, 433ff. III², 46ff. IV³, 34ff.
[11] Geschichte der Kriegszüge des Generals Tettenborn, S. 88ff. Dkw III, 457ff. III², 66ff. IV³, 49ff.
[12] Geschichte der Kriegszüge des Generals Tettenborn, S. 114ff. Dkw. IV, 24ff. III², 87ff. IV³, 65ff.
[13] Geschichte der Kriegszüge des Generals Tettenborn, S. 139ff. Dkw IV, 49ff. III², 108ff. IV³. 81ff.
[14] Vgl. Varnhagen an K. v. Humboldt, Paris 19. April 1814: K. v. Humboldt-Bfw S. 162 Z. 30ff.

überschwänglichen Erkenntnis lag eine neue Formulierung seiner bisherigen historiographischen Aufgabe. Denn da er die Widersprüchlichkeit der politischen Interessen unter den Verbündeten nicht mit seiner idealisierenden Betrachtungsweise vereinen konnte, begriff er am Fortgang der allgemeingeschichtlichen Entwicklung "bloss die Absicht und That des Schicksals". "Das Geschick", schrieb er an Rahel, "ist die einzige handelnde Person, nur das mitwissende Bewusstsein weniger freier Geister löst diese von dem Banne, der die meisten Menschen zu blinden Werkzeugen macht, los. Ich möchte einer dieser Geister sein, und füge still mein redliches Thun in die unerwartete Wendung neuer Ereignisse verehrend ein, . . . [15]". Was deshalb Varnhagen an Tettenborn ursprünglich bedeutend erschien, war durchaus nicht persönlich im Hinblick auf eine biographische Darstellung gemeint, sondern sollte sich als Ausdruck eines geistigen Zusammenhangs in der Geschichte verstehen lassen. Solange daher Tettenborn selbst nicht an den grossen Entscheidungen der Zeit beteiligt war, konnte Varnhagen die Höhe seiner historischen Fragestellung nicht mit gutem Gewissen beibehalten, und er hätte überhaupt für die Zeit nach dem Verlust Hamburgs an einer in seinem Sinn geschichtlichen Würdigung Tettenborns Zweifel hegen müssen, wenn es ihm bei dessen militärischen Erfolgen nicht gleichzeitig auch um seine eigene Bestimmung gegangen wäre.

Mit dem Vorrücken grösserer russischer und preussischer Heerteile verloren nämlich die Aktionen der Avantgardeoffiziere an Wichtigkeit, und insofern war die Schlacht bei Gross-Görschen eine entscheidende Wende, als danach Wittgenstein und Scharnhorst aus der obersten Heeresleitung ausschieden und die aus dem Geist der Freiheit geplante Kriegsführung damit zwei der wichtigsten Befürworter verlor. Beim Beginn des Herbstfeldzugs im Jahr 1813 mussten deshalb ehemalige Vorkämpfer wie Czernitscheff, Tettenborn, Benkendorf und Dörnberg [16] mit noch grösserer Verantwortungsbereitschaft als bisher auf ihrer Entscheidungsfreiheit beharren, falls sie sie nicht völlig einbüssen wollten, und darin lag die nächste Aufgabe, die Tettenborn aus den veränderten Umständen erwuchs und die ihn von Varnhagens existentiell bestimmten Standpunkt her vor allem in Gegensatz zu seinem früheren Waffengefährten Czernitscheff brachte [17]. Czernitscheff hatte nämlich ausserdem Alexander von der Marwitz, der hintereinander zuerst aus dem Korps unter Tettenborn und dann aus dem unter Dörnberg ausgetreten war [18], für sich einzunehmen verstanden, und nachdem Karoline von Fouqué zwischen ihm und dem bei Saalfeld gefallenen Prinzen Louis Ferdinand eine Ähnlichkeit festgestellt hatte [19], war es für Varnhagen, der zu Bentheim und zu Tettenborn seinerzeit

[15] Varnhagen an Rahel, Tönningen 22. Dez. 1813: Bfw III, 253.
[16] Vgl. Geschichte der hamburgischen Begebenheiten, S. 62f. Dkw III, 299f. II², 443f. III³, 306f.
[17] Vgl. Varnhagen an K. v. Humboldt, Berlin 26. Feb. 1813: K. v. Humboldt-Bfw S. 83f Z.. 34ff. F. A. L. v. d. Marwitz I, 548.
[18] Vgl. Marwitz an Rahel, Lauenburg 3. Mai 1813: Rahel und A. v. d. Marwitz in ihren Briefen, S. 281ff.
[19] Vgl. K. v. Fouqué an Varnhagen, Nennhausen 2. Juni 1813. In: Biographische Portraits, S. 144.

mit wegen dieser Eigenschaft Vertrauen gefasst hatte [20], eine Art Lebensfrage, ob er bei Tettenborn bliebe oder seine Bestimmung bei Czernitscheff suchen sollte. Denn, wie er später in einem Brief an Perthes erklärte, bedeutete ihm selbst das Heldentum eines Schwarzenberg, Blücher, Wellington und Tettenborn gleichviel, solange er, wie übrigens auch Alexander von der Marwitz, nur die jeweilige "Rolle" des einzelnen betrachtete, und so verteidigte er Tettenborn, indem er, wie er sich ausdrückte, "die Sache ... auf dem Heldenfuss" nähme [21]. Ebenso aber musste Varnhagen auch Czernitscheffs Heldentum eingeleuchtet haben, oder er musste es mit allen Mitteln schlecht machen und davon ausgehen, dass gerade weil es Czernitscheff und kein anderer war, sogar die durch ihn bewerkstelligte Eroberung Kassels ein in seiner Wirkung unbefriedigendes Ereignis blieb. Diese einseitige Auffassung wurde jedoch trotz der persönlichen Zurückhaltung, die Varnhagen sich auferlegte, bemerkt; denn er formulierte in der 'Geschichte der Kriegszüge': "Der Zug des Generals *Czernitscheff* nach Kassel hatte Schrecken und Bestürzung im Rücken des Feindes ausgebreitet, allein durch stärkere von Frankfurt her in Anmarsch befindliche französische Truppenkorps bedroht, war dieser General von Kassel eiligst wieder aufgebrochen, und suchte schleunigst, indem er ganz linkshin auf die Seite sich wandte, die Brücke bey Dömitz zu gewinnen, um gleich wieder über die Elbe gehen zu können, und in Sicherheit zu seyn. Gerade in diesem Zeitpunkte, als jene zurück eilten, und die Franzosen auf allen Punkten aufgeweckt waren, fasste der General *Tettenborn* den Plan mit einem fliegenden Korps an die Weser vorzudringen und Bremen zu überfallen. Der General *Wallmoden,* obgleich an dem Gelingen zweifelnd, willigte ein, um den Unternehmungsgeist eines solchen Mannes nicht länger zu lähmen" [22].

Die Gegenüberstellung der Streifzüge Czernitscheffs und Tettenborns diente Varnhagen nicht zur Verherrlichung der Einnahme Bremens, sondern sie stand im Rahmen seiner Darstellung nur als Wiederholung dessen, was er ursprünglich gleich nach dem Einzug in Bremen empfunden und an Rahel berichtet hatte. "Zu Kassel", schrieb er ihr, "haben wir ein herrliches Gegenstück geliefert, und dem Feinde in der Meinung unglaublichen Schaden gethan" [23]. Für ihn lag darin eine Art Bestätigung des Vertrauens, das er in Tettenborns Fähigkeiten

---

[20] Vgl. Varnhagen an Rahel, Deutsch-Wagram 25. Juni 1809; Boitzenburg 1.; 22. Juli 1813: Bfw II, 6; III, 119; 138.
[21] Varnhagen an Perthes, Frankfurt a.M. 13. Mai 1816: HH StA Perthes Nachlass I M 10a Bl 69-70.
[22] Geschichte der Kriegszüge des Generals Tettenborn, S. 89. Dkw III, 457f.; IV, 1. III², 67. IV³, 49f. Vgl. Varnhagen an Reimer, [Teplitz] 8 Aug. 1814: DZA, Hist. Abt. II, Merseburg, Rep. 92 Nachlass G. A. Reimer VII Bl 1 "Meine Schrift tadelt nie gradezu, sie stellt bloss dar, und da kommen freilich manche Dinge nicht ganz so heraus, als Viele wünschen mögen ... Dies ungefähr sind die Anstösse, die man nehmen könnte, die aber für einen grossen Theil der Leser in der gehaltenen historischen Schreibart mehr versteckt als dargeboten sind". Dazu vgl. Nostitz an Varnhagen, Dresden 22. Feb. 1815: Aus K. v. Nostitz Leben, S. 183f. Denkschriften und Briefe IV, 85f.
[23] Varnhagen an Rahel, Bremen 15. Okt. 1813: Bfw III, 181. Dazu Varnhagen an Rahel, Bremen 17. Okt. 1813: Bfw III, 183.

setzte, und später umschrieb er in einem Brief an Perthes gerade im Hinblick auf solche persönlichen Bezüge eine Vorstellung geschichtlicher Entwicklung mit dem Begriff "Geschichtsverwandtschaft" [24]. Ein derartiges "starkes Band" hielt ihn in der nächsten Umgebung Tettenborns fest und bedeutete für die historiographische Auffassung seiner weiteren Erlebnisse eine ebenso wirksame Einschränkung, wie die örtlich bedingte für die 'hamburgischen Begebenheiten' gewesen war. Nicht der äussere Erfolg von Tettenborns Streifzug war ausschlaggebend, denn Bremen konnte ebensowenig wie Kassel unmittelbar gehalten werden [25], aber auch die militärischen Bedingungen bildeten dementsprechend keine positive Vergleichsmöglichkeit für die Beurteilung Tettenborns und Czernitscheffs.

Von seinem geistigen Standpunkt nahm Varnhagen anfangs nur den freiheitlichen Drang von Tettenborns Entschliessung wahr und musste bei dieser beschränkten Betrachtungsweise Czernitscheff gerade deshalb geringer schätzen, weil dieser instruktionsgemäss aus Kassel wieder abgezogen war [26] und damit die Gelegenheit, "freier und nach eigner Bestimmung" zu "handeln", versäumt hatte. Wenn deshalb Alexander von der Marwitz Czernitscheff gerade in dieser Hoffnung gefolgt war, hatte Varnhagen wohl ein gewisses Recht, ihm nachträglich Undankbarkeit vorzuwerfen und sein verächtliches Urteil über Tettenborn zu vertuschen [27]. Im Gegensatz zu Czernitscheff unternahm nämlich Tettenborn seinen Streifzug nach Bremen ohne Bernadottes Zustimmung, wie er auch dort nach dem endgültigen Abzug der Franzosen auf eigene Verantwortung die alte republikanische Verfassung wieder einführte und damit erst die Erwartungen erfüllte, die Varnhagen ebenso wie Marwitz vom Erfolg des freiheitlichen Geistes hegten. Denn diese selbstbewusste Freizügigkeit bewirkte, dass sogar diejenigen, die faktisch die politische Macht in Händen hatten, Tettenborns Proklamationen bestätigen mussten [28], und darin lag für Varnhagen

[24] Varnhagen an Perthes, Berlin 25. Nov. 1827: HH StA Perthes Nachlass I M 17a Bl 124-125 "Je weiter ich im Leben vorschreite, desto inniger fühle ich mich mit den Freunden zusammengehörig, mit welchen ich bedeutende Strecken vereint zurückgelegt, und auch noch jetzt ungeachtet der mit jedem Schritte vervielfacht eröffneten Wege die tiefere Gemeinsamkeit der Richtungen nicht aufzugeben habe! In dieser Geschichtsverwandtschaft liegt gewiss ein starkes Band, und in mancher Hinsicht dürfte es ebenso unauflösbar sein, als das der Blutsfreundschaft". Vgl. auch Varnhagen an Pückler, Berlin 5. Nov. 1830: Pückler-Bfw S. 34.
[25] Vgl. Varnhagen an Rahel, Verden 24. Okt. 1813: Bfw III, 185. W. v. Bippen. Geschichte der Stadt Bremen III, 384. C. Misch, a.a.O. S. 28.
[26] Vgl. B. v. Quistorp. Geschichte der Nord-Armee II, 71ff. Dazu Bernadotte an Wallmoden, Zerbst 28. Sept. 1813: Denkschriften und Briefe II, 46. Vgl. Nostitz an Varnhagen, Dresden 22. Feb. 1815: Aus K. v. Nostitz Leben, S. 183f. Denkschriften und Briefe IV, 85f.
[27] Vgl. K. v. Fouqué an Varnhagen, Nennhausen 2. Juni 1813. In: Biographische Portraits, S. 144. Varnhagen an Rahel, Boitzenburg 3. Dez. 1813: Bfw III, 221. Vgl. ferner Marwitz an Rahel, Lauenburg 3. Mai 1813: Rahel und A. v. d. Marwitz in ihren Briefen, S. 282f. Dazu Galerie von Bildnissen aus Rahel's Umgang II, 104.
[28] Geschichte der Kriegszüge des Generals Tettenborn. S. 111f. Dkw IV, 22. III², 85. IV³, 63. Dazu W. v. Bippen. Geschichte der Stadt Bremen III, 392. Vgl. Tettenborn an Stein, Bremen 8. Nov. 1813: Stein-Bfw IV, 459. – Das Schreiben ist möglicherweise sogar von Varnhagen verfasst, da es wie in seiner 'Geschichte der Kriegszüge' proklamatorisch die Behauptung enthält, dass Tettenborn nach dem "zweiten Ein-

zunächst der günstige Ausgang begründet, wobei auch Bernadotte Tettenborn dementsprechend belohnte, indem er ihn, wie Varnhagen schrieb, "unter seinen unmittelbaren Befehl" stellte und ihm "keine andere, als ganz allgemeine Bestimmungen" gab, "die Art und Weise der Ausführung und jede Berücksichtigung neuer Umstände ganz seinem freyen Urtheil überlassend" [29]. Faktisch wurde Tettenborns Kosaken-Brigade aus dem Korps des Generals Wallmoden herausgenommen und dem russischen Armeekorps unter dem General Woronzoff zugeteilt [30], und tatsächlich erhielt dadurch Tettenborn insofern eine freiere Stellung [31], als ihn Wallmoden bei aller Duldsamkeit, die er gegen ihn beobachtet hatte, doch persönlich bedrängte; denn auch der Streifzug nach Bremen war von seiner Einwilligung abhängig gewesen [32].

Bremen war wie Hamburg eine entscheidende Station in Varnhagens persönlicher Entwicklung, aber nicht als geschichtlicher Erlebnisraum, sondern im Hinblick auf seine spätere materielle Sicherheit [33]. Im Unterschied zu Hamburg blieb für Bremen Tettenborns militärische Leistung sein unbestrittenes Verdienst [34], und selbst die widerrechtliche Aneignung von Privateigentum erregte diesmal weniger Aufsehen als der blosse Versuch dieser Art, den Tettenborn in Hamburg sogar im Sinne Steins unternommen hatte, um in den Besitz der Bank zu gelangen [35]. Als Varnhagen deshalb Tettenborn für seine umsichtige Kriegsführung uneingeschränktes Lob spendete, behauptete er damit, auch wenn sein

rücken in Bremen... auf Befehl des Kronprinzen von Schweden die Französischen Behörden... sämmtlich abgeschafft" habe. Vgl. dazu Stein an Hardenberg, Frankfurt a.M. 3. Dez. 1813: Stein-Bfw IV, 483. Ferner über Czernitscheff Geschichte der Kriegszüge des Generals Tettenborn, S. 86. Dkw III, 454f. III², 64. IV³, 48.

[29] Geschichte der Kriegszüge des Generals Tettenborn, S. 116f. Dkw IV, 27. II², 89f. IV³, 66. Vgl. Varnhagen an Rahel, Bremen 14. Nov. 1813: Bfw III, 202. W. v. Bippen. Geschichte der Stadt Bremen III, 392.

[30] Vgl. die Eintheilung der Nord-Armee unter dem Kronprinzen von Schweden am 30. Nov. 1813: B. v. Quistorp. Geschichte der Nord-Armee III, 182f. Dazu ders. ebda II, 417.

[31] Vgl. Tettenborn an Stein, Tönningen 2. Jan. 1814: G. H. Pertz. Stein III, 705. – Wie es hier, wohl nach Varnhagens Formulierung, heisst, "brachen alle unsere Truppen auf verschiedenen Punkten in Holstein ein". Vgl. über Varnhagens Sekretärsposten seinen Brief an Rahel, Kiel 21. Jan. 1814: Bfw III, 284.

[32] Über Wallmoden vgl. Geschichte der hamburgischen Begebenheiten, S. 84f. Dkw III, 319f. II², 460f. III³, 319f. Dazu [Varnhagen] Charakteristik des Generals, Grafen von Wallmoden. In: Zeitgenossen, I/3 (1816) S. 188. Zur Verfasserschaft vgl. C. Misch, a.a.O. S. 170. Ferner Geschichte der Kriegszüge des Generals Tettenborn, S. 89. Dkw IV, 1. III², 67. IV³, 50. Noch entschiedener zugunsten von Wallmoden B. v. Quistorp. Geschichte der Nord-Armee II, 403. Vgl. auch Rahel an Varnhagen, 20. April 1813: Bfw III, 50. Ferner dagegen Stägemann an Schön, Berlin 30. Juni 1813: Briefe und Aktenstücke zur Geschichte Preussens I, 307.

[33] Vgl. Varnhagen an Rahel, Bremen 17. Okt.; Verden 24. Okt. 1813: Bfw III, 183; 185. Dazu C. Misch, a.a.O. S. 28.

[34] Vgl. H. Pröhle. Die Lützower, DtM 4 (1854) S. 172. Ders. Friedrich Ludwig Jahn's Leben, S. 115. Dazu Varnhagens Notiz, 28. Dez. 1853: Tgb X, 392. K. J. v. Zwehl. Die Befreiung Bremens von französischer Herrschaft 1813. Bremisches Jahrbuch, 20 (1902) S. 179. C. Misch, a.a.O. S. 28.

[35] Vgl. C. Misch, a.a.O. S. 28; 145f. Ferner J. H. W. Smidt, a.a.O. S. 402. Vgl. auch P. Poel. Hamburgs Untergang, ZsVHG 4 (1858) S. 33f. J. G. Rist. Lebenserinnerungen II, 182f. Stein an Alopaeus, [Reichenbach 30. Juli 1813]: Stein-Bfw IV, 386. Alopaeus an Stein, Ludwigslust 14. Mai 1813: Stein-Bfw IV, 61. Dazu G. Ritter. Stein, S. 445.

panegyrischer Stil nicht vertrauenerweckend sein mochte, faktisch belegte Tatsachen. Aber trotzdem konnte für ihn persönlich die historisierende Betrachtung bremischer 'Begebenheiten' nicht befriedigend ausfallen. Sein geographisch in Bremen lokalisierter Standpunkt war zu einem Überblick über die gleichzeitige allgemeine Entwicklung nicht geeignet. Der dazu notwendige Nachrichtenverkehr zwischen Tettenborn und den Oberkommandierenden der Hauptheere sowie diplomatischen Vertretern der Mächte begann sich mit der Sendung des Rittmeisters Herbert gerade erst zu beleben, als bereits die Siegesbotschaft aus Leipzig eintraf und Varnhagen in seinem "unendlichen Dankgefühl zu Gott", wie er an Rahel schrieb, dennoch zuerst nur "gerührt und verwirrt" davon war [36]. Denn wie er in Hamburg Tettenborns Einzug versäumt hatte, konnte er diesmal wieder nicht als Augenzeuge an der entscheidenden Situation teilnehmen und merkte immer noch nicht, dass er gerade in der Distanz dem Geschehen gegenüber ein viel besseres Urteilsvermögen entwickelte [37]. Als er nämlich in Bremen seine Schrift über Hamburg zur Drucklegung vorbereitete, musste er praktisch die teils esoterischen Gesichtspunkte seiner Geschichtschreibung schon fallen gelassen haben [38] und umgekehrt bewusst deren publizistischer Ausstrahlungskraft Rechnung tragen.

Nachdem Varnhagen bisher bloss die Situation von Hamburg im Frühjahr 1813 als eine geschichtliche betrachtet hatte und an ihr alles Geschehen auf seine Geschichtlichkeit hin prüfte, vermochte ihm die Befreiung Bremens auch im Hinblick auf Tettenborn als dem Befreier den Eindruck von Hamburg nicht noch einmal zu wiederholen, und die einzige geistige Entsprechung lag in der Unmittelbarkeit des lebendigen Hanseatentums, dem Varnhagen selbst sogar seine Feder lieh [39]. Dass sich in Bremen zudem gleichzeitig zur Veröffentlichung seiner Schrift über Hamburg Gelegenheit bot – denn Tettenborn bekundete sein Interesse, und Perthes tauchte plötzlich auf [40] – war ein Umstand, der Varnhagens innerer Entwicklung damals durchaus entsprach, und darin äusserte sich wesentlich die schicksalshafte Wendung, die er, wenn er sich den Gang der Ereignisse geschichtlich überlegte, auch persönlich empfand, insofern sie

---

[36] Varnhagen an Rahel, Verden 24. Okt. 1813: Bfw III, 185. Dazu Varnhagen an K. v. Humboldt, Bremen 14. Nov. 1813: K. v. Humboldt-Bfw S. 133 Z. 18ff. Geschichte der Kriegszüge des Generals Tettenborn, S. 104; 108f. Dkw IV, 15; 19. III², 79; 83. IV³, 59; 61. W. v. Bippen. Geschichte der Stadt Bremen III, 386.
[37] Vgl. dazu Niebuhr an Perthes, Berlin 23. März 1813: B. G. Niebuhr. Briefe II, 380.
[38] Vgl. oben S. 67.
[39] Vgl. dazu [Varnhagen] Wo ist Hamburg? Zeitung aus dem Feldlager, (1813) Nr. 13 "In einem frühern Aufsatz haben diese Blätter die Meinung geäussert, dass Hamburg als Ort zwar an der Elbe liege und unter der Wuth Davouts und Hogendorps seufzt; allein als Staat fortdauernd in Freiheit und da fort bestehe, wo seine bewaffneten Bürger und Jünglinge versammelt sind, und wo sein Bestes durch Männer, wie **Perthes**, Geibel, Mettlerkamp, berathen wird". Zur Verfasserschaft vgl. Varnhagen an Rahel, Friedrichsstadt 12. Dez. 1813: Bfw III, 235. Ferner W. v. Bippen. Geschichte der Stadt Bremen III, 383f. Dazu Geschichte der Kriegszüge des Generals Tettenborn, S. 112f. Dkw IV, 23f. III², 86f. IV³, 64. Vgl. auch P. Czygan. Zur Geschichte der Tagesliteratur I, 369f.
[40] Vgl. Varnhagen an Rahel, Bremen 7. Nov. 1813: Bfw III, 196f. Dkw IV, 23. III², 86. IV³, 64.

jedoch seine Person betraf, nur existentiell wahrnahm [41]. Der publizistische Beruf, dessen Bahn er in Bremen im Dienst blosser Interessenpolitik betrat [42], war ihm zwar vom Organisatorischen her seit seiner frühesten schriftstellerischen Tätigkeit vertraut und auch als psychologische Waffe im Kampf gegen die Franzosen schon seit langem notwendig erschienen; aber sonst vermochte er ihm nicht unmittelbar einzuleuchten, weil, seiner Auffassung nach, für ihn die politische Bestimmung immer noch, wie er sie in Hamburg gefunden hatte, im Gang der allgemeinen, geschichtlichen Entwicklung liegen musste. Mit dieser aus der lebendigen Erfahrung beibehaltenen Annahme widerlegte er aber seine eigene Ansicht, der zufolge er sich um eine freie und unmittelbare "Anschauung" der Tatsachen bemühte [43], doch er wusste, dass gerade darin die Grenze seiner und, wie er mit den 'Beyträgen zur allgemeinen Geschichte' angedeutet hatte, jeder geschichtlichen Betrachtung lag, und er musste sich deshalb notgedrungen die Befreiung Bremens, wenn überhaupt, als das Werk einer gesetzmässigen Entwicklung erklären, die "mit geheimer, unwiderstehlicher Gewalt" ihren Lauf nahm, "wie sehr auch sonst die Lage und das Glück der Welt dem... zu widersprechen" schienen. "Wenn ich", schrieb er an Rahel, "in einzelnen Augenblicken wohl den ganzen Zusammenhang der Umstände, die jetzt walten, begeisterter ansehe, so bin ich doch im Ganzen meiner Seele nicht bloss still und ruhig, sondern sogar bescheiden und demüthig, weil ich wohl fühle, wie sehr ich, und wir Alle, mit unserer Weisheit nicht ausgelangt hätten, wenn nicht eine höhere Hand die Schicksale aus dem geknüpft hätte, was unserer menschlichen Leitung entrückt war" [44]. Aus dieser rückwärts gewandten Betrachtung erklärt sich beispielsweise jene Stelle, wo Varnhagen in der 'Geschichte der hamburgischen Begebenheiten' schrieb: "Mit Ungeduld sah der General *Tettenborn* dem Tage entgegen, an welchem er an der Spitze der neuen Fussvölker ausmarschiren könnte, um das dem Feind so lang überlassen gebliebene und unter Misshandlungen seufzende Bremen ebenfalls zu befreien und als Hansestadt wiederherzustellen". Dabei handelt es sich offenbar um eine erst, nachdem Bremen wirklich erobert worden war, niedergeschriebene Ergänzung, die Varnhagen nachträglich in seine Schrift einbaute, und dabei gegen Benkendorf polemisierte, der schon im Frühjahr 1813, allerdings erfolglos, vor Bremen operiert hatte [45].

Während Varnhagen das hanseatische Interesse zu einem früheren Zeitpunkt allenfalls von seinem geistigen Standpunkt her als zu wenig allgemein empfunden hätte, vermittelte es ihm nun den geistigen Nachhall dessen, was er in Hamburg geschichtlich erlebt hatte, aber bis er den lokal- und personalpoli-

[41] Vgl. Varnhagen an Rahel, Bremen 7. Nov. 1813: Bfw III, 202. Dazu Varnhagen an Rahel, Bremen 17. Okt.; Verden 24. Okt. 1813: Bfw III, 183; 185.
[42] Vgl. dazu C. Misch, a.a.O. S. 94f.
[43] Varnhagen an Reimer, [Teplitz] 8. Aug. 1814: DZA, Hist. Abt. II, Merseburg, Rep. 92 Nachlass G. A. Reimer VII Bl 1.
[44] Varnhagen an Rahel, Bremen 14. Nov. 1813: Bfw III, 202.
[45] Vgl. Geschichte der hamburgischen Begebenheiten, S. 85f.; 68. Dkw III, 320; 306. II², 461; 449. III³, 320; 311.

tischen Gehalt, der sich in seiner Geschichtschreibung überhaupt auszuwirken begann, gedanklich durchdringen und in seine Geschichtsbetrachtung bewusst einbeziehen konnte, brauchte es zuerst eine direkte Auseinandersetzung mit politisch oder auch charakterlich von vornherein geprägten Mitmenschen. Dabei wäre ihm allerdings seine in einem engeren Sinn historiographische Darstellungsweise bald unmöglich geworden, wenn sich nicht während des letzten Teils der kriegerischen Ereignisse in Frankreich eine Situation ergeben hätte, welche faktisch jene Art von Überblick gewährte, wie sie Varnhagen in Hamburg durch Tettenborns diplomatischen Verkehr kennengelernt hatte. Dafür bildete aber auch Tettenborns Truppenkörper eine wichtige Voraussetzung, weil dessen Beweglichkeit ganz besonders der Aufklärung feindlicher Kriegspläne diente.

Schon in der 'Geschichte der hamburgischen Begebenheiten' berichtete Varnhagen von einem hannoverschen Postmeister, der "einen französischen Kourier, der als Überbringer wichtiger Befehle durchreiste, todt geschlagen, und die Papiere desselben an den General *Tettenborn* nach Hamburg eingeliefert" habe [46]. Beim Wiederbeginn der Kämpfe nach dem Waffenstillstand hatten darauf Tettenborns Kosaken mit überraschenden Aktionen, die sie im Gebiet von Mecklenburg und Hannover gegen die Franzosen ausführten, gleichzeitig ein Nachrichtennetz errichtet, das die entsprechenden Pläne des Tugendbundes faktisch erst zu verwirklichen schien; "sie fingen", wie Varnhagen bemerkte, "Kuriere, Posten und Zufuhren auf, machten alle französische Verwaltung unmöglich, schnitten Nachrichten ab und verbreiteten welche, überfielen kleinere Truppenabteilungen auf dem Marsch und in den Gegenden und Quartieren, und beunruhigten die ganze Gegend" [47]. Abgesehen von der publizistischen Auswertung aufgefangener Briefschaften, die mit ironischen Bemerkungen versehen in der Tettenbornschen 'Zeitung aus dem Feldlager' erschienen [48], bot die Unmittelbarkeit solcher Schreiben einen Anreiz, der daneben auch zu geschichtlicher Betrachtung aufforderte, und sogar Tettenborns Stabschef Ernst von Pfuel, der die erste Nummer ihrer Feldzeitung mit dem Artikel 'Kurze Übersicht des Feldzugs des Marschalls Davoust' eingeleitet

[46] Geschichte der hamburgischen Begebenheiten, S. 89f. Dkw III, 324. II², 464f. III³, 324.
[47] Geschichte der Kriegszüge des Generals Tettenborn, S. 80. Dkw III, 449. III², 59f. IV³, 44. Vgl. die Nachricht. Zeitung aus dem Feldlager, (1813) Nr. 4 "Ausser diesen Nachrichten von den verbündeten Armeen, können wir heute unsern Lesern auch unmittelbar Nachrichten von dem französischen Heeren [sic!] mittheilen. Den 12ten September ist nämlich das grosse Brieffelleisen, das von Dresden nach Frankreich abgegangen war, zwischen Wurzen und Leipzig von unsern Parteigängern weggenommen worden, und eine Anzahl von mehreren tausend Briefen giebt uns das getreue Bild des Zustandes, der bei der französischen Armee herrscht, und in dessen Schilderung alle Briefe wunderbar übereinstimmen".
[48] Vgl. das Schreiben aus Ratzeburg den 21sten September. Zeitung aus dem Feldlager, (1813) Nr. 4. Vgl. auch P. Czygan. Zur Geschichte der Tagesliteratur I, 367ff. Ferner Aufgefangener Brief. Zeitung aus dem Feldlager, (1813) Nr. 12. Dazu Geschichte der Kriegszüge des Generals Tettenborn, S. 82ff. Dkw III, 451f. III², 61f. IV³, 45f.

hatte [49], bezeichnete sich im letzten seiner in Fortsetzung erschienenen Beiträge über Davout ausdrücklich als dessen "Historiographen". Doch im Unterschied zu Pfuel, der "in aufgefangenen Briefen" jeweils bloss den faktischen Aussagewert berücksichtigte [50], musste Varnhagen allein schon der Umstand, dass er überhaupt einen fremden Brief zu sehen bekam, ein besonderes Ereignis bedeuten; denn es ermöglichte ihm durchaus jene Form geschichtlicher Anteilnahme, die er ständig suchte.

Was also Tettenborn aus rein militärischen Erwägungen tat, wenn er während des Feldzugs in Holstein "dänische Offiziere" gefangen nahm und ihre Papiere an Bernadotte übersandte, diente Varnhagens historiographischem Beruf, indem er durch die Kenntnis ihres Inhalts Einsicht in die Verhältnisse des Gegners gewann. "Das Merkwürdigste", erzählt Varnhagen, "war ein Schreiben des *Königs von Dänemark* an den *Prinzen Friedrich von Hessen,* worin die ganze Lage des Staats auf das Deutlichste enthüllt wurde. Die Franzosen hiess es unter Anderm, hörten schon seit drey Monaten auf, die festgesetzten Summen zu bezahlen, es fehle daher gänzlich an Geld wie an Truppen, und der Krieg könne unmöglich fortgesetzt werden, ohne selbst Jütland in Gefahr zu bringen, es müsse daher auf alle Fälle schleunigst ein Waffenstillstand geschlossen werden, damit der Graf *Bernstorff* inzwischen den Frieden einleiten könne" [51].

Im Krieg gegen Dänemark war die ganze Tätigkeit des Generals Tettenborn für Varnhagen eine weitere Bestätigung seines ihm in "Geschichtsverwandtschaft" verbundenen Standpunkts. "Nie gab es einen schöneren Zug, als diesen unseres Generals nach der Eyder", berichtete er an Rahel und versäumte es nicht, zugleich auf die geringen Erfolge hinzuweisen, welche damals die Generäle Dörnberg und Wallmoden erzielt hatten [52]; Tettenborn war nämlich aufgetragen gewesen, "seine Truppen ... zusammenzuziehen, um den General *Dörnberg* nöthigenfalls aufnehmen, und sich mit ihm den Rückzug über die Eyder bei Friedrichsstadt sichern zu können" [53]. Geschichtlich gesehen war der gesamte Krieg gegen Dänemark jedoch ein Ereignis, das Varnhagens Standortsbewusstsein nicht befriedigen konnte, und wenn er im Zusammenhang mit dem Rückzug der Franzosen nach ihrer Niederlage bei Leipzig meinte, dass Dänemark "im Norden ein gefährlicher Feind" geblieben sei, "auf den sich das

---

[49] Vgl. [E. v. Pfuel] Kurze Übersicht des Feldzugs des Marschalls Davoust. Zeitung aus dem Feldlager, (1813) Nr. 1. Zur Verfasserschaft vgl. Varnhagens eigenhändige Notiz [Faksimiledruck] In: K. Bömer. Varnhagen von Ense, ein "Offiziosus" von ehedem. Der Türmer XXXI/2 (1929) S. 58.

[50] [E. v. Pfuel?] Fortsetzung des Feldzugs des Marschalls Davoust. Zeitung aus dem Feldlager, (1813) Nr. 14. Vgl. P. Czygan. Zur Geschichte der Tagesliteratur I, 370.

[51] Geschichte der Kriegszüge des Generals Tettenborn, S. 121. Dkw IV, 31f. III², 93f. IV³, 69f. Vgl. Tettenborn an Stein, Tönningen 2. Jan. 1814: G. H. Pertz. Stein III, 705f. Varnhagen an Rahel, Friedrichstadt 12. Dez. 1813: Bfw III, 236. Ferner B. v. Quistorp. Geschichte der Nord-Armee II, 441.

[52] Varnhagen an Rahel, Friedrichstadt 12. Dez. 1813: Bfw III, 235f. Geschichte der Kriegszüge des Generals Tettenborn, S. 124ff. Dkw IV, 25ff. III², 96ff. IV³, 71ff. Vgl. B. v. Quistorp. Geschichte der Nord-Armee II, 463ff.; 465ff.

[53] Geschichte der Kriegszüge des Generals Tettenborn, S. 127. Dkw IV, 37. III², 98. IV³, 73. Vgl. dazu Adlercreutz im Auftrag Bernadottes an Wallmoden, 9. Dez. 1813: B. v. Quistorp. Geschichte der Nord-Armee II, 445f. Ferner ders. ebda III, 318 A. 701.

Augenmerk des *Kronprinzen von Schweden* vorzugsweise richten musste"[54], gab er damit selbst einer politischen Eingebung nach, die sich ihm bereits im befreiten Hamburg aufgedrängt hatte[55], doch wenigstens spricht die Zurückhaltung, die er sich in seinen gegen Dänemark gerichteten Artikeln auferlegte, für sein ursprünglich rein geschichtliches Zeiterleben[56]. Seine Anteilnahme für die Person des schwedischen Kronprinzen und dessen Politik rührte nämlich auch von ganz anderen als politischen Umständen. Schon bei ihrer ersten persönlichen Begegnung in Bremen konnte Varnhagen zu Bernadotte sogleich Vertrauen fassen, und, wie er an Rahel schrieb, gab ihm seine "Einweihung in die Angelegenheiten ... im voraus alles dazu an die Hand"[57], sodass eine wichtige Voraussetzung für jene Art von Geschichtsbetrachtung gegeben war, wie sie Varnhagen in seiner Schrift über Hamburg historiographisch verwirklichte.

Wenn sich aber Varnhagens Beziehungen zu Bernadotte sofort zu einem engeren Vertrauensverhältnis gestalteten, verdankte er diesen Umstand der bloss zufälligen Abwesenheit August Wilhelm Schlegels, der zu jenem Zeitpunkt sonst den Posten eines Sekretärs bei Bernadotte versah. Schlegel betrachtete nämlich seinen persönlichen Vorgesetzten mit derselben Hochachtung, die auch Varnhagen weder Tettenborn noch überhaupt "historischen Bekanntschaften" versagte[58], und ebenso wie Varnhagen der Sache der Freiheit zu dienen glaubte, wenn er sich für die Interessen der Hansestädte einsetzte, ging es Schlegel um die, wie er schrieb, "unabhängige Stellung, in die sich Schweden schon vor Ausbruch des Krieges gesetzt" habe[59]. Dabei aber mussten sie beide die Fragwürdigkeit ihrer politischen Haltung einsehen lernen, weil sie selbst den nationalen Bestrebungen, denen sie das Wort redeten, nicht ursprünglich angehörten, sondern geistreich genug waren, um ihnen bloss publizistisch zu dienen[60]. Deshalb vermochte auch Varnhagen ohne Schwierigkeiten an die Stelle Schlegels zu treten, und nachdem ihn Bernadotte noch aufzustacheln schien, entschloss er sich sogar zu einer gegen Schlegel gerichteten Stellung-

---

[54] Geschichte der Kriegszüge des Generals Tettenborn, S. 115. Dkw IV, 25. III², 88. IV³, 65.
[55] Vgl. Varnhagen an Rahel, Hamburg 7. Mai 1813; 25. Mai 1813: Bfw III, 65f.; 103.
[56] Vgl. Varnhagen an Rahel, Bremen 2. Feb. 1814: Bfw III, 290. Dazu [Varnhagens Artikel], Friedrichsstadt, den 10. December. Zeitung aus dem Feldlager, (1813) Nr. 13. Zur Verfasserschaft vgl. Varnhagen an Rahel, Friedrichsstadt 12. Dez. 1813: Bfw III, 235.
[57] Varnhagen an Rahel, Bremen 26. Nov. 1813: Bfw III, 215.
[58] Vgl. A. W. Schlegel an Metternich, Stockholm Anfang 1813: L. Schmidt. Ein Brief August Wilhelm v. Schlegels an Metternich, MIöG 23 (1902) S. 491. Ferner vgl. auch Varnhagen an K. v. Humboldt, Bremen 14. Nov. 1813: K. v. Humboldt-Bfw S. 135 Z. 36f.
[59] A. W. Schlegel an Dörnberg, Stockholm 13. April 1813: G. H. Pertz. Gneisenau II, 677.
[60] Vgl. dazu Varnhagen an Rahel, Köln 11. Feb.; Paris 4. Mai 1814: Bfw III, 295; 339f. Ferner D. Schlegel an S. Boisserée, 24 Aug. 1813: D. v. Schlegel geb. Mendelssohn und deren Söhne J. und P. Veit. Briefwechsel II, 196f. F. Schlegel an A. W. Schlegel, Wien 8. Juni 1813: F. Schlegel. Briefe an seinen Bruder August Wilhelm, S. 541f. Dazu O. Brandt. August Wilhelm Schlegel, S. 165ff. Ferner auch R. Haym, a.a.O. S. 466.

nahme, die er in seiner 'Geschichte der Kriegszüge' veröffentlicht hat [61]. Umgekehrt aber war es für die Übereinstimmung ihrer grundsätzlichen Haltung bezeichnend, dass daraus kein öffentlich geführter Schriftwechsel entstand; denn Schlegel liess Varnhagen nicht nur als neuen Wortführer schwedischer Politik unangefochten gewähren, sondern erklärte sich ausserdem persönlich mit ihm verbunden, wobei er auf die ihnen gemeinsame publizistische Kampfweise und ihre deutsche Gesinnung anspielte [62]. Dieses Entgegenkommen hat Varnhagen seinerseits durchaus erwidert und sich insofern auch von Rahel unterschieden, die über Schlegel ungünstig urteilte [63].

Der geistige Anschluss an Bernadotte wurde für Varnhagen deshalb kein Problem, weil er in ihm den Franzosen in Schweden und damit allgemein den Heimatlosen, der er selber war [64], erkennen musste. Dass er daneben auch noch seine persönliche Abneigung, die er seit der Befreiung Hamburgs gegen Dänemark hegte, im Dienst schwedisch gesonnener politischer Publizistik formulieren konnte, war einer jener glücklichen Umstände, wie sie in seinem Leben überhaupt manchmal vorkamen; denn seine eigenste politische Ansicht, wie der Däne Steffens vermutete, vertrat er damit kaum [65]. Was er dagegen in seinem Artikel 'Frankreichs Aussichten' im Hinblick auf eine französische Thronkandidatur Bernadottes andeutete, gewann er wiederum bloss aus geschichtlichen Überlegungen. ''Frankreich'', schrieb er nämlich, ''darf und kann die erlebte Revolution aus seinem Geschichtsleben nicht ausscheiden...'' [66], und insofern wurde für ihn zuletzt der Krieg in Frankreich allgemein zu einem Prüfstein zeitgeschichtlicher Entwicklung. Dementsprechend gestaltete sich auch sein Pariser Aufenthalt im Gefolge der siegreichen Verbündeten zu einem Erlebnis, das er selbst angesichts der politischen Veränderungen eine ''lehrreiche Geschichtsübung'' nannte [67], wogegen er noch anlässlich des beschwerlichen Winterfeldzuges in Holstein anders empfunden und in einem Brief an Rahel geschrieben hatte: ''Beim Himmel, diese Art Begebenheit ist besser in Geschichtbüchern zu lesen, als mitzuleben, und ich will froh sein, wenn erst

---

[61] Geschichte der Kriegszüge des Generals Tettenborn, S. 119. Dkw IV, 29f. III², 91f. IV³, 68. Vgl. auch O. Brandt. August Wilhelm Schlegel, S. 163. Vgl. ferner Varnhagen, an Rahel, Bremen 26. Nov. 1813: Bfw III, 215. VSchr NF III (= VII), 531f.

[62] Vgl. A. W. Schlegel an Varnhagen, Kiel 25. Dez. 1813: Briefe von und an A. W. Schlegel, I, 299. Vgl. ferner auch Varnhagen an Rahel, Paris 21. Mai; Baden b. Rastatt 21. Juni 1814: Bfw III, 363; IV, 14.

[63] Varnhagen an Rahel, Kiel 21. Jan. 1814: Bfw III, 282. Vgl. Rahel an Varnhagen, 1. Mai 1813: Bfw III, 60.

[64] Vgl. Varnhagen an K. v. Humboldt, Prag 5. Aug. 1812: K. v. Humboldt-Bfw S. 56 Z. 29ff.

[65] Vgl. Varnhagen an Rahel, Paris 4. Mai 1814: Bfw III, 340. Dazu Dkw NF II (= VI), 126ff. III², 202f. IV³, 158f. Ferner Varnhagen nach C. Misch, a.a.O. S. 94. — Steffens Aufsatz im 'Rheinischen Merkur' war für mich unauffindbar.

[66] [Varnhagen] Frankreichs Aussichten. Zeitung aus dem Feldlager, (1814) Nr. 15 Vgl. O. Brandt. August Wilhelm Schlegel, S. 195. Ferner Varnhagen an Rahel, Tönningen 22. Dez. 1813; Hadersleben 11. Jan. 1814: Bfw III, 254; 279. Zur Verfasserschaft vgl. C. Misch, a.a.O. S. 94.

[67] Varnhagen an Rahel, Paris 4. Mai 1814: Bfw III, 339.

wieder einige Ruhe in diese ungeheuren Massen, oder einiges Licht in ihre Bewegung gekommen ist" [68].

Ein solches "Licht" leuchtete für Varnhagen 1810 in Paris, wo sich ihm nämlich jener unmittelbare Eindruck von Freiheit wiederholte, den er seit der hamburgischen Erhebung in sich trug, doch bestand ein Unterschied darin, dass er in der veränderten Umgebung seines Standorts sich nicht scheute, faktisch als den Ursprung freiheitlicher Bestrebungen nicht nur für Frankreich, sondern überhaupt die Französische Revolution in seine geschichtliche Betrachtungsweise einzubeziehen [69]. Seitdem war für Varnhagen dieses weltgeschichtliche Ereignis Ausdruck seiner persönlichen, in einem freigeistigen Glauben wurzelnden Auffassung der Geschichte, und während sich dabei gemessen an ihrer publizistischen Wirkung auch ihr politisch proklamativer Inhalt nicht verleugnen liess [70], war doch die Folgerung, die Varnhagen aus den allgemeinen Verheissungen der verbündeten Herrscher zog, so streng, dass er seinen ursprünglichen historiographischen Standpunkt nicht preisgeben musste; denn "unsere Fürsten", schrieb er in der 'Geschichte der Kriegszüge', "Staatsmänner, Heere und Völker führen jetzt die Sprache der Freyheit, derselben Freyheit, die von den Franzosen im Anfang gewollt, gesucht, erfochten worden ist, für die jetzt ganz Europa in Waffen stand. Die Geschichte geht ihren grossartigen Gang, um einzelne Völker unbekümmert, und trägt ihre Aufgaben oft unvermuthet über, indem Ein Volk vollendet, was ein anderes begann. Wir haben den Freyheitskrieg der Franzosen fortgesetzt, und wie sie damals, so jetzt wir in dem nämlichen Werke gesiegt. Die Enge der Zeit lässt den Mitlebenden nicht immer zu, die Einheit der Richtung in dem Mannichfaltigen der Ereignisse zu erblicken, aber die Geschichte führt öfters ihre eignen Standpunkte herbey, von welchen sie sich wie von Anhöhen herab übersehen lässt. Wir sind dahin geführt worden, wo die Übersicht leicht ist, . . ." [71].

Was Varnhagen hier von der Geschichte aussagte, entsprach grundsätzlich jener Vorstellung, die schon Beneke in seiner Schrift 'Heer-Geräth für die hanseatische Legion' dargelegt hatte. Varnhagen übernahm daraus jedoch nicht so sehr die gedanklichen Ergebnisse wie die bildhafte Ausdrucksweise, auch wenn er nicht wie Beneke den Standpunkt des Historikers mit einem "Berg-Gipfel der Geschichte" verglich, sondern gewandter von den "Anhöhen" sprach [72]. Von sich aus stellte er aber den geistigen Zusammenhang zwischen der Französischen Revolution und der Bewegung der Freiheitskriege fest, wobei er gleichzeitig nur nach dem freiheitlichen Drang beider Tatsachen urteilte und die in der Zeit allgemein besprochene Frage nach der nationalstaatlichen

[68] Varnhagen an Rahel, Tönningen 22. Dez. 1813: Bfw III, 253.
[69] Geschichte der Kriegszüge des Generals Tettenborn, S. 202. Vgl. auch Varnhagen an Rahel, Hadersleben 11. Jan.; Trier 18. Feb. 1814: Bfw III, 281; 307.
[70] Vgl. Stägemann an E. Stägemann, [Wien] 12. Jan. [1815]: H. v. Olfers geb. v. Staegemann I, 275. Ferner auch Varnhagen an Rahel, Villeneuve-le-Roi 10. April 1814: Bfw III, 317.
[71] Geschichte der Kriegszüge des Generals Tettenborn, S. 200f.
[72] [F. Beneke] Heer-Geräth für die hanseatische Legion, S. 2.

Einigung gar nicht berührte. Wiederum zeigt sich an dieser Stelle eine Grenze von Varnhagens Geschichtschreibung überhaupt, doch innerhalb seines beschränkten Gesichtsfeldes, dessen Zwang er deshalb nicht empfand, weil er vom Standpunkt der Freiheit zu urteilen glaubte, gewann er einen geschichtlichen Überblick, dem entsprechend ihm auch später unabhängig von der nationalen Frage die Revolutionen von 1830 und 1848 in einer fortschreitenden Ereigniskette zu liegen schienen [73]. Wie eine Aufzeichnung aus dem Jahre 1845 bezeugt, hatte er sich sogar, bevor er diese Entwicklung abschliessend überblicken konnte, schon gefragt, ob er die damals im Entstehen begriffene "preussische Konstitution auch rechnen" solle [74], und bei der ursprünglichen Unmittelbarkeit seiner Geschichtsbetrachtung war ein solcher Gedanke bereits spekulativ. Die Vorstellung einer von den Völkern abwechselnd getragenen Freiheitsidee ging aber auf frühere, zuerst durch Fichte in Varnhagen angeregte Betrachtungen zurück [75], die er ausgehend von der grundsätzlichen Frage nach dem "Leben der Menschheit" und insofern auch im Hinblick auf die "geschichtlichen Erscheinungen" angestellt hatte [76]. Darin lag ein wesentlicher Unterschied zu jener Art formalen Geschichtsverständnisses, der zufolge er sich schliesslich mit dem begnügte, was er sprachlich an Hand der Proklamationen von Monarchen und Befehlshabern als gesicherte Tatsache betrachten konnte und in diesem Sinn nicht nur in der 'Geschichte der Kriegszüge', sondern auch an Rahel bald nach dem siegreichen Ausgang des Krieges berichtete: "Frankreich ist frei", schrieb er ihr, "die Völker und Fürsten versöhnt, die Revolution beschlossen mit dem, was ihr Anfang wollte und im Getümmel der Partheien nicht erreichen konnte; die Fürsten sprechen jetzt alle wie Mitglieder der Nationalversammlung vom Jahre 1790, sie wollen die Freiheit der Völker, die Völker das Ansehen der Fürsten" [77].

So geistreich diese Bemerkung war und Varnhagen selbst vom Standpunkt seiner 'Beyträge zur allgemeinen Geschichte' durchaus naheliegen musste, enthüllte sie doch nicht den historischen Hintergrund, sondern leitete einen oberflächlichen Zusammenhang her, dessen Richtigkeit sich erst als politische Maxime zu erweisen hatte. Da der Aufenthalt in Paris bei aller äusseren Lebendigkeit doch kein Geschichtserlebnis wurde und eine Denkschrift, die Varnhagen damals unter dem Titel 'Die Rückkehr der Bourbons' zu schreiben begann, ein "Bruchstück" blieb, zeigte es sich um so deutlicher, wo in der 'Geschichte der Kriegszüge' die "Anschauung", derer er sich rühmte, fehlte und dafür ein politisches Anliegen verborgen lag. "Meine Schrift tadelt nie geradezu", erklärte er Reimer, "sie stellt bloss dar, und da kommen freilich manche

[73] Vgl. Varnhagens Notiz, 24. Mai 1846: Tgb III, 350f. Dagegen K. Wolff, a.a.O. S. 23f. F. Meinecke. Weltbürgertum und Nationalstaat, S. 178ff. Vgl. aber auch Varnhagens Notiz, 30. Juni 1850: Tgb VII, 229f. – Ferner Varnhagens Notizen, 3. April 1850; 17. April 1852; 13. Jan. 1854: Tgb VII, 121; IX, 168; X, 408.
[74] Varnhagens Notiz, 12. Feb. 1845: Tgb III, 30.
[75] Vgl. Varnhagens Notiz, 3. April 1850: Tgb VII, 121. W. Windelband. Fichtes Geschichtsphilosophie, a.a.O. S. 267ff.; 270f.
[76] Varnhagens Notiz, Kissingen 12. Juli 1839: Tgb I, 143.
[77] Varnhagen an Rahel, Villeneuve-le-Roi 10. April 1814: Bfw III, 317.

Dinge nicht ganz so heraus, als Viele wünschen mögen; die dänischen Verhältnisse kann man zwar ungestraft antasten, aber auch die schwedischen muss ich
oft in schlechtem Lichte erscheinen lassen, für Österreich und selbst für Preussen
habe ich wenig Schmeichelhaftes ... und ... beim Frieden konnte auch nicht
mit Liebkosungsworten geendet werden" [78].

Die politische Anteilnahme bedeutete in der Schrift über Tettenborns
Kriegszüge im Gegensatz zu der 'Geschichte der hamburgischen Begebenheiten'
für Varnhagens geschichtliche Betrachtungsweise keine innere Bindung. Als er
sie nämlich im Oktober 1814 Friedrich Wilhelm III. zueignete, war er nicht
ursprünglich von seiner damals neuen Stellung in preussischen Diensten, wie er
behauptete, "erfüllt" [79], sondern bezeigte sich damit in erster Linie für das
günstige Urteil erkenntlich, das er früher von ihm für seine "Wirksamkeit in
der Litteratur" empfangen hatte [80]. Wenn er aber dementsprechend von
Woltmann für seine "Darstellung", "Art der Composition" und "Meisterschaft" höchstes Lob erhielt, durfte er sich, insofern es auch Goethes Urteil war,
zu Recht geschmeichelt fühlen, wogegen es ihn bei Woltmanns Rezension
grundsätzlich trotzdem störte, dass er, obwohl "sehr lobend", doch "die
Gesichtspunkte nicht richtig hervorgehoben" habe [81]. Denn nicht bloss die
Gewandtheit des Ausdrucks, sondern ihre Wirkung im Dienste der allgemein geschichtlichen und zugleich notwendigen Entwicklung zu verstärken und gegen
die bestehenden politischen Verhältnisse mit proklamatorischem Geist aufzutreten, war sein dringendstes publizistisches Bestreben, und dazu berief er sich
auf das Beispiel Sallusts; doch dessen Erwähnung schloss im Zusammenhang
mit den äusseren Ereignissen seiner Darstellung keine ebenso zeitgemässe
geistige Quelle auf wie in der 'Geschichte der hamburgischen Begebenheiten'
der entsprechende Hinweis auf Benekes 'Heer-Geräth'. Was Varnhagen damals

[78] Varnhagen an Reimer, [Teplitz] 8. Aug. 1814: DZA, Hist. Abt. II, Merseburg,
Rep. 22 Nachlass G. A. Reimer VII Bl 1. Vgl. ferner [Varnhagen] Die Rückkehr der
Bourbons. Überlieferungen zur Geschichte unserer Zeit, (1818/Januar bis Juni)
S. 126ff. VSchr NF II (= VI), 563ff. VI², 509ff. Dazu Varnhagen an Troxler,
Karlsruhe 26. Nov. 1816; 6. Feb. 1817; 21. Jan. 1818: Troxler-Bfw S. 150f.; 161; 190.
MAL II, 313f.; 327f.; 361. Troxler an Varnhagen, Beromünster 5. Jan.; 10. März 1817;
30. Juli 1817: Troxler-Bfw S. 154f.; 166f.; 180. MAL II, 318f.; 333f.; 350. Vgl. auch
Dkw NF II (= VI), 181f. III², 383f. IX, 132ff. V³, 136.
[79] Varnhagen an Friedrich Wilhelm III., Wien 18. Okt. 1814. In: Geschichte der
Kriegszüge des Generals Tettenborn, [S. 5f.]
[80] Friedrich Wilhelm III. an Varnhagen, Chaumont 3. März 1814. In: Varnhagen an
Rahel, Paris 21. Mai 1814: Bfw III, 364. Dazu Dkw NF II (= VI), 124. III², 200.
IV³, 156.
[81] [Woltmanns Rezension] JALZ XII/4 (1815) Sp. 91. Zur Verfasserschaft vgl.
Varnhagen an Cotta, Frankfurt a.M. 17. Nov. 1815: SNM Cotta-Archiv Nr. 38
"Woltmann hat im Oktober der Jen. A.L.Z. meine Tettenborn'schen Kriegszüge sehr
lobend, aber doch nicht zu meiner Zufriedenheit, recensirt, er hat die Gesichtspunkte
nicht richtig hervor gehoben". Vgl. Briefe an Cotta II, 6. Ferner Goethe an Varnhagen,
Weimar 21. März 1816: Einige Briefe Goethe's an Varnhagen von Ense, LitZod (1835)
S. 261. Goethes Briefe (= Goethes Werke IV/26, 299 Z. 5ff.) Dazu Varnhagen an
Cotta, Mannheim 27. März 1816: SNM Cotta-Archiv Nr. 44 "Von Goethe habe ich
gestern einen sehr lieben Brief erhalten, er lobt meine Tettenborn'schen Kriegszüge,
und die deutschen Erzählungen; ich bin wahrhaft stolz darauf!" Vgl. Briefe an Cotta
II, 13.

noch an Sallust in seiner eigenen Auffassung bestärkte, entsprang einer Form der Anteilnahme, wie sie sich gegenüber einem antiken Autor notwendig nur in äusserlichen, formal erkennbaren Parallelen auswirken konnte, und aus diesem Umstand zog Varnhagen in der publizistischen Kampfbahn allergrössten Nutzen. Denn indem er für sich selbst Sallusts Geschichtschreibung als vorbildlich voraussetzte, war er in seiner schriftstellerischen Existenz allein schon durch den literarisch geprägten Stil gegen polemische Ausfälle seiner Gegenspieler geschützt [82].

Die formale Festlegung der 'Geschichte der Kriegszüge' gab ihr selbst eine innere, teilweise ästhetische, Notwendigkeit, neben welcher die politischen Betrachtungen weniger verletzend dastanden. Den geschichtlichen Hauptgedanken, soweit Varnhagen in seinem zeitgemässen Erleben befangen war, formulierte er am Schluss seiner Schrift, als er seine Anschauung von Freiheit entwickelte und mit geistreicher Schonungslosigkeit Friedrich Schlegel zitierte, der "vor vierzehn Jahren schon ... inmitten alles Getümmels der Zeit" erkannt und verkündet habe, "dass die französische Revolution eine Tendenz des Zeitalters sey, und nicht die französische bleiben könne" [83]. Auch in dieser Feststellung lag aber wie bei der Anwendung formal publizistischer Gesichtspunkte eine Beschränkung, die sich auf Varnhagens geistige Betrachtungsweise auswirkte; denn wo er sonst von der allgemeinen freiheitlichen Bewegung gesprochen hatte, setzte er nun den Begriff der französischen Revolution als geistiges Faktum ein und war dabei offenbar vorsichtig genug, um nicht ohne einen Gewährsmann diese Auffassung öffentlich zu vertreten. Doch weil er Friedrich Schlegel noch von früher her kannte [84], übersah er, dass er in ihm den Vertreter einer antirevolutionären Macht, nämlich Österreichs, durchaus ernst zu nehmen hatte und unter dieser Voraussetzung auch den Namen Mirabeau nicht, ohne politischen Widerspruch gewärtigen zu müssen, erwähnen durfte, und insofern überschätzte er auch zeit seines Lebens die Loyalität unter Gleichgesinnten [85]. Denn sobald er in seinen Schriften eine selbständig ge-

---

[82] Vgl. Geschichte der Kriegszüge des Generals Tettenborn, S. 7f. Dkw III, 382f. III², 1f. IV³, 1f. Ferner [Varnhagens Anzeige der 'Geschichte der hamburgischen Begebenheiten'] Der deutsche Beobachter oder die Hanseatische Zeitung von Staats- und Gelehrten Sachen, (1814) Nr. 37 "In dem grösseren Zusammenhang werden die hamburgischen Angelegenheiten nur um so würdiger erscheinen, bis dahin möge die gegenwärtige Schrift, die, wie Sallustius sagen würde, nur ein abgerissenes Stück grösserer Geschichtschreibung ist, sich vieler günstigen und vaterländischen Leser erfreuen!" Vgl. auch Varnhagen an Rahel, Prag 27. Mai 1810: Bfw II, 69.
[83] Geschichte der Kriegszüge des Generals Tettenborn, S. 202. Vgl. dazu [F. Schlegel] Fragmente. Athenaeum I/2 (1798) S. 56. Ferner Varnhagens Aufzeichnung über die Brüder Schlegel, 1811. In: Briefe von und an A. W. Schlegel I, S. V. Varnhagens Denkschrift an Metternich, Berlin 6. April 1836: Varnhagens Denkschrift an den Fürsten Metternich über das junge Deutschland 1836, DtR XXXI/1 (1906) S. 187. Dazu H. R. v. Srbik. Metternich II, 58. Ferner Dkw VIII, 119. V³, 335.
[84] Vgl. Varnhagen an Rahel, Prag 9. Feb. 1810: Bfw II, 42. Dazu Aus Varnhagen's Denkwürdigkeiten. Rheinisches Jahrbuch, 1 (1846) S. 202ff. Dkw VIII, 44f. II³, 309f.
[85] Geschichte der Kriegszüge des Generals Tettenborn, S. 202. Dagegen Dkw IV, 106ff. III², 158ff. IV³, 123ff. Vgl. dazu Stägemann an E. Stägemann, [Wien] 12. Jan. [1815]: H. v. Olfers geb. v. Staegemann I, 275. Ferner Niebuhr an Varnhagen, Berlin 21. Feb. 1815: B. G. Niebuhr. Briefe II, 566f. Denkschriften und Briefe III, 16.

wonnene Auffassung äusserte und dementsprechend unabhängig formulierte, setzte er sich persönlichen Angriffen aus, die er dagegen als bezahlter Wortführer eines rein staatspolitischen Interesses nicht zu fürchten brauchte. Wenn er jedoch das fiktive Interesse eines damals allerdings noch nicht bestehenden, unter Preussen geeinten deutschen Nationalstaats vertrat, erwies er sich gegenüber den im Dienste der Mächte stehenden Publizisten grundsätzlich als ebenbürtiger Gegenspieler. Was seinen publizistischen Stil betraf, konnte ihm nämlich Woltmann beispielsweise, dessen Artikel er wie diejenigen Friedrich Schlegels während des Wiener Kongresses in öffentlichen Blättern befehdete, nur Lobendes nachsagen [86]. Wo Varnhagen aber den zeitgeschichtlichen Rahmen sprengte und sich auf ältere historische Zusammenhänge berief, musste er es sich gefallen lassen, dass Woltmann sogar seine Formulierung angriff.

”Bey Anlass des Gerüchtes“, meinte Woltmann in seiner polemischen Auseinandersetzung, ”dass Napoleon dem Prinzen von Eckmühl für seinen mecklenburgischen Feldzug im Voraus das Herzogthum Mecklenburg zum Lohn bestimmt hatte, wird zu kostbar und unhistorisch gesagt: 'Das Schicksal wollte nicht, dass Albrecht von Wallensteins (warum nicht Waldsteins? warum die Verunstaltung eines solchen Namens noch immer den Franzosen nachgeschrieben?) ruhmvoller Schatten das einstige Besitzthum seiner Heldengrösse in Schmach versunken dem unwürdigen Afterhelden des Auslandes verliehen sähe'. Mit den Schatten der Abgeschiedenen hat die Historie nie etwas zu schaffen. Hätte aber Waldsteins Schatten den Marschall Davoust als Herzog von Mecklenburg gesehen: so würde er eingestanden haben, dass er mit eben so wenig Recht, als dieser, zum Herzog der Obotriten geworden, mit gleicher Verletzung der deutschen Freyheit“. Woltmann entging dabei allerdings der tiefere Sinn dieser Stelle; denn Varnhagens Vorstellung vom geschichtlichen Handeln des Schicksals war nicht bloss die Frucht eines ”Gerüchtes“, sondern wenn er hier die Gestalt Wallensteins überhaupt erwähnte, schwebte ihm eine Art lebendes Bild aus der deutschen Geschichte vor Augen, das, wie er sich wohl bewusst war, dem Bereich der ”Sage“ angehörte [87]. Ein solches Tableau sollte seiner Meinung nach auch anlässlich des ersten Jahrestags der Leipziger Schlacht aufgeführt werden, wobei, wie er meinte, eine ”*Mischung* von allegorischen und geschichtlichen Personen ... *Friedrich II* ... *die Königin von Preussen, Prinz Ludwig Ferdinand, Moreau, Hermann* ... ergreifende Geistergestalten“ gewesen wären, ”neben welchen *Schwarzenberg* und *Blücher* und andre Lebende in schöner Berührung dastünden, und denen allegorische Personen wie *Germania, Rhein* ... sich mit grosser Wirkung anschliessen könnten“ [88]. Darin lag der Ansatz einer biographisch interessierten Geschichtsbetrachtung, zu welcher Varnhagen damals noch die konkreten Voraussetzungen

[86] Vgl. [Woltmanns Rezension] JALZ XII/4 (1815) Sp. 91. Dazu Dkw NF I (= V), 76ff. III², 304ff. IV³, 244f.
[87] Geschichte der Kriegszüge des Generals Tettenborn, S. 53f. Dazu [Woltmanns Rezension] JALZ XII/4 (1815) Sp. 93.
[88] [Varnhagen] Bühnenfeyer der Leipziger Schlacht. Morgenblatt für gebildete Stände, 8 (1814) S. 1150.

fehlten und die er sich erst aneignen konnte, nachdem er sämtliche Prätentionen eines unverstandenen Dichtertums fallen gelassen hatte [89]; denn damit vermochte er auch in der überarbeiteten Fassung seiner Schrift auf die Erwähnung Wallensteins zu verzichten [90].

Was Woltmann jedoch an Varnhagen richtig erkannte und selber schätzte, waren seine Erlebnisfähigkeit und sein, wie er ihm nachrühmte, "Talent, über Geschichte und Politik zu schreiben", und als er seinerseits in österreichische Dienste trat, dachte er bei der Wahl eines "literarisch gebildeten Privatsekretärs" offenbar auch an Varnhagen [91]. Richtiger aber, als es Woltmann vom Standpunkt der österreichischen Interessenpolitik auffassen konnte, durchschaute damals Karl Friedrich Beyme, der sich selbst im Hintergrund der preussischen Politik halten musste, wie die im Sinne Sallusts kompositorisch als "Stücke eines grossen Ganzen" geplante Darstellung gedeutet werden sollte, und dementsprechend schrieb er an Varnhagen: ". . . das Ganze dieses europäischen Krieges, wovon Sie einen Theil so meisterhaft beschrieben haben, von Ihrem Genie dargestellt zu sehen, dadurch würde der Sieg über Napoleon erst ganz vollkommen werden, der mit allen seinen prahlenden Thaten kein Genie erwecken konnte, das sie beschrieben hätte" [92].

Der Krieg gegen Napoleon wurde für Varnhagen zu einem Erlebnis, das durch die blosse Faktizität der Umstände stärker als sein ursprüngliches Geschichtsbewusstsein war. Darin äusserte sich die Schwierigkeit seines Standpunkts, den er allerdings fern der grossen Entscheidungen einnahm [93], aber wohl gerade deshalb zu deren Überblick gelangte. Daher behauptete er nachträglich sogar mit einem gewissen Recht, "zuletzt in der Champagne auf dem wichtigsten Punkte des ganzen Kriegstheaters" gestanden zu haben [94]; denn den geschichtlichen Anlass der gesamten Auseinandersetzung erblickte er im

---

[89] Vgl. dazu Varnhagen an Cotta, Frankfurt a.M. 17. Nov. 1815: Briefe an Cotta II, 6. Varnhagen an Hardenberg, Frankfurt a.M. 16. Jan. 1816: DZA, Hist. Abt. II, Merseburg, Rep. 92 Hardenberg K 72 Bl 32, wo Varnhagen die Ausgaben seiner Novellen und Gedichte als "die vollständigste Abrechnung" bezeichnet, die ihm "aus früherer Zeit mit den Musen zu machen noch übrig verblieben" sei. Ferner F. Römer, a.a.O. S. 74.
[90] Vgl. Dkw III, 424. III², 38. IV³, 28.
[91] Vgl. K. [L] v. Woltmann. Preussische Charaktere. In: Beiträge zur Geschichte Preussens zur Zeit der Befreiungskriege, FBPG 40 (1927) S. 107. Woltmann an Kolowrat, [13. Sept. 1814]: ebda S. 90. Dazu Woltmann an Varnhagen, Prag 20. Okt. 1814: Deutsche Briefe I, 86f. Dagegen auch Varnhagen an Rahel, Hamburg 7. Mai 1813: Bfw III, 67.
[92] Beyme an Varnhagen, Steglitz 6. Feb. 1815: Briefe von Chamisso, Gneisenau, Haugwitz II, 239 u.f. Dazu Geschichte der Kriegszüge des Generals Tettenborn, S. 7ff. Dkw III, 382ff. III², 1ff. IV³, 1f. [Woltmanns Rezension] JALZ XII/4 (1815) Sp. 91.
[93] Vgl. Geschichte der Kriegszüge des Generals Tettenborn, S. 9ff. Dkw III, 382. III², 1. IV³, 1. [Woltmanns Rezension] JALZ XII/4 (1815) Sp. 91. Dazu auch die Anzeige. Deutsche Blätter, 6 (1815) S. 480.
[94] Varnhagen an Cotta, Teplitz 20. Juli 1814: SNM Cotta-Archiv Nr. 21. Vgl. Varnhagen an Reimer, [Teplitz] 8. Aug. 1814: DZA, Hist. Abt. II, Merseburg, Rep. 92 Nachlass G. A. Reimer VII Bl 1 ". . . und in Frankreich, wo wir zuletzt im Mittelpunkte aller Begebenheiten eine nach unseren Kräften sehr thätige Rolle gespielt haben".

Kampf gegen die Person Napoleons, bei deren Beurteilung er jedoch keine einseitig festgelegte Ansicht vertrat. Was er selbst bis zum Ausbruch der kriegerischen Ereignisse in Frankreich von Napoleon hielt, entsprach seiner eigenen existentiell unentschiedenen Lage, in welcher ihm jede Art von Anlehnung willkommen sein musste. Solange Varnhagen nicht persönlich von äusseren Geschehnissen überrascht und betroffen wurde, blieb sein Urteil über Napoleon massvoll. Teils war er für ihn der ''Unterdrücker der französischen Freiheit'' und der ''Feind der deutschen Bildung'', wie er rückblickend feststellte, teils aber auch waren seine ''tapfern französischen Soldaten ... Kämpfer der Freiheit'' [95]. Eine gewisse Hochachtung vermochte er Napoleon aus der Entfernung nicht zu versagen [96], und von der unmittelbaren Begegnung in Paris im Sommer 1810 empfing er keinen fertigen und damit auch keinen verzerrt ungünstigen Eindruck. Die Schilderung, die Varnhagen später von ihm anlässlich des Festes auf der österreichischen Gesandtschaft in den 'Denkwürdigkeiten' gab, war im Vergleich zu dem, was er, wenn auch nicht ausführlich an Rahel berichtete, deutlich auf eine objektivierende Darstellung hin stilisiert [97], und dasselbe gilt für den Abschnitt über eine Audienz, bei welcher er in Begleitung des Obersten Bentheim Napoleon aus nächster Nähe erlebte [98].

Geschichtlich für ihn selbst von Bedeutung war vor allem aber, was Varnhagen über die distanzierte Haltung der ''damals in Paris sehr zahlreichen Deutschen'' sagte, denn damit bestimmte er seinen eigenen Standpunkt. ''Insbesondere'', schrieb er nämlich rückblickend in den 'Denkwürdigkeiten', ''war unter den vielen Österreichern meines Wissens keiner, welchen der Schimmer des augenblicklichen Verhältnisses getäuscht oder befangen hätte. Die deutsche Ruhe, Gradheit und Einfachheit erhielt sich hier, wo so vieles verwirren konnte, in besonnenem und klarem Urtheil. Die in diesem Betreff Gleichgesinnten hatten sogar unter den Augen des Mächtigen durch einen gemeinsamen Ring, dessen innere Zeichen seinen Sinn andeuteten, sich zu dem Bekenntnisse vereinigt, dass sie der in Napoleon dargestellten Geschickesmacht entgegenblickten, ohne sich ihr zu beugen, noch ihr zu erstarren!'' [99] Eine solche Gemeinschaft, deren Ziel gegen Napoleons Person gerichtet war, kannte

[95] Dkw I², 421; 349. I³, 383; 315.
[96] Vgl. Varnhagen an Rahel, Tübingen 5. Jan. 1809; Hamburg 2. April 1809: Bfw I, 249; 319f. Dkw I², 408f.; 421. I³, 370; 383. Vgl. auch Dkw II³, 50. Ferner C. Misch, a.a.O. S. 15f.
[97] Vgl. Varnhagen. Das Fest des Fürsten von Schwarzenberg zu Paris, a.a.O. S. 34ff. Dkw II, 282ff. II², 218ff. III³, 65f. Ferner Varnhagen an Rahel, Paris 27. Juni 1810: Bfw II, 83. Vgl. auch Varnhagen an Rahel, Paris 4. Sept. 1810: Bfw II, 85. Dazu allerdings auch Varnhagen. Aufenthalt in Paris im Jahre 1810, a.a.O. S. 386. Dkw NF III (= VII), 135. III³, 142.
[98] Vgl. Dkw II, 299ff. II², 232ff. III³, 76ff. Dazu Varnhagen an Rahel, Paris 27. Juni 1810: Bfw II, 81. Ferner Chamisso an Neumann, Chaumont 1. Aug. 1810: A. v. Chamisso. Leben und Briefe I, 267.
[99] Dkw II, 307f. II², 239. III³, 81. Vgl. über die Deutschen in Paris Uhland an die Eltern, Paris 30. Aug. 1810: Uhland-Bfw I, 191. Chamisso an R. M. Varnhagen, Paris 8. April 1810; Chamisso an Neumann, Chaumont 1. Aug. 1810: A. v. Chamisso. Leben und Briefe I, 253; 268.

Varnhagen vordem nur in den Kreisen um Fichte und ähnlichen freimaurerischen Gruppen [100]. In Paris waren es neben Alexander von Humboldt, Schlabrendorf, Koreff, Bartholdy und anderen vor allem Sieveking und Tettenborn, denen er während seines damaligen Aufenthaltes begegnete [101], und gerade von Tettenborn hatte er ein unvergessliches Beispiel seiner Gesinnung erlebt. Anlässlich des Brandes im Palais der österreichischen Gesandtschaft hatte dieser nämlich einen französischen General, der von Verrat sprach, "empört durch den Verdacht und erfüllt vom Drange des Augenblicks, ... bei den Schultern ergriffen" und mit "zürnender Kraft", wie Varnhagen erzählt, "rücklings zu Boden" geworfen, wogegen Napoleon "von jedem Misstrauen entfernt" gewesen sei [102]. Eine ähnliche Anekdote, die Varnhagen über einen angeblichen Wortwechsel zwischen Tettenborn und Napoleon überliefert, hat im Grafen de la Garde einen weiteren Zeugen gefunden, dem es allerdings nicht wie Varnhagen darum ging, neben Napoleon Tettenborn als ebenbürtig erscheinen zu lassen [103]; denn darin äusserte sich bei Varnhagen der geschichtliche Gehalt, zu dessen Wahrnehmung er sich 1814 angesichts der bevorstehenden Auseinandersetzung mit Napoleon innerlich vorbereitete.

Das Erlebnis der 'hamburgischen Begebenheiten' war, insofern es Varnhagens Gabe geschichtlicher Anteilnahme historiographisch prägte, nur grundsätzlich in ihm wirksam. Napoleon gegenüber stand er faktisch immer noch unter dem Eindruck seines Pariser Aufenthalts vom Jahr 1810, dessen Erinnerung auch seinen politischen Standpunkt im Kreis der Gleichgesinnten von damals bestimmte; und in der Schilderung jener Audienz bei Napoleon, die er zum ersten Mal im Januar des Jahres 1814 im 'deutschen Beobachter' veröffentlichte, entwarf Varnhagen ein regelrechtes Zerrbild des Kaisers der Franzosen, das sogar Görres im 'Rheinischen Merkur', ohne sich über die Kenntnis des Verfassers auszuweisen, beinahe vollständig abdrucken liess [104]. Während Varnhagen dort, wo er auf Napoleons gesellschaftliches Auftreten zu sprechen kam, später auf der Ebene dessen stand, was den Stoff zu unzähligen anti-

[100] Vgl. Dkw III, 31ff. I², 469ff. II³, 50ff. Dazu Dkw II³, 43f. T. Roller, a.a.O. S. 8ff.
[101] Vgl. Varnhagen an Rahel, Paris 27. Juni; 4. Sept. 1810: Bfw II, 82; 85. Varnhagen. Das Fest des Fürsten von Schwarzenberg zu Paris, a.a.O. S. 1ff. Dkw II, 252ff. II², 192ff. III³, 45ff. Ferner H. Sieveking. Karl Sieveking I, 142ff.; 156ff. Vgl. dazu auch Varnhagen. Aufenthalt in Paris im Jahre 1810, a.a.O. S. 366f.; 379. Dkw NF III (= VII), 115f.; 128. III³, 127f.; 137.
[102] [Varnhagen] Fr. Carl Freiherr v. Tettenborn. In: Zeitgenossen, II/2 (1818) S. 16. Dkw III, 232. II², 385. III³, 262f. Vgl. Varnhagen. Das Fest des Fürsten von Schwarzenberg zu Paris, a.a.O. S. 24f. Dkw II, 272ff. II², 209ff. III³, 58f.
[103] Vgl. [Varnhagen] Fr. Carl Freiherr v. Tettenborn. In: Zeitgenossen, II/2 (1818) S. 16 "Napoleon selbst, der gegen Tettenborn einigen Widerwillen empfand, liess ihn am Ende gelten". Dkw III, 232f. II², 386f. III³, 263. Dazu A. de la Garde. Gemälde des Wiener Kongresses I, 43 A. 3. Ferner G. Gugitz. Einleitung: ebda S. LI.
[104] Vgl. [Varnhagen] Fragment über Bonaparte. Der deutsche Beobachter, (1814) Nr. 6. Ferner zitiert von [J. Görres] In: Übersicht der neuesten Zeitereignisse. Rheinischer Merkur, 1 (1814) Nr. 27. In: J. Görres. Der gesammelten Schriften sechster bis achter u. neunter bis elfter Band. – Varnhagens Verfasserschaft ergibt sich eindeutig durch Textvergleich. Vgl. Dkw II, 299ff. II², 232ff. III³, 76f. Dazu auch [F. G. Kühne] Varnhagen von Ense. Zeitung für die elegante Welt, 37 (1837) S. 569f. C. A. Geil. Karl August Varnhagen von Ense, a.a.O. S. 351f.

napoleonischen Pamphleten gebildet hatte [105], enthielt die ältere Fassung ausserdem metaphorische Formulierungen, wie sie am ehesten Arndt und Görres entsprechen mussten. Wichtiger aber als der Vergleich selbst, den Varnhagen zwischen Napoleon und einem reissenden Löwen in der Wüste anstellte, war für seinen Standpunkt die Bedeutung, die er der äusseren Erscheinung des Kaisers im Hinblick auf die Geschichte beimass. Denn bei seiner Vorliebe für physiognomische Betrachtung oder allgemein, indem er sich von seinem ersten unmittelbaren Eindruck leiten liess, konnte Varnhagen bemerken: "Vielleicht ist es nicht zu übersehen, dass die Natur schon durch diese Bildung zur Verständigung der Geschichte habe andeuten wollen, wie sein Böses seine Stärke sey" [106].

Ohne aber Napoleon damit historisch angemessen beurteilt zu haben, fand Varnhagen, wenn auch nicht in der Faktizität des geschichtlichen Stoffes, wenigstens doch in der politischen Stellungnahme genügend inneren Halt, um zu diesem Zeitpunkt seine subjektive Ansicht über Napoleon öffentlich vertreten zu können. Später in den 'Denkwürdigkeiten' hat Varnhagen dasselbe Ereignis nach literarischen Gesichtspunkten stilisiert, wogegen er während der Kriegsbegebenheiten immerhin zu einem durch die äusseren Umstände geförderten und daher in seinem Sinn geschichtlichen Verständnis von Napoleons Persönlichkeit gelangt war [107]. Denn als Tettenborn seine Regimenter nach dem Kieler Frieden über Köln und Trier auf den Kriegsschauplatz in der nördlichen Champagne geführt hatte, suchte er unverzüglich, mit der Hauptmacht des Feindes in Berührung zu kommen [108]. Der Zweck dieses Planes, den Varnhagen als den freien "Entschluss" Tettenborns bezeichnete, war jedoch selbst kein grosses militärisches Ereignis, und er beschränkte sich darauf, die nötige Aufklärung zu beschaffen, wozu seine berittenen Truppen auch durchaus in der Lage waren. Nachdem nämlich zu gleicher Zeit die Friedensverhandlungen mit Napoleon keinen Erfolg zeigten und Blücher seine Verbindung mit dem Hauptheer unter Schwarzenberg aufgegeben hatte, um in Richtung Paris zu eilen, war es Tettenborn, der die erste Nachricht von Napoleons entsprechender Rückzugsbewegung erhielt und an Blücher und Schwarzenberg weiterleitete; darin lag auch faktisch die Bedeutung von Tettenborns freiem "Entschluss", denn zu einer bedeutenden militärischen Auseinandersetzung konnte es bei der Beschaffenheit seiner Truppe gar nicht kommen. Die Nähe Napoleons aber, der anlässlich des Gefechts bei Fère Champenoise seine eigene Stellung verraten hatte, genügte Varnhagen, um die Höhe seines ihm persönlich zugefallenen Standpunkts zu erkennen [109].

[105] Vgl. K. Wolff, a.a.O. S. 12ff. Dazu Dkw II, 302f. II², 234ff. III³, 77f.
[106] Vgl. S. 107 A. 104. Vgl. zu der Stelle dagegen Dkw II, 301f. II², 234. III³, 77.
[107] Vgl. B. v. Quistorp. Geschichte der Nord-Armee III, 253.
[108] Vgl. Varnhagen an Rahel, Köln 11. Feb.; Trier 18. Feb. 1814: Bfw III, 293; 306. Vgl. ferner M. [I] Bogdanowitsch. Geschichte des Krieges 1814 in Frankreich I, 302.
[109] Vgl. Geschichte der Kriegszüge des Generals Tettenborn, S. 143ff. Dkw IV, 52ff. III², 111ff. IV³, 83ff. Ferner dazu Napoleon an J. Bonaparte, Sézanne 28. Feb. 1814: Correspondance de Napoléon XXVII, 263. Varnhagen an Rahel, Villeneuve-le-Roi 10. April 1814: Bfw III, 315. [M. H.] Weil. La campagne de 1814 III, 15 u.A. 1

Von da an folgte Tettenborn ständig der französischen Hauptarmee und sorgte zugleich, dass Schwarzenberg jeweils von allen Bewegungen benachrichtigt wurde [110]. Für Varnhagen, der diesen "französischen Briefwechsel" führte, öffnete sich dabei ein Wirkungsfeld, auf dem ihm sein, wie es Rahel nannte, "Lebens- und Geschichtstalent" besonders zu Gute kam [111]. Tettenborn selbst spielte nämlich damals in diplomatischer Hinsicht eine Rolle, die im Vergleich zu derjenigen seiner Vermittlungtätigkeit in Hamburg schon deshalb viel unbedeutender blieb, weil er nun nicht mehr von den allgemeinen Verhältnissen der Mächtepolitik abhängig war [112], und für diesen Zustand hatte Karl von Nostitz wohl den besten Blick, wenn er Varnhagen gegenüber vertraulich bemerkte, dass "Tettenborn's Thätigkeit und Hin- und Herziehen ... oft keinen anderen Endzweck" gehabt hätte, "als sich dem unmittelbaren Commando zu entziehen und frei für sich zu feldmarschallisiren" [113].

Während nun Napoleon Blücher verfolgte und bis gegen Laon von Paris abdrängen konnte [114], wahrte sich Tettenborn eine Stellung, die, da er sich unterdessen bereits in der Verbindungslinie zwischen Paris und dem französischen Hauptquartier aufhalten musste, für die Kenntnis von Napoleons Absichten besonders geeignet war. Angesichts der aufgefangenen Briefschaften, die sich bei Tettenborn ansammelten, konnte sich Varnhagen nämlich einigermassen ein Bild von der Lage in Frankreich machen, und was ihm bei seiner Betrachtungsweise willkommen sein musste, war die Unmittelbarkeit der einzelnen Schreiben, unter denen sich dienstliche wie private aus allen Bevölkerungskreisen befanden. Dadurch wusste er faktisch Bescheid "über die Fortschritte Lord *Wellingtons* im südwestlichen Frankreich, über die schlechten Erfolge der Bewaffnungsanstalten", und sogar der Abfall Murats war ihm bekannt geworden. Aber im Hinblick auf das allgemeine Geschehen, dessen Überblick er zu gewinnen suchte, beurteilte er diese Schreiben geschichtlich nur nach dem Ausdruck ihres Stimmungsgehalts, und damit brauchte er sie in seiner Darstellung der Ereignisse nur zu erwähnen, um das mitzuteilen, was sie seiner Ansicht nach nicht nur faktisch als schriftliche Zeugnisse waren, sondern insofern sie der "Enthüllung des wahren Zustandes der Sachen Napeleons" dienten, auch aussagten.

nach Schwarzenberg an Tettenborn, Colombey 1. März [1814]. T. v. Bernhardi. Denkwürdigkeiten des Grafen von Toll IV, 547. Dazu M. [I.] Bogdanowitsch. Geschichte des Krieges 1814 in Frankreich II, 4.
[110] [M. H.] Weil. La campagne de 1814 II, 411f.; III, 15 u.A. 1 nach Schwarzenberg an Tettenborn, Colombey 1. März [1814].
[111] Rahel an Varnhagen, Prag 2. Sept. 1813: Bfw III, 155. Vgl. Varnhagen an Rahel, Villeneuve-le-Roi 10. April 1814; Boitzenburg 1. Juli 1813: Bfw III, 318; 119.
[112] Vgl. Varnhagen an Reimer, [Teplitz] 8. Aug. 1814: DZA, Hist. Abt. II, Merseburg, Rep. 92 Nachlass G. A. Reimer VII Bl 1. Varnhagen an Cotta, Teplitz 20. Juli 1814: SNM Cotta-Archiv Nr. 21. Dazu auch Marwitz an Rahel, Lauenburg 3. Mai 1813: Rahel und A. v. d. Marwitz in ihren Briefen, S. 281.
[113] Nostitz an Varnhagen, Dresden 22. Feb. 1815: Aus K. v. Nostitz Leben, S. 184. Denkschriften und Briefe IV, 86.
[114] Vgl. M. [I.] Bogdanowitsch. Geschichte des Krieges 1814 in Frankreich I, 293ff.; 336ff. [M. H.] Weil. La campagne de 1814 III, 1ff.; 148ff.

Die aufgefangenen Briefe enthielten jedoch keine Äusserungen des politischen Kräftespiels der Mächte, das in Varnhagens Schrift über Hamburg einen gewissen Raum einnahm, und darum blieb sein allgemeiner Überblick, wo er nicht die militärische Lage ausdrückte [115], ein rein ideeller. Da Varnhagen die schriftlichen Zeugnisse ohne kritische Vorbehalte las, konnte er sie geschichtlich nur dann unmittelbar verstehen, wenn sie von der gedanklichen Führung her bereits eine Art historischen Urteils enthielten, und unter diesem Gesichtspunkt stellte ein Schreiben der Königin Hortense von Holland an ihren Bruder Beauharnais ein die Tatsachen entsprechend objektivierendes Beispiel dar. Ihre Bemerkung, "dass Napoleon selbst einen Augenblick Alles für verloren gehalten, nämlich nach der Schlacht bey Brienne", später aber "seine alte Zuversicht wiedergefunden und das Volk wieder mächtig aufgeregt habe", drängte sich Varnhagen als notwendige Wahrheit in die eigene Darstellung [116], weil das Gesagte schliesslich nur seine persönliche Anschauung des allgemeinen Geschehens ergänzte und damit zugleich bestätigte. Denn sobald es Napoleon gelungen wäre, das französische Volk für einen Befreiungskrieg gegen die Verbündeten zu gewinnen [117], musste Varnhagen grundsätzlich nach denselben Gesichtspunkten darüber urteilen wie anlässlich der Erhebung Hamburgs. Er hätte darin den Ausdruck einer allgemeinen Entwicklung zu würdigen gehabt, ohne dass der nationale Unterschied ins Gewicht gefallen wäre, und deshalb bemühte er sich, wenigstens in politischer Hinsicht die Ansätze einer napoleonischen Freiheitsbewegung nach Kräften zu bekämpfen.

Indem Varnhagen daher in Frankreich publizistisch in französischer Sprache für eine Thronkandidatur "des Kronprinzen von Schweden, als Bernadotte" eintrat [118], schuf er sich eine sofort einleuchtende Alternative zu Napoleon, ohne dass er dabei allerdings den Widerspruch seiner teils idealisiert historischen, teils politischen Betrachtungsweise gelöst hätte, und so schrieb er in der 'Geschichte der Kriegszüge' zuerst, dass "Napoleon ... seinerseits alle Kräfte seines heftigen Willens und seines zu dessen Folgeleistung auf alle Weise ausgebildeten Volkes" aufbot, "um dem Andrange so vieler Völker zu widerstehen", und "wie sonst die Lüge, ... jetzt die Wahrheit" gebrauchte. Im gleichen Zusammenhang aber modifizierte Varnhagen sein Urteil und beschuldigte Napoleon doch, "alle Künste geübter Verlockungen" angewandt zu haben, ohne ihm wie vorher ausdrücklich deren Wahrheitsgehalt zuzubilligen, und ebenso gab er nunmehr zu, dass es Napoleon gelungen sei, "die Stimmung der

---

[115] Vgl. Geschichte der Kriegszüge des Generals Tettenborn, S. 143ff. Dkw IV, 53ff. III², 112f. IV³, 83f.
[116] Geschichte der Kriegszüge des Generals Tettenborn, S. 151f. Dkw IV, 60f. III², 118f. IV³, 88f. Vgl. Tettenborn an Blücher, Vorstadt Chateau-Thierry 3. März 1814: [K. W. v. Grolmann u. v. Damitz] Geschichte des Feldzuges von 1814 II, 590f.
[117] Vgl. M. [I.] Bogdanowitsch. Geschichte des Krieges 1814 in Frankreich I, 313. Dazu Geschichte der Kriegszüge des Generals Tettenborn, S. 162ff. Dkw IV, 71ff. III², 127. IV³, 95ff.
[118] Geschichte der Kriegszüge des Generals Tettenborn, S. 138f. Dkw IV, 48. III², 108. IV³, 80. Vgl. Varnhagen an Rahel, Köln 11. Feb.; Paris 17. April 1814: Bfw III, 295; 324. Ferner C. Misch, a.a.O. S. 28.

Franzosen ungünstiger" gegen die fremden Eindringlinge als gegen sich selbst "erhalten" zu haben [119]. Demgegenüber konnte sich Varnhagen selber dem Dilemma von "Lüge", "Verlockungen" und "Wahrheit" nur entziehen, wenn er seinen Standpunkt in der Nähe Tettenborns wahrte, während er sonst wie Johann Georg Rist, aber auch wie Rahel in der Fülle allgemein bekanntgewordener Meinungsäusserungen keinen geistigen Halt gefunden hätte [120].

Solange es nämlich Tettenborns Aufgabe war, "seiner Bestimmung zufolge", wie Varnhagen schrieb, "im Rücken *Napoleons* zu bleiben, seine Bewegungen zu beobachten und dem südlichen Heere genaue Nachrichten zu geben" [121], diente diese Tätigkeit gleichzeitig ihrer eigenen geschichtlichen Würdigung, und in dieser Beziehung bedeutete ein weiteres aufgefangenes Schreiben, in welchem Napoleon eigenhändig der Gemahlin seine von Paris wegführende Marschrichtung anvertraute, ein allerdings unmittelbares Beweisstück, zumal es angeblich noch dazu ein Leutnant der hanseatischen Legion gewesen sein soll, dem das Dokument zuerst in die Hände fiel [122]. Napoleons persönliche Erklärung ermöglichte Varnhagen in diesem Fall ein eindeutiges Urteil, bei dem kein Widerspruch zwischen seiner geschichtlichen Schau und der faktischen Wirklichkeit stattfand, und zugleich war die Rolle Tettenborns weniger umstritten als in Hamburg.

Die erste Nachricht, welche Tettenborn laut Varnhagens Darstellung Blücher von Napoleons veränderter Marschrichtung zugesandt hatte, war damals nicht die einzige ihres Inhalts gewesen, die Blücher empfing, und hatte deshalb für ihn nicht dieselbe konkrete Bedeutung wie im Hauptquartier bei Schwarzenberg, der sonst durch keinen anderen Bericht davon erfuhr [123]. Dagegen musste ein zweites Schreiben Tettenborns an Blücher für Varnhagen, der es vielleicht selber entworfen hatte, um so wichtiger sein, weil es abgesehen von Beobachtungen militärischer Positionen zudem ein im Ganzen ermutigendes Bild der Lage enthielt und insofern deutlich auf die entschlossene Haltung des Empfängers hin berechnet war. Napoleons Zuversichtlichkeit, wie sie sich im Brief der

[119] Geschichte der Kriegszüge des Generals Tettenborn, S. 138. Dkw IV, 47f. III², 107. IV³, 80.

[120] Vgl. oben S. 17; 65; 66.

[121] Geschichte der Kriegszüge des Generals Tettenborn, S. 155. Dkw IV, 64. III², 121. IV³, 91.

[122] Geschichte der Kriegszüge des Generals Tettenborn, S. 184f. Dkw IV, 91f. III², 145f. IV³, 108f. Vgl. T. v. Bernhardi. Denkwürdigkeiten des Grafen von Toll IV, 728. Dazu M. [I.] Bogdanowitsch. Geschichte des Krieges 1814 in Frankreich II, 326. W. v. Unger. Blücher II, 230f. Dagegen [J. K. F. Manso] Geschichte des Preussischen Staates III, 275 "Was über diese kaum zu ahnende Absicht zuerst aufklärte, war ein glückliches Gefecht, das der Russe Oscherofski am Morgen des 23sten bey Sommepuis mit der Nachhut des feindlichen Heeres bestanden hatte und die aufgefangenen Briefschaften zweyer Eilbothen, die mit der Meldung jenes Gefechtes einliefen". - Zum Text vgl. [K. W. v. Grolmann u. v. Damitz] Geschichte des Feldzuges von 1814 II, 212 A.*. Lord Burgersh, Memoiren, S. 218f. Dkw IV³, 109. Vgl. auch Varnhagen an Rahel. Villeneuve-le-Roi 10. April 1814: Bfw III, 316. Ferner Die Briefe Napoleons I. an Marie-Louise, S. 260.

[123] M. [I.] Bogdanowitsch. Geschichte des Krieges 1814 in Frankreich I, 269f.; 298; 492 A. 8. [M. H.] Weil. La campagne de 1814 III, 15 u.A. 1 nach Schwarzenberg an Tettenborn, Colombey 1. März [1814]. W. v. Unger. Blücher II, 201.

Königin Hortense geäussert hatte, wurde nämlich Blücher gegenüber verschwiegen, und der allgemeine Zustand für Frankreich in ein sehr bedenkliches Licht gerückt. Darin lag jedoch die notwendige Voraussetzung, dass Blücher, wie es in dem Schreiben angedeutet war, den Augenblick benützen sollte, um die ermüdeten französischen Truppen anzugreifen, und indem Tettenborn offiziell erklärte: "Ew. Excellenz können diesen Nachrichten unbedingt Vertrauen schenken, da ich den Feind unaufhörlich auf das Engste beobachtet und nicht leicht aus den Augen gelassen habe" [124], übernahm er persönlich die Verantwortung für die Folgerungen, welche Blücher daraus zog, und hatte insofern auch Anteil an dessen Erfolg. Um dies sofort erkennen zu können, bedurfte es aber jener Stellung, die Varnhagen auch nur als Sekretär in Tettenborns nächster Umgebung innehaben durfte. Eine derartige Wirksamkeit seines Vorgesetzten musste Varnhagen, für den Schreiben eine Art konkreten Handelns war, geschichtlich mehr bedeuten als beispielsweise der wegen mangelnder Entschlossenheit gescheiterte Versuch des Generals Saint-Priest, Reims zu erobern [125].

Die wichtigste rein kampfmässige Kriegshandlung, an der Tettenborn sich persönlich beteiligte, war die Schlacht bei St. Dizier vom 26. März 1814. Nach dem aufgefangenen Brief Napoleons zu schliessen, wollte dieser die feindlichen Truppen von Paris ablenken, und damit er nun in diesem Glauben bestärkt bliebe, erhielt der General Wintzingerode den Befehl, ihm zu folgen und ihm die gegen Paris gerichtete "Bewegung" der Armeen unter Blücher und Schwarzenberg zu "verbergen" [126]. Dabei war Tettenborn dem Armeekorps unter Wintzingerode zugeteilt, und nachdem er vor St. Dizier unmittelbar mit den Truppen Napoleons ins Gefecht gekommen war und gegen die französische Reiterei zwei Attacken geritten hatte, von denen immerhin die erste erfolgreich gewesen sein muss [127], ergab sich für Varnhagen faktisch die begeisternde Bestätigung dessen, wovon er innerlich schon lange überzeugt war und wovon er sich auch später, als er Tettenborn mit Schwarzenberg und Wellington gleichsetzte, nicht mehr abbringen liess [128]. Was nämlich das Täuschungsmanöver der Verbündeten betraf, hatte Tettenborn wirklich die Rolle eines Schwarzenberg oder Blücher übernehmen müssen, und dementsprechend schrieb auch Varnhagen später an Perthes: "Tettenborn hat bei diesen Vorgängen das ausgezeichnetste Verdienst, und auf die Begebenheiten einen Einfluss gezeigt,

---

[124] Tettenborn an Blücher, Vorstadt Chateau-Thierry 3. März 1814: [K. W. v. Grolmann u. v. Damitz] Geschichte des Feldzuges von 1814 II, 590. [M. H.] Weil. La campagne de 1814 III, 45 A. 1. Vgl. Geschichte der Kriegszüge des Generals Tettenborn, S. 151f. Dkw IV, 60f. III², 118f. IV³, 88f.
[125] Vgl. Geschichte der Kriegszüge des Generals Tettenborn, S. 157. Dkw IV, 66. III², 123. IV³, 92. Ferner [M. H.] Weil. La campagne de 1814 III, 195 nach Tettenborn an Schwarzenberg, Port-à-Binson 13. März [1814]. M. [I.] Bogdanowitsch. Geschichte des Krieges 1814 in Frankreich I, 395f. nach St. Priest an Wolkonsky, Beaumont 7. März [1814] Dazu ebda S. 512 A. 7.
[126] Alexander an Wintzingerode, 24. März [1814]: M. [I.] Bogdanowitsch. Geschichte des Krieges 1814 in Frankreich II, 130; 330 A. 3.
[127] Vgl. M. [I.] Bogdanowitsch. Geschichte des Krieges 1814 in Frankreich II, 134. [M. H.] Weil. La campagne de 1814 IV, 51.
[128] Vgl. oben S. 91.

der diejenigen beschämen muss, die ihm kein grösseres Kommando zukommen liessen" [129]. Denn die Tatsache, dass ausserdem Wintzingerode selbst im Augenblick der Gefahr Napoleon gegenüber keinen Widerstand zu leisten vermochte und Tettenborn für ihn Zeit zum Rückzug gewinnen musste [130], konnte Varnhagens Ansicht nur erhärten. Wenigstens aber war Wintzingerode darin eine List geglückt, dass er "in St. Dizier Wohnungen für den Kaiser von Russland und den König von Preussen hatte nehmen lassen, indem er sich selbst nur für die Avantgarde ausgab, wie auch allerdings ganz glaublich schien", und insofern siegte also doch in einem gewissen Bereich die "Wahrheit" über die "Lüge". Der Widerspruch aber blieb auch nach der Niederlage der Verbündeten bei St. Dizier in Varnhagens geschichtlichem Vorstellungsraum ungelöst, und so schrieb er in der 'Geschichte der Kriegszüge': "Dieses Gefecht, obwol es einen ungünstigen Ausgang nahm, ist für eines der glücklichsten des ganzen Feldzuges zu halten, weil es mit dem Irrthum verknüpft war, durch welchen Napoleon drey volle Tage verlor, während welcher Zeit seine Hauptstadt preisgegeben blieb" [132]. Dabei folgte Varnhagen der Auffassung des russischen Kaisers, die sich aber in ihrer Widersprüchlichkeit nicht einseitig, wie Nostitz meinte, aus persönlichen Rücksichten erklären lässt [133].

Das Persönliche fehlte zwar in Varnhagens Darstellung der Schlacht von St. Dizier auch nicht völlig, und so verschwieg er beispielsweise, dass Tettenborn durch den General Benkendorf, den Varnhagen selbst noch Jahre später persönlich "sehr gut gekannt" haben wollte, entscheidend verstärkt gewesen war [134]. Ausdrücklich belastete er ferner den General Czernitscheff, von dem Wintzingerode nämlich "vergebens die Meldungen" erwartet habe, "welche über die Bewegung des Feindes erst vollen Aufschluss" hätten geben sollen, und wenn Varnhagen bemerkte, dass Czernitscheff "einer andern Richtung gefolgt" sei [135], stimmte es zwar mit dessen eigener Schilderung dieser Vorgänge überein. Denn Czernitscheff hatte sich, wie er selbst bestätigte, von St. Dizier in südlicher Richtung gegen Montier-en-Der entfernt, wobei offenbar topographi-

[129] Varnhagen an Perthes, Villeneuve[-le-Roi] 10. April 1814: HH StA Perthes Nachlass I M 7b Bl 130-131.
[130] Vgl. M. [I.] Bogdanowitsch. Geschichte des Krieges 1814 in Frankreich II, 133ff. [M. H.] Weil. La campagne de 1814 IV, 51ff.
[132] Geschichte der Kriegszüge des Generals Tettenborn, S. 196. Dkw IV, 102f. III², 155. IV³, 120.
[133] Vgl. Varnhagen an Rahel, Villeneuve-le-Roi 10. April 1814: Bfw III, 316. Varnhagen an Perthes, Villeneuve[-le-Roi] 10. April 1814: HH StA Perthes Nachlass I M 7b Bl 130-131 "Kaiser Alexander selbst hat gesagt, dass ohne das Treffen bei St. Dizier die Einnahme von Paris nicht geschehen wäre". Ferner Nostitz an Varnhagen, Dresden 22. Feb. 1815: Aus K. v. Nostitz Leben, S. 183. Denkschriften und Briefe IV, 85.
[134] Varnhagens Notiz, 24. Feb. 1853: Tgb X, 43. Vgl. M. [I.] Bogdanowitsch. Geschichte des Krieges 1814 in Frankreich II, 134f. [M. H.] Weil. La campagne de 1814 IV, 50f. Ferner auch Varnhagen an Rahel, Hamburg 5.; 6. April 1813: Bfw III, 34; 37.
[135] Geschichte der Kriegszüge des Generals Tettenborn, S. 192.

sche Gründe mitspielten, dass er sich nur bis auf eine Stunde dem Gefecht näherte und dann stehen blieb [136]. Aber da Varnhagen das perfide Handwerk publizistischer Verschleierung beherrschte und die Beweggründe Czernitscheffs wohl sicherlich bewusst im dunkeln liess, verschwieg er auch dessen "freie Disposition" [137]. Was er damit jedoch an polemischem Stoff in seiner Darstellung aufhäufte, hat er in der überarbeiteten Fassung seiner Schrift aus stilistischen Überlegungen lieber unterdrückt [138]. Woher aber Varnhagens Feindschaft mit Czernitscheff stammte, ist konkret nicht zu sagen [139].

Während das Erlebnis des Freiheitskrieges in Varnhagen sein geschichtliches Weltbild anreicherte, bedeutete es für sein politisches Bewusstsein zugleich eine schwere Anfechtung. Sobald er nämlich so politisch tätig werden wollte, wie er sich in seine geschichtliche Vorstellungswelt hineingesteigert hatte [140], konnte er seine subjektive Anschauung nicht mehr zum Gegenstand historiographischer Darstellungen machen. Der Krieg gegen Frankreich war dabei von Anfang an ebensowenig wie die hamburgische Erhebung ein unpolitisches Ereignis, aber seine Geschichtlichkeit äusserte sich nicht mehr in der Bezogenheit auf einen Ort, sondern im Hinblick auf einen Menschen. Darin lag ein stofflicher Mangel, denn die geistige Potenz einer traditionell liberalen Stadt wie Hamburg gab Varnhagens Stellung ein stärkeres und in sich selbst sogar wieder politisches Gewicht als die Freundschaft, die ihn noch so herzlich mit Tettenborn verbinden konnte. Bei aller Freizügigkeit der Gesinnung, die Varnhagen an ihm erlebt haben mochte, blieb Tettenborn selbst in seiner Zeit verglichen mit den anderen doch ein untergeordneter Reitergeneral. Ausserdem aber war es für Varnhagen auf französischem Boden gar keine Frage, dass Napoleon immer noch die überragende und bestimmende Persönlichkeit bleiben musste und "dass sich Paris nicht ergeben hätte, wenn *Napoleon* zu rechter Zeit erschienen wäre, dass die Erstürmung dieser Stadt bey einem dann gewiss allgemeinen Aufstande der Bürger zu den misslichsten und zweifelhaftesten Unternehmungen gehört und *Napoleon* ... den Krieg mit neuer Kraft und Hoffnung fortgesetzt hätte" [141]. Eine andere Freiheit als die in der Revolution verkündete wäre in Frankreich

[136] Vgl. Czernitscheff an Schwarzenberg, Pougy 27. März [1814]: [M. H.] Weil. La campagne de 1814 IV, 47 u.A. 2. M. [I.] Bogdanowitsch. Geschichte des Krieges 1814 in Frankreich II, 134f. nach Czernitscheff an Alexander, Pougy 27. März [1814] Vgl. ebda S. 332 A. 8; 9.
[137] Vgl. Nostitz an Varnhagen, Dresden 22. Feb. 1815: Aus. K. v. Nostitz Leben, S. 183. Denkschriften und Briefe IV, 86. Ferner auch Alexander an Wintzingerode, 24. März [1814]: M. [I.] Bogdanowitsch. Geschichte des Krieges 1814 in Frankreich II, 130.
[138] Vgl. Dkw IV, 99. III², 152. IV³, 115. Dagegen Dkw IV³, 121. Dazu Dkw IV, 104f. III², 157.
[139] Vgl. dazu Varnhagens Notiz, Kissingen 20. Aug. 1845: Tgb III, 191.
[140] Vgl. zu Varnhagens krankhafter Erschöpfung Varnhagen an Rahel, Villeneuve-le-Roi 10. April 1814: Bfw III, 314f. Varnhagen an E. Wolbrecht, Teplitz 25. Juli 1814: Ddf LuStB 62.2543 "...mir ging es persönlich über alle Massen gut, in keinem unserer zahlreichen Gefechte wurde ich verletzt, aber noch während des Kriegs vor Erschöpfung krank..."
[141] Geschichte der Kriegszüge des Generals Tettenborn, S. 197f. Dkw IV, 104. III², 156. IV³, 121.

ungeschichtlich gewesen, und so hatte sich die deutsche Freiheitsbewegung in Frankreich im Grunde totgelaufen und erneuerte sich als französische, wie Varnhagen in einem Brief an Perthes angedeutet hat: "... die höchste Weisheit", schrieb er ihm, "strahlt sühnend über die einzelnen Vorgänge der Geschichte hin. Möchte der Himmel mir freie Musse gönnen, um zu versuchen, die Geschichte dieser drei Jahre, die durch die Befreiung Russlands 12, Deutschlands 13, und Frankreichs 14, bezeichnet sind in höherem Sinne abzufassen und als vaterländisches Werk zu hinterlassen! Das letzte Befreiungsjahr war das vollendetste, wir können nicht läugnen, die Franzosen sind besser daran, als wir und während sie mit einer Wendung sich einer glücklichen Konstituzion, einer gediegenen Einheit und der friedlichsten Fülle erfreuen, liegt bei uns noch alles wüst und verwirrt, schwankenden Hoffnungen anvertraut, und ist kaum Rettung sichbar vor den hereindrohenden Gährungen" [142].

Ursprünglich beabsichtige Varnhagen, die 'Geschichte der Kriegszüge des Generals Tettenborn während der Jahre 1813 und 1814' unter dem Titel 'Beitrag zur Geschichte der Feldzüge 1813 und 1814' erscheinen zu lassen [143]. Mit der Änderung des Titels stellte er sich selbst historiograhisch auf einen anderen Standpunkt, er beschränkte sich thematisch und verzichtete auf die Spiegelung eines allgemeinen Überblicks. Dafür zeichnete er den Weg des einzelnen Menschen vor, insofern dieser Anteil an der allgemeinen Entwicklung nehmen konnte und dadurch ihr Ausdruck war. Schon bei der Niederschrift im Sommer 1814 in Teplitz gewann er die innere Distanz zum erlebten Geschehen, und den Krieg, den er noch ein Jahr zuvor leidenschaftlich herbeiwünschte [144], betrachtete er jetzt mit Abscheu; "das Durchgehn seiner Zustände in Gedanken", schrieb er an Eleonore Wolbrecht, "macht ihn mir noch widerwärtiger, als verhasst. Dem Unsinn und dem Aberwitz hingegeben ist man es zugleich den Gefahren der Verstümmelung, des schmählichen Todes..." [145]. Während Varnhagen sonst in übertragenem Sinn mit Rahel glaubte, dass allein "Leben vor dem Tode" schütze, zerstörte er nun bei seiner distanzierten Betrachtungsweise selbst die unmittelbar geistige Erlebnisfähigkeit. Ein Gefühl von Unsicherheit übertrug sich auf ihn und vor allem, nachdem es zuerst schon Rahel bei Fichtes Tod gespürt hatte [146]. Die Gegenwart schien neue Gesichtspunkte für

[142] Varnhagen an Perthes, Villeneuve[-le-Roi] 10. April 1814: HH StA Perthes Nachlass I M 7b Bl 130-131.
[143] Varnhagen an Perthes, Baden b. Rastatt 22. Juni 1814: HH StA Perthes Nachlass I M 7b Bl 135-136. Varnhagen an Reimer, [Teplitz] 8. Aug. 1814: DZA, Hist. Abt. II, Merseburg, Rep. 92 Nachlass G. A. Reimer VII Bl 1.
[144] Vgl. Varnhagen an R. M. Varnhagen, Boitzenburg 9. Juli [1813]: L. Geiger. Ein Stimmungsbild aus dem Jahre 1813, MVGB (1917) Nr. 3 S. 20. "Die Hoffnung (dass es wieder losgehe) hält uns sehr frisch, und jeden Tag näher wird uns besser zumute; der unglücklichste Krieg gegen diesen Feind ist mir lieber als jeder Friede, und ich will lieber, dass alles und ich selbst zugrunde gehe, als dass wir aufhören uns zu schlagen. Nur kein Vertrag, keine Aussöhnung, und besser 20 Schlachten verloren als gar nicht schlagen. Hier ist aber gute Hoffnung zum besten Erfolg, obendrein und um wieviel mehr muss ich also dem Ende des Stillstandes mit Verlangen entgegensehen". Ferner auch Varnhagen an Rahel, Boitzenburg 13. Juli 1813: Bfw III, 133.
[145] Varnhagen an E. Wolbrecht, Teplitz 25. Juli 1814: Ddf LuStB 62.2543.
[146] Vgl. Rahel an Varnhagen, 14. Feb. 1814; Varnhagen an Rahel. Trier 18. Feb. 1814:

ihre Beurteilung zu fordern, die bisher geistigen Vorstellungen galten plötzlich nicht mehr, und in einem Anflug von Resignation über die getäuschten Erwartungen glaubte Varnhagen: "Höchstens möchte ich jetzt unter Buonaparte dienen; in dessen Schlechtigkeit sich die Andern scheinen getheilt zu haben. Sie loben und belohnen sich einander um die Wette, sie kommen sich als Helden und Befreier vor, und sind insgesamt nichts anderes, als scheinsame Glanznamen, hinter denen der tapfre Muth des gemeinen Soldaten stärkend strahlt. Ich kenne keinen Helden, aber ungeheuer brave Truppen" [147].

In einem weiteren Überblick trat aber auch die Gestalt Napoleons gegenüber den allgemein hervorbrechenden revolutionären Strömungen der Zeit in den Hintergrund [148], und damit ergab sich in Varnhagens Sicht für ihn persönlich ein neues Wirkungsfeld geschichtlicher Anteilnahme. Wenn er dabei seine Zukunft im Hinblick auf die Entwicklung in Deutschland gestalten wollte, kam darin bei ihm noch kein nationalpolitisches Empfinden zum Ausdruck, sondern im Gegenteil gebärdete er sich bewusst weltbürgerlich und vollzog noch, bevor er im Gefolge der preussischen Diplomaten zum Wiener Kongress reiste, in Hamburg seinen Eintritt in die Freimaurerloge [149]. Denn demzufolge, was damals sogar Niebuhr über den revolutionären Einfluss der Logen verkündete [150], lag in Varnhagens Schritt doch ein ganz entschieden politisches Bekenntnis, und so schrieb er auch an Perthes: "Eine Revolution in Deutschland hat schon wirklich begonnen, schon lange wühlt das Feuer unter der Erde fort, der Boden ist heiss, und vieles trocknet unmerklich ab, es wird nicht lange mehr dauern [sic!], so nimt [sic!] das Feuer auch auf der Oberfläche seinen Ausbruch, und Häuser und Wälder werden ergriffen, und Menschen und Vieh gehen zu Grunde! Es thut mir leid, aber ich sehe die unglückliche Bahn vor mir, dass ich mein ganzes Leben werde verstürmen müssen, da ich doch eigentlich ein stilles, fleissiges Leben vorzöge, und, wenn es mir erst in den Stürmen scheinbar recht wohl geht, immer werde [ich] beklagen, dass es nicht in andern Kreisen ist!" [151]

Bfw III, 297f.; 307. Dagegen Dkw NF II (= VI), 101. III², 177. IV³, 138. Ferner vgl. auch Varnhagen an Fouqué, Teplitz 18. Aug. 1814: Goethe-Jb 24 (1903) S. 97. Dazu oben S. 16.
[147] Varnhagen an E. Wolbrecht, Teplitz 25. Juli 1814: Ddf LuStB 62.2543. Dazu vgl. unten S. 143 A. 13.
[148] Vgl. Varnhagen an Rahel, Paris 4. Mai 1814: Bfw III, 341.
[149] Vgl. Varnhagen an Rahel, Hamburg 13. Sept. 1814; Rahel an Varnhagen, Berlin 15. Sept. 1814: Bfw IV, 66; 69. Ferner Varnhagens Aufnahmegesuch an [B. G. Hoffmann]: HH StuUB HsAbt Campe 4 (392) d. Dagegen vgl. auch den [Varnhagen-Artikel] In: E. Lennhoff/O. Posner. Internationales Freimaurerlexikon, Sp. 1630.
[150] Vgl. B. G. Niebuhr. Über geheime Verbindungen im preussischen Staat und deren Denunciation, S. 11f. Dazu auch H. Haussherr. Hardenberg, S. 196. Dagegen ebda S. 194f. Ferner Gr. [?] Über den angeblichen Einfluss der Freimaurerei auf die grossen Ereignisse des Jahres 1813 und 1814. Minerva, 2 (1815) S. 314ff. Dazu J. R. Haarhaus. Deutsche Freimaurer zur Zeit der Befreiungskriege, S. 3f. Vgl. auch Dkw NF II (= VI), 30ff. II², 296ff. III³, 188ff. Dazu F. Meier an W. v. Gerlach, Dresden 6. Jan. 1810: Aus den Jahren preussischer Not und Erneuerung, S. 447f.
[151] Varnhagen an Perthes, Paris 23. Aug. 1815: HH StA Perthes Nachlass I M 9b Bl 156-157. Dazu C. Misch, a.a.O. S. 128. Vgl. Varnhagen an K. v. Humboldt, Paris 19. April 1814: K. v. Humboldt-Bfw S. 163 Z. 3ff.

IV. BEWÄHRUNG "Geschichte des Wiener Kongresses".

Mit der Schrift über die 'Kriegszüge des Generals Tettenborn' stand Varnhagen am Ende seiner Entwicklung als Historiograph selbsterlebter Ereignisse. Das geschichtliche Bewusstsein, das er vom Standpunkt des Augenzeugen bei der Niederschrift dieser und der andern in seinem Sinn historiographischen Erzählung der 'hamburgischen Begebenheiten' bewies, trat in seinen späteren Veröffentlichungen hinter dringenderen Problemen zurück, und dabei liess er sich vor allem durch die neuen Lebensumstände beeinflussen. Gleichzeitig aber beharrte er grundsätzlich auf jener Richtung, die sich ihm in der politischen Auswirkung seiner ursprünglich rein geschichtlich gemeinten Darstellungen angedeutet hatte, und nachdem er seit der Zeit, da er in österreichischen Diensten tätig war, auf eine Anstellung in Preussen hoffte und am Wiener Kongress für den preussischen Dienst in Aussicht genommen wurde [1], lag darin faktisch die Bestätigung seiner politischen Linie. Unter der Voraussetzung eines historischen Selbstverständnisses gab er damit sogar einer inneren Vorbestimmung nach, und bei der Subjektivität seiner geschichtlichen Anschauungsweise blieb er seinem Sinn gemäss immer noch Historiker, auch wenn er nun mehr publizistisch als historiographisch für Preussen wirkte. Abgesehen von Artikeln, die er nach Hardenbergs Gutachten für den 'deutschen Beobachter' und die 'Allgemeine Zeitung' schrieb [2], verfasste er eine umfangreichere Flugschrift, in welcher er im Zusammenhang mit der wichtigsten Frage des Wiener Kongresses, wie schon der Titel besagt, eine 'Deutsche Ansicht der Vereinigung Sachsens mit Preussen' zu begründen suchte [3]. Dabei trat aber trotz aller politischer Bindung, die er durch persönliche Beziehungen, beispielsweise zu Stägemann, selber gewollt hatte [4], in seiner freiheitlichen Gesinnung keine Änderung ein, sondern umgekehrt war er bemüht, von seinem revolutionären Standpunkt aus den preussischen zu bestimmen, und damit verpflichtete er sich selbst wesentlich stärker, als er es in seiner bisherigen Form von Anteilnahme gewagt hatte.

Bereits in der 'Geschichte der hamburgischen Begebenheiten' gab die Stellung Sachsens Anlass zu politischen Erwägungen; Tettenborn war nämlich dem

[1] Vgl. Varnhagen an Rahel, Wien 19. Okt. 1814: Bfw IV, 96. Ferner C. Misch, a.a.O. S. 33.
[2] C. Misch, a.a.O. S. 94ff.
[3] Die Schrift erschien mit dem Verlagsort und Jahr "Deutschland 1814", wurde von Cotta verlegt und in Leipzig gedruckt. Vgl. C. Misch, a.a.O. S. 96. Dagegen E. Weller. Die falschen und fingirten Druckorte, S. 215.
[4] Vgl. oben S. 77.

117

Beispiel Benkendorfs, Blüchers, Wittgensteins und Kutusoffs gefolgt und hatte einen Aufruf erlassen, den er direkt an die sächsischen Truppen auf französischer Seite richtete. Da er sich also nicht wie jene an das sächsische Volk, sondern an diensttuende Soldaten wandte, verschmähte er auch jedes Wort, das den nationalen Gedanken geweckt hätte und drohte sogar im Namen des russischen Kaisers, dass "jeder Deutsche, . . . der mit Waffen in der Hand gefangen" werde, "nach Sibirien geschickt werden" solle [5]. An dieser proklamatorischen Politik, die offen zur Desertion aufforderte und deshalb auch unmittelbar einleuchten musste, beteiligte sich Varnhagen, wobei er aber, wie ein Brief an Rahel bezeugt, Tettenborns Spiel völlig durchschaute. "Wenn Du hörst", schrieb er ihr, "dass die . . . gefangen genommenen Sachsen nach Sibirien geschickt worden sind, so sage nur, ich hätte es Dir geschrieben; ich sage Dir aber zur Beruhigung, dass es nicht geschieht" [6]. Was den Übertritt betraf, den eine "sächsische Abtheilung, 50 Mann stark, mit ihrem Offizier an der Spitze, von den Franzosen zu den Russen" wagte, so betrachtete ihn Varnhagen aber doch als Folge des Aufrufs. Wesentlich erschien ihm daran die freie Entschlusskraft, die der Offizier bewies, "diesen", wie Varnhagen schrieb, "kühnen Schritt des Übergehns" zu tun, und dazu "die günstige Gelegenheit zu bieten, durch welche die Gesinnung zur That werden konnte", war die politische Maxime, die er grundsätzlich für die "vielen Deutschen" auf französischer Seite empfahl [7].

Eine deutlichere Stellungnahme erforderte die Auseinandersetzung mit der Lützower Freischar, die seit dem Waffenstillstand während des Sommers 1813 in der Nordarmee zur Avantgarde unter Tettenborn zählte [8]; denn die nach Varnhagens Angabe überwiegende Mehrheit preussischer Mitglieder dieser Gruppe veranschaulichte ihm zuerst die politische Macht einer regional gebildeten militärischen Einheit. Insofern er deshalb selbst der hanseatischen Legion angehörte [9], war es ihm bei seinem historischen Selbstbewusstsein wichtig, dass die Lützower nicht etwa als die ursprünglichen Träger der Freiheitsidee in die Überlieferung eingingen, und dementsprechend betonte er, dass sie, "obgleich grösstentheils Preussen, . . . doch, in der Erwägung, dass preussische und deutsche Gesinnung, die jetzt eins waren, in manchen Fällen wieder gesondert scheinen könnte, vorzugsweise die deutsche gewählt" hatten [10]. Ausserdem fühlte sich Varnhagen aber in Gegenwart der Lützower noch stärker als sonst

[5] Geschichte der hamburgischen Begebenheiten, S. 59. Dkw III, 297. II², 441. III³, 305. Vgl. B. Lange. Die öffentliche Meinung in Sachsen von 1813 bis zur Rückkehr des Königs 1815, S. 16ff.
[6] Varnhagen an Rahel, Hamburg 5. April 1813: Bfw III, 35.
[7] Geschichte der hamburgischen Begebenheiten, S. 88f. Dkw III, 323. II², 463f. III³, 322.
[8] Vgl. die Eintheilung des verbündeten Armeekorps an der Nieder-Elbe, Mitte Aug. 1813: B. v. Quistorp. Geschichte der Nord-Armee III, 25f. Ferner H. Pröhle. Die Lützower, DtM 4 (1854) S. 105. Ders. Friedrich Ludwig Jahn's Leben, S. 91.
[9] Vgl. Varnhagen an Perthes, Frankfurt a.M. 13. Mai 1816: HH StA Perthes Nachlass I M 10a Bl 69-70.
[10] Geschichte der Kriegszüge des Generals Tettenborn, S. 28f. Dkw III, 401. III², 17. IV³, 13.

auf die Seite Tettenborns gedrängt, dessen Ansehen er ja ebenso gegenüber dem anderer Avantgardegeneräle zu verteidigen strebte [11]. Solange jedoch die Lützower keine politische Wirksamkeit entfalten konnten, blieben sie für Tettenborn als Gegenspieler ungefährlich; denn als russischer General war er von vornherein kein Repräsentant einer deutschen Nationalbewegung, und wenn deshalb Varnhagen diesen Gedanken grundsätzlich bereits anlässlich des Krieges mit Dänemark erwog, schränkte sich für ihn die geschichtliche Bedeutung seines Vorgesetzten notgedrungen ein. Tettenborn konnte für ihn darin nur eine Art Vermittler sein, der die zeitgemässe Entscheidung erleichterte. Andrerseits hatte Varnhagen damals aber keine genauere Vorstellung einer nationalen Vereinheitlichung, und so waren auch seine Gedanken darüber noch wenig entwickelt, als er in der 'Geschichte der Kriegszüge' schrieb: "In Schleswig und Holstein waren die Herzen der Einwohner unbedingt unserer Sache ergeben, die sie allgemein als die Sache der Freyheit ansahen; ja Viele wünschten den Frieden mit Dänemark entfernt, um die Hoffnung zu haben, bey fortgesetztem Kriege von diesem Staate abgerissen und deutschen Verhältnissen wieder zugetheilt zu werden. An die Errichtung eines Landsturms in den Herzogthümern konnte nur derjenige denken, der die allgemeine Stimme für sich hatte, in diesem Fall unbezweifelt der Anführer der Verbündeten, der selbst gegen die dänische Regierung, die es vergebens für sich versucht hatte, den Landsturm versammeln konnte" [12]. Die hier ausgesprochene Annahme also, dass Bernadotte sich am ehesten zum militärischen Führer eines deutschen, nationalbewussten Landsturms in Schleswig und Holstein geeignet hätte, ist Varnhagen offenbar später selbst undenkbar erschienen, und entsprechend vorsichtiger lautete die Formulierung in der überarbeiteten Fassung seiner Schrift [13]. Dagegen blieb er aber vor einer nationalistisch beschränkten Betrachtungsweise bewahrt und vermochte sogar die national bedingten Erfolgsmöglichkeiten Dänemarks oder auch Frankreichs richtig zu durchschauen [14]. Denn ebenso, wie er den Lützowern zugute hielt, dass sie die preussische "Gesinnung" hinter der deutschen zurückgedrängt hätten, erkannte er die politische Stärke der innerhalb der deutschen Länder regional entstehenden nationalen Kräfte, und er wusste, dass ihnen gegenüber militärisch zusammengehörige Gesinnungsgenossen nur "militärische", aber keine "politische Bedeutung" erlangen konnten.

Die einzige Macht, die sich als "Sammelplatz allgemeiner deutscher Gesinnung" gegenüber den "örtlichen" behauptet hatte [15], bildete die Zentralverwaltung des Freiherrn vom Stein, und ihm verdankte neben Tettenborn, Pfuel

---

[11] Vgl. über die Rivalität zwischen Tettenborn und den Lützowern H. Pröhle. Die Lützower, DtM 4 (1854) S. 50. W. v. Bippen. Geschichte der Stadt Bremen III, 381f.; 388. Ferner W. Barton. Theodor Körners Schwanengesang. Jahrbuch der Wittheit zu Bremen, 8 (1964) S. 24 A. 9.
[12] Geschichte der Kriegszüge des Generals Tettenborn, S. 129.
[13] Vgl. Dkw IV, 39. III², 100. IV³, 74. Ferner auch T. Schrader. Ein Aufruf des Rittmeisters Hanfft, MVHG 16 (1893/94) S. 45.
[14] Vgl. Geschichte der Kriegszüge des Generals Tettenborn, S. 30. Ferner oben S. 114f.
[15] Geschichte der Kriegszüge des Generals Tettenborn, S. 30. Dkw III, 402. III², 18. IV³, 14.

und einer Reihe weiterer vertrauter Anhänger [16] auch Varnhagen seine politische Anschauung. Was er deshalb in der 'Geschichte der Kriegszüge' über Stein und "Männer wie *Rühle* und *Eichhorn*" und später noch Solms-Laubach Rühmendes beitrug [17], war zugleich der Ausdruck seiner Dankbarkeit für diese Gruppe, deren Wirksamkeit er selbst mit publizistischen Mitteln unterstützte [18]. Umgekehrt gab dafür Stein den Anstoss zu der Schrift 'über die Vereinigung Sachsens mit Preussen', und dabei spielte es für Varnhagen eine Rolle, dass er, der sich allerdings später doch über den "Mangel an Einweihung und thatsächlicher Kunde" bei Hardenberg beklagte, zum ersten Mal direkten Einblick in die machtpolitischen Verhältnisse erhielt [19]. Damit besass Varnhagen das notwendige Vertrauen gegenüber seiner eigenen Stellung und behauptete sie nun von sich aus gesehen mit voller Überzeugung, wobei er schliesslich sogar die Anweisungen, die er erhalten hatte, im einzelnen glaubte vernachlässigen zu dürfen [20]; denn in der geistigen Bahn seines historischen Selbstverständnisses war er für den Stoff innerlich schon vorbereitet.

Inwieweit jedoch Varnhagen von Stein und Hardenberg bei dieser Gelegenheit persönlich Anleitung erhielt, lässt sich nicht feststellen. Georg Heinrich Pertz, mit dem Varnhagen seinerzeit in Verbindung stand, hat in seiner Biographie Steins dessen Anteil geradezu in Abrede gestellt, wogegen Varnhagen, der das Buch bei seinem Erscheinen las und dabei die "Arbeit über den Wiener Kongress im Ganzen" für "verdienstlich" hielt, in dieser Frage eine andere Ansicht vertrat. "Wie blödsinnig!", notierte er am Rand seines Exemplars, "Als ob nicht Hardenberg zumeist zu bestimmen gehabt hätte, was geschrieben werden sollte und stehen bleiben durfte! Stein's Hauptgrund, das Eroberungsrecht, war wohl anzuführen, aber am wenigsten zu gebrauchen!", und damit übereinstimmend lautete auch Rahels Bericht, demzufolge Hardenberg Varnhagens Schrift "ohnehin vor dem Druck Wort für Wort durchgesehen" habe [21]. Was nun das Eroberungsrecht betraf, waren allerdings Stein wie Hardenberg von dessen Anwendungsmöglichkeit durchdrungen. Doch im Unterschied zu Stein, der die sächsische Frage völkerrechtlich von Grotius her zu klären suchte, ging es Hardenberg dabei realpolitisch um das "System eines Mittel-Europa's im engsten Einverständniss mit England und Österreich" [22].

---

[16] Vgl. Varnhagens Notiz, 5. Aug. 1855: Tgb XII, 199.
[17] Geschichte der Kriegszüge des Generals Tettenborn, S. 137. Vgl. Dkw IV, 46f. III², 106f. IV³, 79f.
[18] Vgl. [Varnhagens Rezension von Eichhorns Schrift über die 'Central-Verwaltung'] JALZ XII/1 (1815) Sp. 121ff. VSchr V², 215ff. Ferner [Varnhagens Artikel] *Aus Östreich, 2. März, AZ (1815) S. 275f.
[19] Varnhagen an Hardenberg, Wien 10. Feb. 1815: P. Czygan. Zur Geschichte der Tagesliteratur II/2, 157. Vgl. Dkw NF I (= V), 19. III², 245. IV³, 191.
[20] Vgl. dagegen Hebenstreits Rapport, 23. Dez. 1814: J. Körner. Nur ein Dichterling. Vossische Zeitung, (1918) Nr. 225 Abend-Ausgabe, wo es von Varnhagen heisst, er sei "eine Trompete, die keinen eigenen Ton hervorbringt, sondern des fremden Anhauchs bedarf".
[21] Rahel an L. u. M. Robert, 10. Feb. 1815: L. Geiger. Vom Wiener Kongress I. Die Zeit, (1917) Nr. 5393. Vgl. Varnhagens Notiz: G. H. Pertz. Stein IV, 188f. Bibl. Varnh. Nr. 1187. Ferner Varnhagens Notiz, 20. Dez. 1851: Tgb VIII, 480.
[22] Vgl. Steins Denkschrift, Wien 3. Dez. 1814: Stein-Bfw V, 98. NA V, 214. Ferner

Gegenüber diesen beiden Auffassungen bewahrte Varnhagen seinen individuellen Erlebnisstandpunkt; denn für ihn, der überhaupt in staatsrechtlicher Hinsicht höchstens noch die Anschauung der Hamburger Verhältnisse besass [23], war Grotius, der später allerdings seine Lektüre bildete [24], keine brauchbare Hilfe, und deshalb schätzte er bei aller Hochachtung, die er vor Steins Charakter empfand, die "Hülfsmittel", die er von ihm erhielt, um so geringer. Indem sich Stein grundsätzlich auf rechtliche Erörterungen einliess, verlor er für Varnhagen seine persönliche Unwiderstehlichkeit, und schon im Sommer 1814 hatte er an Stein diese Wandlung beobachtet. "Stein", schrieb er an Perthes, "ist jetzt hinter der Zeit zurückgeblieben, giebt sich leicht Vorurtheilen hin, kennt mehr Sachen als Menschen, und wechselt oft in Ansichten, die er doch jedesmal, als wären sie ewige, mit starrer Heftigkeit vertritt". Wenn nun Varnhagen auf die rechtlichen Problemstellungen nicht eingehen wollte, wie es ihm von Stein "nach Grotius und Pufendorf . . . selbst an die Hand gegeben" worden war [25], zeigte er sich noch lange nicht grundsätzlich gegen eine Anwendung von Rechtsmassstäben eingenommen, aber so, wie er es aus den Zeitumständen begreifen konnte, musste das Rechtmässige zugleich mit der ihm geschichtlich vorschwebenden "deutschen Richtung" innerlich zusammenhängen, und darin war umgekehrt sogar Grotius' Naturrechtslehre stillschweigend enthalten [26]. Was Varnhagen daher zu vermeiden suchte, war nur, dass er kein formales und damit unzeitgemässes Gedankengut verarbeiten und sich auf keine an Namen geknüpfte Grundsätze festlegen musste, die bei den damaligen Rechtsverhältnissen keine öffentliche Geltung haben konnten.

Dem Legitimitätsprinzip, das Talleyrand am Wiener Kongress geradezu verkörperte [27], stand Varnhagen deshalb ebenso ablehnend gegenüber wie Grotius, als dem Vertreter des Eroberungsrechts, und da er persönlich eine Politik des freiheitlichen Fortschreitens zu verwirklichen suchte, sah er den Ausweg dort, wo auch die Öffentlichkeit an der Lösung beteiligt war. Denn solange, wie er Perthes schrieb, "dass Vortheilhafte immer das Rechte zu werden" wusste, fehlte eine anerkannte Rechtsgrundlage, und um diesen Mangel zu beheben, sprach er in seinem Brief ausdrücklich "vom Volksrecht und von Wahlfürsten und

Hardenberg an Gneisenau, Wien 14. Okt.; Berlin 12. Sept. 1814: H. Delbrück. Gneisenau IV, 285; 283.
[23] Vgl. oben S. 43f. Ferner Hebenstreits Rapport, 23. Dez. 1814: a.a.O. "Eigentlich staatswissenschaftliche und staatsrechtliche Grundsätze sind ihm fremd, . . ." Vgl. H. Haerings Rezension zu C. Misch, ZsGOR 78 (1926) S. 489f. A. Wahls Rezension zu C. Misch, ZsVHG 26 (1925) S. 220. D. Kazda, a.a.O. S. 49 "Obwohl selbst Politiker und Verfasser politischer Schriften, zeigt Varnhagen in seinen Novellen kein Interesse für die Idee des Staates, . . ." Dagegen C. Misch, a.a.O. S. 77f. Ferner ebda S. 90f.
[24] Vgl. Varnhagens Notiz, 22. Juli 1852: Tgb IX, 302.
[25] Varnhagen an Perthes, Baden b. Rastatt 22. Juni 1814: HH StA Perthes Nachlass I M 7b Bl 135-136. Vgl. auch Varnhagen an Perthes, Wien 24. Nov. 1814: HH StA Perthes Nachlass I M 7b Bl 149-150 wo es von Stein heisst: ". . . allein ich muss dennoch wiederholen, dass ich seine Art nicht mehr für der Zeit genügend halten kann, sie hat einen zu grossen Vorsprung genomen [sic!] . . ." Vgl. dazu auch Dkw NF II (= VI), 95. III², 171. IV³, 134.
[26] Vgl. dazu E. Wolf. Grotius, Pufendorf, Thomasius (= Heidelberger Abhandlungen zur Philosophie und ihrer Geschichte 11, S. 58f.).
[27] Vgl. H. Wendorf. Die Ideenwelt des Fürsten Talleyrand, HVjS 28 (1934) S. 380.

freien Verfassungen", die er im Gegensatz zum "Herrscherrecht" in Anregung bringen wollte [28]. Doch was er persönlich damit zu verantworten bereit war, erforderte von ihm keine politische Entscheidung, sondern lag, wie er ausführlich in dem Aufsatz 'Rückkehr der Bourbons' geschrieben hatte, für die deutsche "Nation" in ihrer "ganzen Geschichte" begründet [29].

Mit der Idee des Wahlfürstentums befand sich Varnhagen in betontem Gegensatz zu Stein, der am Wiener Kongress in seiner Denkschrift 'Sur le rétablissement de la dignité Impériale en Allemagne' für ein erbliches Kaisertum eintrat [30], doch Varnhagen beurteilte ihn deshalb noch lange nicht abschätzig. Was ihn selbst nämlich mit Stein verband, war die politisch preussische Gesinnung, und wenn ihn Varnhagen geradezu "als Preussen rechnen" konnte [31], traf sein Urteil faktisch insofern auch zu, als die preussische Politik, wie sowohl Stein als Hardenberg sie führten, auf eine engere Verbindung mit Österreich hinzielen sollte. Unter dieser Voraussetzung gewann sogar Steins Antrag an den österreichischen Monarchen, die deutsche Kaiserkrone wieder anzunehmen, politische Bedeutung, doch sobald Stein diesen Vorsatz als politische Maxime zu verwirklichen suchte und aus historischer Sicht die entsprechenden Gründe für die Notwendigkeit seiner Forderung anführte [32], schied er selbst die Möglichkeit einer formalen Verständigung aus. Die Geschichte diente ihm nämlich zur unmittelbaren Veranschaulichung seiner rechtlichen und politischen Ideen, und deshalb war ihm Varnhagen nur als Stilist ein nützlicher Helfer, von dessen Eigenmächtigkeiten er sich später distanzierte [33]. Für Varnhagen der den Wiener Kongress allerdings auch nicht als ein wie bisher geschichtliches Ereignis erlebte, war wenigstens die schriftstellerische Tätigkeit noch ein Trost, in welchem sich ihm die Unmittelbarkeit seiner ehemaligen Geschichtschreibung weiterhin vergegenwärtigen konnte. Denn darin lag schliesslich, abgesehen von der im Preussentum wurzelnden Gesinnungsgemeinschaft zwischen Stein und Varnhagen, die Möglichkeit einer persönlichen Zusammenarbeit, und dementsprechend hat, wie Rahel bezeugt, "auch Stein ... die Schrift Varnhagens" gelobt [34].

[28] Varnhagen an Perthes, Wien 24. Nov. 1814: HH StA Perthes Nachlass I M 7b Bl 149-150.
[29] [Varnhagen] Die Rückkehr der Bourbons. Überlieferungen zur Geschichte unserer Zeit, (1818/Januar bis Juni) S. 141. VSchr NF II (= VI), 593. VI², 539. Vgl. Varnhagen an Brockhaus, 7. Mai 1816: H. E. Brockhaus. Friedrich Arnold Brockhaus II, 214. Ferner Varnhagens Notiz: C. Misch, a.a.O. S. 108 u. ebda.
[30] Vgl. Steins Denkschrift, Wien 17. Feb. 1815: Stein-Bfw V, 142ff. NA V, 274ff.
[31] Dkw NF I (= V), 15. III², 241. IV³, 188f. Vgl. H. Tiedemann. Der deutsche Kaisergedanke vor und nach dem Wiener Kongress (= Untersuchungen zur Deutschen Staats- und Rechtsgeschichte 143, S. 91f.) Dagegen R. Brendel. Die Pläne einer Wiedergewinnung Elsass-Lothringens in den Jahren 1814 und 1815 (= Beiträge zur Landes- und Volkeskunde von Elsass-Lothringen XLVII, S. 28).
[32] Vgl. Stein an Hardenberg, Wien 27. Feb. 1815: Stein-Bfw V, 145f. NA V, 278f. Vgl. F. Meinecke, Weltbürgertum und Nationalstaat, S. 163f. Ferner G. Ritter. Stein, S. 512f.
[33] Vgl. Stein an Solms-Laubach, Nassau 18. Juni 1819: Stein-Bfw V, 573. NA VI, 102. Ferner Hebenstreits Rapport 23. Dez. 1814: J. Körner. Nur ein Dichterling, a.a.O. "Ich halte ihn für einen ganz gewöhnlichen Routinier und Skribifak, ..."
[34] Rahel an L. u. M. Robert, 10. Feb. 1815: L. Geiger. Vom Wiener Kongress I. Die Zeit, (1917) Nr. 5393.

Bereits während Varnhagen mit der Ausarbeitung seiner Flugschrift beschäftigt war, zeigte es sich, dass ihm zu einer 'Geschichte des Wiener Kongresses' Voraussetzungen, die für ihn bisher selbstverständlich gewesen waren, fehlten. Denn nachdem am Wiener Kongress in der Person des französischen Publizisten Flassan ein weiterer Anwärter für die Rolle des Geschichtschreibers aufgetreten war, sah sich Varnhagen einer Konkurrenz ausgesetzt, die er um so schlimmer empfand, weil er wusste, dass er selbst in seiner Eigenschaft als Augenzeuge weniger glaubwürdig sein würde, wenn seine 'Geschichte' nicht als erste erscheinen könnte, und auf dieses Argument hat er auch bei seiner Auseinandersetzung mit Hess zurückgegriffen [35]. Doch ebensowenig, wie er zu verhindern vermochte, dass Flassan 1829 ein dreibändiges Werk über den Wiener Kongress veröffentlichte, wobei ihm selbst darauf nur die Zuflucht zu einer polemisch-kritischen Rezension verblieb [36], gelang es ihm bei der Beschaffenheit der Umstände, die das Kongressgeschehen mitbestimmten, nicht unmittelbar, den geistigen Überblick zu gewinnen. Die einseitige politische Stellung in preussischen Diensten bedeutete für ihn eine Einschränkung, die sich formal auf seine Geschichtsschau auswirkte, und darin berührte er sich gedanklich mit Hardenberg, dass er bei der sächsischen Frage grundsätzlich das "System eines Mittel-Europa's" am Wiener Kongress völlig durchschaute. Was er aber als Publizist im Hinblick auf die politischen Ziele der Mächte rein theoretisch erörterte, musste bei den Führern der europäischen Gleichgewichtspolitik den Eindruck erwecken, als ob einer der ihren einen Verrat beginge, und es deckt die tiefere Ursache auf, dass Metternich Varnhagen überwachen liess und sich seiner Anstellung bei der preussischen Gesandtschaft in Wien widersetzte [37].

Ein frühestes Zeugnis von Varnhagens publizistischer Tätigkeit war seine

[35] Vgl. Varnhagen an Hardenberg, Wien 28. Dez. 1814: DZA, Hist. Abt. II, Merseburg, Rep. 92 Hardenberg K 72 Bl 1 "Ohne Zweifel wird Herr von Flassan dadurch noch kein Thucydides, dass er wie dieser anfängt die Begebenheiten zu beschreiben, deren Verlauf und Ausgang sich erst entwickeln soll, und eben so wenig würde mir, wenn ich sonst auf geschichtschreiberisches Talent Anspruch machen könnte, dasselbe dadurch geschmälert werden, dass ich spät nach Andern meine Darstellung begönne; für die Sache selbst dürfte aber vielleicht dennoch nicht ganz gleichgültig sein, wenn fremde Mittheilungen und Ansichten im Publikum einen gar zu grossen Vorsprung vor den unsrigen gewönnen, ..." Vgl. dazu auch Varnhagen an Rahel, Wien 19. Okt. 1814: Bfw IV, 96. Ferner (**) 's Rapport, 1. Okt. [1814]; 11. Mai [1815]: A. Fournier. Die Geheimpolizei auf dem Wiener Kongress, S. 141; 470. Ferner Varnhagen. Berichtigende Mittheilungen an das Publicum, a.a.O. Sp. 144 "Ich kann daher auch nicht zugeben, dass Hr. v. Hess dieselbe eine voreilige Schrift nennt, wofür ich wahrhaftig keinen Grund zu finden wüsste, wenn nicht Hr. v. Hess in der Vorrede aufrichtig bekennte, es wäre ihm unweit lieber gewesen, wenn über diesen Gegenstand vor ihm Niemand hätte etwas drucken lassen". Vgl. oben S. 71.
[36] Vgl. Varnhagens Rezension, JfwK 2 (1830) Sp. 391ff. Zur Geschichtschreibung, S. 298ff.
[37] Vgl. Hager an Franz II., 11. März 1815 (Bordereau et rapport journalier): M. H. Weil. Les dessous du Congrès de Vienne II, 311f. Dazu H. R. v. Srbik. Metternich I, 187. Ferner Varnhagen an Rahel, Wien 19. Okt. 1814; Paris 5. Okt. 1815: Bfw IV, 96; V, 59. Humboldt an K. v. Humboldt, Paris 4. Okt. 1815: Humboldt-Bfw V, 91f. Vgl. auch Varnhagen an Ölsner, Berlin 11. Juli 1823: Ölsner-Bfw III, 115. Ferner C. Misch, a.a.O. S. 35.

Erwiderung in Form von Anmerkungen zu einem Artikel, den Flassan im 'Moniteur' über die Aufgaben und Fragen des Wiener Kongresses veröffentlicht hatte. Bei dieser ersten Stellungnahme betrachtete Varnhagen die Frage Sachsens nach politischen Grundsätzen, die er formal anwandte, und übersah deshalb beispielsweise die persönlichen Beziehungen der Monarchen untereinander, die zur Unterbrechung der preussisch-österreichischen Verständigung geführt hatten [38]. Denn insofern er nur von der Voraussetzung einer Gleichgewichtspolitik ausging, konnte formal gesehen bloss eine andere Macht als Preussen dessen Vereinigung mit Sachsen zu verhindern interessiert sein. Dabei gewann in der Polemik gegen Flassan die rationalistische Schärfe, mit der Varnhagen die französische Politik verzeichnete, in der Situation der Zeit wenigstens einen konkreten Sinn, und es ist erstaunlich, mit welcher Sicherheit er den Gegensatz zwischen Frankreich und einem unter Preussen geeinten Deutschland damals aufdeckte. Was ihm nämlich zur Veranschaulichung seiner Behauptung diente, war nicht auf die kriegerische Auseinandersetzung mit dem napoleonischen Frankreich gemünzt, sondern stand unmittelbar im Brennpunkt des Kongressgeschehens, wo Talleyrand sich erfolgreich für den König von Sachsen, der bis zuletzt zu Napoleon gehalten hatte, einzusetzen vermochte, und im Hinblick darauf, folgerte Varnhagen, dass es freilich "angenehm gewesen sein" würde, "wenn die Nachfolger Bonaparte's mit seinen inländischen Dienern", zu denen er vor allem Talleyrand zählte [39], "auch gleich die ausländischen hätten übernehmen können", denn schliesslich sei "der König von Sachsen... ein solcher Diener" gewesen, "dessen Treue nun das jetzige Frankreich, wie früher das damalige, zu benützen wüsste" [40], und um so deutlicher musste sich unter dieser Voraussetzung das Legitimitätsprinzip als politische Spiegelfechterei blossstellen.

In einer weiteren Erwiderung, die Varnhagen auf einen Artikel im 'Rheinischen Merkur' hin veröffentlich hat, gewann seine formale Betrachtungsweise eine noch entschiedenere Prägung. Ob er dabei bewusst gegen Jacob Grimm polemisierte, ist nicht abzuklären, da dessen Verfasserschaft nicht angegeben war und Varnhagen auch anders als bei Flassans Artikel gar keine Vermutungen darüber anstellte [41]. Persönlich bestand zwischen den Brüdern Grimm und Varnhagen, seit sie sich kannten, eine gewisse Spannung, und

[38] Vgl. K. Griewank. Preussen und die Neuordnung Deutschlands 1813-1815, FBPG 52 (1940) S. 255f.; Der Wiener Kongress und die Neuordnung Europas 1814/15, S. 174ff.
[39] Vgl. Dkw NF I (= V), 65f. III², 293f. IV³, 235f.
[40] Varnhagen an Hardenberg, Wien 1. Jan. 1815, Beilage: DZA, Hist. Abt. II, Merseburg, Rep. 92 Hardenberg K 72 Bl 7-9 S. 3 A. 4 – In der veröffentlichten Fassung im 'deutschen Beobachter' fehlt dieser Satz. Vgl. P. Czygan. Zur Geschichte der Tagesliteratur II/2, 122 A. 4. Vgl. auch Varnhagen an Hardenberg, Wien 1. Jan. 1815, Beilage: a.a.O. S. 2 A. 2 "Dies ist der Schlüssel der ganzen Politik Frankreichs, das in jeder Rundung und Befestigung deutscher Staaten von jeher nur die Hindernisse erblickte, die dadurch dem willkürlichen Schalten und Walten seines Ehrgeizes in Deutschland entgegenwuchsen". Ferner Deutsche Ansicht der Vereinigung Sachsens mit Preussen, S. 47f.
[41] Vgl. Varnhagen an Hardenberg, Wien 15. Jan. 1815: P. Czygan. Zur Geschichte der Tagesliteratur II/2, 125. Dagegen die Erwähnung Flassans bei Varnhagen an Hardenberg, Wien 1. Jan. 1815: ebda S. 120.

nachdem ihn Jacob Grimm während der Friedensverhandlungen in Paris "zu sehen gemieden" hatte [42], begegneten sie einander erst wieder am Wiener Kongress. Varnhagen hatte sich damals mit seiner langjährigen Freundin Rahel gerade frisch vermählt, und neben Karoline und Wilhelm von Humboldt, die sich über dieses Ereignis die unfreundlichsten Bemerkungen schrieben, äusserte auch Jakob Grimm sein Erstaunen darüber [43]. Im Hinblick auf diese Situation und die an ihr beteiligten Personen zeigte es sich wenigstens, dass der Artikel im 'Rheinischen Merkur' eine direkte Herausforderung an Varnhagen enthielt und er sich seinerseits dort, wo er persönlich angegriffen wurde, nämlich im 'Hamburgischen Correspondenten' mit einer ausgesprochen zwielichtigen Charakteristik Wilhelm von Humboldts entsprechend verteidigte [44]. Was er dagegen im 'deutschen Beobachter' erwiderte, betraf keine Person, sondern war die konsequente Weiterführung seiner gleichgewichtspolitischen Überlegungen, denen zufolge auch ein Krieg, wie sogar Hardenberg erwog [45], in den Bereich des Möglichen rückte. Während nämlich Jacob Grimm "einen Krieg in Teutschland unter Teutschen" geradezu eine "Sünde gegen allen treuen Glauben des Volkes" nannte, dachte Varnhagen schon so realpolitisch, dass er ihn nur "vermeiden" zu dürfen glaubte, solange es eben noch tragbar war [46].

Nachdem Varnhagen aber bei aller politischen Anteilnahme, die er in preussischen Diensten bewies, doch keine verantwortliche Aufgabe zugeteilt erhielt, musste er sich mit jener Form von Einweihung begnügen, die ihm angeblich anlässlich seiner Flugschrift zur sächsischen Frage durch Stein und Hardenberg zuteil wurde, und wenn er behauptete, dass "das Richtige und Wahre auch im politischen Fache leicht und schnell gewusst" werden könnte und "der Eingeweihte sonder Mühe" erkenne und ausscheide, was den "Draussenstehenden oft völlig" verwirre, hielt er seinen Vorgesetzten ihre Verschwiegenheit sogar zugute

---

[42] J. Grimm an W. Grimm, [Paris] 18. Mai 1814: Grimm-Bfw S. 328. Vgl. W. Grimm an Brentano, 25. April 1810: R. Steig. Clemens Brentano und die Brüder Grimm, S. 97f. Dazu L. Brentano. Mein Leben im Kampf um die soziale Entwicklung Deutschlands, S. 266. Ferner Dkw NF III (= VII), 33f. III³, 25f. Vgl. auch J. Grimm an W. Grimm, Paris 21. Okt. 1815: Grimm-Bfw S. 459.
[43] Vgl. J. Grimm an W. Grimm, Wien 21. Okt. 1814: Grimm-Bfw S. 364. Ferner Humboldt an K. v. Humboldt, Wien 12. Okt. 1814; 5. Jan. 1815; K. v. Humboldt an Humboldt, Berlin 9. Nov. 1814: Humboldt-Bfw IV, 394f.; 450; 405.
[44] Vgl. [Varnhagen] Wilhelm, Freyherr von Humboldt. Staats- und Gelehrte Zeitung des Hamburgischen unpartheyischen Correspondenten, (1814) Nr. 128. Zur Verfasserschaft vgl. Humboldt an K. v. Humboldt, Wien 5. Jan. 1815: Humboldt-Bfw IV, 449. Dazu K. v. Humboldt an Humboldt, Berlin 31. Dez. 1814: ebda S. 445. Ferner J. Grimm an W. Grimm, Wien 16. Dez. 1814: Grimm-Bfw S. 385ff.; 387. – Dieser Brief ist eine Art Entwurf zu dem im 'Rheinischen Merkur' veröffentlichten Artikel. Vgl. unten A. 46.
[45] Vgl. Hardenberg an Gneisenau, Wien 15. Dez. 1814: H. Delbrück. Gneisenau IV, 299.
[46] [Varnhagens Artikel] Schreiben aus Wien v. 18. Jan. Der deutsche Beobachter, (1815) Nr. 16: P. Czygan. Zur Geschichte der Tagesliteratur II/2, 128. Ferner [J. Grimms Artikel] Aus Wien. 14. December. Rheinischer Merkur, (1814) Nr. 169: ebda S. 126. Vgl. J. Görres. Der gesammelten Schriften sechster bis achter Band, S. 41 u. ebda.

und offenbarte sich selbst in seiner freimaurerischen Geisteshaltung [47]. Um jedoch das allgemeine Geschehen am Wiener Kongress geschichtlich zu durchdringen, fehlten Varnhagen die allseitigen Nachrichten, denen er in Hamburg 1813 und sogar in Nordfrankreich 1814 seinen konkreten Überblick verdankt hatte. Durch seine Stellung als Publizist hatte er am Wiener Kongress diplomatisch überhaupt keinen Einblick in die Geschäfte, und so scheiterten auch seine Versuche, mit Metternich und Talleyrand ins Gespräch zu kommen [48]. Wenn Varnhagen deshalb keine 'Geschichte' des Wiener Kongresses zu schreiben vermochte, lag es an den äusseren Umständen, an der Fülle von Eindrücken, die er nicht zu bewältigen imstande war, und nicht zuletzt an den Menschen, die sich gegenseitig behinderten. Die "Physiognomie" des Kongresses, seine Gesellschaftsstruktur, unterlag einer geistigen Führung, die Varnhagens eigener Vorstellung einer durch die Geschichte lebendigen Entwicklung von Ereignissen widersprach, und nachdem er sich in Wien zuerst überhaupt hatte zurechtfinden müssen, fehlte ihm später die Kraft zu einer historiographischen Lösung, die wie die 'Geschichte der hamburgischen Begebenheiten' den politischen Anspruch von Anfang an bereits in sich selbst enthalten hätte [49].

Diesem Mangel gegenüber war Varnhagens erstes Auftreten im überfüllten Wien trotzdem unbefangen auf eine geschichtliche Bewältigung seiner Erlebnisse gerichtet. Denn er bemühte sich um einen Standpunkt, der ihm den notwendigen Überblick hätte verschaffen sollen, und da er den Kreisen der Wiener Gesellschaft von 1809 her kein Unbekannter war, gelang es ihm auch leicht, durch seine Beziehungen sein Ansehen zu heben [50]. Wichtig war für ihn im Hinblick auf sein bisheriges geschichtliches Erleben die Bekanntschaft mit der Gräfin Laura Fuchs, in deren Haus Wallmoden, Nostitz und bis zu seiner Abreise [51] sicherlich auch Tettenborn regelmässig verkehrten. In dieser Gesellschaft fand Varnhagen eine Gruppe von Gesinnungsgenossen, die schon während der Kriegsjahre bestanden hatte und die in der Gräfin ihre gemeinsame sogenannte "Königin" verehrten. Was aber sein geschichtliches Interesse betraf, konnte Varnhagen in diesem Kreis bei einer Erinnerung anknüpfen, die ihm aus dem Jahr 1810, als ihn Bentheim zuerst eingeführt hatte, noch im Ge-

---

[47] Vgl. Aus Varnhagen's Denkwürdigkeiten. Rheinisches Jahrbuch, 1 (1846) S. 185. Dkw VIII, 24. II³, 294. Dazu vgl. oben S. 29. Ferner Dkw NF I (= V), 92. III², 320. IV³, 257.

[48] Vgl. Dkw NF I (= V), 12; 62f. III², 238f.; 291f. IV³, 186; 233f.

[49] Vgl. Dkw NF III (= VII), 287f. V², 28. Dazu Varnhagen an Cotta, Frankfurt a.M. 19. Mai 1816: SNM Cotta-Archiv Nr. 48 "Die Gesch. d. Wiener Kongresses seh ich mich bewogen, *früh* anzukündigen, doch wird sie sobald noch nicht zur völligen Ausarbeitung gefördert werden können". Woltmann an Varnhagen, Prag 11. Juni 1816; J. G. Reinhold an Varnhagen, Rom 1. Juli 1817: Denkschriften und Briefe NF (= V), 187; 196. Ferner Dkw NF I (= V), 3ff. III², 229ff. IV³, 179ff.

[50] Vgl. Hebenstreits Rapport, 23. Dez. 1814: J. Körner. Nur ein Dichterling, a.a.O. wo es von Varnhagen heisst, Hebenstreit habe in ihm "einen Menschen von einiger Gewandtheit, ziemlichen Kenntnissen und vieler Repräsentationsgabe gefunden". Ferner Dkw I (= V), 6. III², 232. IV³, 181f. Vgl. Dkw II², 173ff. II³, 262ff. Ferner C. Pichler. Denkwürdigkeiten I, 361f. Vgl. H. Spiel. Fanny von Arnstein, S. 342ff.

[51] Vgl. Varnhagen an Tettenborn, Wien 26. Jan. 1815 [Interzept]: M. H. Weil. Les dessous du Congrès de Vienne II, 124f.

dächtnis geblieben sein musste. Von damals erzählt er nämlich in seinen 'Denkwürdigkeiten', wie das Gespräch über "muntre Scherze und leichten Austausch unwichtigster Kleinigkeiten" auch zur "Erörterung grosser Geschichtsmomente" gedrängt habe, worin gleichzeitig der "Ausdruck tiefer Empfindungen für Vaterland und Freiheit" enthalten gewesen sei [52]. Was aber besonders für den inneren Zusammenhang sprach, den Varnhagen später zwischen seinen verschiedenen Wiener Aufenthalten feststellte, war in dem Umstand begründet, dass er in den 'Denkwürdigkeiten' soweit sie den Wiener Kongress behandelten, nur von der "Gräfin" berichtete, "die fast im Ernste den scherzhaften Namen 'Königin' führte", und indem er ihre Identität verheimlichte, seinen Standpunkt im Bewusstsein der Eingeweihten wählte, die allein ihn auch so verstehen konnten [53].

Sobald Varnhagen aber bei einer formalen Beschreibung äusserlichen Lebens und einzelner hervorragender Persönlichkeiten stehen blieb, verwirklichte er damit auch nicht annähernd seinen eigenen Erlebnisdrang, und was den Anschein von Einweihung erwecken könnte, insofern er selbst überhaupt in den verschiedenen Kreisen zugelassen war und von ihnen erzählte, beruhte nicht auf innerer Anteilnahme, sondern auf distanzierter äusserer Beobachtung [54]. Dabei war das Haus der Gräfin Fuchs gerade am wenigsten geeignet, um dort unmittelbar von den Geschäftsverhandlungen unterrichtet zu werden, wogegen, wie Varnhagen wusste, die Gräfin Zichy "die höchsten Monarchen... in engerem Kreise zum Besuch" empfing und deshalb bei ihr ein besserer Einblick möglich sein musste. Aber da, wie er selbst einschränkend hinzusetzte, die "Gegenwart der höchsten Gäste ... andre" nicht zuliess, konnte sich Varnhagens Urteil über die Gräfin Zichy nur als physiognomische Deutung ihrer "Erscheinung" behaupten, wie er sie angeblich "bei vielen Anlässen" wahrgenommen hatte [55], und es war schliesslich wichtiger für ihn, dass er sie noch von früher aus Berlin her kannte. Zu einer geschichtlichen Sinngebung ihrer Person

---

[52] Aus Varnhagen's Denkwürdigkeiten. Rheinisches Jahrbuch, 1 (1846) S. 207ff. (208) Dkw VIII, 48ff. (50) II³, 312f. (313) Vgl. dazu Varnhagen an Rahel, Wien 7. Jan. 1810: Bfw II, 34. Ferner Varnhagen an K. v. Humboldt, Prag 22. Juni 1812; Berlin 12. Sept. 1812; 26. Feb. 1813; K. v. Humboldt an Rahel, 13. Okt. [1813]: K. v. Humboldt-Bfw S. 52 Z. 24ff.; 64 Z. 16ff.; 83 Z. 32ff.; 121 Z. 32ff. Vgl. auch A. de la Garde. Gemälde des Wiener Kongresses II, 174. Dagegen H. Spiel. Fanny von Arnstein, S. 429.
[53] Vgl. Dkw NF I (= V), 8. III², 234. Dagegen mit Namensnennung Dkw IV³, 183. Dazu Varnhagen an K. v. Humboldt, Bremen 14. Nov. 1813: K. v. Humboldt-Bfw S. 135 Z. 4ff. Ferner Varnhagens Notizen, Mainz 31. Juli 1840; Homburg 10. Juil 1844: Tgb I, 211; II, 323. Vgl. auch A. de la Garde. Gemälde des Wiener Kongresses I, 76ff.
[54] Vgl. Dkw NF I (= V), 3f. III², 229f. IV³, 179f. Dazu O. F. Walzel. [Varnhagen-Artikel] In: ADB 39 (1895) S. 778. R. Haym, a.a.O. S. 467. C. Misch, a.a.O. S. 4. E. Croce. Un memorialista liberale tedesco. In: Romantici tedeschi ed altri saggi (= Collana di Saggi XXI, S. 121). Dagegen H. Spiel. In: Der Wiener Kongress in Augenzeugenberichten, S. 394.
[55] Dkw NF I (= V), 9. III², 235. IV³, 183f. Vgl. den Rapport, 14. Okt. [1814]; (**) 's Rapport, 28. Dez. [1814]: A. Fournier. Die Geheimpolizei auf dem Wiener Kongress, S. 187; 319. Ferner A. de la Garde. Gemälde des Wiener Kongresses I, 171f. A. 3. L. Thürheim. Mein Leben II, 97.

vermochte er sich aber doch nicht durchzuringen, und darin hatte sich in ihm sein innerer Zustand gewandelt, nachdem er noch Jahre zuvor in der Lage gewesen war, Napoleon auf Grund von dessen äusserem Wesen als historische Gestalt zu verstehen [56]. Wenn er nun nämlich an der Gräfin Zichy unbefangen "die grösste Schönheit" bewunderte und in ihr den "Ausdruck der Unschuld und Tugend in aller Fülle und Weltbildung" geradezu diagnostizierte, folgte er bloss dem allgemein geltenden Urteil über diese Frau [55].

Sicherlich hatte Varnhagen gute Beziehungen zu einzelnen Personen der Wiener Gesellschaft wie beispielsweise zu Gentz, aber er durfte trotzdem nicht wählerisch sein, denn nicht überall fand er Zutritt, und vor allem das Haus des Grafen Fries, bei dem die politischen Vorgänge zeitweilig "am besten" bekannt gewesen sein sollen, hat er offenbar nicht betreten [57]. Umgekehrt überschätzte er dagegen einen Mann wie den Abbé Carpani, dem er sowohl bei der Gräfin Fuchs als im Salon der Fanny von Arnstein begegnen konnte und der schliesslich sogar im "Gasthofe der Kaiserin von Österreich", in dem Varnhagen und Tettenborn einquartiert waren [58], zu der abenteuerlichen Tafelrunde gehörte, die sich dort zusammengefunden hatte. So, wie Varnhagen aber Carpani schilderte, beurteilte er ihn beinahe schon als eingeweihten Mitwisser einer freiheitlichen Bewegung, und dazu konnte er sich nach seinen eigenen Erfahrungen vor allem durch den ungezwungenen Verkehr, der unter den Mitgliedern gerade jener Tafelrunde herrschte, veranlasst fühlen [59]. Dabei schien Carpani sich selbst verraten zu haben, als er mit seinen Bekenntnissen "über das Wesen der Carbonari" Varnhagen die Anregung gab, sich mit der "Form dieser Brüderschaft" zu beschäftigen. Doch nachträglich kam er seinerseits zu der Einsicht, dass die Gerüchte über geheimbündlerische Agitation besonders in Diplomatenkreisen umgingen, und bei dem Interesse, das er zugleich allen solchen Fragen entgegenbrachte, hat er offenbar nicht realisiert, dass er in der Person des Abbé Carpani in erster Linie einem persönlichen Konfidenten des Wiener Polizeipräsidenten Hager begegnet war [60]. Wenn er

[56] Vgl. Varnhagen an K. v. Humboldt, Berlin 5. Nov. 1812: K. v. Humboldt-Bfw S. 67 Z. 29ff. Dazu Dkw III, 210f. II², 366. III³, 247. Vgl. oben S. 107f.

[57] Vgl. (**) 's Rapport, [Okt. 1815]: A. Fournier. Die Geheimpolizei auf dem Wiener Kongress, S. 170. Dazu ebda S. 86. Ferner Varnhagen an Rahel, Wien 19. Okt. 1814: Bfw IV, 96. Dazu F. Gentz. Tagebücher I, 320. Dkw NF I (= V), 77f.; 87f.; 97. III², 306; 315f.; 325. IV³, 245; 253f.; 261. Dazu F. Gentz. Tagebücher I, 339.

[58] Vgl. Varnhagen an Rahel, Wien 12. Okt. 1814: Bfw IV, 81; 84. Dazu Dkw NF I (= V), 6. III², 232. IV³, 181.

[59] Vgl. A. de la Garde. Gemälde des Wiener Kongresses I, 76ff. Ferner H. Spiel. Fanny von Arnstein, S. 432. Ferner Dkw NF I (= V), 6. III², 232. IV³, 181.

[60] Dkw NF I (= V), 101f. III², 329f. IV³, 264f. Vgl. dazu Nota [= Carpani] an Hager, Wien 10. April 1815 [Rapport]: M. H. Weil. Les dessous du Congrès de Vienne II, 443. Dazu A. Fournier. Die Geheimpolizei auf dem Wiener Kongress, S. 17. Der gekürzte Rapport ebda S. 440. Vgl. ferner Varnhagens Depesche an Friedrich Wilhelm III., Karlsruhe 12. April 1819: DZA, Hist. Abt. II, Merseburg, A.A.I. Rep. I. Nr. 665 "Seit einigen Tagen sind in diesen Gegenden die seltsamsten Gerüchte in Umlauf, von einer in Rom entdeckten Verschwörung der Carbonari gegen den Kaiser von Österreich, wesshalb die Weiterreise Seiner Majestät eingestellt worden sei; ... Es ist zu bemerken, dass diese Gerüchte vorzüglich durch diplomatische Kreise durchgehn und bestärkt werden; wer aber sieht, wie nachtheilig die aufregende

jedoch diesen Umstand nur verschwiegen hätte, würde sich darin ein Mangel seiner historischen Betrachtungsweise äussern, weil er damit einen ihm bekannten Tatbestand im dunkeln belassen hätte, und dies musste um so mehr der Fall sein, wenn ihm Carpanis Rolle wirklich unbekannt geblieben war. Was Varnhagen aber in den 'Denkwürdigkeiten' vom Wiener Kongress erzählt hat, überging im allgemeinen die konkreten gesellschaftlichen Beziehungen und beschränkte sich auf die Wiedergabe stimmungsmässiger Momente. Der entscheidende Eindruck war durch die weitgehende Aufhebung ständischer Unterschiede bestimmt, und so bemerkte er, dass der "Wiener Tag . . . aus besonderem Stoffe gemacht" zu sein schien, da er, "was er berührte, . . . in sein Behagen" aufgenommen habe, und besonders hätten sich im "Strudel bürgerlicher Belustigungen" die Monarchen wohlgefühlt und, wie er sich ausdrückte, sogar die "Kost vorstädtischer üppig-derber Herbergen" schätzen gelernt [61]. Solange aber die Unmittelbarkeit des Erlebten auch im Gesellschaftlichen nicht Ausdruck eines freiheitlichen Fortschreitens war, kam Varnhagen darin gestalterisch ebensowenig wie in anderen Bereichen seiner Teilnahmebereitschaft über formale Gesichtspunkte hinaus, wie sie schliesslich sogar in Schönholz' summarischer Darstellung enthalten waren [62]. Wenn er jedoch behauptete, dass sein "Aufsatz über den Wiener Kongress . . . neben den persönlichen Denknissen auch den Kern und das Wesentliche aller Geschäftsführung" mitteile, hatte er wenigstens, was seine Zugehörigkeit zur Freimaurerei betraf, nicht unrecht, da er in Wien den Verkehr mit den Gleichgesinnten aus der Umgebung des Tugendbundes wieder aufnehmen konnte, und von dieser Gruppe, deren Bestehen Varnhagen in seinem "Aufsatz" ebenso verschwieg wie in der 'Geschichte der hamburgischen Begebenheiten', berichten die Beobachtungen des Konfidenten Hebenstreit, der neben Varnhagen überhaupt den ganzen Kreis der sogenannten "Tugendbundisten" bespitzelte und als ihre Häupter den Freiherrn von Otterstedt und Karl Müller denunzierte [63].

Während Karl Müller auch von Varnhagen später als Mitglied des Tugendbundes bezeichnet wurde [64], war die Rolle, die Otterstedt innerhalb dieser Gruppe spielte, nicht einseitig für die Sache Preussens entschieden. Otterstedt hatte in der Steinschen Zentralverwaltung unter Gruner die Stellung eines Kommissars erhalten, sich aber mit ihm vorübergehend zerstritten und stand

---

Wirkung solcher Gerüchte, auch wenn sie als falsch erwiesen worden, bleibt, der sollte billig Bedenken tragen, das Aufheben davon zu vermehren!" Dazu Varnhagen an Rahel, Berlin 13. Nov. 1817: Bfw V, 296f. Vgl. [Varnhagens Artikel] *Frankfurt, 6 Mai, AZ (1819) S. 524. Zur Verfasserschaft vgl. C. Misch, a.a.O. S. 173. Ferner Varnhagen an Cotta, Berlin 24. Feb. 1821: Briefe an Cotta II, 27f. Varnhagen an Ölsner, Berlin 29. Juli; 3. Aug.; 17. Sept. 1820: Ölsner-Bfw II, 83f.; 92f.; 112.

[61] Dkw NF I (= V), 82f. III², 311. IV³, 249f.

[62] Vgl. die Parallelstelle bei F. A. v. Schönholz. Traditionen zur Charakteristik Österreichs II, 102.

[63] Vgl. H[ebenstreit] an Hager, Wien 23. Jan. 1815: M. H. Weil. Les dessous du Congrès de Vienne II, 71f. A. Fournier. Die Geheimpolizei auf dem Wiener Kongress, S. 348. u. ebda S. 18. Ferner Varnhagens Notiz, 28. Mai 1855: Tgb XII, 105.

[64] Vgl. Varnhagen. Karl Müller, a.a.O. S. 18. VSchr VIII, 305. III³, 106.

am Wiener Kongress am engsten mit Stägemann in Verbindung [65]. Gleichzeitig liefen seine Beziehungen damals auch zum Kreis der Württemberger; und sogar mit dem Polizeipräsidenten Hager, der ihn hatte ausweisen lassen wollen, vermochte er sich ins Einvernehmen zu setzen [66]. Wie Otterstedt lieferte aber auch Karl Müller Nachrichten für die Polizei [67], und damit war es verständlich, wenn Varnhagen in dieser Sphäre opportunistischer Gesellickeit für seine politische Ansicht keine geschichtliche Bestätigung finden konnte. Er selbst hat dabei bezeugtermassen in Gesellschaft Otterstedts Vorwürfe gegen Preussen ausgesprochen, und um so mehr war es deshalb bezeichnend, dass Woltmann glaubte, ihn für österreichische Wünsche gefügig machen zu können [68]. Die ganze Gruppe der Tugendbundisten und ihrer Mitläufer war aber am Wiener Kongress in ihrer Wirksamkeit weitgehend beschränkt; denn indem die politische Struktur des europäischen Mächtegleichgewichts von Anfang an die Entscheidung mitbestimmte, blieb die individuelle Anteilnahme, die der Einzelne noch Jahre zuvor im Krieg allein durch seinen persönlichen Eifer und Mut hatte bezeugen können, ohne Einfluss. Der innere Zusammenhang, den die schriftlichen Nachrichten und nur die blossen Bekanntschaften in den Kreisen der verschiedenen Agenten geradezu als einen allgemeingeschichtlichen veranschaulichen mussten, vermochte sich bei der gegenseitigen Durchdringung einzelner Gruppen und vor allem wegen der Rolle, die der Geheimpolizei vorbehalten blieb, nicht mehr so deutlich wie früher abzuzeichnen. So war beispielsweise ein Mann wie der Steuerrat Borbstedt, der ehemals mit dem Kreis in Königsberg in Beziehung gestanden hatte, am Wiener Kongress als Tugendbundist verrufen, während er später selbst als Denunziant seiner Gesinnungsgenossen auftrat [69], aber auch Cotta sollte angeblich dem Tugendbund

---

[65] Vgl. A. Fournier. Die Geheimpolizei auf dem Wiener Kongress, S. 146 A. 1. M. H. Weil. Les dessous du Congrès de Vienne II, 71 A. 2. E. Botzenhart. In: Stein-Bfw V, 152 A. 1. Vgl. Stägemann an E. Stägemann, [Wien] 9. Okt. [1815]: H. v. Olfers geb. v. Staegemann I, 227. Ferner Varnhagen an Rahel, Trier 18. Feb. 1814: Bfw III, 307.

[66] Vgl. Hager an Franz II., Wien 3. Okt. 1814 (Bordereau, Rapport journalier): M. H. Weil. Les dessous du Congrès de Vienne I, 188. A. Fournier. Die Geheimpolizei auf dem Wiener Kongress, S. 146. Dazu Hagers Ausweisungsbefehl, Wien 12. Okt. 1814: M. H. Weil. Les dessous du Congrès de Vienne I, 273. Ferner Stägemann an E. Stägemann, [Wien] 17. Nov. [1815]: H. v. Olfers geb. v. Staegemann I, 250. Cotta an Stein, Stuttgart 18. März 1815: Stein-Bfw V, 152. NA V, 286. Stein an Hardenberg, Nassau 7. Aug. 1814: Stein-Bfw NA V, 99. Varnhagen an Rahel, Wien 19. Okt. 1814: Bfw IV, 96.

[67] Vgl. H[ebenstreit] an Hager, Wien 29. Nov. 1814: M. H. Weil. Les dessous du Congrès de Vienne I, 615. A. Fournier. Die Geheimpolizei auf dem Wiener Kongress, S. 274.

[68] Vgl. K. [L.] v. Woltmann. Preussische Charaktere, a.a.O. S. 107. Ferner den Rapport, (März 1815): A. Fournier. Die Geheimpolizei auf dem Wiener Kongress, S. 423. Dazu H. J[oachim]. In: Hinweise und Nachrichten, ZsVHG 21 (1916) S. 228. Dagegen C. Misch, a.a.O. S. 25f.; 144.

[69] Vgl. P. Czygan. Neue Beiträge zu Max von Schenkendorfs Leben, Denken, Dichten IV. Euphorion, 19 (1912) S. 201 u.A. Ferner Schmidts Rapport nach Hebenstreit, 11. Feb. [1815]: A. Fournier. Die Geheimpolizei auf dem Wiener Kongress, S. 389, ebda S. 87. R.No. 115 an Hager, Wien 28. Okt. 1814: M. H. Weil. Les dessous du Congrès de Vienne I, 415. Dazu W. Dorow. Erlebtes aus den Jahren 1813-1820 I, 207 A.*. Vgl. auch Borbstedt an Hardenberg, Dijon 26. März 1814: P. Stettiner, a.a.O. S. 52.

angehören, was bei seinen Beziehungen zu Otterstedt damals um so wahrscheinlicher wirken musste [70]. Gegenüber einer derartigen Betrachtungsweise, wie sie unter den Agenten üblich war und wie sie sogar Woltmann ein einem Bericht 'Über den Tugendbund' anwandte [71], nahm Varnhagen in seinem "Aufsatz" eine distanziertere Haltung ein, wobei er nach formalen Grundsätzen die Kongressteilnehmer schilderte und die persönlichen Verhältnisse jener Kreise, in denen Nachrichten wechselseitig und berufsmässig ausgetauscht wurden, nicht ausdrücklich erwähnte. Von den einzelnen Männern, denen er bei dieser Gelegenheit begegnet sein musste, tauchten in seiner Schilderung nur die Namen Otterstedts und Karl Müllers auf [72], aber darin war für den eingeweihten Zeitgenossen alles weitere bereits enthalten.

Die formale Betrachtungsweise vermittelte, insofern sie politisch bestimmt war, einen Masstab, der sich auch bei der Beurteilung einzelner Persönlichkeiten als anwendbar erwies, wobei es allerdings mehr auf die Wirkung ankam als auf ein möglichst individualisierendes Ergebnis. So erschien beispielsweise Stein als Vertreter preussischer Politik, wie ihn Varnhagen verstanden wissen wollte [73], und bewies dabei eine Form von Entschlossenheit, die er persönlich im machtpolitischen Spiel gar nicht konkret zu verwirklichen vermochte. Sein entschiedenes Auftreten war im Grunde nur der Ausdruck seiner innersten Veranlagung und nicht zuletzt eine Frage des Temperaments. Wenn aber Varnhagen für die mangelnde Einweihung, die ihm zur Abfassung seiner Flugschrift durch Stein zuteil geworden war, dessen charakterliche Eigenschaften als Ursache gelten liess, stimmte sein Urteil mit dem überein, was, wie Hebenstreit bezeugt, auch im Kreis der Tugendbundisten von Steins schwindendem Einfluss gehalten wurde [74]. Andrerseits nahm Varnhagen jedoch die menschliche Seite gerade bei Stein durchaus individuell, und nur der formale Zusammenhang, in welchem er ihn als Menschen zu verstehen suchte, schränkte das Auffassungsvermögen nachträglich ein. Nachdem er sich seinerzeit aber von den "weitschweifigen Denkwürdigkeiten", wie sie Hess geschrieben habe, distanziert hatte, betonte er später ausdrücklich, dass es sich bei seiner Schilderung des Wiener Kongresses um "Denkwürdigkeiten" handle, "welche ihresgleichen noch viele voraussetzen oder gewärtigen" und denen es deshalb "erlaubt" sein müsse "Lücken zu haben, weil sie selber vielleicht so am besten

Vgl. ebda S. 38. Gruner an Hardenberg, Paris 10. Aug. 1815: J. v. Gruner. Justus Gruner und der Hoffmannsche Bund, FBPG 19 (1906) S. 499.
[70] Vgl. R an Hager, Wien 11. Okt. 1814: M. H. Weil. Les dessous du Congrès de Vienne I, 416. Ferner Cotta an Stein, Stuttgart 18. März 1815: Stein-Bfw V, 152. NA V, 286.
[71] Vgl. K. [L.] v. Woltmann. Über den Tugendbund. In: Beiträge zur Geschichte Preussens zur Zeit der Befreiungskriege, FBPG 40 (1927) S. 93ff.
[72] Dkw NF I (= V), 14f. III², 241. IV³, 188.
[73] Dkw NF I (= V), 15. III², 241. IV³, 188f. Vgl. oben S. 122.
[74] Hebenstreits Rapport, 23. Juni [1815]: A. Fournier. Die Geheimpolizei auf dem Wiener Kongress, S. 348. Vgl. Dkw NF I (= V), 19. III², 245. IV³, 191f.

andre ausfüllen" könnten [75]. Damit verzichtete er zwar nicht auf den historischen Beruf, insofern er der Überlieferung diente, aber seine Historiographie war nicht mehr Ausdruck einer, wenn auch für ihn damals bereits formal feststehenden, Geschichtsauffassung. Während bisher die hanseatische Politik ein konstanter Faktor seiner Geschichtschreibung gewesen war, gewannen in Wien andere politische Verhältnisse das Übergewicht, und wozu er von seinem historiographischen Standpunkt aus damals noch fähig war, beschränkt sich mit Sicherheit auf drei biographische Skizzen, die er, wie er Hardenberg schrieb, zunächst nur "als unbeabsichtigte Vorarbeiten zu der erwähnten Geschichtsdarstellung" entworfen hat. Es handelte sich dabei um kurze Charakteristiken Wilhelm von Humboldts, Metternichs und Talleyrands [76], die Varnhagen von verschiedenen Berührungspunkten ausgehend trotzdem in allen drei Fällen nicht so zu gestalten vermochte, dass sich die einzelnen Persönlichkeiten aus einem zeitgeschichtlichen Zusammenhang hätten deuten lassen.

Dementsprechend war für Varnhagen Humboldt das lebendige Beispiel eines Menschen, der sich zwar durch ausserordentliche Fähigkeiten vor den andern auszeichnete, sie aber in der allgemeinen Situation der Zeit nicht angemessen zu verwirklichen imstande war. Deshalb konnte er sich auch nicht unbefangen von natürlicher Anteilnahme leiten lassen, aber leistete trotzdem, wie Varnhagen bemerkte, "mit Gleichgültigkeit die ausserordentlichsten Dienste" [77]. In den 'Denkwürdigkeiten' dagegen lautete Varnhagens Fragestellung völlig anders; denn soweit er überhaupt auf Humboldt zu sprechen kam, würdigte er dessen Tätigkeit nur im Hinblick auf die ihm zugewiesene Aufgabe innerhalb der preussischen Vertretung [78]. Während Varnhagen bei Humboldt zuerst die geistigen Eigenschaften wahrgenommen hatte, fiel sein Blick bei Metternich zuerst auf dessen äussere Erscheinung, und dem "Eindruck", den er dabei gewonnen hatte, ordneten sich für ihn alle weiteren, auch politischen Absichten unter. Darin zeigte sich bei Varnhagens Betrachtungsweise eine Beschränktheit,

---

[75] Dkw NF I (= V), 48. III², 276. IV³, 215. Vgl. Varnhagen an Perthes, [Wien Frühjahr 1815] [Kopie]: HH StA Perthes Nachlass I M 9b Bl 3-5. Dazu vgl. oben S. 73. Ferner Dkw NF I (= V), 4. III², 230. IV³, 179f.

[76] Varnhagen an Hardenberg, Wien 28. Dez. 1814: DZA, Hist. Abt. II, Merseburg, Rep. 92 Hardenberg K 72 Bl 1.

[77] [Varnhagen] Wilhelm Freiherr von Humboldt, Beilage zu Varnhagen an Hardenberg, Wien 28. Dez. 1814: a.a.O. Bl 2. Vgl. ebda "Er hat ohne Zweifel grosse politische Gedanken, deren Wirksamkeit aber von dem geschichtlichen Zustand der jetzigen Staaten und der jetzigen Welt überhaupt zurückgewiesen wird; ..." Vgl. auch die veränderte Fassung. In: M. Blumenthal. Wilhelm von Humboldt und Varnhagen v. Ense, WIDM 96 (1904) S. 425 "Er hat die grössten weltbildenden Gedanken, deren Wirksamkeit aber durch den Zustand der Staaten und überhaupt jetziger Welt ausgeschlossen ist... Der Staat ist ihm eigentlich gleichgültig, ... Er unternimmt nichts für ihn, aber er lässt ihn keineswegs im Stich. Ein trefflicher Ausführer von Aufträgen, weiss ausserordentlich zu arbeiten, ..." Briefe von Chamisso, Gneisenau, Haugwitz I, 8. Dagegen vgl. auch die zwielichtigen Ausführungen bei [Varnhagen] Wilhelm, Freyherr von Humboldt. Staats- und Gelehrte Zeitung des Hamburgischen unparteyischen Correspondenten, (1814) Nr. 128 "Jetzt auf dem Congresse zu Wien gehört er denen an, die, zur Auseinandersetzung der verwikkeltsten Zustände... berufen" seien. Vgl. ferner oben S. 125.

[78] Vgl. Dkw NF I (= V), 57. III², 285. IV³, 229. Dazu K. Griewank. Der Wiener Kongress und die Neuordnung Europas 1814/15, S. 92f.

die umgekehrt jedoch bei Metternich selbst zu suchen war, und deshalb meinte Varnhagen von ihm, dass er zwar "Verstand" habe, "aber nur für einen bestimmten Kreis, über welchen hinaus er nichts" wisse. Gleichzeitig billigte er Metternich aber zu, dass er trotzdem "so klug" sei, um "über diesen Kreis selten hinauszugehn, und für diesen sogar das zu benutzen, was aus andern ihm unverstandenen Kreisen in diesen" herüberreiche. "Sein Verhältniss zu Genz", meinte Varnhagen, "kann hier einigermassen als Beispiel dienen". Doch was bei Metternich von einer ursprünglichen "Freisinnigkeit" herrührte, führte Varnhagen auf eine blosse Laune seiner Ruhmsucht zurück und betrachtete es nicht ausdrücklich als Ansatz einer geschichtlichen Wirksamkeit. Dasselbe galt auch für Metternichs "Wunsch . . . Premierminister zu werden", den er, wie Varnhagen bemerkte, nicht hegte, "um grosse Wirkungen ausgehn zu lassen, sondern um es zu sein" [79].

Demgegenüber lagen bei Talleyrand die Voraussetzungen für eine in Varnhagens Sinn geschichtliche Betrachtungsweise entsprechend günstiger; denn zunächst verehrte er in Talleyrand schon von früher her einen "der grössten Staatsmänner" mit "gründlicher Ansicht der Staaten und der Geschichte" [80]. Den Anknüpfungspunkt für seine Charakteristik bildete demnach ein rein geschichtliches Interesse, und dies betraf Talleyrand im Hinblick auf sein freiheitliches Bewusstsein gleichermassen wie vordem auch Napoleon, solange er der französischen Nation, in deren Dienst er stand, nicht seinen persönlichen Willen aufzwängte. Sobald er dagegen durch seine Verhandlungstätigkeit nicht im Sinne des Freiheitlichen zu wirken begann und seine Gesinnung sich in ihrer formalen Bezogenheit zur politischen Lage geradezu in ihr eigenes Gegenteil verkehrte, vermochte ihm Varnhagen nicht mehr mit Zustimmung zu folgen, und so hat er seinerseits in den 'Denkwürdigkeiten' sein Urteil gleichermassen gewandelt und erklärt, dass sich Talleyrand "keineswegs als grosser Staatsmann erwiesen" habe [81]. Nachdem er nämlich, wie es in der ursprünglichen Fassung seiner Charakteristik steht, ohne "die Achtung der Nation" zu besitzen, die er vertrat, doch der Form nach eine nationale, gegen ein eventuell geeintes Deutschland gerichtete, französische Politik zu führen verstand, konnte ihn Varnhagen darin sofort durchschauen, weil er selbst ja mit der gleichen rationellen Strenge die Politik einer, wenn auch deutschen, Nation zu begründen suchte. Was ihn dabei in politischer Hinsicht gegen Frankreich einnehmen musste, aber rein vom Standpunkt der Nation vorbildlich zu sein schien, war für Varnhagen ein doppelt widersprüchliches

[79] [Varnhagen] Clemens Fürst von Metternich, Beilage zu Varnhagen an Hardenberg, Wien 28. Dez. 1814: a.a.O. Bl 3. Vgl. mit wenigen Auslassungen Briefe von Stägemann, Metternich, Heine, S. 111f. Ferner dazu Dkw VIII, 92. VI³, 314. H. R. v. Srbik. Metternich I, 456. K. Griewank. Preussen und die Neuordnung Deutschlands 1813-1815, FBPG 52 (1940) S. 235. Vgl. auch Varnhagen an Ölsner, Berlin 30. Nov. 1821: Ölsner-Bfw II, 311. Varnhagen an Rotteck, Berlin 7. Mai 1836: Rotteck-Bfw S. 297. Vgl. dazu ferner Varnhagens Notiz, 2. Juli 1854: Tgb XI, 130. H. R. v. Srbik. Metternich I, 65.
[80] Varnhagen. Vorwort. In: Talleyrand über Kolonien. Übersetzt von K. A. Varnhagen von Ense. Archiv für Geographie, Historie, Staats- und Kriegskunst, 2 (1811) S. 537.
[81] Dkw NF I (= V), 80. III², 309. IV³, 248.

Verhältnis, das sich in der Charakteristik Talleyrands noch deutlicher wiederspiegelte als in dem, was er über Napoleon auszusagen vermochte. Stärker aber auch als bei Humboldt und Metternich zeichnete sich bei Talleyrand die Zwiespältigkeit seiner Persönlichkeit ab, weil Varnhagen das Blickfeld, innerhalb dessen er ihn beurteilte, auf eine äusserst weite Sicht hin abgegrenzt hatte. Im selben Zusammenhang erschien Talleyrand nämlich zugleich von ideeller "Freiheit", von "Eigennutz" und schliesslich sogar von "Geldgier" beseelt, und so wurde sein Porträt ganz gewiss das widersprüchlichste und damit auch das am schärfsten profilierte unter den drei biographischen Versuchen [82]. Allen drei gemeinsam war jedoch die rein formale Grundlage der Betrachtung, die, wenn sie auch jeweils individuell verschieden von der Veranlagung der einzelnen Gestalten her bestimmt zu sein schien, trotzdem nicht jenes auf persönlichem Vertrauen beruhende innere Verständnis ermöglichte, wie es wechselseitig zwischen Varnhagen und Tettenborn bestand. Solange nämlich auch die betrachtete Person kein ausgeprägtes Zeitgeschichtsbewusstsein hatte, liess sie sich formal nicht in einem geschichtlichen Zusammenhang erklären, und dadurch war für Varnhagen die Geschichtsschreibung weitgehend beschränkt; denn sobald er sich nicht stets den geschichtlichen Hintergrund eines Stoffes begrifflich vergegenwärtigen konnte, wirkte sich seine eigene Anteilnahme, die ihm jenseits der formalen Möglichkeiten das Geschichtserlebnis vermittelte, nicht mehr historiographisch aus.

Der Mensch, mit dem Varnhagen am Wiener Kongress ein entsprechend echtes Vertrauensverhältnis unterhielt und der ihn auch durch sein eigenes historisches Selbstverständnis zu einem historiographischen Versuch hätte anregen können, war der Tugendbündler Karl Müller, mit dem zusammen er vor allem publizistisch tätig wurde [83]. Aber eine zeitgeschichtliche Schrift über ihn zu veröffentlichen, wäre bei den Verdächtigungen, die sich damals gegen seine Person richteten, nur sehr schwer zu verantworten gewesen, und sogar was Varnhagen später in den 'Denkwürdigkeiten' auszusprechen wagte, beschränkte sich darauf, dass er ihn "als kühnen Patrioten und scharfsinnigen Kriegsdenker" charakterisierte; er sei zwar ein "geborner Sachse, aber durch Sinn und Eifer ein Preusse" gewesen, habe am Wiener Kongress "durch Schrift und Wort wacker" eingegriffen und nachher "mit seinen grossen Talenten sich allzu früh in beschränkte Stille zurückgezogen" [84]. Erst als Varnhagen nach Karl Müllers

---

[82] [Varnhagen] Karl Fürst von Talleyrand, Beilage zu Varnhagen an Hardenberg, Wien 28. Dez. 1814: a.a.O. Bl 4. Vgl. mit Veränderungen [Varnhagen] Zur Charakteristik des Fürsten Talleyrand. In: Zeitgenossen, I/3 (1816) S. 186f. Ferner ebda S. 187 wo es anstatt "Achtung der Nation" "Achtung der Bessern" heisst. Vgl. auch den Wiederabdruck Dkw NF I (= V), 63ff. III², 292f. IV³, 234f. Dazu C. Misch, a.a.O. S. 170. Ferner vgl. H. Wendorf, a.a.O. S. 345ff.; 379ff. Dazu K. Griewank. Der Wiener Kongress und die Neuordnung Europas 1814/15, S. 97ff.; 101f. Über Talleyrands Geldgier vgl. auch Schlabrendorf an Varnhagen, Paris 2. Okt. 1814: Denkschriften und Briefe III, 196.
[83] Vgl. Schmidts Rapport nach Hebenstreit, 13. Feb. [1815]: A. Fournier. Die Geheimpolizei auf dem Wiener Kongress, S. 390. Dazu Dkw NF I (= V), 77. III², 306. IV³, 245.
[84] Dkw NF I (= V), 15. III², 241. IV³, 188.

Tod im Jahr 1847 eine ausführlichere Lebensskizze und 'Kleine Schriften' von ihm herausgab, konnte er sich vor persönlichen Angriffen sicher fühlen, und wenn es ihm dabei, wie er an Troxler schrieb, nur darum ging, das "Andenken" eines Gesinnungsgenossen "einigermassen zu erhalten", lag in dieser "Pietät" doch auch ein, menschlich zwar durchaus begründeter, Vorwand, der es ihm erlaubte, "Urkunden, in denen die Ansichten und Stimmungen einer bedeutenden Zeit niedergelegt" waren, "für den Geschichtsbetrachter" und damit im Hinblick auf ein zukünftiges Verständnis der deutschen Nationalbemühungen "zu bewahren". Dementsprechend versuchte er ebenso, wie er 1814 der obersten Heeresleitung zum Vorwurf machte, dass Tettenborn kein höheres Kommando erhalten hatte, auch für Karl Müller bei der Nachwelt mehr Hochachtung zu gewinnen, als ihm zu seinen Lebzeiten zuteil geworden war [85]. Während sich aber in Varnhagens Geschichtspublizistik die Vorliebe für unterschätzte Sonderlinge beinahe zu einer Manier entwickelte, war in seiner Darstellung des Wiener Kongresses noch wenig davon enthalten, und so erzielte sie dank ihrer im einzelnen kurzen und ohne viel "Pietät" verfassten Charakterisierungen eine Wirkung, wie sie kaum einem anderen Stück aus Varnhagens Werk beschieden war, aber wie er sie selbst bei der Niederschrift bereits vorausgesetzt hatte [86].

So war Heinrich Leo einer der ersten Historiker vom Fach, die sich auf Varnhagens Darstellung berufen haben, denn er übernahm sie in seinem 'Lehrbuch der Universalgeschichte' teilweise wörtlich in den eigenen Text [87]. Was Varnhagen dabei selbst in Erstaunen versetzte, war nur die Tatsache, dass er sich von einem Zeitgenossen zitiert sah, den er nicht als einen politisch Gleichgesinnten betrachtete und der seinerseits daher gar nicht zu merken schien, dass er das Opfer einer bewusst meinungsbildenden Publizistik geworden war. Gegen diese Gefahr hatte sich Gervinus besser vorgesehen, wenn er Varnhagens Darstellung bloss für die "gesellschaftlichen Dinge" als zuständig betrachtete und sie deshalb in seiner 'Geschichte des neunzehnten Jahrhunderts' nicht benützte. Ihm allerdings entging dadurch auch das rein Geschichtliche, das Varnhagen selbst seinem "Aufsatz" zugute hielt [88]. Faktisch ein Opfer von Varnhagens historisierend überzeugender Darstellungsweise war der Verfasser einer populären Geschichte des Wiener Kongresses, der bei der Aufzählung der bevollmächtigten Gesandtschaften die eidgenössische unerwähnt liess und nur einige der durch die Stände einzeln abgeordneten schweizerischen Vertreter namentlich aufführte. Wenn aber Varnhagen die offiziellen Vertreter der Eidgenossenschaft nicht genannt hatte, war dies von ihm keine Unachtsamkeit,

[85] Varnhagen an Troxler, Berlin 18. Okt. 1847: Troxler-Bfw S. 320f. Vgl. Varnhagen an Rosenkranz, Berlin 13. Okt. 1847: Rosenkranz-Bfw S. 162. Ferner Varnhagen an Perthes, Villeneuve[-le-Roi] 10. April 1814: HH StA Perthes Nachlass I M 7b Bl. 130-131. Vgl. oben S. 112f.
[86] Vgl. Dkw NF I (= V), 48. III², 276. IV³, 215.
[87] Vgl. H. Leo. Lehrbuch der Universalgeschichte VI, 235 u.ff. A.*. 241f. Dazu vgl. Dkw NF I (= V), 48f. III², 277. IV³, 222. Ferner Dkw NF I (= V), 15. III², 241. IV³, 188f.
[88] Varnhagens Notiz, 28. Mai 1855: Tgb XII, 104f. Dazu G. G. Gervinus. Geschichte des neunzehnten Jahrhunderts I, 178f. A.2. Ferner Varnhagens Notiz, 9. April 1850: Tgb VII, 127. Vgl. auch A. Stoll. In: Friedrich Karl v. Savigny II, 117 A. 2.

sondern lag in deren eigenem gesellschaftlich unauffälligen Auftreten begründet [89]. Ein weiterer Autor, der Varnhagens teilweise anekdotische Erzählungen verarbeitete, war der Graf Auguste de la Garde in seinen Tableaus vom Wiener Kongress. Dabei beschränkte er sich jedoch nicht bloss auf Einzelnes, was er ins Französische übersetzte, sondern schien ausserdem bei Varnhagen gewisse Hinweise gefunden zu haben, die er selbst gerade als Franzose beachten musste. Dort, wo er nämlich sein ausführliches Gespräch mit Tettenborn wiedergab und darin dessen ganze Karriere schilderte, folgte er einer Anregung Varnhagens, der schon früher dafür die Darstellungsweise "französischer Denkwürdigkeiten" gewünscht hatte. Daneben steht ferner fest, dass Varnhagen selbst während des Wiener Kongresses an einem Tableau gearbeitet hatte, und nur ob er an der Entstehung von de la Gardes Buch persönlich beteiligt war, lässt sich nicht sagen, da er sein Erscheinen kommentarlos zur Kenntnis nahm [90]. Bezeugtermassen hat er dagegen den Historiker Schaumann zu dessen Aufsatz mit dem Titel 'Geschichte der Bildung des Deutschen Bundes auf dem Wiener Congresse' angeregt und politisch entsprechend beeinflusst [91].

Was für Varnhagen aber die höchste Genugtuung in seinem historischen Beruf enthielt, erreichte er, wenn er durch Mitteilungen, zu denen er als Augenzeuge oder Zeitgenosse fähig war, die historische Forschung mitbestimmen konnte, und dazu gehörte beispielsweise die Erzählung einer Auseinandersetzung zwischen Stein und dem Kronprinzen von Bayern, die er sowohl Pertz für dessen Stein-Biographie als auch Karl von Nostitz vermittelte, in dessen Aufzeichnungen sie wiederholt ist [92]. Das grösste Aufsehen erregte er jedoch mit einem Schreiben Metternichs, das dieser ihm als Antwort und Berichtigung seiner Darstellung des Wiener Kongresses zugeschickt hatte. Metternich schilderte darin die Umstände, die sich kurz vor und nach dem Eintreffen der Nachricht, dass Napoleon von Elba entkommen war, ereignet hatten, und bezeichnete sich als ersten, der davon unterrichtet gewesen sei. Demgegenüber erklärte Pertz in seiner Biographie Steins, dass Wellington der Empfänger der ersten Nachricht gewesen war, und ignorierte damit die entsprechende Stelle in der umgearbeiteten Fassung von Varnhagens 'Denkwürdigkeiten', der, wie er allerdings dem Text nicht entnehmen konnte, Metternichs Schreiben zugrunde gelegt war. Nachdem nun Varnhagen seine Bemühungen

[89] Vgl. O. Criste. Der Wiener Kongress (= 1813-1815. Österreich in den Befreiungskriegen VIII, 18f.; 144). Dazu Dkw NF I (= V), 66f. III², 295. IV³, 236. Ferner W. Oechsli. Geschichte der Schweiz im Neunzehnten Jahrhundert II, 253 A.*.
[90] Dkw III, 224f. Ferner II², 379. III³, 257. Dazu Varnhagen an Rahel, Wien 19. Okt. 1814: Bfw IV, 96. Vgl. zu den Parallelstellen G. Gugitz. Einleitung. In: A. de la Garde. Gemälde des Wiener Kongresses I, S. LI u.ö. Ferner Varnhagens Notiz, 11. Aug. 1843: Tgb II, 204. Dagegen H. H. Houben: Tgb XV, 196.
[91] Vgl. C. A. Geil, a.a.O. S. 357. Dazu A. F. H. Schaumann. Geschichte der Bildung des Deutschen Bundes auf dem Wiener Congresse. Historisches Taschenbuch, 3. F. 1 (1850) S. 151 u.ff.
[92] Nostitz' Notiz, Feb. 1815: Aus K. v. Nostitz Leben, S. 171f. Dazu Varnhagens Notiz; ebda S. 171. Bibl. Varnh. Nr. 943 "Etwas ungenau, Nostitz hat es von mir". Ferner G. H. Pertz. Stein IV, 153; 593 A. 33. Vgl. auch Dkw IV³, 260f. (**) 's Rapport, 30. Jan. [1815]: A. Fournier. Die Geheimpolizei auf dem Wiener Kongress, S. 374. – Vgl. auch G. H. Pertz. Stein VI, 269; 1232 A. 6.

um eine möglichst breite Überlieferung so belohnt sah, wusste er sich zunächst auch nicht anders zu helfen, als dass er an den Rand seines Exemplars "Unrichtig. Vergl. Metternich's Brief an mich." notierte. Später hat er allerdings selbst Zweifel an der Richtigkeit von Metternichs Behauptung bekommen, und davon zeugen die Erörterungen in der dritten, postum erschienenen Fassung seiner 'Denkwürdigkeiten', wo auch das Schreiben selbst abgedruckt ist. Was ihm dagegen Metternich zuerst glaubwürdig gemacht hatte, war das "Geschicht-liche", dessen er sich laut seiner brieflichen Versicherungen befleissigen wollte, und gerade darin wurde Varnhagen selbst das Opfer einer meinungsbildenden Tendenz, was er übrigens bei Metternich nie zu umgehen vermochte. Um so bezeichnender für die spontane Unmittelbarkeit, mit der Varnhagen auf Geschichtliches reagierte, sind deshalb die Worte, die er anlässlich des ersten Eindrucks, den er von Metternichs Schreiben empfangen hatte, niederschrieb: "Zu Hause einen Brief vom Fürsten von Metternich vorgefunden, einen grossen, eigenhändigen. Er erklärt mein Bild des Wiener Kongresses für ein vollkommen treues, bis auf weniges, das zu berichtigen sei. Er selbst berichtigt umständlich die Erzählung von dem Eintreffen der Nachricht in Wien, dass Napoleon die Insel Elba verlassen habe. Ein Brief von geschichtlichem Werthe!" [93]

Was sein Verhältnis zu historiographisch verwendbaren Quellen betraf, entbehrte Varnhagens Stellung am Wiener Kongress kaum einer gewissen Tragik. Die Kenntnis eines Berichts wie desjenigen, den ihm Metternich fünf-undzwanzig Jahre später zur Benutzung anvertraute, hätte ihn damals in eine Lage versetzen müssen, welche seiner bisherigen Art von Geschichtschreibung zugute gekommen wäre, und demgegenüber war es geradezu der reinste Hohn, wenn Metternich ihn nachträglich zu seinem Biographen zu machen suchte [94]. Neben Metternich jedoch, der ihm am Wiener Kongress den gewünschten Einblick in das politische Mächtespiel verwehrt hatte [95], zeigte sich ebenso auch Talleyrand nur ungehalten darüber, dass Varnhagen ihn als Zeitgenossen Mirabeaus be-

---

[93] Varnhagens Notiz, 2. April 1840: A. v. Humboldt-Bfw S. 72. Vgl. Metternichs Schreiben an Varnhagen, Wien 27. März 1840: Briefe von Stägemann, Metternich, Heine, S. 118ff. Dkw IV³, 268f. M. Spahn. Metternich. In: Die Grossen Deutschen III, 24/25 [Faksimileeinlage] Ferner aus Metternich's nachgelassenen Papieren I, 209ff. Dazu Metternich an Tettenborn, Wien 26. Juni 1841: Briefe von Stägemann, Metter-nich, Heine, S. 121. Ferner Varnhagens Notiz: G. H. Pertz. Stein IV, 371. Bibl. Varnh. Nr. 1187. Dazu G. H. Pertz, ebda. Vgl. auch F. Gentz. Tagebücher I, 363. Humboldt an K. v. Humboldt, Wien 7. März 1815: Humboldt-Bfw IV, 490. Ferner Dkw NF I (= V), 105f. III², 344ff. IV³, 268ff. Dazu A. v. Humboldt an Varnhagen, 11. April 1840; Varnhagens Notiz, 5. April 1840: A. v. Humboldt-Bfw S. 72. Ferner auch R. Haym, a.a.O. S. 505. Varnhagens Notiz, Kissingen 10. Juli 1840: Tgb I, 199.
[94] Vgl. Varnhagens Notiz, 17. Nov. 1857: Pückler-Bfw S. 463. Dazu Pückler an Varnhagen, Branitz 18. Nov. 1857: ebda S. 464. Vgl. H. H. Houben. Jungdeutscher Sturm und Drang, S. 578 A.**. Ferner Sieveking an A. Sieveking, 4. März 1839: H. Sieveking. Karl Sieveking III, 351. Dagegen H. R. v. Srbik. Metternich I, 3; II, 439; 288f.; 290. Vgl. auch R. Haym, a.a.O. S. 505.
[95] Vgl. Metternich an Varnhagen, Wien 17. April 1843: Briefe von Stägemann, Metternich, Heine, S. 122f.

trachten und von ihm geschichtliche Aufschlüsse erbitten konnte [96], und die Tatsache, dass Varnhagen weder mit seiner Übersetzung aus Mirabeau, noch mit einer Biographie über ihn zu Rande kam [97] und überhaupt keinen Stoff fand, den er historiographisch im Hinblick auf die damalige Zeitsituation auszuwerten vermocht hätte, wirkte sich vor allem in den geschichtstheoretischen Erörterungen seiner Flugschrift unvorteilhaft aus. Denn obgleich ihn Woltmann "als den gewandtesten preussischen Schriftsteller" bezeichnete, welcher "für die Vereinigung Sachsens mit Preussen geschrieben" habe, und der 'deutsche Beobachter' von einer "Staatsschrift" schrieb, die "selbst nach der Entscheidung des Schicksals von Sachsen durch die darin aufgestellten Grundsätze und Ansichten... einen bleibenden Werth" besitze [98], enthielt die Wahrung des preussischen Interesses keine geschichtliche Erlebnisfülle, sondern so, wie er in den folgenden Jahren einmal bemerkte, dass "es mit der theoretischen Dialektik... schon zu spät" sei, glaubte er laut seiner eigenen Worte damals noch umgekehrt an "ein ewiges, in der Geschichte begründetes Entwicklungsgesetz" und an dessen Anwendbarkeit, insofern "die Völker sich nach und nach in immer kleinere Stämme und Geschlechter gliedern" und sich darauf wiederum "in immer grössere Staatenkörper versammeln" [99]. Diese gesetzmässige Geschichtsbewegung, die Varnhagen voraussetzte, veranschaulichte sich ihm notgedrungen in der Gestalt Friedrichs des Grossen, dessen Individualität für ihn jedoch keine fest umrissenen Züge besass und den er wie in seinem Vorschlag zu einer 'Bühnenfeyer der Leipziger Schlacht' beinahe mehr allegorisch als geschichtlich auffasste; denn schliesslich konnte es ihm nur zu tun sein, den Vorrang Preussens innerhalb der neu zu einigenden deutschen Nation zu betonen und zu erklären [100].

[96] Vgl. Dkw NF I (= V), 62f. III², 291. IV³, 233f.
[97] Vgl. Varnhagens Übersetzungsvorschlag zu Mirabeaus 'Considérations sur l'ordre de Cincinnatus' an Cotta, [Paris] 2. Okt. 1815: SNM Cotta-Archiv Nr. 33. Ferner Varnhagen an Troxler, Frankfurt a.M. 13. Dez. 1815; 2. März; 27. Mai 1816; Karlsruhe 30. Juli 1816; Troxler an Varnhagen, Münster 6. Juni 1816: Troxler-Bfw S. 83; 96; 127f.; 136f.; 130. MAL II, 234; 248; 285; 296f.; 292. Ferner auch Varnhagen an Brockhaus, Frankfurt a.M. 13. Feb. 1816: J. Hennig. Ein unveröffentlichter Brief von K. A. Varnhagen von Ense an F. A. Brockhaus. Archiv für Kulturgeschichte, 47 (1965) S. 357f. Varnhagen an Brockhaus, 7. Mai 1816: H. E. Brockhaus. Friedrich Arnold Brockhaus II, 214. – Ob der Beitrag mit dem Titel Gabriel Honoré Riquetti, Graf von Mirabeau. In: Zeitgenossen, NR V/18 (1826) S. 1ff. von Varnhagen stammt lässt sich nicht bestätigen. Vgl. dazu C. Misch, a.a.O. S. 169f. Ferner auch J. G. Reinhold an Varnhagen, Rom 13. Juni 1818: Denkschriften und Briefe NF (= V), 211f.
[98] Vgl. die [Anzeige] Der deutsche Beobachter oder die Hanseatische Zeitung von Staats- und Gelehrten Sachen, (1815) Nr. 32. Ferner K. L. v. Woltmann. Österreichs Politik in den drei letzten Jahren. In: Politische Blicke und Berichte I, 24 A.*. Dazu Varnhagen an Rahel, Mannheim 14. Sept. 1816: Bfw V, 119. Dagegen R. Haym, a.a.O. S. 469. F. Troska, a.a.O. S. 28f. C. Misch, a.a.O. S. 95f. D. Kazda, a.a.O. S. 6 "Weniger entsprach seinen Fähigkeiten die politische Broschüre 'Deutsche Ansicht der Vereinigung Sachsens mit Preussen', ..."
[99] Deutsche Ansicht der Vereinigung Sachsens, mit Preussen, S. 45f. Vgl. Varnhagen an Cotta, [Karlsruhe Jan. 1817]: SNM Cotta-Archiv Nr. 67. Dazu auch C. Misch, a.a.O. S. 109.
[100] Vgl. Deutsche Ansicht der Vereinigung Sachsens mit Preussen, S. 54ff. wo es zur Verteidigung Friedrichs des Grossen, der die deutsche Einheit zerstört habe, heisst:

Dabei enthielt der Hinweis auf Friedrich den Grossen für Varnhagen eine geschichtliche Parallele, die ihn den damals eben beendeten Befreiungskrieg in einem Zusammenhang mit dem siebenjährigen und sogar mit dem dreissigjährigen Krieg und den Kreuzzügen erkennen liess. Doch das öffentliche Bekenntnis zu dieser Einsicht war, wie er selbst voraussah, von dem Mass ihrer konkreten Veranschaulichung abhängig, da er nicht annehmen durfte, dass sie sonst genügend verständlich hätte werden können, und deshalb bedeutete der Mangel an quellenmässigen Belegen eine Behinderung nicht nur seiner eigenen Geschichtschreibung, sondern vor allem des Vertrauens unter seinen mutmasslichen Lesern. In einem Artikel, den er erst kurz vor der Rückkehr Napoleons verfasste und in dem er die "Geschichte der Jahre 1812, 1813 und 1814" noch einmal als unabänderliches Weltereignis in Erinnerung rufen wollte, versuchte er daher gleichzeitig aufs neue, eine persönliche Beziehung zur Geschichte überhaupt als zeitgenössische Forderung auszusprechen und an deren Verwirklichung die Voraussetzungen für ein erfolgreiches Fortschreiten im damaligen Zeitpunkt zu knüpfen. "Ein, dieser Begebenheit würdiges Geschichtswerk", schrieb er nämlich, "würde unter die ersten Güter unsrer Nationalität gehören, und für die Zukunft von unberechenbarem Einflusse seyn; aber freilich müsste die freimüthigste Wahrheitsliebe und geprüfte Einsicht mit der seltenen Kunst anschaulicher Darstellung zusammentreffen, um ein solches Werk hervorzubringen". In formal politischer Hinsicht standen diese Worte wiederum ganz im Zeichen Preussens, insofern es den Sammelpunkt des nationalen Zusammenschlusses bilden sollte, aber innerlich spiegeln sie das persönliche Verhältnis wieder, das Varnhagen zu Karl Friedrich Beyme anstrebte, und so sind sie geradezu eine gedankliche Fortführung dessen, was Beyme an Varnhagen Lobendes über seine 'Geschichte der Kriegszüge' Tettenborns geschrieben hatte. Denn mit ihm gemeinsam sah er sich von dem Gedanken erfüllt, "das Ganze dieses europäischen Krieges, wovon" er selbst nur "einen Theil" behandelt hatte, darzustellen, und dazu erwähnte sein Artikel in der 'Allgemeinen Zeitung' noch weitere Teildarstellungen, nämlich ein "Buch über die Feldzüge des Fürsten Blücher" von Steffens sowie Wallmodens "Bericht über seinen Feldzug gegen Davoust". Sicher nicht ohne publizistisches Vergnügen schrieb er zuletzt unter dem Schutz der Anonymität auch von sich

"Dieser Vorwurf ... hatte für die Zeitgenossen einzelner Begebenheiten, in deren Umkreis der Blick befangen blieb einigen scheinbaren Grund, und ist dem abgeschiedenen Geschlechte wohl verzeihlich. Preussen bedürfte nach den neuesten Thaten bei den Mitlebenden keiner Rechtfertigung jener Zeiten, und könnte jenen Vorwurf ohne Scheu gelten lassen, wenn er gegründet wäre, denn die jetzigen Preussen selbst würden in diesem Fall die heftigsten Ankläger der damaligen sein. ... Friedrich der Grosse wandelte als leuchtender Stern durch die Nacht Europa's; sein Wirken war gross und gut: Aber die Kraft, durch welche er sein Volk selbstständig machte und hielt, konnte nur dieses nächste und erste Ziel erreichen, und musste die darin schon im Keime lebende Aufgabe der Wiedervereinigung den spätern Geschlechtern überlassen". Ferner [Varnhagen] Bühnenfeyer der Leipziger Schlacht, a.a.O. S. 1150. Vgl. oben S. 104.

selbst, dass "Varnhagen von Ense ... die Kriegslaufbahn des Generals Tetten-born mit Freimüthigkeit beschrieben" habe [101].

Indem sich Varnhagen auf diese Weise des Wohlwollens einer gleichden-kenden Person versicherte und in Beyme einen Leser fand, der sogar seine politischen Anschauungen teilte, entrückte er dem Erfahrungsbereich diploma-tischen Zeitverständnisses und schuf damit eine veränderte Grundlage seiner Geschichtschreibung. Was ihn nämlich an Beyme mit Vertrauen erfüllte, war nicht dessen äussere Stellung als Zivilgouverneur oder schliesslich als Mitglied des Staatsrats, sondern es waren nur seine teilweise, wie Varnhagen formulierte, "grossen, geschichtshellen, genialen Gedanken", die bereits den persönlichen Umgang mit ihm zu einem historischen Erlebnis werden liessen [102]. Dabei war für Varnhagen die Tatsache, dass sich übereinstimmende Gesinnungen am leichtesten in geselliger Unterhaltung auszuwirken vermochten, schon am Wiener Kongress deutlich geworden, und für den geschichtstheoretischen Charakter seiner Flugschrift konnte nichts bezeichnender sein, als dass sie, wie bezeugt ist, im Salon der Frau von Eskeles, einer Schwester Fanny von Arnsteins, verteilt wurde [103]. Gleichzeitig musste Varnhagen gerade dadurch sein eigener gesellschaftlicher Standpunkt zum Bewusstsein gekommen sein, und an dieser Fragestellung splitterte sich seine bisher einheitliche Geschichtserfahrung auf. Der Erfolg, den seine Darstellung des Wiener Kongresses sogar als eine Art lexikalischer Personenkunde hatte [104], stand im Gegensatz zu schweren Ent-

---

[101] [Varnhagens Artikel] *Vom Rheinstrom, 3. März, AZ (1815) S. 279. Vgl. Beyme an Varnhagen, Steglitz 6. Feb. 1815: Briefe von Chamisso, Gneisenau, Haugwitz II, 239. Dazu Varnhagen an Perthes, Villeneuve[-le-Roi] 10. April 1814: HH StA Perthes Nachlass I M 7b Bl 130-131. Vgl. oben S. 115. Ferner Varnhagen an Rahel, Berlin 23. Aug. 1814: Bfw IV, 20. Vgl. auch [Wallmodens] Nachrichten über den Feldzug der Verbündeten gegen den Marschall Davoust. Europäische Annalen, 2 (1815) S. 278ff. Zur Verfasserschaft vgl. [Varnhagen] Charakteristik des Generals, Grafen Wallmoden, a.a.O. S. 189. – Die Schrift von Steffens war mir unbestimmbar.
[102] Varnhagens Notiz, Juni 1815: Briefe von Chamisso, Gneisenau, Haugwitz II, 235. Vgl. Beyme an Varnhagen, Steglitz 2. Dez. 1815: ebda S. 242ff. Denkschriften und Briefe III, 204ff. Dazu Varnhagen an Troxler, Frankfurt a.M. 13. Dez. 1815: Troxler-Bfw S. 82f. MAL II, 233. Ferner Varnhagen an Troxler, Wien 6. März; Paris 24. Juli 1815: Troxler-Bfw S. 57; 64. MAL II, 204; 210. Varnhagen an Cotta, Frankfurt a.M. 14. Feb. 1816: SNM Cotta-Archiv Nr. 42 "Unter den bedeutenden Männern, die für Preussens Heil thätig sein sollten und es gewiss auf grosse Weise sein werden, nenne ich Ihnen den Grosskanzler Beyme, ein ausserordentlicher Mann, dem Kanzler wohlgesinnt, ein Gönner Stägemanns und von mir". Vgl. Briefe an Cotta II, 8. Dazu Dkw NF II (VI), 232f.; 233ff. III², 434; 435f. IX, 187f. V³, 178f. Varnhagen an Rahel, Berlin 25.; 26. Okt. 1817: Bfw V, 253; 257. Ferner Varnhagen an Gruner, Karlsruhe 18. Dez. 2818: Bln StB StPrKb HsAbt Ms. Germ. Quart. 1988 Bl 66-67 "Hrn von Beyme's Wirksamkeit halt' ich für den ausserordentlichsten Gewinn; sein Geist und seine Kraft tragen im höchsten Grade das Gepräge dessen, was im besten Sinn Preussisch heissen kann; ich hoffe seine Energie zieht den grössten Theil der Wirksamkeit im Innern, die der Staatskanzler nach und nach aus den Händen lassen wird, unter seine heilsame Leitung!" Vgl. auch M. Lenz. Geschichte der Universität zu Berlin I, 31.
[103] Vgl. (**) 's Rapport, 16. Feb. [1815]: A. Fournier. Die Geheimpolizei auf dem Wiener Kongress, S. 394.
[104] Vgl. dazu Hübners Bericht, 18. Sept. 1847: K. Glossy. Literarische Geheimberichte aus dem Vormärz. Jahrbuch der Grillparzer-Gesellschaft, 21 (1912) S. 121. Ferner

täuschungen, die ihm damals nicht erspart geblieben waren. Denn nicht nur dass seine Flugschrift neben derjenigen, die Niebuhr schon vor ihm über denselben Gegenstand veröffentlicht hatte, keine individuelle Wirkung mehr zu erzielen vermochte, musste Varnhagens Verantwortungsgefühl verletzen, sondern vor allem die Ablehnung seines Vorschlags zur Gründung einer Ministerialzeitung [105]. In einem solchen publizistischen Organ nämlich wäre es ihm gelungen, offiziell eine Sammlung quellenmässiger Nachrichten zur Zeitgeschichte anzulegen, die sich zudem durch den Ablauf der berichteten Ereignisse von selbst im Geist der Zeit ergänzt und vervollständigt hätte, und was ursprünglich Woltmann in Anregung gebracht hatte und der Freiherr vom Stein nur erst verwirklichte, als er, um das nationale Selbstbewusstsein zu festigen, "Quellenschriftsteller" der mittelalterlichen Geschichte gesammelt herausgeben liess, entsprach grundsätzlich auch Varnhagens Idee. Denn im Hinblick darauf meinte er mutatis mutandis: "Diese Berichte von Augenzeugen und Theilnehmern der Begebenheiten sind unschätzbare Quellen, die wir für den zukünftigen Geschichtschreiber des Ganzen nicht zahlreich genug wünschen können, und auch so schon an und für sich als ruhmvolle nationale Denkmale betrachten müssen" [106].

Carlyle an Varnhagen, Chelsea London 7. Nov. 1840: T. Carlyle. Briefe, S. 22f. H. H. Houben. Jungdeutscher Sturm und Drang, S. 574. D. Kazda, a.a.O. S. 6 "Als politischer Publizist bleibt er in der Nähe Hardenbergs, er begleitet ihn zum Wiener Kongress, von dem er eine glänzende Schilderung gibt, die zum Besten gehört, was er überhaupt geschrieben hat".
[105] Vgl. Varnhagens Denkschrift, Wien 9. März 1815: P. Czygan. Zur Geschichte der Tagesliteratur II/2, 186ff. Dazu C. Misch, a.a.O. S. 147; 36. Ferner Varnhagen an Rahel, Paris 9.; 11.; 13. Okt. 1815: Bfw V, 66; 74; 78. Varnhagen an Cotta, Frankfurt a.M. 6. Nov. 1815: Briefe an Cotta II, 5.
[106] [Varnhagens Artikel] *Vom Rheinstrom, 3. März, AZ (1815) S. 279. Vgl. Stein an Spiegel, Nassau 18. Juni 1821: Stein-Bfw VI 21. Dazu auch H. Bresslau. Geschichte der Monumenta Germaniae historica (= Neues Archiv der Gesellschaft für ältere deutsche Geschichtskunde XXXXII, 3ff.) Ferner Woltmanns Plan der Quellensammlung zur deutschen Geschichte 1797. In: P. Raabe. Der junge Karl Ludwig Woltmann. Oldenburger Jahrbuch des Oldenburger Landesvereins für Geschichte, Natur- und Heimatkunde, 54 (1954) S. 77f. nach der ALZ (1797) Sp. 436f. Dazu P. Raabe, ebda S. 46f. Vgl. auch J. v. Müller an Woltmann, [Ende 1804] In: K. L. v. Woltmann. Johann von Müller, S. LXIIff. Dazu A. G. Weiss. C. L. v. Woltmann. Masch.-Diss. Phil. I (Wien 1937) S. 17f.

V. UMSTELLUNG "Die Geschichte unserer Verhandlungen" im Grossherzogtum Baden.

In Varnhagens Leben war der Wiener Kongress kein eindeutiger Einschnitt [1]. Obschon er nämlich selbst angesichts der Fülle einzelner Ereignisse die begrenzten Möglichkeiten seiner Erlebnishistoriographie hatte einsehen lernen, blieb sein Standortsbewusstsein als Historiker unverändert.

Von Wien führte ihn seine Bestimmung zuerst über Berlin nach Paris, wo er sich ohne amtliche Eigenschaft in Hardenbergs Gefolge bewegte [2]. Die Eindrücke, welche er bei diesem Aufenthalt vom Juli bis Oktober 1815 in sich aufnahm, ordneten sich ihm zu keiner geschichtlichen Anschauung. Die politische Entwicklung war gegenüber 1814 nicht weitergeschritten; denn zum zweiten Mal waren die Bourbonen mit Hilfe der Verbündeten auf den Königsthron zurückgekehrt, und die europäischen Machtverhältnisse grundsätzlich dieselben [3]. Nachdem Varnhagen schon früher in Paris keinen geschichtlichen Überblick hatte gewinnen können, kam er sich nun inmitten der diplomatischen Betriebsamkeit wohl noch unzuständiger vor [4]. Nicht einmal ein Zusammenhang auf der Ebene des geselligen Verkehrs liess sich wahrnehmen, in dessen entsprechender Schilderung er am Wiener Kongress immerhin eine angemessene Form gefunden hatte. "Die Lage der Sachen hier", schrieb er an Otterstedt, "hat noch gar keine Physionomie, und ich zweifle, dass sie sobald eine bekommen wird; alles, was wir früher vorhergesehn und besprochen, zeigt sich jetzt in der Wirklichkeit" [5]. Dabei galt ihm Paris trotzdem immer noch als derselbe "grosse Sammelplatz von Welt", wie er ihn früher dort wahrgenommen hatte, und sogar seine persönliche Stellung hielt er für teilweise durchaus vorteilhaft [6]. Doch diese Widersprüche konnte er im Hinblick auf seine geschichtlichen Vorstellungen nur überwinden, wenn er sich in der Erinnerung den Zustand vergegenwärtigte, bei dem seiner Meinung nach die Zeitentwicklung stehenge-

---

[1] Vgl. J. Kühn. Einleitung. In: Dkw I, S. XXf.
[2] Vgl. unten S. 195f.
[3] Vgl. Varnhagen an Rahel, Paris 5. Aug.; 2. Sept. 1815: Bfw IV, 241; 307.
[4] Vgl. Varnhagen an Rahel, Paris 13. Sept. 1815: Bfw IV, 340.
[5] Varnhagen an Otterstedt, Paris 16. Juli 1815: Köln UuStB XV 910. Vgl. oben S. 126. Vgl. [Varnhagens Artikel] *Paris, 31 Okt., AZ (1815) S. 1262 "Einem Fremden wird es hier mehr oder weniger schwer, sich über die Geschichten und Angelegenheiten des Tages genaue Kenntniss zu verschaffen, und will er, bevor er sie weiter mittheilt, gehörig prüfen, so vergeht allzuviele Zeit über der Kritik. Er steht überall in Gefahr, voreilig zu seyn, oder sich zu verspäten. Allein dieses ist nicht alles. Bei dem ewig Unsichern und Schwankenden in den Ansichten und Schritten der obersten Machthaber und Diplomatiker, ist heute etwas vollkommen ausgemacht und richtig, was morgen schon wieder eine wesentliche Abänderung leidet. So wankt unaufhörlich die Geschichte wie das Wohl der Völker!"
[6] Varnhagen an Rahel, Paris 16.; 29. Juli 1819: Bfw IV, 204; 228.

blieben war, und dazu bot die "kriegerische Feier der Leipziger Schlacht" beispielsweise einen angemessenen Anlass [7]. Eine "geschichtliche Arbeit" aber, die Varnhagen in Paris in Angriff nahm und deren "Gegenstand", wie er Rahel schrieb, "die Geschichte... vom Pariser Frieden" bis damals hätte enthalten sollen, liess sich bei den ungünstigen äusseren Verhältnissen, bei der herrschenden "Unruhe des Aufenthalts" und "Entfernung von Hülfsmitteln" nicht weiter ausführen [8]. Auf eine faktenmässige Darstellung der diplomatischen Verhandlungen kam es ihm jedoch auch später gar nicht mehr an, nachdem, wie er sich ausdrückte, bereits von Schaumann und Gagern zwei andere "schätzbare deutsche Schriften" darüber erschienen waren [9]. Bezeichnend war es dagegen, dass er sich während seiner Anwesenheit in Paris wie im Frühling 1814 bei der Niederschrift seines Aufsatzes über die 'Rückkehr der Bourbons' nach Schlabrendorfs Urteil richtete [10], das er an der Widersprüchlichkeit gemessen als sein eigenes erkannte.

Wie Schlabrendorf, dem er es auch nachzufühlen glaubte, litt Varnhagen daran, "so in die Geschichte gestellt zu sein, dass man deutlich" sah, was ablebte, "und von dem neuen Leben nur die undeutliche Verwirrung" hatte, "oder besser, dass man das Ergreifbare vergehen lassen" musste, "und das Entstehende noch nicht fassen" konnte [11]. Vom Standpunkt der Entwicklung in Frankreich erschien Varnhagen die Herrschaft eines "Orléans, oder die Regentschaft mit dem weltgeschichtlichen Kinde", womit er den damals vierjährigen Sohn Napoleons und Marie Louises bezeichnete [12], vorteilhafter als eine endgültige Rückkehr der Bourbonen, und so knüpfte er wieder bei seinem früher ausgesprochenen günstigen Urteil über Napoleon an [13]. Grundsätzlich stand es aber in einem weiteren Zusammenhang, der unabhängig von konkreten Voraussetzungen in jene revolutionäre Richtung wies, die Napoleon am Anfang

---

[7] Vgl. [Varnhagens Artikel] *Paris, 18 Okt, AZ (1815) S. 1215.
[8] Varnhagen an Rahel, Paris 30. Aug. 1815: Bfw IV, 292.
[9] Dkw NF III (= VII), 227. IV³, 357. – Es handelt sich um die beiden Veröffentlichungen von A. F. H. Schaumann. Geschichte des zweiten Pariser Friedens für Deutschland. Göttingen 1844. Vgl. dazu Varnhagens Notiz, Hamburg 2. Aug. 1844: Tgb II, 343f. und H. C. v. Gagern. Der zweite Pariser Frieden (= Mein Antheil an der Politik V. Leipzig 1845). Vgl. dazu auch Gagern an Stein, Hornau 1. Jan. 1828; 22. Feb. 1828: G. H. Pertz. Stein VI, 508; 515f.
[10] Vgl. oben S. 101.
[11] Varnhagen an Rahel, Paris 29. Juli 1815: Bfw IV, 229f. Dazu auch Schlabrendorf an Varnhagen, Paris 2. Okt. 1815: Denkschriften und Briefe III, 192. Vgl. Dkw NF III (= VII), 168f. IV³, 310f.
[12] Varnhagen an Rahel, Paris 22. Juli 1815: Bfw IV, 200f. Vgl. das Interzept: M. H. Weil. Les dessous du Congrès de Vienne II, 694f. Ferner Woltmann an Varnhagen, Prag 11. Jan. 1816: Denkschriften und Briefe NF (= V), 183.
[13] Vgl. oben S. 116. Ferner [Varnhagens Artikel] *Vom Oberrhein, 28 Jan, AZ (1818) S. 156. "Napoleon, dessen Stärke doch nicht die kleinste war, die ein einzelner Mensch aufbieten kann, läugnete diesen Zeitgeist nicht, er hatte ihn im Auge und trotzte ihm nur, und wie hat es geendet?" Vgl. auch Varnhagen an Troxler, Karlsruhe 16. Juni 1817: Troxler-Bfw S. 176. MAL II, 346. Varnhagen an Gruner, Baden b. Rastatt 28. Sept. 1818: Bln StB StPrKb HsAbt Ms. Germ. Quart. 1988 Bl 57-58 "Doch dauert *mich* sehr Bonaparte's Elend, nur *er* hat kein Recht zu klagen!" Dagegen Dkw IX, 281f.; 332f. V³, 253; 293. ... Dazu Varnhagen an Ölsner, Berlin 21. Mai 1824: Ölsner-Bfw III, 234.

seiner Herrschaft zu verwirklichen geschienen hatte, ohne sie nach Varnhagens Auffassung folgerichtig fortzusetzen. Nachdem Varnhagen dafür die Jahre der nationalen Erhebung in den deutschen Ländern als die geschichtliche Weiterführung der französischen Revolutionsbewegung verstehen konnte [14], ging es ihm nun um die Frage, in welcher Gestalt die bisherige Entwicklung sich in der Folge darstellen werde, und dabei blieb das "Normaljahr", wie er sich ausdrückte, "durchaus 1789" [15]. Mit seiner Parteinahme für die Familien der Bonaparte und Orléans bekundete er daher nicht mehr jene Art geschichtlichen Verständnisses, das er anlässlich der französischen Thronkandidatur Bernadottes bewiesen hatte; denn im Unterschied zu damals waren nun für ihn die Interessen eines unter Preussen geeinten deutschen Nationalstaats in den Vordergrund gerückt, und damit vertrat er einen begrenzteren Standpunkt als früher [16]. Nur insofern eine "Nation von Freiheitsgedanken und Unabhängigkeitswunsch erfüllt" war [17], vermochte er sie frei von gleichgewichtspolitischen Grundsätzen zu betrachten und gewann sie selbst für ihn zeitgeschichtliche Bedeutung. Solange deshalb Frankreich unter legitimistischer Herrschaft stand, war diese Voraussetzung nicht gegeben, und umgekehrt konnte er in den nationalen Bemühungen einzelner deutscher Vertreter des Einheitsgedankens eine Gesinnung erkennen, die gemessen an seiner Vorstellung von allgemeiner Geschichtsentwicklung nahezu deren Verwirklichung ermöglichte [18]. Nachdem ihm damals zwar der Ausblick auf das versprochene Verfassungswerk in Preussen nicht verheissungsvoll erschienen war und sich seine Befürchtungen in den Jahren nach dem zweiten Pariser Frieden auch bestätigten [19], übernahmen

[14] Vgl. oben S. 100f.
[15] Vgl. dazu [Varnhagens Artikel] *Paris, 31 Okt, AZ (1815) S. 1263 "Noch vor zwei Tagen, bei der an den Tuillerien vorgenommenen Musterung der Nationalgarden, schrieen drei Männer...: Es lebe der Kaiser! Auch sie dachten wohl nicht bei dieser Gelegenheit an das Ungeheuer, von welchem Frankreich und die Welt sich allzu lange schändlich hudeln lassen, sondern es drükt nur in einem Gesamtwort ihre Abneigung gegen das entgegengesetze Gesamtwort aus". Ferner [Varnhagens] Schreiben aus Paris, vom 21. August. Der deutsche Beobachter oder die privilegirte Hanseatische Zeitung von Staats- und Gelehrten Sachen, (1815) Nr. 149. Dkw NF III (= VII), 191. IV³, 329f. Ferner Dkw NF III (= VII), 182f. IV³, 322f. Dazu Varnhagen an Rahel, Paris 8. Aug. 1815: Bfw IV, 247. Vgl. auch [Varnhagens Artikel] Frankfurt, den 18. April, AaZ (1817) S. 260. Zur Verfasserschaft vgl. C. Misch, a.a.O. S. 171.
[16] Vgl. [Varnhagens Artikel] *Paris, 31 Okt. (Beschluss), AZ (1815) S. 1266. Vgl. Dkw NF III (= VII), 177. IV³, 318. Ferner Varnhagen an Troxler, Wien 6. März 1815: Troxler-Bfw S. 55. MAL II, 202. Varnhagen an Uhland, Karlsruhe 17. Jan. 1818: Uhland-Bfw II, 58. Vgl. dazu oben S. 99.
[17] Varnhagen an Rahel, Paris 22. Juli 1815: Bfw IV, 220f. Vgl. [Varnhagens] Schreiben aus Paris, vom 24. Juli. Der deutsche Beobachter oder die privilegirte Hanseatische Zeitung von Staats- und Gelehrten Sachen, (1815) Nr. 124. Dkw NF III (= VII), 178. IV³, 319. Vgl. Varnhagen an Troxler, Paris 24. Juli 1815: Troxler-Bfw S. 63. MAL II, 208f. Ferner Varnhagen an Rahel, Paris 23. Aug. 1815: Bfw IV, 275.
[18] Vgl. Varnhagen an Rahel, Paris 29. Juli 1815: Bfw IV, 230. Ferner dazu [Varnhagens Artikel] *Berlin, 30 Jun, AZ (1816) S. 775f. "Was wir den Franzosen früherhin so häufig als ungerecht vorgeworfen haben, das Schreiben und Drängen nach einer Konstitution ... ist nun auch bei uns ziemlich rege und laut geworden..."
[19] Vgl. Varnhagen an Cotta, Paris 12. Sept. 1815: Briefe an Cotta II, 4. Dazu Varnhagen an Cotta, Paris 19. Sept. 1815: SNM Cotta-Archiv Nr. 31 "Hier in Frankreich wird es furchtbare Explosionen geben; und in Deutschland? Mir grauset vor dem, dem wir

wenigstens die süddeutschen Länder Baden, Württemberg und Bayern im Zeichen ihrer neu errichteten konstitutionellen Verfassungen die nationale Aufgabe [20], die sich aus der Zeit der Befreiungskriege erhalten hatte. Darin sah Varnhagen ein Voranschreiten im Sinne der freiheitlichen Bewegung, welches auf deutschem Boden politisch um so dringender wurde, als in Frankreich der Bestand der Nation keine Einbussen erlitten hatte und daher das freiheitliche Denken trotz der Bourbonischen Herrschaft über die Grenzen hinaus zu wirken begann [21].

Als Varnhagen anfangs November 1815 seinen Aufenthaltsort wechselte und von Paris nicht, wie er es gehofft hatte, nach Berlin, sondern nach Frankfurt am Main übersiedelte, wo er bis Mitte Juli des folgenden Jahres blieb [22], gewann er dadurch grundsätzlich keine neue historiographische Ansicht seiner Erlebnisse. Die geistige Situation der Zeit war unverändert, und so schrieb er damals an Perthes: "Jetzt ist gerade nicht ein günstiger Geschichtsmoment auf der Erde; Altes todt und faul, Neueres erst im Keime" [23]. Was aber die Wahrnehmung der revolutionären und zugleich nationalen Strömungen im Deutschen Bund betraf, glaubte er sich trotzdem in Frankfurt an einem verhältnismässig günstigen Standort, und nur die Vermittlung einer charaktervollen Persönlichkeit, deren Handeln eine konkrete Deutung zugelassen hätte, fehlte ihm; damit bekam er zum ersten Mal einen Mangel an geselligen Einrichtungen zu spüren, die er in seiner Geschichtschreibung bisher stillschweigend voraus-

unhaltbar entgegen gehn! – Unsre preussische Verfassungsangelegenheit wird vorgenommen, sobald wir in Berlin zurück sind; ..."

[20] Vgl. [Varnhagens Artikel] *Vom Oberrhein, 28 Jan, AZ (1818) S. 156. Dazu [Varnhagens Artikel] *Vom Main, 14 Jun, AZ (1819) S. 688. Ferner Varnhagen an Troxler, Karlsruhe 26. Nov. 1816: Troxler-Bfw S. 152. MAL II, 315f. Varnhagen an Ölsner, Karlsruhe 27. April; 11. Juni 1819: Ölsner-Bfw I, 275f.; 281f. Dazu H. Haering, Varnhagen und seine diplomatischen Berichte, ZsGOR 75 (1921) S. 143.

[21] Vgl. [Varnhagens Artikel] *Paris, 29 Okt, AZ (1815) S. 1250. Varnhagen an Troxler, Karlsruhe 30. April 1817: Troxler-Bfw S. 171. MAL II, 339. Varnhagen an Gruner, Karlsruhe 24. Nov. 1818; 17. Feb. 1819: Bln StB StPrKb HsAbt Bl 62-63 "Und der innere Geist Frankreichs! Die Nation ist erwacht!"; Bl 70-71 "Unser Bundestag hat auch die wenigen Lebensversuche, die er gemacht, wieder aufgegeben. Alles das würde nicht so sehr auffallen, wenn uns nicht die mächtige Entwickelung Frankreichs zur Seite fortschritte. Wie lebendig greift dort alles in einander, wie bildet sich das konstitutionelle System aus! Die Nation wird in sich selbst gewichtiger, und nimt [sic!] an Karakter zu. Ich gönne es ihr; aber ich gönne es uns noch mehr, und in vielem Betracht sind wir doch wirklich würdiger". Varnhagen an Perthes, Karlsruhe 24. Dez. 1818: HH StA Perthes Nachlass I M 11a Bl 293-294 "Welches auch unsre andern Eigenschaften sein mögen, an Talent für nationale Erscheinung stehen wir sichtbar zurück..." Varnhagen an Ölsner, Karlsruhe 29. Nov. 1818; 27. April 1819: Ölsner-Bfw I, 195; 277. Ferner auch [Varnhagens Artikel] *Vom Main, 9 Dec, AZ (1818) S. 1399.

[22] Vgl. Varnhagen an Rahel, Paris 26.; 30. Aug.; 13. Sept. 1815: Bfw IV, 281; 291; 339. Dazu Rahel an Varnhagen, Frankfurt a.M. 2.; 5. Sept. 1815: Bfw IV, 305; 310. Ferner Varnhagen an Rahel, Paris 5. Okt. 1815: Bfw V, 59. Varnhagen an Troxler, Paris [Nov. 1815]; Frankfurt a.M. 13. Dez. 1815: Troxler-Bfw S. 77; 81f. MAL II, 225; 231. Vgl. auch C. Misch, a.a.O. S. 36f.

[23] Varnhagen an Perthes, Frankfurt a.M. 13. Mai 1816: HH StA Perthes Nachlass I M 10a Bl 69-70. Vgl. Dkw V³, 33 "...alles todt und faul, Neues erst im Keime". Dazu Varnhagen an Kerner, Frankfurt a.M. 6. Mai 1816: SNM HsAbt Nachlass J. Kerner KN 7257 "Glaube mir, wir alle leiden an grösseren Verhältnissen, nicht an unsren persönlichen, und wenn wir dies nie vergässen, wären wir weniger affizirt".

gesetzt hatte und die gerade darum bisher Gegenstand einer persönlich gegen ihn selbst gerichteten Kritik gewesen waren [24].

"Hier", berichtete Varnhagen aus Frankfurt, "ist jetzt vielleicht der beste Platz, vielleicht noch vor Wien und Berlin, um das gegenwärtige deutsche Staatenwesen, die gegenwärtig herrschenden Gesinnungen und Absichten mit herzlichem Widerwillen in seiner Unhaltbarkeit zu erkennen, und in seiner Verächtlichkeit zu verachten" [25]. Dagegen äusserte er sich Ende 1819, nachdem sich seine äusseren Lebensumstände aufs neue geändert hatten, auch entsprechend anders und schrieb von Berlin aus, dass für eine "Beobachtung" der zukünftigen Entwicklung Deutschlands diese "Hauptstadt... über Wien und Frankfurt zu erheben" sei [26]. Bereits 1816 ging jedoch von der Anwesenheit der Bundestagsgesandten in Frankfurt keine historische Wirkung aus [27], und sogar wenn die Minister Preussens und Österreichs auf die Streitigkeiten innerhalb der dortigen Lokalverwaltung Einfluss nahmen, folgten daraus doch nicht "allgemeinere Beziehungen" von faktischem Wert. Grundsätzlich bedeutete allerdings auch die "Anerkennung", welche die beiden Mächte gegenüber der "Souverainetät" von Frankfurts Bürgerschaft äusserten, für Varnhagen ein revolutionäres und damit zeitgeschichtliches Geschehen [28], und ebenso im Grundsätzlichen blieben seine eigenen "geschichtlichen" Arbeiten damals stecken, ohne dass er aus den von ihm "zum Theil schon im Abriss aufgefassten Stoffen" eine selbständige Veröffentlichung zustande brachte [29]. Im Vergleich zu der historiographisch für Varnhagen schon genügend ungünstigen inneren Beschaffenheit des Wiener Kongresses waren die strukturellen Voraussetzungen in Frankfurt noch weniger geeignet, einen klaren Überblick zu ermöglichen. Dabei stand die Arbeit an der 'Geschichte des Wiener Kongresses', die er in Frankfurt wieder aufnahm [30], bereits unter dem Eindruck dessen, was der Bundestag in Ausführung der Wiener Schlussakte für die deutsche Einheit erreichen sollte, und darin lag von vornherein eine Unstimmigkeit, die sich auf die Unmittelbarkeit des Erlebnisses störend auswirkte. Wiener Kongress und Bundestag waren nach Varnhagens Auffassung innerhalb der deutschen

[24] Vgl. J. H. W. Smidt, a.a.O. S. 402. L. v. Ompteda. Lebenserinnerungen: Politischer Nachlass III, 68. J. G. Rist. Lebenserinnerungen II, 179. Dazu C. Misch, a.a.O. S. 27. Ferner vgl. Dkw NF III (= VII), 254. V³, 1.

[25] Varnhagen an Perthes, Frankfurt a.M. 28. Juni 1816: HH StA Perthes Nachlass I M 10a Bl 95. Vgl. Dkw IX, 73. V³, 91.

[26] Varnhagen an Smidt, Berlin 24. Sept. 1819: *Ein Brief Varnhagens von Ense an Johann Smidt. Bremer Sonntagsblatt, 11 (1863) S. 101. Vgl. auch Varnhagen an Cotta, Berlin 18. Dez. 1819: Briefe an Cotta II, 25.

[27] Varnhagen an Troxler, Frankfurt a.M. 13. Dez. 1815; 2. März 1816: Troxler-Bfw S. 84; 98. MAL II, 234; 250f. Vgl. dazu Woltmann an Varnhagen, Prag 11. Jan. 1816: Denkschriften und Briefe NF (= V), 183.

[28] Vgl. [Varnhagens Artikel] *Vom Main, 16 Jan, AZ (1816) S. 99f. Ferner Dkw NF III (= VII), 268ff. V³, 12f.

[29] Vgl. Varnhagen an Hardenberg, Frankfurt a.M. 16. Jan. 1816: DZA, Hist. Abt. II, Merseburg, Rep. 92 Hardenberg K 72 Bl 32. Varnhagen an Cotta, Frankfurt a.M. 17. Nov. 1815: Briefe an Cotta II, 6. Varnhagen an Troxler, Frankfurt a.M. 13. Dez. 1815: Troxler-Bfw S. 84f. MAL II, 235. Ferner R. Haym. a.a.O. S. 473f.

[30] Vgl. Dkw NF III (= VII), 278f. V³, 28. Ferner Varnhagen an Cotta, Frankfurt a.M. 19. Mai 1816: SNM Cotta-Archiv Nr. 48.

Einheitsbewegung zwei Marksteine [31], in deren Zusammenhang er für seine preussische Geschichtsansicht die konkrete Bestätigung erhalten zu können glaubte. Aber nachdem sich seine Hoffnungen zerschlugen, vermochte er seinen Artikel über diese Frage nur als "eine Weissagung und Anleitung zugleich" gelten zu lassen, die "vielleicht . . . in kurzer Zukunft" erst "folgenreich" sein würden. Wenn ihn Varnhagen deshalb 1846 in den 'Denkwürdigkeiten' ein zweites Mal veröffentlichte, handelte er schon mehr im Rahmen seiner eigenen Zeit, wogegen Schaumann bereits einen der Vergangenheit angehörigen Stoff behandelte, als er 1850 die 'Geschichte der Bildung des Deutschen Bundes auf dem Wiener Congresse' veröffentlichte [32]. Solange sich jedoch bei Varnhagen die Nationalidee nur formal und nicht historiographisch in Übereinstimmung mit konkreten Zeitereignissen darstellen liess, war sein Standpunkt ungünstig gewählt. Hatte nämlich die Stimmung am Wiener Kongress, wie Varnhagen ausdrücklich erwähnte [33], die Standesunterschiede vorübergehend zu verwischen vermocht und dadurch einen gesellschaftlich einheitlichen Rahmen geschaffen, so war dies in Frankfurt nicht mehr der Fall. Die "unangenehme Gesichtsbildung", die Varnhagen dem Bundestag vorwarf und die er publizistisch nicht ohne Reiz aus dem Mangel an "Beredsamkeit" herleitete, war nur ein anderer Ausdruck für den Mangel an "Physionomie", den er bereits während der zweiten Pariser Verhandlungen empfunden hatte [34].

Nachdem Varnhagen aber schon am Wiener Kongress die geistige Führung durch Eingeweihte ziemlich vermisst hatte, stand er nun zuerst ohne besondere Beziehungen im diplomatischen Berufsleben, und es war für sein historiographisches Bemühen bezeichnend, wenn er sich sofort aus eigenem Entschluss einen neuen Erlebnisraum zu schaffen versuchte. Was er deshalb als Korrespondenz-Nachricht im 'Morgenblatt für gebildete Stände' von den geselligen Anlässen und Unterhaltungsmöglichkeiten in Frankfurt vor der Öffentlichkeit ausbreitete, war teils eine Aufforderung zu politischer und gesellschaftlicher Aktivität, teils eine Schilderung der Zustände, wie sie bei der "Geselligkeit in einer Handelsstadt" nach Varnhagens eigener Überzeugung grundsätzlich nicht anders erwartet werden durften. Die Schwierigkeit würde aber, wie Varnhagen meinte, nicht so zutage getreten sein, wenn nicht die "vielen adlichen Familien", die in Frankfurt lebten, "im Allgemeinen dem

[31] Vgl. [Varnhagens Artikel] *Frankfurt, 6 Jan, AZ (1817) S. 60 "Aber der Bundestag sieht an dem Wiener Kongresse das Beispiel nahe vor sich, . . ."
[32] Vgl. Varnhagens Artikel. Vom Main, den 4. April, Beilage zu Varnhagen an Cotta, Mannheim 18. April 1816: SNM Cotta-Archiv Nr. 46a. Ferner ebda Nr. 46. Vgl. Briefe an Cotta II, 14. Vgl. auch Dkw NF III (= VII), 288ff. V³, 28ff. Ferner R. Haym, a.a.O. S. 473f. Vgl. oben S. 136. – Ein Exemplar des 'deutschen Beobachters' mit Varnhagens Artikel war mir nicht zugänglich.
[33] Vgl. oben S. 129.
[34] Vgl. [Varnhagens Artikel] *Vom Main, 25 Jan, AZ (1817) S. 124. Dazu Dkw I (= V), 5. III², 231. IV³, 181. Ferner Varnhagen an Troxler, Frankfurt a.M. 3. Mai; Karlsruhe 26. Nov. 1816: Troxler-Bfw S. 115; 151. MAL II, 270; 314f. Vgl. auch Friederich an Varnhagen, Karlsruhe 19. Juli 1817 [Kopie]: Klr G.L.A. 48/1297 Nr. 4 "Man will jetzt Agenten am Bundestage anstellen, um alle Eingaben formalgerecht zuzuschneiden. Wenn man zugleich Repetenten der deutschen Sprache anstellte, . . . möchte es heilsamer werden".

Kaufmannsstande an Aufwand und Vermögen" hätten "weit nachstehen" müssen; denn auch die "diplomatischen Personen", die sich für die Eröffnung des Bundestages bereit hielten, vermittelten keinen weltmännisch gesellschaftlichen Verkehr [35]. Während also Frankfurt schliesslich doch ein historiographisch für Varnhagen unvorteilhafter Standort war, hatte er dort wenigstens notwendig Ursache, seine Auffassung vom Adel geschichtlich zu erhärten. Gerade die gesellschaftliche Beschränktheit der Adligen, wie Varnhagen sie in den Diplomatenkreisen erkannte und kritisierte [36], war für ihn Ausgangspunkt seiner revolutionsgeschichtlichen Studien, und dabei fühlte er sich an keinen lokalbestimmten Standort gebunden, sondern konnte ebenso gut an Hand von Briefen, die er von gleichgesinnten Freunden erhielt, "überall dieselbe Physionomie" wahrnehmen. "Ich habe", schrieb er damals an Troxler, "ein geschichtliches Axiom aus meinen Weltanschauungen emporgehoben, dass der Urheber einer Revolution mit Sicherheit in demjenigen zu erkennen ist, wogegen sie sich wendet". Da er nun wenn auch einseitig die französische Revolution auf den Anteil der Adels zurückführte [37], war für ihn dessen "Untergang", wie er sich ausdrückte, "in den früheren Geschichtsräumen schon unabänderlich angeordnet", und so vermochte er das Revolutionsgeschehen in Frankreich für die eigene Gegenwart und Umgebung unmittelbar zu verlebendigen [38]. Solange deshalb Varnhagen als Diplomat politische Interessen zu vertreten hatte, war der Aufenthaltsort nicht von erster Bedeutung [39], sondern erst wenn er die zeitgeschichtlichen Tendenzen in einem Ereignis wie bisher historiographisch auffassen wollte und umgekehrt nur ein Beobachter hätte sein sollen, war er, je verantwortlicher er sich fühlte, desto weniger unbefangen.

Die Tätigkeit im Grossherzogtum Baden, wo Varnhagen Mitte Juli 1816 die Stelle eines preussischen Geschäftsträgers übernahm, versetzte ihn konkret in einen geschichtlichen Umkreis, den er bisher nur theoretisch durchdacht hatte. Indem er aber nun seine Aufgabe im Sinne preussischer Politik, wie er sie

---

[35] [Varnhagens Artikel] Frankfurt am Main, Februar. Morgenblatt für gebildete Stände, 10 (1816) S. 176. Dazu Varnhagen an Cotta, Frankfurt a.M. 14. Feb. 1816: SNM Cotta-Archiv Nr. 42 "Seit länger als vier Monaten hat das Morgenblatt... keine Nachrichten über Frankfurt geliefert; das beifolgende Blatt möge die Lücke einstweilen füllen". Vgl. Briefe an Cotta II, 8. Ferner Dkw NF III (= VII), 264; 284. V³, 9; 24.

[36] Vgl. [Varnhagens Artikel] Frankfurt am Main, Februar, a.a.O. S. 176. Dazu Dkw NF III (= VII), 264f. V³, 9f. Ferner Varnhagen an Troxler, Frankfurt a.M. 2. März 1816: Troxler-Bfw S. 98. MAL II, 250f. Varnhagen an Perthes, Frankfurt a.M. 4. März 1816: HH StA Perthes Nachlass I M 10a Bl 38 "Der müssige Diplomatenhauf mit allen seinen Zierereien, Vornehmheiten und Wichtigthuereien..." Varnhagen an Ölsner, Karlsruhe 9. April 1819: Ölsner-Bfw I, 263. Dazu auch Varnhagen an Rahel, Hamburg 2. April 1809: Bfw I, 319f. Vgl. C. Misch, a.a.O. S. 15. Vgl. auch Varnhagen an Rahel, Paris 29. Juli 1815: Bfw IV, 230. Ferner oben S. 37.

[37] Varnhagen an Troxler, Mannheim 2. April; Frankfurt a.M. 2. März 1816: Troxler-Bfw S. 108f.; 98. MAL II, 262; 250f. Dazu Troxler an Varnhagen, Münster 15. April 1816: Troxler-Bfw S. 111. MAL II, 265. Varnhagen an Cotta, Frankfurt a.M. 1. März 1816; Karlsruhe 30. Juni 1817: Briefe an Cotta II, 10; 17. Varnhagen an Rahel, Berlin 13. Nov. 1817: Bfw V, 295. Vgl. auch [Varnhagens Rezension] JALZ XII/1 (1815) Sp. 164f. VSchr V², 238f.

[38] Vgl. Varnhagen an Troxler, Frankfurt a.M. 23. Mai 1816: Troxler-Bfw S. 124f. MAL II, 226.

[39] Vgl. dazu H. Haering, a.a.O. S. 73.

148

verstand, auf eigene Verantwortung zu bewältigen suchte, scheiterte er persönlich in ebenso tragischer Weise wie seinerzeit Johann Georg Rist anlässlich der diplomatischen Verteidigung Hamburgs. Doch im Unterschied zu Rist versäumte es Varnhagen, anstatt dass er sich abberufen lassen musste [40], selbst seinen Rücktritt zu fordern. Dabei war er mangels ausführlicher Instruktionen zu politischen Vorstössen entschlossen, bei denen er selbst nur im Bereich der publizistischen Möglichkeiten das Äusserste zu wagen bereit war, und dementsprechend blieb auch sein historiographisches Interesse immer noch wach. Sooft er sich deshalb seiner persönlichen Erfolge rühmte, bezog er sich auf seine Tätigkeit als Publizist, deren Spuren allerdings seinerzeit nur den Eingeweihten sichtbar wurden [41]. Die Verantwortung, die er trug, empfand er daher auch weniger für die konkrete Wirkung, die er zu erzielen hoffte, als für seine Stellung, welcher er zur Vergegenwärtigung von Preussens zeitgeschichtlichem Ansehen zu entsprechen suchte [42]. Dieser zwiespältige Zusammenhang erklärte sich aber nicht einseitig aus Varnhagens eigener

---

[40] Vgl. oben S. 55.

[41] Vgl. zum Bayrisch-Badischen Gebietsstreit M. Laubert nach Varnhagen an Küpfer, Karlsruhe 29. Mai 1818: Varnhagen von Enses Briefe an Legationssekretär Heinrich Küpfer, ZsGOR 92 (1940) S. 373f. Dazu M. Laubert, ebda S. 374 A. 1. Varnhagen an Chamisso, Karlsruhe 24. Nov. 1818: Bln DtStB HsAbt Nachlass Chamisso "... mein Antheil dabei ist nicht der kleinste gewesen, obwohl derselbe als der meinige nicht zu erscheinen braucht". Varnhagen an Perthes, Karlsruhe 24. Dez. 1818: C. Misch, a.a.O. S. 152. Dazu H. Haering, a.a.O. S. 74f. Dkw IX, 245f.; 240ff. V³, 223f. 219ff. – Zum Sturz Hackes vgl. Varnhagens Depesche an Hardenberg, Karlsruhe 15. Juni 1817: DZA, Hist. Abt. II, Merseburg, A.A. I. Rep. I. Nr. 660 Bl 67-68 "... in dieser Beziehung waren zwei Rezensionen nicht ohne nachtheilige Wirkung für Herrn von Hacke, deren eine in der Jenaischen Allgemeinen Litteraturzeitung, die andre in den enzyklopädischen Blättern, die vor kurzem erschienene Übersetzung des Hrn von Hacke von la Rochefoucaulds Maximen mit beschämendem Tadel herabsetzte, seine Gegner gebrauchten diese Rezensionen als willkommene Waffe, um den Grossherzog empfinden zu lassen, welche geringschätzende Behandlung, und nicht ohne Grund, seinem Minister widerfahre". Dazu [Varnhagens Rezension] JALZ XIV/1 (1817) Sp. 357ff. Zur Verfasserschaft vgl. C. Misch, a.a.O. S. 170. Ferner M. Laubert nach Varnhagen an Küpfer, Karlsruhe 5. Juli 1817: Varnhagen von Enses Briefe an Legationssekretär Heinrich Küpfer, a.a.O. S. 354. – Vgl. auch [Varnhagens Einleitung zu seinen 'Politischen Tagesworten']: C. Misch, a.a.O. S. 163. Ferner Tettenborn an Varnhagen, Karlsruhe 22. Mai 1818 [Kopie]: Klr G.L.A. 48/1297 Nr. 21 "Die Publikation der Briefe ist allen sehr unangenehm, ich sehe hieraus wie vortrefflich diese Massregel war". – Zum Mangel an Instruktion vgl. Hardenbergs Depeschen an Varnhagen, 5. Dez. 1816; 22. März 1817: H. Haering, a.a.O. S. 73 A. 5. Dazu H. Haering ebda. Ferner Hardenbergs Depesche an Varnhagen, 4. März 1817: Dkw IX, 111. V³, 120. Varnhagen an Gruner, Karlsruhe 26. April; Baden b. Rastatt 13. Juni 1818: Bln StB StPrKb HsAbt Ms. Germ. Quart. 1988 Bl 37 "Der Fürst Staatskanzler und Graf Lottum schreiben mir höchst schmeichelhaft über meine Berichte; das ist aber auch alles."; Bl 45-46 "Der Fürst Staatskanzler hat ganz die Ansicht, aus welcher die... Behandlung dieser Sache folgen müsste – aber ich erhalte auf keine Anfrage eine Antwort, ..." Dazu Lottums Depeschen an Varnhagen, 22. Juli; 22. Aug. 1818: H. Haering, a.a.O. S. 76 A. 2; 77 A. 1. H. Haering ebda S. 75f. Vgl. Dkw IX, 314f. V³, 278f. Dagegen H. v. Treitschke. Deutsche Geschichte II, 370. C. Misch, a.a.O. S. 49f. – Varnhagen an Küpfer, Karlsruhe 30. Dez. 1817: Varnhagen von Enses Briefe an Legationssekretär Heinrich Küpfer, a.a.O. S. 363. Varnhagens Depesche an Hardenberg, Karlsruhe 9. Feb. 1818: DZA, Hist. Abt. II, Merseburg, A.A. I. Rep. I. Nr. 662 Bl 25 "Ich erwarte nur die näheren Befehle Ew. Durchlaucht, ..." Dazu Dkw IX, 35ff. V³, 61ff.

[42] Vgl. Dkw IX, 87. V³, 101f. Vgl. NF II (= VI), 153. III³, 355. Ferner Varnhagen an Troxler, Karlsruhe 26. Nov. 1816: Troxler-Bfw S. 152. MAL II, 316.

Persönlichkeit, sondern lag ebenso in den äusseren Verhältnissen begründet, die für einen Diplomaten mit politischer Verantwortungsbereitschaft nicht angemessen waren [43]. Gleichgewichtspolitisch betrachtete jedoch Varnhagen seinerseits seit dem Wiener Kongress die allgemeine Entwicklung als Kampf um eine nationale Politik in Deutschland und insofern einerseits im Gegensatz zu England, Frankreich und Russland, sowie andrerseits als Auseinandersetzung zwischen den beiden führenden deutschen Mächten Österreich und Preussen [44]. Sobald diese beiden sich aber gegenseitig in Schach hielten, wurden die kleineren deutschen Mächte politisch beweglicher, als sie es sonst ihrer geographischen Lage nach sein konnten, und es kam darauf an, welche von den ausländischen Grossmächten daraus Nutzen zu ziehen vermochte. Unter dieser Voraussetzung war die gesamte Struktur des europäischen Mächtespiels auf den Raum eines entsprechend viel zu kleinen staatlichen Gebildes übertragen, in dessen Grenzen sich formal die ursprünglichen Gegensätze aufs neue abzeichneten, und insofern konnten auch die Verhältnisse in einem kleineren deutschen Staat Varnhagens Verlangen nach Konfrontation mit der

[43] Vgl. F. Rühl. Einleitung. In: Briefe und Aktenstücke zur Geschichte Preussens III, S. XXIII A. 3. C. Misch, a.a.O. S. 52ff.; 65. Dagegen H. v. Treitschke. Deutsche Geschichte II, 518. Ferner F. Schnabels Rezension, HZ 131 (1925) S. 306. H. Haering, a.a.O. S. 58; 68; 73.

[44] Vgl. Varnhagens Depesche an Hardenberg, Karlsruhe 1. Okt. 1816: DZA, Hist. Abt. II, Merseburg, A.A. I. Rep. I. Nr. 659 Bl 15-16 "Auffallend ist es für die oberflächliche Beobachtung, wie sehr der französische Gesandte in Karlsruhe noch die Überreste einer Vorgunst und Vorliebe geniesst, die ehmals in der politischen Bedeutendheit erzwungen, jetzt aber freiwillig dargebracht scheinen. Die Persönlichkeit des Gesandten kann dies nicht bewirken, denn er ist ein unbedeutender Mensch; es muss also in der Art, wie sich die französischen Verhältnisse überhaupt geltend machen, gegründet sein". Dazu Dkw IX, 51. V³, 73f. Ferner Varnhagens Depesche an Friedrich Wilhelm III., Karlsruhe 12. Dez. 1818: DZA, Hist. Abt. II, Merseburg, A.A. I. Rep. I. Nr. 662 Bl 201-202 "... denn nicht nur drückt der französische Einfluss auf das Grossherzogthum Baden, schon wegen der Lage, sehr merklich herüber, und was er an innerer Begünstigung hier allerdings jetzt verloren hat, ersetzt sich doch zum Theil wieder durch das unläugbare Emporsteigen des französischen Ansehens überhaupt ..." Dagegen Varnhagen an Gruner, Karlsruhe 18. Dez. 1818: Bln StB StPrKb HsAbt Ms. Germ. Quart. 1988 Bl 66-67 "Hier wird nun ein ganz neues Wesen erstehn. In den politischen Verhältnissen wird der russische Einfluss zwar die Oberhand behalten, der französische aber weniger Verbreitung finden; ..." Varnhagens Depesche an Friedrich Wilhelm III., Karlsruhe 25. Dez. 1818: DZA, Hist. Abt. II, Merseburg, A.A. I. Rep. I. Nr. 662 Bl 207-208 "Als man hier einzusehn glaubte, dass die Sache auf dem bisherigen Wege nicht fortrücken wolle, und Preussens und Russlands merkbare Begünstigung doch noch anstehe sich für Baden als offenbarer Schutz zu erklären, dachte man die Schwierigkeit in ihrer Wurzel anzufassen, und Österreich selber, von dem die ganze Sache herstammte, wegen derselben anzugehn... Auf diese Weise ist der Erfolg allerdings unter Russlands Vortritt vollständiger und glänzender ausgefallen, als er unter österreichischer Vermittelung hätte werden können..." Dazu auch Dkw IX, 49f. V³, 72f. Varnhagen an Gruner, Karlsruhe 4. März; 24. Nov. 1818: Bln StB StPrKb HsAbt Ms. Germ. Quart. 1988 Bl 29-30 "Frankreich, Russland, England athmen die frohe Gewissheit, dass Preussen, dass Österreich nicht im deutschen Bunde herrschen, dass das Drohbild seiner Einheitskraft ein Phantom ist."; Bl 62-63 "Für die gerechte Sache hat das Ausland gesprochen, aber für die beste Sache bleibt es ein Flecken, dass ein fremder Richter für sie nöthig war. Und warum fand sie den gerechten Richter nicht im eignen Reich und Bund? wem hätte es gebührt, statt Russlands aufzutreten? Österreich nicht, denn es war als Parthei dabei betheiligt; nach ihm verbindet Preussen den nächsten Beruf mit dem bedeutendsten Ansehn, warum fehlte es dieser Anforderung, war es etwa anderer Meinung..."

Politik befriedigen [45]. Verändert waren jedoch die Kompetenzen jener Bevollmächtigten, die sonst im Ministerrang standen, und gerade die liberale Forderung nach "Verantwortlichkeit der Minister" liess sich in Varnhagens Stellung überhaupt nicht verwirklichen. Was die politischen Ereignisse betraf, war er seiner Aufgabe gemäss nur zur Beobachtung und Berichterstattung verpflichtet [46], aber seine Depeschen enthielten über ihren nächstliegenden Zweck hinaus einen historiographischen Anspruch, der sich, wie Rahel allerdings wusste, notwendig an den diplomatischen Beruf knüpfte [47], und so erwies er sich in seiner Eigenschaft als Diplomat innerlich als verantwortlicher Historiker.

Varnhagens persönliches Interesse diente der Vertretung Preussens, und solange er sich dementsprechend nicht seinem Rang gemäss behandelt sah, war er bei der Verwirklichung dieses Ziels gestört. Als ihm daher der badische Minister von Hacke keine geziemende Aufnahme am Hof ermöglichte, fühlte er sich gleich zu Beginn seiner Amtstätigkeit zu schnellen Entscheidungen gedrängt und schrieb an Hardenberg: "... ich glaube selbst dafür verantwortlich sein zu müssen, dass dergleichen durch mein Schweigen nicht bestätigt und genehmigt erscheine" [48], und aus dieser Überlegung heraus zog er es sogar

---

[45] Vgl. Varnhagen an Gruner, Frankfurt a.M. 13. Mai 1816; Karlsruhe 17. März 1817: Bln StB StPrKb HsAbt Ms. Germ. Quart. 1988 Bl 3-4 "... die Vorgänge in Baden sind gewiss wichtig, insofern Baden wichtig ist, wichtig genug, und nicht ausser Acht zu lassen ..."; Bl 31 "... und doch scheint mir die Politik kleinerer Staaten, besonders aber bedrohter, wie in diesem Augenblick Baden ist, nur in daurendern und zusammenhängendern Beziehungen einen rechten Rückhalt gewinnen zu können". Varnhagen an Kerner, Baden b. Rastatt 1. Okt. 1818: SNM HsAbt Nachlass J. Kerner KN 7268 "Tausend und tausendmal Recht hast du aber am Schluss deines letzten Briefes, dass die Hoffnung von der Einzelheit der kleinen Staaten auf das Ganze zu ziehen ist! Wie tief empfinde ich diese Überzeugung! Nur aus diesem Gesichtspunkt lässt sich der einzelne Staat richtig und erfolgreich behandeln". Varnhagen an Ölsner, Karlsruhe 6. Okt. 1818: Ölsner-Bfw I, 181. Ferner [Varnhagens Artikel] *Frankfurt, 15 Febr, BzAZ (1817) S. 109 "Die Geschichte wird gerechter seyn, und ohne die Verdienste der Grossmächte zu schmälern, wird sie den mittlern und kleinern Mächten den Ruhm zuerkennen, dem Vaterlande diejenige Gestalt erhalten zu haben, in welcher seine innere Freiheit am gesichertsten ist".
[46] Vgl. Varnhagens Depesche an Friedrich Wilhelm III., Baden b. Rastatt 19. Aug. 1818: DZA, Hist. Abt. II, Merseburg, A.A. I. Rep. I. Nr. 662 Bl 112-113. – Varnhagen an Gruner, Baden b. Rastatt 10. Okt. 1818: Bln StB StPrKb HsAbt Ms. Germ. Quart. 1988 Bl 59-60 "... ich bin durch mancherlei Antworten aus Berlin belehrt, dass es nicht nur vergeblich, sondern auch nachtheilig ist in gewissen Richtungen allzu eifrig zu sein; jedes einzeln würde mich nicht stören, weder das Vergebliche noch das Nachtheilige, aber beides zusammen – da hört mein diplomatisches Ritterthum auf!" Dkw IX, 37. V³, 62. Ferner Varnhagen an Ölsner, Baden b. Rastatt 4. Sept. 1818: Ölsner-Bfw I, 168f. Vgl. auch oben S. 149 A. 41.
[47] Vgl. Rahel an Varnhagen, Prag 2. Sept. 1813: Bfw III, 155. Dazu vgl. auch oben S. 57.
[48] Varnhagen an Hardenberg, Karlsruhe 16. Feb. 1817: DZA, Hist. Abt. II, Merseburg, A.A. I. Rep. I. Nr. 653. Vgl. Dkw IX, 29ff. V³, 56ff. Dazu H. Haering, a.a.O. S. 64ff. Ferner Varnhagen an [Hacke], Mannheim 25. Sept. 1816: Klr G.L.A. 48/2671 "Ich bin so frei, nur noch hinzuzufügen, dass ich, obzwar gegenwärtig wegen eines zwischen der Königl. Preussischen Regierung und Seiner Excellenz dem Herrn General von Tettenborn obwaltenden Geschäfts hier in Mannheim anwesend, doch in Betreff jener meinen eifrigsten und gerechtesten Wünschen so entgegengesetzten Verzögerung nicht die kleinste Verantwortung mir zu Schulden kommen lassen möchte, und daher unmittelbar nach dem

vor, Karlsruhe vorübergehend zu verlassen und nach Mannheim zu reisen, weil er sonst fürchtete, wie er meinte, durch eigenmächtige "Entscheidungen" seinen Instruktionen "auf die eine oder die andere Weise vorzugreifen" [49]. So blieben auch damals die örtlichen Verhältnisse die wichtigste Voraussetzung seiner Teilnahme am öffentlichen Leben, jedoch zunächst nicht mehr im Sinne von dessen historiographischer Bearbeitung, wie er sie ehemals stets geplant hatte. Denn allein schon der Aufenthalt in Karlsruhe gestaltete sich für Varnhagen wenig ergiebig, und er legte Wert auf seine persönliche Bewegungsfreiheit, in der er sich durch ein Schreiben Hardenbergs plötzlich eingeschränkt sah und um die er im Hinblick auf eine "freie Beurtheilung" kämpfen zu dürfen glaubte [50]. Varnhagen war aber in Karlsruhe alles andere als "kaltgestellt", und wenn seine eigenen Äusserungen dazu im allgemeinen ungünstig lauteten, ging daraus noch nichts über die faktische Bedeutung seiner Anstellung hervor [51]. Insofern lag nämlich der Anwesenheit eines preussischen Diplomaten in Karlsruhe eine Absicht zugrunde, die mit den nationalen Bestrebungen des sogenannten Hoffmannschen Bundes in Zusammenhang stand. Denn diese "geheime Verbindung", an deren Gründung neben dem Advokaten Karl Hoffmann vor allem Justus Gruner den Hauptanteil hatte, sollte der "Einheit Deutschlands unter Preussen dienen" [52], und zu diesem Anlass war Gruner schon im März 1815 schriftlich mit Hardenberg in Beziehung getreten und hatte ihm geraten, "den Gesandtschaftsposten in Stuttgart und Carlsruhe vorläufig nicht und späterhin mit einem Manne zu besetzen, dem man die Zwischenleitung dieser wichtigen Verbindung anvertrauen könnte" [53]. Vom 10. August desselben Jahres datiert ein weiteres Schreiben, in welchem sich Gruner selbst um den "Posten in Stuttgart" bewarb und ihn für seine nationalpolitischen Pläne als eine "unvergleichlich vortheilhafte Stellung" schilderte. Nachdem aber Gruner schliesslich als preussischer Gesandter in Bern akkreditiert wurde, verfügte er in Varnhagen über den

---

Empfang der Nachricht, durch welche Ew. Excellenz mich irgend einen bestimmten Tag, an welchem meine Vorstellung stattfinden sollte, gütigst wollten wissen lassen, binnen wenigen Stunden in Karlsruhe eintreffen kann".

[49] Varnhagens Depesche an Hardenberg, Mannheim 5. April 1817: DZA, Hist. Abt. II, Merseburg, A.A. I. Rep. I. Nr. 660 Bl 30-31. Vgl. auch Dkw IX, 437f. VI³, 16.

[50] Varnhagen an Hardenberg, Karlsruhe 16. Feb. 1817: DZA, Hist. Abt. II, Merseburg, A.A. I. Rep. I. Nr. 653.

[51] Dagegen O. F. Walzel. [Varnhagen-Artikel] In: ADB 39 (1895) S. 773. Dazu H. Haering, a.a.O. S. 56 A. 2. Vgl. auch R. Haym, a.a.O. S. 471. C. Misch, a.a.O. S. 45. Ferner Varnhagen an Rahel, Mannheim 22. Sept. 1816: Bfw V, 148. Varnhagen an Troxler, Karlsruhe 30. Juli; 26. Nov. 1816: Troxler-Bfw S. 137; 152. MAL II, 297; 316. Varnhagen an Smidt, 26. Aug.; Karlsruhe 15. Dez. 1816; 22. Dez. 1817: C. Misch, a.a.O. S. 150f. Varnhagen an Chamisso, Karlsruhe 15. Dez. 1816: Bln DtStB HsAbt Nachlass Chamisso "Hier sitz' ich nun in abgeschiedener Einsamkeit, in einer kleinen Residenz, bei einem traurigen Hof, und mit wenigen Geschäften, aber dennoch lebhaft angeregt, von vielen Seiten begünstigt, und in vielfacher Thätigkeit!" Varnhagen an Perthes, Karlsruhe 8. Aug. 1817: C. Misch, a.a.O. S. 149f. Varnhagen an Kerner, Mannheim 11. März 1817: Kerner-Bfw I, 445.

[52] Gruner an Gneisenau, Düsseldorf 18. Juni 1815: H. Delbrück. Gneisenau IV, 566. Vgl. F. Meinecke. Die Deutschen Gesellschaften und der Hoffmannsche Bund, S. 49.

[53] Gruner an Hardenberg, Düsseldorf 13/25. März 1815: J. v. Gruner. Justus Gruner und der Hoffmannsche Bund, FBPG 19 (1906) S. 490.

wichtigen Karlsruher Verbindungsmann; denn zudem hatte Gruner schon im April 1815 erklärt, dass er den "geheimen Plan" auch ohne Rücksicht auf seinen künftigen Bestimmungsort "ausführen helfen" werde [54], und im Hinblick darauf waren ihm von Varnhagen die entsprechenden Versicherungen zuteil geworden [55]. Varnhagen hatte vorübergehend sogar erwogen, mit Gruner als dessen Legationssekretär nach Stuttgart zu gehen [56] und war sich in Karlsruhe, gerade weil er dort, wie er schrieb, den "Gedanken der Entfernung" nicht unterdrücken konnte, um so mehr der Aufgaben bewusst, die sich ihm als Verbindungsmann stellten. Dabei blieb für ihn Karlsruhe grundsätzlich "ein angenehmer und der Lage gegen Frankreich und die Schweiz wegen wichtiger Posten", der überdies von Stuttgart nicht allzu weit entfernt lag [57].

Stuttgart aber erachteten Gruner wie Varnhagen, der darin nicht einseitig nur Rahels Vorstellungen folgte, deshalb als verlockendes Wirkungsfeld, weil der Kronprinz von Württemberg eine fortschrittliche Herrscherpersönlichkeit zu werden versprach [58]. Otterstedt, den Gruner als dessen "Hauptwerkzeug" bei der Stiftung eines "geheimen deutschen" Ordens bezeichnete, stand seinerseits mit Varnhagen in brieflichem Kontakt und suchte ihn allerdings umsonst auf die Seite Württembergs zu ziehen [59]. Varnhagen hatte schon am Wiener

[54] Gruner an Hardenberg, Paris 10. Aug. 1815: J. v. Gruner, a.a.O. S. 496. Vgl. F. Meinecke. Zur Geschichte des Gedankens der preussischen Hegemonie in Deutschland, HZ 82 (1899) S. 104. Ferner Gruner an Hardenberg, Düsseldorf 7/19. April 1815: J. v. Gruner, a.a.O. S. 495f.
[55] Varnhagen an Gruner, Frankfurt a.M. 13. Mai 1816: Bln StB StPrKb HsAbt Ms. Germ. Quart. 1988 Bl 3-4 "...ich bin versichert, dass ich dort [in Baden] leisten würde, was zu leisten ist, und auch Ihnen zu Ihrer Zufriedenheit an der Hand sein könnte". Dazu Dkw V³, 27. Vgl. NF III (= VII), 286. Ferner S. 170f. A. 133.
[56] Vgl. Varnhagen an Rahel, Paris 16. Aug.; 25. Okt. 1815: Bfw IV, 255; V, 103. Dazu C. Misch, a.a.O. S. 150. Ferner Varnhagen an Rahel, Paris 22.; 29. Juli; 4. Aug.; 13.; 25. Sept. 1815: Bfw IV, 219; 228; 239; 342; V, 26. Varnhagen an Troxler, Paris 24. Juli 1815: Troxler-Bfw S. 63. MAL II, 209.
[57] Varnhagen an Reimer, Frankfurt a.M. 8. Nov. 1815: Ungedruckte Briefe an Georg Andreas Reimer, a.a.O. S. 243. Ferner Varnhagen an Cotta, Frankfurt a.M. 6. Nov. 1815: Brief an Cotta II, 5. Varnhagen an Troxler, Frankfurt a.M. 13. Dez. 1815: Troxler-Bfw S. 82. MAL II, 232. Varnhagen an Kerner, Frankfurt a.M. 1. März 1816: SNM HsAbt Nachlass J. Kerner KN 7256 — Im Hinblick auf die Wiederbelebung ihrer alten Freundschaft nannte Varnhagen seinen zukünftigen Posten in Karlsruhe "eine Stellung, die zu vielem übrigen Guten, auch darin meine Wünsche begünstigt". Varnhagen an Rahel, Paris 27. Okt. 1815: Bfw V, 109. Varnhagen an Otterstedt, Karlsruhe 15. Juli 1816: Köln UuStB XV 911 "Der Ort gefällt mir sehr gut, obgleich der jetzige Augenblick mir grade nicht günstig ist". Varnhagen an Cotta, Frankfurt a.M. 25. Jan. 1816: SNM Cotta-Archiv Nr. 41 "Ich... würde aber doch ungern... mich hier an Frankfurt gefesselt sehn, und ziehe Karlsruhe tausendmal vor". Vgl. Briefe an Cotta II, 7. Dagegen Varnhagen an Smidt, Mannheim 6. Okt. 1816: C. Misch, a.a.O. S. 148. Ferner ebda S. 39; 150.
[58] Vgl. Varnhagen an Perthes, Wien 24. Nov. 1814: C. Misch, a.a.O. S. 149. Varnhagen an Cotta, Paris 19. Sept. 1815: SNM Cotta-Archiv Nr. 31 "Alle Bessern, der Staatskanzler, Ihr Kronprinz, Gneisenau sahen ihre Bemühungen scheitern". Gruner an Hardenberg, Paris 10. Aug. 1815: J. v. Gruner, a.a.O. S. 500. Vgl. Dkw IX, 60f. V³, 80f. Ferner Varnhagen an Rahel, Frankfurt a.M. 18. Aug. 1815: Bfw IV, 256f. Dazu C. Misch, a.a.O. S. 150.
[59] Vgl. Gruner an Hardenberg, Paris 9. Aug. 1815: J. v. Gruner, a.a.O. S. 499. Ferner F. Meinecke. Zur Geschichte des Gedankens der preussischen Hegemonie in Deutschland, a.a.O. S. 102. Dazu Dkw IX, 74. V³, 91. Vgl. oben S. 129f. Ferner Varnhagen an

Kongress keinen unmittelbaren Zugang zum Kronprinzen gefunden und in Paris, wo sie sich zufällig begegnet waren, aus Ungeschick zunächst alle Anknüpfungsmöglichkeiten zunichte gemacht. Wenn er ihn daher auch nicht mehr besuchen ging, wich er, wie er Otterstedt schrieb, doch von seinem günstigen Urteil nicht ab [60], und dafür war ein Artikel bezeichnend, den er über den Kronprinzen bei dessen Abreise vom Wiener Kongress veröffentlicht hat [61]. Was er damals jedoch über ihn als Beispiel eines fürstlichen Charakters lobend erwähnte, entsprang bereits keinen selbstgewonnenen konkreten Eindrücken mehr, sondern stand im Zeichen der Erinnerung an die Befreiungskriege und bedeutete insofern vom Stofflichen her eine Einschränkung für Varnhagens Erlebnishistoriographie. Denn nicht nur was Württemberg und die Person von dessen späterem König betraf, sondern überhaupt fehlte es Varnhagen "an einzelner Kenntniss, wie sie" seiner Meinung nach bloss "die unmittelbare Lebenserfahrung geben" konnte [62], und er musste sich deshalb nachträglich im einzelnen Fall den Überblick erst verschaffen [63]. Während er sich nämlich sonst, wie er sich Kerner gegenüber äusserte, "an die grossen Züge und Grundsätze" der "Entwicklung im Allgemeinen" hielt und "auch bei der Beurtheilung des Einzelnen nicht schlecht" damit zu fahren glaubte [62], lagen dafür die örtlichen Verhältnisse in Karlsruhe verkehrt. Denn er durfte als preussischer Diplomat zwar voraussetzen, dass er hier in den Besitz ausreichender Kenntnisse gelangen werde, aber gerade darin sah er sich getäuscht, da er in allem nur die faktische Bestätigung dessen zu erblicken geneigt war, wovon er schon von vornherein überzeugt war, und aus dieser Unstimmigkeit erklärte sich für Varnhagen persönlich die Enttäuschung über seinen Karlsruher Aufenthalt [64]. Dagegen gestaltete sich jedoch ein Ausflug, welchen er mit Rahel ins Elsass unternahm, zu einem anregenden, wenn auch noch lange nicht geschichtlichen Erlebnis. Er wurde sich dort nur aufs neue seiner Standortsgebundenheit bewusst, und was er damit erreichte, beschränkte sich auf das Gefühl, den

Cotta, Baden b. Rastatt 5. Juli 1818: SNM Cotta-Archiv Nr. 86 "Sie haben auch zuerst mir den König richtig geschildert, in dem ich nun ganz anderes finde, als Otterstedt und Andere mich ahnden liessen..." Ferner C. Misch, a.a.O. S. 39.

[60] Varnhagen an Otterstedt, Paris 2. Okt. 1815: Köln UuStB XV 911. Dazu [Varnhagens Artikel] *Paris, 3 Okt, AZ (1815) S. 1147. Ferner Rahel an Varnhagen, Frankfurt a.M. 8. Okt. 1815; Varnhagen an Rahel, Paris 25. Okt. 1815: Bfw V, 62f.; 103. Vgl. Varnhagen an Rahel, Wien 19. Okt. 1814: Bfw IV, 96. Dagegen Dkw IX, 115. V³, 123. Vgl. NF II (= VI), 165f. III², 368.

[61] [Varnhagens Artikel] * Wien, 13 April, AZ (1815) S. 460.

[62] Varnhagen an Kerner, Karlsruhe 6. Dez. 1818: SNM HsAbt Nachlass J. Kerner KN 7269.

[63] Vgl. dazu Varnhagens Depesche an Hardenberg, Karlsruhe 19. Dez. 1816: DZA, Hist. Abt. II, Merseburg, A.A.I. Rep. I. Nr. 659 Bl 32 "Ich habe erst nach und nach die Angaben zusammenreimen können, auf welche ich meine Vermuthung stütz, jedoch etwas Gewisses darüber zu melden muss allerdings für Andere aufbewahrt sein, deren Standpunkt eine gewisse Bewegung übersehn lässt, und ihnen die Vorgänge, die mir gleichsam im Vorbeifluge aus Kleinigkeiten wahrnehmbar sind, längere Zeit vor Augen hält".

[64] Vgl. dazu Varnhagens Notiz, 25. März 1846: Tgb III, 324. Vgl. H. Haering, a.a.O. S. 58.

eigenen Standpunkt historiographisch erweitert zu haben [65]. Dabei war ihm Strassburg immerhin als Stadt seiner Kindheit ebenso sehr vertraut wie Hamburg, und wenn er berichtete, dass die dortigen Bauwerke sich "in sichtbarem Verfall" befänden, und daraus Schlüsse auf die wirtschaftliche Lage zog, verstand er seine diplomatische Aufgabe durchaus noch historiographisch als Augenzeuge [66].

Während Varnhagen die Befreiungskriege als realen Ausdruck einer geistigen Zeitströmung miterlebt hatte, verlor diese Deutungsmöglichkeit in den Jahren nach dem Wiener Kongress immer mehr an Faktizität. Nur in einzelnen Gruppen wie dem Hoffmannschen Bund erhielt sich der Gedanke freiheitlicher Gesinnung, und wer ihnen wie Varnhagen nahestand oder als Mitglied angehörte, galt ihm damals noch als zeitgemässer Vertreter der geschichtlichen Entwicklung. Die faktische Macht des Adels war für ihn deshalb keine Tatsache mehr, und so meinte er auch, dass er sich "auf die Geschichte des Adels nicht einlassen" wolle, denn dessen "thatsächliches Daseyn" habe "vor dem Richterstuhle der Ereignisse nicht... Stand gehalten; und", fuhr er fort, "damit man nicht bloss auf Rechnung der Französischen Revolutionsgrundsätze seine Niederlage setzen könne, so hat das Schicksal Sorge getragen, ihm auch auf der andern Seite, namentlich in Preussen, so gut vernichtende Schläge beizubringen, als er früher in Frankreich und zum Theil in dem Rheinbunde erfahren musste" [67]. Indem nun Varnhagen seinen Adelstitel wie übrigens auch Otterstedt eigenmächtig seinem Namen zufügte, machte er einen gesellschaftlichen Anspruch geltend, dessen geschichtliche Herleitung keinen rechtsgültigen Beweis lieferte. Was ihn aber dazu veranlasst hatte, waren auch keine so konkreten Ursachen, wie es beispielsweise die Hoffnung auf ein rascheres Aufsteigen im österreichischen Heer gewesen wäre, und geschichtlich war dabei weniger der Nachweis, den er in Steinens 'Westfälischer Geschichte' gefunden hatte, als der konsequent durchgeführte schriftliche Gebrauch, den er

[65] Vgl. Varnhagens Depesche an Friedrich Wilhelm III., Baden b. Rastatt 26. Sept. 1818: DZA, Hist. Abt. II, Merseburg, A.A.I. Rep. I. Nr. 662 Bl 140-141 "In Befolgung früher aufgestellter Angemessenheit habe ich nicht verfehlen wollen in meinen Berichten auch die französischen Angelegenheiten soweit dieselben sich in der hiesigen Gränznachbarschaft besonders zu erkennen geben, fernerhin zu berücksichtigen, und das Ergebniss der mannigfachen Nachrichten, Angaben und Mittheilungen, die der nahe Verkehr darbietet, nach genommenem eignen prüfenden Augenschein, unterthänigst zu überliefern". Ferner auch Varnhagen an Gruner, Karlsruhe 22. April 1819: Bln StB StPrKb HsAbt Ms. Germ. Quart. 1988 Bl 76-77 "Leider fühle ich bei jedem Vorfall... immer meine Thätigkeit durch Geringfügigkeit meiner Mittel erschwert und gehindert. Kleinere Ausflüge wären hier unumgänglich nothwendig!"
[66] Varnhagens Depesche an Friedrich Wilhelm III., Baden b. Rastatt 26. Sept. 1818: a.a.O. Vgl. Varnhagens Depesche an Hardenberg, Baden b. Rastatt 1. Sept. 1816: DZA, Hist. Abt. II, Merseburg, A.A.I. Rep. I. Nr. 659 Bl 9-10 – Varnhagen begründete seine Reise nach Strassburg mit der Absicht, "zu jenen Nachrichten den Beitrag, der mir obliegen kann, als Augenzeuge zu liefern. Ich habe die Ehre Ew. Durchlaucht Nachfolgendes als die Ergebnisse meines zweitägigen Aufenthalts in Strassburg, wo ich [mich] übrigens schon aus früherer Zeit Vielen bekannt finden musste, gehorsamst zu berichten". Dazu Dkw IX, 46ff. V³, 70ff.
[67] [Varnhagen] Votum eines freien Teutschen Mannes gegen die Errichtung eines Oberhauses. Nemesis, 8 (1816) S. 557f.; 561. Zur Verfasserschaft vgl. Kerner an Uhland, 21. März 1817: Kerner-Bfw I, 446f. C. Misch, a.a.O. S. 105.

von seinem Adel machte; denn erst dadurch wurde sein Anspruch in seinem Sinn geschichtlich, und es ist im übrigen anzunehmen, dass das 'von Ense' gleichzeitig auch eine bewusste Spielerei mit dem unter Freimaurern geläufigen Titel 'Ritter vom Schwert' oder 'Eques ab ense' enthielt [68]. Die gesellschaftliche Bezogenheit ist bei dieser Erklärung noch wesentlich konkreter, und wie direkt Varnhagen von seinem Standpunkt gegen den Adel opponierte, zeigte sich, wenn er angesichts des steigenden aristokratischen Einflusses an Perthes schrieb, dass die "Entwicklungen sich immer weiter verspäten". Da er nämlich zugleich von deren Fortschreiten fest überzeugt blieb, nahm er nur daran Anstoss, dass es sich allgemein um eine "Begebenheit" handelte, "die mächtiger ... als die Menschen" war und der "die Menschen jeden Augenblick erliegen" konnten. Diese Machtlosigkeit des einzelnen war für ihn gleichbedeutend mit der revolutionären Entwicklung seiner Zeit [69], und insofern lasteten Verantwortung und Schuld auf dem Adel, der der Revolution weder entgegenzuwirken noch sie zu leiten vermochte [70]. Das Revolutionäre war für Varnhagen schon weitgehend eine Kundgebung der "allgemeinen Naturkräfte" geworden und der geistigen Herrschaft der "sittlich besonnenen" Kräfte entglitten [69].

Diese Erkenntnis befestigte sich in Varnhagen erst während seines Aufenthalts in Karlsruhe. Was ihn an einer freien Beobachtung der Ereignisse

---

[68] Vgl. Dkw II, 4f. I², 2f. I³, 2. Varnhagen an Rahel, Burgsteinfurt 12. Okt. 1810: Bfw II, 93. Varnhagen an R. M. Varnhagen, Nov. 1811: H. H. Houben. Varnhagen von Ense, a.a.O. S. 321. Ferner Varnhagens Rechtfertigungsschreiben, Berlin 1. Juni 1826: DZA, Hist. Abt. II, Merseburg, A.A.I. Rep. 4. Nr. 2825 Bl 29-32 "Ich stamme in der That und historisch vollkommen nachweisbar aus dem, wie es der Geschichtschreiber von Steinen nennt 'uralten, berühmten, ritterlichen' Geschlecht von Ense". Dazu [Varnhagen Artikel] *Von der Elbe, 20 Jul., AZ (1817) S. 832. Dagegen C. Misch. Varnhagen von Ense und sein Adelsprädikat, FBPG 38 (1926) S. 112f. F. Rühl. Einleitung. In: Briefe und Aktenstücke zur Geschichte Preussens I, S. XXVIIf. F. Valjavec, a.a.O. S. 81 u.A. 132. Vgl. auch H. v. Petersdorff. [Otterstedt-Artikel] In: ADB 52 (1906) S. 733. Dazu Varnhagens Notiz, 8. Dez. 1843: Tgb II, 236. Ferner G. Schuster. Die geheimen Gesellschaften, Verbindungen und Orden II, 55. J. R. Haarhaus nach Blasendorff, a.a.O. S. 101. Dazu Perthes an Fouqué, Hamburg 1. Okt. 1815: Briefe an Friedrich Baron de la Motte Fouqué, S. 295 "Der Legationsrath [= Varnhagen], der einer von der Feder ist, obwohl er sich vom Schwerte schreibt, hat mir einen langen sehr interessanten Brief aus Paris geschrieben, ..." Vgl. Varnhagen an Perthes, Paris 23. Aug. 1815: HH StA Perthes Nachlass I M 9 b Bl 156-157.
[69] Varnhagen an Perthes, Karlsuhe 24. Dez. 1818: HH StA Perthes Nachlass I M 11a Bl 293-294 "Dies ist die Revolution, in der wir mitten drin sind!" Vgl. Varnhagen an Kerner, Karlsruhe 11. Dez. 1817: Kerner-Bfw I, 464f. Ferner Varnhagen an Wessenberg, Baden b. Rastatt 26. Juni 1818: Hbg UB HsAbt Heid Hs 695 Bl 261-262 "Diese Langsamkeit, diese faule Bedenklichkeit! Sie thut am Ende doch das Geforderte und Erwartete, aber am Ende erst, wenn es niemanden mehr freut, wenn es blosse Nothwendigkeit geworden". Dagegen [Varnhagens Artikel] Frankfurt, den 18 April, AaZ (1817) S. 260 "Dass die Geschichte von jeher vernünftiger Natur gewesen, haben auch diejenigen gemeint, die uns in Frankreich und Spanien ein tüchtiges Stück Geschichte ausgearbeitet; ..." Zur Verfasserschaft vgl. C. Misch, a.a.O. S. 171.
[70] Vgl. [Varnhagen] Votum eines freien Teutschen Mannes gegen die Errichtung eines Oberhauses, a.a.O. S. 563f. [Varnhagens Rezension] JALZ XV/4 (1818) Sp. 183. [Varnhagens Artikel] *Frankfurt, 29 Jun, AZ (1817) S. 751; Düsseldorf, den 19. April, AaZ (1818) S. 263. Zur Verfasserschaft vgl. C. Misch, a.a.O. S. 171. Ferner eba S. 111.

hinderte, lag an der Gesellschaftsstruktur des Hofes. Von diesem engeren Umkreis her erklärte es sich, wenn Varnhagen über seine Zeit urteilte, "dass sie wenig Hingebung an Einzelnes" erlaubte und "mehr als andere Geschichtsmomente zu einer gewissen allgemeinen Haltung" zwang [71]. Was ihm fehlte, war die Unmittelbarkeit eines vertrauten Verkehrs mit gleichdenkenden Menschen, und diesen Mangel spürte er um so mehr, als er im Kreis der Minister und Diplomaten, die er persönlich kannte, kein entsprechendes Vertrauensverhältnis anknüpfen konnte [72]. Bei aller Achtung für den diplomatischen Beruf hielt er doch den Adel dessen nicht für fähig, und während er den König von Württemberg für die geschichtliche Auffassung des politischen Lebens rühmte, betrachtete er dieselbe Gabe bei einem Adligen als Täuschung [73]. Dabei empfand er selbst, solange der diplomatische Beruf dem Adel vorbehalten war, die Zwiespältigkeit seiner eigenen Stellung [74], und dieser Zustand steigerte sich in ihm zu einer persönlichen Haltung, in der er es in seiner bekannten herausfordernden Weise auf eine Auseinandersetzung mit der Hofgesellschaft ankommen lassen konnte [75]. Seine Abneigung gegen den Adel richtete sich gegen

[71] Varnhagen an Perthes, Karlsruhe 8. Aug. 1817: HH StA Perthes Nachlass I M 10d Bl 221-222.
[72] Vgl. Varnhagen an Gruner, Baden b. Rastatt 17. Juli 1817: Bln StB StPrKb HsAbt Ms. Germ. Quart. 1988 Bl 13-14 "... ich sehe schon im Geiste durch künftige Ministerialbeschlüsse einen oder den andern meiner Freunde festgesetzt; glauben Sie, dass Richelieu, Stewart, Pozzo di Porgo, Vincent oder endlich Goltz einen von uns sehr vertreten würde, wenn einmal der Antrag dreist genug geschehn wäre?"
[73] Vgl. Varnhagen an Gruner, Karlsruhe 3. Dez. 1817; 7. Feb. 1818: Bln StB StPrKb HsAbt Ms. Germ. Quart. 1988 Bl 17-18 "Überhaupt dringt die alte Aristokratie unter mancher freisinnig gleissenden Larve nur allzu unverkennbar hervor... Diese Sinnesart walten zu sehn, hat mich tief betrübt und empört, sowohl wegen der Unvernunft ihrer selbst, als wegen der unausbleiblichen furchtbaren Rückwirkung, die sie einst auf ihre Bekenner werfen wird."; Bl 25 "Zum allgemeinen Erstaunen schreitet Preussen, das so grosse Scheu bezeigt, jetzt keck sogar voran, und athmet aus allen Schriften, Erklärungen und Versprechungen den wünschenswerthesten Freisinn... Und doch ist es mir zu verdenken, wenn ich durch die Erfahrung der letzten Jahre in meiner nur zu raschen Begeisterung etwas gehemmt werde? Liberal ohne die Liberalen, wird das gehn?" Dagegen Varnhagens Depesche an Hardenberg, Karlsruhe 1. März 1818: DZA, Hist. Abt. II, Merseburg, A.A.I. Rep. I. Nr. 662 "Aus allen Äusserungen des Königs [von Württemberg] leuchtete eine besondere Theilnahme für das Verhältniss mit Preussen hervor... Die Angelegenheiten Frankreichs, Schwedens, der Niederlande, die Stimmung in Deutschland, das Ständewesen u. dgl. m. waren die Gegenstände lebhaften Gesprächs, welches jedoch in allgemeinern Zügen mehr den Charakter geschichtlicher Betrachtungen als politischer Ansichten annahm".
[74] Vgl. Varnhagen an Bernstorff, Karlsruhe 1. Feb. 1819: DZA, Hist. Abt. II, Merseburg, A.A.I. Rep. I. Nr. 653 "Es giebt keine härtere Stellung, als die eines Mannes, der selbst vor sich dasjenige gelten soll, was gewöhnlich in den Masse beachtet wird, als es Andere sagen". Varnhagen an Troxler, Karlsruhe 30. Juli 1816: Troxler-Bfw S. 137. MAL II, 298. Varnhagen an Chamisso, Baden b. Rastatt 12. Juli 1818: Bln DtStB HsAbt Nachlass Chamisso "Ich bin nicht blind gegen manche Vortheile meiner Stellung, aber man lässt mir Grund zu vielem Missvergnügen, und ich fühle mich auf diese Art nicht an meinem gebührenden Platze". Ferner [Varnhagens Artikel] *Vom Main, 5 Febr, AZ (1817) S. 172.
[75] Vgl. dazu anlässlich von Varnhagens Begegnung mit dem König von Bayern Varnhagen an Wessenberg, Baden b. Rastatt 26. Juni 1818: Hbg UB HsAbt Heid Hs 695 Bl 261-262 "Hier ist es sehr still; wir erwarten aber neues Leben von der nahen Ankunft des bairischen Hofes". Varnhagen an Gruner, Baden b. Rastatt 4. Juli

dessen gesellschaftlich bevorzugte Stellung [76], und daher war sein Anteil bei den Bemühungen um eine Verfassung zunächst ganz äusserlich bestimmt. Was er nämlich von sich selbst als Mitarbeit "an der deutschen Revolution" bezeichnete [77], vermittelte ihm kein konkretes Geschichtserleben, sondern diente zuerst einmal dem gesellschaftlichen Zusammenschluss jener, die er wie sich zu den Liberalen zählte. Gesellschaftlich bedeutete für ihn insofern nur gesellig und unterhaltend; denn wie ursprünglich er die Aussichten auf die "Ständeberufung in Baden" auffasste, lässt sich daran erkennen, dass er erklärte: "Für mich wäre die Sache sehr zu wünschen, als einzige Lustbarkeit, die Karlsruhe für mich liefern könnte" [78]. Der gesellige Verkehr hatte sich nämlich in Karlsruhe noch weniger anziehend gestaltet als in Frankfurt, weil es Varnhagen um die Behauptung seines persönlichen Ansehens gegangen war. Der Zutritt zur höheren Gesellschaft blieb ihm, solange er nur Geschäftsträger war, versperrt [79], und hinzukam der Umstand, dass er mit einer Frau jüdischer Abstam-

1818: Bln StB StPrKb HsAbt Ms. Germ. Quart. 1988 Bl 49-50 "Wir fremden Diplomatiker nehmen natürlich auf die Spannungen der Höfe keine Rücksicht, und besuchen die baierischen Herrschaften, bei denen aber, wie aus verabredetem Gefühl, kein Badener sich blicken lässt". Vgl. Dkw IX, 298ff. V³, 266ff. Ferner H. Haering, a.a.O. S. 75ff. C. Misch, a.a.O. S. 59f.

[76] Vgl. [Varnhagens Artikel] Düsseldorf, den 19. April, AaZ (1818) S. 263. Zur Verfasserschaft vgl. C. Misch, a.a.O. S. 171.

[77] Varnhagen an Chamisso, Karlsruhe 15. Dez. 1816: Bln DtStB HsAbt Nachlass Chamisso.

[78] Varnhagen an Gruner, Mannheim 7. April 1817: Bln StB StPrKb HsAbt Ms. Germ. Quart. 1988 Bl 5-6. Dazu Varnhagen an Uhland, Karlsruhe 4. Mai 1819: Uhland-Bfw II, 113. Ferner Varnhagen an Gruner, Karlsruhe 17. Feb. 1819: Bln StB StPrKb HsAbt Ms. Germ. Quart. 1988 Bl 70-71 "Wir nordischen oder doch halbnordischen Menschen sollten wenigstens in den gesellschaftlichen Lebensanstalten, in bürgerlichen Einrichtungen und Verfassungen einigen Ersatz finden für alles was uns an Naturwohlsein fehlt; wenn man kein Lazarone von Neapel sein kann, müsste man wenigstens Parlamentsdebatten haben . . . So viel ist gewiss, dass wir von der besten Bestellung unsrer gesellschaftlichen Vereine weit entfernt sind!" Dazu Varnhagen an Küpfer, Karlsruhe 22. Aug. 1817: Varnhagen von Enses Briefe an Legationssekretär Heinrich Küpfer, a.a.O. S. 356f. Dkw IX, 25; 66ff. V³, 53; 85ff. Varnhagen an Troxler, Karlsruhe 6. Feb. 1817: Troxler-Bfw S. 162. MAL II, 329. Varnhagen an [Luden], Karlsruhe 30. Aug. 1818: Klr G.L.A. 48/1298 "Mein Posten hier ist mir nun noch einmal so lieb geworden, seitdem es neben dem Hofe nun auch Stände in Karlsruhe geben wird!" Ferner Varnhagens Artikel. Frankfurt, 19. Sept. (Von einem Nichtwürtemberger eingesandt.), Beilage zu Varnhagen an Cotta, Karlsruhe 18. Sept. 1819: SNM Cotta-Archiv Nr. 117b "Die würtembergische Verfassungssache ist jetzt eine deutsche Nationalangelegenheit, und in diesem entscheidenden Zeitpunkt heften sich mit schwerer Sorge alle vaterländischen Blicke daran. Es ist hier nicht die Rede von Zweifel oder Glauben am Zuge des Ganzen überhaupt, denn wir wissen wohl, was sein soll geschieht! Aber es ist die Rede von dem Antheil, den wir Jetztlebenden, das gegenwärtige Geschlecht, an dem Ersehnten wünschen und erwarten, und dies persönliche Recht, diese unsre Erwartung, fordert unsre Thätigkeit und Besonnenheit auf. Das Allgemeine dürfen wir getrost der Vorsehung überlassen, für unsren egoistischen Zweck müssen wir selbst eintreten! Nie hat dieses gehasste Beiwort eine edlere Sache bezeichnet; es ist nicht nur erlaubt, es ist sogar pflichtgemäss, in diesem Bezug egoistisch zu sein; miterleben, mitgeniessen wollen wir das Gute, das da kommen soll; . . ." Dazu Varnhagen an Troxler, Frankfurt a.M. 2. März 1816: Troxler-Bfw S. 96. MAL II, 248. Vgl. ferner F. Valjavec. Die Entstehung der politischen Strömungen in Deutschland, S. 229.

[79] Vgl. H. Haering nach Varnhagens Depesche vom 24. April 1818; a.a.O. S. 69.

mung verheiratet war [80]. Dadurch erst wurde sein Aufenthalt im Grossherzogtum Baden, wie er selbst meinte, zu jener "Art Exil", dessen Zustand er in
jedem Fall nicht als von langer Dauer erachtete [81], und so kam auch seine
Abberufung für ihn durchaus nicht völlig überraschend. Ihren katastrophalen
Charakter, den er in den 'Denkwürdigkeiten' betonte [82], hatte sie dagegen nur,
insofern sie seine Existenz in Frage stellte, und bei der direkten Gefahr, die er
für sich aus dem Vorwurf liberaler Gesinnung befürchten musste, fand er nur
die gesellschaftlich beschränkte Erklärung, dass Vertreter des Adels und der
Diplomatie ihn verleumdet hatten [83]. Dabei entging ihm jedoch der direkte
Zusammenhang, der zwischen seinem Sturz und einer Weisung Metternichs
bestand [84], und im Gegensatz zu Metternich, der ihn für einen "der schlauesten
und findigsten Revolutionäre" hielt [85], unterschätzte Varnhagen selbst, was er
im Zuge der revolutionären Zeitströmung geleistet hatte; denn für ihn liess
es sich nicht mehr konkret geschichtlich verstehen. Die Revolution war für ihn
vom Standpunkt der Geschichte immer noch an den Namen Frankreichs
geknüpft, und alles revolutionäre Deutsche daher zuerst "nur armseliges
Pfuschwerk" und kein "Terrorismus" [86]. Solange es sich bloss auf das gesell-

Ferner Dkw IX, 218. V³, 201f. Vgl. Varnhagen an Rahel, Karlsruhe 2. Aug. 1817:
Bfw V, 203.
[80] Vgl. M. Laubert. In: Aus dem Nachlass des Legationsrats Heinrich Küpfer, FBPG
54 (1943) S. 305. Dazu auch Varnhagen an Gruner, Frankfurt a.M. 13. Mai 1816: Bln
StB StPrKb HsAbt Ms. Germ. Quart. 1988 Bl 3-4 "Damit auch alles Erbärmliche
und Kleinmüthige sich von dem graden Wege und der offnen Stirne verberge, so
haben jetzt Herr von Berstett und seine Frau, die früher abgeschmackte Reden führten
und sich Zierereien erlaubten, ... mich und meine Frau zu dem Balle eingeladen,
den sie wegen der Geburt des Erbgrossherzogs morgen hier geben". Vgl. auch oben
S. 124f. Dazu Dkw IX, 54f. V³, 76.
[81] Varnhagen an Chamisso, Karlsruhe 24. Nov. 1818: Bln DtStB HsAbt Nachlass
Chamisso. Ferner Varnhagen an Rahel, Karlsruhe 22. Juli 1819: Bfw VI, 27.
[82] Vgl. Dkw IX, 441; 561; 593ff. VI³, 19; 111; 135ff. Dazu C. Misch, a.a.O. S. 65f.;
153. Ferner Varnhagen an Bernstorff, Baden b. Rastatt 24. Juli 1819: DZA, Hist.
Abt. II, Merseburg, A.A.I. Rep. I. Nr. 653 "Ich würde diesen Gegenstand vergebens
in schriftlicher Mittheilung zu erschöpfen trachten, ... wenn nicht der Umstand, dass
Herr von Berstett nach Karlsbad reisen und Ew. Excellenz dort sprechen wird, mich
einer zu augenscheinlichen Gefahr aussetzte, als dass ich nicht bei Ew. Excellenz im
voraus die einzige Bitte niederlegen müsste, dass Ihr Urtheil über mich sich nicht
nach Versicherungen abmessen wolle, denen ich ... die Gültigkeit nicht zugestehn
kann, ... die aus wahrer Einsicht und Kenntniss entspringt".
[83] Vgl. über Berstett Varnhagen an Gruner, Karlsruhe 10. Juli; Baden b. Rastatt 30.
Juli 1819: Bln StB StPrKb Hs Abt Ms. Germ. Quart. 1988 Bl 82 "... ich bin überzeugt,
dass er mich heimlich verlästert und verketzert, ... dass er die albernsten Lügen
verbreitet, ..." Bl 84 "Durch sichre Anzeigen ... weiss ich, dass Hr von Berstett
mich in Berlin verklagt und verläumdet hat, ..." Varnhagen an Cotta, Karlsruhe
18. Sept. 1819: Briefe an Cotta II, 24. Varnhagen an Kerner, Karlsruhe 20. Sept. 1819:
Kerner-Bfw I, 491.
[84] Vgl. C. Misch, a.a.O. S. 61f.; 153.
[85] Metternichs Notiz, 8. Aug. 1819: K. Glossy. Politik in Karlsbad, ÖRs 60 (1919)
S. 131. Vgl. H. R. v. Srbiks Rezension zu C. Misch. Deutsche Literaturzeitung für
Kritik der internatonalen Wissenschaft, 46 (1925) Sp. 1072.
[86] Varnhagen an Chamisso, Karlsruhe 15. Dez. 1816: Bln DtStB HsAbt Nachlass
Chamisso. Vgl. Varnhagen an Troxler, Paris 30. Aug. 1815: Troxler-Bfw S. 74.
MAL II, 222. Varnhagen an Cotta, Frankfurt a.M. 25. April 1816: SNM Cotta-Archiv
Nr. 47 "... ich bin oft im Zweifel, ob sich ein rechtschaffener Revolutionär nicht
mit allen Kräften auf ihre [= der Mediatisierten] Seite werfen müsste; wenn ich ein

schaftliche Zusammenleben auswirkte und keiner überragenden Tat entsprang, wurde es in Varnhagens Auffassung kein geschichtlicher Stoff [87], und wenn demzufolge die Frage der blossen Existenzerhaltung die vorherrschende blieb, verflüchtigte sich der geistige Überblick, den Varnhagen als Historiker brauchte. Was sich davon schliesslich doch noch auf seine Betrachtungsweise übertrug, war das politische Bewusstsein deutscher Einheit, wobei Preussen eine führende Rolle zukam. Doch nachdem Preussen diesem "Beruf" nicht entsprach und die Öffentlichkeit an der preussischen Politik keinen geistigen Rückhalt finden konnte, verdüsterten sich auch Varnhagens politische Aussichten [88]. Umgekehrt war das Politische aber dadurch nicht mehr einseitig mit einer staatlichen Macht verknüpft, sondern entfaltete sich in allen Lebensbereichen [89], indem es den Gegenstand eines gemeinsamen Interesses bildete und die ursprünglich ständische Gesellschaftsordnung daher ihre Macht verlieren musste.

Die Folge dieser Politisierung des individuellen Lebens, von welcher sich Varnhagen am stärksten anlässlich von Görres' 'Übergabe' der 'Koblenzer Adresse' betroffen fühlte [90], war, dass der einzelne auf sich selbst zurück-

---

Revolutionär wäre, so thät' ichs!" Dazu vgl. oben S. 148 u.A. 37. Ferner Varnhagen an Kerner, Frankfurt a.M. 6. Mai 1816: SNM HsAbt Nachlass J. Kerner KN 7257 "Die französische Revolution braucht grosse Zeiträume, die Narren glauben sie sei schon zu Ende, und sie hat ja erst eben vor 25 Jahren angefangen; ..."

[87] Vgl. [Varnhagens Artikel] *Vom Rheine, 7. Jan. (Eingesandt.), AZ (1817) S. 52; *Vom Rhein, 14 Febr. (Eingesandt.), BzAZ (1817) S. 102. Vgl. Varnhagen an Troxler, Karlsruhe 26. Nov. 1816: Troxler-Bfw S. 153. MAL II, 317. Ferner auch Varnhagen an Perthes, Paris 23. Aug. 1815: HH StA Perthes Nachlass I M 9b Bl 156-157. Dazu oben S. 116.

[88] Vgl. Varnhagen an Gruner, Karlsruhe 24. Nov. 1818: Bln StB StPrKb HsAbt Ms. Germ. Quart. 1988 Bl 66-67 "Wir Preussen steigen mit Riesenschritten in der öffentlichen Achtung und in dem Range abwärts, den wir, ein Wunder, mit 10 Millionen Menschen unter den Grossmächten noch einnehmen". Varnhagen an Perthes, Frankfurt a.M. 14. Dez. 1815: C. Misch, a.a.O. S. 129f. u. ebda. Varnhagen an Smidt, 20. Juli 1816: ebda S. 130. Ferner [Varnhagens Artikel] *Von der Spree, 1 Aug, AZ (1818)S. 936. Vgl. auch oben S. 150 A. 44.

[89] Vgl. Varnhagen an Chamisso, Karlsruhe 24. Nov. 1818: Bln DtStB HsAbt Nachlass Chamisso "Der Politik entflieht jetzt Keiner, sie ist mir ihren umstrickenden Netzen bis in die einsamste Zelle gedrungen, und es ist schon gar nicht mehr Absicht, dass die Menschen in Masse sich mit der Erfindung und Probe von staatsgesellschaftlichen Dingen abgeben". Varnhagen an Kerner, Karlsruhe 10. Mai 1819: SNM HsAbt Nachlass J. Kerner KN 7271 "Auch ich habe viel zu thun ... Wenigstens tue ich nichts in Lieblingssachen, dichte erzähle, lerne und lehre nichts in freudigen Dingen; lauter leidige Politik! Doch liebe ich diese ja auch, und wie sehr!" Ferner [Varnhagens Artikel] *Frankfurt, 1 Jan, AZ (1817) S. 31f. Dkw NF II (= VI), 195f. III², 397f. IX, 144f. V³, 145f.

[90] Vgl. [Varnhagens Rezension] JALZ XV/2 (1818) Sp. 250ff. Dazu Varnhagen an Gruner, Karlsruhe 17. Feb. 1818: Bln StB StPrKb HsAbt Ms. Germ. Quart. 1988 Bl 27-28 "... zudem existiren die Stände durchaus nicht mehr in der alten Gestalt, und selbst was Görres über die Ureintheilung vorträgt, ist eine Fabel, *Beschäftigungen* sind dadurch bezeichnet, aber kein bleibender Ständeunterscheid begründet. Nicht Korporationen und ihr einzelnes Interesse, sondern die Gemeinden und das Gemeinsamwesen sollen vertreten werden". Varnhagen an Troxler, Karlsruhe 26. April 1818: Troxler-Bfw S. 191f. MAL II, 363. Varnhagen an [Luden], Karlsruhe 26. April 1818: J. A. Stargardt. Autographen-Auktion. Kat. 506 S. 17 Nr. 58 "Ich hätte gern eine vollständige Prüfung der von Görres gelieferten Ansichten unternommen; die schielenden, zum Theil absurden Vorstellungen (z.B. die Anpreisung der angeblichen Urtheilung der Stände nach Lehre, Wehr und Währ) eines so genialen

geworfen wurde, und unter dieser Voraussetzung konzipierte Varnhagen selbst seine späteren Erinnerungen an die Karlsruher Jahre. Das allgemein günstige Urteil über diese letzten Abschnitte seiner 'Denkwürdigkeiten' erklärte sich dabei gerade aus ihrer geistigen Anspruchslosigkeit [91]. Varnhagen schilderte die Ereignisse während seiner diplomatischen Tätigkeit nicht im Hinblick auf die Geschichte dieser Zeit, sondern als persönlichen Rechenschaftsbericht; denn gleich nach seiner Abberufung hatte er keine Gelegenheit erhalten, sich zu "verantworten und zu rechtfertigen" [92]. Die zeitliche Einordnung war für ihn indessen schon ausreichend berücksichtigt, insofern das Geschehen bereits abgeschlossen war, und damit bestand auch existentiell die kleinste Möglichkeit, dass seine Betrachtungsweise im Rahmen des Zeitlichen in Frage gestellt wurde. Zugleich sah er sich aber, was seinen Standpunkt betraf, nicht mehr direkt an den Ort des Geschehens gebunden, und dadurch befreite er sich von einer Auffassung, die ihn selber bisher in der Diskussion geschichtlicher Fragen eingeschränkt hatte. Bis er sich jedoch zu diesen veränderten Grundsätzen durchgerungen hatte, vergingen Jahrzehnte, und gerade nach seiner Abberufung war er sich über diese für ihn nicht ursprünglich historiographische Publizistik noch nicht im Klaren. ". . . der Stoff, den man mir gegeben", schrieb er an Cotta, "scheint ergiebig, und ist es doch gar nicht! Was lässt sich viel darüber sagen? Beziehungsreich ist nur der Rückblick auf das Ganze, das sich freilich in jedem Kleinsten wiederfindet! Wie falsch sind alle Voraussetzungen, die sie machen!" [93]

In die Zeit der Jahre 1816 bis 1819 fiel eine Begebenheit, die in der Beurteilung Varnhagens die ganze Zwiespältigkeit seiner eigenen Stellung beleuchtete. Am 23. März 1819 wurde in Mannheim der russische Staatsrat August von Kotzebue durch den Studenten Karl Ludwig Sand ermordet, und dieses Ereignis war für Varnhagen ein Beispiel, an dem er seine Auffassung von der geistigen Geschichtsentwicklung leicht nachempfinden konnte [94]. Dabei entsprach die Ermordung Kotzebues völlig der revolutionären Bewegung, deren

Mannes sind mit doppelter Sorgfalt zu berichten". Ferner Dkw IX, 222ff. V³, 206ff. Zur Verfasserschaft vgl. C. Misch, a.a.O. S. 170.

[91] Vgl. R. Haym, a.a.O. S. 474. H. Haering nach K. Obser, a.a.O. S. 57f.

[92] Vgl. Stägemann an Varnhagen, Berlin 31. Aug. 1819: Briefe von Stägemann, Metternich, Heine, S. 99. Dazu H. Haering, a.a.O. S. 153. Ferner auch Varnhagen an Troxler, Karlsruhe 21. Sept. 1819: Troxler-Bfw S. 206. Vgl. ferner Dkw IX, 39; 77; 225; 231f.; 238; 434; 439f.; 548f.; 552f.; 570ff. V³, 64; 92; 120; 213; 218; VI³, 13; 17f.;101; 104f.; 118f. Ferner H. Haering, a.a.O. S. 58; 75; 78. C. Misch, a.a.O. S. 57; 63. Vgl. auch Dkw IX, 111f. V³, 120. Vgl. NF II (= VI), 165. III², 367.

[93] Varnhagen an Cotta [Baden b. Rastatt 19. Aug. 1819]: SNM Cotta-Archiv Nr. 118.

[94] Vgl. [Varnhagens Artikel] Frankfurt, den 20. Februar, AaZ (1819) S. 100. "Die That redet". Vgl. auch Varnhagen an Gruner, [Ende April 1818]: Bln StB StPrKb HsAbt Ms. Germ. Quart. 1988 Bl 39 "Die Sache muss sich so abwinden, bis einmal ein Ereigniss kommt, etwas recht Arges uns zukömmt, dann kann es sich auch um so plötzlicher ändern". Varnhagen an Wessenberg, Baden b. Rastatt 26. Juni 1818: Hbg UB HsAbt Heid Hs 695 Bl 261-262 "Es missfällt mir an unsrem Zeitabschnitte, dass nichts frisch und jugendkräftig hervortreten will; . . ."

konkreten Ausbruch Varnhagen erwartete [95], und anonym hat er diese Auffassung auch in Artikeln vertreten. Er verglich die Grässlichkeit des Geschehens mit dem "Gräuel der französischen Revolution", aber hielt den Vergleich mit dem "des sogenannten Mittelalters" noch für passender. Wenn nämlich ein junger Mensch wie Sand einen "Andersdenkenden mit dem Dolch" anfiel und sich dazu auf ein geheimes Todesurteil berief, war dies in Varnhagens Vorstellung eine mittelalterliche "Scene", die an die "Vehme" erinnerte [96]. Doch die mittelalterlichen "Institutionen", deren Überbewertung er damals bereits an Görres' 'Koblenzer Adresse' kritisiert hatte [97], waren für Varnhagen nicht mit "dem Zeitgeiste der Gegenwart" vereinbar, und deshalb deutete er die Tat geschichtlich so, dass er sie politisch mit den unzeitgemässen Interessen des Adels in Beziehung setzte. Demnach trug der Adel selbst an der Ermordung Kotzebues eine Verantwortung, und durch diese Überlegung, die sich in Varnhagens Artikel nur mit dem Hinweis auf die "Feudalverfassung" als dem "Krebsschaden" des damaligen "Lebens" ausdrückte [98], bestätigte sich jener geschichtliche Zusammenhang, demzufolge der Adel axiomatisch Urheber des Revolutionären sein musste [99]. Aber ebenso widersprüchlich verhielt es sich mit dem Anteil eines Nichtadligen wie Sand. Denn was ihn betraf, war es nach Varnhagens Worten zwar "schreklich", dass er "auf solchem *Abwege* die *rechte* Bahn zu wandeln" geglaubt hatte, doch zugleich war die "That" selbst "in der Geschichte" der Zeit durchaus einzigartig [98].

In einer zusammenfassenden Schilderung, die unter dem Titel 'Kotzebue's Ermordung' zuerst 1851 im 'Deutschen Museum' erschien und in den postum veröffentlichten Teilen der 'Denkwürdigkeiten' als geschlossenes Ganzes wieder abgedruckt wurde, lagen die Schwerpunkte von Varnhagens Beurteilung anders. Was vor allem fehlte, war der Bezug zur geschichtlichen Lage nach dem Wiener Kongress, und nur Eingeweihte konnten verstehen, was Varnhagen meinte, wenn er die Angst der "Grossen", "Hofleute" und "Diplomaten" schilderte und bemerkte, dass "eine heilige Vehme ... neu erstanden" zu sein schien [100]. Dass er aber von Anfang an keine 'Geschichte von Kotzebues Ermordung' zu schreiben beabsichtigt hatte, war die Folge von grundlegenden Veränderungen gewesen, die im Hinblick auf seine Geschichtschreibung nicht nur die zeitliche, sondern auch eine räumliche Verzögerung seiner Erlebnisse betrafen. Varnhagen befand sich für dieses Ereignis nicht mehr am Ort des Geschehens selbst, doch es war immerhin noch bezeichnend, wenn er bald nach seiner Ankunft im Grossherzogtum Baden erkannte, dass er sich in Mannheim

[95] Vgl. Varnhagen an Ölsner, Karlsruhe 8. April 1819: Ölsner-Bfw I, 258.
[96] [Varnhagens Artikel] *Vom Rhein, 5 April, AZ (1819) S. 408.
[97] Vgl. [Varnhagens Artikel] *Vom Niederrhein, 20 März, AZ (1818) S. 396. Ferner Varnhagen an Troxler, Karlsruhe 26. April 1818: Troxler-Bfw S. 191f. MAL II, 363.
[98] [Varnhagens Artikel] *Vom Rhein, 5 April, AZ (1819) S. 408.
[99] Vgl. oben S. 148.
[100] Varnhagen. Kotzebue's Ermordung, DtM 1 (1851/Januar-Juni) S. 657. Dkw IX, 467. VI³, 39.

leichter den gewünschten zeitgeschichtlichen Überblick verschaffen konnte als in Karlsruhe [101].

Bei diesem Anlass aber war Varnhagen in seinem Urteil faktisch auf die direkten Mitteilungen und dokumentarischen Auskünfte angewiesen, die er teilweise allerdings vom Grossherzog und vom badischen Minister von Berstett persönlich empfing [102], und was er stofflich seiner Darstellung zugrunde legte, waren immerhin die Ergebnisse, die unmittelbar in den Tagen nach dem 23. März feststanden. Damit setzte er sich bewusst in Gegensatz zu Wilhelm Häring, der 1842 im 'Neuen Pitaval' eine auf den Gerichtsakten beruhende Studie über den Mörder Sand herausgegeben hatte. "Dass aber das Aktenmässige", meinte Varnhagen dagegen, "nicht immer desshalb, weil es dieses, auch das Wahre ist, braucht wohl nicht erst erinnert zu werden" [103], und dementsprechend blieb für ihn die Geschichtlichkeit eines Geschehens weiterhin dadurch mitbestimmt, dass es sich in den Zusammenhang der allgemeinen Zeitentwicklung einordnen liess. Bei der Ermordung Kotzebues war dafür vor allem die Anteilnahme, die der Mörder Sand in der Öffentlichkeit erregte, ein entsprechender Hinweis, doch zu einem historischen Urteil ergaben sich aus dieser Perspektive allein keine weiteren Gesichtspunkte, und so konnte sich Varnhagen zu keiner entschiedenen Auffassung durchringen [104]. Die zwiespältige Lage, in der er sich selbst befand, übertrug sich auf seine Beurteilung des Täters, dessen Verantwortlichkeit er grundsätzlich nicht verleugnen durfte und der nur "in den Mitteln" falsch gewählt hatte [105]. Denn insofern Varnhagen seinerseits publizistisch die öffentliche Meinung zu beeinflussen

[101] Vgl. Varnhagens Depesche an Hardenberg, Karlsruhe 6. Jan. 1817: DZA, Hist. Abt. II, Merseburg, A.A.I. Rep. I. Nr. 660 Bl 3 "Ich finde dort [= Mannheim] einen ganz andern Mittelpunkt von Nachrichten, Beziehungen und Wirksamkeiten, als hier in Karlsruhe, welches noch immer mehr dem Namen nach, jenes aber der That nach, die Hauptstadt des Landes ist; ..." Dazu Dkw IX, 52. V³, 74.
[102] Vgl. Varnhagens Depesche an Friedrich Wilhelm III., Karlsruhe 24. März 1819: DZA, Hist. Abt. II, Merseburg, A.A.I. Rep. 4. Nr. 1946. Vol. 1 Bl 1-2 "Die näheren Umstände, sofern dieselben im ersten Augenblick zu berichten waren, folgen hier nach der Mittheilung, die ich darüber so eben aus dem Munde Seiner Königlichen Hoheit des Grossherzogs selbst und des Herrn Ministers von Berstett zu empfangen die Ehre gehabt". Vgl. Varnhagen. Kotzebue's Ermordung, a.a.O. S. 665. Dkw IX, 487. VI³, 54.
[103] Varnhagen. Kotzebue's Ermordung, a.a.O. S. 657. Dkw IX, 466. VI³, 38. Vgl. [W. Häring] Karl Ludwig Sand. 1820. In: Der neue Pitaval I, 4. Zur Verfasserschaft vgl. Varnhagen, a.a.O. Vgl. auch Varnhagen an Kerner, Karlsruhe 16. Juli 1816: SNM HsAbt Nachlass J. Kerner KN 7258 "Nicht auf Urkunden, sondern auf Prinzipien geht man sicher!" Vgl. dagegen Varnhagen. Berichtigende Mittheilungen an das Publicum, a.a.O. Sp. 140. Dazu vgl. oben S. 72.
[104] Varnhagen an Gruner, Karlsruhe 5. Mai 1819: Bln StB StPrKb HsAbt Ms. Germ. Quart. 1988 Bl 78 "Die Theilnahme nimt [sic!] noch fortwährend zu, das Urteil nimt eine für ihn stets günstigere Wendung ... Die That wird seltsam in unsrer Geschichte erscheinen, wenn erst ihre Wirkungen mehr zu überschauen sind; sie hebt eine neue Stimmung an, der Furcht, und – auf der andern Seite des Muthes!" Vgl. Varnhagen. Kotzebue's Ermordung, a.a.O. S. 663. Dkw IX, 483f. VI³, 51f.
[105] Varnhagen an Gruner, Karlsruhe 22. April 1819: Bln StB StPrKb HsAbt Ms. Germ. Quart. 1988 Bl 76-77.

suchte [106], handelte er ebenso selbständig wie Sand, und daher bestand zwischen ihnen eine Art Schicksalsgemeinschaft, deren Widerspruch erst an dem kapitalen Verbrechen gegen die Gesellschaft offenbar wurde. Ihre innere zeitgeschichtliche Übereinstimmung war jedoch davon nicht betroffen, und an sie hielt sich Varnhagen auch später, obschon er zugleich nicht darüber hinwegsah, dass die "That, der Mensch und die Fügung... in diesem Ereigniss wesentlich verschieden" gewesen waren [107]. Was aber in Sands Briefen über Freiheit und Vaterlandsliebe ausgesprochen war, näherte sich vorstellungsmässig Varnhagens eigenen Anschauungen [108], und so bestand ein dokumentarischer Beleg für die Ähnlichkeit ihrer Standpunkte.

Nachdem nämlich Varnhagen an Sands guter Gesinnung keine Zweifel mehr hegte, war ihm der Inhalt von dessen Briefen faktisch unwesentlich, und je mehr er dabei selbst ein Opfer publizistischer Geistesverwirrung wurde, desto überzeugter war er, dass "jeder gewöhnliche Massstab" den Tatbestand verfälschen musste [109]. Weil er aber früher schon "Blutvergiessen" allgemein als "Wäsche der Geschichte" bezeichnet hatte [110], wäre für ihn Kotzebues Ermordung eine grauenvolle Bestätigung seiner Worte gewesen, sofern er nicht von ausserhalb der bedrohten Gesellschaft geurteilt hätte. Denn dort, wo Sand mit seiner Tat die gesellschaftliche Ordnung verletzte, stand Varnhagen theoretisch auf seiner Seite, und unter dieser Voraussetzung kam er sogar zu einer kritischen Einschätzung der bei Sand gefundenen Schriftstücke. Was er nämlich gegen deren Echtheit einzuwenden hatte, lag schon allein darin, dass sie ihm durch Berstett gezeigt worden waren, und mit der Veröffentlichung zweier Briefe in der 'Allgemeinen Zeitung' bewies Varnhagen seine politische Verantwortlichkeit, die für ihn gleichzeitig Grundlage seiner historischen Kritik wurde; denn in diesem Fall bestimmten ihn keine freundschaftlichen Gefühle [111].

[106] Vgl. Varnhagens Depesche an Hardenberg, Karlsruhe 19. Dez. 1816: DZA, Hist. Abt. II, Merseburg, A.A.I. Rep. I. Nr. 659 Bl 32 "... zur Kunde und Einsicht wünschte ich ... von den Vorgängen, nach Gestattung der Umstände unterrichtet zu sein, keineswegs aber um irgend einen noch so entfernten thätigen Antheil zu nehmen, für welchen nicht ausdrückliche Aufträge Ew. Durchlaucht mich ermächtigten". Varnhagen an Gruner, Karlsruhe 26. April 1818: Bln StB StPrKb HsAbt Ms. Germ. Quart. 1988 Bl 37 "Ich glaube erschöpft zu haben, ... was von meinem Standpunkte aus ... anzuregen war. Wenn Sie jedoch neue Gründe oder neue Wege zu einer Wirksamkeit ... finden, so will ich Sie nicht abschrecken beide zu versuchen, ... Ohnehin ging ich schon mit dem Gedanken um, noch durch eine eigne Denkschrift mein Gewissen von der Last einer Versäumniss gänzlich zu entledigen". Varnhagen an Troxler, Frankfurt a.M. 23. Mai 1816: Troxler-Bfw S. 122. MAL II, 279f. Varnhagen an Brockhaus, Frankfurt a.M. 13. Feb. 1816: J. Hennig, a.a.O. S. 357. Ferner Dkw IX, 75f.; 314f. V³, 92f.; 278f. Vgl. auch C. Misch, a.a.O. S. 87.
[107] [Varnhagens Artikel] *Mannheim, 10. Mai, AZ (1819) S. 548. Vgl. auch VSchr II, 529. Varnhagen. Kotzebue's Ermordung, a.a.O. S. 673. Dkw IX, 501, VI³, 65.
[108] Vgl. H. Haering, a.a.O. S. 151f. A. 2. Ferner dazu Varnhagen. Kotzebue's Ermordung, a.a.O. S. 661f. Dkw IX, 479ff. VI³, 48ff.
[109] Varnhagen an Ölsner, Karlsruhe 8. April 1819: Ölsner-Bfw I, 256.
[110] Varnhagen an Rahel, Berlin 3. Nov. 1817: Bfw V, 276. Vgl. Rahel an Varnhagen, Frankfurt a.M. 28. Okt. 1817: Bfw V, 264.
[111] Varnhagens Artikel. Aus Sachsen, 20 Juni, Beilage zu Varnhagen an Cotta, Karlsruhe 22. Juni 1819: SNM Cotta-Archiv Nr. 109a. Dazu [Varnhagens Artikel] *Aus Sachsen, 20 Jun, AZ (1819) S. 711f.

Die entscheidende Frage bei der Ermordung Kotzebues lautete, ob Sand als einzelner oder im Einverständnis mit anderen gehandelt hatte. Für die Mitwisserschaft anderer sprach zunächst ein Schriftstück, das die Bestätigung eines Todesurteils enthielt, wobei eine "Universität ***" als dessen Urheber bezeichnet war [112]. Später in den Gerichtsverhandlungen blieb dieses Schriftstück jedoch verschwunden, und nachdem es Varnhagen im Gegensatz zu einem anderen, das ihm im Original zugänglich gewesen war, nur in einer Abschrift zu Gesicht bekommen hatte, zweifelte er zuletzt an dessen Authentizität [113]. Was ihn zu diesem Ergebnis führte, verdankte er seiner Erfahrung als Publizist; denn nur durch sie vermochte er ohne kritische Vergleichsmöglichkeiten die geheimnisvolle Angabe einem, wenn auch einseitigen, Sinn unterzuordnen, und dazu bildete ebenso die Kenntnis eines allgemeineren zeitgeschichtlichen Zusammenhangs immer noch eine Voraussetzung. Die Unmittelbarkeit der Überlieferung war für ihn ein stets zu beachtender Grundsatz geblieben, und so brauchte er sich gar nicht auf die aktenmässige Darstellung des badischen Staatsrats Hohnhorst zu berufen, der das "sogenannte Todesurtheil" ausdrücklich als verloren bezeichnete [114]. Wenn Varnhagen daher trotzdem auf dem Wortlaut dieses Schriftstücks beharrte und dabei die Urheberschaft einer Universität grundsätzlich zu widerlegen suchte, stand er in der allgemeinen Erörterung der Frage völlig abseits. Denn die Verbindung, welche Sand als Student in Erlangen und Jena zu radikalen Studentengruppen unterhalten hatte, unterlag keinem Zweifel, aber ein konkreter Zusammenhang, durch den sich die Ermordung Kotzebues als Folge studentischer Umtriebe verstehen liess [115], war für Varnhagen keine geschichtliche Tatsache, weil es dafür keine unmittelbaren Zeugnisse gab und umgekehrt, sobald er die Tat vom äusseren Geschehen abstrahierte, der Zusammenhang allgemein nur den revolutionären Zeitgeist aufdecken konnte. Unter dieser

[112] Vgl. die verschiedenen Zitate bei Varnhagens Depesche an Friedrich Wilhelm III., Karlsruhe 24. März 1819: DZA, Hist. Abt. II, Merseburg, A.A.I. Rep. 4. Nr. 1946. Vol. I. Bl 1-2 "Todesurtheil vollzogen an August von Kotzebue am 23. März 1819. um halb sechs Uhr, nach Beschluss der Universität***" Varnhagen an Tettenborn, Karlsruhe 24. März 1819: Aus Metternich's nachgelassenen Papieren III, 226 "Todesurtheil gegen August v. Kotzebue, vollzogen am 23. März Nachmittags um 5½ Uhr, nach Beschluss der Universität**..." Varnhagen an Cotta, Karlsruhe 25. März 1819: SNM Cotta-Archiv Nr. 109 "Todesurtheil für August v. Kotzebue, vollzogen am 23. März um 5½ Uhr, nach Beschluss der Universität***". Varnhagen an Gruner, Karlsruhe 25. März 1819: Bln StB StPrKb HsAbt Ms. Germ. Quart. 1988 Bl 72 "Todesurtheil gegen den Aug. v. Kotzebue vollzogen am 23. März Nachmittags um 5½ Uhr, nach Beschluss der Universität***" Varnhagen an Ölsner, Karlsruhe 25. März 1819: Ölsner-Bfw I, 247 "Todesurtheil für Aug. von Kotzebue, vollzogen am 23. März um 5½ Uhr, nach Beschluss der Universität***". Ferner Varnhagen. Kotzebue's Ermordung, a.a.O. S. 656. Dkw IX, 465f. VI³, 37f. (38) "Todesurtheil an dem Verräter August von Kotzebue vollzogen nach dem Beschlusse der Universität***".
[113] Vgl. Varnhagen. Kotzebue's Ermordung, a.a.O. S. 665. Dkw IX, 487f. VI³, 37f.
[114] Vgl. Hohnhorst. Vollständige Übersicht der gegen Carl Ludwig Sand geführten Untersuchung I, 154ff. Dazu ebda S. 44 A. 11. Ferner [W. Häring], a.a.O. S. 73ff. Vgl. auch K. A. v. Müller. Karl Ludwig Sand, S. 144.
[115] Vgl. K. A. v. Müller, a.a.O. S. 121ff.

Voraussetzung bezweifelte Varnhagen von Anfang an das Bestehen einer Verschwörung [116], doch so, wie er sich mit dieser Behauptung auseinandersetzte und dabei wiederum deren unmittelbares Einwirken zum Masstab wählte, kam er zu der Auffassung, dass nur die damals von der Gefahr weiterer Anschläge betroffenen gerade deshalb und nicht, weil sie in die revolutionären Tendenzen der Zeit eingeweiht waren, an Mitschuldige glaubten. Aber auch innerhalb von Varnhagens Gesichtskreis fehlte eine Voraussetzung, die beispielsweise 1813 während seines Aufenthalts in Hamburg gegeben war, und in seiner später veröffentlichten Darstellung hat er daher nicht gezögert, seine Ansicht ausdrücklich mit "psychologischen Gründen" noch zu befestigen [117].

Während Varnhagen nämlich in Hamburg und auch später am Wiener Kongress den Hauptteil seiner Kenntnisse einer Reihe von Agenten und Tugendbundisten verdankte, hatte er im Grossherzogtum Baden kaum einen Gewährsmann, der ihn mit unmittelbaren Nachrichten versorgt hätte, und er durfte froh sein, wenn der russische Geschäftsträger von Struve ihn sogleich mündlich von dem Vorgefallenen in Kenntnis setzte [118]. Struve war seinem diplomatischen Rang entsprechend am badischen Hof ebensowenig akzeptiert wie Varnhagen und stand ihm schon deshalb persönlich nahe. Doch ausserdem war er der ältere Bruder jenes Struve, der als russischer Geschäftsträger in Hamburg 1813 die Erhebung mitvorbereitet hatte und auch mit Varnhagen damals bekannt geworden war [119], sodass für ein gegenseitiges Vertrauensverhältnis bereits persönliche Voraussetzungen bestanden. Dagegen war der Standpunkt des badischen Ministers Berstett, gerade wenn die Erinnerung an ihren früheren Verkehr in Frankfurt dazukam, für Varnhagen von vornherein verdächtig [120]. Berstett hatte sich, wie Varnhagen an Gruner schrieb, "leidenschaftlich ... in der Voraussetzung einer Verschwörung unter den Studirenden

---

[116] Vgl. Varnhagens Depesche an Friedrich Wilhelm III., Karlsruhe 25. März 1819: DZA, Hist. Abt. II, Merseburg, A.A.I. Rep. 4. Nr. 1946. Vol. I Bl 7-8 "Die Hauptfrage bei dem schrecklichen Ereignisse, welche zumeist die Gemüther beschäftigt und mit Sorge erfüllt, ist nach dem Zusammenhange, den das rasende Unternehmen dieses Einzelnen mit weitverzweigten Verbrüderungen und Genossenschaften haben konnte? Man kann sich bei der Voraussetzung, dass dieser Mord aus einer Gesellschaft hervorgegangen sein, und eine Folge haben könnte, des tiefsten Schauders nicht erwehren! Man vermuthet hier allgemein, dass Mitschuldige vorhanden sind, obgleich die Angabe auf dem in der Tasche des Mörders gefundenen Zettel, welche die That "nach Beschluss der Universität***" vollbracht nennt, ein sehr unzuverlässiges Zeugniss ist, und man andere Spuren noch nicht gefunden hat". Ferner Varnhagen an Ölsner, Karlsruhe 8. April 1819: Ölsner-Bfw I, 258. Vgl. auch [Varnhagens Artikel] *Vom Main, 30 April, AZ (1819) S. 508; *Mannheim, 10 Mai, AZ (1819) S. 548.

[117] Vgl. Varnhagen. Kotzebue's Ermordung, a.a.O. S. 659. Dkw IX, 471. VI³, 42. Dazu vgl. auch oben S. 52 A. 124.

[118] Vgl. Varnhagen. Kotzebue's Ermordung, a.a.O. S. 653f.; 663f. Dkw IX, 460f.; 484f. VI³, 33f.; 52.

[119] Vgl. Gröger. [Struve-Artikel] In: NND 29/2 (1851) S. 983. Ferner den [Struve-Artikel] In: NND 6/1 (1828) S. 372ff. Vgl. ferner Varnhagen an Rahel, Karlsruhe 9.; 20. Juli 1819: Bfw V, 346; VI, 19. Dkw IX, 402. V³, 346. Dagegen Dkw IX, 85. V³, 100. Dazu vgl. oben S. 49.

[120] Vgl. oben A. 118. Ferner Varnhagen an Gruner, Frankfurt a.M. 13. Mai 1816: a.a.O. Vgl. dazu oben S. 159 A. 80.

verbissen", und nachdem es ihm nicht gelungen war, seine Annahme faktisch zu beweisen [121], betrachtete sie Varnhagen nur als Verschleierung einer politischen Absicht. Seinerseits fühlte er sich aber ebensowenig zu einer faktischen Widerlegung der gerichtlichen Untersuchung veranlasst. Denn jenes eingeweihte Wissen, an dem beispielsweise Struve Anteil hatte und das für Varnhagen ein ausreichender Beleg seiner eigenen Auffassung war, entsprang einer verabsolutierten geistigen Überlegenheit, die sich nicht relativ umsetzen liess, und deshalb waren die gesellschaftlichen Zusammenhänge, die Berstett übersehen konnte, mit den idealistischen, aus denen Varnhagen seine Über-legungen ableitete, nicht zu vergleichen. Da sie nämlich beide das Mordge-schehen nicht bloss nach faktisch bekannten Tatsachen beurteilten, standen sie sich mit ihren Deutungsversuchen zunächst ebenbürtig gegenüber. Doch nur schon dank seines ausgebildeten Sinns für publizistische Wirkung erkannte Varnhagen, dass die Vorstellung eines geheimen Todesurteils in der Öffentlich-keit Schrecken verbreiten musste [122]. Dabei aber war Berstett Varnhagen persönlich unterlegen, weil er sich dessen liberale Richtung nur im Zusammen-hang mit studentischen Verbindungen zu veranschaulichen vermochte, und um so anfechtbarer war es deshalb von Varnhagen, wenn er, nachdem Sand freilich nicht als Politiker gelten durfte, durchblicken liess, dass er Berstett selbst für den Urheber des umstrittenen 'Todesurtheils' hielt [123]; denn er war

[121] Varnhagen an Gruner, Karlsruhe 5. Mai 1819: Bln StB StPrKb HsAbt Ms. Germ. Quart. 1988 Bl 78. Vgl. Varnhagen an Ölsner, Karlsruhe 8.; 15. April 1819: Ölsner-Bfw I, 258; 270. Ferner Varnhagen. Kotzebue's Ermordung, a.a.O. S. 659f.; 664f. Dkw IX, 470f.; 486ff. VI³, 41f.; 53ff. Vgl. auch H. v. Treitschke. Deutsche Geschichte II, 350f.
[122] Vgl. dazu Varnhagens Depesche an Friedrich Wilhelm III., Karlsruhe 24. März 1819: DZA, Hist. Abt. II, Merseburg, A.A.I. Rep. 4. Nr. 1946. Vol. I Bl 1-2 "Hierauf sollte man auf eine Gemeinschaft mit Mitschuldigen schliessen; obwohl dagegen bemerkt worden, dass damit auch bloss die Bewirkung grösseren Schreckens beab-sichtigt sein möchte, und dass mit Recht sich jedes Gefühl gegen die voreilige Annahme eines Assassinen-Ordens in Deutschland empören müsse". Vgl. Varnhagen an Cotta, Karlsruhe 25. März 1819: SNM Cotta-Archiv Nr. 109 "Sie können sich den Eindruck denken, den diese Geschichte macht. Niemand hält sich für sicher". Varn-hagen an Ölsner, Karlsruhe 25. März 1819: Ölsner-Bfw I, 248.
[123] Vgl. Varnhagen. Kotzebue's Ermordung, a.a.O. S. 665. IX, 487. VI³, 54. Vgl. ferner Varnhagens Artikel Berlin, den ten Februar, Beilage zu Varnhagen an Hardenberg, Berlin 29. Feb. 1820: DZA, Hist. Abt. II, Merseburg, Rep. 92 Hardenberg K 72 Bl 51-52 "Als im vorigen Sommer öffentliche Anklagen zuerst von hochver-rätherischen Entwürfen und demagogischen Umtrieben in Deutschland gesprochen hatten, zeigte sich eine allgemeine Bestürzung in den Gemüthern, die erst kurz vorher durch die entsetzliche That eines verblendeten Jünglings aufs tiefste erschüttert worden waren ... Die Übertreibung, womit manche Leute im Publikum nach einer solchen Ankündigung gleich eine grosse und augenblicklich drohende Gefahr für Staaten und Throne voraussetzen, und daher eine Menge Blutgerichte und verurtheilter Verbrecher zu sehn erwarteten, hatte zur Folge, dass dagegen Andre, als der Verlauf der Dinge glücklicherweise einen so schlimmen Karakter nicht zu erkennen gab, in der ganzen Sache nunmehr bloss Wahn und Täuschung erblicken wollten, und den genommenen Massregeln allen Grund und Zweck absprachen ... So gewiss die Regierung, in Voraussetzung einer Schuld, eifrig die Schuldigen zu suchen verpflichtet ist, eben so gewiss wird es ihr Freude und Vortheil sein müssen, jene Schuld entweder gar nicht, oder doch in sehr vermindertem Masse vorhanden zu sehn. Wer dürfte sich erfrechen, irgend einer unsrer deutschen Regierungen ein düstres Wohlgefallen an

ausserdem vorsichtig genug, seine Vermutung nicht nur nicht auszusprechen, sondern "überhaupt auf jenes Papier Sand's kein grosses Gewicht" zu legen, "da", wie er in seinen Aufzeichnungen bemerkte, "eine bestimmte Universität nicht einmal genannt war, eine Verdächtigung Jena's oder Erlangens nicht beabsichtigt sein konnte" und "die ganze Angabe daher nur den Zweck zu haben schien, den Furchtsamen noch grössere Furcht zu machen". Erst indem er hinzusetzte, dass diese "Auslegung" bei "manchen ... als das Zeichen einer schwachen politischen Gesinnung" gegolten habe [124], lenkte er seinen Gedankengang um und stand damit selbst im Brennpunkt eines Geschehens, das er typologisch in den 'Beyträgen zur allgemeinen Geschichte' abgehandelt hatte. Da ihn aber Berstett unter dieser Voraussetzung geradezu zum Widerspruch aufzufordern schien, scheute er sich auch nicht, mit den gleichen publizistischen Mitteln zu antworten, und hatte Varnhagen das 'Todesurtheil' auch in seiner an den König gerichteten Depesche wörtlich wiedergegeben, so achtete er doch eindeutig darauf, dass der Wortlaut in den einzelnen Schreiben, die er auf die Nachricht von Kotzebues Ermordung hin an die verschiedensten Empfänger abschickte, nicht derselbe war. Was die Geschichte betraf, gelang es ihm damit, die Überlieferung eines schriftlichen Quellenzeugnisses unsicher zu gestalten, und dazu veränderte er auch noch die Fassung, die er in seinen später geschriebenen Aufzeichnungen zitiert hat [125]. Die stärkste Massnahme, die er gegen Berstett ergriff, war die Veröffentlichung von zwei Briefen Sands, die man, wie er zuerst nach Berlin gemeldet hatte, "sorgfältig geheim halten" sollte, "um nicht im Publikum" noch mehr "Interesse" für den Mörder zu wecken. Später dagegen, als er sich zur Bekanntmachung der Briefe entschlossen hatte, ging es Varnhagen nur darum, als Urheber dieser publizistischen Sensation unentdeckt zu bleiben, und dazu schrieb er an Cotta über das Blatt mit den Briefabschriften: "Sie können dasselbe aber nur aus Sachsen, oder allenfalls aus Franken erhalten haben; Sie verstehn!" Denn es durfte bei der Veröffentlichung nicht einmal auf Grund des Einsendungsorts der Eindruck entstehen, dass der Einsender sich auf badischem Hoheitsgebiet aufhielt, da Varnhagen mit Wissen des grossherzoglichen Hofes die Sand betreffenden Schriftstücke eingesehen hatte und deshalb gleich verdächtig gewesen wäre. Nachdem die Briefe aber in Jena gefunden worden waren, wirkte 'Sachsen' oder 'Franken' weniger verfänglich [126].

Varnhagens publizistische Auseinandersetzung mit Berstett war als historiographischer Versuch ein ebenso misslungenes Unternehmen wie beispielsweise

peinlichen Verfolgungen und grausamen Strafurtheilen zuzuschreiben, wie dergleichen wohl von barbarischen Zeiten und Ländern berichtet wird?"
[124] Vgl. Varnhagen. Kotzebue's Ermordung, a.a.O. S. 660; 657f. Dkw IX, 487; 467. VI³, 54; 39.
[125] Vgl. oben S. 165 A. 112.
[126] Varnhagen an Cotta, Karlsruhe 22. Juni 1819: SNM Cotta-Archiv Nr. 114. Dazu vgl. oben S. 164 A. 111. Ferner Varnhagens Depesche an Friedrich Wilhelm III., Karlsruhe 5. April 1819: DZA, Hist. Abt. II, Merseburg, A.A.I. Rep. 4. Nr. 1946. Vol. I. Bl 97-98.

früher die Polemik gegen Niebuhr. War es damals um die Unterscheidung von preussischer und deutscher Politik gegangen, lief nun alles auf den gesellschaftlichen Gegensatz zwischen Adel und Bürgertum hinaus, und daraus hatte sich gegenüber früher eine neue Fragestellung ergeben. Den Mangel einer gesellschaftlichen Erlebnissphäre konnte aber die diplomatische Tätigkeit deshalb nicht ersetzen, weil sie keine persönliche Verantwortlichkeit gestattete, und nachdem sich auch kein sichtbares Ereignis in Varnhagens nächstem Lebenskreis zugetragen hatte, war er paradoxerweise nun, wo sich seine Bestimmung durch eine entsprechende Anstellung zu erfüllen schien, am weitesten von der Verwirklichung seiner Fähigkeiten entfernt. Wie eine Rückkehr in die Zeit vor 1813 mutet es daher an, als er, bevor noch das Abberufungsschreiben eingetroffen war, seine völlige Ergebenheit gegenüber dem Ablauf der Geschichte aussprach und in einem Brief an Rahel bemerkte: "Die Dinge müssen sich abspinnen, wie sie aufgewickelt sind, was kommen soll, wird kommen! Der Unverstand und die Dummheit sind der Geschichte eben so werth, wie Genie und Klugheit" [127].

Für Varnhagen selbst aber blieb sein besseres Wissen auch gültig, als die reale Wirklichkeit ihm nicht mehr recht zu geben schien [128], und mit dieser Einstellung überwand er sogar die örtliche Begrenztheit seines Karlsruher Amtsbereichs. Was er nämlich zum Beispiel im Sommer 1817 über den kurzen Aufstandsversuch in Brasilien erfuhr, gab ihm bereits Gelegenheit, ohne weitere Kenntnis der Fakten seine geschichtliche Auffassung unangefochten zu beweisen [129]. Doch bei allem Scharfsinn, den er auf die theoretische Durchdringung der Geschichte seiner Zeit verwendete [128], überwog in ihm trotzdem die persönliche Erinnerung an die selbsterlebten Jahre der Freiheitsbewegung, und durch die Beschäftigung mit dieser für ihn am meisten geschichtlichen Zeit, die er kannte, erwuchs ihm eine gesellschaftliche Aufgabe, bei der ihm zuletzt auch seine Stellung in Karlsruhe zugute kam. Gerade weil er dort, wie er an Gruner schrieb, "von der eigentlichen Heerstrasse der Begebenheiten" entfernt war [130], lag es nahe, dass er den Briefwechsel, den er mit einigen seiner Freunde schon seit längerer Zeit geführt hatte, im Sinne einer gegenseitigen Benachrichtigung über tagespolitische Ereignisse zu vervollkommnen und auf möglichst viele neue Teilnehmer auszudehnen suchte. Für Varnhagen war sein "ausge-

---

[127] Varnhagen an Rahel, Karlsruhe 7. Juli 1819: Bfw V, 338. Vgl. H. Haering, a.a.O. S. 148.
[128] Vgl. Varnhagen an Rahel, Berlin 31. Okt. 1817: Bfw V, 269. Dazu H. Haering, a.a.O. S. 68.
[129] Vgl. [Varnhagens Artikel] *Vom Main, 20 Jun, AZ (1817) S. 702. Vgl. Varnhagen an Gruner, Karlsruhe 10. Mai 1817: Bln StB StPrKb HsAbt Ms. Germ. Quart. 1988 Bl 8 "Sie lassen sich nicht warnen, sie ahnden die Stimmung der Welt nicht, auch Brasilien mit seiner furchtbaren Lehre, seinem Wetterstrahl aus heiterm Himmel ist ihnen nur – Brasilien!" Dazu Varnhagen an Troxler, Karlsruhe 16. Juni 1817: Troxler-Bfw S. 176. MAL II, 346. Ferner Varnhagen an Küpfer, Karlsruhe 9. Juni 1817: Varnhagen von Enses Briefe an Legationssekretär Heinrich Küpfer, a.a.O. S. 351.
[130] Varnhagen an Gruner, Karlsruhe 22. Juni 1819: Bln StB StPrKb HsAbt Ms. Germ. Quart. 1988 Bl 80. Vgl. auch Varnhagen an Troxler, Baden b. Rastatt 6. Aug. 1818: Troxler-Bfw S. 199f. Dazu vgl. oben S. 152f.

dehnter Briefwechsel", wie er Hardenberg bekannte, "der einzige Zusammenhang mit der übrigen lebendigen Welt, die einzige Thätigkeitszuflucht und einzige Erholung, die in dem allgemeinen Stocken des hiesigen Lebens noch übrig gelassen sind" [131].

Was jedoch die schriftliche Abfassung seiner Briefe betraf, musste Varnhagen berücksichtigen, dass sie durch die Briefzensur geöffnet wurden, und wenn er deshalb seine Worte in verschleierte Formen hüllte, hatte er durchaus recht, darin, wie er sich ausdrückte, "gleichsam die esoterische Seite" seiner "exoterischen Amtsübung" gefunden zu haben [132]. Dabei war es für ihn aber trotz aller Mühe, die er auf die Verschleierung von Tatsachen verwendete, nötig, dass er in gewissen Zeitabständen immer wieder direkt mit seinen Korrespondenten zusammentreffen und sich mit ihnen mündlich besprechen konnte, oder dass es ihm gelang, durch die Vermittlung von reisenden Bekannten gewisse Nachrichten ohne Zensurkontrolle auszutauschen [133]. Doch der Briefverkehr selbst

---

[131] Varnhagens Depesche an Hardenberg, Karlsruhe 3. Dez. 1816: DZA, Hist. Abt. II, Merseburg, A.A.I. Rep. I. Nr. 659 Bl 27. Vgl. Varnhagen an Küpfer, Karlsruhe 10. Dez. 1817: Varnhagen von Enses Briefe an Legationssekretär Heinrich Küpfer, a.a.O. S. 359. Varnhagen an Troxler, Karlsruhe 11. Dez. 1817: Troxler-Bfw S. 184. MAL II, 353. Ferner Varnhagen an Cotta, Paris 12. Sept. 1815: Briefe an Cotta II, 4. Vgl. C. Misch, a.a.O. S. 46.

[132] Varnhagen an Smidt, Karlsruhe 22. Dez. 1817: C. Misch, a.a.O. S. 150f. Dazu Varnhagen an Cotta, 7. Aug. 1817: SNM Cotta-Archiv Nr. 73 "Ich rechne auf völliges Geheimnis und dass kein Mensch diese Briefe zu sehn bekommt!" Varnhagen an Gruner, Baden b. Rastatt 30. Juli 1819: Bln StB StPrKb HsAbt Ms. Germ. Quart. 1988 Bl 84 "... bei mir selbst wird man nichts finden, was mir oder Andern zur Last gelegt werden könnte, denn nicht nur in den Briefen, die ich erhalten, würde man nichts finden können, sondern selbst, was ich bedauren muss, sogar die Briefe nicht mehr, denn gegen meine Neigung bewahr' ich deren jetzt nur noch geschäftliche". Dagegen H. Haering, a.a.O. S. 155. Ferner Dkw IX, 583f. VI³, 128. Vgl. ferner als Beispiele verschleierten Briefstils Varnhagen an Troxler, Frankfurt a.M. 6. Jan.; 2. März 1816: Troxler-Bfw S. 88f.; 97. MAL II, 240f.; 249f. Varnhagen an Gruner, Baden b. Rastatt 10. Sept. 1818: Bln StB StPrKb HsAbt Ms. Germ. Quart. 1988. Bl 59-60 "Hr Staatsrath Hufeland ist aus Berlin hier angekommen um das Bad zu versuchen; er ist sehr leidend. Der Grossherzog hat seine Nähe benutzt, um neben allen andern Ärzten auch ihn zu Rath zu ziehen". Dazu Tettenborn an Hufeland, Griesbach 25. Juli 1818 [Kopie]: Klr G.L.A. 48/1297 Nr. 33 "Man ist daher übereingekommen, dass die Reise Euer Hochwohlgeboren nach Baden, sowohl für den Grossherzog, als auch ... für das gesammte Publikum durchaus den Schein der Zufälligkeit haben müsse, und dass die erste Nachricht von Euer Hochwohlgeboren Anwesenheit ... und der Vorschlag zu einer Benutzung dieser Anwesenheit für die Zurathziehung ... gleichsam als der gelegentliche Gedanke des daselbst anwesenden Königlich Preussischen Minister-Residenten Herrn von Varnhagen erschiene, als welcher im Vertrauen der ganzen Sache ist ..." Vgl. Dkw IX, 302ff.; 328ff. V³, 269ff.; 289f. Dagegen H. Haering, a.a.O. S. 86 A. 1. Vgl. auch Varnhagen an Eckermann, Berlin 20. Mai 1836: H. H. Houben. J. P. Eckermann II, 155. Dazu Varnhagen an Eckermann, Berlin 18. Juni 1836: ebda S. 162. Ferner H. H. Houben ebda S. 157f.; 162. – Ferner Varnhagen an Troxler, Berlin 21. Juni 1820; 9. Feb. 1821: Troxler-Bfw S. 208; 212. Varnhagen an Gruner, Karlsruhe 13. Juni 1817: Bln StB StPrKb HsAbt Ms. Germ. Quart. 1988 Bl 11-12 "NS. NS. Ich bin gewarnt worden mit Briefen nach Berlin, wegen dortiger Eröffnung derselben vorsichtig zu sein!" Varnhagen an Rahel, Mannheim 22. Sept. 1816: Bfw V, 147f. Dazu Dkw IX, 317. V³, 280f. Varnhagens Notiz: C. Misch, a.a.O. S. 149. Dazu C. Misch, ebda S. 42.

[133] Vgl. Varnhagen an Troxler, Frankfurt a.M. 13. Dez. 1815; Karlsruhe 16. Juni 1817: Troxler-Bfw S. 82; 175. MAL II, 232; 344. Dazu Stägemann an Varnhagen, Berlin 16. Mai 1817: Briefe von Stägemann, Metternich, Heine, S. 46. Varnhagen an Rahel,

diente nicht ausschliesslich der publizistischen Verbreitung von bestimmten nicht immer zutreffenden Sachverhalten, sondern war gleichzeitig von Varnhagen aus gesehen eine Anreicherung zukünftigen historischen Quellenmaterials, und im Hinblick darauf schrieb er an Gruner: "Unsre Briefe bezeugen vielleicht einmal künftig, wie vergeblich Einzelne den Zustand unsrer Länder und Völker als gefährlich erkannt, und wie vergeblich gegen deren Entwicklung in dieser Richtung des Verderbens gewarnt haben!" [134] Aber auch schon Varnhagen betrachtete die Briefe, denen er seine zeitgeschichtlichen Kenntnisse verdankte, als dokumentarische "Quellen" [135] und fasste überhaupt schriftliche Zeugnisse zunächst immer ganz ursprünglich als eine Art Anrede auf. Dieses unmittelbare, teilweise kritiklose Verständnis brachte er ebenso den Briefen

Berlin 31. Okt. 1817: Bfw V, 269. Varnhagen an Kerner, Baden b. Rastatt 16. Juni 1818: SNM HsAbt Nachlass J. Kerner KN 7266 "Mündlich einst mehr; ich kann in Briefen nicht alles sagen!" Varnhagen an Perthes, Karlsruhe 24. Dez. 1818: HH StA Perthes Nachlass I M 11a Bl 293-294 "In Briefen lässt sich kaum etwas berichten, verhandeln und erörtern aber nichts..." Varnhagen an Cotta, Mannheim 27. März 1816: SNM Cotta-Archiv Nr. 44 "Ich habe Briefe von Beyme und Stägemann in diesen Tagen bekommen, und Grunern in Heidelberg auf seiner Durchreise mündlich gesprochen". Vgl. Briefe an Cotta II, 12. Dazu Dkw V³, 27. Vgl. NF III (= VII), 286. Varnhagen an Cotta, Karlsruhe 4. Juni 1818: SNM Cotta-Archiv Nr. 82 "Aber vor allen Dingen ist mündliche Besprechung nöthig!" Varnhagen an Cotta, Baden b. Rastatt 5. Juli 1818: SNM Cotta-Archiv Nr. 86 "Ich habe ein rechtes Verlangen, mit ihnen wieder über so Manches zu sprechen..." Varnhagen an Cotta, 24. Dez. 1816: SNM Cotta-Archiv Nr. 65 "Gestern kam Hr von Otterstedt und brachte mir von Ihnen und den werthen Ihrigen die erwünschtesten mündlichen Nachrichten". Varnhagen an Rahel, Paris 25.; 26. Okt. 1815; Berlin 16.; 21. Okt.; 23. Nov. 1817; Stuttgart 26. Feb. 1818: Bfw V, 104; 108; 237; 246f.; 298; 310. Varnhagen an Ölsner, Baden b. Rastatt 29. Juli; 4. Sept. 1818: Ölsner-Bfw I, 158; 169f. Varnhagen an Wessenberg, Karlsruhe 20. Nov. 1818: Hbg UB HsAbt Heid Hs 695 Bl 265-266 "In Briefen erschöpft sich ein Gegenstand dieser Art nicht, und ich überlasse mich allzu gern der Hoffnung, dass wir bald wieder durch Ihre erfreuliche Rückkehr die erwünschte Gelegenheit mündlicher Besprechung erlangen werden!" Vgl. ferner Varnhagen an Rahel, Karlsruhe 31. Juli 1817: Bfw V, 200. Dazu Dkw NF II (= VI), 201. III², 403. IX, 150. V³, 150. H. Haering, a.a.O. S. 63. Vgl. auch [Varnhagens Artikel] *Vom Main, 24 März, AZ (1816) S. 343 "Der preussische Gesandte bei der schweizerischen Eidgenossenschaft, geheime Staatsrath v. Gruner, hat in Frankfurt einen zehntägigen Aufenthalt gemacht. Der General Graf v. Gneisenau war von Koblenz dahin gekommen, um sich mit ihm zu besprechen". Dazu Dkw NF III (= VII), 280. V³, 21. Vgl. ferner Dkw NF II (= VI), 161f. III², 363f. IX, 104ff. V³, 115f. Dazu auch C. Misch, a.a.O. S. 141.
[134] Varnhagen an Gruner, Karlsruhe 24. Nov. 1818: Bln StB StPrKb Ms. Germ. Quart. 1988 Bl 62-63. Vgl. dagegen Varnhagen an Troxler, Frankfurt a.M. 23. Mai 1816: Troxler-Bfw S. 122. MAL II, 279. Stägemann an Varnhagen, Berlin 19. Mai 1819: Briefe von Stägemann, Metternich, Heine, S. 93. Dazu auch Varnhagen an Rahel, Mannheim 21. Sept. 1816: Bfw V, 142. Varnhagen an Heine, 12. Nov. 1843: H. Heine. Briefe V, 381. Dazu vgl. H. Koenig. Erinnerungen an Varnhagen von Ense, DtM 9 (1859) S. 2.
[135] Vgl. Varnhagen an Cotta, Karlsruhe 1. Dez. 1818: SNM Cotta-Archiv Nr. 94. Dazu auch Varnhagen an Ölsner, Baden b. Rastatt 3. Aug. 1825: Ölsner-Bfw III, 312f. H. Haering a.a.O. S. 67. Ferner auch Varnhagen an Troxler, Frankfurt a.M. 13. Dez. 1815: Troxler-Bfw S. 82f. MAL II, 233. Dazu Beyme an Varnhagen, Steglitz 2. Dez. 1815: Briefe von Chamisso, Gneisenau, Haugwitz II, 242f. Denkschriften und Briefe III, 204f. Vgl. ferner A. v. Sternberg. Erinnerungsblätter III, 38f. Dazu vgl. Mundt an Varnhagen, [Leipzig] 26. Nov. 1835: H. H. Houben. Jungdeutscher Sturm und Drang, S. 472.

Karl Ludwig Sands entgegen, nachdem er sich von dessen subjektiv aufrichtiger Gesinnung überzeugt zu haben glaubte, und wenn er später in seinen Aufzeichnungen über die Ermordung Kotzebues nicht mehr dieselbe Unbefangenheit bewies, entsprach dies nur dem Gesamtplan seiner Rechtfertigungsabsicht. Dabei gab er den Wortlaut der Briefe nicht, um die Geschichtlichkeit von Kotzebues Ermordung zu veranschaulichen, wieder, sondern bloss, um den Mörder als einzelnen "Menschen" im "Unzusammenhang seines Wesens" zu charakterisieren [136].

Da Varnhagen aber seiner Gesinnungsgemeinschaft mit Sand erst auf Grund von dessen Briefen innegeworden sein konnte, bestand für ihn bei deren Lektüre ein Unterschied im Vergleich zu denen, welche er von den Mitgliedern seines Vertrautenkreises zu empfangen gewohnt war. Doch die Voraussetzung, die Varnhagen grundsätzlich an die Aufrichtigkeit seiner Korrespondenten knüpfte, erwies sich später als ungerechtfertigt, und die Kritik, die sich in ihm zu regen begann, galt daher nur seinen persönlichen Bekannten, insofern sie ihn hintergingen, und nicht den bereits der Vergangenheit angehörigen geschichtlichen Gestalten. So wurde beispielsweise seine Abberufung die Ursache der zwischen ihm und Otterstedt wachsenden Entfremdung; denn dieser Freund des Varnhagenschen Kreises hatte offenbar nicht nur den preussischen Minister-Residenten in Frankfurt von seinem Posten verdrängt, sondern auch Varnhagens weitere Anstellung hintertrieben und in späteren Jahren dessen Nachfolge in Karlsruhe und sogar diejenige Gruners in der Eidgenossenschaft antreten können [137]. Wenn Varnhagen aber die alten Freundschaftsbeziehungen mit seinen Gesinnungsgenossen, die er während und auch schon vor den Befreiungskriegen angeknüpft hatte, später durch brieflichen Verkehr aufrecht erhielt, erreichte er wenigstens für sich selbst, dass ihm der geschichtliche Zusammenhang von damals auf konkrete Weise vergegenwärtigt blieb. Diese persönlichen Kontakte, die er über die gesellschaftlichen Schranken hinweg sogar mit dem als reaktionär gefürchteten Fürsten Wittgenstein und dem König von Württemberg pflegte [138], gewährten Varnhagen jene innere Teil-

[136] Varnhagen. Kotzebue's Ermordung, a.a.O. S. 661f. Dkw IX, 479ff. VI³, 48ff. Vgl. dagegen Varnhagen an Ölsner, Karlsruhe 8. April 1819: Ölsner-Bfw I, 258.
[137] Vgl. M. Laubert nach Varnhagen an Küpfer, Karlsruhe 22. Aug. 1817: Varnhagen von Enses Briefe an Legationssekretär Heinrich Küpfer, a.a.O. S. 358. Varnhagen an Cotta, Karlsruhe 23. Aug. 1817: SNM Cotta-Archiv Nr. 74 "...ich möchte niemandem schaden, aber Hr von O. schadet durch unzeitigen Eifer Allen, die er seine Freunde nennt, ... seine Indiskretionen sind fürchterlich". Varnhagen an Gruner, Karlsruhe 17. März 1817: Bln StB StPrKb HsAbt Ms. Germ. Quart. 1988 Bl 31 "Man glaubt Otterstedt sei Schuld, dass der Posten [in Frankfurt] eingezogen worden, und habe nur darin gescheitert, dass es nicht zu seinem Vortheil geschehn". Varnhagen an Ölsner, Karlsruhe 20. Okt. 1818; Berlin 12. Mai; 1. Nov. 1820; 6. Dez. 1823: Ölsner-Bfw I, 189; II, 45; 145; III, 163. Dazu Ölsner an Varnhagen, Paris 15. Okt.; 17. Dez. 1818: ebda I, 185; 203. H. v. Petersdorff. [Otterstedt-Artikel] In: ADB 52 (1906) S. 732. Vgl. auch Varnhagen an Rahel, Kassel 10.; 19. Feb. 1829: Bfw VI, 224; 262. Varnhagens Notiz, 6. Jan. 1820: BpG I, 45. Vgl. dazu auch F. Rühl. Einleitung. In: Briefe und Aktenstücke zur Geschichte Preussens II, S. XI.
[138] Vgl. Varnhagen an Gruner, Frankfurt a.M. 13. Mai 1816: Bln StB StPrKb HsAbt Ms. Germ. Quart. 1988 Bl 3-4 "Stägemann hatte mich an Wittgenstein erinnert, und ich Gelegenheit genommen, ihm höflich und keck zu schreiben; jetzt habe ich eine

nahme, die er bisher überall hatte stillschweigend voraussetzen dürfen, und damit musste er sich nun dagegen weitgehend begnügen. Was er nämlich während der Karlsruher Jahre im Sinne der Geschichtschreibung zu verwirklichen suchte, war nur die Wiederherstellung jenes Nachrichtenübermittlungssystems, dem er in der Umgebung Tettenborns den allgemeinen Überblick verdankt hatte, und für dieses Ziel, das faktisch auch dasjenige des Tugendbundes gewesen war [139], wäre eine Ministerialzeitung, wie Varnhagen sie zu gründen vorgeschlagen hatte, ein dienliches Werkzeug geworden. Umgekehrt war jedoch das Fehlen eines vom Staat herausgegebenen publizistischen Organs nicht bloss eine Ursache für die ungenügende Informierung, die Varnhagen auch vom Standpunkt des Diplomaten der Regierung zum Vorwurf machte [140], sondern es veranlasste ihn gleichzeitig, sich um so mehr dafür über den privaten Korrespondenzverkehr auf dem laufenden zu halten; und bis zu einem gewissen Grad übernahm auch die 'Allgemeine Zeitung' die Aufgaben einer halbamtlichen offiziellen Stimme Preussens [141].

Antwort von ihm, sehr verbindlich, und die Äusserung, er sehe ferneren künftigen Mittheilungen von mir mit grossem Interesse entgegen, welches mir darum auffällt, weil er ein solches Erbieten von Seiten Otterstedts nicht lange vorher höflich abgelehnt". Dazu Stägemann an Varnhagen, Berlin 17. März 1816: Briefe von Stägemann, Metternich, Heine, S. 26. Vgl. dagegen Pückler an Hardenberg, Berlin 15. Jan. 1822: M. Blumenthal. Aus Hardenberg's letzten Tagen (= Bausteine zur Preussischen Geschichte II/2, 18) Ferner Varnhagen an Rahel, Mannheim 24. Sept. 1816: Bfw V, 118. Varnhagen an Ölsner, Karlsruhe 15.; 27. April 1819; Berlin 1. Nov. 1820; 9. Jan. 1823: Ölsner-Bfw I, 267; 274; II, 146; III, 7. Vgl. dazu Dkw III³, 242ff. Vgl. III, 209. II², 365. Ferner C. Misch, a.a.O. S. 21; 143. – Varnhagens Briefe an Wittgenstein gelten als nicht erhalten: Auskunft des GStA StPrKb sowie des DZA, Hist. Abt. II, Merseburg. Vgl. auch L. Dehio. Wittgenstein und das letzte Jahrzehnt Friedrich Wilhelms III., FBPG 35 (1923) S. 220 – Wittgenstein entfernte "indiskrete Stücke aus seinen Mappen". – Vgl. Dkw IX, 158. V³, 155f. Vgl. NF II (= VI), 206. III², 408. Dazu Varnhagen an Cotta, Karlsruhe 12. Dez. 1818: SNM Cotta-Archiv Nr. 95 "...ich konnte mein gestern an Sie abgesandtes Schreiben für den K. nicht noch, nach meinem Vorsatze, mit einem Brief an Sie selber begleiten". – Über den Verbleib der Briefe Varnhagens an den König, dessen Antworten teilweise in den Dkw, Bd IX und V³, gedruckt sind, vgl. H. Haering, a.a.O. S. 73 A. 1.
[139] Vgl. oben S. 53; 96.
[140] Vgl. Varnhagens Depesche an Lottum[?], Karlsruhe 25. Jan. 1818: DZA, Hist. Abt. II, Merseburg, A.A.I. Rep. I. Nr. 662 Bl 16-17 "Dass wir in Berlin keine wohlgeschriebene, freimüthige, mit halboffiziellem Karakter versehene Zeitung besitzen, aus welcher sich Winke entnehmen, und auf welche sich Zweifel hinverweisen liessen, ist ein Übelstand, der ... sehr gefühlt wird". Dazu Varnhagen an Hardenberg, Karlsruhe 7. Jan. 1818: DZA, Hist. Abt. II, Merseburg, A.A.I. Rep. I. Nr. 662 Bl 10 "Es ist aber schwer, ... ohne irgend höhere Winke das wirkliche Interesse des Staates ... mit gehörigem Masse wahrzunehmen". Varnhagen an Gruner, Baden b. Rastatt 13. Juni 1818: Bln StB StPrKb HsAbt Ms. Germ. Quart. 1988 Bl 45 "Ich fange jedesmal meine Depeschen mit grösstem Unbehagen an; keine Klugheit und kein Scharfsinn kann errathen, was für einen Weg sie verfolgen was für einen Ton sie behaupten sollen; das Lob das den meinigen unausgesetzt ertheilt worden, ist mir wie ein glückliches Geschenk, zu verbürgen weiss ich es aber für die Folge nicht, denn weder Ziel noch Vorbild ist gegeben!" Vgl. auch Varnhagen an Rahel, Berlin 3. Nov. 1817: Bfw V, 276. Ferner Varnhagen an Troxler, Karlsruhe 30. April 1817: Troxler-Bfw S. 170. MAL II, 337. Vgl. oben S. 141.
[141] Vgl. Varnhagen an Troxler, Karlsruhe 30. April 1817: Troxler-Bfw S. 170. MAL II, 337. Ferner Varnhagen an Cotta, Frankfurt a.M. 1. März 1816: SNM Cotta-Archiv Nr. 43 "Sonst aber muss ich Ihnen gestehn, dass ich erst jetzt, da ich die Allg. Z. selbst

Was dagegen die einzelnen Mitglieder des Varnhagenschen Freundeskreises als Korrespondenten leisteten, war die Folge einer ursprünglich teils schriftstellerisch schöpferischen, teils rein publizistischen Tätigkeit, die zunächst keine fest formulierten politischen Ziele verfolgte, und darin lag eine Voraussetzung, die ebenso für den Tugendbund wie für den Hoffmannschen Bund galt; denn wie sehr literarisch sich diese Gruppierungen in der Realität auswirkten und faktisch geradezu den Stoff zu einer Frage des Sprachgebrauchs lieferten, zeigte sich beispielsweise daran, dass ein Interzipist, der einen Brief von Varnhagen zu Händen der Geheimpolizei kopierte, das Wort ''Bundesgenossen'' ohne Rücksicht auf den inhaltlichen Zusammenhang des Briefes auf den Tugendbund bezog. Wenn demnach allein schon die Verwendung eines Wortes wie ''Bund'' oder auch ''Tugend'' verfänglich wirkte, musste Varnhagen allerdings seinerzeit unter schwerem Verdacht gestanden haben [142], und im Hinblick darauf, dass er in seinen Briefen tatsächlich einen verschleierten Stil schrieb, war eine Deutung, wie sie der Interzipist versucht hat, durchaus realistisch. Faktisch jedoch ergaben sich daraus keine Anhaltspunkte, die auf eine umstürzlerische Tätigkeit schliessen lassen durften, und so konnte sich Varnhagen auch mit gutem Gewissen als Unbeteiligter gebährden. Sobald nämlich keine quellenmässigen Zeugnisse überliefert waren, fehlte die Voraussetzung für eine entsprechend literarische Auswertung der Verdachtsmomente, und um dies zu erreichen, hat er – übrigens einer Verabredung der Hoffmannschen Bundesmitglieder gemäss – alles Verfängliche mit vollem Bewusstsein vernichtet [143]. Umgekehrt verhielt

halte und bequem zur Hand habe, den grossen Werth und die Vortrefflichkeit dieses Instituts in ganzem Umfang kennen lerne, es ist unstreitig die beste Zeitung, die wir haben''. Vgl. Briefe an Cotta II, 11. Varnhagen an Cotta, 19. Jan. 1819: SNM Cotta-Archiv Nr. 99 ''Berliner Aussichten treiben mich dazu [einem Aufsatz]; dieses Thema muss eifrigst weiter bearbeitet werden, die Allg. Z. hat darin Ausserordentliches gethan, aber sie muss fortfahren; ihre Artikel dienen zur Belehrung der höchsten Personen und rektifiziren die Schiefheit der diplomatischen Depeschen''. Varnhagen an Ölsner, Karlsruhe 12. März 1819: Ölsner-Bfw I, 239. – Vgl. ferner zur Publikation eines Schreibens Friedrich Wilhelms III. v. Preussen [Varnhagens Artikel] *Aus dem Preussischen, 13 Mai, AZ (1816) S. 564. Dazu Stägemann an Varnhagen, Berlin 17. März 1816: Briefe von Stägemann, Metternich, Heine, S. 26f. u. 28f. Ferner Varnhagen an Troxler, Karlsruhe 30. Juli 1816: Troxler-Bfw S. 138. MAL II, 299.
[142] Vgl. u.a. Varnhagen an Troxler, Paris 24. Juli 1815; Frankfurt a.M. 6. Jan.; 2. März 1816; Baden b. Rastatt 6. Aug. 1818: Troxler-Bfw S. 63; 89; 98; 200. MAL II, 208f.; 240; 250. Ferner Varnhagen an Rahel, Paris 22. Juli 1815 [Interzept]: H. M. Weil. Les dessous du Congrès de Vienne II, 695 ''... je peux t'affirmer que, nous autres Prussiens, nous avons trouvé en France un nombre de gens tout prêts à devenir nos collaborateurs et nos associés dans notre Bund''. Vgl. Bfw IV, 221 ''Während die Regierungen so ungewiss mit einander stehen, finden sich aus den Völkern eine Anzahl von gescheuteren und besseren Männern zusammen, die sich bald trotz Krieg und Hass, als Mitstreiter für dieselbe Sache erkennen, und ich kann Dir versichern, dass unter uns Preussen viele namhafte Leute in manchen Franzosen solche Bundesgenossen erkennen''.
[143] Varnhagen an Gruner, Baden b. Rastatt 30. Juli 1819: Bln StB StPrKb HsAbt Ms. Germ. Quart. 1988 Bl 84. Vgl. dazu oben S. 170 A. 132. Ferner Gruner an Varnhagen. In: Dkw IX, 583f. VI³, 128. Dazu P. Wentzke. Justus Gruner, der Begründer der preussischen Herrschaft im Bergischen Lande, S. 58. Vgl. auch F. Meinecke. Die Deutschen Gesellschaften und der Hoffmannsche Bund, S. 46. Dazu J. v. Gruner, a.a.O. S. 485.

er sich aber so konsequent, dass sogar seine Gesinnungsgenossen, als er abberufen worden war, seinen Gleichmut nicht begreifen konnten [144], und für diese Haltung stand ihm das Beispiel Gneisenaus vor Augen, der in einer ähnlich scheinbar unbeteiligten Weise die Entwicklung des Hoffmannschen Bundes beobachtet hatte [145] und es trotzdem nicht verhindern konnte, dass man ihn als angebliches "Haupt des ... Tugendbundes" verdächtigte und dementsprechend verleumdete [146].

Unter den Mitgliedern von Varnhagens engerem Korrespondentenkreis war Otterstedt die schillerndste Persönlichkeit und im Hinblick auf seine liberale Vergangenheit am meisten belastet. Er war als diplomatischer Vertreter Preussens am grossherzoglichen Hof in Darmstadt akkreditiert und nahm von dort aus am Nachrichtenverkehr der Gruppe um Varnhagen teil. Dazu gehörten ferner Gruner in Bern, Stägemann in Berlin, Ölsner in Paris, Tettenborn in Wien, Küpfer in Frankfurt, und in Rom, nachdem Niebuhr abgelehnt hatte, Johann Gotthard Reinhold. Weitere Korrespondenten, die weniger dank ihrer vorteilhaften Stellung in einer europäischen Metropole als durch ihre politische Einstellung wichtige Hinweise lieferten, waren Troxler, der Publizist Lindner und Cotta neben zahlreichen anderen [147]. Varnhagen selbst bewies bei dieser

---

[144] Vgl. Varnhagen an Gruner, Baden b. Rastatt 30. Juli 1819: Bln StB StPrKb HsAbt Ms. Germ. Quart. 1988 Bl 84 "Was mich persönlich betrifft, so habe ich nicht die entfernteste Kompromittirung zu fürchten, ich stand mit niemanden von den Angeklagten in näherer Verbindung". Friederich an Varnhagen, Karlsruhe 29. Juli 1819 [Kopie]: Klr G.L.A. 48/1297 Nr. 14 "Wie viele Gerüchte hier die Ultra's über sie mit Liebe verbreiten, mag ich nicht nacherzählen. Sie waren in Verhaft, Ihre Papiere weggenommen!! u.s.w. Es ärgert sich auch, dass Sie über die Abberufung nicht ärgerlich scheinen..." Stägemann an Ölsner, Berlin 31. Juli; 21. Aug.; 15. Okt. 1819: Briefe von Friedrich August von Stägemann an Karl Engelbert Ölsner (= Bausteine zur Preussischen Geschichte I/3, 74; 80; 96.) Ölsner an Rahel, Paris Sommer 1819; 24. Aug. 1819: Ölsner-Bfw I, 289f.; 290. Ferner Dkw IX, 594f.; 601. VI³, 136; 141. Vgl. auch A. M. Varnhagen an Varnhagen, Hamburg 1. Dez. 1819: Geliebter Sohn, Elternbriefe an berühmte Deutsche, S. 94. C. Misch, a.a.O. S. 66ff.
[145] Vgl. Gneisenau an Hoffmann, Lüttich 15. April 1815: F. Meinecke. Zur Geschichte des Hoffmannschen Bundes. Quellen und Darstellungen zur Geschichte der Burschenschaften und der deutschen Einheitsbewegung, 1 (1910) S. 13. Dazu F. Meinecke ebda S. 12ff. Ferner Hardenberg an Gruner, Wien 5. Juni 1815 [Konzept]: J. v. Gruner, a.a.O. S. 497.
[146] Vgl. Gneisenau an Müffling, Koblenz 25. März 1816; Gneisenau an Hardenberg, Koblenz 21. April 1816: H. Delbrück. Gneisenau V, 87; 107. Dazu H. Delbrück ebda S. 17f. Ferner Dkw IX, 600f. VI³, 140f. Dazu Varnhagen an Gruner, Baden b. Rastatt 30. Juli 1819: Bln StB StPrKb HsAbt Ms. Germ. Quart. 1988 Bl 84 ".. man nennt den Frhrrn von Stein, die Generale Gneisenau und Knesebeck unter denen, auf welche ein böser Schimmer fallen soll".
[147] Vgl. Stägemann an Varnhagen, Berlin 16. Mai 1817: Briefe von Stägemann, Metternich, Heine, S. 46. Dkw IX, 157. V³, 155 Vgl. NF II (= VI), 206. III², 408. Varnhagen an Gruner, Frankfurt a.M. 13. Mai 1816; Mannheim 7. Mai 1817: Bln StB StPrKb HsAbt Ms. Germ. Quart. 1988 Bl 3-4 "ich muss übrigens bemerken, dass meine Nachrichten diesmal nicht von Cotta kommen..."; Bl 5-6 "Die Hoffnung auf den fortdauernden Zufluss von Bildern und Farben, die mir durch Ölsners Briefe für ein lebendigeres Gemälde unsrer vaterländischen Angelegenheiten zu Theil werden sollten, hat sich schnell zerstreut, und ich sehe Sie und mich abermals um die Früchte gebracht, die von Ölsners Anstellung in Berlin, wie von Stägemanns Anwesenheit in Frankfurt für unsre Ansichten zu gewinnen gewesen wären". Gruner an Stägemann, Bern 30. Sept. 1817: Briefe und Aktenstücke zur Geschichte Preussens II,

Übermittlungstätigkeit die grösste Übersicht, und hatte, wie Otterstedt mit neidischem Blick richtig erkannte, an der Ermordung Kotzebues einen Stoff, bei dem er seine entsprechenden Fähigkeiten hemmungslos zur Geltung bringen konnte [148]. Nachdem sich jedoch während seines Aufenthalts im Grossherzogtum Baden keine weiteren einschneidenden Begebenheiten zugetragen hatten, blieb die Erinnerung an die Geschichte der Befreiungskriege eine Art Ausgleich, den er vor allem der Anwesenheit des Generals Tettenborn verdankte. Bevor nämlich Tettenborn den badischen Gesandtschaftsposten in Wien übernommen hatte, vermittelte der gesellige Kreis seiner beiden Häuser in Mannheim und Baden bei Rastatt jene weltbürgerliche Stimmung, die Varnhagen in Karlsruhe am meisten entbehrte [149]. Aber abgesehen von dieser äusseren Annehmlichkeit war es vor allem der persönliche Kontakt mit Tettenborn, der Varnhagen wie früher zugute kam, sobald er sich um einen allgemeineren Überblick bemühte, und durch Tettenborns Vermittlung ergab sich auch die Gelegenheit zu einer Begegnung mit Gneisenau [150]. Was jedoch diese Beziehung für Varnhagen bedeuten musste, ging aus dem Aufsatz, den er anlässlich von Gneisenaus Rücktritt im Jahr 1816 veröffentlichte, nicht genügend hervor. Ihre Gesinnungsgemeinschaft hatte sich schon ein Jahr zuvor darin geäussert, dass Gneisenau einen von Varnhagen geschriebenen Artikel über den "Zweck" des damaligen "Krieges" einzeln drucken und im Heer verteilen liess, ohne den Verfasser

182f. Varnhagen an Ölsner, Baden b. Rastatt 29. Juli 1818; Karlsruhe 9. April 1819: Ölsner-Bfw I, 158; 260f. Ferner Varnhagen an Troxler, Karlsruhe 6. Feb. 1817: Troxler-Bfw S. 162; MAL II, 328; Karlsruhe 30. April 1817: Troxler-Bfw S. 169. MAL II, 337. Dazu J. G. Reinhold an Varnhagen, Rom 1. Juli 1817: Denkschriften und Briefe NF (= V), 198. Varnhagen an Reimer, Frankfurt a.M. 8. Nov. 1815: Ungedruckte Briefe an Georg Andreas Reimer, a.a.O. S. 244. Vgl. auch [Varnhagens Einleitung zu seinen 'Politischen Tagesworten']: C. Misch, a.a.O. S. 163.
[148] Vgl. Varnhagen. Kotzebue's Ermordung, a.a.O. S. 658 IX, 468 u.f. VI³, 39f. Dazu H. v. Petersdorff. [Otterstedt-Artikel] In: ADB 52 (1906) S. 733. Dagegen R. Haym, a.a.O. S. 478. Vgl. ferner Varnhagen an Tettenborn, Karlsruhe 24. März 1819: Aus Metternich's nachgelassenen Papieren III, 225ff.
[149] Vgl. Varnhagen an Cotta, Mannheim 27. März 1816: SNM Cotta-Archiv Nr. 44 "General Tettenborn macht hier das angenehmste, lebhafteste Haus..." Vgl. Briefe an Cotta II, 13. Varnhagen an Troxler, Karlsruhe 26. Nov. 1816: Troxler-Bfw S. 153. MAL II, 316f. Varnhagen an Kerner, Mannheim 11. März 1817: Kerner-Bfw I, 445. Varnhagen an Perthes, Karlsruhe 8. Aug. 1817: HH StA Perthes Nachlass I M 10d Bl 221-222 "Einen grossen Reiz bringt die Nähe des Hrn General von Tettenborn für mich fortdauernd dieser Gegend..." Dazu auch Varnhagen an Rahel, Paris 18. Okt. 1815: Bfw V, 93. Varnhagen an Küpfer, Baden b. Rastatt 12. Juni 1818: Varnhagen von Enses Briefe an Legationssekretär Heinrich Küpfer, a.a.O. S. 376. Ferner H. Haering, a.a.O. S. 157. Dkw IX, 8; 40ff.; 418. V³, 40; 65ff. VI³, 1. Ferner Dkw IX, 91f.; 117f. V³, 104f.; 124f. Vgl. NF II (= VI), 153. III², 355. Dazu NF II (= VI), 166. III², 368. Ferner H. Haering, a.a.O. S. 62f.
[150] Vgl. Varnhagen an Cotta, Mannheim 27. März 1816: Briefe an Cotta II, 12. Varnhagen an Cotta, Frankfurt a.M. 25. April 1816: SNM Cotta-Archiv Nr. 47 "Meine Reise an den Rhein war mir sehr lehrreich. Ich habe mich Gneisenau's ungemein gefreut!" Varnhagen an Troxler, Frankfurt a.M. 3. Mai 1816: Troxler-Bfw S. 115f. MAL II, 270. Varnhagen an Gruner, Frankfurt a.M. 13. Mai 1816: Bln StB StPrKb HsAbt Ms. Germ. Quart. 1988 Bl 3-4 "Gneisenau und seine Umgebung sind jedoch sehr beliebt und gerühmt". Ferner Dkw NF III (= VII), 284f. V³, 25.

zu kennen [151]; später betraf sie vor allem ihre gemeinsamen Anschauungen von der Geschichte. Denn die künftigen Schwierigkeiten, welche Gneisenau bereits damals für die historiographische Darstellung von Ereignissen aus seinem eigenen Leben kommen sah, vermochte Varnhagen seiner persönlichen Geschichtsauffassung gemäss volkommen zu meistern, sobald es ihm nur möglich war, seinen Standpunkt in einer dem historischen Gegenstand angemessenen Gesellschaft frei zu wählen. Dann nämlich lief er nicht Gefahr, wie beispielsweise Benzenberg, über einen Zeitraum etwas zu behaupten, was ein Zeitgenosse noch leicht berichtigen konnte, und das "Vertrauen zur Geschichte" blieb ungetrübt bestehen [152]. Ebenso aber was Gneisenau im Hinblick auf "die fortschreitende Entwicklung des gesellschaftlichen Zustandes" von der Geschichtschreibung forderte, musste für Varnhagen zu bewältigen sein [153], sofern er sich auf die Schilderung einzelner Persönlichkeiten beschränkte, die ihm im Rahmen einer ausgesuchten Gesellschaft gleichgestellt waren, und es bedurfte bloss des glücklichen Umstands, dass der Verleger Brockhaus unter dem Titel 'Zeitgenossen' eine Art lexikalischer Sammlung biographischer und autobiographischer Porträtschilderungen plante und Varnhagen zur Mitarbeit einlud [154].

Varnhagen hat anonym im zweiten Band der von Brockhaus verlegten Reihe eine umfangreiche Lebensbeschreibung von Tettenborn beigesteuert [155], die jedoch noch zu stark in den Erinnerungen an das gemeinsam erlebte Kriegsgeschehen befangen war, als dass sich in ihr der im Sinne Gneisenaus gesellschaftliche Entwicklungsgang auf den ersten Blick deutlich abgezeichnet hätte. Grundsätzlich überwog immer noch die Prätention der Unmittelbarkeit, obschon Varnhagen jene Ereignisse, die er in seinen beiden früheren geschichtlichen

[151] Vgl. Varnhagen an Otterstedt, Paris 16. Juli 1815: Köln UuStB XV 910 "Einen Aufsatz über den Zweck des gegenwärtigen Krieges hat Gneisenau, ohne zu wissen, dass er von mir ist, abdrucken, und bei der Armee austeilen lassen". Varnhagen an Rahel, Paris 17. Juli 1815: Bfw IV, 210. Dazu Dkw NF I (= V), 117. III², 348. IV³, 282. Vgl. ferner [Varnhagens Artikel] *Berlin, 8 Jun, AZ (1816) S. 675f.
[152] Vgl. Gneisenau an Benzenberg, Kauffung 1. Nov. 1816: Ungedruckte Briefe Gneisenaus. Die Grenzboten, XIX/1, 2 (1860) S. 10f.
[153] Vgl. Gneisenau an Benzenberg, Berlin 20. April 1817: Ungedruckte Briefe Gneisenaus, a.a.O. S. 12. Dazu Varnhagen an Uhland, Karlsruhe 5. März 1818: Uhland-Bfw II, 60f.
[154] Vgl. J. Hennig, a.a.O. S. 355ff. Ferner Varnhagen an Brockhaus, 7. Mai 1816: H. E. Brockhaus. Friedrich Arnold Brockhaus II, 214 u. ebda 202ff. Vgl. Varnhagen an [Brockhaus?], Frankfurt a.M. 21. Mai 1816: HH StA Dienststelle Altona Bestand 94 M 64 "Mein Tettenborn ist zur Hälfte fertig, eine Unpässlichkeit hat mich über 12 Tage davon abgehalten, ich hoffe ihn nun bald zu vollenden und Ihnen dann zuzuschicken". Vgl. zur Verfasserschaft auch C. Misch, a.a.O. S. 169. Dagegen W. Barton, a.a.O. S. 24 A. 9. Ferner vgl. Varnhagen an Troxler, Frankfurt a.M. 2. März 1816: Troxler-Bfw S. 96f. MAL II, 248f.
[155] Vgl. [Varnhagen] Fr. Carl Freiherr v. Tettenborn. In: Zeitgenossen, II/1 (1818) S. 5f. Dazu Dkw III, 213. II², 369. III³, 250. Ferner Varnhagen an Troxler, Frankfurt a.M. 27. Mai; Karlsruhe 30. Juli 1816; Troxler an Varnhagen, Münster 10. März 1817: Troxler-Bfw S. 127; 137; 165. MAL II, 285; 297; 331f. Varnhagen an Perthes, Frankfurt a.M. 28. Juni 1816: HH StA Perthes Nachlass I M 10a Bl 95 "In den Brockhaus'schen 'Zeitgenossen' werden Sie einen Abriss von Tettenborns Leben zu sehn bekommen; diesen Beitrag mocht'ich gern geben". Varnhagen an Brockhaus, Frankfurt a.M. 13. Feb. 1816: J. Hennig, a.a.O. S. 357.

Schriften bereits als Augenzeuge geschildert hatte, nun viel knapper darstellte [156]. Solange er aber den Standpunkt des Augenzeugen dennoch demjenigen des späteren Geschichtschreibers als überlegen erachtete, war die Unmittelbarkeit allerdings noch besser gewährleistet, wenn er ein einzelnes umstrittenes Erlebnis aus der Zeit seiner Kriegskameradschaft mit Tettenborn ausführlich zur Sprache bringen konnte, und davon zeugt ein Artikel in der 'Allgemeinen Zeitung', der fast wörtlich die Erzählung von dem aufgefangenen Brief Napoleons wiederholte, die Varnhagen bereits in der 'Geschichte der Kriegszüge des Generals Tettenborn' veröffentlicht hatte [157]. Was dagegen die Beschäftigung mit der geschichtlichen Rolle Tettenborns zu diesem Zeitpunkt in ein fragwürdiges Licht setzte, rührte von der damals in der Tagesliteratur aufgebauschten Auseinandersetzung über das Schicksal Hamburgs während des Frühjahrs 1813 [158]. Da Varnhagen aber, was den "Wechsel politischer Flugschriften ... in Deutschland" betraf, vom Standpunkt der "deutschen Geschichte" ein Fortschreiten bemerkte, hatte er selbst, um diese Entwicklung nicht an sich vorübergehen zu lassen, allen Grund, publizistisch tätig zu werden; denn in der blossen Tätigkeit des Schreibens äusserte sich für ihn eine revolutionäre, gesellschaftlich ungebundene Form der Lebensbewältigung [159]. Doch die literarische Prägung seines historiographischen Stils vermochte sich auf sein konkretes Erlebnisvermögen nicht auszuwirken, solange er noch unmittelbar im öffentlichen Leben stand.

Nachdem Tettenborn in Anerkennung seiner Verdienste vom hamburgischen Senat die Denkmünze der Hanseatischen Legion erhalten hatte, handelte es sich nicht ausschliesslich um eine Ehrenrettung, wenn Varnhagen das für seinen General schmeichelhafte Begleitschreiben des Senats in der 'Allgemeinen Zeitung' veröffentlichte. Was nämlich daran zunächst als dokumentarischer Beitrag für die in der Öffentlichkeit diskutierte Frage der Befreiung Hamburgs

[156] Vgl. [Varnhagen] Fr. Carl Freiherr v. Tettenborn. In: Zeitgenossen, II/1 (1818) S. 27ff. Dazu [F. A. Koethe] ebda S. 5f. A.*. Dazu vgl. auch Varnhagen. Zur Biographie v. Tettenborns [Kopie]: Klr G.L.A. 48/1297 Nr. 34 "Wir schliessen diesen Abriss, dem künftig, wenn es die Umstände wollen, nicht nur günstige Fortsetzung, sondern auch grössere Entwickelung der reichhaltigen Gegenstände zu Theil werden mag, mit dem ausdrücklichen Bemerken, welches bei der Schilderung eines Mitlebenden wohl nicht überflüssig ist, dass wir den Standpunkt der Geschichte dabei mit bestem Willen im Auge behalten, und keinem andern wissentlich aufgeopfert haben". – Es handelt sich bei diesem Aufsatz offenbar um eine Fortführung des in den 'Zeitgenossen' zuerst publizierten Abrisses.
[157] Vgl. [Varnhagens Artikel] *Vom Main, 18 Mai, AZ (1817) S. 576. Dazu Geschichte der Kriegszüge des Generals Tettenborn, S. 184f. Vgl. Dkw IV, 91f. III², 145f. IV³, 180f. Dazu vgl. oben S. 111.
[158] Vgl. oben S. 67f. u.A. 213.
[159] Vgl. [Varnhagens Artikel] *Düsseldorf, 16 Febr, AZ (1816) S. 212; *Vom Main, 26 Okt, AZ (1818) S. 1224. Dazu vgl. Varnhagen an [Luden], Karlsruhe 30. Aug. 1818: Klr G.L.A. 48/1298 "An dem freisinnigsten Vorhandenen muss man halten, damit das Werdende wenigstens nicht unter der schon erreichten Stufe stehn bleibe ... Die Schriftsteller müssen sich um so mehr desshalb vereinigen, da eine andre Klasse schon völlig zusammengeschaart und vereinigt steht; der Adel..." Varnhagen an Troxler, Karlsruhe 6. Feb. 1817: Troxler-Bfw S. 160. MAL II, 326. Ferner auch R. Haym, a.a.O. S. 445ff.

gelten konnte [160], verdeckte nur die gesellschaftliche Problematik, die mit Varnhagens diplomatischer Anstellung von vornherein ungelöst verknüpft sein musste, und es war daher bei ihm, übrigens ebensowenig wie bei Gruner, bloss "Ordensdurst", dass er, wie er an Cotta schrieb, selbst mit der "hamburgischen Kriegsdenkmünze" geehrt zu werden wünschte [161]. Was ihn an dieser militärischen Auszeichnung besonders befriedigen musste, betraf seine Vorstellung der zu Kriegszeiten allgemein herrschenden Gesellschaftsordnung, und auch hierin stand ihm Tettenborn als ein lebendiges Beispiel vor Augen, der allein dadurch, dass er den Maria-Theresiaorden trug, eine Auszeichnung nämlich, die "ohne Unterschied der Geburt lediglich dem Verdienste... zugetheilt" wurde, seine freiherrliche Standeswürde überwunden hatte [162]. Dieses Überwinden des gesellschaftlichen Ursprungs war für Varnhagen auch das Entscheidende, wenn im Sinne der Rechtsgleichheit "Metternich und Schwarzenberg Bürger von Wien, der Freiherr v. Stein Bürger von Frankfurt am Main, der Freiherr v. Tettenborn in Hamburg und Bremen, der Graf Capo d'Istria in Genf" Bürger geworden waren; denn damit wurden, wie Varnhagen mit Absicht betonte, "die drei Leztern, obgleich in monarchischen Diensten, als Bürger der genannten Städte zugleich Republikaner" [163]. Bei seiner durch den Revolutionsgedanken mitbestimmten Geschichtsauffassung zeigte sich an "dieser Veränderung", die sich bereits in den von Gneisenau in den Vordergrund gerückten "gesellschaftlichen Zuständen" auswirkte, ein im Sinne Varnhagens weltgeschichtliches Ereignis, und wenn er diesen Vorgang konkret als Erlebnis in sich aufnehmen wollte, konnte er dies nur in der Gemeinschaft mit andern ihm innerlich zugewandten Menschen, an deren

---

[160] Vgl. [Varnhagens Artikel] *Vom Main, 5 Mai, AZ (1816) S. 544. Ferner Tettenborn an Varnhagen, Mannheim 7. Mai 1816 [Kopie]: Klr G.L.A. 48/1297 Nr. 20 "Der Brief, den mir Bartel [sic!] im Namen des Senats schreibt, ist recht gut und ich glaube, es wäre gut ihn in die Frankfurter Zeitung drucken zu lassen es würde manchen boshaften Verläumder aus dieser Zeit hämisch ärgern. – es folgt hiebey die Abschrift davon, ich überlasse es Ihrer Einsicht, den Gebrauch davon zu machen, den Sie für den besten halten". Dazu Varnhagen an Perthes, Frankfurt a.M. 4. März 1816: HH StA Perthes Nachlass I M 10a Bl 38 "Übrigens ist er [= Tettenborn] sehr aufgebracht, und muss es sein, über die heillos unverständigen, durch Vermuthungen und Möglichkeiten gestützten Ansichten, welche die Leute sich in Betreff der kriegführerischen Beurtheilung jener Ereignisse erlauben..."

[161] Varnhagen an Cotta, Baden b. Rastatt 16. Aug. 1816: SNM Cotta-Archiv Nr. 56. Vgl. C. Misch, a.a.O. S. 151. Dazu auch Gruner an Hardenberg, Düsseldorf 13/25. März 1815: J. v. Gruner, a.a.O. S. 490. Vgl. ferner [Varnhagens Artikel] *Vom Main, 5 Febr, AZ (1817) S. 172. Varnhagen an Rahel, Tönningen 2. Jan. 1814: Bfw III, 261.

[162] Vgl. [Varnhagens Artikel] *Von der Elbe, 20 Jul, AZ (1817) S. 832. Dazu [Varnhagen] Fr. Carl Freiherr v. Tettenborn. In: Zeitgenossen: II/1 (1818) S. 13f. Dkw III, 228. II², 382. III³, 260. Ferner vgl. auch Tettenborn an Varnhagen, Mannheim 7. Mai 1816 [Kopie]: Klr G.L.A. 48/1283 "Die hiesigen Aristokraten werden immer frecher... Die vermodertsten alten Vorurtheile herrschen hier noch in höchstem Grade, Stolz und Dummheit präsidiren überall, überhaupt muss man vor Scham vergehn, wenn man das Unglück hat zu einer Kaste zu gehören, die statt vorwärts immer den Krebsgang geht statt Aufklärung den unsinnigsten Obscurantismus wieder in Aufnahme zu bringen sucht".

[163] [Varnhagens Artikel] *Frankfurt, 18 Jan, AZ (1817) S. 96. Vgl. [Varnhagens Artikel] †Frankfurt am Main, 21 Jun, AZ (1816) S. 724. Zur Verfasserschaft vgl. auch C. Misch, a.a.O. S. 171. Ferner ebda S. 107.

einzelnem Schicksal er den Zusammenhang mit der Veränderung der Gesellschaftsstruktur wahrzunehmen vermochte.

Solange Varnhagen noch im öffentlichen Leben stand, bot der Briefverkehr keinen Ersatz für die historiographische Umsetzung von konkreten Erlebnissen, und er brauchte deshalb zunächst direktere, auf Gesprächen beruhende Beziehungen zu Menschen, die seiner geschichtlichen Vorstellungswelt gemäss die Rolle historischer Gestalten verkörperten. Dabei empfand er den Mangel an menschlichem Kontakt vielleicht am schmerzlichsten am Weihnachtstag des Jahres 1818, als er nach Beendigung des Bayrisch-Badischen Gebietsstreits an Perthes in Hamburg berichtete: "Wir haben hier im Kleinen ein ganzes Geschichtsschauspiel durchgemacht, ich hätte gern von meinen Freunden mehrere dabei zu Zeugen gehabt, die Andern läugnen die Thatsachen, wenn sie vorbei sind, immer wieder ab" [164]. Erst die Bekanntschaft mit einzelnen Führern der badischen Liberalen vermittelte Varnhagen den geselligen Verkehr, den er sich gewünscht hatte [165], und die Geschichtlichkeit dieser aufs neue bestätigten Erfahrung drückte sich bei ihm in zwei Porträtschilderungen aus, die er damals von Liebenstein und Rotteck entwarf [166]. Was er ihnen beiden zugute hielt, war das Bewusstsein ihrer eigenen geschichtlich begründeten Stellung, auf Grund dessen es ihnen gelingen musste, ohne Rücksicht auf ihre existentielle Lage im Dienste der freiheitlichen Tendenzen wirksam zu werden. Die wissenschaftliche Geistigkeit, die Varnhagen an Rotteck rühmte, entsprach bei Liebenstein einem ganz besonderen "Eingehen in die edelste und freisinnigste Bahn des Zeitgeistes" [167], doch für Varnhagen war mit solchen charakterisierenden Erklärungen, die er unter der Voraussetzung eines faktisch entsprechenden gesellschaftlichen Zustandes zur Schilderung von Gesinnungsgenossen gebrauchte [168], das Niveau seiner bisherigen Geschichtschreibung nicht gewährleistet, ohne dass er gegen die bestehende Gesellschaftsordnung hätte kämpfen müssen, und damit scheiterte er nun als Historiker selbsterlebter Geschehnisse endgültig. Die begeisterten Worte, mit denen er, wie er sich ausdrückte, die "feierlichste Eröffnung der badenschen Ständeversammlung"

[164] Varnhagen an Perthes, Karlsruhe 24. Dez. 1818: HH StA Perthes Nachlass I M 11a Bl 293-924. Vgl. Varnhagen an Mayer, Baden b. Rastatt 1. Aug. 1816: K. Mayer. Ludwig Uhland, seine Freunde und Zeitgenossen II, 73. Varnhagen an Troxler, Karlsruhe 26. April 1818: Troxler-Bfw S. 193. MAL II, 364. Ferner Varnhagen an Ölsner, Berlin 8. Dez. 1819: Ölsner-Bfw I, 312f.
[165] Vgl. dazu Varnhagen an Rahel, Karlsruhe 21. Aug. 1817; 24. Juni; 9.; 11.; 20.; 21. Juli 1819: Bfw V, 226; 316; 344; VI, 6; 19; 22. Dazu H. Haering, a.a.O. S. 145. C. Misch, a.a.O. S. 63f.
[166] Dkw IX, 522ff.; 529ff. VI³, 81ff.; 86ff. Dazu H. Haering, a.a.O. S. 145f.; 146f.
[167] Dkw IX, 523. VI³, 82. Vgl. Dkw IX, 531. VI³, 88. Dazu ferner [Varnhagens Artikel] *Heidelberg, 12 Jun, AZ (1819) S. 672. Vgl. auch F. Schnabel. Ludwig von Liebenstein und der politische Geist vom Rheinbund bis zur Restauration, ZsGOR 69 (1915) S. 7f.
[168] Vgl. dazu [Varnhagens Artikel] *Heidelberg, 12 Jun, AZ (1819) S. 672 "Der Antheil des Volks an den ständischen Verhandlungen ist nehmlich sehr gross, die Protokolle der zweiten Kammer sollen an vielen Orten durch eigne *Vorleser* laut vorgetragen worden seyn ... und es ist zu fragen, ob nicht das öffentliche Leben sehr dabei gewönne, wenn in allen Museen, Lesegesellschaften ... solch antheilerregendes *Vorlesen* bei geeigneten Blättern angeordnet würde".

charakterisierte, entsprangen der allgemein seit langem "gehegten Erwartung", die sich nunmehr erfüllt hatte [169], aber zunächst war es ein rein gesellschaftliches Ereignis gewesen, das er schon deshalb nicht historiographisch behandeln konnte, weil ihm dazu wie auch bei den späteren Beratungen der Kammer die "trockenen Grundlagen" zum Verständnis der Verhandlungsgegenstände fehlten [170]. Dagegen setzte ihn der persönliche Kontakt mit den führenden liberalen Kammermitgliedern in eine Lage, die es ihm vielleicht ermöglicht hätte, eine Geschichte der parlamentarischen Verhandlungen in Baden zu schreiben, wenn er nicht plötzlich von seinem Posten abberufen worden wäre. Denn wie er noch kurz davor in einem Brief an Rahel bemerkte, waren ihm damals die "Ständesachen" in ihrem Zusammenhang gerade "etwas auseinander gegangen", und er musste deshalb, um aufs neue den Überblick zu gewinnen, "Liebenstein, Duttlinger, Rotteck, alle ... erst wieder aufsuchen" [171].

Varnhagens Geschichtschreibung gründete sich primär auf eine Gemeinschaft mit Menschen, deren Vertrauen er seine Kenntnisse und damit seine sogenannte Einweihung verdankte. Nachdem sich diese Voraussetzung in der realen Wirklichkeit nicht mehr hatte erfüllen lassen, blieb für ihn schliesslich nur noch die Erinnerung an wenige einzelne Persönlichkeiten erhalten, an denen sich sein historischer Sinn erweisen konnte. Grundsätzlich stellten deshalb alle seine historisch-biographischen Bücher, Essays und Notizen Ausschnitte dar, in denen das Leben einer ihm geistig verwandten Person durchschaubar wird. Das Geschichtliche einer solchen Schilderung lag darin, dass der einzelne betrachtete Mensch parallel zu einer gleichzeitig eintretenden Veränderung der gesellschaftlichen Zustände eine Entwicklung erlebte, die ihn selbst zum Bewusstsein seiner eigenen personalen Entscheidungsfreiheit und Verantwortlichkeit [172] zu führen vermocht hat, und daran knüpfte sich Varnhagens Geschichtschreibung später. Da aber die gesellschaftliche Umwälzung, wie sie für ihn durch die Französische Revolution geradezu normative Geltung hatte, nicht weiter als bis ins 18. Jahrhundert zurückreichte, fehlte ihm ein tiefer dringendes Interesse für die ältere Vergangenheit, und durch diese nicht zuletzt stoffliche Einschränkung verstärkte sich in seiner historiographischen Neigung der Hang zur ästhetisierenden Darstellungsweise.

[169] Varnhagens Depesche an Friedrich Wilhelm III., Karlsruhe 24. April 1819: DZA, Hist. Abt. II, Merseburg, A.A.I. Rep. I. Nr. 665. Vgl. Dkw IX, 518. VI³, 78.
[170] H. Haering, a.a.O. S. 136f. u.ff.
[171] Varnhagen an Rahel, Karlsruhe 15. Juli 1819: Bfw VI, 16. Vgl. Varnhagen an Rahel, Karlsruhe 7. Juli 1819: Bfw V, 338. Dazu H. Haering, a.a.O. S. 148. Ferner vgl. Liebenstein an Varnhagen, Karlsruhe 30. Juli 1819: H. Haering, a.a.O. S. 167 "Die Geschichte unserer Verhandlungen mit dem für Sie nicht minder als für uns verhängnisvollen 22. Juli kennen Sie wahrscheinlich". Vgl. dazu auch Rotteck an Varnhagen, Freiburg 8. Aug. 1825: Rotteck-Bfw S. 253. Ferner Varnhagen an Rotteck, Berlin 7. Jan. 1827: ebda S. 258f.
[172] Vgl. dazu L. v. Muralt. Bismarcks Verantwortlichkeit (= Göttinger Bausteine zur Geschichtswissenschaft XX, 98).

1. *Einleitung*

Varnhagens biographische Begabung ist nicht zu bezweifeln [1]. Davon zeugen vor allem siebzehn ausführliche Lebensbeschreibungen, die er von Personen aus der seinerzeit jüngeren Vergangenheit anfertigte und 1824 zuerst als Reihe mit dem Titel 'Biographische Denkmale' zu veröffentlichen begann, ferner aber auch alle kürzeren biographischen Aufzeichnungen, deren Gattung er mit seinen Beiträgen in den bei Brockhaus verlegten 'Zeitgenossen' literarisch mitbegründet hat [2]. Abgesehen von zahlreichen Nekrologen, an denen er seinen panegyrisch wirkenden Stil nutzbringend anwenden konnte [3], kamen dazu ausserdem verschiedene Charakteristiken, in denen Varnhagen seinen am Nachruf bewährten Stil ohne entsprechende äussere Veranlassung weiterpflegte und damit einen teilweise rein literarisch-künstlerischen Zweck verfolgte. Nicht zuletzt waren jedoch seine persönlichen Lebenserinnerungen, die zuerst vereinzelt und bruchstückweise, dann seit 1838 gesammelt und vermehrt und schliesslich mit dem vollständigen Titel 'Denkwürdigkeiten des eignen Lebens' erschienen, das bedeutendste Zeugnis seiner vorwiegend biographischen Leistung. Sie enthalten nämlich nur wenige Stellen, an denen wie zum Beispiel bei der Schilderung des Tübinger Winteraufenthalts der Jahre 1808/9 Varnhagens innere Lebensgeschichte deutlich wird [4], dagegen eine Fülle

---

[1] Vgl. Goethe an Varnhagen, Weimar 5. Jan. 1832: Einige Briefe Goethe's an Varnhagen von Ense, a.a.O. S. 278. Goethes Briefe (= Goethes Werke IV/49, 193 Z. 24f.) Cousin an Hegel, 13. Sept. 1831: Hegel-Bfw III, 351f. Ferner J. E. Hitzig. Vorrede. In: A. v. Chamisso. Leben und Briefe I, S. VII. L. Assing. Vorwort. In: Dkw I³, S. III. A. v. Sternberg. Erinnerungsblätter III, 35. Vgl. auch M. Ring. Varnhagen von Ense und der letzte Berliner Salon. In: Berliner Leben, S. 82; Erinnerungen II, 88. K. Hillebrand. Briefwechsel zwischen Varnhagen und Rahel, a.a.o. S. 39; Varnhagen, Rahel und ihre Zeit. In: Wälsches und Deutsches (= Zeiten, Völker und Menschen II, 432f.) F. L. J. Thimm. The Literature of Germany, S. 280. Vgl. auch H. v. Hofmannsthal [über Varnhagen] In: Deutsches Lesebuch II, 330. R. Haym, a.a.O. S. 481ff. O. F. Walzel. [Varnhagen-Artikel] In: ADB 39 (1895) S. 777. F. Römer, a.a.O. S. 85; 135. D. Kazda, a.a.O. S. 6a "Verhältnismässig am besten sind daher seine biographischen Porträts grosser Persönlichkeiten, ..." J. Romein. Die Biographie, S. 58. Dagegen A. Stockmann. Varnhagen von Ense und sein Zerwürfnis mit Klemens Brentano, a.a.O. S. 473.

[2] Vgl. C. Misch, a.a.O. S. 106.

[3] Vgl. dazu u.a. Varnhagen. Ludwig Achim von Arnim: VSchr I, 313ff. IV², 656ff. II³, 108ff. Dazu Varnhagens Notiz: Briefe von Stägemann, Metternich, Heine S. 263. Savigny an Varnhagen, Berlin 26. Jan. 1831: A. Stoll. Friedrich Karl v. Savigny II, 427. – Vgl. auch Varnhagens Notiz, [1841?]: T. Wiedemann. Leopold v. Ranke und Varnhagen v. Ense nach der Heimkehr Rankes aus Italien, DtR XXVI/3 (1901) S. 356.

[4] Vgl. Varnhagen. Scheidewege, a.a.O. S. 1ff. Dkw III, 87ff. II², 46ff. II³, 152ff. Vgl. dazu auch oben S. 33 A. 1.

biographischer Einzelheiten, die der Charakteristik zeitgenössischer Persönlichkeiten dienten, und darin unterschieden sich seine 'Denkwürdigkeiten' wesentlich von seinen ersten geschichtlichen Erlebnisberichten, die er in der Umgebung Tettenborns, aber ursprünglich nicht aus biographischem Interesse verfasst hatte [5].

Am eindrücklichsten zeigt sich dieser Unterschied dort, wo Varnhagen die 'Geschichte der hamburgischen Begebenheiten' für seine 'Denkwürdigkeiten' umarbeitete. So hatte er beispielsweise zuerst geschrieben, dass in Tettenborns Hauptquartier für "alle die zahlreichen Arbeiten und Geschäfte ... nur wenige Offiziere" zur Stelle gewesen seien, die sich im übrigen "nicht immer darin einheimisch" zu finden vermocht hätten. Später schilderte er denselben Sachverhalt nach neuen Gesichtspunkten, erwähnte im Gegenteil eine "grosse Anzahl ausgezeichneter Offiziere" und behauptete zu ihrer Entschuldigung, dass sie "für die Mannigfaltigkeit und den Drang der Fürsorgen und Geschäfte", welche es gegeben habe, "immer noch zu wenige" gewesen seien. Ausserdem ergänzte er aber diese veränderte Betrachtung mit einer namentlichen Aufzählung aller damals unter Tettenborn stehenden Offiziere und fügte bei jedem noch einige charakterisierende Bemerkungen hinzu [6]. Auf die gleiche Art kam er in den 'Denkwürdigkeiten' nachträglich auch auf Johanna Stegen zu sprechen, die als junges Mädchen während der Schlacht bei Lüneburg "im heftigsten Feuer den preussischen Jägern Pulver und Blei zugetragen hatte" und danach durch Stägemanns Vermittlung nach Berlin gekommen war, wo sie eine Anstellung fand und sich später auch verheiratete [7]. Ebenso flocht er zusätzlich eine kurze Bemerkung ein, die das Verdienst des unentbehrlichen Freundes und Bankiers Dehn in Erinnerung rief [8], und schliesslich lobte er Karl Sieveking ganz besonders, weil er 1813 im Alter von fünfundzwanzig Jahren bereits als Mitgesandter des Hamburgischen Senats zu Bernadotte geschickt worden war; "der letztere", heisst es in den 'Denkwürdigkeiten', "damals in noch sehr sehr jungen Jahren, zeigte schon die grossen Vorzüge des Geistes und Karakters, welche er seitdem in seiner ehrenvollen Laufbahn

[5] Vgl. dazu O. F. Walzel. [Varnhagen-Artikel] In: ADB 39 (1895) S. 776. Ferner oben S. 66 u.A. 206.
[6] Vgl. Geschichte der hamburgischen Begebenheiten, S. 48. Dagegen Dkw III, 285ff.; 288. II², 431ff.; 433. III³, 297ff.; 299.
[7] Vgl. Dkw III, 300. II², 444. III³, 307. Dagegen Geschichte der hamburgischen Begebenheiten. S. 62f. Ferner dazu Geschichte der Kriegszüge des Generals Tettenborn, S. 84f. Vgl. auch Varnhagen. Johanna Stegen. Morgenblatt für gebildete Stände, 9 (1815) S. 87. Dkw III, 453f. III², 63. IV³, 46f. Vgl. ferner C. Henke. Hamburg in den Kriegsereignissen der Jahre 1813 und 1814, ZsVHG 18 (1914) S. 292. Vgl. auch Stägemann an Varnhagen, Berlin 30. Okt. 1813: Briefe von Stägemann, Metternich, Heine, S. 12. Varnhagens Notiz, 15. Jan. 1842: Tgb II, 12.
[8] Vgl. Dkw III, 291. II², 436. III³, 301. Dagegen Geschichte der hamburgischen Begebenheiten, S. 51. Dazu ferner Varnhagen an Rahel, Hamburg 1. April 1813: Bfw III, 24. Varnhagens Notiz, 5. Nov. 1857: Tgb XIV, 129. Vgl. auch Varnhagen an Rahel, Paris 25. Sept. 1815: Bfw V, 27f. Dazu J. v. Gruner. Müffling und Gruner bei Beschaffung eines Fonds für die Polizeiverwaltung während der Occupation von Paris im J. 1815. Deutsche Zeitschrift für Geschichtswissenschaft, XI/1 (1894) S. 364ff. Ferner auch R. M. Varnhagen an Varnhagen, Altona 26. März 1810: L. Assing. Fürst Hermann von Pückler-Muskau, S. 160ff.

staatsmännischen Wirkens zum Wohl und Ruhm seiner Vaterstadt vielfach dargethan" [9].

Die Bedeutung dieser rühmenden Erwähnung lag für Varnhagen in dem persönlichen Vertrauensverhältnis, das er zwischen sich und Sieveking aus einer Zeit gemeinsamer Erlebnisse zu bewahren wünschte, und von dem Bewusstsein dieser in Varnhagens Sinn menschlichen Aufgabe zeugt ein Brief, den er zur Veranschaulichung dieses Gedankens an Sieveking richtete. "Wenn Sie", schrieb er ihm gerade im Hinblick auf jene Stelle, "meine fortgesetzten Denkwürdigkeiten zu Gesicht bekommen, darf ich mit den Bildern früherer Jahre auch mein Andenken Ihnen hin und wieder günstig aufgefrischt hoffen. Setzen Sie bei allem stets meine wohlmeinendste Gesinnung voraus, sie hat bei Überarbeitung dieser Blätter gewiss in mir für Sie und die Ihren nie gefehlt!" [10] Was Varnhagen hier erklärte, galt für ihn bei der Veröffentlichung seiner 'Denkwürdigkeiten' ganz allgemein. Denn bekanntlich hat er selbst zu seinen Lebzeiten keine vollständige Ausgabe veranstaltet, und daran hinderten ihn weniger politische Bedenken als persönliche Rücksichten [11]. Wenn er dagegen charakteristische Einzelheiten aus dem Leben seiner Studienfreunde in die Öffentlichkeit brachte und dabei auch manches Unvorteilhafte nicht verschwieg, erblickte er gerade darin einen Anlass, das alte freundschaftliche Vertrauen zu erneuern. Was er deshalb beispielsweise von Chamisso und Justinus Kerner "Wunderliches" für die Überlieferung bewahrte, durfte sie nicht kränken, nachdem er sich ausserdem vor der Drucklegung ihrer Zustimmung versichert und sie von Chamisso wenigstens erhalten hatte. An ihn, der wie Varnhagen damals in Berlin lebte, hatte er die entsprechende Schilderung im Manuskript zugeschickt, Kerner jedoch glaubte er es wegen der Entfernung nicht ebenso übersenden zu können, und daher teilte er ihm bloss Einzelnes, was er zu erwähnen beabsichtigte, brieflich mit und wies ausserdem darauf hin, dass Chamisso ein beispielhaftes Vertrauen bezeigt habe. Als aber Kerner ihm keine eindeutige Antwort erteilte [12], gab Varnhagen trotzdem bereits den Vorabdruck in der Zeitschrift 'Freihafen' ohne Kürzungen heraus [13].

[9] Dkw III, 371. II², 505. III³, 351. Dagegen Geschichte der hamburgischen Begebenheiten, S. 141f.
[10] Varnhagen an Sieveking, Berlin 12. Juni 1838: HH StA Familie-Sieveking V 15k 30. Vgl. dagegen auch H. Sieveking. Karl Sieveking II, 29.
[11] Vgl. Varnhagen an Tieck, Berlin 1. Juli 1836: Briefe an L. Tieck IV, 135f. Varnhagen an Rosenkranz, Berlin 1. Sept. 1837; 3. April 1843; 6. Juni 1851: Rosenkranz-Bfw S. 51; 93f.; 187f. Varnhagen an Kanzler v. Müller, Berlin 4. Sept. 1848: NFG (GSA) Kanzler v. Müller Nr. 483 Bl 8. Vgl. auch M. Ring. Varnhagen von Ense und der letzte Berliner Salon. In: Berliner Leben, S. 88; Erinnerungen II, 86. C. Misch, a.a.O. S. 140.
[12] Vgl. Varnhagen an Kerner, Berlin 18. Sept. 1837: Kerner-Bfw II, 126ff. Kerner an Varnhagen, 23. Sept. 1837: Briefe von Justinus Kerner an Varnhagen von Ense, NuS 92 (1900) S. 76. Ferner Chamisso an Varnhagen, 4. Aug. 1838: Varnhagen. Zum Gedächtnisse Adelbert's von Chamisso, a.a.O. S. 60. Dazu Dkw II, 29ff. I², 283ff. I³, 232f. Vgl. auch unten S. 185 A. 16.
[13] Vgl. Varnhagen. Scheidewege, a.a.O. S. 24f. Dkw III, 113ff. II², 69f. II³, 169f. Dagegen L. Geiger. In: Briefe von Justinus Kerner an Varnhagen von Ense, a.a.O. S. 75.

Wesentlich war für ihn nämlich nicht so sehr das konkrete Ergebnis der Veröffentlichung, sondern das in Kerners Schreiben enthaltene Freundschaftsbekenntnis gewesen, und dessen erinnerte sich Varnhagen auch vier Jahre später, als er in seiner Antwort erklärte: "Ich gebe es nicht auf, dich einmal wiederzusehn. Du wirst den alten Tübinger Freund in mir finden, wirklich fühl' und denk' ich im Wesentlichen noch wie damals, und könnt' ich vergessen, dass ich sechsundfünfzig Jahre alt bin, so dächt' ich, wie damals nur vierundzwanzig zu zählen" [14]. Diesen vertraulichen Sinn für Freundschaft hatte Varnhagen auch Chamisso gegenüber bekundet und ihm nahegelegt, dass er "die ganze Sache mit ihren Bezügen" geheimhalten sollte [15], und wenn daher die mit Varnhagen befreundete und überdies von ihm geförderte Schriftstellerin Amalie Schoppe seinen ersten Brief an Kerner "sehr listig und perfid" fand [16], mischte sie sich nicht nur in eine ihr fremde Welt ein, sondern hatte auch nur teilweise recht. Varnhagen wusste nämlich, dass Kerner alle eingehenden Briefe binden liess und seinen Gästen zur Lektüre anbot, und daher hatte er ihn auch früher schon zur Geheimhaltung ermahnt [17], aber er wusste nicht, dass seine Briefe nicht enthalten waren [18]. Dagegen musste er erfahren haben, dass Amalie Schoppe auf ihrer Reise in Süddeutschland Kerner besuchen wollte und vielleicht wirklich die Absicht gehegt hatte, die von ihr an Kerner gerichteten Briefe aus dessen Sammlung herauszureissen, und indem er seinerseits Kerner davon unterrichtete, gestattete sich einen Scherz, der für Amalie Schoppe, da er auf ihre Kosten geschah, nicht amüsant sein konnte und der, da sie die betreffende Stelle in Varnhagens Brief selber gelesen hatte, die Befangenheit ihres Urteils weitgehend erklärte. Richtig erfasste sie Varnhagens List, insofern er Kerners leichtfertiges Weiterzeigen von Briefen als Offenheit deutete, aus welcher er bei dessen ausführlicher Charakteristik in den 'Denkwürdigkeiten' selbst Nutzen zu ziehen hoffte, doch sie ahnte nicht, dass diese Offenheit Varnhagen auch sehr peinlich werden konnte und er dies im Hinblick auf die Geheimhaltung seiner Briefe Kerner, wenn auch in verschleierter Form, in Erinnerung gerufen haben wollte.

Schon 1821 hatte ihm Varnhagen gewisse Gefahren angedeutet, denen er durch den Briefwechsel mit seinen Freunden ausgesetzt war [19], und als er in den

[14] Varnhagen an Kerner, Berlin 22. Feb. 1841: SNM HsAbt Nachlass J. Kerner KN 7279. Vgl. Kerner-Bfw II, 191. Dagegen L. Geiger, a.a.O. S. 76.
[15] Varnhagen an Chamisso, Berlin 26. Sept. 1836: Bln DtStB HsAbt Nachlass Chamisso.
[16] Vgl. Kerner an S. Schwab, Weinsberg 25. Sept. 1837: Kerner-Bfw II, 129. Ferner Varnhagen an Cotta, Frankfurt a.M. 14. Feb. 1816: Briefe an Cotta II, 9.
[17] Vgl. Varnhagen an Kerner, Baden b. Rastatt 6. Juli 1818: SNM HsAbt Nachlass J. Kerner KN 7267 "Meinen Brief zeige nicht; ich schrieb ihn nur für dich, . . ."
[18] Vgl. E. Müller. In: Kerner-Bfw II, 129 A. 1.
[19] Vgl. Varnhagen an Kerner, Berlin 1. Juli 1821: Kerner-Bfw II, 519. K. Mayer. Ludwig Uhland, seine Freunde und Zeitgenossen II, 87. Ferner Varnhagen an Cotta, Berlin 18. Dez. 1819: Briefe an Cotta II, 25; SNM Cotta-Archiv Nr. 119 "Ich hoffe Sie erhalten diese Sendung sicher und unverletzt auf dem Wege, den ich eingeschlagen; die gewöhnliche Postversendung muss man sich vergehn lassen, als Gedankenmittheilung ist dieser Weg so gut wie nicht mehr da. Aber auf jedem andern Wege ist ebenfalls vorsichtige Klugheit Pflicht und Noth, und ich möchte auch z.B. diesem Blatte nichts anvertrauen, was nicht im schlimmsten Falle auch von Übel-

folgenden Jahren den Plan zu einer zusammenhängenden Darstellung seiner 'Denkwürdigkeiten' fasste und dazu von verschiedenen Freunden die von ihm erhaltenen Briefe als Erinnerungsstützen zurückerbat, war diese Begründung kaum allein ausschlaggebend. Denn durch die Zurücknahme seiner Briefe konnte er sich ausserdem persönlich sicherer fühlen, und dafür war es bezeichnend, dass er überhaupt nur Briefe seit dem Jahr 1815, also aus der Zeit seiner diplomatischen Tätigkeit, in Betracht zog und von Cotta beispielsweise keine älteren zurückzubekommen trachtete[20]. Neben den Gefahren war sich Varnhagen aber auch der publizistischen Möglichkeiten bewusst, die durch das geheime Öffnen der Briefe für den Schreibenden bestanden, und so rühmte er die "Schlauheit" seines Freundes Eduard Gans, der sich "in einem zur Post gegebenen Briefe ... in solcher Weise geäussert" habe, "wie er wünschte, dass die Behörden ... die Sache wissen sollten", und dabei seinen Zweck auch erreicht hatte[21].

Solange Varnhagen seine politische Existenz bedroht fühlte und in der Öffentlichkeit für seine Person keine eindeutige Bestimmung finden konnte, war sein Dasein auf gewisse Lebenskreise beschränkt, in denen er wenigstens ein gesellschaftliches Ansehen genoss. Nach seiner Abberufung war er wohl noch im Ministerium tätig[22], aber in der diplomatischen Gesellschaft blieb er doch ein Aussenseiter und hatte nur dank des Vertrauens seiner bisherigen Gönner Stägemann, Beyme und Wittgenstein[23] sowie seines ehemaligen Studienfreundes

wollenden gelesen werden könnte". Varnhagen an Cotta, Berlin 15. März 1820; 2. Jan. 1831: SNM Cotta-Archiv Nr. 123 "Die gegenwärtigen Zeitumstände sind dem Briefwechsel nicht günstig, und ich schreibe daher selten und wenig."; Nr. 152 "Wie viel hätte ich mit Ihnen zu sprechen ... Es ist eine Zeit, wo jede Verständigung wichtig, jede Vorbereitung in der Folge fruchtbar werden muss, wo grade noch alles zu thun und alles zu versäumen ist, was den künftigen Zustand unsres Vaterlandes entscheiden wird, und wo es wirklich weniger als sonst auf Amtseinfluss, sondern auf Einsicht und Redlichkeit jedes Wohlmeinenden ankommt, der durch Gedanken und Karakter zu wirken vermag. Doch schreibend lässt sich dergleichen nicht verhandeln, das fühlt jeder, der es versucht!" Vgl. Briefe an Cotta II, 30. Ferner auch Varnhagen an Troxler, Berlin 9. Feb. 1821: Troxler-Bfw S. 212. Varnhagen an Uhland, Berlin 28. Jan. 1822: Uhland-Bfw II, 200. Varnhagen an Rotteck, Berlin 7. Juni 1824: Rotteck-Bfw S. 246. Varnhagen an Ranke, Berlin 3. Feb. 1828: L. v. Ranke und Varnhagen von Ense. Ungedruckter Briefwechsel, DtR XX/3 (1895) S. 342f. Varnhagen an Ölsner, Berlin 29. Mai 1826: Ölsner-Bfw III, 355. Ferner Varnhagens Notiz, 1. Mai 1827: BpG IV, 224f. Dazu J. Mayr. Metternichs geheimer Briefdienst, S. 19.

[20] Vgl. Varnhagen an Cotta, Berlin 7. Juni 1831: SNM Cotta-Archiv Nr. 161 "... so möchte ich Sie dringend um die grosse Güte ansprechen, dass Sie mir gelegentlich die von mir an Sie geschriebenen Briefe, sofern solche noch vorhanden, von 1815-1820 hervorsuchen und zusenden liessen! Grade diese Korrespondenz würde mir bei der Abfassung von Denkwürdigkeiten meines Lebens, mit denen ich mich ruckweise beschäftige, eine ausserordentliche Hülfe sein!" Ferner Varnhagen an Ölsner, Baden b. Rastatt 3. Aug. 1825: Ölsner-Bfw III, 313. Vgl. auch H. Haering, a.a.O. S. 57f. Dazu L. Stern. Die Varnhagen von Ensesche Sammlung, S. 805.
[21] Varnhagens Notiz, 12. Jan. 1838: Tgb I, 75. Vgl. auch Varnhagens Notiz, Hamburg 23. Juli 1844: Tgb II, 332f.
[22] Vgl. C. Misch, a.a.O. S. 65ff.
[23] Vgl. oben S. 77 u.A. 265; S. 140 u.A. 101; S. 172 u.A. 138. Ferner vgl. F. Rühl. Einleitung. In: Briefe und Aktenstücke zur Geschichte Preussens III, S. XXIII. Varnhagens Notiz, 4. Dez. 1819: BpG I, 12. Varnhagens Notiz, 4. Dez. 1835: C. Misch, a.a.O. S. 161. Dazu ebda S. 73.

Johannes Schulze [24] Kenntnis von dem, was in den höheren Kreisen zur Sprache kam. Unmittelbar war seine Anteilnahme daher nicht, und um so mehr war er deshalb auf seine Beziehungen angewiesen, wenn er die persönliche Einsicht in den für ihn geschichtlichen Zusammenhang seiner Zeit nicht völlig verlieren wollte. Insofern erwies sich auch die örtliche Festsetzung in Berlin als eine Einengung seines Gesichtsfeldes, und die Erwartungen, die er umgekehrt vom hauptstädtischen Leben gehegt hatte, erfüllten sich dementsprechend nicht [25]; bloss die historischen "Erinnerungen", die sich ihm beim Anblick der Strassen und Plätze, Gebäude und Denkmäler aufdrängten, konnten ihn entscheidend an Berlin fesseln [26].

Während aber Sieveking diesen Zustand tadelte und darauf hinwies, dass weder Berlin noch Frankfurt oder Leipzig Städte seien, in denen "man sich schnell über das wahrhaft wichtige verständigen könnte" [27], hatte Varnhagen einen schärferen Blick für die im Sinn seiner geschichtlichen Überzeugung bestehenden Verhältnisse. Denn schon früh erkannte er die überragende Rolle von Paris, London, Petersburg und Washington [28], und so, wie er die politische Tätigkeit Heinrich Heines verstand und sich mit dessen zeitgeschichtlichem Denken identifizierte [29], musste er ihn zu seiner Rückkehr nach Paris im Jahr 1843 geradezu beglückwünschen [30]. Innerhalb Deutschlands sah Varnhagen dagegen, wie er Rahel einmal schrieb, "überall ein wenig Hauptstadt" [31], und so waren Sievekings Vorstellungen für ihn gegenstandslos, solange er beispielsweise während seines Kuraufenthalts in Kissingen Gelegenheit finden konnte, sich mit ihm persönlich zu besprechen [32].

Varnhagens örtliches Standortsbewusstsein verlor in den Jahren nach 1819 die ehemals konkrete Sinnbezogenheit, und die Reisen, die er von da an

---

[24] Vgl. M. Lenz. Geschichte der Universität zu Berlin II/1, 391 u.f. A. 2. Ferner Dkw NF II (= VI), 211. III², 413. IX, 165. V³, 161f. Dazu auch C. Varrentrapp. Johannes Schulze und das höhere preussische Unterrichtswesen in seiner Zeit, S. 33.

[25] Vgl. Varnhagen an Cotta, Berlin 18. Dez. 1819: Briefe an Cotta II, 25. Varnhagen an Troxler, Berlin 9. Feb. 1821: Troxler-Bfw S. 213. Ferner Varnhagen an Pückler, Berlin 13. Aug. 1832; 23. Dez. 1840: Pückler-Bfw S. 112; 378. Dazu vgl. auch oben S. 145f.

[26] Vgl. Varnhagens Notiz, 2. Dez. 1838: Tgb I, 115. Dazu E. Heilborn. Varnhagen und Rahel, a.a.O. S. 456. Ferner Varnhagens Notiz, 28. Feb. 1842: Tgb II, 28f. Ferner H. Koenig. Erinnerungen an Varnhagen von Ense, DtM 9 (1859) S. 3. Vgl. auch F. Tieck an Varnhagen, Berlin 23. Jan. 1834: E. Hildebrandt. Friedrich Tieck, S. 168ff. C. Misch, a.a.O. S. 87f.

[27] Sieveking an Varnhagen, 23. Juli 1833: H. Sieveking. Karl Sieveking II, 114.

[28] Vgl. Varnhagen an Ölsner, Berlin 13. Juni 1823; 21. April 1824: Ölsner-Bfw III, 98f.; 232. Varnhagen an Cotta, Berlin 15. Juli 1820: SNM Cotta-Archiv Nr. 125 "Am liebsten wäre ich in Paris, welches doch, trotz unsres Sträubens, der bewegte Mittelpunkt unsres gesellschaftlichen und politischen Lebens bleibt!"

[29] Vgl. Varnhagen. Zur Geschichtschreibung, S. 587ff.

[30] Vgl. Varnhagen an Heine, 12. Nov. 1843: H. Heine. Briefe V, 381f. Dazu Varnhagen an Heine, 16. Feb. 1832; Heine an Varnhagen, Paris 27. Juni 1831: H. Heine. Briefe VI, 382; II, 3f: Vgl. Briefe von Stägemann, Metternich, Heine, S. 231. Ferner auch P. F. Glander. K. A. Varnhagen von Ense: man of letters, 1833-1858. Diss. Phil. I. Wisconsin 1961, University Microfilms, Inc. Ann Arbor, Michigan. S. 107.

[31] Varnhagen an Rahel, Weimar 19. Sept. 1827: Bfw VI, 186.

[32] Vgl. Varnhagens Notiz, Kissingen 22. Juli 1839: Tgb I, 146.

häufig unternahm, waren stets ein rein gesellschaftliches Ereignis. Weder Kissingen noch Homburg, wo er regelmässig zur Kur weilte, wurden für ihn geschichtliche Anlässe. 1827 führte ihn eine Reise nach München, wo er, wie er an Perthes schrieb, in "Niethammer, Roth, Schenk, die Trümmer des Jacobi'schen Lebenskreises" kennenlernte und in ihrer Mitte sich der gemeinsamen Erinnerung an Hamburg erfreuen durfte [33]; und mit Franz von Baader besprach er sich damals über praktische Fragen des gesellschaftlichen Verkehrs [34], wobei er ausserdem Gelegenheit erhielt, mit ihm den Park in Nymphenburg zu besuchen, dessen technische Einrichtungen das Werk von Baaders Bruder waren [35]. Eine so gepflegte Umgebung hatte für Varnhagen von je einen ganz besonderen Anreiz, und es wirkt wie ein Zusammenhang, wenn er, der später beim Anblick des Pücklerschen Parks aufs neue in Entzücken geriet, in München an Eleonore Wolbrecht erinnert wurde. In ihrem Garten hatte er nämlich seinerzeit im Jahre 1813 die ersten Eindrücke zu seiner 'Geschichte der hamburgischen Begebenheiten' innerlich geordnet und zu verarbeiten begonnen [36], wogegen ihm diesmal ein ähnlicher Ansporn versagt blieb.

Die gesellschaftlichen Bedingungen waren für Varnhagen insofern verändert, als bei den bestehenden politischen Gegensätzen durch die seit 1819 verstärkte Unterdrückung der freiheitlichen Bewegung deren äussere Wirkung nicht mehr zutage trat. Jener Kampfgeist, den er in den Jahren des Krieges notgedrungen hatte beweisen müssen, wurde bei ihm später ein theoretischer Lebensgrundsatz, den er mit stoischem Bewusstsein befolgte. Wie Heinrich Heine, der sich ihm gegenüber einmal ausdrücklich auf das bei Seneca überlieferte Sprichwort 'Leben ist Kriegführen' berief [37], hatte sich auch Varnhagen innerlich gerüstet, und dieses Leben, das ihm "ein beständiger Feldzug" zu sein schien [38], stand im Zeichen der gesellschaftlichen Auseinandersetzung, an

---

[33] Varnhagen an Perthes, Berlin 25. Nov. 1827: HH StA Perthes Nachlass I M 17a Bl 124-125. Vgl. dazu oben S. 43 A. 69 u. 70. Vgl. Varnhagens Notizen, 1.; 2.; 7. Sept. 1827: BpG IV, 293; 296; 302f. Varnhagen an Rahel, München 7. Sept. 1827. Bfw VI, 149.

[34] Vgl. Varnhagens Notiz, 5. Sept. 1827: BpG IV, 300. Varnhagen an Rahel, München 1. Sept. 1827: Bfw VI, 130.

[35] Vgl. Varnhagen an Rahel, München 7. Sept. 1827: Bfw VI, 148 "... so fuhr ich z.B. auf einem See mit unaussprechlichem Vergnügen ganz allein auf einem Stuhl spazieren, den ich mit künstlichen Entenfüssen, wie Pantoffeln zum Eintreten angelegt, gar bequem fortruderte". Ferner Varnhagens Notiz, 7. Sept. 1827: BpG IV, 302.

[36] Vgl. Varnhagen an Rahel, München 5. Sept.; Rahel an Varnhagen, 29. Aug. 1827: Bfw VI, 145; 122f. Dazu vgl. oben S. 40 A. 55. Ferner Varnhagen an Pückler, Berlin 9. April 1842: Pückler-Bfw S. 390f. Vgl. auch Varnhagen an Rahel, Wien 18. Jan. 1810: Bfw II, 38. Ferner Varnhagens Notiz, 1. Juli 1851: Tgb VIII, 235. Vgl. dazu auch Varnhagen an Rahel, Lauenburg 12. Juni 1813: Bfw III, 112. Ferner oben S. 42f. u. A. 66.

[37] Vgl. Heine an Varnhagen, Paris 28. März 1833: H. Heine. Briefe II, 36. Dazu F. Hirth ebda V, 79. Ferner Heine an Varnhagen, Paris 16. Juli 1833: H. Heine. Briefe II, 42. Vgl. Briefe von Stägemann, Metternich, Heine, S. 236; 238.

[38] Varnhagen an Pückler, Berlin 19. Dez. 1831: Pückler-Bfw S. 80. Vgl. Varnhagen an Rosenkranz, Berlin 23. Dez. 1837; 30. März 1838: Rosenkranz-Bfw S. 60; 66. Varnhagen an Troxler, Berlin 21. Jan. 1846: Troxler-Bfw S. 297.

welcher er selbst durch die widerrechtliche Annahme seines Adelsprädikats beteiligt war. Aber bei aller Abneigung, die er gegen die politische Vorherrschaft des Adels empfand, wusste er für dessen gesellschaftliche Lebensformen doch keine andere Wahl. Denn die höfische Gesellschaftlichkeit betrachtete er wie auch Rahel "durch den Schein des Eifers, der Freiwilligkeit" trotzdem als eine "Sache der Freiheit", und indem er die "Umgangsformen" unmittelbar zu dem, "was Reim und Silbenmass für den Dichter" seien, in Beziehung setzte, bewies er seine Auffassung vom Leben als einer "Kunstmeisterschaft" mit aller Anschaulichkeit. "In diesem Betreff", bemerkte er konsequenterweise, "bin ich nicht demokratisch gesinnt" [39]. Diesen Standpunkt hatte Varnhagen aber schon 1817 in einem damals anonym erschienenen Aufsatz festgelegt und angesichts der Tatsache, dass eine "allgemeine Menschenliebe" fehle und ein "unmittelbarer Antheil am Staat in freyer Verfassung versagt" sei, die "Höflichkeit" in ihrem ursprünglichen Sinn als ein notwendiges Erfordernis seiner Zeit bezeichnet. Umgekehrt galt demnach diese Einsicht nicht für eine "fromme Gemeinde" oder "freye Bürgerschaft", und sie entbehrten daher jener, wie Varnhagen die Höflichkeit nannte, "bewunderungswürdigen Erfindung eines auch unter dem Joche willkürlicher Oberherrschaft noch regsamen Geistes" [40].

Die elementare Einschränkung, die unter gesellschaftlich vorgeformten Lebensbedingungen herrschen musste, hat Varnhagen in ihrer innerlich schwachen und nach aussen hin starken Wirkung völlig durchschaut, und seine 'Denkwürdigkeiten' waren der unmittelbare Ausdruck dieser Erfahrung. Bei aller Rücksicht nämlich, mit der er die ihm einst bekannt gewordenen und teils auch später noch befreundeten Personen schilderte, war er sich gleichzeitig trotzdem bewusst, dass demgegenüber seine Betrachtungsweise nicht unangefochten bleiben konnte, und um so stärker fühlte er sich deshalb zu einer entschiedenen Standortsbestimmung veranlasst. In diesem Bestreben gab er den siebenten Band seiner 'Denkwürdigkeiten und Vermischten Schriften' heraus, in welchem er als wichtigsten Beitrag zum Zeitgeschehen seinen vom April 1816 stammenden Artikel über die Gründung eines nationalen Parlaments erneut abdruckte [41]. Dabei war weniger der politische als der gesellschaftliche Gehalt dieser Einrichtung für Varnhagen ausschlaggebend [42], und indem er anlässlich der Herausgabe dieses Bandes seine eigene Person geradezu mit einem staatlichen Gebilde verglich, bewies er einen Realismus, der das politische Denken allgemein auf ein Handeln in der Gesellschaft reduzierte und in seiner verzweifelt kämpferischen Ideologie das Tugendbundprinzip vom "Staat im Staat" aufs neue

---

[39] Vgl. Varnhagens Notizen, 22. Nov. 1854; 13. April 1853: Tgb XI, 323; X, 105f. Ferner dazu Rahels Notizen, 19. Aug. 1823; [Aug. 1824?]: Rahel. Ein Buch des Andenkens III, 114; 166f. Dagegen Varnhagen an Rotteck, Berlin 23. Nov. 1831: Rotteck-Bfw S. 284.
[40] [Varnhagen] Von Höflichkeit und guter Lebensart. Morgenblatt für gebildete Stände, 11 (1817) S. 215. Vgl. A. v. Sternberg. Erinnerungsblätter III, 28f. Dazu auch Rodenbergs Notiz, 22. Nov. 1853: J. Rodenberg. Aus seinen Tagebüchern, S. 32.
[41] Vgl. oben S. 147 u. A. 32.
[42] Vgl. oben S. 158 u. A. 78.

zu verwirklichen schien [43]. "Mit manchen Lesern", schrieb er daher in einem Brief an Lappenberg, "werd' ich es ... nun für immer verdorben haben, oder vielmehr sie haben es mit mir verdorben, und mein Buch zeigt nur, dass ich nichts mehr von ihnen wissen will. Ich bin nur ein kleiner Staat, und werde wohl nächstens ausgelöscht werden, aber solange ich noch bestehe, übe ich meine Gerichtsrechte so gut wie der grösste, und mancher meiner Urteilssprüche wird mehr gelten, als andere der mächtigsten, bild' ich mir ein?" [44]

Mit dieser existentiellen Auffassung des staatlichen Lebens stellte sich Varnhagen völlig ausserhalb der bestehenden Gesellschaftsordnung, und die Klagen, die er über die gesellschaftlichen Zustände führte, brachen dementsprechend in den Jahren nach 1819 nie mehr ab [45]. Solange er daher regelmässig im preussischen Staatsdienst beschäftigt blieb, war er sich der inneren Widersprüchlichkeit, die seiner Stellung gesellschaftlich anhaften musste, durchaus bewusst, und seine amtliche Tätigkeit war ausschliesslich auf das persönliche Vertrauensverhältnis gegründet, welches ihn mit Hardenberg und später ebenso mit dessen Nachfolger Bernstorff verband [46]. Als deshalb 1836 Ancillon Varnhagen den ihm von Bernstorff seinerzeit gewährten Pensionszuschuss kürzte, handelte er gegen jene bisher bestehende, stillschweigende Übereinkunft, und dadurch fühlte sich Varnhagen sofort von allem "Dienstverhältnis"

[43] Vgl. B. G. Niebuhr. Über geheime Verbindungen im preussischen Staat und deren Denunciation, S. 18. Dazu E. Müsebeck. Ernst Moritz Arndt I, 263f. Vgl. ferner Varnhagen an [Tettenborn?], Frankfurt a.M. 8. Mai 1816: Klr G.L.A. 48/2671 "Ich bin weit davon entfernt, philosophische Ideen, als solche, in Staatssachen entscheiden zu lassen, im Staate gilt nur das Wirkliche, und nur, in sofern sie wirklich und mächtig geworden, sind jene Ideen in der Politik zu berücksichtigen". – Dieser an einen "General" gerichtete Brief, der sich unter der Korrespondenz Varnhagens mit Berstett in dessen Nachlasspapieren befindet, und eine fünfseitige Anklage gegen den Adel darstellt, scheint offenbar in die falschen Hände gelangt zu sein und könnte mit ein Grund für Varnhagens Abberufung gewesen sein.
[44] Varnhagen an Lappenberg, Berlin 5. Dez. 1846: HH StuUB HsAbt Literatur-Archiv 1930. 317. Vgl. Varnhagen an Bettina, Berlin 25. Nov. 1846: Briefe von Stägemann, Metternich, Heine, S. 391f. Ferner Varnhagen an Kerner, Berlin 20. Nov. 1846: Kerner-Bfw II, 289f. Varnhagen an Troxler, Berlin 1. Dez. 1846: Troxler-Bfw S. 314. Ferner H. Koenig. Erinnerungen an Varnhagen von Ense, a.a.O. S. 58. Vgl. dagegen A. v. Sternberg. Erinnerungsblätter III, 40ff. E. Howald. Varnhagen von Ense, a.a.O. S. 171.
[45] Vgl. Varnhagen an Ölsner, Berlin 1. Nov. 1820; 18. Jan.; 2. Feb.; 27. Dez. 1821; 9. Jan. 1823: Ölsner-Bfw II, 147f.; 181ff.; 195; 336f.; III, 2f. Varnhagen an Rotteck, Berlin 7. Mai 1836: Rotteck-Bfw S. 292f. Varnhagen an Kerner, Berlin 22. Feb. 1841: Kerner-Bfw II, 190. Varnhagen an A. Bölte, Berlin 10. März 1850: Briefe an eine Freundin, S. 197. Varnhagen an Troxler, Berlin 15. Dez. 1852: Troxler-Bfw S. 379. Ferner Varnhagens Notizen, 7. Dez. 1839; 23. Nov. 1847; 25. Jan. 1849; 5. Mai 1851; 13. Feb. 1855: Tgb I, 155; IV, 157; VI, 32; XIII, 55; 439.
[46] Vgl. Varnhagen an Cotta, Berlin 24. Feb. 1821; 18. April 1832: SNM Cotta-Archiv Nr. 127 "Meine Stellung hat manches Eigne, dessen Vortheile die Nachtheile überwiegen. Der Fürst Staatskanzler ist in seinen Gesinnungen für mich unverändert, ihm danke ich fortwährenden Bezug meines auswärtigen Gehaltes. Von Seiten des Hrn Grafen von Bernstorff darf ich seit Kurzem einem erwünschteren Vernehmen entgegensehn..." Vgl. Briefe an Cotta II, 28.; Nr. 166 "Ich bin hocherfreut, dass mein Verhältniss mich ganz ausschliesslich mit dem Grafen Bernstorff in Beziehung setzt!" Vgl. auch Varnhagen an Perthes, Berlin 28. Dez. 1830: C. Misch, a.a.O. S. 161f. Ferner VSchr I, 358ff. V², 76ff. II³, 180ff.

befreit [47]. Denn von sich aus hat er ursprünglich nie eine Stellung in der staatlichen Verwaltung antreten wollen, und wenn er auch bisweilen an einen Posten bei der Bundesgesandtschaft in Frankfurt dachte, leiteten ihn dabei dieselben rein gesellschaftlichen Interessen, deren Ziel ihm, wie er sich einbildete, ebenso beim Kongress von Verona in greifbare Nähe hätte rücken müssen [48]. Eine ordentliche Staatsstelle lehnte er ab [49] und weigerte sich angesichts der veränderten politischen Verhältnisse, nun die Leitung der Staatszeitung zu übernehmen, deren Mitbegründer er dagegen früher wohl hatte werden wollen [50]; denn in der publizistischen Tätigkeit glaubte er damals noch am meisten seine individuelle "Verantwortlichkeit" beweisen zu können [51], und bei dieser Einstellung wahrte er sich eine innere Freiheit und empfand die äusseren Nachteile seiner gesellschaftlichen und amtlichen Zurücksetzung weniger schmerzlich [52]. Als er daher nach der Pensionierung eine seinem staatsbürgerlichen Bewusstsein angemessene, nur halbamtliche Stellung hatte finden können, brauchte er auch sein Leben nicht mehr als "Verbannung" und "in einer Art von gesellig bürgerlicher Zweideutigkeit" aufzufassen [53], sondern sah in seinem Zustand umgekehrt eine Bestimmung, dass er überhaupt "niemals eine in hergebrachter Ordnung entstandene, unter die gewöhnliche Regel fügsame und nach allen Seiten klare Lebensstellung" erhalten sollte [54],

---

[47] Vgl. Varnhagens Notiz, 4. Dez. 1835: C. Misch, a.a.O. S. 160. Dazu ebda S. 83f. Ferner H. H. Houben. Varnhagen von Ense, a.a.O. S. 323.
[48] Vgl. Varnhagen an Ölsner, Berlin 29. Nov. 1822: Ölsner-Bfw II, 394. Ferner Varnhagen an Hardenberg, 26. Juli 1820: H. H. K. Kindt. Hardenbergs Pressechef. Zeitungswissenschaft, 3 (1928) S. 156. Dazu C. Misch, a.a.O. S. 75f. Vgl. auch Varnhagen an Cotta, Berlin 15. Juli 1820: SNM Cotta-Archiv Nr. 125 "Am liebsten wäre ich in Paris, welches doch ... der bewegte Mittelpunkt unsres gesellschaftlichen und politischen Lebens bleibt! Für Deutschland insbesondre vertritt Frankfurt a.M. einigermassen die Stelle, und wäre mir insofern auch erwünscht zum Aufenthalte ..."
[49] Vgl. Varnhagen an Cotta, Berlin 2. Jan. 1831: Briefe an Cotta II, 31. Dagegen Varnhagen an Hardenberg, 2. Mai 1821: H. H. K. Kindt, a.a.O. S. 156. "Noch fortwährend sehe ich in dem Fache meiner eigentlichen Bestimmung, im Staatsdienst mir keine erwünschte Tätigkeit eröffnet ..." Dazu R. Haym, a.a.O. S. 479. Ferner E. Jacobs. Aus Gottfried Kellers Berliner Zeit, WIDM 97 (1904/5) S. 59.
[50] Vgl. Varnhagen an Perthes, Berlin 28. Dez. 1830: C. Misch, a.a.O. S. 159 u. ebda S. 82. Dazu vgl. oben S. 141.
[51] Vgl. [Varnhagens Artikel] †Berlin, 15 Jun, BzAZ (1831) S. 684. Ferner auch Varnhagen an Perthes, Berlin 28. Dez. 1830: HH StA Perthes Nachlass I M 33a Bl 15-16 "Einzelnen bestimmten Befehlen, zum Theil vom Könige selbst ausgehend, zum Theil von dem Minister, habe ich mit Eifer und Pflichttreue mich bisher wiederholt und zur völligen Zufriedenheit unterzogen, allein einer Beauftragung im Ganzen und Allgemeinen, wobei ich selbst auftreten und mein Thun verantworten müsste, vermöchte ich unter den vorhandenen Umständen kein Genüge zu leisten". Vgl. C. Misch, a.a.O. S. 161.
[52] Vgl. H. H. Houben. Varnhagen v. Ense, Karl August (1785-1858), a.a.O. S. 600. Dagegen Hebbels Notiz, [Wien 15. Okt. 1862]: F. Hebbel. Tagebücher IV, 223. Dazu H. Wegscheider-Ziegler. K. A. Varnhagen von Enses Denkwürdigkeiten des eigenen Lebens. In: Aus der Humboldt-Akademie, S. 178. Ferner R. Haym, a.a.O. S. 478; 510ff. C. Misch, a.a.O. S. 65ff. Dazu vgl. oben S. 11.
[53] Varnhagen an [Philipsborn?], Berlin 23. Dez. 1824: DZA, Hist. Abt. II, Merseburg, A.A.I. Rep. 4. Nr. 2825 Bl 11-12.
[54] Varnhagen an Perthes, Berlin 30. Dez. 1830: C. Misch, a.a.O. S. 161. Vgl. Varnhagen an Perthes, Paris 23. Aug. 1815: HH StA Perthes Nachlass I M 9b Bl 156-157. Dazu vgl. oben S. 116.

und dieses persönliche Schicksal wurde ihm nicht zuletzt durch die hierarchische Stufung bewusst, die er als wesentliche Voraussetzung eines monarchistischen Staates erachtete.

Dabei hatte die persönliche Auseinandersetzung mit den staatlichen Lebensbedingungen Varnhagen von seiner früheren allgemeinen Auffassung des gesellschaftlichen Lebens trotzdem entfernt, und was er dadurch für sein eigenes Ansehen allenfalls gewann, verlor er an freiheitlicher Gesinnung [55]. Die Beschränkung, die das staatliche Denken für sein personales Verantwortungsgefühl bedeutete, liess er sich zwar in seinem publizistischen Wirkungskreis zunächst nicht anmerken, doch sein kämpferisches Naturell stimmte sie weitgehend herab, und insofern war es bezeichnend für ihn, wenn er seine Stellung im Staat wohl mit militärischen Verhältnissen vergleichen konnte, aber bei deren konkreter Einschätzung den Geist von 1813 verleugnen musste. In einem an Perthes gerichteten Schreiben, das die ganze Fragwürdigkeit seines veränderten Standortsbewusstseins beleuchtete, erklärte Varnhagen nämlich: "Was käme für eine wunderliche, unhaltbare Verwirrung heraus, wenn ein Lieutenant als solcher ein Regiment befehligen sollte? man muss ihn bei seiner Kompagnie lassen, oder muss ihn notwendig zum Obersten machen! Ich will nicht gerade Oberst werden, ich will auch nicht aus Liebhaberei Lieutnant bleiben — keineswegs! aber solange ich nur letzteres bin, darf ich mich verschont wünschen mit allem, wozu ich mehr sein müsste, um es mit Erfolg auszuführen" [56]. Mit dieser Auffassung zerstörte Varnhagen nicht nur jenes Bild, das er in der Gestalt Tettenborns von dem im Sinne Scharnhorsts verantwortlichen Offizier entworfen hatte [57], sondern er widerrief zugleich auch seine eigene Ansicht, derzufolge für ihn, wie er noch 1817 an Hardenberg schrieb, "die freie Beurtheilung... selbst nach den Formen einer strengen militärischen Subordination... offen bleiben" müsste [58]. Der entscheidende Unterschied gegenüber den Jahren 1813/14 bestand jedoch darin, dass im öffentlichen Leben ein überwältigender äusserer Anlass fehlte, dessen Unmittelbarkeit Varnhagens innere Widersprüchlichkeit notwendig hätte aufheben müssen. Ein Ereignis wie die Ermordung Kotzebues, das der allgemeine geschichtliche Zusammenhang nicht einleuchtend zu begründen vermochte, hatte sich insofern für ihn geradezu als Verhängnis erwiesen; denn nachdem er es nicht einseitig im politischen Geist der bestehenden Gesellschaftsordnung ausgewertet hatte, war er faktisch selber an der Vorbereitung zu seiner Entlassung aus dem offiziellen Staatsdienst beteiligt gewesen [59].

Gleich in den Jahren nach seiner Abberufung boten sich ihm Schwierigkeiten dar, mit denen er schon früher zu kämpfen gehabt hatte; denn ihm fehlte damals im politischen Leben das vorbildliche Verhalten eines Menschen, dessen

---

[55] Vgl. dazu Varnhagens Notiz, 22. Nov. 1854: Tgb XI, 323.
[56] Vgl. Varnhagen an Perthes, Berlin 30. Dez. 1830: C. Misch, a.a.O. S. 162.
[57] Dazu vgl. oben S. 48 u.A. 97.
[58] Varnhagen an Hardenberg, Mannheim 5. April 1817: DZA, Hist. Abt. II, Merseburg, A.A.I. Rep. I. Nr. 653.
[59] Vgl. R. Haym, a.a.O. S. 478. Dazu auch oben S. 175f. u. A. 148.

Verantwortungsbewusstsein er sich hätte zum "Beispiel" nehmen können. In den Jahren seiner diplomatischen Tätigkeit waren Gruner und Stägemann die einzigen, nach deren Anweisungen er sich gesinnungsmässig immer richten durfte, sooft er innere Unterstützung brauchte [60]. Aber was sie mit ihren beschränkten Mitteln erreichen konnten, stand zu den Taten eines Tettenborn in keinem Verhältnis, und in dem darin ausgedrückten Wandel des faktisch Möglichen erblickte Varnhagen den tragischen Zustand seiner Zeit. "... welche Kluft zwischen den Jahren 1813 u. 1818 in Preussen!", hatte er in einem Brief an Gruner ausgerufen und damit den konkreten Verlust seiner bisherigen äusseren Erlebniswelt beklagt [61]. Gleichzeitig vertrat er aber auch die Auffassung, dass durch die "jüngere Generation", nämlich die "jungen Leute von 1813 und 1814 ... eine neue Epoche ... und mit ihnen ... ein neuer Geist ins Leben" treten werde [62], doch obgleich er selbst später die liberalen Forderungen dieser Generation in den jungdeutschen Kreisen unterstützte [63], konnte er dabei für seine eigene Person keine ausreichende Bestimmung mehr finden, die zuletzt der ständig fortschreitenden, sich selbst revolutionierenden Zeitentwicklung entsprochen hätte [64].

Die Geschichte seiner eigenen Generation war für Varnhagen nach dem Wiener Kongress allmählich stehengeblieben, und später verschwand sie mehr und mehr im Dunkel des Vergangenen. Unter den veränderten äusseren Verhältnissen erlosch in Varnhagen das geschichtliche Erlebnisvermögen, und es war bezeichnend für sein hohes künstlerisches Bewusstsein, wenn er nun innerhalb der Möglichkeiten der Geschichtschreibung eine Form wählte, die faktisch gerade in seinem dem unmittelbaren Leben entrückten Standpunkt

[60] Vgl. Varnhagen an Gruner, Karlsruhe 11. April 1818: Bln StB StPrKb HsAbt Ms. Germ. Quart. 1988 Bl 35-36 "Ich thue das meinige, um nicht im Innern der lähmenden Seuche Eingang zu geben, und ich darf mich gelungener Anstrengungen rühmen, aber ich gestehe es, das Beispiel Anderer ist mir erwünscht, ist mir nöthig! Wenige kann ich dahin rechnen, Sie und Stägemann aber vor allen Andern". Ferner Varnhagen an Gruner, Karlsruhe 20. Dez. 1817: Bln StB StPrKb HsAbt Ms. Germ. Quart. 1988 Bl 21-22 "Auffallend war mir... der ausserordentliche Mangel an eigentlichen politischen Talenten, denn auch für andre Aemter suchte man vergebens die geeigneten Männer. Sonderbar, dass während in Deutschland das politische Interesse und Urtheil sich im Allgemeinen unläugbar vermehrt und verbreitet, die einzelne Tüchtigkeit, die an der Spitze stehn könnte, doch eigentlich so selten ist!" Varnhagen an Cotta, Karlsruhe 3. Feb. 1819: SNM Cotta-Archiv Nr. 102 "Es fehlt entsetzlich an Staatsmännern, und die dazu taugten, stehn nicht auf der Liste!" Vgl. auch Varnhagen an Reimer, Tübingen 30. Jan. 1809: Ungedruckte Briefe an Georg Andreas Reimer, a.a.O. S. 111 "... ich selbst habe zwei vortreffliche junge Männer kennen lernen, aber sie dringen nicht weiter, sie sind wie ich, bedürfen des Anschliessens..." Ferner Dkw I², 490. II³, 78. Vgl. R. Haym, a.a.O. S. 455.
[61] Varnhagen an Gruner, Baden b. Rastatt 10. Sept. 1818: Bln StB StPrKb HsAbt Ms. Germ. Quart. 1988 Bl 59-60. Vgl. Varnhagen an Gruner, Karlsruhe 20. Dez. 1817: Bln StB StPrKb HsAbt Ms. Germ. Quart. 1988 Bl 19 "Hätte Preussen noch die Achtung, die es im Jahre 1813 und 1814 besass, dann wäre seine Sprache stark genug..."
[62] [Varnhagens Artikel] *Vom Main, 14 Sept, AZ (1818) S. 1068. Dazu vgl. auch oben S. 145 u.A. 23.
[63] Vgl. H. H. Houben. Jungdeutscher Sturm und Drang, S. 549ff.
[64] Vgl. dazu Varnhagen an Troxler, Mannheim 23. Sept. 1816: Troxler-Bfw S. 144. MAL II, 306.

begründet lag. Denn: "Jeder Lebenslauf", wusste er selbst, "mündet zuletzt in das Sterben ein, das ist eine unglückliche Einförmigkeit aller Biographie" [65]. Aber ebenso war er sich über die historiographische Aufgabe im Klaren, die ihm nur daraus erwachsen konnte, dass er das Vergehende vor dem Vergessenwerden bewahren wollte, und so entstand die von ihm häufig gebrauchte Maxime: "Äusserlichkeiten kann man festhalten, der Geist ist nicht zu bannen, ewig beweglich schwebt er durch die Schöpfung und stürzt sich in neue Verkörperungen; wir aber sind verurtheilt auch die Leichen zu bewahren, die er zurückgelassen, die Schlangenhäute, die er abgelegt. Das ist unsre Geschichte, das sind unsre Denkmale" [66]. Doch im Vergleich zu seinen beiden ersten historiographischen Darstellungen sowie überhaupt im "eigentlichsten Sinne des Worts" sind Varnhagens Biographien keine "Geschichtswerke" [67].

2. "Leben Karl August's, Fürsten von Hardenberg"

Varnhagen hatte sich bereits, ehe er in Hamburg seinen historiographischen Durchbruch erlebte, mit einem grösseren biographischen Stoff beschäftigt. An der Lebensbeschreibung des 'Grafen Wilhelm zur Lippe', die er 1824 in dem als erstem erschienenen Band seiner 'Biographischen Denkmale' veröffentlichte, hatte er schon in jenem Winter 1812/13 zu arbeiten begonnen, als er sich im damals noch französisch besetzten Berlin aufhielt und sich unter der ständigen Bedrohung, verhaftet zu werden, zwar möglichst im Verborgenen halten musste, aber gleichzeitig auch an seinen Lebensunterhalt zu denken hatte [68]. Später hat Varnhagen während des Wiener Kongresses, an dem er in einer ähnlich unauffälligen Stellung teilnahm, seine drei biographischen Studien über Humboldt, Metternich und Talleyrand verfasst, die er allerdings nur als Vorarbeiten zu einer in seinem Sinn geschichtlichen Darstellung betrachtete, und schliesslich schrieb er die 1818 in den 'Zeitgenossen' erschienene Biographie Tettenborns. Doch auch seine beiden früheren rein historiographischen Darstellungen enthielten Spuren einer biographischen Neigung, und danach liesse sich Varnhagens Geschichtschreibung überhaupt als eine wesentlich biographische weitgehend erklären [69], wenn dabei nicht bloss ein stilistisches Merkmal berücksichtigt wäre.

Als Varnhagen nämlich 1821 Hardenberg in einem privaten Schreiben den Vorschlag machte, dessen eigenes "Leben und Wirken" historisch zu be-

---

[65] Varnhagens Notiz, 20. Juli 1855: Tgb XII, 184.
[66] Varnhagens Notiz, 27. März 1846: SNM HsAbt 2 7582. Vgl. L. Stern. Vorwort. In: Die Varnhagen von Ensesche Sammlung, S. IX. Ferner auch den Faksimiledruck auf dem Blatt mit Varnhagens lithographiertem Porträt nach Ludmilla Assing von P. Gottheiner.
[67] Vgl. R. Haym, a.a.O. S. 485. Ferner auch E. Howald. Varnhagen von Ense, a.a.O. S. 169f.
[68] Vgl. D. Schlegel an Varnhagen, Wien 23. Feb. 1813: D. v. Schlegel geb. Mendelssohn und deren Söhne J. und P. Veit. Briefwechsel II, 143. Ferner vgl. oben S. 51 A. 115.
[69] Vgl. O. F. Walzel. [Varnhagen-Artikel] In: ADB 39 (1895) S. 776.

arbeiten [70], versuchte er damit, seiner gesellschaftlichen Stellung einen Sinn zu geben, durch den er ausserdem seine politischen Anschauungen erwidert finden konnte, und wie es für ihn immer galt, musste sich auch dieser historiographische Plan aus den realen Voraussetzungen geradezu aufdrängen, sodass sein persönliches Verhältnis zu Hardenberg offenbar auf ein tieferes Vertrauen gegründet gewesen zu sein scheint. Doch dieser Annahme widerspricht beispielsweise Hardenbergs Zurückhaltung, als er Varnhagen den Eintritt in den preussischen Dienst hätte erleichtern sollen und dabei seine Anstellung bis zuletzt verzögerte [71]. Aber solange es zwischen ihnen zu keiner eindeutigen Entfremdung kam und Varnhagen sich "mit vertrauenvoller Zuversicht", wie er an Hardenberg einmal schrieb, auf dessen "menschenfreundliche Güte" verliess [72], blieb er ihm enger verpflichtet, als er es in einem ordentlichen Amtsverhältnis hätte sein können. Der ganze Aufwand, mit dem diese Beziehung gepflegt wurde, hatte dadurch etwas Unrealistisches und vermittelte Varnhagen kein historisches Erlebnis, aber wenigstens einen geselligen Verkehr [73].

Den Ausfall, den Varnhagen damit als Historiker selbsterlebter Ereignisse in Kauf nehmen musste, suchte er durch den halbamtlichen Journalismus, dem er sich mit Hardenbergs Einverständnis widmete, auszugleichen und da Hardenberg in der Regel die einzelnen Artikel wie übrigens auch die Flugschrift zur sächsischen Frage selber durchlas und nach seinem Gutdünken änderte [74], lieferte er Varnhagen unmittelbare Zeugnisse seiner freien Gesinnung. Bei diesem auf schriftlicher Basis stehenden Gedankenaustausch lernte er in Hardenberg den liberalen Politiker kennen, der für ihn gleichzeitig auch die geschichtlich bedeutende Gestalt verkörperte und der nicht nur ein diplomatischer Bevollmächtigter war, dessen Arbeitseifer er bewunderte [75], sondern ebenso ein verantwortlicher Vorgesetzter, dem er als 'Pressechef' sogar in mündlichen Besprechungen begegnen durfte [76].

[70] Varnhagen an Hardenberg, Berlin 2. Mai 1821: DZA, Hist. Abt. II, Merseburg, Rep. 92 Hardenberg K 72 Bl 61-62. Vgl. dagegen H. H. K. Kindt, a.a.O. S. 156 "Varnhagen schreibt… eine Geschichte des Landes, für die er den Staatskanzler um Unterlagen bittet".

[71] Vgl. C. Misch, a.a.O. S. 33ff.; 36f.

[72] Vgl. Varnhagen an Hardenberg, Teplitz 15. Juli 1814: DZA, Hist. Abt. II, Merseburg, A.A.I. Rep. 4. Nr. 2825 Bl 1-2.

[73] Vgl. Varnhagen an Rahel, Paris 16. Sept.; 1.; 18. Okt. 1815: Bfw V, 1; 53; 90f. Ferner Dkw NF III (= VII), 218ff. IV³, 350f. Vgl. auch Dkw NF III (= VII), 164. IV³, 307. Dazu oben S. 142f. Dagegen K. [L.] v. Woltmann. Preussische Charaktere, a.a.O. S. 107. Ferner H. Haering, a.a.O. S. 134.

[74] Vgl. Varnhagen an Rahel, Paris 26. Aug. 1815: Bfw IV, 282. Dazu oben S. 120 u.A. 21. Ferner auch Varnhagen an Cotta, Berlin 8. Feb. 1820: SNM Cotta-Archiv Nr. 122. Dazu vgl. unten S. 201 u.A. 100.

[75] Vgl. Varnhagen an Otterstedt, Paris 9. Sept. 1815: Köln UuStB XV 911 "Der Kanzler ist vergraben in Arbeit, niemand wird seiner habhaft!" Ferner Varnhagen an Rahel, Paris 30. Aug.; 29. Juli; 16. Aug. 1815: Bfw IV, 292; 228f.; 255 dagegen.

[76] Vgl. Dkw NF III (= VII), 219. IV³, 351. Dazu Varnhagen an Otterstedt, Paris 19. Aug. 1815: Köln UuStB XV 910 "Ich habe jetzt viel zu thun; regelmässige Arbeiten täglich für den Kanzler, zweimal wöchentlich ausserdem eine Art Vortrag bei ihm". Varnhagen an Rahel, Paris 19. Aug. 1815: Bfw IV, 260. Ferner Dkw NF III (= VII), 211f. IV³, 345f.

Während des Pariser Aufenthalts im Jahr 1815 bestanden unter diesen Voraussetzungen zwischen Varnhagen und Hardenberg die engsten persönlichen Beziehungen [77]. In den folgenden Jahren entstand durch die räumliche Entfernung ihrer Wirkungskreise eine Veränderung, und während sich Hardenberg immer mehr verschloss, suchte Varnhagen um so eifriger, von ihm politische Unterstützung zu erlangen [78]. Dabei ging er sogar so weit, dass er sich ausserhalb seiner diplomatischen Aufgabe Hardenberg als halbamtlichen Publizisten zur Verfügung stellte und wie früher für ihn Pressestimmen zu begutachten versprach [79]. Doch schliesslich drängte er auf eine persönliche Begegnung und reiste dazu sogar nach Berlin [80], nur unterschätzte er damals die Macht der Verhältnisse, und sobald er Hardenberg zu einer eindeutigen Stellungnahme veranlassen wollte, musste der vertrauliche Umgangston zwischen ihnen stören. Varnhagen bemerkte nicht, dass er Hardenberg persönlich verletzte, wenn er überhaupt nur zur Sprache brachte, dass er Aussichten auf eine württembergische Staatsstelle hatte [81]; denn indem er sich davon eine entsprechende diplomatische Rangerhöhung versprach, belastete er bloss das bisherige Vertrauensverhältnis. Hardenberg dagegen wich diesem Ansinnen aus und liess ihn zuerst wieder warten, bis er ihn immerhin mit dem Titel eines Minister-Residenten ausstattete und nach Karlsruhe zurückentsandte [82].

[77] Vgl. dazu Varnhagen an Rahel, Paris 29. Juli; 30. Aug. 1815: Bfw IV, 228f.; 292. Dagegen Varnhagen an Rahel, Paris 16. Aug. 1815: Bfw IV, 255.
[78] Vgl. Varnhagen an Hardenberg, Mannheim 5. April 1817: DZA, Hist. Abt. II, Merseburg, A.A.I. Rep. I. Nr. 653 "Ich bitte Ew. Durchlaucht daher dringend und inständigst, mir ein Vertrauen, ohne welches ich mich einer solchen Anstellung wie die meinige nicht einmal würdig gefunden worden wäre, und das die Kenntniss meines Karakters mir gewiss in ausgezeichnetem Masse zusprechen darf, nicht zu entziehen..." Varnhagens Depesche an Hardenberg, Karlsruhe 31. Juli 1816: DZA, Hist. Abt. II, Merseburg, A.A.I. Rep. I. Nr. 659 Bl 3 "Ew. Durchlaucht werden mir gewiss den freimüthigsten Ausdruck solcher Ansichten... um so gütiger verzeihen, als Ew. Durchlaucht selbst mich gewöhnt haben, Höchstdenselben in jeder Rücksicht vertrauensvoll zu nahen..."
[79] Vgl. Varnhagens Depesche an Hardenberg, Karlsruhe 23. Jan. 1817: DZA, Hist. Abt. II, Merseburg, A.A.I. Rep. I. Nr. 660 Bl 9-10 "Ich getraue mich in ähnlichen Veranlassungen, so oft mir Ew. Durchlaucht mit den nöthigen Sachangaben Höchstderen gütige Aufträge zukommen lassen wollten, für die öffentlichen Blätter zweckmässigere und wirksamere Aufsätze mit Zuversicht zu versprechen". Varnhagen an Hardenberg, Karlsruhe 7. Mai 1818: DZA, Hist. Abt. II, Merseburg, Rep. 92 Hardenberg K 72 Bl 45-46 "Ich glaube mich durch mein amtliches Verhältniss eben so verpflichtet, als ich mich durch persönliche Hingebung gedrungen fühle, Ew. Durchlaucht getreulich alles darzulegen, was innerhalb meines Kreises der Zustand der öffentlichen Meinung in Bezug auf Preussens Beurtheilung darbietet".
[80] Vgl. Varnhagen an Rahel, Frankfurt a.M. 28.; 30. Aug.; Berlin 16. Okt. 1817: Bfw V, 227; 228; 235f. Varnhagen an Troxler, Karlsruhe 16. Juni; 11. Dez. 1817: Troxler-Bfw S. 175; 184. MAL II, 344; 353. Ferner auch Dkw NF II (= VI), 207f. III², 409f. IX, 161f. V³, 158f.
[81] Vgl. C. Misch, a.a.O. S. 40ff.
[82] Vgl. Dkw IX, 197ff. V³, 186ff. Vgl. NF II (= VI), 244. III², 445. Ferner Varnhagen an Rahel, Berlin 25.; 27.; 31. Okt.; 3.; 8.; 10. Nov. 1817: Bfw V, 254f.; 261; 269; 275; 287; 290f. Varnhagen an Küpfer, Berlin 28. Okt. 1817: Varnhagen von Enses Briefe an Legationssekretär Heinrich Küpfer, a.a.O. S. 359. Vgl. auch Varnhagens Notiz, 10. Okt. 1839: Tgb I, 148f. Varnhagen. Karl Müller, a.a.O. S. 51. VSchr VIII, 331f. III³, 125f. Ferner M. Blumenthal. Aus Hardenberg's letzten Tagen, a.a.O. S. 6.

Nachdem 1818 Bernstorff die Leitung der Auswärtigen Angelegenheiten übernommen hatte, verlor Varnhagens Verhältnis zu Hardenberg noch mehr an Realität. Aber als 1819 der Buchhändler und Publizist Schöll ins Staatsministerium berufen wurde, musste sich Varnhagen bei aller Gelassenheit, die er zur Schau trug, trotzdem übergangen fühlen. Schöll fielen nämlich jene publizistischen Aufgaben zu, die Varnhagen stets mit Begierde zu übernehmen bereit geblieben war, weil er wusste, dass sonst "niemand da" war und Hardenberg daher schon längst eine persönliche Hilfe brauchte [83]. Doch in seinem personalen Vertrauen zu Hardenberg liess er sich weder durch Schölls Berufung, noch durch die mangelnde politische Entschlossenheit umstimmen. Er war grundsätzlich von Hardenbergs freiheitlicher Gesinnung überzeugt, aber er hatte keinen Anlass, sich als dessen "Günstling" zu betrachten und wollte auch nicht als sein "Anhänger" gelten [84]. Um so schwerer bleibt es deshalb zu verstehen, dass Varnhagen 1819 in Berlin die frühere halbamtliche Journalistentätigkeit trotzdem wiederaufnahm und von Hardenberg immerhin drei Artikel zur Veröffentlichung genehmigt erhielt [85]. Dabei hatte er im Unterschied zu früher keinen direkten Zutritt mehr; denn Hardenberg zog sich damals ganz in seine privaten Kreise zurück und verschloss sich sogar seinem Schwiegersohn, dem Fürsten Pückler. Später dagegen verwendete er gerade ihn zu jener Berichter-

---

83 Vgl. Varnhagen an Gruner, Karlsruhe 23. März 1819: Bln StB StPrKb HsAbt Ms. Germ. Quart. 1988 Bl 74-75 "Diese Ernennung des Hrn Schöll zu einer der einflussreichsten Stellen wird uns in der Sache kein Gewinn, in dem öffentlichen Ruf keine Ehre bringen ... Freunde haben an mich gedacht; aber ich bekenne, dass ich unter den jetzigen Umständen mit Zittern eine Berufung vernehmen würde, in der ich nur ein schnelles Opfer werden müsste! Gewiss, der Neid kann diesmal keinen Antheil an dem Tadel haben, den ich ausspreche". Dagegen Varnhagen an Gruner, Karlsruhe 22. April 1819: ebda Bl 76-77 "Halten Sie es für möglich, dass der für Hrn Schöll bestimmt gewesene Platz mir angetragen werden könnte?" Ferner dazu Varnhagen an Cotta, Frankfurt a.M. 14. Feb. 1816: Briefe an Cotta II, 8. Varnhagen an Gruner, Karlsruhe 24. Aug. 1817: Bln StB StPrKb HsAbt Ms. Germ. Quart. 1988 Bl 15-16 "Dass aber der Staatskanzler ohne bedeutende Gehülfen nicht länger bleiben könne und in dieser Rücksicht zu irgend einem Entschlusse genöthigt sei, leuchtet mir aus dem, was ich erst heute durch Hrn Berstett über den Verfall seiner körperlichen Kräfte und zunehmende Taubheit gehört, leider nur allzusehr ein". Varnhagen an Troxler, Karlsruhe 11. Dez. 1817: Troxler-Bfw S. 185. MAL II, 355. – Ferner Stägemann an Varnhagen, Berlin 24. Feb.; 1. Mai 1819: Briefe von Stägemann, Metternich, Heine, S. 80; 90. Vgl. auch F. v. Oppeln-Bronikowski. David Ferdinand Koreff, S. 305. Ölsner an Varnhagen, Paris 3. März 1819; Varnhagen an Ölsner, Karlsruhe 12. März 1819: Ölsner-Bfw I, 232, 238.
84 Vgl. Varnhagen an Ölsner, Berlin Anfang Nov. 1819: Ölsner-Bfw I, 311. Vgl. Dkw IX, 560. VI³, 110. Ferner Varnhagens Notiz, 10. Okt. 1839: Tgb I, 148f.
85 Vgl. Varnhagen an Cotta, Berlin 8. Feb. 1820: SNM Cotta-Archiv Nr. 122 "Ist es nicht vortrefflich, dass in solchem Geiste, wie die drei Aufsätze sind, öffentlich geredet werden darf? Ich kann Ihnen versichern, dass unser ehrwürdiger Fürst Staatskanzler noch derselbe ist, der er in Wien war ..." Ferner Varnhagen an Cotta, Berlin 15. März 1820: SNM Cotta-Archiv Nr. 123 "Der Fürst Staatskanzler hat mir einige Beweise des Vertrauens gegeben, wie ich sie früher nie empfangen". Dazu C. Misch, a.a.O. S. 74f. – Vgl. [Varnhagens Artikel] **Berlin, 21 Jan, AZ (1820) S. 136; **Berlin, 8 Febr, AZ (1820) S. 204. Ferner [Varnhagens] Schreiben aus Berlin, AZ (1820) S. 120.

stattung, die früher zu Varnhagens Aufgaben gezählt hatte [86], und damit trat Pückler an die Stelle, die vor ihm Schöll innegehabt hatte.

Varnhagen war diese Umbesetzung nicht entgangen [87], und offenbar dachte er damals daran, seine Beziehungen zu Pückler, den er schon 1814 in Paris kennengelernt hatte, im Hinblick auf seine biographische Darstellung Hardenbergs auszunutzen [88]. In derselben Absicht besuchte er sogar die Fürstin Pückler, mit welcher er ebenfalls seit 1814 bekannt war [89], und was sie ihm bei dieser geselligen Gelegenheit aus dem Leben ihres Vaters mitteilte, darf in Varnhagens Formulierung als Vorarbeit zu der von ihm geplanten Hardenberg-Biographie gelten. Er hatte daran das mündliche Zeugnis einer Zeitgenossin, das sich für ihn zwar nicht unmittelbar in einen zeitgeschichtlichen Zusammenhang einordnen liess, aber wenigstens einzelne Züge zu seiner Charakteristik vergegenwärtigte [90]. Hardenbergs Stellung in der Geschichte konnte dagegen nur durch ihn selbst für Varnhagen deutliche Umrisse annehmen, und um ihn dazu immerhin anzuregen, schuf er in der Tagesliteratur ein liberal gefärbtes Hardenbergbild. Schon 1815 in Paris hatte er nämlich damit begonnen und sich zunächst auf ein schriftliches Dokument berufen, das die von Hardenberg am 4. August "bei den Friedensverhandlungen" eingereichte Note darstellte. Es war dies die zweite Denkschrift Hardenbergs, in welcher er noch einmal die Forderung nach einer sicheren Westgrenze gegen Frankreich aussprach und zu diesem Zweck eine Reihe von Landabtretungen verlangte, die in Verbindung mit den Namen Elsass und Lothringen den Einheitsgedanken in der deutschen Öffentlichkeit damals beleben mussten [91]; und daher bewies Varnhagen sein publizistisches Zeitverständnis aufs neue, als er Hardenbergs Note wenn auch nur auszugsweise im 'deutschen Beobachter' veröffentlichte. Doch grundsätzlich ging es ihm um eine geschichtliche Würdigung Hardenbergs, dessen Liberalität gerade in diesem Dokument deutlich zum Ausdruck kam; denn, nach Varnhagens Übersetzung zu schliessen, erklärte er, dass er sich gegenüber seinen "Zeitgenossen und ... Nachkommen ... verantwortlich" fühlte und "eine

---

[86] Vgl. Pückler an Hardenberg, Berlin 15. Jan. 1822: M. Blumenthal. Aus Hardenberg's letzten Tagen, a.a.O. S. 9. Dazu ebda S. 8.

[87] Vgl. Varnhagens Notiz, 7. Jan. 1822: BpG II, 4 Vgl. F. v. Oppeln-Bronikowski, a.a.O. S. 472. Ferner ebda S. 133*.

[88] Vgl. Varnhagen an Rahel, Paris 21. Mai 1814: Bfw III, 363. Ferner Varnhagens Notiz, 30. Dez. 1819: BpG I, 35. Dagegen P. Schnirch. Fürst Hermann von Pückler-Muskau und K. A. Varnhagen von Ense. Masch.-Diss. Phil. I (Wien 1914) S. 17, wo diese Begegnung nicht erwähnt ist.

[89] Vgl. Dkw NF III (= VII), 256. V³, 3. Dazu R. M. Varnhagen an Varnhagen, Altona 24. Okt. 1814: L. Assing. Fürst Herman von Pückler-Muskau, S. 160. Stägemann an Varnhagen, Berlin 16. Mai 1817: Briefe von Stägemann, Metternich, Heine, S. 48.

[90] Vgl. [Varnhagen] Aus mündlicher Mittheilung der Fürstin von Pückler, geschiedenen Gräfin von Pappenheim, geb. Freiin von Hardenberg. In: L. Assing. Fürst Hermann von Pückler-Muskau, S. 196ff. Dazu L. Assing, ebda S. 204 A*. Ferner auch Varnhagens Notiz, 28. Dez. 1827: BpG IV, 354. Vgl. dazu P. Schnirch, a.a.O. S. 17 "Ein herzliches Freundschaftsverhältnis hatte sich jedoch zwischen Lucie, der Fürstin Carolath und Rahel entwickelt..."

[91] Dkw NF III (= VII), 218. IV³, 350. Vgl. K. Griewank. Der Wiener Kongress und die Neuordnung Europas 1814/15, S. 264f.

Sache von solcher Wichtigkeit, von der das Glück und die Gestalt der Zukunft abhängen, nicht zu versäumen" gewillt sei [92]. Damit berücksichtigte er selbst zwar die öffentliche Meinung als Ausdruck geschichtlicher Notwendigkeit, die er schliesslich ebenso, wie er sich ihr unterwarf, auch für seine machtpolitischen Zwecke auszunützen hoffte. Doch der Misserfolg, den er in Paris als Sprecher nationaler Forderungen hatte, lag mit in der gesellschaftlich eingeschränkten Verhandlungsführung seiner Ministerkollegen begründet, und darin unterschied sich auch die Stimmung an den Pariser Verhandlungen, wie es Varnhagen zu bezeichnen pflegte, physiognomisch von derjenigen, die am Wiener Kongress geherrscht hatte [93].

Als sich Hardenberg gegen das Ende seiner Laufbahn mit Günstlingen umgab, die bis auf Pückler zur Hauptsache bürgerlicher Herkunft waren, und damit auf die gesellschaftliche Bedeutung seiner amtlichen Stellung keinen Wert zu legen schien, rückte sein Leben für Varnhagen wiederum ins hellste Licht und musste sich ihm als Stoff zu einer biographischen Konstruktion beinahe aufdrängen [94]. Da er aber später bei der Ausführung seines Planes scheiterte, zeigte es sich, dass er persönlich Hardenberg zu nahe gestanden war und lieber einem anderen die Arbeit überliess, der nicht wie er noch den Menschen selbst gekannt und schon damals als geschichtliche Gestalt betrachtet hatte; denn ein aus innerer Erlebnisfülle schöpfender Schriftsteller war Varnhagen nicht [95]. In einem 1817 veröffentlichten Artikel hatte er versucht, sich selber die zeitgeschichtlich fragwürdige Lage zu erklären, die unter Hardenbergs rückschrittlicher Politik entstanden war. Dabei glaubte er nun, was seinem eigenen Bild von Hardenberg widersprach, in dessen persönlichem "Geiste" begreifen zu können, und so wandte er sich zugleich an eine Leserschaft, die, wie er ausdrücklich bemerkte, "zu rechter Einsicht mit der Fähigkeit auch die Gelegenheit vereinigen" sollte [96]. Mit diesem zeitlich relativierenden Kunstgriff, durch

[92] Vgl. Hardenbergs Note, 4. Aug. 1815: Dkw NF III (= VII), 216. IV³, 349. Ferner C. L. Klose. Leben Karl August's, Fürsten von Hardenberg, S. 426. Dagegen H. C. v. Gagern. Der zweite Pariser Frieden, a.a.O. II, 74 "Les contemporains et la postérité nous blameraient et nous accuseraient hautement et avec raison, si nous pouvions négliger un article d'une aussi grande importance. Nous avons une grande responsabilité". Dazu H. C. v. Gagern ebda I, 158. K. Griewank. Der Wiener Kongress und die Neuordnung Europas 1814/15, S. 265 A. 40. Ferner vgl. Varnhagen an Otterstedt, Paris 30. Aug. 1815: Köln UuStB XV 910 "Unser Kanzler hat das Seinige redlich gethan, und thuts noch, aber ich wünschte, dass alle Welt es wüsste; lassen Sie aus dem deutschen Beobachter einen Aufsatz ü. diesen Gegenstand in die Fftr Zeitung aufnehmen; der Aufsatz enthält einen Auszug aus des Kanzlers Memoire". Varnhagen an Rahel, Paris 30. Aug. 1815: Bfw IV, 292.
[93] Vgl. oben S. 126; 142.
[94] Vgl. dazu Varnhagens Notiz, 14. Mai 1841: Tgb I, 299. Ferner oben S. 181.
[95] Vgl. Schön an Varnhagen, Preussisch-Arnau 28. Juni; 23. Juli 1852: L. Assing. Karl Theodor von Schön, preussischer Staatsminister und Burggraf von Marienburg. Die Gegenwart, 2 (1872) S. 71; 98f. Vgl. Aus den Papieren des Ministers Theodor von Schön II, 278; I, 221. Ferner Varnhagen an Schön, Berlin 30. Juni 1852: ebda II, 281. Vgl. auch R. Haym, a.a.O. S. 480f.
[96] [Varnhagens Artikel] *Aus dem Preussischen, 16 März, AZ (1817) S. 344. Vgl. auch [Varnhagens Artikel] **Berlin, 21 Jan, AZ (1820) S. 136 "Auch ohne den Buchstaben einer Verfassungsurkunde schon zu besitzen, sehen wir den *Geist* konstitutioneller Einrichtungen mit thätiger Kraft in unsrer Staatsverwaltung einwirken".

den er in sein zeitgeschichtliches Blickfeld auch den Leser miteinbezog, setzte er sich über die realen Verhältnisse seiner eigenen Zeit hinweg, und in einem späteren Artikel, den Hardenberg selbst nicht zur Veröffentlichung freigab, deutete Varnhagen dessen Persönlichkeit geradezu, als ob er es mit einem nicht-existenten Menschen zu tun habe. Denn mit grösstem publizistischem Geschick sprach er zuerst von den ungerechtfertigten Nachrichten, die in der auswärtigen Presse verbreitet worden seien und auf oppositionelle Bewegungen in Preussen hinwiesen, worauf er diesen Verdacht so zu widerlegen versuchte, dass er jede politische Erscheinung als Opposition bezeichnete, sofern sie innerhalb eines Landes eine selbständige Organisation darstellte. ”Hier“, fuhr er dann im Hinblick auf Preussen fort, ”werden dergleichen Erscheinungen höchstens geträumt; zu ihrer Wirklichkeit fehlt es an allen Erfordernissen. Wo sind, möchte man fragen, die Häupter, die solchen Namen verdienen oder auch nur annehmen dürfen? wo die bestimmten Werkzeuge, die einem bestimmten Zwecke daurend dienen? ja sogar, wo der Zweck selbst, dessen reiner und klarer Ausspruch allenfalls einen Theil der öffentlichen Meinung zusammenhielte?“ ”Persönliche Absichten“ erachtete Varnhagen als unzureichende Beweggründe einer Opposition, deren führender Sprecher vielmehr einen ”tiefen und ernsten Karakter“ haben sollte, und zu ”jenem Karakter aber“ fehlte, wie er einschränkend bemerkte, ”grade alles, Boden, Gegenstand, Gelegenheit, Zusammenhang, Anlass, Haupt und Werkzeug!“ [97]

Gegenüber dem, was Varnhagen in dem Artikel von 1817 geäussert hatte, waren dies noch weitere notwendige Bedingungen geschichtlichen Verständnisses, die er in seiner Umwelt vermisste. Aber solange er selbst ”Einsicht“ und ”Fähigkeit“ besass [96], konnte er sich auch in einer Welt, die faktisch nicht mit den liberalen Forderungen der Zeit übereinstimmte, geschichtlich zurechtfinden, und bei dieser unrealistischen Betrachtungsweise erschien ihm Hardenberg als die eigentlich führende Persönlichkeit einer faktisch nicht bestehenden Opposition, doch in dieser Rolle war er damals nur noch aus der zeitgeschichtlichen Lage des Jahres 1813 denkbar, und in dieser ”Einsicht“ und ”Fähigkeit“ stimmten Varnhagen und Hardenberg ihrerseits bei der Erneuerung ihres Vertrauensverhältnisses nach der Abberufung überein; denn obschon keine äussere ”Gelegenheit“ bestand, bewiesen sie damit doch jenen ”tiefen und ernsten Karakter“, an dem sich die ”Gutgesinnten“ erkennen konnten und durch den sie sich auch auszeichneten [98]. Varnhagen hat, wie er Hardenberg gestand, in diesem Artikel seine ”innerste Überzeugung“ ausgesprochen, und er musste dies schon deshalb tun, weil er weder konkrete Belege noch persönliche Anleitung erhalten hatte und trotzdem seine Anteilnahme bekunden wollte. ”Die Verhältnisse“, schrieb er, ”welche darin berührt sind, erforderten vielleicht eine stärkere Färbung, allein, ohne völlig eingeweiht zu sein und

---

[97] [Varnhagens Artikel] Berlin, den ten Mai, Beilage zu Varnhagen an Hardenberg, Berlin 4. Mai 1820: DZA, Hist. Abt. II, Merseburg, Rep. 92 Hardenberg K 72 Bl 54-55.
[98] Vgl. Anm. 97. Ferner Varnhagen an Ölsner, Karlsruhe 12. März 1819; Berlin 13. Dez. 1822: Ölsner-Bfw I, 273f.; II, 399f. Vgl. auch Varnhagen an A. Bölte, Berlin 5. Feb. 1852: Briefe an eine Freundin, S. 274.

grossentheils aus der Konjektur schreibend, musste ich mich begnügen ... bloss anzudeuten ..." [99].

Wenn Varnhagen sich an dieser Stelle über Hardenbergs Verschlossenheit enttäuscht zeigte, hatte er insofern eine gewisse Berechtigung, als er noch vor wenigen Monaten dessen ganzes Vertrauen erneut zu besitzen schien, und jenes geschichtliche Verständnis der eigenen Zeit, an dem Varnhagen die historische Bedeutung seiner Zeitgenossen zu beurteilen pflegte, hatte Hardenberg durchaus. Nachdem Varnhagen 1815 die Note vom 4. August hatte veröffentlichen dürfen, fand sich 1820 noch einmal ein Anlass, dass er ein von Hardenberg persönlich verfasstes historisches Dokument zu lesen bekam. In einem "für die allgemeine Zeitung bestimmten Artikel", der die Grundzüge einer konstitutionellen Erneuerung Preussens behandelte, hatte Varnhagen einseitig den Freiherrn vom Stein als den Urheber der preussischen Reformen von 1807 bezeichnet, und Hardenberg dadurch zu einer Erklärung veranlasst, die er selbst handschriftlich in Varnhagens Manuskript ergänzte. Hardenberg wollte dabei, wie er in seinem Begleitschreiben versicherte, Steins "Verdienst" nicht bestreiten, sondern nur sein eigenes ins rechte Licht setzen, und um seine Behauptung faktisch zu belegen, schickte er ihm die damals noch beschränkt bekannte, aus dem Jahr 1807 stammende Denkschift 'Über die Reorganisation des preussischen Staats' [100]. War vorher Varnhagen an Hardenberg noch irre gewesen, so fühlte er sich nun aufs engste mit ihm verbunden, und mit der ihm eigenen Begeisterungsfähigkeit notierte er unter seinen täglichen Aufzeichnungen: "Der Staatskanzler theilt mir im Vertrauen seinen ausführlich entworfenen Plan zur Reorganisation Preussens, wie er ihn im Jahre 1807 von Riga eingesandt, mit. Darin ist 'Freiheit und Gleichheit' als Wahlspruch

[99] Varnhagen an Hardenberg, Berlin 4. Mai 1820: DZA, Hist. Abt. II, Merseburg, Rep. 92 Hardenberg K 72 Bl 53.
[100] Vgl. Hardenberg an Varnhagen, Berlin 8. Feb. 1820 [Faksimiledruck]: K. Bömer. Varnhagen von Ense, ein "Offiziosus" von ehedem, a.a.O. S. 60. Dagegen die unvollständige "Faksimile-Beilage": C. L. Klose, a.a.O. u. ebda S. 222. Ferner F. Arndt. Hardenberg's Leben und Wirken, S. 269. Vgl. M. Blumenthal. Aus Hardenberg's letzten Tagen, a.a.O. S. 52 A*. – Ferner [Varnhagens Artikel] **Berlin, 8 Febr, AZ (1820) S. 204. Dagegen [Hardenbergs Berichtigung] [Faksimiledruck]: K. Bömer. Varnhagen von Ense, ein "Offiziosus" von ehedem, a.a.O. S. 59 u. ebda S. 61. Vgl. P. G. Thielen. Karl August von Hardenberg, S. 216f. – Ferner Varnhagens Notiz, 24. Nov. 1857: Tgb XIV, 143. Vgl. dagegen Beyme an Varnhagen, Steglitz 18. Jan. 1827: Briefe von Chamisso, Gneisenau, Haugwitz II, 248. Vgl. Denkschriften und Briefe IV, 28. Dazu Varnhagens Notiz, 20. Jan. 1827: BpG IV, 177. Ferner Varnhagen. Blücher, Dkm III, 134 "Stein ... legte in durchgreifenden Verordnungen den Grund zu einem ganz neuen gesellschaftlichen Zustande, wie ihn schon gleich nach dem Frieden von Tilsit ... Hardenberg angerathen hatte, und auch späterhin wirklich theilweise hervorrief". Dkm III², 120 "Stein ... wollte ... den Grund zu einem ... Zustande legen, wie ihn, im Geiste der fortschreitenden Entwicklung, auch ... Hardenberg ... wenn auch nur theilweise bedingt hervorrief". Dkm III³, 82. Dazu auch M. Baumann. Theodor von Schön, S. 181f. Ferner G. Winter. Zur Entstehungsgeschichte des Oktoberedikts und der Verordnung vom 14. Februar 1808, FBPG 40 (1927) S. 24.

aufgestellt und 'demokratische Grundsätze in einer monarchischen Regierung' als die 'angemessenste Form des Zeitgeistes' " [101].

Die Gelegenheit, Auszüge von der Denkschrift zu machen, liess sich Varnhagen nicht entgehen [102], obschon ihn der antiquarische Reiz dieser Urkunde mehr in Anspruch zu nehmen schien als ihr Inhalt. "Die irrige Annahme", antwortete er Hardenberg, "deren ich in meinem Aufsatze erwähnt hatte, löset sich nach dieser ausserordentlichen Darstellung allerdings in das Erstaunen auf, wie gross und umfassend gegen jene Annahme die Wahrheit hier siegreich hervorleuchtet, und welch glänzende Offenbarung ihr einst bevorsteht, wenn solche Geschichtsurkunden einmal das Licht der Öffentlichkeit erblicken dürfen. Ich aber muss jenen Irrthum preisen, der mir zu so glücklichem Anlass geworden, nicht nur einen unschätzbaren Beweis des Vertrauens Ew. Durchlaucht zu empfangen, sondern auch einen neuen vielfachen Stoff der wichtigsten Einsichten und Betrachtungen, die auch für die Verhältnisse der Gegenwart nicht ohne die hellsten Beziehungen sind!" [103] Eine Folge dieser historischen Belehrung war, dass Varnhagen später auch den Plan hatte, eine Biographie des Freiherrn vom Stein zu schreiben, die das Gegenstück zu derjenigen Hardenbergs hätte werden sollen [104]. Denn schon während der Karlsruher Jahre waren ihm ungünstige Äusserungen zu Ohren gekommen, in welchen Stein gegen Hardenberg Stellung genommen habe, und daher fühlte er sich um so mehr veranlasst, diesen vor allem gegenüber Kritikern seines Lebenswandels in Schutz zu nehmen [105].

[101] Varnhagens Notiz, 9. Feb. 1820: BpG IV, 75. Vgl. Varnhagen an Cotta, Berlin 15. März 1820: SNM Cotta-Archiv Nr. 123. Dazu oben S. 197 A. 85. Ferner Hardenbergs Denkschrift, Riga 12. Sept. 1807: Die Reorganisation des Preussischen Staates unter Stein und Hardenberg I, 306; 313. Vgl. C. L. Klose, a.a.O. S. 224; 226. Dazu H. Haussherr. Hardenbergs Reformdenkschrift Riga 1807, HZ 157 (1938) S. 273f. F. Valjavec, a.a.O. S. 384.
[102] Vgl. C. L. Klose, a.a.O. S. 222.
[103] Varnhagen an Hardenberg, Berlin 11. Feb. 1820: DZA, Hist. Abt. II, Merseburg, Rep. 92 Hardenberg K 72 Bl 49.
[104] Vgl. Varnhagen an Ölsner, Berlin 1. Okt. 1825: Ölsner-Bfw III, 319. Varnhagen an Perthes, Berlin 29. Nov. 1828: HH StA Perthes Nachlass I M 17b Bl 35-36 wo die Rede von Plänen ist zu "Biographien Hardenbergs, Steins, Yorks, des Prinzen Louis Ferdinand..." Varnhagen an Beyme, Berlin 14. März 1836. In: Galerie von Bildnissen aus Rahel's Umgang I, S. V. Dazu M. Lenz. Geschichte der Universität zu Berlin I, 31 A. 1. Ferner R. Haym, a.a.O. S. 485.
[105] Vgl. Varnhagen an Gruner, [Ende April 1818]: Bln StB StPrKb HsAbt Ms. Germ. Quart. 1988 Bl 39 "Der Minister von Stein ist ein verfolgender Gegner des Fürsten Hardenberg, wie ich höre, und führt Reden, denen seine Person ein grosses Gewicht giebt". Ferner Varnhagens Rezension zu Steins Briefen an Gagern, JfwK 1 (1833) Sp. 601f. Zur Geschichtschreibung, S. 497f. Dazu [Varnhagens Artikel] †Berlin, 3 April, BzAZ (1833) S. 396. Vgl. auch Varnhagens Notiz, 31. Aug. 1844: Tgb II, 352. Dazu Varnhagens Notiz: Blücher, Dkm III², 546. III³, 368. Dazu C. Friccius. Geschichte des Krieges in den Jahren 1813 und 1814 I, 22f. Ferner Varnhagens Notizen, 1. Juni 1847; 27. April 1854; 28. Mai 1855; 24. Nov. 1857: Tgb IV, 98; XI, 49f.; XII, 104.; XIV, 143. Dazu Varnhagens Notiz: G. H. Pertz. Stein V, Vorsatzseite. Bibl. Varnh. Nr. 1188 "Stein schimpft bei jeder Gelegenheit auf Hardenberg's unmoralischen Wandel, mit einer richterlichen Strenge zu der er gar nicht berechtigt ist. Warum hat er nicht dasselbe Mass für Wilhelm von Humboldt, für Gentz, für Metternich, die jenen darin weit überbieten?... Stein folgt hier... ganz persönlichen Rücksichten. Wer es mit ihm hält, der wird glimpflich behandelt". Dazu H. R. v. Srbik. Metternich I, 113f. Ferner H. Haussherr. Stein und Hardenberg, HZ 190 (1960) S. 267f.

Wenn sich Varnhagen aber bereits vorstellte, dass er von Hardenberg alle Hilfsmittel zu erwarten habe, verfiel er demselben Irrtum wie im Jahr 1817 und belastete das gegenseitige Vertrauensverhältnis mit einer konkreten Sinngebung, für die es nicht geschaffen zu sein schien. Hardenberg übergab seine eigenen Denkwürdigkeiten Schöll zur Bearbeitung, und Koreff, den er vorher begünstigt hatte, konnte sein von ihm schon begonnenes Werk einer Biographie Hardenbergs nicht vollenden [106]. Solange deshalb Schöll anderen von Hardenbergs Schützlingen den direkten Zugang zu ihm behinderte [107], hatte auch Varnhagen keine weitere Aussicht auf eine persönliche Aussprache, und erst nachdem er erfahren hatte, dass Hardenberg erneut jeden von ihnen zu empfangen gewillt sei, unterbreitete er ihm – und zwar noch am Tag, an dem er davon hörte – seinen Vorschlag. Dabei betrachtete er die Arbeit an einer Biographie Hardenbergs nicht als eine bloss darstellerische, sondern es bedurfte für ihn, wie er erörterte, ebenso des "nahen Lebensinteresse's, der helleren Anschauung und der Wärme des Gefühls, wie nur die Gegenwart sie gewähren" könne, "um der historischen Beschäftigung Leben und Reiz zu geben", und damit umschrieb er die Bedeutung des zwischen ihnen bestehenden Vertrauensverhältnisses, das er allgemein als Grundlage seiner geschichtlichen Erlebnisfähigkeit überhaupt voraussetzte [108]. Insofern unterschied er sich beispielsweise auch von Benzenberg, der als Verfasser zeitgeschichtlicher Schriften zunächst politische Forderungen aussprach und sich nicht um die Zustimmung derjenigen Zeitgenossen kümmerte, die ihn bei seinen historischen Arbeiten noch aus eigenem Erleben oder Wissen berichtigen konnten. Diese Art Gleichgültigkeit hatte Gneisenau an ihm ausdrücklich getadelt, und ebenso richtete sich Varnhagens Tadel gegen Benzenbergs Schift über Hardenberg. Denn obschon diese Schrift, was ihre liberale Richtung betraf, auch nach Varnhagens Urteil durchaus "in gutem Sinne geschrieben" war, schädigte sie nicht nur Hardenbergs politische Stellung, sondern schaffte ihm ganz persönliche Ungelegenheiten; denn Benzenberg veröffentlichte sie, ohne mit ihm vorher darüber gesprochen zu haben, auf eigene Verantwortung [109]. Varnhagen lernte an diesem Beispiel, auf die Gesellschaft Rücksicht zu nehmen; denn um Hardenberg nicht zu verletzen, nahm er in seinem Brief nicht mehr ausdrücklich darauf Bezug. "Aber Unterstützung", schrieb er ihm, "und Leitung wären unentbehrlich zur Sicherung

[106] Vgl. F. v. Oppeln-Bronikowski, a.a.O. S. 114*. Dazu Varnhagens Notiz, 7. Juni 1821: BpG I, 321. Vgl. F. v. Oppeln-Bronikowski, a.a.O. S. 435.
[107] Vgl. Varnhagens Notiz, 15. Okt. 1820: BpG I, 216. Vgl. F. v. Oppeln-Bronikowski, a.a.O. S. 390. Ferner auch Pückler an Hardenberg, Berlin 15. Jan. 1822: M. Blumenthal. Aus Hardenberg's letzten Tagen, a.a.O. S. 12.
[108] Varnhagen an Hardenberg, Berlin 2. Mai 1821: DZA, Hist. Abt. II, Merseburg, Rep. 92 Hardenberg K 72 Bl 61-62. Vgl. ebda "Ich darf es ohne Anmassung bekennen, dass ich glaube, ein solches Werk dürfte mir vorzüglich gelingen; allein freilich nicht bloss durch eigene Mittel! Ich bedürfte der Zustimmung, der Unterstützung, ja der Leitung Ew. Durchlaucht". Dazu Varnhagens Notiz, 2. Mai 1821: BpG I, 296.
[109] Vgl. Varnhagen an Ölsner, Berlin 6. Okt.; 1. Nov. 1820: Ölsner-Bfw II, 137f.; 147. Ferner Varnhagens Notizen, 5.; 6. Okt. 1820: BpG I, 212; 214. Dazu J. Heyderhoff. Johann Friedrich Benzenberg, S. 149. Vgl. auch P. G. Thielen, a.a.O. S. 362. Vgl. ferner oben S. 177 u.A. 152.

der Auffassung des ächten Geistes der Dinge und Personen, der wahren Bedeutung des Einzelnen in seinem grösseren Zusammenhange, der sich im Wechsel der Gestalten so häufig verbirgt, und nicht selten in solchen Verhältnissen besteht, welche zwar der Tagesgeschichte nicht ganz enthüllt werden können, aber in der Folge unfehlbar dem Gebiete der Geschichtschreibung anheimfallen, und für welche die künftige Auseinandersetzung durch frühe Initiative der Auffassung entscheidend auf die rechte Bahn gelenkt werden mag" [108].

Varnhagen hat bekanntlich keine Lebensbeschreibung von Hardenberg veröffentlicht. Nachdem bereits Benzenbergs Schrift erschienen war, konnte er ohne die halbamtliche Unterstützung Hardenbergs dessen Lebensgeschichte nicht wieder vor die Öffentlichkeit bringen, und insofern hatte ihn Benzenberg an der Ausführung seines Planes gehindert [110]. Aber die Sorge um Hardenbergs Biographie liess Varnhagen noch in späteren Jahren keine Ruhe. Immer wieder unterhielt er sich oder korrespondierte er mit Menschen, die selbst Hardenberg noch gekannt hatten [111]; auch mit Ranke besprach er sich über ihn [112], und was er schliesslich an Quellen und Zeugnissen aller Art zusammentragen konnte, stellte er seinem Freund Karl Georg Jacob in Halle zur Verfügung und veranlasste ihn, das 'Leben Hardenberg's' zu bearbeiten [113]. Nachdem aber Jacob unerwartet starb, übernahm Carl Ludwig Klose in Breslau die bereits begonnene Arbeit und veröffentlichte sie 1851. Varnhagen, dem er das Buch gewidmet hatte, war an seiner Entstehung als Förderer und Ratgeber wesentlich beteiligt, und sein Anteil, der sich auch gesinnungsmässig auf die historische Beurteilung Hardenbergs auswirkte, wurde dementsprechend deutlicher sichtbar als jene rein politische Ideengemeinschaft, durch die er Schaumann hatte beeinflussen können [114]. Varnhagen überliess Klose nämlich seine Abschrift von Hardenbergs Rigaer Denkschrift, die damals wenn auch noch unvollständig doch zum ersten Mal und zwar vor Rankes Gesamtveröffentlichung im Druck erschien [115].

Daneben enthielt die Faksimile-Beilage, die Hardenbergs dazugehöriges Begleitschreiben wiedergibt, allerdings eine Retusche, denn offenbar glaubte Varnhagen damals noch verschweigen zu müssen, dass er, wie dem Brief zu entnehmen war, den strittigen Aufsatz "für die Allgemeine Zeitung" verfasst

[110] Vgl. oben S. 71; 123.
[111] Vgl. Varnhagens Notizen, 27. Dez. 1839; 9. Juni 1844; 7. Feb. 1847: Tgb I, 157; II, 306f.; IV, 26. Ferner W. v. Humboldt an Varnhagen, Tegel 7. Mai 1830: Denkschriften und Briefe III, 5f.
[112] Vgl. Varnhagens Notiz, 26. März 1836: T. Wiedemann. Leopold v. Ranke und Varnhagen v. Ense nach der Heimkehr Rankes aus Italien, a.a.O. S. 221.
[113] Vgl. Varnhagens Notizen, 7. Feb. 1847: Tgb IV, 26. Ferner C. L. Klose. Vorrede, a.a.O. S. XI.
[114] Vgl. Klose an Varnhagen, Breslau 21. Juni 1851: C. L. Klose, a.a.O. S. V. Dazu Varnhagens Notiz, 14. Mai 1850: Tgb VII, 178. Ferner M. Blumenthal. Aus Hardenberg's letzten Tagen, a.a.O. S. 6f. J. v. Gruner. Die Ordensverleihung an den Geheimen Rat Professor Schmalz 1815, FBPG 22 (1909) S. 170. Dazu vgl. auch oben S. 136.
[115] Vgl. Varnhagens Notiz, 24. Okt. 1851: Tgb VIII, 391. Ferner L. v. Ranke. Denkwürdigkeiten des Staatskanzlers Fürsten von Hardenberg IV, 5*ff.

hatte [116]. Die politische Lage erforderte Zurückhaltung, und dies war mit ein Grund, warum Varnhagen nicht selber Hardenbergs Biographie hatte schreiben können [117]. Solange nämlich die betreffenden Akten und persönlichen Papiere unzugänglich blieben, glaubte er, wie er Theodor von Schön erklärte, nicht, "dass viel mehr zu leisten möglich war", als Klose erreichte [118], und was für Varnhagen ins Gewicht fiel, war der Umstand, dass Hardenberg wenigstens einen liberal gesinnten Biographen erhalten hatte, und dafür hatte er sich auch persönlich eingesetzt. Denn in einem Brief an Gottschalk Eduard Guhrauer, der ihm offenbar die Beziehung zu Klose vermittelte, schrieb er voller Erregung: "Sie lassen mich ohne Bescheid wegen der Fortsetzung der Biographie Hardenberg's! Ist keine Aushülfe dafür zu ermitteln, so muss ich wenigstens dies dem Buchhändler melden, dessen Brief ich mir zum Behuf der Antwort ergebenst zurück erbitte! – Verzeihen Sie mir die Belästigung, die ich Ihnen verursache. Sie geschah doch mit der Voraussetzung, dass einem Ihrer Bekannten hiebei ein Dienst erwiesen werden könnte, und vielleicht geschieht dies noch. Es wäre doch gar zu traurig, wenn die nicht unwichtige Arbeit einem der unfähigen, dürren Schüler Ranke's zufallen müsste!" [119]

Mit Hardenbergs Gestalt verband sich für Varnhagen eine Vorstellung, deren politische Verwirklichung, wie er selber wusste, manchen seiner Zeitgenossen ein Ärgernis bedeutete. Er betrachtete deshalb alle kritische Beurteilung, die Kloses Darstellung betraf, weniger gegen den durch die ungünstigen Forschungsbedingungen eingeschränkten Verfasser gerichtet als vielmehr gegen die Person Hardenbergs selbst [120]. Varnhagen dagegen stimmte mit ihm in den politischen Anschauungen schon darum völlig überein, weil sie seiner eigenen existentiell bedrohten Lage entsprangen, und gerade die Rigaer Denkschrift musste ihn in einzelnen Abschnitten davon überzeugen [121].

Was nämlich Hardenberg im Jahr 1807 zunächst im Hinblick auf die Erneuerung des preussischen Staates und noch unmittelbar unter dem Eindruck

---

[116] Vgl. dazu oben S. 201 A. 100. Ferner Gans an Varnhagen, Berlin 11. Feb. 1831: Denkschriften und Briefe NF (= V), 46f. Dazu auch Dkw IX, 560f. VI³, 110f.

[117] Vgl. Varnhagens Notizen, 25. Mai; 21. Juli 1849: Tgb VI, 188; 277, 279.

[118] Varnhagen an Schön, Berlin 30. Juni 1852: Aus den Papieren des Ministers Theodor von Schön II, 281. Vgl. Varnhagens Notiz, 11. Aug. 1851: Tgb VIII, 295.

[119] Varnhagen an [Guhrauer?], Berlin 12. Nov. 1849: FDtHSt FGM Nr. 8356. Vgl. dazu Varnhagens Notiz, 10. Aug. 1851: Tgb VIII, 294. – Für die Identifizierung des Empfängers spricht zunächst die Tatsache, dass sowohl Guhrauer wie Klose in Breslau lebten. Dadurch erhalten die Worte, in denen Varnhagen von "einem Ihrer Bekannten" schreibt, eine entsprechende Bedeutung im Sinn von "Bekannten" in Breslau. Politisch hatte Varnhagen zu Guhrauer alles Vertrauen, und dass Guhrauer an Kloses Arbeit interessiert war, geht ferner aus einem späteren Schreiben Varnhagens vom 21. Jan. 1851 sichtbar hervor. Vgl. die folgende Anmerkung. Ferner Varnhagens Notiz, 10. Jan. 1854: Tgb X, 404.

[120] Vgl. Varnhagen an Guhrauer, 21. Jan. 1851: H. Wuttke. Karl Ludwig Klose. In: [K. L. Klose]. Wilhelm I. von Oranien, S. XV.

[121] Vgl. Hardenbergs Denkschrift, Riga 12. Sept. 1807: Die Reorganisation des Preussischen Staates unter Stein und Hardenberg I, 319. Vgl. Altensteins Denkschrift, Riga 11. Sept. 1807: ebda S. 411. Ferner L. v. Ranke. Denkwürdigkeiten des Staatskanzlers Fürsten von Hardenberg IV, 121.

der militärischen Niederlage empfinden musste, war für Varnhagen eine Erfahrung, deren Geltung nicht von der äusseren Tatsache eines Krieges abhing. Krieg war für ihn ein Zustand, in dem er sich innerlich auch ohne äusseren Anlass befinden konnte und nur gerade sein unmittelbares Erlebnisvermögen für das Geschichtliche hatte er als Teilnehmer eines Feldzugs in sich ausgebildet [122]. Wenn deshalb Hardenberg in seiner Denkschrift die Forderung aufstellte, Preussen "sollte ein Militärstaat sein" [123], deutete er damit eine Existenzmöglichkeit an, die Varnhagen im Jahr 1818 in einem anonymen Zeitungsartikel sogar in Verbindung mit einer freiheitlichen Staatsentwicklung betrachtete. "Dass Preussen ein militärischer Staat ist", schrieb er, "und nach seiner ganzen Lage auch bleiben muss, lässt sich mit Grund behaupten. Nur über den Geist und die Bedeutung des Militärs ist man im Streit. Die gewöhnliche Meinung ist, dass Militär und Konstitution im Widerspruche stehn, und militärischer Staat gerade das Gegentheil von konstitutionellem seyn muss". Doch fuhr er fort: "Wie irrig diese Entgegenstellung ist, zeigt die ganze Geschichte . . ." Das absolutistisch regierte Preussen, das die Niederlage von 1806 erleiden musste, und das osmanische Reich waren für Varnhagen Beispiele militärischer Staaten, die umgekehrt nicht zuletzt mangels verfassungsmässiger Freiheiten keine fortschrittliche Entwicklung aufweisen konnten. Denn nach seiner Auffassung musste ein Militär, dessen "wahre Seele", wie es weiter heisst, "Sinn für gesezliche Freiheit" sei, durch konstitutionelle Ordnung zu durchdringender, geschichtlicher Wirkung gelangen, und in dieser Verbindung militärischen und konstitutionellen Geistes sah Varnhagen den zeitgemässen Ausdruck für die "Lebenskraft des Staats". Gneisenau nach seiner Aufnahme in den Staatsrat, aber auch Müffling während der Vermittlungsbemühungen vor dem Frieden von Adrianopel betrachtete er als führende Vertreter preussischer Politik [124], und so waren für ihn sogar Yorck und Blücher bei aller militärischen Auszeichnung, die sie verdienten, zunächst Nutzniesser des in Preussen lebendigen politischen Bewusstseins.

Innerhalb einer Gesellschaft, in der das politische Gespräch selbstverständlich war, konnten diese Generäle bereits auf ein Verständnis für ihr verantwortliches Handeln zählen, und es kam dabei nicht einmal darauf an, ob das politische Denken sich in einem eindeutig bestimmbaren Programm ausdrücken liess [125]. Umgekehrt konnte aber auch das verantwortliche Handeln eines Militärs eine ebenso einflussreiche Wirkung in der Gesellschaft haben, wenn durch sie das politische Bewusstsein erst lebendig wurde. Das Kommando hatte dabei keinen Einfluss, und deshalb hat bekanntlich Varnhagen das Heldentum eines Tetten-

[122] Vgl. Varnhagen an Rahel, Steinfurt 2. Nov. 1810: Bfw II, 107.
[123] Vgl. Hardenbergs Denkschrift, Riga 12. Sept. 1807: a.a.O. S. 320.
[124] [Varnhagens Artikel] *Von der Spree, 13 Sept, AZ (1818) S. 1060. Vgl. *Von der Spree, 22 Aug, AZ (1818) S. 976; *Von der Spree, 1 Aug, AZ (1818) S. 936; †Berlin, 8 Okt, AZ (1829) S. 1151f.; †Berlin, 17 Nov, AZ (1829) S. 1316; †Berlin, 3 Mai, AZ (1830) S. 520. Ferner *Vom Rhein, 7 Sept, AZ (1816) S. 1032. Zur Verfasserschaft vgl. auch C. Misch, a.a.O. S. 172f. Dazu ebda S. 116f.
[125] Vgl. [Varnhagens Artikel] *Frankfurt, 1 Jan, AZ (1817) S. 31f.

born, Blücher, Wellington und Schwarzenberg gleich hoch bewertet [126]. Die Frage war zunächst nur, ob die Gesellschaft auf die Begegnung mit einer die Verantwortung personal beanspruchenden Persönlichkeit politisch vorbereitet war, und so verhielt es sich beispielsweise weder in Hamburg noch vorher in Berlin, wo Tettenborn im Frühjahr 1813 mit einer Volkserhebung gerechnet hatte; aber wenigstens in Hamburg brauchte er erst einzuziehen, nachdem der dortige Senat die alte republikanische Verfassung wiedereingeführt hatte und damit die politische Lage von den Entschliessungen eines weiteren Kreises abhängig geworden war [127]. Der Anteil jener Patrioten wie Perthes und Hess fiel jedoch in der Folge weniger ins Gewicht als gerade im Augenblick der Entscheidung; denn nachdem sich Tettenborn in Hamburg festgesetzt hatte, wurden wieder die alten geopolitisch notwendigen Handelsinteressen wichtig, die Tettenborn selber sogar ganz realistisch einschätzte, wenn er im Hinblick auf den Seeweg nach England die Elbe als frei erklärte [128].

Hamburg war, wie es Varnhagen später auch von Frankfurt bemerkte, ursprünglich eine Stadt des Handels [129] und nicht der politischen Geselligkeit. In einem solchen Fall, bei dem in der Bevölkerung die Verantwortlichkeit keiner politisch-ideellen Gesinnung entsprang, kam es daher um so mehr auf den "Charakter" desjenigen an, der nach seinen persönlichen Überzeugungen staatsmännische Entscheidungen treffen musste, und in dieser Auffassung stimmten Varnhagen und Hardenberg rückhaltslos überein. "Überhaupt zeige man Charakter!", lautete wörtlich die Forderung, welche Hardenberg gegen die politische Teilnahmslosigkeit, gegen "Neutralität" des preussischen Staates aussprach, und insofern hatte Varnhagen, gerade wenn ihm dabei noch die 'hamburgischen Begebenheiten' in Erinnerung waren, seine biographische Lebensskizze von Tettenborn mit gutem Grund als "Karakter"-Studie angekündigt, wobei ihn der Umstand, dass Tettenborn ausserdem General war, nur in seiner Auffassung bestärken konnte [130].

Die Wirkung einer zur politischen Entscheidung anregenden Persönlichkeit muss grundsätzlich als gesellschaftsbildend gelten, und darin äusserte sich seinerzeit, auch wenn Varnhagen dies faktisch bestritt, der revolutionäre

---

[126] Vgl. dazu oben S. 91; 112.
[127] Vgl. oben S. 52; 46.
[128] Geschichte der hamburgischen Begebenheiten, S. 24. Dkw III, 266. II², 414. III³, 285.
[129] Vgl. oben S. 147f.
[130] Vgl. [Varnhagen] Fr. Carl Freiherr v. Tettenborn. In: Zeitgenossen II/1 (1818) S. 5f. Ferner Dkw III, 213. II², 369. III³, 250. Dazu Hardenbergs Denkschrift, Riga 12. Sept. 1807: a.a.O. S. 307. Vgl. ebda S. 309. Dazu auch Varnhagen an Gruner, Karlsruhe 17. Feb. 1819: Bln StB StPrKb HsAbt Ms. Germ. Quart. 1988 Bl 70-71. Vgl. oben S. 145 A. 21. Varnhagen an Cotta, Berlin 2. Jan. 1831: SNM Cotta-Archiv Nr. 123. Vgl. oben S. 186 A. 19. Varnhagen an Hardenberg, Mannheim 5. April 1817: DZA, Hist. Abt. II, Merseburg, A.A.I. Rep. I. Nr. 653. Vgl. oben S. 197 A. 83. Ferner W. v. Groote. Die Entstehung des Nationalbewusstseins in Nordwestdeutschland 1790-1830 (= Göttinger Bausteine zur Geschichtswissenschaft XXII, 13f.; 19). Vgl. auch oben S. 200 u. A. 97; 98.

Zeitgeist, der publizistisch gerade in seiner Widerlegung zum Ausdruck kam [131]. Varnhagens diplomatische Tätigkeit im Grossherzogtum Baden, sein verantwortungsbewusstes Auftreten, das offiziell seiner amtlichen Stellung gar nicht entsprach, zielte auf eine gesellschaftliche Veränderung hin und verstärkte gleichzeitig den Einfluss Preussens, dessen politische Macht er vertrat. Seine persönlichen Eigenschaften befähigten ihn dazu in einem Mass, das seinen Kollegen, sofern sie nicht an seiner geselligen Lebensweise Anteil hatten, fremdartig und gefährlich erscheinen musste. Denn was Hardenberg erst für eine "gute Auswahl der Gesandten" voraussetzte, erfüllte Varnhagen bereits im Rang eines Geschäftsträgers, der noch dazu nicht einmal dem Ministerium, sondern einer Gesandtschaft unterstellt war [132]; und entsprechend den Bedingungen, die Hardenberg in seiner Denkschrift aufgezählt hatte, vereinigte Varnhagen "Kenntnisse ... von seinem Vaterlande und dem Staate, bei dem er angestellt" war, mit "vieler Bildung und freiem Weltton". Er besass neben "reinem Patriotismus, unbestechlicher Integrität und richtiger, schneller Urteilskraft" die von Hardenberg geforderten Fähigkeiten "Menschenkenntnis, Scharfblick, die Gabe, sich gefällig und seine Meinung durch angenehmen Vortrag geltend zu machen", und er verstand auch, als "Repräsentant seiner Nation ... Zutrauen und Achtung für diese einzuflössen" [133], aber alles dies tat er in einer Zeit, die faktisch bereits kein nationales Zusammengehen mehr begünstigte.

Als Preussen seine führende Rolle in der deutschen Nation zufiel, kam es zum Krieg, und diese Voraussetzung fehlte, als Varnhagen auf seinem Karlsruher Posten preussische Politik machte. Wenn er im Sinne von Hardenbergs Denkschrift zu diesem Zeitpunkt immer noch "Einfluss und Verbindungen im Auslande" aufrecht erhielt, die öffentliche Meinung, "Opinion", wie Hardenberg schrieb, "zu gewinnen" und "durch Reisende zu wirken" suchte [134], gebrauchte er politische Mittel, die wenigstens vorstellungsmässig einen Kriegszustand voraussetzten, und ebenso vertrat er auch im öffentlichen Leben "Preussen", wobei er sich aber selber der "verschiedenen Existenzen dieses Worts" durchaus bewusst blieb [135].

---

[131] Vgl. [Varnhagens Artikel] *Frankfurt, 1 Jan, AZ (1817) S. 31 "Die Hauptsache ist, dass die Bewegung vorhanden sey, und je mannichfacher und besonders je tiefer in das Volk eindringend, desto besser! Die Furcht vor Revolutionen, die auf diese Art befördert und erregt werden könnten, ist eine alberne Gespensterfurcht, mit der man Staatsmänner nicht mehr sollte erschrecken mögen; es hat Revolutionen gegeben, ehe es Zeitungen, Pressfreiheit, Posten und Klubs gab, und sollten uns Revolutionen verhängt seyn, so würden sie mit diesen Sachen sich schwerlich abkaufen lassen". Vgl. dagegen S. 159 u. A. 85.

[132] Vgl. Varnhagen an Hardenberg, 22. Okt.; 16. Dez. 1816: H. H. K. Kindt, a.a.O. S. 156. Vgl. dazu C. Misch, a.a.O. S 42f.

[133] Hardenbergs Denkschrift, Riga 12. Sept. 1807: a.a.O. S. 311f. Vgl. dazu die anonyme Charakteristik (7761) Carl August Varnhagen von Ense. Illustrirte Zeitung, Leipzig, 21 (1853/Juli-December) S. 39.

[134] Hardenbergs Denkschrift, Riga 12. Sept. 1807: a.a.O. S. 312.

[135] Varnhagen an Perthes, Frankfurt a.M. 6. Juli 1816: HH StA Perthes Nachlass I M 10a Bl 98. Vgl. Varnhagen an Perthes, Berlin 24. Juni 1815; Perthes an Varnhagen, [Ende Juni 1815]: C. T. Perthes. Friedrich Perthes Leben II, 88. Dazu C. Misch, a.a.O. S. 159.

Um so deutlicher war für ihn deshalb das Erlebnis, an dem sich seine Auffassung faktisch bewahrheitete. Als ihm nämlich der badische Grossherzog Ludwig vertraulich mitteilen liess, dass er "wieder preussischer General und Inhaber eines preussischen Regiments zu werden" wünschte [136], bemerkte Varnhagen in seinem darauf bezogenen Schreiben an Bernstorff, "von welcher politischen Wichtigkeit es für Preussen sein" müsste, "solche Bande der Anhänglichkeit, auf so starke persönliche Triebfedern gegründet, hier zu besitzen und zu vermehren" [137]. Der Grossherzog, der früher bereits "in preussischen Kriegsdiensten gestanden" hatte [136] und von damals noch ein günstiges Andenken an das preussische Militär bewahrte, kam Varnhagens politischer Regsamkeit geradezu von selbst entgegen, doch als sich sogar ein persönliches Vertrauensverhältnis zwischen ihnen einzustellen begann [138], war dadurch das gesellschaftliche Gleichgewicht des Hofes gestört. Der Grossherzog selbst verletzte den Stolz badischer Offiziere, wenn er in preussischer Uniform auftrat [139], und indem er Varnhagen das Grosskreuz des Zähringerordens verlieh, zeichnete er ihn öffentlich so aus, wie es ihm seinem diplomatischen Rang nach gar nicht geziemte [140]. Was Varnhagen erreicht hatte, widersprach allem bisherigen staatspolitischen Gleichgewichtsdenken, aber ihm, der früher bereits in Frankreich eine oppositionelle Gruppe in ihrer Ablehnung der bourbonischen Restauration unterstützt hatte [141], war es nun am badischen Hof gelungen, durch entsprechende gesellschaftsbezogene Verbindungen zum Grossherzog das formal-politische System zu überwinden, und davon zeugten dessen eigene Worte, die Varnhagen in zwei von seinen Depeschen überliefert hat: "... 'denn', fügten seine Königliche Hoheit hinzu, 'ich könnte wissen, dass ein andres Verhältniss politisch mehr Vortheil brächte, und ich müsste es doch mit Preussen halten, das ist stärker als ich!' " [142]

So, wie Varnhagen aber glaubte, die staatenpolitischen Verhältnisse mit

---

[136] Dkw IX, 419f. VI³, 2.
[137] Varnhagen an Bernstorff, Karlsruhe 10. Jan. 1819: DZA, Hist. Abt. II, Merseburg, A.A.I. Rep. I. Nr. 672. Vgl. Varnhagen an Bernstorff, Karlsruhe 9. Feb. 1819: ebda "Dieses neue Band, welches seine königliche Hoheit mit Preussen verknüpft, verspricht in der That für die Stellung mancher Verhältnisse eine ungemeine Begünstigung..."
[138] Vgl. Dkw IX, 414f. V³, 355f. Dazu C. Misch, a.a.O. S. 50f.
[139] Vgl. Dkw IX, 452. VI³, 27.
[140] Vgl. Varnhagen an Gruner, Karlsruhe 17. Feb. 1819: Bln StB StPrKb HsAbt Ms. Germ. Quart. 1988 Bl 70-71 "Der Grossherzog hat ungemeine Freude über das ihm vom Könige verliehene Regiment... Der Grossherzog nahm den Anlass, mir das schon früher bestimmte Grosskreuz des Zähringer Löwenordens... zu ertheilen... es ist noch Glück genug, dass man nicht glaubte um seinet [= Küsters] willen auch mich unbelohnt lassen zu müssen, denn meine ganze Stellung konnte mir nur hinderlich sein". Dazu Varnhagen an Cotta, 13. Feb. 1819: SNM Cotta-Archiv Nr. 103 "In meinen Verhältnissen ist dieser Erfolg von Wichtigkeit, und mir ich kann es sagen äusserst erwünscht!" Vgl. auch Dkw IX, 438ff. VI³, 16ff.
[141] Vgl. oben S. 101f.
[142] Varnhagens Depesche an Hardenberg, Karlsruhe 16. Dez. 1818: DZA, Hist. Abt. II, Merseburg, A.A.I. Rep. I. Nr. 662 Bl 203-204. Vgl. H. Haering, a.a.O. S. 130. Ferner Varnhagens Depesche an Hardenberg, Karlsruhe 4. Feb. 1819: DZA, Hist. Abt. II, Merseburg, A.A.I. Rep. I. Nr. 665 "... denn dahin ist meine Schwäche gerichtet, und diesem Hange werde ich treu bleiben, wenn man mir's auch noch so sehr verübeln wollte".

gesellschaftlichen Mitteln verändern zu können, folgte er Hardenbergs Auffassung, nach welcher die "geheimen Gesellschaften" und insbesondere die "Freimaurerei... einen mächtigen Hebel für grosse Dinge im Innern und Auswärtigen" darstellten [143]. Das "Preussen", zu dem sich der Grossherzog nach Varnhagens Überlieferung hingezogen fühlte, war nicht die politische Macht, die es im europäischen Staatensystem behauptete, sondern es war das Symbol einer durch militärischen Geist gesteigerten Lebensform, und wer dieses Ideal in sich aufzunehmen vermochte, wurde von selbst zu einer unabhängigen Entscheidung geführt, weil er sich damit gleichzeitig von seiner existentiellen Gefährdung befreite. Diese Aussicht stand Varnhagen vor Augen, als er 1820 in einem anonymen Zeitungsartikel erklärte, dass in "Preussen... durch altgewohnte Grossmuth und Milde seiner Regenten und durch Geistesbildung seiner Staatsbeamten jedes Ereigniss und jede Richtung eine liberale Farbe" trage. Doch dabei ging es ihm nicht in erster Linie darum, Preussen als einen liberalen Staat erscheinen zu lassen, der es damals nach den Karlsbader Beschlüssen gar nicht sein konnte, sondern er suchte nur, das öffentliche Leben mit liberalen Vorstellungen zu durchdringen, die "in Preussen", wie er mit einem Blick auf dessen Geschichte hinzusetzte, "seit Friedrich dem Grossen ein Bestandtheil der Staatsverwaltung" wie des preussischen Volkes geworden seien [144].

Hardenberg war unter diesen Voraussetzungen Varnhagens lebendiges Vorbild, und was er in politischen Artikeln aussprach, verrät teilweise die Hardenbergsche Diktion, auch ohne dass er dabei schriftliche Unterlagen benützte [145]. Seine politischen Anschauungen vertrat er im Hinblick auf eine gesellschaftliche Ordnung, in der im Sinn einer liberalen Geschichtsentwicklung zwar noch kein Verantwortungsbewusstsein herrschte, in der aber immerhin das politische Gespräch als Unterhaltungsmöglichkeit eine gewisse Wichtigkeit erhielt [146]. Ein solcher Zustand bildete die notwendige Voraussetzung für Varnhagens biographische Geschichtschreibung, und so, wie alle seine späteren Buchveröffentlichungen, die der historischen Überlieferung dienten, waren auch die 'Biographischen Denkmale' politisch gefärbt, insofern sie das Leben von

[143] Hardenbergs Denkschrift, Riga 12. Sept. 1807: a.a.O. S. 334. Vgl. H. Haussherr. Hardenberg, S. 193ff. Ferner P. Stettiner, a.a.O. S. 10. G. Schuster. Die geheimen Gesellschaften, Verbindungen und Orden II, 271f.
[144] [Varnhagens] Schreiben aus Berlin, AZ (1820) S. 120. Vgl. [Varnhagens Artikel] *Von der Spree, 1 Aug, AZ (1818) S. 936.
[145] Vgl. dazu Varnhagen an Ölsner, Berlin 27. Juni 1825: Ölsner-Bfw III, 293.
[146] Vgl. [Varnhagens Artikel] *Frankfurt 1 Jan, AZ (1817) S. 31f.; †Aus dem Preussischen, 11 Dec. (Eingesandt.), AZ (1817) S. 1416 "Was von den Lehrstühlen gesprochen, von den Kanzeln verkündigt, in Trinksprüchen ausgebracht wird, lässt sich doch nicht kontrolliren noch verbieten, und gegen eine Stimmung zieht man niemals in der Front mit Glük zu Felde. Aber, was viel besser ist, man hat es auch nicht nöthig; denn die jezt in Deutschland herrschende Stimme hat gewiss, im Allgemeinen betrachtet, nichts gefährliches, und kan ihrer eignen Abarbeitung ruhig überlassen werden. Diskussionen sind keine Thaten, Probleme keine Wirklichkeiten; Beschäftigung will der Geist haben, er gab sich ehemals mit theologischen, dann mit literarischen Streitigkeiten ab, jezt ist die Reihe an der Politik, vielleicht kommt sie nächstens an die Medizin". Dazu vgl. auch oben S. 160.

Militärs, im Sinne Hardenbergs von Charakteren, veranschaulichten, und gesell-schaftsbildend, insofern sie ein im politischen Sinn verantwortliches Denken vermittelten. Für diese beiden publizistischen Sinngebungen sind die Lebens-bescheibungen Blüchers in politischer Hinsicht [147] und Zinzendorfs in gesell-schaftlicher Hinsicht die ausgeprägtesten Beispiele.

3. Quellenzeugnissammlungen.

Wenn Varnhagen als Historiker überhaupt eine bleibende Bedeutung erlangte, verdankte er sie seiner stilistischen Behandlungsweise des Stoffes, durch die er faktisch seine eigene gesellschaftliche Stellung charakterisierte. Der schonende Stil, den er schon in der 'Geschichte der hamburgischen Begebenheiten' ange-wandt hatte, diente aber nicht einseitig im negativen Sinne der Rechtfertigung oder Verhüllung eines unrühmlichen Geschehens, sondern war im positiven Sinn das Zeugnis seiner "Loyalität" [148]. An diese Voraussetzung knüpft sich alles Verdienst, welches von Varnhagens biographischer Geschichtschreibung gesagt werden kann, und dazu gehören nicht zuletzt zwei lobende Rezensionen, die Goethe in der Reihe 'Über Kunst und Alterthum' veröffentlicht hat. Die kurzen Ausführungen, in denen Goethe seinerzeit den ersten Band der 'Biogra-phischen Denkmale' würdigte, haben nämlich Varnhagen selbst nachträglich entscheidend beeinflusst und die Beurteilung, die er später erfuhr, vorausbe-stimmt. Der berühmte Vergleich mit Plutarch, an den sich Goethe bei der Lektüre erinnert fühlte, betraf jedoch, auch wenn er durchaus einleuchtend erscheint, bloss eine Äusserlichkeit, und da Varnhagen die Antike ebensowenig wie das Mittelalter als eine individuelle geistige Welt betrachtete, war bei ihm jeder Vergleich mit einem antiken Historiker immer nur formaler Art. Wichtig dagegen wurde dieser Vergleich deshalb, weil Varnhagen sich in der Rolle eines "deutschen Plutarch", wie er genannt wurde, eine persönliche Stellung unter den Historikern seiner Zeit zu schaffen wusste, und dafür war er Goethe verpflichtet [149].

Wie konkret diese Beziehung in Varnhagen lebendig war und wie ernst sie

---

[147] Vgl. P. Joachimsens Rezension zu C. Misch. Euphorion, 27 (1926) S. 580.

[148] Vgl. dazu Heine an Immermann, Berlin 14. Jan. 1823: H. Heine. Briefe I, 55. Dazu vgl. auch oben S. 51 u. A. 116.

[149] Vgl. L. Assing. Vorwort. In: Dkw I³, S. III. Vgl. C. A. Geil. Karl August Varnhagen von Ense, a.a.O. S. 362. – Varnhagen sei "nicht bloss der Plutarch, sondern auch der Tacitus der neueren deutschen Geschichte" gewesen. Dagegen [F. G. Kühne] Varnhagen von Ense. Zeitung für die elegante Welt, 37 (1837) S. 566 "Varnhagen ist ein Historiker, der zu einem Tacitus den geradesten Gegensatz bietet". Ferner die anonyme Rezension zu Varnhagens Bülow. Literarisches Centralblatt für Deutschland, (1854) Sp. 103. "Er hat so zu sagen eine Kunstform für derartige Darstellungen geschaffen, die, wenn auch keineswegs der Plutarchs gleichend, in einer bedeutenden Reihe anziehender Darstellungen sich eingebürgert hat". Ferner J. W. v. Goethe. Biographische Denkmale von Varnhagen von Ense. Über Kunst und Altherthum, V/1 (1824) S. 149. Goethes Werke XLI/2, 110 Z. 4ff. Dazu Wolf an Varnhagen, Schlangenbad 23. Mai; Varnhagen an Wolf, 12. Juni 1824: F. A. Wolf. Ein Leben in Briefen II, 329; III, 252. Dazu S. Reiter ebda S. 251f. Vgl. dagegen E. Howald. Varnhagen von Ense, a.a.O. S. 171. Dazu Ölsner an Varnhagen, Paris 16. Juli 1825: Ölsner-Bfw III, 300. Ferner J. G. Reinhold an Varnhagen, Rom 27. Dez. 1817: Denkschriften und Briefe NF (= V), 208.

genommen wurde, geht daraus hervor, dass Metternich den Goethekult als eine gesellschaftliche Erscheinung betrachtete, deren Ausbreitung er nicht zulassen konnte. Denn da er Varnhagen von früher als einen der "findigsten Revolutionäre" kannte [150], war ihm auch dessen Plan zur Gründung einer Goethe-Gesellschaft sicherlich nicht vertrauenerweckend erschienen. Der konstitutionelle Charakter, der sich nämlich im Verhältnis aller gleichberechtigten Mitglieder und des als einzigem übergeordneten grossherzoglich-weimarischen Hauses ausdrückte, konnte Metternich nicht verborgen geblieben sein, und ebenso wenig das Geheimbündlerische, das Varnhagen andeutete, wenn er für alle Mitglieder eine "sichtbare Auszeichnung, – ein Band, ein Kreuz, eine Denkmünze ..., eine Nadel" oder einen "Ring" wünschte [151]. Politisch beurteilte Metternich den Goethekult in Deutschland als eine Bewegung, die derjenigen des Saint-Simonismus in Frankreich vergleichbar wäre, und damit bewies er, dass er Varnhagens gesellschaftsbezogenes Denken völlig durchschaute, doch den zeitgeschichtlichen Zusammenhang, wie ihn Varnhagen für den Saint-Simonismus aus Goethes Wilhelm Meister ableitete, sah er nicht [152].

[150] Vgl. oben S. 159 u. A. 85.

[151] Varnhagens Entwurf zur Gründung einer Goethe-Gesellschaft, Weimar 8. Sept. 1834: [K. Glossy] Fürst Metternich und die Gründung einer Goethe-Gesellschaft, ÖRs 46 (1916) S. 174. Ferner Metternich an Wittgenstein, 30. Nov. 1835: O. Dräger, a.a.O. S. 154. Dagegen P. F. Glander, a.a.O. S. 54 "Metternich's letter is a testimonial to the short-sightedness of the regime, and it is all the more interesting coming from as notorious a *roué* as Metternich. Like all of his moral judgments it is strikingly hypocritical". Vgl. auch L. Geiger. In: Varnhagens Denkschrift an den Fürsten Metternich über das junge Deutschland 1836, a.a.O. S. 184. Dkw VIII, 99; 118f. VI³, 319; 334. Dazu H. R. v. Srbik. Metternich I, 125; 496. Ferner H. H. Houben. J. P. Eckermann II, 394f.

[152] Vgl. Varnhagen an Goethe, Berlin 28. Dez. 1831: Goethe-Jb 14 (1893) S. 94f. Varnhagen an Pückler, Berlin 12. Nov. 1832: Pückler-Bfw S. 125. Dazu Varnhagen. "Im Sinne der Wanderer". Über Kunst und Alterthum VI/3 (1832) S. 533ff. VSchr I, 413ff. VI², 3ff. II³, 294ff. Dazu vgl. auch G. Sand an Bettina, Paris 18. März 1845: Bettine von Arnim und Friedrich Wilhelm IV., S. 216. Ferner Metternich an Wittgenstein, 30. Nov. 1835: O. Dräger, a.a.O. S. 154. Dazu Metternich an Varnhagen, Wien 19. Dez. 1835: Briefe von Stägemann, Metternich, Heine, S. 118. Vgl. [K. Glossy] Fürst Metternich und die Gründung einer Goethe-Gesellschaft, a.a.O. S. 176. Vgl. ferner [Varnhagen] Über den Saint-Simonismus. (Aus dem Briefe eines Deutschen vom Rhein, Februar 1832.), AoBzAZ (1832) S. 345f. "Der Saint-Simonismus ist wirklich eine neue Religion, die das so vielfach gesuchte und immer wieder verfehlte Heil der Menschheit zu begründen verspricht. Sie will die geistige Welt des Christenthums und die materielle Welt zugleich umfassen; sie will beide versöhnen und vereinen. Ihre Mittel sind rein und edel, von Zwang und Gewalt fern, Liebe, Einsicht, Überzeugung. Die Fülle der Ideen, die in dieser Bahn ausströmen, ist wunderbar; alles, was bisher in der Welt vereinzelt gewirkt und geleuchtet hatte, wird hier ein richtiges Glied in einem grossen Organismus; Philosophie, Frömmigkeit, Philanthropie, Kunstbildung, Mathematik, Gewerbefleiss, Erziehung, alles bietet sich hier die Hand. Die ganze geistige Rüstkammer der modernen Welt, die spekulative Demonstration, die historische Nachweisung, der finanzielle Kalkül, die dichterische Hymne und die sibyllinische Prophetensprache, alles ist hier beisammen, und zeigt sich in unverächtlicher Bedeutung, zum Theil in unwiderstehlicher Meisterschaft. Die Ideen und Talente sind da, und wirken, ... Bis jezt hat sich den praktischen Zweken und angewandten Mitteln der Saint-Simonisten nichts Böses nachweisen lassen. Aber man erschrikt vor ihren Grundsäzen, vor der Grösse und Seltsamkeit ihrer Formen ... Die Abschaffung des erblichen Eigenthums, dessen Daseyn die Saint-Simonisten als ein Haupthinderniss des allgemeinen Geschehens, als den fortglimmen-

Was dagegen Varnhagen innerhalb des saint-simonistischen Lebenskreises als geschichtliche Entwicklung wahrzunehmen vermochte, glich auch für ihn nur einem "Wunder", denn es fehlte die greifbare Leistung. "... ein Wunder", schrieb er in der 'Allgemeinen Zeitung', "ist diese Macht der Association in unsrer Zeit, wo fast Alles sich löst und auseinander geht; ein Wunder ist es gewiss, dass mehrere hundert anerkannt geistvolle, wissenschaftlich gebildete und sonst ausgezeichnete Männer in der Art zusammenhalten und zusammen- wirken, wie die Saint-Simonisten es thun, und dass sie Ideen handhaben und ausbreiten, die in allen Zweigen des Wissens und Lebens, in der Vergangenheit und Zukunft, in den Ländern des Südens und Nordens ... überall Wurzeln haben und Keime treiben!"[153] Solange Varnhagen demnach den Saint- Simonismus nur als gesellschaftliche Erscheinung betrachtete, fühlte er sich ihm gegenüber persönlich als Aussenstehender[154]. Seine Beziehungen zu Lagarmitte in Paris und Eichthal in Prag gehörten daher in die Reihe jener Verbindungen, die er grundsätzlich mit allen Zeitgenossen anzuknüpfen suchte, ohne sich dadurch gesinnungsmässig festzulegen[155]. Ins Geschichtsbewusstsein traten sie ihm deshalb erst, wenn er sich selbst mit einer individuellen Gestalt indentifi- zieren konnte, die innerhalb ihrer gesellschaftlichen Voraussetzungen eine politische Wirkung ausübte und damit sein Interesse zu wecken verstand. Insofern war beispielsweise die Arbeit an der Zinzendorf-Biographie für

den Herd des Egoismus ansehen, erregt den grössten Anstoss, verletzt unsre gewohnte Denk- und Empfindungsart. Doch ist es damit so arg nicht gemeint. Die Saint- Simonisten nehmen Niemandem sein Eigenthum, sie haben es einstweilen nur mit Eigenthumslosen zu thun, und schaffen für diese, nach eines jeden Fähigkeit, Arbeits- örter und Geschäftsdienste, mit denen Wohlstand verknüpft ist, und die dann freilich nicht auf die Kinder der Inhaber, sondern wieder auf die Fähigen der Gesellschaft übertragen werden. Die Zurücksezung des Christenthums ist ein zweiter Anstoss. Hier nun muss ich gestehn, dass ich allerdings glaube, der Saint-Simonismus vermag als Religion nur da aufzutreten, wo das Christenthum schon dem Unglauben und der Freigeisterei gewichen ist; wie sehr das in Frankreich, wie das überhaupt in der europäischen grossen und kleinen Welt der Fall ist, weiss leider Jedermann. In diesem Gebiete ist aber der Saint-Simonismus auch gewissermassen eine neue Erwekung christlicher Gedanken und Empfindungen, eine Wiederherstellung, denn die Saint- Simonisten sind von der Göttlichkeit der Sendung Christi durchdrungen, und ich habe über zwanzig Franzosen gesprochen, die von leichtsinnigen Spöttern durch die Ansichten der Saint-Simonisten zu warmen Verehrern des Christenthums umgeformt worden waren ... Was wird nun aus diesen Anfängen werden, wie weit werden sie gehen? Das weiss ich nicht, aber gewiss soweit als möglich, und diese Möglichkeit scheint mir sehr gross. Was soll aus unsern jezigen Gesellschaftszuständen werden? ..."
[153] [Varnhagen] Noch ein Wort über den Saint-Simonismus. Vom Rheine, Mai 1832, AoBzAZ (1832) S. 782. Vgl. [Varnhagen] Über den Saint-Simonismus. (Aus dem Briefe eines Deutschen vom Rhein, Februar 1832.), AoBzAZ (1832) S. 345. Vgl. ferner Varnhagen an Heine, 16. Feb. 1832: H. Heine. Briefe VI, 382.
[154] Vgl. [Varnhagen] Über den Saint-Simonismus. (Aus dem Briefe eines Deutschen vom Rhein, Februar 1832.), AoBzAZ (1832) S. 345. [Varnhagen] Noch ein Wort über den Saint-Simonismus. Vom Rheine, Mai 1832, AoBzAZ (1832) S. 782. Dagegen Varnhagen von Ense eine neue preussische Geschichtsquelle. Historisch-politische Blätter für das katholische Deutschland, 49 (1862) S. 25.
[155] Vgl. [Varnhagen] Noch ein Wort über den Saint-Simonismus. Vom Rheine, Mai 1832, AoBzAZ (1832) S. 782. Dazu vgl. auch L. Stern. In: Die Varnhagen von Ensesche Sammlung, S. 202; 438.

Varnhagen zugleich die Bestätigung seiner persönlichen Lebensauffassung [156], und indem er Zinzendorf ausdrücklich als "Staatsmann" schilderte, setzte er dessen Lebenskreis unmittelbar in Beziehung zur eigenen Gegenwart [157]. Nachdem er aber dabei zu einer geschichtlichen Würdigung des Saint-Simonismus kam, musste er in ihm Züge wahrnehmen, die bloss, was die gesellschaftliche Gruppierung an sich betraf, an die Brüdergemeinde erinnerten [158].

Die gesellschaftstheoretischen Ideen bedurften für Varnhagen eines Vermittlers, ohne dessen konkretes und lebendiges Vorbild er sie höchstens als Zeichen, aber nicht als faktischen Ausdruck einer allgemeinen "Richtung" verstehen konnte [159]. Dabei war die allgemeine Richtung, wie sie Varnhagen in seiner Zeit erkannte, eine geistige Kraft, die er auch in den 'Biographischen Denkmalen' berücksichtigte, und Eduard Gans, der zu seinen besten Freunden zählte, hat diese Auffassung in einer Rezension des ersten 1824 erschienenen Bandes ausdrücklich hervorgehoben. Bei der geschichtlichen Deutung, die er als Schüler Hegels zunächst aus der "Bewegung des Weltgeistes" entwickelte [160], hielt er die Schilderung einer einzelnen Persönlichkeit nur dann für berechtigt, solange es nicht um ein "Individuum" ging, welches die "That des Weltgeistes" zu verrichten hatte "und zu seinem Diener und Werkzeuge erkoren" war; denn vom Standpunkt des Biographen erachtete er es als unangemessen, "Menschen" zu schildern, "die", wie er schrieb, "Gott unmittelbar zur Vollbringung seiner Thaten auserkoren" habe. Diejenigen dagegen, die zwar unter

[156] Vgl. Pückler an Varnhagen, Berlin 9. Sept. 1830: Pückler-Bfw S. 21f. Ferner Varnhagen an Rahel, Bonn 8. März 1829: Bfw VI, 331. Varnhagen an Koenig, Okt. 1845: H. Koenig. Erinnerungen an Varnhagen von Ense, a.a.O. S. 15.
[157] Zinzendorf, Dkm V, 494. V², 430. V³, 289. Dazu L. Pelts Rezension, JfwK 2 (1831) Sp. 56. Vgl. Varnhagen an Marie d'Agoult, Berlin 10. Feb. 1846: Paris Bibl. Nat. N.A.F. 25189 Bl 133-134 "Ich bin so frei, verehrteste Frau Gräfin, Ihnen hier die Fortsetzung und den Schluss der biographischen Denkmale zu überreichen ... In das Leben der alten deutschen Dichter sich zu vertiefen, darf ich Ihnen wohl kaum zumuten; die Schicksale und Tätigkeiten Zinzendorf's aber können jetzt einigen Reiz haben, da die Gegenwart so manche Erscheinung zeigt, welche mit jenen verwandt sind und hier auch die religiösen Vorgänge als staatliche, der Stifter der Brüdergemeinden als Staatsmann betrachtet werden". Dazu auch W. v. Humboldt an Varnhagen, Tegel 7. Mai 1830: Denkschriften und Briefe III, 5. Vgl. auch Varnhagen an Cousin, Berlin 1. Okt. 1825: J. Barthélemy-Saint-Hilaire. M. Victor Cousin sa vie et sa correspondance I, 152f.
[158] Vgl. Varnhagen an Goethe, Berlin 28. Dez. 1831: Goethe-Jb 14 (1893) S. 95.
[159] Vgl. Varnhagen an Rotteck, Berlin 7. Mai 1836: Rotteck-Bfw S. 295. Varnhagen an Troxler, Berlin 12. Jan. 1844: Troxler-Bfw S. 280. Ferner Varnhagen an Cotta, Berlin 18. April 1832: SNM Cotta-Archiv Nr. 166 "Im Vertrauen sag'ich Ihnen, dass mich seit langer Zeit kein Gegenstand so angezogen und beschäftigt hat, als die Erscheinung des St. Simonismus, der vor vielen andern Erscheinungen wenigstens das voraus hat, ganz neu und ganz einig zu sein, ... es ist hier grosse Tiefe und Kraft, und manche der ausgesprochenen Wahrheiten können nicht mehr untergehn, wenn auch, was ich doch gar nicht glaube, die jetzige St. Simonistische Gesellschaft gesprengt würde". Dazu Varnhagen an Pückler, Berlin 4. Mai 1832; 7. Jan. 1834: Pückler-Bfw S. 102; 179. Ferner Varnhagen an R. M. Assing-Varnhagen, [Berlin] 27. April 1830: L. Geiger. Neues über Heine. Allgemeine Zeitung des Judentums, 81 (1917) S. 368.
[160] E. Gans' Rezension. In: Vermischte Schriften, juristischen, historischen, staatswissenschaftlichen und ästhetischen Inhalts II, 225. Vgl. auch Königlich privilegirte Berlinische Zeitung von Staats und gelehrten Sachen, (1825) 286stes Stück.

dem Eindruck dieser Taten standen, selbst aber keinen sichtbaren Anteil an ihnen hatten, schienen ihm biographisch interessant zu sein; denn gerade weil sie faktisch keine "Welt ... erschaffen" hatten, waren sie seiner Meinung nach befähigt, sich über die Realitäten hinwegzusetzen und den Zusammenhang mit der "Bewegung des Weltgeistes" in ihrem "Pathos" auszudrücken und dadurch ihre "Einsicht" zu beweisen [161]. Deshalb lobte er Varnhagen für die Wahl der geschilderten Gestalten, nämlich der beiden Grafen Wilhelm zur Lippe und Matthias von der Schulenburg sowie des Usurpators und Königs von Korsika Theodor von Neuhof. Er sah in ihnen zwar nicht die Verkörperungen der "Allgemeinheit" und dessen, was er "Weltinteresse" nannte, aber mitbeteiligt waren sie trotzdem, und die "Allgemeinheit" blieb eine bestimmende Voraussetzung ihres Daseins, auch wenn der Bezug konkret nicht unmittelbar zum Ausdruck kam [162]. Die stoffliche Beschränkung bedeutete gleichzeitig damit ein geschicktes Umgehen weltgeschichtlicher Zusammenhänge und ihrer Fragestellung, die deshalb aber noch lange nicht geleugnet wurden; denn im Gegenteil war sich Varnhagen stets der allgemeinen Bezüge bewusst [163], nur widersprach es seinem Lebensgefühl, ein theoretisch durchdachtes System zu vertreten, dem gegenüber das Unregelmässige des Freiheitlichen sich nicht hätte erhalten können [164].

Eduard Gans hat Varnhagen in seiner Denkweise richtig erkannt und darauf hingewiesen, "dass die Helden der vorliegenden Denkmale Deutsche sind, und dass sämtlichen Gestalten der Charakter der Abenteuerlichkeit" zukäme [165]. Der politische und gesellschaftliche Gehalt von Varnhagens Geschichtschreibung war ihm insofern völlig klar, und es fehlte nur, dass er den Mangel an "Unmittelbarkeit des Lebens", den er für Deutschland beklagte [166], mit Varnhagens eigener Lebensgeschichte in Beziehung setzte; denn was er von den drei historischen Gestalten, die erst im "Ausland ... Anerkennung" gefunden hatten, im Hinblick auf die "Deutschen" überhaupt bemerkte [167], bestätigte die Erfahrung, die Varnhagen selber in Paris im Kreis des Grafen Schlabrendorf hatte machen können [168]. Was daneben die "Abenteuerlichkeit"

---

[161] E. Gans' Rezension, a.a.O. S. 227f.; 230.
[162] E. Gans' Rezension, a.a.O. S. 231f.
[163] Vgl. Varnhagen an Perthes, Frankfurt a.M. 4. März 1816: HH StA Perthes Nachlass I M 10a Bl 38 "Die Leute suchen aber vergebens immer nur im Einzelnen, was lediglich im *Ganzen* zu finden ist!" Varnhagen an Troxler, Mannheim 23. Sept. 1816; Berlin 11. Sept. 1835; 12. Jan. 1844: Troxler-Bfw S. 142f.; 223; 278. MAL II, 304f.
[164] Vgl. Varnhagen an Troxler, Paris 24. Juli 1815: Troxler-Bfw S. 64f. MAL II, 211. Dazu Varnhagen an Rahel, Paris 30. Aug. 1815: Bfw IV, 294. Ferner Varnhagen an Perthes, Baden b. Rastatt 22. Juni 1814: HH StA Perthes Nachlass I M 7b Bl 135-136. Dazu vgl. oben S. 121. Vgl. auch Dkw IX, 361. V³, 314. Dazu H. Haering, a.a.O. S. 75 A. 1. Dagegen Varnhagen an Troxler, Berlin 23. Dez. 1842: Troxler-Bfw S. 260.
[165] E. Gans' Rezension, a.a.O. S. 232. Vgl. auch W. Sange. Eduard Gans. Archiv für Rechts- und Wirtschaftsphilosophie, 7 (1913/14) S. 583ff. Ferner dazu Varnhagen an Ölsner, Berlin 9. Jan. 1823: Ölsner-Bfw III, 8.
[166] E. Gans' Rezension, a.a.O. S. 233.
[167] E. Gans' Rezension, a.a.O. S. 232.
[168] Vgl. Varnhagen an K. Grün, Berlin 15. Mai 1846: Dortmund StuLB HsAbt Atg 1712 "Wenn unsre edeln tapfern jungen Deutschen auf eine Weile nach Paris verschlagen werden, halt' ich es eben für kein grosses Unglück, es ist ein Universitäts-

betraf, war sie der Ausdruck jener nüchternen, noch halbaufklärerischen Berliner Romantik, deren geistige Richtung unter dem Einfluss von E. T. A. Hoffmann auch Chamisso, Koreff und andere von Varnhagens ältesten Freunden vertraten [169], und daher wurde die von Hegel ausgehende Kritik Varnhagens biographischer Geschichtschreibung nicht völlig gerecht; mit dem Hinweis nämlich, dass er "die Geschichte deutscher Abenteuerlichkeit überhaupt" dargestellt habe [170], verallgemeinerte sie einen empirisch festgestellten Sachverhalt, der zunächst nur Varnhagens persönlichem Lebensschicksal entsprach, doch insofern die Verallgemeinerung seine eigene Person betraf, durfte sie ihm umgekehrt sogar als schmeichelhaft erscheinen. Deshalb konnte es ihn auch nicht verletzen, wenn Eduard Gans die drei Abenteurer "Helden zweiten Ranges" nannte, sondern er musste sich im Gegenteil durch diese Einstufung ehrlich verstanden fühlen, da er doch selber keinen grösseren Ruhm verdiente. Dagegen besass er aber eine günstigere Stellung innerhalb jener Welt, die er zwar nicht selbst "erschaffen" hatte [171], doch deren Wirkung er gerade als Unbeteiligter um so besser in sich verarbeiten und erleben konnte. Sein Verhältnis zu Hegel und dessen Schule war ein rein gesellschaftliches [172], wie auch seine Mitarbeit an den 'Jahrbüchern für wissenschaftliche Kritik' keinem philosophischen Vorsatz entsprang. Varnhagen war kein Schüler von Hegel [173], und gerade das "historische Fach", wie er an Rotteck schrieb, schien ihm innerhalb der Hegelschen "Sozietät" ungenügend vertreten zu sein [174]. Aber ebenso enthielt er sich aller Kritik, die den Hegelismus grundsätzlich verdammte und sich persönlich gegen dessen Vertreter richtete [175]; denn die Achtung, die ihm Hegel nur schon in seiner Eigenschaft als Universitätsprofessor einflösste, blieb für ihn, den Berufslosen, ein selbstverständliches Gebot der Höflichkeit, auch wenn zwischen ihnen persönliche Auseinandersetzungen stattfanden [176].

aufenthalt für uns, und wir können dort vieles lernen". Dazu ferner oben S. 106f.
[169] Vgl. F. v. Oppeln-Bronikowski, a.a.O. S. 72*f. Dazu Dkw NF III (= VII), 144ff. IV³, 292f.
[170] E. Gans' Rezension, a.a.O. S. 234.
[171] E. Gans' Rezension, a.a.O. S. 230. Vgl. F. Römer. Ein Lebensbild, a.a.O. S. 12.
[172] Vgl. Varnhagen an Uhland, Berlin 26. Dez. 1826: Uhland-Bfw II, 255. Ferner Varnhagen an Pückler, Berlin 27. Feb. 1834: Pückler-Bfw S. 197. Vgl. auch die nächste Anmerkung!
[173] Vgl. Varnhagen an Troxler, Berlin 18. April 1839: Troxler-Bfw S. 233f. Varnhagen an Milnes, Berlin 2. Nov. 1846: The Letters of Varnhagen von Ense to Richard Monckton Milnes (= Anglistische Forschungen 92, S. 18) Dagegen Kerner an S. Schwab, Weinsberg 4. April 1842: Kerner-Bfw II, 215. Dazu Varnhagen an Kerner, Berlin 12. März 1842: ebda S. 213. Ferner R. Haym, a.a.O. S. 497f.
[174] Varnhagen an Rotteck, Berlin 5. Mai; 16. Dez. 1828: Rotteck-Bfw S. 266; 272f. Vgl. auch Stenzel an Perthes, [1830]: K. G. W. Stenzel, Gustav Adolf Harald Stenzels Leben, S. 173f.
[175] Vgl. Varnhagen an Schlesier, Berlin 20. April 1835: H. H. Houben. Jungdeutscher Sturm und Drang, S. 593. Ferner auch VSchr NF III (= VII), 553ff.
[176] Vgl. Varnhagen an Rosenkranz, Berlin 24. April 1840: Rosenkranz-Bfw S. 87ff. Ferner Varnhagen an L. Robert, Berlin 16. Nov. 1831: K. Rosenkranz. Georg Wilhelm Friedrich Hegel's Leben, S. 426f. Vgl. Denkschriften und Briefe NF (= V), 11f. Dazu E. Simon. Ranke und Hegel (= Beiheft 15 der HZ S. 18) Ferner auch Varnhagen an Goethe, Berlin 5. Dez. 1831: Goethe-Jb 14 (1893) S. 94.

Unter solchen Verhältnissen entwickelte Varnhagen seine von zahlreichen Zeitgenossen bezeugten kunstvollen Umgangsformen, denen er vor allem auch das persönliche Vertrauen Goethes verdankte [177]. Für Hegels Geschichtsphilosophie lieferten Varnhagens 'Biographische Denkmale' keine praktische Grundlage, aber sie widerlegten sie auch nicht, während sie, gerade weil sie keine philosophische oder politische Richtung betonten, Goethes Beifall erregten; doch mussten allein schon, weil es Dichter waren, die Biographien über Fleming, Canitz und Besser Goethe am stärksten beschäftigen. Was er aber in seinen Rezensionen von diesen drei 'Denkmalen' sagte, gilt für Varnhagens gesamte biographische Geschichtschreibung und äussert sich, wie Goethe es mit einem Wort hervorhob, in der "Duldung" [178]. Um jedoch mit dieser Gesinnung im Lebenskampf überhaupt bestehen zu können, brauchte es gesellschaftliche Voraussetzungen, unter denen kein Verrat zu befürchten stand, und daher hat sich Varnhagen selbst in allen Situationen seines Daseins bemüht, eine solche Voraussetzung zu schaffen, und sein Vertrauen bis zur Charakterlosigkeit nahezu verschwendet [179]. Was ihm aber auf die Dauer in der Welt der Diplomatie und Staatskunst nicht gelingen wollte, erreichte er dafür in seiner romantisch unkonventionellen Ehegemeinschaft mit Rahel [180] und schliesslich

---

[177] Vgl. L. Geiger. In: Goethe-Jb 14 (1893) S. 102f. Ferner vgl. A. v. Sternberg. Erinnerungsblätter III, 28f. O. Roquette. Siebzig Jahre II, 18f. F. Lewald. Befreiung und Wanderleben III/2, 121f. J. Rodenberg. Erinnerungen aus der Jugendzeit I, 184. Dazu Rodenbergs Notiz, 22. Nov. 1853: J. Rodenberg. Aus seinen Tagebüchern, S. 32. L. Pietsch. Wie ich Schriftsteller geworden bin, S. 296f. M. Ring. Varnhagen von Ense und der letzte Berliner Salon, a.a.O. S. 79; 89f.; Erinnerungen II, 85; 95f. F. Wehl. Zeit und Menschen II, 11f. Vgl. auch oben S. 189 u. A. 40.
[178] J. W. v. Goethe. Varnhagen von Ense's Biographien. Über Kunst und Alterthum VI/1 (1827) S. 136. Goethes Werke XLI/2, 268 Z. 26ff. Vgl. Goethe an Varnhagen, Weimar 3. April 1825; 12. Mai 1830: Einige Briefe Goethe's an Varnhagen von Ense, a.a.O. S. 263; 275. Goethes Briefe (= Goethes Werke IV/39, 167 Z. 25ff.; IV/47, 59 Z. 7ff.) Ferner Varnhagen an Goethe, Berlin 19. Dez. 1826: NFG (GSA) Goethe egg. Briefe Nr. 931, XIV "...ich darf hier wohl gestehn, dass mich bei diesen Darstellungen noch ein ganz eignes, geheimfreudiges Vergnügen begleitet hat durch das belebende Andenken, welches mir in Behandlung solcher dichterischen Angelegenheiten unaufhörlich von dem Geiste, von der Einsicht und der Theilnahme des ersten, verehrtesten und geliebtesten Dichters so fest als unwillkürlich vor der Seele stand!" Dazu auch L. Geiger. In: Goethe-Jb 14 (1893) S. 136.
[179] Vgl. dazu Dkw VI³, 240 "...ich lernte einsehen, dass mein Vertrauen sich nach einem anderen Masse, als ich früher gewohnt gewesen, zu bedingen habe". Ferner K. Hillebrand. Briefwechsel zwischen Varnhagen und Rahel, a.a.O. S. 37; Varnhagen, Rahel und ihre Zeit. In: Wälsches und Deutsches (= Zeiten, Völker und Menschen II, 422f.)
[180] Vgl. dazu Dkw I³, 239f. Vgl. II, 35. I², 288. Dazu ferner [F. Schlegel] Fragmente. Athenaeum I/2 (1798) S. 11. Vgl. D. Kazda, a.a.O. S. 39 "Nicht nur theoretisch beschäftigte Varnhagen die neue, durch die Romantik ausgesprochene Ansicht der Liebe und Ehe, ... er hat sie zum Teil auch in seinem Leben verwirklicht, ... er wendet sich zunächst gegen die Ehe ... Seine Verbindung mit Rahel entspricht aber in vielen Forderungen, die er an die wahre Ehe stellt, vor allem die Forderung nach Behauptung der Individualität des einzelnen in der Ehe..." Ferner Varnhagen an Pückler, Berlin 28. April 1834: Pückler-Bfw S. 223f. Dazu K. Hillebrand. Varnhagen und Rahel, a.a.O. S. 38; Varnhagen, Rahel und ihre Zeit. In: Deutsches und Wälsches (= Zeiten, Völker und Menschen II, 426f.)

gerade auch durch die Beziehungen zu Goethe, mit dem er bereits im Jahr 1811 brieflich zu verkehren begonnen hatte [181].

Gegenüber diesen gesellschaftlichen Bindungen verlor die geschichtliche Erlebniswelt, in der Varnhagen die reale Wirkung des Zeitgeists erkennen zu können glaubte, an Unmittelbarkeit. Wenn deshalb Goethe von der "Wechselwirkung" sprach, in der die von Varnhagen dargestellten "Individualitäten" mit dem Zeitgeist "gestanden" waren [182], bewies er damit, dass er die Vorstellung einer absoluten geschichtlichen Geisteskraft bereits überwunden hatte, und an diese Voraussetzung knüpfte sich die Verehrung, die ihm Varnhagen von seiner Geschichtsauffassung her entgegenbrachte. Den Sachverhalt selbst hat er 1817 nach seiner ersten Begegnung mit Goethe gleich bestätigt gefunden und damals auch in einem Brief an Stägemann entsprechend dargelegt [183]. "Wir sprachen über alles", schrieb er ihm, ". . . auch über den Geist und die Richtung der Entwicklung der Gegenwart, über die Gestalten der nächsten Vergangenheit, über Napoleon, Franzosen, Deutschland, Preussen; wie freut' ich mich des unerschütterlichen Vertrauens, das ich trotz aller Zwischendinge stets in unsres deutschesten Dichters Vaterlandstreue gesetzt! Wie gerecht, einsichtig und unschuldig waren seine Äusserungen in dieser Hinsicht, von wahrem Geschichtsgefühl, so des Augenblicks wie der Jahrhunderte, beseelt! Er sieht nur früh und schnell die Dinge so, wie die Meisten erst spät sie sehen; er hat vieles schon durchgearbeitet und beseitigt, womit wir uns noch plagen; und wir verlangen, er soll unsre Kindereien mitmachen, weil wir sie noch als Ernst nehmen! – Goethe kein deutscher Patriot? ein ächter und wahrhafter, wie es jemals einen geben kann! In seiner Brust war alle Freiheit Germaniens früh versammelt, und wurde hier, zu unser Aller nie genug erkanntem Frommen, das Muster, das Beispiel, der Stamm unsrer Bildung" [184].

Goethes Leben bedeutete für Varnhagen die Erfüllung seiner in den Freiheitskriegen erwachten Hoffnung auf ein Dasein, bei dem die ständischen und politischen Gegensätze faktisch dahinfielen und eine Gesellschaft zustande käme, in der, wie er es konkret mit der Gründung eines Goethevereins anstrebte, "ein und derselbe Grad für alle Mitglieder" gelten sollte [185]. Diesen Plan, den er selbst erst nach Goethes Tod ausführlich zur Sprache brachte, hatte die "Goethische Gesellschaft" in Berlin zu dessen Lebzeiten zu verwirklichen

[181] Vgl. Varnhagen an Goethe, Prag 20. Nov. 1811. In: Bfw II, 193ff. Dagegen L. Geiger. In: Goethe-Jb 14 (1893) S. 127. Ferner Dkw III, 193. II², 351f. III³, 231.
[182] J. W. v. Goethe. Varnhagen von Ense's Biographien, a.a.O. S. 136. Goethes Werke XLI/2, 268 Z. 21ff.
[183] Vgl. Dkw NF II (= VI), 244. III², 446. IX, 200. V³, 188. Dagegen vgl. C. Misch, a.a.O. S. 141.
[184] Dkw NF II (= VI), 246f. III², 448. IX, 202f. V³, 190. Vgl. Goethe in den Zeugnissen der Mitlebenden, S. 75ff. VSchr I, 428f. Dazu vgl. A. Bielschowsky. Goethe II, 476f. Ferner Varnhagen. Vorerinnerung. In: Über Goethe. Morgenblatt für gebildete Stände, 6 (1812) S. 641. Varnhagen an Rahel, Boitzenburg 3. Dez. 1813: Bfw III, 222.
[185] Vgl. Varnhagens Entwurf zur Gründung einer Goethe-Gesellschaft, Weimar 8. Sept. 1834: [K. Glossy] Fürst Metternich und die Gründung einer Goethe-Gesellschaft, a.a.O. S. 175.

begonnen; denn im Jahr 1823 fand anlässlich von Goethes vierundsiebzigstem Geburtstag eine Feier statt, die durch die Einladung des Bankiers Dehn zustande gekommen war [186], und zu diesem Datum hatte Varnhagen die umstrittene Sammlung 'Goethe in den Zeugnissen der Mitlebenden' herausgebracht. Goethe selbst hat die Auswahl der einzelnen Stücke als einseitig empfunden, weil er sich nur "in wohlwollenden Zeugnissen" erwähnt sah [187], während es Varnhagen ursprünglich bloss darum ging, "dem Freunde Goethe's", wie er sich ausdrückte, ein *"Lesebuch"* zu verschaffen [188], und solange es sich daher um eine Veröffentlichung handelte, die nur für Anhänger einer Goetheverehrung bestimmt war [189], hatte Varnhagen durchaus richtig ausgewählt. Persönlich verstand er diese Sammlung nämlich als Ausdruck seiner eigenen innersten Dankbarkeit, die er empfand, als Goethe im gleichen Jahr bereits von einer schweren Krankheit genesen war [190], und deshalb schien die wohlwollende Teilnahme, die Varnhagen übrigens ganz in Goethes Sinn an ihm selbst bewies, insofern perfid zu sein, als sie in einem übertragenen Sinn schon dessen Tod voraussetzte [191].

Diese Annahme wird jedoch weitgehend bestätigt, wenn Varnhagen auf die Nachricht von Goethes Tod hin den richtigen "Zeitpunkt" für gekommen hielt, jene Zeugnisse "vollständig zu sammeln und abzuschliessen" [192]. Was er dabei zu Goethes Tod im 'Morgenblatt für gebildete Stände' weiter ausführte, war ausserdem ein bezeichnendes Zeugnis seiner publizistischen Verschleierungskunst; denn anstelle von Berlin gab er für den anonymen Beitrag Sachsen als Einsendeort an, und da niemand in ihm den sächsischen Einsender vermuten konnte, durfte er sich selbst sogar mit Namen als Herausgeber der bereits bestehenden Ausgabe von Zeugnissen erwähnen. Die polemischen Absichten, auf die er in seinem gleichzeitig aus Berlin an Cotta gerichteten Schreiben hinwies [193], entsprachen dem gesellschaftlichen Zusammenhalt im Namen

---

[186] Vgl. Varnhagens Bericht, Berlin 31. Aug. 1823: Goethe-Jb 14 (1893) S. 131ff. Dazu Varnhagen an Ölsner, Berlin 19. Sept. 1823: Ölsner-Bfw III, 137. Varnhagens Notiz, 28. Aug. 1823: BpG II, 398. Vgl. auch Bettina an A. v. Arnim, Berlin 30. Aug. 1823: Achim und Bettina in ihren Briefen I, 403. Ferner dazu oben S. 183 u. A. 8.
[187] J. W. v. Goethe. [Für die Misswollenden. Vorschlag.], 24. Feb. 1824: Goethes Werke XLII/2, 59 Vgl. ebda S. 285.
[188] [Varnhagen] Vorerinnerung. In: Goethe in den Zeugnissen der Mitlebenden, S. III.
[189] Vgl. dazu Varnhagen an [A. v. Goethe], Berlin 11. Aug. 1823: Goethe-Jb 14 (1893) S. 64. Dagegen Rahels Notiz, 31. Aug. 1823: Rahel. Ein Buch des Andenkens III, 119. Dazu P. F. Glander, a.a.O. S. 41 "Nicolovius' judgment that the book was little read and soon forgotten might have been true for him, but certainly it was well-known among the friends and disciples of Rahel's Goethe Cult". Varnhagen an Rosenkranz, Berlin 24. Sept. 1844: Rosenkranz-Bfw S. 136.
[190] Vgl. Varnhagen an [A. v. Goethe], Berlin 11. Aug. 1823: Goethe-Jb 14 (1893) S. 64 Varnhagen an Ölsner, Berlin 19. Sept. 1823: Ölsner-Bfw III, 137.
[191] Vgl. dazu oben S. 199f.
[192] Vgl. [Varnhagens Artikel] Aus Sachsen, April. Goethes Tod, ein Abschnitt in der Geschichte des deutschen Volks. Morgenblatt für gebildete Stände, 26 (1832) S. 412. Vgl. auch Varnhagen an Ölsner, Berlin 9. März 1824: Ölsner-Bfw III, 208f.
[193] Varnhagen an Cotta, Berlin 18. April 1832: SNM Cotta-Archiv Nr. 166. Vgl. auch oben S. 139f. u. A. 101.

Goethes, und mit Leidenschaft wandte sich Varnhagen gegen den, wie er sich ausdrückte, "Jakobinerpöbel und Aristokratenpöbel, ... die Frechen und die Heuchler, die rohen Plumpen und die zierlichen Schönthuer ... die herzlosen, feigen, stumpfsinnigen Anarchisten!" Der drohende "Kampf", den er gleich nach Goethes Tod für "möglich" hielt [194], und ebenso die Tatsache, dass Schelling bereits einen Nachruf publiziert hatte [195], verhinderten ihn aber, Cottas "Wunsch" nach einem Denkmal "für den Dahingeschiedenen" zu willfahren [193]. Solange es nämlich noch Zeitgenossen gab, in denen die persönliche Erinnerung an Goethe lebendig blieb, fand die wohlwollende Aufmerksamkeit, die ihm Varnhagen in beschränktem Mass zuteil werden liess, mehr Verständnis, und dies galt vor allem für den Kreis in Weimar, mit dem er durch seine Beziehungen zu Eckermann und dem Kanzler von Müller auch nach Goethes Tod persönlich in enger Verbindung stand [196]; ausserdem kamen dazu aus dem Lager der Jungdeutschen einzelne Schriftsteller wie Laube, Gutzkow und Heine, für die Varnhagens literarisches Urteil später massgebend wurde [197].

Goethes Tod versetzte Varnhagen in ein gesellschaftliches Gefüge, in welchem die allgemein fortschreitende Geschichtsentwicklung faktisch nicht mehr zu erkennen war, und daher konnte er dieses Ereignis sogleich als einen "Abschnitt in der Geschichte des deutschen Volks" bezeichnen [194]. Nachdem sich die ständische Gesellschaft zuerst in der französischen Revolution und danach in den deutschen Befreiungskriegen für Varnhagen aufgelöst zu haben schien, erblickte er in einzelnen seiner Zeitgenossen die Vertreter neuer, nicht ständisch gebildeter Gesellschaftsgruppen, deren Bestehen ausschliesslich von der Autorität ihrer führenden Persönlichkeiten abhing; denn nur solange diese selbst durch ihr lebendiges Vorbild den Kreis ihrer Anhänger zu bestimmen vermochten, war für Varnhagen ihr Zusammenhalt gewährleistet. Hardenberg hatte ihm ein unmittelbares Beispiel gegeben, wie eine politische Persönlichkeit ohne entsprechenden Nachfolger bleiben konnte, und diesem Schicksal suchte er entgegenzuwirken, wenn er, wie er einmal ausführte, "die sämtlichen Briefe von Goethe, Schiller, Jacobi, Fichte, Rahel, Humboldt, Wolf, Voss u.s.w. in Eine

---

[194] [Varnhagens Artikel] Aus Sachsen, April. Goethes Tod, ein Abschnitt in der Geschichte des deutschen Volks, a.a.O. S. 412.
[195] Vgl. F. v. d. Leyen. In: Das Buch deutscher Reden und Rufe, S. 540; 170f. – Das Exemplar der Beilage zur Allgemeinen Zeitung mit Schellings Beitrag war mir nicht zugänglich.
[196] Vgl. L. Geiger. In: Goethe-Jb 14 (1893) S. 142. Dazu Kanzler v. Müller an N. Meyer, Weimar 18. Sept. 1832: Goethe-Jb 10 (1889) S. 163. Kanzler v. Müller an Günther, Weimar 24. Okt. 1834: Goethe-Jb 6 (1885) S. 146. H. H. Houben. J. P. Eckermann II, 149ff. Ferner K. T. Gaedertz. Goethe-Erinnerungen von Alwine Frommann. In: Bei Goethe zu Gaste, S. 42ff. J. Kühn. Zur Lebensgeschichte Jenny von Gustedts. Preussische Jahrbücher, 239 (1935) S. 230ff. Vgl. auch F. v. Müller. Schlusswort. In: Über Kunst und Alterthum VI/3 (1832) S. 639.
[197] H. H. Houben. Jungdeutscher Sturm und Drang, S. 585. Dazu Gutzkow an Schlesier, Mannheim 2. Feb. 1836: ebda S. 629. Varnhagen an Eckermann, Berlin 18. Juni 1836: H. H. Houben. J. P. Eckermann II, 165. Ferner H. Laube. Erinnerungen. In: H. Laubes ausgewählte Werke VIII, 233f.

grosse Sammlung chronologisch" vereinigen wollte [198] oder wenn er Eckermann den "Vorschlag zu einem Weimarischen Lexikon" unterbreitete [199]; doch auch seine Mitarbeit am Konversationslexikon von Brockhaus lässt sich im Sinne seiner Bemühungen um die geschichtliche Überlieferung nicht anders richtig verstehen [200]. In begrenztem Rahmen hat Varnhagen dieses Vorhaben durchführen können und dabei ein Werk vollbracht, dessen Bedeutung bis zum heutigen Tag unbestritten anerkannt ist; denn die verschiedenen Erinnerungsausgaben, mit denen er den Namen seiner Gattin Rahel für die Nachwelt im Bewusstsein erhielt, sind der Ausdruck einer antiquarisch interessierten Geschichtspublizistik, in der Varnhagen offensichtlich "seine grössten Wirkungen . . . als Historiker . . . erzielt" hat [201].

Indem er von Rahel und ihren Freunden Briefe und überhaupt schriftliche Zeugnisse veröffentlichte, würdigte er in ihrer Persönlichkeit jenes "erhabenste Bild der Geschichte", das er schon immer an ihr wahrgenommen hatte [202]. Ihre Briefe waren dabei nur der konkrete Ersatz für die mangelnde Unmittelbarkeit, die in seinem Verhältnis zu Rahel bereits zu deren Lebzeiten vorübergehend eine Störung bedeutet hatte [203]. Denn der blosse Briefverkehr genügte Varnhagen noch nicht, solange die Briefe selbst, wie er an Goethe schrieb, durch "schmerzliche Trennung . . . erkauft" werden mussten [204]. Die unmittelbare Beziehung, die der Brief voraussetzte, vergegenwärtigte sich, wie er Rahel erklärte, konkret nur "im Augenblick des Empfangs" [205], und wenn sie deshalb ihren Briefwechsel trotzdem als Ausdruck ihres gemeinsamen Lebens weiterpflegten, zeigten sie ein ästhetisches Empfinden, das um so bemerkenswerter war, weil es demselben unvollkommenen Lebenszustand entsprach, dessen fragmentarischer Charakter sich später in der jungdeutschen Briefliteratur künstlerisch spiegelte [206]. Abgesehen aber von ihrem Künstlertum setzte das Verständnis von Rahels Briefen zunächst ein Zusammengehörigkeitsgefühl voraus, mit dem Varnhagen nur innerhalb der gesellschaftlichen Kreise ihrer Freunde und allenfalls noch unter "unbekannten Gleichsinnigen" rechnen

[198] Varnhagens Notiz, 5. Dez. 1840: Tgb I, 241. Vgl. P. F. Glander, a.a.O. S. 57.
[199] Vgl. Varnhagens Vorschlag zu einem Weimarischen Lexikon, Berlin Okt. 1829: H. H. Houben. J. P. Eckermann I, 407ff. Dazu auch Varnhagen an Schlesier, Berlin 22. März 1834: H. H. Houben. Jungdeutscher Sturm und Drang, S. 560f.
[200] Vgl. dazu H. E. Brockhaus. Friedrich Arnold Brockhaus II, 137.
[201] J. Kühn. Einleitung. In: Dkw I, S. XIII u.f.
[202] Varnhagen an Goethe, Prag 3. Feb. 1812. In: Bfw II, 245 u.f. Vgl. auch Varnhagen an Rahel, Verden 24. Okt. 1813: Bfw III, 185. Varnhagen an Rahel, Tübingen 24. Jan. 1809: Bfw I, 269. Ferner K. Hillebrand. Briefwechsel zwischen Varnhagen und Rahel, a.a.O. S. 58; Varnhagen, Rahel und ihre Zeit. In: Wälsches und Deutsches (= Zeiten, Völker und Menschen II, 435f.) Dazu auch Schlesier an Varnhagen, Leipzig 23. Juni 1834: H. H. Houben. Jungdeutscher Sturm und Drang, S. 608.
[203] Vgl. dazu Varnhagen an Rahel, Berlin 20. Sept. 1808: Bfw I, 36ff. Ferner Varnhagen an Rahel, München 10. Sept. 1827: Bfw VI, 158.
[204] Varnhagen an Goethe, Prag 3. Feb. 1812. In: Bfw II, 245.
[205] Varnhagen an Rahel, Berlin 21. Sept. 1808: Bfw I, 40.
[206] Vgl. H. H. Houben. Jungdeutscher Sturm und Drang, S. 446; 651f. Ferner Varnhagen an Pückler, [2. April 1834]: ebda S. 566f.

durfte; "wer dies nicht wäre", schrieb er an Pückler, "hätt' ich nicht gemeint, und an dem sei mir auch nicht das Geringste gelegen" [207].

Die geschichtlichen Grundsätze, die Varnhagen bei der Herausgabe Rahelscher Nachlasspapiere leiteten, waren dieselben, die er drei Jahre vorher in einer Vorrede zu den 'Denkwürdigkeiten des Philosophen und Arztes Johann Benjamin Erhard' ausdrücklich festgestellt hatte [208], und dabei lagen den geschichtlichen Tatsachen schon damals gesellschaftliche Richtlinien zugrunde, die sich auf die Behandlung der zum Druck bestimmten Quellentexte auswirkten. Die Veröffentlichung von Privatbriefen erforderte gegenüber den "noch lebenden Personen" Rücksicht; aber wenn sich Varnhagen für die Auswahl der einzelnen Stücke auf Leitsätze berief, die, wie er erklärte, Friedrich Roth bei der Herausgabe von Jacobis Briefwechsel beachtet habe [209], befolgte er zwar noch kein quellenkritisches Editionsverfahren, doch war sein Vorbild, wie er ihn selber einmal charakterisierte, wenigstens ein "geistvoller Geschichtsforscher" [210]. Friedrich Roth hatte nämlich die von ihm bearbeitete Briefausgabe nicht von sich aus unter Auslassung alles Verfänglichen ausgewählt, sondern war dabei faktisch von Jacobis eigenen Anweisungen ausgegangen [211]. Daher bestand nun bei dieser Quellenveröffentlichung zunächst zwischen dem Urheber und dem Herausgeber ein persönliches Verhältnis, und was dessen geselligen Rahmen betraf, konnte Varnhagen während seines Aufenthalts in München 1827 immer noch einen gewissen Eindruck davon erhalten [212]. Mit Jacobis Namen verband sich ihm aber seit seiner Kindheit ein Begriff gesellschaftlichen Lebens; denn da er in Düsseldorf seine ersten Lebensjahre verbracht hatte, wusste er natürlich, dass Jacobi im damals noch ausserhalb der Stadt gelegenen Pempelfort "ein schönes grosses Wohnhaus" besass, wo bezeichnenderweise auch ein "angenehmer Garten die reichste Gelegenheit zur edelsten Gastfreundschaft" bot [213], und nachdem er in München Friedrich Roth persönlich kennen-

[207] Varnhagen an Pückler, Berlin 18. Juli 1833: Pückler-Bfw S. 158. Vgl. Varnhagens Bericht, Berlin April 1833: Rahel. Ein Buch des Andenkens I, 3. Dkw VI³, 189.
[208] Vgl. Varnhagens Notiz, nach Rahels Tod 1833: L. Assing. Vorwort. In: Bfw I, S. X.
[209] Varnhagen. Vorrede. In: Erhard-Dkw S. XIII. VSchr I, 210. IV², 538. Dkm IX³, S. XII. Vgl. Varnhagen an [Niethammer], Berlin 21. Jan.; 18. Aug. 1828: HH StA Dienststelle Altona Bestand 94 M 64 "Ich wünsche, dass Lebende und Nachlebende mein Verfahren nicht anzuklagen finden, und befleissige mich bestens jeder Rücksicht..." – Bei der Bestimmung des Adressaten war zunächst zu berücksichtigen, dass er von Erhard Briefe erhalten hatte, die Varnhagen in seiner Ausgabe publiziert hat. Danach kamen nur Friedrich Immanuel Niethammer in München und Johann Christian Osterhausen in Nürnberg in Betracht. Da Varnhagen aber Grüsse an Roth in München ausrichten liess und ausserdem von dem Adressaten Besprechungen für die Hegelschen Jahrbücher erbat, kann nur Niethammer in Frage kommen, der ein Mitglied der Kritiksozietät war. Vgl. dazu Varnhagen an Rahel, München 1. Sept. 1827: Bfw VI, 127. Ferner L. Stern. In: Die Varnhagen von Ensesche Sammlung, S. 559; 775.
[210] Vgl. Varnhagen an Rahel, München 7. Sept. 1827: Bfw VI, 149.
[211] Vgl. F. Roths Vorberichte, München 18. Nov. 1826; 26. Aug. 1824. In: F. H. Jacobi's auserlesener Briefwechsel II, S. IIIf.; I, S. Vf.
[212] Vgl. dazu oben S. 188.
[213] Vgl. Dkw I², 10. I³, 9.

gelernt hatte und ihr gemeinsamer Freund Niethammer ihm später seine eigenen von Erhard erhaltenen Briefe sowie weitere von dessen Freundin Elise Söllner für die Veröffentlichung zur Verfügung stellte [214], bestand die Beziehung zu Jacobi, wie sie Varnhagen nur vom Standpunkt des Herausgebers angeknüpft zu haben schien, auch gesellschaftlich zu Jacobis früherem Lebenskreis.

Unter dieser Voraussetzung wäre die Sammlung von Erhards Denkwürdigkeiten sicherlich bloss ein Erinnerungswerk für eine kleine Freundesgruppe geworden, wenn Varnhagen es nicht Hegel zugeeignet hätte; denn mit dieser persönlichen "Zueignung" konnte er doch ausserdem auch auf die geschichtliche Bedeutung seiner Herausgabe hinweisen, obschon er wusste, dass die geschichtliche Würdigung von Seiten Hegels nur ein Zugeständnis sein konnte und dessen philosophischer Dialektik nicht völlig entsprach [215]. Aber offenbar überschätzte Varnhagen ihr gegenseitiges Vertrauensverhältnis nicht, wenn er ihn trotzdem aufforderte, das "Buch ... nach seinen geschichtlichen Standpunkten wahrhaft" zu würdigen [216]; denn Hegels Antwortschreiben berührte Varnhagens geschichtliche Auffassung nur mit dem Hinweis auf seinen "tiefen Sinn für Individualität", den ihm später auch anlässlich einer persönlichen Widmung Wilhelm von Humboldt ebenfalls nachrühmte [217].

1830, Im Erscheinungsjahr der Denkwürdigkeiten Erhards, bestanden faktisch im Sinn von Varnhagens Geschichtsauffassung andere Voraussetzungen als im Zeitpunkt, zu dem er seine Sammelwerke über Rahel zu veröffentlichen begann. Solange Goethe lebte, dauerte die geschichtliche Entwicklung, die erst mit seinem Tod ihren Abschluss fand, noch an und wurde, wie Varnhagen andeutete, je näher dieses "unvermeidliche" Ende heranrückte [218], als um so gegenwärtiger empfunden. Bezeichnend dafür war es, wenn er namentlich Goethe auf den "tiefen Geschichtsgehalt" seines Buchs über Erhard aufmerksam

---

[214] Vgl. Varnhagen an [Niethammer], Berlin 21. Jan. 1828: HH StA Dienststelle Altona Bestand 94 M 64 "... auch enthalten die Briefe eigentlich gar kein Ärgerniss, vielmehr die Zeugnisse der reinsten, edelsten Zuneigung, wie sie nur aus höheren Gedanken der Wahrheitsforschung und des Tugendbestrebens zwischen Gleichgesinnten entstehen kann". Dazu Erhard-Dkw S. VIII. Ferner Varnhagen ebda S. 429f. Dkm X³, 121f.
[215] Vgl. Varnhagen. In: Erhard-Dkw S. Xf. VSchr I, 207f. IV², 535ff. Dkm IX³, S. Xf. Dazu ferner R. Haym, a.a.O. S. 497f.
[216] Varnhagen an Hegel, Berlin Jan. 1829. In: Erhard-Dkw S. Vf. VSchr I, 205f. IV², 534. Dkm IX³, VIIf. Vgl. Rosenkranz an Varnhagen, Königsberg 14. April 1840: Rosenkranz-Bfw S. 85 "Ich weiss, dass Sie bis zur Dedication von Erhards Denkwürdigkeiten hin sich eigentlich oft mit ihm [= Hegel] abgestossen haben ..."
[217] Hegel an Varnhagen, Berlin 23. Mai 1830: Hegel-Bfw III, 302f. Vgl. Humboldt an Varnhagen, Tegel 17. Okt. 1833: Denkschriften und Briefe III, 11. Ferner auch A. v. Humboldt an Varnhagen, Berlin 27. Okt. 1840: A. v. Humboldt-Bfw S. 78. Immermann an Varnhagen, Magdeburg 24. Jan. 1827: Denkschriften und Briefe NF (= V), 139. M. Ring. Varnhagen von Ense und der letzte Berliner Salon, a.a.O. S. 82; Erinnerungen II, 88f. H. Koenig. Erinnerungen an Varnhagen von Ense, a.a.O. S. 2 "Ein tiefer Sinn für Individualität ... wird ihm zugestanden". Vgl. auch F. Römer, a.a.O. S. 124.
[218] Vgl. Varnhagen an O. v. Goethe, Berlin 26. März 1832: Goethe-Jb 10 (1889) S. 164 u.f. Ferner Varnhagen an Fouqué, Teplitz 18. Aug. 1814: Goethe-Jb 24 (1903) S. 97.

machte, das insofern selbst noch ein Ausdruck für die mit der Aufklärung einsetzende geschichtliche Epoche sein konnte [219]. Denn darin unterschied es sich von den Veröffentlichungen, die Varnhagen nach Goethes Tod zu Rahels Andenken veranstaltete und die ein gesellschaftliches Zusammengehörigkeitsgefühl voraussetzten, das ein konkreter Ersatz für die unmittelbare Umsetzung der Gegenwart in Geschichte sein sollte [220]. Was ihm demnach anlässlich der Herausgabe von Erhards Papieren noch nicht gelungen war, hatte er mit den Publikationen zu Rahel erreicht. Die Entwicklung der Tagesereignisse war damit seinem Interesse vorübergehend entrückt, und was ihm dadurch von aussen an Anregung fehlte, fand Varnhagen nun im Kreis zahlreicher Freunde, die sich im gemeinsamen Andenken an seine Gattin ihrer übereinstimmenden Gesinnung bewusst wurden.

Wenn Varnhagen aber als Herausgeber von Rahels Briefen und als Schilderer ihres Lebenskreises eine breitere Öffentlichkeit zu fesseln vermochte [221], ist diese Wirkung trotzdem noch lange nicht mit derjenigen Goethes zu vergleichen. Eine derartige Wirkung hatte Varnhagen aber gar nicht erwartet, da, wie sein Verhältnis zum Saint-Simonismus zeigt, die geschichtlichen Vorstellungen sich bei ihm zuletzt doch nicht in eine gesellschaftliche Ordnung umsetzen liessen. Vom Standpunkt der Geschichte konnte Varnhagen an keinen Stillstand ihrer Entwicklung glauben, solange nur gesellschaftliche und nicht zugleich soziale Veränderungen, wie sie bis dahin immerhin der Saint-Simonismus postulierte [222], eintraten, und schliesslich hatten die gesellschaftlichen Verhältnisse die Revolution in Frankreich gerade nicht verhindert. Vor allem deshalb aber rechnete er auch damit, dass der "Antheil an der grossen Entwicklungszeit, die nach der Mitte des achtzehnten Jahrhunderts" angebrochen sei, in Deutschland wieder neu lebendig werde [223]. Doch den Zugang in diese Vergangenheit vermochte er besser durch eine Gestalt zu finden, die wie Erhard selbst noch innerhalb der mit Goethes Tod zu Ende gegangenen Epoche stand und dabei ihrerseits zeitgeschichtlich interessiert war. Die Beschäftigung mit Erhard konnte insofern unmittelbar dem "vergleichenden

---

[219] Varnhagen. Vorrede. In: Erhard-Dkw S. IXf. VSchr I, 206f. IV², 535. Dkm IX³, IXf.
[220] Vgl. auch Varnhagen an Perthes, Berlin 25. Nov. 1827: HH StA Perthes Nachlass I M 17a Bl 124-125. Dazu vgl. oben S. 92 A. 24.
[221] Vgl. J. v. Pappenheim an Varnhagen, Weimar 12.; 16. Okt. 1833: J. Kühn. Zur Lebensgeschichte Jenny von Gustedts, a.a.O. S. 233; 234f. Rosenkranz an Varnhagen, Königsberg 7. Jan. 1834: Rosenkranz-Bfw S. 5f. W. v. Humboldt an Varnhagen, o.O.u.J.: A. Leitzmann. Die Freundin Wilhelm von Humboldts, DtRs 140 (1909) S. 263. Ferner W. v. Humboldt an C. Diede, Tegel Dez. 1834: W. v. Humboldts Briefe an eine Freundin II, 383. Bauernfelds Notiz, Okt. 1834: Aus Bauernfelds Tagebüchern I. Jahrbuch der Grillparzer-Gesellschaft, 5 (1895) S. 70. Vgl. auch L. Geiger. Michael Sachs und Moritz Veit an Varnhagen von Ense. Allgemeine Zeitung des Judenthums, 61 (1897) S. 307. E. Howald. Rahel. In: Deutsch-französisches Mosaik, S. 133.
[222] Vgl. Varnhagens Notiz, 2. März 1837: Tgb I, 39. Dazu auch Varnhagen an Schlesier, Berlin 18. April 1834: H. H. Houben. Jungdeutscher Sturm und Drang, S. 565.
[223] Vgl. Varnhagens Notiz, nach Rahels Tod 1833: L. Assing. Vorwort. In: Bfw I, S. X. Dazu Varnhagen. Vorrede. In: Erhard-Dkw S. X. VSchr I, 207. IV², 535. Dkm IX³, S. X.

Rückblick" dienen, "aus welchem", wie Varnhagen meinte, "... der sinnende Mensch immer die wahre Geschichtsbelehrung über die Welt wie über sich selbst zu schöpfen" habe, und ausserdem hatte Erhard selber den Plan einer gesellschaftlichen Verbindung entworfen, in die er zuletzt die gesamte Menschheit einzubeziehen hoffte [224].

Was daher die Herausgabe von Quellenzeugnissen betraf, hatte Varnhagen in historischer Sicht seinen Standpunkt bereits umschrieben, als er sich mit der Auswertung von Rahels Briefen und Nachlasspapieren zu beschäftigen begann. Dabei war in seinem Verhältnis zu Rahel die persönliche Beteiligung stärker als gegenüber Erhard, der sich ihm früher während einer schweren Erkrankung vor allem durch sein ärztliches Eingreifen als Freund erwiesen hatte [225]. Sobald Varnhagen aber Rahels geistige Wirkung seinem geschichtlichen Bewusstsein unterordnete, musste sich ihm die Aussicht auf eine veränderte gesellschaftliche Ordnung aufdrängen, die das Ergebnis eines ebenso neuen geschichtlichen Entwicklungsganges darstellen sollte, wie er in Frankreich aus dem Ancien Régime hervorgegangen war, und da vom Standpunkt der Geschichte die rein gesellschaftlichen Verhältnisse keine Dauer besitzen konnten, betrachtete Varnhagen Rahels Briefe und Aufzeichnungen geschichtlich als für eine seiner Meinung nach im Kommen begriffene "Zeit" bestimmt, "wo der", wie er schrieb, "grösste Theil unserer jetzigen konventionellen Sittlichkeit nichts mehr gilt, wo man über die Vorstellungen und Regeln, die uns jetzt allgemein beherrschen, lächelt oder die Achseln zuckt" [226]. Im Hinblick auf eine solche gesellschaftliche Revolution konnte Varnhagen nichts anderes tun, als die von Rahel vorhandenen Schriftstücke zu veröffentlichen, und dementsprechend hatte er bereits während seiner Arbeiten an Erhards Papieren an Niethammer geschrieben, dass er "am liebsten ... Erhard selbst reden" lasse [227].

Wenn er dabei im Fall von Rahel auch später noch keine Mühe scheute, um von ihren Freunden Briefe, die sie ihnen geschrieben hatte, zurückzuerhalten, bewahrte er ausserdem in seinem Verhältnis zu ihr die Unmittelbarkeit, die faktisch nur im Augenblick, in dem er den Brief empfing, bestanden hatte, und die Lust, mit der er ihm noch unbekannte Briefe von Rahel bloss schon als reine Dokumente zur Kenntnis nahm [228], entsprach seinem Enthusiasmus, den

[224] Vgl. Varnhagen. In: Erhard-Dkw S. 170f. VSchr I, 284ff. IV², 601ff. Dkm IX³, 182f. Dazu auch Erhard-Dkw S. 181ff. Dkm IX³, 193ff.
[225] Vgl. Dkw I², 272f. I³, 215f. Ferner Varnhagen. Vorrede. In: Erhard-Dkw S. IX. VSchr I, 206. IV², 535. Dkm IX³, S. IX. Vgl. auch Varnhagen an Ranke, Berlin 3. Feb. 1828: L. v. Ranke und Varnhagen von Ense. Ungedruckter Briefwechsel, a.a.O. S. 338.
[226] Varnhagens Notiz, 7. Feb. 1835: L. Assing. Vorwort. In: Bfw I, S. XII u.f. Vgl. K. Hillebrand. Briefwechsel zwischen Varnhagen und Rahel, a.a.O. S. 59; Varnhagen, Rahel und ihre Zeit. In: Wälsches und Deutsches (= Zeiten, Völker und Menschen II, 441ff.)
[227] Varnhagen an [Niethammer], Berlin 18. Aug. 1828: HH StA Dienststelle Altona Bestand 94 M 64.
[228] Vgl. Varnhagen an P. Wiesel, Berlin 19. Feb.; 6. April 1841: C. Atzenbeck. Pauline Wiesel, S. 241ff. Vgl. auch Briefe des Prinzen Louis Ferdinand von Preussen an Pauline Wiesel, S. 127ff. Ferner Varnhagen an A. W. Schlegel, Berlin 25. Jan. 1838: Drei Briefe aus A. W. Schlegels Nachlass. Euphorion, Ergänzungsheft 5 (1901)

er später allgemein als Autographensammler bewies [229]. Nachdem er nämlich zuerst an Rahel gelernt hatte, dass, wie er feststellte, von ihr "alles und jedes an und für sich bedeutend und wichtig" sei und "jede Zeile beachtet und bewahrt werden" sollte, glaubte er schliesslich eine Methode zu besitzen, die mit naturwissenschaftlicher Genauigkeit die Originale von Quellenzeugnissen auswerten helfe, und so behauptete er: "... wie die Naturforscher es dahin gebracht haben, dass sie aus einem aufgefundenen Zahn oder Nagel eines unbekannten Thieres die ganze Gestalt desselben aufstellen, so gelingt es mir, aus kurzen Angaben und Bemerkungen, aus einigen autographischen Zeilen, aus anschaulichen Eigenheiten, allmählich ganze Charaktere, Verhältnisse und Zustände heraufzubeschwören und sie gleichsam mitlebend auszubeuten" [230]. Zum Vorbild für diese Art von Quellenverständnis hatte Varnhagen genommen, was Goethe in einem Brief an Jacobi "über die Physiognomie der Handschriften ... und über den Reiz dieser Anschauung und Deutung" äusserte [231]. Doch was ihn dabei mit Goethe verband, entsprach zugleich auch der gesellschaftlichen Befangenheit, in der Varnhagens Geschichtschreibung lexikographische Züge aufzuweisen begann, und diese Richtung verfolgte er insofern ganz konkret, als er seine Sammeltätigkeit nicht als "blosse Liebhaberei" auffasste, sondern als Vorarbeit für ein "historisch-litterarisches Lexikon" [232].

S. 204. Varnhagens Notiz, Hamburg 3. Aug. 1845: Tgb III, 148. Dazu F. v. Oppeln-Bronikowski, a.a.O. S. 564. Vgl. auch Varnhagens Notizen, 5.; 9.; 10. Okt. 1853: Tgb X, 291f.; 299; 301. Ferner Varnhagen an Lappenberg, Berlin 28. Sept. 1834: HH StuUB HsAbt Literatur-Archiv 1930. 309 "– allein auf der ganzen Reise ist mir kein solcher Moment geworden, wie ich hier bei der Rückkehr hatte, wo ich eine ganze Anzahl Briefe von Rahel vorfand, die mir inzwischen eingesandt worden waren".

[229] Vgl. Varnhagen an Falkenstein, Berlin 20. Jan. 1848: Varnhagen[?]. Über Zweck und Werth der Autographensammlungen. Organ für Autographensammler und Autographenhändler, 1 (1859) S. 33f. Varnhagen an Pückler, Berlin 9. April 1842: Pückler-Bfw S. 390. Varnhagen an Heine, Berlin 11. Okt. 1842: Heine-Reliquien, S. 194. Varnhagen an Troxler, Berlin 27. Okt. 1842: Troxler-Bfw S. 255. Varnhagen an E. Reinhold, Berlin 8. Mai 1844: NFG (GSA) Reinhold: II, 6, 4 "Sie haben sehr Recht, die Liebhaberei des Autographensammelns artet in Tagesmode aus ... es schiene bisweilen fast anständiger, sich derselben zu enthalten. Indessen hab' ich den Muth, auch unter den misslichen Umständen sie getrost zu bekennen und fortzusetzen, und beklage nur, erst in so späten Jahren – nachdem ich unendliche Gelegenheiten versäumt – darauf gekommen zu sein!" Varnhagen an A. Bölte, Berlin 9. Sept. 1844: Briefe an eine Freundin, S. 1 u.ö. ebda. Dazu A. Behrens. Einleitende Studie. In: Amely Böltes Briefe aus England an Varnhagen von Ense, S. 2. Ferner A. Bölte an Varnhagen, London 8. Aug. [1844]: ebda S. 37. Varnhagen an C. v. Sayn-Wittgenstein, Berlin 2. Mai 1858: Aus der Glanzzeit der Weimarer Altenburg, S. 292. Vgl. auch Varnhagens Notiz, 1. April 1844: A. v. Humboldt-Bfw S. 136f. Ferner H. H. Houben. Varnhagen von Ense, a.a.O. S. 323. S. Rahmer. Zum Gedenktage Varnhagens von Ense. Die Gegenwart, 74 (1908) S. 277.

[230] Varnhagen an A. Bölte, Berlin 6. Mai 1849: Briefe an eine Freundin, S. 151. Vgl. Varnhagens Notiz, nach Rahels Tod 1833: L. Assing. Vorwort. In: Bfw I, S. XI.

[231] Goethe an Jacobi, Karlsbad 10. Mai 1812: Goethes Briefe (= Goethes Werke IV/23, 6 Z. 6ff.) Vgl. Varnhagen[?]. Über Zweck und Werth der Autographensammlungen, a.a.O. S. 34. Vgl. ferner Varnhagens Abschrift, Berlin 14. Dez. 1847: Bln DtStB HsAbt Sammlung Autographa "Autographensammler werden diese Worte dankbar würdigen!" Varnhagens Abschrift, Berlin 20. Nov. 1846: Dortmund StuLB HsAbt Atg 2169.

[232] Varnhagen an Falkenstein, Berlin 20. Jan. 1849: Varnhagen[?]. Über Zweck und

226

In diesem Sinn hat später beispielsweise Ferdinand Lassalle Varnhagens Autographensammlung auch benutzt [233], und indem er dessen Nichte Ludmilla Assing zur Herausgabe zeitgeschichtlicher Dokumente veranlasste, leistete er gerade den zeitgemässen revolutionären Forderungen Vorschub, um derentwillen sich Varnhagen lieber in den Bereich seiner Höflichkeit zurückzog und Autographen sammelte, als selber auf das öffentliche Leben einzuwirken [234]. Denn so, wie er Rahels Briefe im Hinblick auf eine völlig veränderte Gesellschaftsstruktur verstand, wusste er, dass die blosse Veröffentlichung von Quellenzeugnissen jeder Art ein revolutionäres Ereignis bedeutete und diese vom Standpunkt der Geschichte, wie er schon 1816 erklärte, grundsätzlich "in sich selbst die Berechtigung ihres Erscheinens" hatten [235]. Daher betrachtete er die von Gagern herausgegebenen Briefe des Freiherrn vom Stein auch als ein im Sinne geschichtlicher Veröffentlichungen unzulängliches Werk, da es, wie er ausführte, "weder für die Geschichte überhaupt, noch für die Karakteristik des Freiherrn vom Stein, und am wenigsten für dessen vollständige und gerechte Würdigung... eine ergiebige Ausbeute" liefere [236]. Welche Quellenpublikationen Varnhagen dagegen für gerechtfertigt hielt, richtete sich bei ihm nicht nach rein empirischen Voraussetzungen, sondern ausschliesslich danach, dass sie inhaltlich und zeitlich seinen eigenen erlebnishaften Geschichtsraum betrafen, und damit war für ihn die wichtigste Bedingung bereits erfüllt. Wenn deshalb Ranke "amtliche Geschichtsquellen" zu Gebote standen, konnte er darum Varnhagen noch lange nicht von ihrem hohen Aussagewert überzeugen, sondern im Gegenteil nur seinen Unwillen erregen, da sie, wie er einmal meinte, "oft das Wichtigste, das Lebendigste" verschwiegen und "oft ... ganz und gar im Dienste der Lüge zusammengestellt" seien [237].

Abgesehen von dem ästhetischen Verständnis, das Varnhagen bei der Beurteilung geistiger Zusammenhänge bewies und das ihn auch zum mehr literari-

---

Werth der Autographensammlungen, a.a.O. S. 34. Vgl. Varnhagen an E. Reinhold, Berlin 8. Mai 1844: NFG (GSA) Reinhold: II, 6, 4 "Meine Sammlung empfängt auch vielleicht dadurch einen besonderen Werth, dass sie das Ansehn eines historisch-litterarischen Lexikons gewinnt, ausgestattet mit Bildnissen und Notizen, und wo sich manches einst erwünschte Blatt aufbewahrt, das sonst wohl verloren ginge". Dazu ferner Troxler an Varnhagen, Bern 24. Nov. 1842; Varnhagen an Troxler, Berlin 23. Dez. 1842: Troxler-Bfw S. 258; 262. Vgl. dagegen H. H. Houben. Gutzkow-Funde, S. 83.

[233] Vgl. Lassalle an Marx, [April 1860]: F. Lassalle. Nachgelassene Briefe und Schriften III, 296f.

[234] Vgl. Varnhagen an Troxler, Berlin 17. Sept. 1844: Troxler-Bfw S. 284f. Ferner Lassalle an Marx, Berlin 11. März [1844]: F. Lassalle. Nachgelassene Briefe und Schriften III, 291 u. A. 1. Dazu auch M. Ring. Varnhagen von Ense und der letzte Berliner Salon, a.a.O. S. 84; Erinnerungen II, 90.

[235] Varnhagen an Troxler, Mannheim 31. März 1816. In: Bruchstücke aus Briefen und Denkblättern. Schweizerisches Museum, 1 (1816) S. 213.

[236] Varnhagens Rezension, JfwK 1 (1833) Sp. 603. Zur Geschichtschreibung, S. 499. Vgl. K. G. Jacob. Deutsche Memoirenliteratur. Minerva, 1 (1837) S. 206f.

[237] Varnhagen an Troxler, Berlin 7. Feb. 1848: Troxler-Bfw S. 332. Ferner Varnhagen an Ranke, Berlin 3. Feb. 1828: L. v. Ranke und Varnhagen von Ense. Ungedruckter Briefwechsel, a.a.O. S. 342; 338f. Vgl. auch oben S. 163 u. A. 103. Ferner Varnhagen an Rosenkranz. [Frühjahr 1846]: Rosenkranz-Bfw S. 149.

schen als historischen Kritiker befähigte [238], bedeutete die Ablehnung amtlichen Quellenmaterials ein gesellschaftliches Selbständigkeitsgefühl, in dem er sich gegen eine unpersönliche Staatlichkeit behauptete [239], und gerade in der "Literatur" fand er einen konkreten Ersatz für den Mangel an unmittelbarer "Geselligkeit" [240]. Mit der Veröffentlichung Rahelscher Nachlasspapiere hat er aber schon die Grenze dessen erreicht, was er ohne politische Schwierigkeiten literarisch zum Ausdruck bringen konnte; denn die geistige Anhängerschaft, die Rahels Name hervorrief, musste Metternich ebenso revolutionär erscheinen wie die Vorstellung eines Goethevereins [241], wogegen die Herausgabe von Karl Müllers 'Kleinen Schriften' im Jahr 1847 ein Werk war, das innerhalb Varnhagens biographischer Geschichtschreibung weniger gesellschaftsbildend wirken musste [242]. Dabei stellte die Quellenauswertung im Sinn seiner beschränkten Geschichtsauffassung schliesslich doch die einzige Arbeit dar, die er faktisch seinem ursprünglich historiographischen Beruf entsprechend noch als Historiker leistete.

4. "Biographische Denkmale."

Was Varnhagen an Quellen und zeitgenössischer Literatur bewältigte, bot eine Stofffülle dar, die er nur dank seiner Erfahrung als politischer Publizist überblicken konnte. In historiographischer Hinsicht wurde ihm dadurch die blosse Lektüre der Tagesliteratur und anderer Veröffentlichungen ein Ersatz für die mangelnde Unmittelbarkeit äusserer Ereignisse [243], und darin lag eine Art Prätention, wenn er sich, ohne selbst Augenzeuge gewesen zu sein, trotzdem den Anschein eines "Quellenschriftstellers" gab; denn insofern berührten sich seine historiographischen Bemühungen mit den literarischen Tendenzen, die das 'junge Deutschland' im Bereich der Belletristik zu verwirklichen suchte [244]. Sobald er aber den Quellencharakter dokumentarisch konkretisieren konnte, glaubte er, sich als Historiker etwas zugute halten zu dürfen, und er merkte nicht, inwiefern seine Geschichtschreibung dabei unkritisch bleiben musste. "Das Was", erklärte er, "kann öfters ungewiss im Zweifel schweben, aber das

---

[238] Vgl. H. Koenig. Erinnerungen an Varnhagen von Ense, a.a.O. S. 5f.
[239] Vgl. oben S. 189f. Dazu auch E. Howald. Varnhagen von Ense, a.a.O. S. 170.
[240] Vgl. Varnhagen an Schlesier, Berlin 16. Jan. 1835: H. H. Houben. Jungdeutscher Sturm und Drang, S. 590. Varnhagen an Pückler, Berlin 3. April 1833; 5. Feb. 1835: Pückler-Bfw S. 153; 274. Dazu vgl. auch oben S. 190.
[241] Vgl. dazu das anonyme Gutachten der Oberzensurbehörde, [1836]: In: Varnhagens Denkschrift an den Fürsten Metternich über das junge Deutschland 1836, a.a.O. S. 193. Dagegen Varnhagen an Lappenberg, Berlin 28. Sept. 1834: HH StuUB HsAbt Literatur-Archiv 1930. 309 "Metternich sprach viel von Rahel, er rühmte sich, einer ihrer frühsten Bekannten gewesen zu sein..." Dazu Dkw VIII, 75f.; 97f.; 94. VI³, 301; 310; 315.
[242] Vgl. dazu oben S. 134f.
[243] Vgl. Varnhagens Notiz, 22. April 1849: Tgb VI, 62.
[244] Vgl. Heine an Gans, Hamburg Mai 1826: H. Heine. Briefe VI, 269 "Du verstehst mich nicht, ich will nemlich andeuten dass es mich im Grunde meiner Seele ärgert, dass unsere Bücher keine *Quellen* mehr sind, dass ich Dir und mir selbst deshalb grolle, und es mir, eben solchem Grolls wegen, zum Bedürfnisse wird Dir zu sagen dass ich Dich dennoch liebe, dass ich Dich liebe quand même –".

Wie ist mir in den meisten Fällen ganz klar"[245], und diesen aus persönlicher Anschauung gewonnenen Grundsatz wandte er auf die einzelnen Quellenstücke an, die er benutzte. Es konnte ihm deshalb vom Standpunkt der Geschichte zuletzt nie um die Ablärung faktischer Sachverhalte gehen, sondern ausschliesslich um den Zugang, durch den er selbst konkret mit der zeitgeschichtlichen Entwicklung in Berührung zu stehen vermochte.

Im Hinblick auf die Quellenbenützung wurde diese ästhetisierende Interpretationstätigkeit im Sinne seiner Geschichtsauffassung gleichsam ein reales Ereignis, und die Wendung, die demnach in Varnhagens Geschichtschreibung stattfand, ist bezeichnenderweise bei seinem letzten biographischen Werk über den General Bülow von Dennewitz besonders deutlich zu verfolgen. Ursprünglich hatten sich Bülows Nachfahren und unter ihnen vor allem die älteste Tochter Marianne von Bardeleben bemüht, seine Biographie schreiben zu lassen, und durch die Vermittlung Theodor von Schöns war Varnhagen der entsprechende Auftrag zuteil geworden[246]. Unter dieser Voraussetzung erhielt er von Frau von Bardeleben sogar schriftliche Mitteilungen, die ihm als Quellenzeugnisse dienen mussten, und so durfte er sich auch durchaus als Eingeweihten betrachten[247]. Doch daneben spielten weitere Beziehungen beispielsweise zu Eduard von Bülow, durch dessen Gattin, auch einer Tochter des Generals, er ebensolche Nachrichten empfing[248], und schliesslich verfügte er über eine ganze Reihe von persönlichen Zeugnissen[249], wobei ihm ausserdem durch Theodor von Schön die Benützung des Kriegsarchivs zugesichert war[250]. Bis Varnhagen aber den Zugang zu den betreffenden Akten wirklich erhielt, verging ungefähr ein Jahr, und in dieser Zeit wiederholte sich für ihn jener zweifelhafte Zustand, den er, solange er nicht eingeweiht war, schon immer empfunden hatte; denn er fürchtete, den richtigen Augenblick zu versäumen[251].

[245] Varnhagens Notiz, 22. April 1849: Tgb VI, 62.
[246] Vgl. Schön an Varnhagen, Preussisch-Arnau 28. Juni 1852: L. Assing, a.a.O. S. 70 u.f. Vgl. Aus den Papieren des Ministers Theodor von Schön II, 277 u.f. Dazu [M.] v. Bardeleben an Schön, Rinau 8. Juli 1852: ebda S. 284f. Ferner Varnhagens Notiz, 29. Juni 1852: Tgb IX, 271.
[247] Vgl. Varnhagens Angaben: Bülow S. 457. Dkm VIII³, 406. Ferner [M.] v. Bardeleben an Schön, Rinau 8. Juni 1852: Aus den Papieren des Ministers Theodor von Schön II, 285. Schön an Varnhagen, Preussisch-Arnau 28. Juni; 15. Juli 1852: L. Assing, a.a.O. S. 71. Vgl. Aus den Papieren des Ministers Theodor von Schön II, 279. Dazu Varnhagens Notiz, 17. Juli 1852: Tgb IX, 297. Varnhagen an Schön, Berlin 27. Juli 1852: Aus den Papieren des Ministers Theodor von Schön I, 224. Vgl. dazu auch oben S. 198 u. A. 90.
[248] Vgl. J. Petersen. Varnhagen v. Ense über Kleist. Mitteilungen aus seinem Briefwechsel mit Eduard v. Bülow. Jahrbuch der Kleist-Gesellschaft, (1923 und 1924) (= Schriften der Kleist-Gesellschaft, 3/4 (1925) S. 141.)
[249] Vgl. Varnhagens Angaben: Bülow S. 457f. Dkm VIII³, 406f. Ferner Varnhagen an Schön, Berlin 27. Juli 1852: Aus den Papieren des Ministers Theodor von Schön I, 224. Ferner Varnhagens Notizen, 19. Aug.; 2.; 22. Okt.; 4. Dez. 1852: Tgb IX, 338; 375; 388; 426.
[250] Vgl. Schön an Varnhagen, Preussisch-Arnau 28. Juni 1852: L. Assing, a.a.O. S. 71. Vgl. Aus den Papieren des Ministers Theodor von Schön II, 279. Dazu auch Varnhagens Notiz, 4. Aug. 1852: Tgb IX, 318.
[251] Vgl. Varnhagens Notizen, 11. Okt. 1852; 4.; 8. März; 13. April 1853: Tgb IX, 378; X, 51; 56; 105. Ferner Varnhagen an Rosenkranz, Berlin 19. Nov. 1852:

Daher wurde ihm aber, nachdem er die amtlichen Archivalien eingesehen hatte, die Tatsache, dass er die umfangreiche Darstellung in der kurzen Zeit von kaum acht Wochen niedergeschrieben hatte, viel wichtiger als der Forschungsaufwand [252]; denn aus der inneren Formulierung des historischen Geschehens ergab sich für ihn keine neue geschichtliche Fragestellung. Als biographischer Porträtist fühlte er sich jedenfalls auch gar nicht auf eine möglichst umfassende Quellengrundlage angewiesen, und insofern war es für seine gesamte Geschichtschreibung bezeichnend, wenn er, wie ein Brief an Eduard von Bülow bezeugt, dessen Nachrichten wohl dankbar zur Kenntnis nahm, aber ihren sachlichen Inhalt durchaus nicht etwa überschätzte; "sie bestätigen vieles", schrieb er ihm zurück, "was mir schon bekannt war. Sie berichtigen manches, sie geben neue helle Anhaltspunkte, sie erweitern den Gesichtskreis" [253]. Doch solange sich der gesamte Stoff für Varnhagen in keinem Überblick darstellen liess und daher die unmittelbare zeitgeschichtliche Verknüpfung fehlte, blieben für ihn die Quellen ohne Bezug zum geschichtlichen Zusammenhang, den er als Historiker immer voraussetzte. "... was hilft mir alles Mühen und Gewinnen im Einzelnen", schrieb er in einem spätern Brief an Bülow, "wenn das Ganze fortwährend in Frage gestellt bleibt!" [254]

Die einzelnen Zeugnisse, in denen er zuerst bloss den antiquarischen Seltenheitswert unmittelbar einsehen konnte [255], ordneten sich ihm nur dann zu einer zusammenhängenden Einheit, wenn er dabei wenigstens vom Standpunkt des Sammlers eine gewisse Vollständigkeit erreicht hatte und er nicht, wie es anlässlich seiner Vorarbeiten zur Biographie Hardenbergs der Fall gewesen war, eine Anzahl bestehender Quellen von vornherein als unzugänglich ausser Betracht lassen musste [526]. Solange deshalb die Benützung amtlicher Archivalien nicht ohne weiteres feststand, sondern von persönlichen Beziehungen abhing [257],

Rosenkranz-Bfw S. 196. Varnhagen an Troxler, Berlin 15. Dez. 1852: Troxler-Bfw S. 379. Vgl. auch Varnhagen an A. Bölte, Berlin 10. Sept. 1853: Briefe an eine Freundin, S. 292f.

[252] Vgl. Varnhagen an A. Bölte, Berlin 10. Sept. 1853: Briefe an eine Freundin, S. 292f. Dazu Varnhagens Notizen, 6. Mai; 29. Juni 1853: Tgb X, 142; 179. Varnhagen an Heine, [Sommer 1854?]: Heine-Reliquien, S. 342. Varnhagen an Rosenkranz, Berlin 1. Juli 1853: Rosenkranz-Bfw S. 198. Vgl. auch F. Meinecke. Zur Beurteilung Bernadottes im Herbstfeldzuge 1813, FBPG 7 (1894) S. 461; 462f.

[253] Vgl. Varnhagen an E. v. Bülow, Berlin 13. Dez. 1852: Ddf LuStB 64.2020. Dazu Varnhagen an Rosenkranz, Berlin 8. Dez. 1854: Rosenkranz-Bfw S. 200 "Sehr gefühlt habe ich bei dieser Arbeit, wie sehr der Stoff sie bedingt, die Dürftigkeit der Hülfsmittel und ihr Reichthum, beide werden zum Nachtheil; ..."

[254] Varnhagen an E. v. Bülow, Berlin 23. Feb. 1853: FDtHSt FGM Hs 14039.

[255] Vgl. oben S. 225f.

[256] Vgl. oben S. 203.

[257] Vgl. Varnhagens Notiz, 19. Jan. 1827: BpG IV, 174f. Ferner über Archivalien die "englische Geschichte betreffend" Varnhagen an Lappenberg, Berlin 8. Aug. 1832: HH StuUB HsAbt Literatur-Archiv 1930.306 "Wie das [Königliche] Archiv aber aufzuschliessen sein mag, das ist eine Frage, die ich nicht zu beantworten fähig bin. Ein Ansuchen und eine Verwendung von England her wäre wohl das Erste, aber das Zweite und Dritte, wie im Besondern die Ausführung zu bewerkstelligen sei, würde das Wichtigere und Schwierigere bleiben, worüber Sie persönlich mit dem Fürsten von Wittgenstein, dem Hrn Minister Ancillon und dem Hrn Geh. Rath Tzschoppe Rücksprache zu nehmen hätten". Dazu Varnhagen an Wittgenstein, Berlin

brauchte es eine innere Geistigkeit, die den Überblick allgemein ebenso gewähr-
leisten konnte wie eine zunächst unbewältigte Fülle einzelner Belegstücke.
Gerade durch diese gesinnungsmässig noble Haltung, mit der Varnhagen seine
in der reaktionär gerichteten Gesellschaft ungünstige Stellung zu überwinden
suchte, erwarb er sich jedoch das Vertrauen Theodor von Schöns, der damals
selbst dem politischen Leben in Preussen weitgehend entrückt war.

Als einer der hervorragendsten Vertreter jener Geschichtschreibung, die
sich im Sinne Gneisenaus vor allem aus Mitteilungen von Zeitgenossen zu-
sammensetzen liess [258], hatte Schön mit seiner Forderung nach Biographien,
die ein "philosophisch konstruirtes vollständiges Bild" enthalten sollten [259],
einen geistigen Zusammenhang angedeutet, dessen Beschaffenheit Varnhagen
nicht zuletzt durch Rahel zur Genüge vertraut sein musste; "Geschichte *sieht*
man", hatte sie ihm 1815 geschrieben, "konstruirt sie selbst: die geistige
Entwickelung der Völker ist ihre Geschichte..." Varnhagen besass schon
damals, wie seine Antwort zeigt, den Überblick, dank welchem er keine
Quellenzeugnisse zu benötigen glaubte. Aber wenn er dabei bemerkte, dass
die "Gesandten" und "Staatsführer überhaupt... mit ihrem traurigen Wuste
von leblosen Notizen sich Wunder wie reich dünken" konnten [260], war diese
Aussage an seinen eigenen, im diplomatischen Leben begründeten Standpunkt
geknüpft. Das ursprüngliche Geschichtstalent des Diplomaten, wie Rahel es
beurteilte [261], blieb jedoch auch für Varnhagen eine unveränderliche Tatsache,
und insofern deshalb Theodor von Schön den "Notizenkram", wie ihn Pertz
in seiner Lebensbeschreibung Steins entfaltete, vom Standpunkt der Geschichtschreibung ablehnte [262], bestärkte er Varnhagen in seinem eigenen ursprünglich
historiographischen Bestreben. Nachdem nun aber die diplomatischen Voraussetzungen fehlten und sich durch deren blosse Annahme eine gewisse Künstlich-
keit nicht vermeiden liess, war die Begründung, die Theodor von Schön diesem
Umstand gab, für Varnhagen um so hilfreicher. Schön bezeichnete nämlich
gerade den General von Bülow als die unter "allen Heerführern des letzten
Krieges... am meisten poetische Natur" [263], und schuf damit rein vorstellungsmässig jene stoffliche Voraussetzung, die Varnhagen anlässlich seiner Arbeit

11. Aug. 1832: DZA, Hist. Abt. II, Merseburg, A.A.I. Rep. 4. Nr. 2825 Bl 74 "Da
ich keinen äusseren litterarischen Zweck, sondern nur meine eigne historische Kenntniss hiebei zu fördern beabsichtige", erklärte Varnhagen, könne er auch darauf
verzichten, das begehrte Archivmaterial auszuwerten.
[258] Vgl. dazu oben S. 176f. Ferner M. Baumann. Theodor von Schön, S. 157ff.; 176.
[259] Schön an Pertz, Preussisch-Arnau 28. Dez. 1851: T. v. Schön-Bfw S. 36. Dazu
F. Rühl. Einleitung. ebda S. XV. Vgl. auch Schön an Pertz, Preussisch-Arnau 4. Mai
1845: ebda S. 8.
[260] Vgl. Varnhagen an Rahel, Paris 23. Juli; Rahel an Varnhagen, Baden b. Wien
19. Juli 1815: Bfw IV, 223; 216.
[261] Vgl. dazu oben S. 109 u. A. 111.
[262] Vgl. Schön an Varnhagen, Preussisch-Arnau 28. Juni; 15. Juli 1852: L. Assing,
a.a.O. S. 70f. Vgl. Aus den Papieren des Ministers Theodor von Schön II, 277f.; 283.
Dazu auch F. Rühl. Einleitung. In: T. v. Schön-Bfw S. XV. Ferner Immermann an
Varnhagen, Magdeburg 24. Jan. 1827: Denkschriften und Briefe NF (= V), 140.
[263] Schön an Varnhagen, Preussisch-Arnau 28. Juni 1852: L. Assing a.a.O. S. 70 u.f.
Vgl. Aus den Papieren des Ministers Theodor von Schön II, 277 u.f.

an den drei Dichterbiographien als besonders wohltuend empfunden hatte [264]. Was Schön aber zunächst nur im Hinblick auf die Gestalt Bülows in Betracht zu ziehen schien, äusserte er ein Jahr später in einem an Pertz gerichteten Schreiben ganz allgemein und in einem Sinn, der auch Varnhagen durchaus entsprechen musste. "Nach meinem Dafürhalten", erklärte er, "lässt Staatskunst durch Millionen von Notizen sich nicht erlangen, und ich kann mir keinen Staatsmann ohne philosophische und ästhetische Bildung denken" [265].

Die dringlichste Problematik für den Historiker bestand nach Schöns Auffassung in der Wahl der dem individuellen Gegenstand angemessenen Fragestellung, und damit war innerhalb der Geschichtschreibung die faktische Beweisführung unnötig geworden; wenn nämlich sowohl Varnhagen als auch Schön den Materialreichtum, den ein Werk wie dasjenige von Pertz über Stein erschloss, anerkannten und wenn sie sich von solchen Veröffentlichungen überhaupt eine Fülle neuer Einzelkenntnisse versprachen [266], zogen sie daraus historiographisch für sich selbst doch nicht die notwendige Konsequenz, dass im Materialreichtum die sachliche Beweisführung enthalten sein könnte. Je poetischer dagegen eine natürliche Erscheinung im Sinn von Schöns menschenkundlichem Verständnis einzuschätzen war, desto dringender wurde die Umsetzung des rein Faktischen in einen geistig konstruierten Zusammenhang, und wenn auch nach diesem Vorgang kein quellenmässig zu verfolgendes historisches Urteil mehr zustande kam [267], blieb das Faktische trotzdem immer noch gegenwärtig, wobei es allerdings nicht mehr bis ins letzte eindeutig festgelegt sein musste.

Der Angelpunkt, in dem, wie Theodor von Schön darlegte, Bülows Leben quellenmässig am nächsten zu erfassen gewesen sei, nachdem es vorher gewissermassen erst in einem geistigen Zustand verharrt habe [268], war der geschichtliche Augenblick, der das zeitliche Zusammentreffen Bülows und des Prinzen Louis Ferdinand bezeichnete [269]. Bülow hatte nämlich in der Rolle eines Freundes, der den Prinzen vor unliebsamen Folgen seines ungestümen Naturells bewahren sollte, eine schwierige Aufgabe zu bewältigen, aber der Prinz selbst war nach Varnhagens Versicherungen "klug genug einzusehen, dass der höhere Rang, den er seiner Geburt verdankte, kein Übergewicht begründen" durfte. So konnte zwischen den beiden aufeinander angewiesenen Menschen ein echtes Ver-

---

[264] Vgl. Varnhagen an Goethe, Berlin 19. Dez. 1826: NFG (GSA) Goethe egg. Briefe Nr. 931 XIV "Weniger dagegen des Zwanges und der Sorge hatte ich bei den drei Dichtern zu befahren, deren Lebensbeschreibung ich mit voller Lust und Freudigkeit vom Anfang bis zum Ende durchgeführt". Varnhagen an Rotteck, Berlin 7. Jan. 1827: Rotteck-Bfw S. 256.

[265] Schön an Pertz, Preussisch-Arnau 20. Dez. 1853: T. v. Schön-Bfw S. 46.

[266] Varnhagens Notiz: Bülow S. 461. Dkm VIII³, 410. Dazu Varnhagens Notizen, 18. Mai 1850; 7. März 1854: Tgb VII, 185; X, 463. Ferner Schön an Varnhagen, Preussisch-Arnau 15. Juli 1852: L. Assing, a.a.O. S. 71. Vgl. Aus den Papieren des Ministers Theodor von Schön II, 283.

[267] Vgl. B. v. Quistorp. Geschichte der Nord-Armee III, 253.

[268] Vgl. dazu Varnhagens Notiz, 7. März 1856: Tgb III, 396.

[269] Vgl. Schön an Varnhagen, Preussisch-Arnau 28. Jun. 1852: L. Assing, a.a.O. S. 71. Vgl. Aus den Papieren des Ministers Theodor von Schön II, 279.

trauensverhältnis entstehen, welches zunächst davon abhing, dass Bülow aus seiner Stellung nicht persönliche Vorteile zu ziehen trachtete, und ohne weitere konkrete Angaben war diese Möglichkeit nur als Frage des Charakters zu behandeln. Doch umgekehrt musste sich dabei ein günstiger Aspekt gewinnen lassen, solange die Wahl Bülows selbst das einzige historisch gesicherte Ereignis darstellte. Varnhagen liess die konkrete Frage aber überhaupt unbeantwortet und beschränkte sich bei der Erwähnung Bülows auf die allgemeine Feststellung: "Welches Vertrauen musste man in seinen Karakter setzen, um ein so schwieriges Amt bei diesem Prinzen ihm zu übertragen" [270]. Dagegen erwähnte Varnhagen in seiner mehr lexigographisch gehaltenen Studie über Louis Ferdinand ganz sachlich: "Der Hauptmann von Bülow, später als Feldherr durch den Beinamen von Dennewitz ausgezeichnet, wurde ihm als kriegserfahrener Begleiter zugetheilt, und desshalb zum Major befördert" [271].

Im ursprünglichen Sinn geschichtlich wurde jenes Vertrauensverhältnis für Varnhagen anlässlich einer Anekdote, die in ihrer überraschenden Wendung eine eigentliche Ergänzung zu den 'Beyträgen zur allgemeinen Geschichte' bot. "Ein Vorfall", schrieb er nämlich, "der das ganze Verhältniss zu erschüttern, ja zu lösen drohte, trug im Gegentheil dazu bei, demselben recht festen Halt zu geben". Denn Bülow hatte in einem Wortwechsel als Drittperson gegen Louis Ferdinand Stellung genommen und dessen Zorn auf sich gelenkt. Als es daher zu keinem Ende kommen wollte, drohte ihm Bülow mit dem Degen und schliesslich zog er ihn sogar, worauf beide aber getrennt wurden. Der Prinz liess Bülow fordern, doch bevor er eine Antwort erhalten hatte, kam jener persönlich in den Saal zurück und bat ihn um Verzeihung. Die Mutter des Prinzen dagegen bewahrte seitdem eine gewisse Abneigung gegen Bülow und soll dessen späterer Gattin im Vertrauen erklärt haben, dass sie ihm, wenn sie damals gekonnt hätte, "gern eine Ohrfeige gegeben" haben würde [272]. Die Quelle zu diesem Ereignis dürfte möglicherweise in einer schriftlichen Aufzeichnung von Bülows Gattin zu suchen sein, die Varnhagen aus dem gräflichen Archiv hätte kennen können [273]. Die entgültige Version entnahm er jedoch einem Schreiben Eduard von Bülows, welches er aber nicht im Sinne Schöns als blosse "Notiz" wiedergab, sondern an dem er, wie sein Antwortbrief zeigt, nur das psychologische Eindenken, dessen er fähig war, bewies [274].

Die Widersprüchlichkeit, in der sich Eduard von Bülows Mitteilungen zu den Angaben eines anderen Zeugen befanden, war für Varnhagen gerade ein willkommener Anlass, um den quellenmässig begrenzten Sachverhalt als ungenügend zu erkennen und sich bei der Beurteilung auf seine blosse "Anschauung" zu berufen. "Namentlich", meinte er, "erscheint der Vorfall zwischen dem Prinzen Louis Ferdinand und seinem neuen Führer in der Lesart,

---

[270] Bülow S. 34. Dkm VIII³, 31.
[271] Varnhagen. Prinz Louis Ferdinand von Preussen. In: Galerie von Bildnissen aus Rahel's Umgang I, 245. VSchr IV², 53. I³, 51.
[272] Bülow S. 35f. Dkm VIII³, 32f.
[273] Vgl. Varnhagens Notiz: Bülow S. 457. Dkm VIII³, 406.
[274] Vgl. oben S. 52 u. A. 124; 166 u. A. 117.

wie Ihre Blätter sie geben, mir glaublicher und annehmbarer, als in der, welche mir bisher vorlag, und die nicht den Degen ziehen, sondern dem Prinzen eine Ohrfeige anbieten liess, die nun viel besser als eine bloss gedachte erscheint" [275]. Die einzelnen Umstände hatten sich in der Überlieferung offenbar damals schon verwickelt, doch was bei der von Varnhagen gepflegten Art der Geschichtschreibung gerade wesentlich wurde, war die Einbeziehung eines quellenmässig nicht restlos erfassbaren und damit faktisch unausgesprochenen Geschehens, und auch in dieser Beziehung folgte Varnhagen einem ästhetisierenden Empfinden, das sich ihm bei der Quellenlektüre ähnlich aufdrängte wie die Poetisierung der von ihm geschilderten Gestalten. Aber vom Standpunkt der Geschichte war diese Interpretationsgabe ebenso der Ausdruck jenes diplomatischen Geschichtstalents, das er seinerseits vor allem während seines Aufenthalts im Grossherzogtum Baden in seinem weitverzweigten Briefverkehr bewies. Die Kunst des stilistischen Verschleierns, die er damals und auch später noch ausübte [276], ging historiographisch gesehen gerade auf die Tatsache zurück, dass gewisse Fakten auch in Aufzeichnungen von Zeitgenossen und Augenzeugen unausgesprochen bleiben konnten, und so berief sich Rahel bei deren Deutung ausdrücklich auf das von Friedrich Schlegel geprägte Wort vom Historiker als rückwärts gekehrtem Propheten [277]. Diese Geschichtsprophetie beschränkte sich jedoch auf stoffliche Fragen, die quellenmässig unabklärbar blieben, und bis es daher angemessen war, eine so subjektive Methode anzuwenden, mussten die historischen Verhältnisse wenigstens, soweit sie empirisch erforscht werden konnten, zuerst abgeklärt sein. Varnhagen hat deshalb in seinen umfangreicheren Darstellungen mit Vorliebe auf ältere Werke zurückgegriffen, denen er sich anschliessen konnte, insofern sie ihm am Anfang bloss einmal eine summarische Kenntnis der Fakten vermittelten.

Die historische Kritik setzte für Varnhagen erst dort ein, wo ein Autor, welcher weder Augenzeuge war, noch etwa die notwendige Einweihung erhalten hatte, ein geschichtliches Urteil fällte, und für diese grundsätzliche Problemstellung darf seine Biographie über Blücher als besonders bezeichend gelten. Das Buch, das Varnhagens eigener Darstellung zugrunde lag und das er, wie er selbst im Vorwort erwähnte, teilweise wörtlich in seinem Text verarbeitete, behandelte die 'Feldzüge der schlesischen Armee unter dem Feldmarschall Blücher von der Beendigung des Waffenstillstandes bis zu Eroberung von Paris' [278]. Sein Verfasser Friedrich Karl Ferdinand von Müffling hatte diesen Zug als Generalquartiermeister selbst mitgemacht und war dadurch in seiner Auffassung für Varnhagen um so massgeblicher. In einem Brief an Rotteck, dem er seine Ansichten über die damals neuesten Geschichtswerke mitteilte, ging er sogar so weit, dass er Müfflings "Schriften . . . zu den vorzüglichsten

---

[275] Varnhagen an E. v. Bülow, Berlin 13. Dez. 1853: Ddf LuStB 64.2020.
[276] Vgl. oben S. 170f.; 185f.
[277] Vgl. Rahel an Varnhagen, Baden b. Wien 19. Juli 1815: Bfw IV, 216. Dazu vgl. oben S. 15.
[278] Vgl. Varnhagen. Vorwort: Blücher, Dkm III, S. IVf. III², S. VI. III³, S. VIf.

Geschichtswerken" rechnete und sie dabei mit Rankes 'Geschichte der germanisch-romanischen Völker' vergleichen konnte [279]. Dieses Lob bezog sich aber nur auf die Beurteilung des Menschen Blücher, während die einzelnen historischen Umstände schliesslich doch nicht vollständig nachgeprüft sein konnten und Varnhagen selber überdies einen Teil des eingesehenen Materials unbenutzt liess [280].

Was er dagegen absichtlich verschwieg, tat er in der von ihm selbst ausgesprochenen Hoffnung, dass seine Arbeit "auch den Anforderungen der Zukunft gemäss" sein sollte, und obschon er sich selber von ihr nicht richtig befriedigt fühlte, schien er dabei doch wenigstens das Wort von Schlegel zu beherzigen [281]. Müfflings Charakteristik des Fürsten Blücher, die im Vorwort seiner Feldzugsgeschichte steht, hat Varnhagen wörtlich, aber nicht buchstabengetreu wiederholt. Die Ungenauigkeit, derer er sich bei der Wiedergabe schuldig machte, war eine Folge jenes inneren Zwiespalts, der für ihn ursprünglich nur in der sprachlichen Bewältigung eines vom Gegenstand her besehen rohen Stoffes lag [282], und bei dieser Frage setzte auch die zeitgenössische Kritik ein, die sich gegen Varnhagens historiographischen Anspruch richtete. Bereits der erste Band seiner 'Biographischen Denkmale' veranlasste den Historiker Schlosser und nach ihm Wilhelm Grimm zu Rezensionen, in denen sie vor allem die Art der Quellenbenützung erörterten; denn Varnhagen hatte mit Absicht darauf verzichtet, Belegstellen anzugeben, und dieser Umstand bewog Schlosser zu der Annahme, dass er in mancher Beziehung "schalkhaft" genug gewesen sei, um selbst nicht an alles, was er behauptet habe, zu "glauben". Diesen Einwand hat jedoch schon Wilhelm Grimm zurückgewiesen und den "Tadler" selber einen "Schalk" genannt [283].

[279] Varnhagen an Rotteck, Baden b. Rastatt 28. Juli 1825: Rotteck-Bfw S. 249. Vgl. Varnhagen an Ölsner, Berlin 12. Feb. 1825: Ölsner-Bfw III, 271. Ferner Varnhagens Notiz: Bülow S. 460. Dkm VIII³, 410. Dazu Varnhagens Notiz, 16. Sept. 1850: Tgb VII, 330. Vgl. auch Zur Geschichtschreibung, S. 601ff.
[280] Vgl. Varnhagen an Rotteck, Berlin 7. Jan. 1827: Rotteck-Bfw S. 256. Dagegen Varnhagen an Lappenberg, Berlin 9. Jan. 1833: HH StuUB HsAbt Literatur-Archiv 1930.307 "... und wer auf gründliche Einsicht der Kriegsgeschichte ausgeht, so wie der damit zusammenhängenden politischen Zustände, der kann sicher sein, überall einen wohlgeprüften Boden zu betreten".
[281] Varnhagen. Vorwort: Blücher, Dkm III, S. VIII. III², S. VIII. III³, S. VII. Vgl. Varnhagen an Goethe, Berlin 19. Dez. 1826: NFG (GSA) Goethe egg. Briefe Nr. 931 XIV "... und wenn ich meine Arbeit, wie sie jetzt vorliegt, in Betreff der Aufnahme, die sie finden wird, nicht ohne einige Sorge betrachten kann, so lässt mich andrerseits die Menge dessen, was zu verschweigen oder einstweilen noch zurückzulegen war, noch so viel an ihr vermissen, dass ich auf keine Weise zu rechter Befriedigung dabei gelange. Indess hat sich in diesem Lebensbilde doch das Meiste gleich so stellen lassen, wie es auch künftig, meiner Überzeugung nach stehen bleiben kann, und Manches, was nur angedeutet worden, lässt grade deshalb der Einbildungskraft jede stärkste Ausführung frei". Varnhagen an Rotteck, Berlin 7. Jan. 1827: Rotteck-Bfw S. 256.
[282] Vgl. Varnhagen. Vorwort: Blücher, Dkm III, S. VI. III², S. VII. III³, S. VI. Vgl. dazu [F. K. F. v. Müffling] Vorwort. In: Zur Kriegsgeschichte der Jahre 1813 und 1814. Die Feldzüge der schlesischen Armee unter dem Feldmarschall Blücher I, S. VIff. Ferner Blücher, Dkm III, 588ff. III², 514ff. III³, 345ff.
[283] Vgl. [F. C.] Schlossers Rezension. Heidelberger Jahrbücher der Literatur, NF 4 (= 7)/2 (1824) S. 363. Dazu ferner [W. Grimms Rezension] Göttingische Gelehrte

Dabei drehte sich die Frage konkret um eine Beurteilung der Festung Wilhelmstein, die der Graf zur Lippe 1761 im Steinhuder Meer hatte errichten lassen. Bei Varnhagens historiographischer Prophetie erwies sich nämlich dieses Bauwerk nachträglich als ein im Sinn seines zeitgeschichtlichen Denkens entscheidendes Ereignis; denn immerhin war, wie er selber darlegte, ''der nachherige General von Scharnhorst . . . Zögling der Kriegsschule auf Wilhelmstein'' gewesen und hatte auch in einem von ihm überlieferten Schreiben deren vorzügliche Leitung durch den Grafen zur Lippe gerühmt [284]. Was von Varnhagen aber zunächst bloss angedeutet war, ergänzte für die folgenden Auflagen Gneisenau mit einer persönlichen Mitteilung, in der somit derselbe Gedanke von kompetenterer Seite entsprechend glaubwürdiger wiederholt wurde. ''Unsere ganze Volksbewaffnung vom Jahre 1813'', hiess es da, ''Landwehr und Landsturm, das ganze neue Kriegswesen, hat der Mann ausführlich bearbeitet, von den grössten Umrissen, bis auf das kleinste Einzelne, alles hat er schon gewusst, gelehrt, ausgeführt'' [285]. Wenn daher Schlosser bemerkte, dass Varnhagen selber kaum an die ''Wichtigkeit'' jenes Festungsbaus habe glauben können, da er ''ja selbst Militär'' gewesen sei [283], lag in dieser Schlussfolgerung allerdings eine unverhohlene Ironie; denn was Varnhagen bei seiner beschränkten Vorstellung von Geschichte über die historische Leistung des Grafen zur Lippe von sich aus behauptete, stand für ihn in keinem bis ins einzelne nachweisbaren Zusammenhang mit dessen technischen Militärreformen, und für diesen Nachweis blieb nun Gneisenau als Gewährsmann verantwortlich. Nur in bezug auf die allgemeine Geschichtsbewegung war für Varnhagen das Militärische von Bedeutung, und im Hinblick darauf schrieb er über den Grafen: ''Sein vorschreitender Geist ist in der That zu bewundern, wenn man das Streben, welches ihn beseelte, mit den späteren Geschichtsentwicklungen, die er nicht mehr erlebte, zusammenhält. Was die nachfolgende Zeit gebieterisch in grösster Fülle und ungeheuren Massen forderte und hervorbrachte, hatte damals ein kleiner deutscher Fürst mit klugem Sinn und richtigem Scharfblicke in leisen Anfängen erfasst und gehegt . . .'' [286]

Das Militärische blieb bei Varnhagen immer prätentiös, solange er es wie beispielsweise in der 'Geschichte der hamburgischen Begebenheiten' von seinem subjektiven Standpunkt behandelte [287]. Doch indem er sich dazu auf Gneisenau berief, verschob sich für ihn die historiographische Fragestellung, und insofern hatte Droysen grundsätzlich recht, wenn er in einem Brief an Theodor von Schön bemerkte: ''. . . die Geschichte jener Zeiten ist für Preussen immer nur aus dem militairischen, und zwar so zu sagen Gneisenau'schen Gesichtspunkt behandelt; nicht als meinte ich des herrlichsten Mannes Namen damit zu

Anzeigen, 3 (1824) S. 1430f. Vgl. W. Grimm. Kleinere Schriften II, 349.
[284] Lippe, Dkm I, 86f. I², 75f. I³, 50. Dazu Scharnhorst an Estorff. In: A. L. Schlözer. Briefwechsel meist historischen und politischen Inhalts X/Heft LV-LX, 96. Vgl. ebda S. 93ff.
[285] Lippe, Dkm I², 78f. I³, 52. Dagegen vgl. I, 90. Dazu vgl. oben S. 218 u. A. 184.
[286] Lippe, Dkm I, 86. I², 75. I³, 50.
[287] Vgl. oben S. 38f.

beflecken; aber der ganze Kreis hervorragendster Schriftsteller: Müffling, Clausewitz, Grolmann u.s.w. ist aus diesen Beziehungen hervorgegangen, hält daran bis zur unglaublichsten Ungerechtigkeit gegen die blossen 'Taktiker' " [288]. Auch Varnhagen nämlich verwirklichte in gewissem Sinn die Forderungen, welche Gneisenau an die Geschichtschreibung stellte und erhielt dafür sogar von ihm persönlich seine Zustimmung. Gerade die Umgehung von realen Gegebenheiten erforderte schliesslich eine "Geschicklichkeit" [289], die seit den Jahren der preussischen Reformbewegung das psychologische Grundverhalten des deutschen Freiheitskämpfers überhaupt ausmachte; denn damals war es doch zunächst darauf angekommen, die französische Übermacht mit realistisch gesehen unterlegenen Mitteln zu beseitigen, und ein solches Wagnis setzte eine erhebliche Charakterstärke voraus.

Die Geschichte jener Zeit musste daher teilweise rein vom menschlichen Charakter her bestimmbar werden, und unter dieser Voraussetzung machte Varnhagen als Historiker seine am meisten beachteten Aussagen. Allerdings lassen sich seine dementsprechend gewonnenen Ansichten nicht wie historische Urteile nachvollziehen, da sie literarisch bereits Züge einer von ihm bewusst geförderten Legendenbildung tragen [290]. Die konkreten Bestandteile, aus denen sich bei ihm die Charakterschilderung zusammensetzte, zeigten sich am deutlichsten in der Form von anekdotischen Begebenheiten, deren Echtheit in der Regel gerade nicht nachzuprüfen war. Deshalb erwies sich eine historisch-kritische Charakterstudie auch von vornherein als unmöglich, und die Auswertung der einzelnen ungesicherten Anhaltspunkte beschränkte sich auf die Anwendung eines gewissen Taktgefühls, wobei sich Varnhagens Auffassung darin von derjenigen anderer zeitgenössischer Autoren weitgehend unterschied. Die kritische Auseinandersetzung drehte sich für ihn nicht um den faktischen Stoff, dessen Umfang unbegrenzt und daher zuletzt doch nicht vollständig zu bewältigen war, sondern um die Frage des Ausdrucks. Angesichts der zu erwartenden Ergänzungen und "Berichtigungen", deren er sich vom Standpunkt des Zeithistorikers auch damals immer noch bewusst blieb [291], ging er sogar so weit, dass er die Verantwortung für alle Fehler, die er aus gedruckten Schriften übernommen hatte und die später berichtigt werden könnten, ablehnte und

---

[288] Droysen an Schön, Kiel 9. Feb. 1848: T. v. Schön-Bfw S. 127. Vgl. Droysen-Bfw I, 385. Ferner dazu Schön an Friccius, Königsberg 28. Dez. 1842: T. v. Schön-Bfw S. 105 u.f. "Alles, was bisher über diesen Krieg gedruckt ist, ist beinahe nur Notizen-Sammlung für Soldaten von Profession. Von Geschichte, bei der die Thatsache nur Material zur Darstellung der Idee ist, ist wenig in diesen Büchern die Rede. Der General zog seine Fäden, und die Puppen tanzten ... Diese Art der Kriegs-Geschichtsschreibung hängt nothwendig mit dem Söldner-Wesen zusammen, wo vom obersten Feldherrn bis zum Trommelschläger, alles subjectiv war. Dem letzten Kriege *bei uns* lag aber Auflösung der Subjectivität in der allgemeinen Idee zum Grunde, und daher ist die alte Form der Kriegs-Geschichte hier nicht passend ... Der Historiker, wie gesagt, über den Feldherrn!"
[289] Vgl. Gneisenau an Varnhagen, Berlin 28. April 1830: Briefe von Chamisso, Gneisenau, Haugwitz II, 280. Dazu vgl. oben S. 176f.
[290] Vgl. dazu oben S. 104f.
[291] Vgl. dazu oben S. 139f.

umgekehrt deren Verfasser als die dafür Verantwortlichen bezeichnete[292]. Forschung im Dienste einer Klarstellung des tatsächlichen Geschehens widersprach seiner Vorstellung von der Unmittelbarkeit der Geschichtschreibung, und deshalb berichtigte er selbst auch nur, was er dank seiner persönlichen Erinnerung an eigene Erlebnisse oder dank seines angelesenen Wissens sofort als unrichtig erkannte. Wenn also beispielsweise Seruzier in seinen 'Mémoires militaires' erklärte, dass er selbst im Jahr 1806 Blücher gefangen genommen habe, glaubte Varnhagen diese offensichtliche Fälschung eines allgemein als anders bekannten Sachverhalts berichtigen zu dürfen, aber er tat dies nicht im Kontext seiner Darstellung, sondern in einer zusätzlichen Bemerkung, die er dem bibliographischen Anhang beifügte[293].

Sobald nämlich eine historische Erzählung im Ausdruck seinen Erwartungen nicht entsprach, und das galt auch für seine eigenen Schriften, fühlte er sich zu einer kritischen Stellungnahme veranlasst; denn in der literarischen Gestalt seiner eigenen Bearbeitung erhielt sich auch bei einem schon längst der Vergangenheit angehörigen Gegenstand seine zeitgeschichtliche Unmittelbarkeit, und für diesen Fragenbereich war es bezeichnend, wie Varnhagen die Studie über Blücher beurteilte, die Friedrich Buchholz 1807 in seiner 'Gallerie Preussischer Charaktere' veröffentlicht hatte.

Die Voraussetzung, die Varnhagen für ein dem Charakter Blüchers angemessenes Verständnis machte, war die Einsicht in dessen Verantwortlichkeit, und historisch gesehen entsprach dieses Bewusstsein bei Blücher durchaus den bezeugten Tatsachen, soweit derartige Phänomene überhaupt konkret zu belegen sind[294]. Bei Buchholz kam nun Blüchers Verantwortlichkeitssinn auch zum Ausdruck, aber nicht in statthafter Form, und so war es durchaus folgerichtig, dass Varnhagen Buchholz' Darstellung ein "Buch von bedenklicher Abfassung, doch nicht ohne Eigenheit und Geist" nannte. Buchholz gehörte nämlich gesinnungsmässig ursprünglich zum Freundeskreis einer liberalen Gruppe, die auch Karl Müller zu den ihren zählte[295], und bedenklich musste Varnhagen

---

[292] Vgl. Varnhagen. Vorwort: Blücher, Dkm III, S. V. III², S. VIf. III³, S. VI. Ferner auch Varnhagen an Ölsner, Berlin 11. Nov. 1825: Ölsner-Bfw III, 329f.

[293] Vgl. Varnhagens Notiz: Blücher, Dkm III, 623. III², 543f. III³, 366. Dazu Seruzier. Mémoires militaires, S. 52f. "Le général (ainsi que j'avais prévue) avait été le dupe du piège que je lui avais tendu. On venait de l'instruire que le commandant de l'artillerie française avait été frappé une réquisition, et qu'on allait la diriger sur Brenheim: il crut faire un coup de maître en donnant l'ordre à tout son monde de se porter de ce côté pour saisir les réquisiteurs et la réquisition, tandis qu'il ne fit qu'une lourde bévue, puisqu'il éloigna de lui ceux qui pouvaient le défendre, et me donna la facilité d'exécuter mon coup de main, et de le faire prisonnier ainsi que ses deux fils et toute sa suite".

[294] Vgl. dazu Das Tagebuch des Generals der Kavallerie, Grafen v. Nostitz I (= Kriegsgeschichtliche Einzelschriften V, 122). Ferner W. v. Unger. Blücher II, 362f. Vgl. Blücher, Dkm III, 14; 244; 367f.; 378; 591f. III², 13; 213f.; 321; 330; 517. III³, 10; 144; 216; 222; 347.

[295] Varnhagens Notiz: Blücher, Dkm III, 623. III², 544. III³, 366. Vgl. Dkw I², 253. I³, 199; NF II (= VI), 9f. I², 404. I³, 366. Ferner Varnhagens Notiz, 11. Aug. 1847: Tgb IV, 130. Varnhagen. Karl Müller, a.a.O. S. 58. VSchr VIII, 337. III³, 130. Vgl. auch K. L. v. Woltmann. Selbstbiographie. In: Zeitgenossen I/2 (1816) S. 169f. F. W. Gubitz. Erlebnisse I, 95; 108; 133. Dagegen M. Lehmann. Scharnhorst I,

238

nur das Gesamturteil erscheinen, welches Buchholz seinerzeit allerdings direkt unter dem Eindruck der preussischen Niederlage von Jena und Auerstedt formuliert hatte. Denn er glaubte damals, man könne "von Blücher ... künftig nichts weiter sagen ...., als dass er ein braver Divisions-General war", und damit beging er im Hinblick auf die späteren unbestrittenen Verdienste Blüchers eine Taktlosigkeit, die er mit etwas Voraussicht, wie sie Varnhagen im Sinne Schlegels übte, hätte vermeiden können. In dieser Form war die Aussage rein polemisch, und dies war um so mehr der Fall, weil Buchholz Blücher gleichzeitig mit dem friderizianischen General von Zieten verglich, den er wesentlich günstiger beurteilte und dadurch die in sich selbst historische Legende von Blücher als dem "wieder aufgelebten Zieten" zerstörte [296]. Umgekehrt hat dagegen Varnhagen die Ähnlichkeit zwischen Blücher und Zieten noch zu verdeutlichen versucht, indem er im Zusammenhang mit den von Massenbach gegen die preussische Heeresleitung erhobenen Vorwürfen meinte: "Ungefähr in gleicher Lage konnte vormals der treffliche Zieten sich befinden, wenn er in Worten auseinandersetzen und vertheidigen sollte, was er im Felde löblich ausgeführt" [297].

Varnhagen ging es um den Typus des Menschen, während Buchholz im Bereich des faktisch Nachweisbaren das Typische treffend zu beobachten suchte und dabei zu einer ganz oberflächlichen Auffassung von Blüchers Angriffskunst gelangte; denn gerade die militärischen Verdienste waren für Varnhagen nur im Lichte der Verantwortlichkeit sichtbar [298]. Ebenso oberflächlich blieb bei Buchholz aber die Zusammenstellung des Spielers und Soldaten, deren Eigenschaften in Blüchers Person verkörpert waren, und was dessen historisch überlieferte Spielsucht betraf, fand sie in Buchholz einen ziemlich wohlwollenden Beurteiler, wogegen Varnhagen doch bemüht war, diesen ethisch kaum entschuldbaren Charakterzug in einem weitergespannten Überblick verständlich werden zu lassen. "Die Fehler", schrieb er, "welche ihm sonst Schuld gegeben werden, die ungezähmte Selbstsucht, die unersättliche Begier nach Gewinn, lassen sich leicht auf mildere Bezeichnungen zurückführen ... Nur zum Wechsel des Gebens und Nehmens empfand Blücher ein Bedürfniss nach dem Besitze

536 u.f. Ferner O. Tschirch. Friedrich Buchholz, Friedrich von Coelln und Julius Voss, FBPG 48 (1936) S. 163ff.

[296] [F. Buchholz] Der Generallieutenant von Blücher. In: Gallerie Preussischer Charaktere, S. 181f. Vgl. Blücher, Dkm III, 68. III², 62. III³, 43.

[297] Blücher, Dkm III, 133. III², 119. III³, 81. Vgl. dazu auch Massenbach an Cotta, Berlin 17. Juni 1807: Briefe an Cotta I, 467f.

[298] Blücher, Dkm III, 591f. III², 517. III³, 347. Vgl. [F. Buchholz] Der Generallieutenant von Blücher, a.a.O. S. 180f. "Die Angriffe, welche er [= Blücher] machte, hatten alle Einen und denselben Charakter. Mit Ungestüm auf den Feind losgehen, bei einem allzu heftigen Widerstande zurückweichen, sich in einiger Entfernung wieder aufstellen, die Bewegungen des Feindes beobachten, jede ihm gegebene Schwäche zu einem neuen Anfall benutzen, mit Blitzschnelle ansprengen, einhauen, über den Haufen werfen, einige Hundert Gefangene machen und dann schnell zurückkehren: – dies war das gewöhnliche Mannöver dieses Generals ..."

grosser Mittel, auf die er stets zu wenig Werth legte, um sie lange zu behalten" [299].

So undeutlich nun an dieser Stelle das Verantwortungsbewusstsein hervortrat, blieb es in Blücher trotzdem immer lebendig, doch konkret zu verfolgen, war es am besten dort, wo sich ihm persönlich eine selbständige Entscheidung aufdrängte, und dazu lag für ihn die Veranlassung am ehesten in einer militärischen Situation, die sofortige Massnahmen erforderte. Eine solche Situation aber ergab sich beispielsweise nach der Niederlage von Auerstedt, als Blücher am 26. Oktober 1806 bereits zwölf Tage seinen Rückzug bewerkstelligte und immer noch danach trachten sollte, sich mit dem Heerteil unter dem Fürsten Hohenlohe wiederzuvereinigen [300]. An diesem Tag aber hatte er den ausdrücklichen Befehl dazu erhalten, doch einen Nachtmarsch wollte er sich deswegen nicht vorschreiben lassen, und indem er sich dem Befehl geradezu widersetzte, handelte er völlig auf eigene Verantwortung; denn er bewies damit eine Überlegenheit, die um so grossartiger anmuten darf, weil er sich nicht vor Gefahren zu drücken suchte, sondern im Gegenteil die Berührung mit dem Feind herbeiwünschte. In seinem an den Fürsten Hohenlohe gerichteten Schreiben begründete er daher den von ihm gefällten Entscheid mit dem Hinweis, dass die Truppen sich durch Nachtmärsche leichter zerstreuten und er sie deshalb stärker fürchte als ein offenes Kampfgeschehen. Diese Begründung erregte in der zeitgenössischen Publizistik eine heftige Auseinandersetzung, wobei Buchholz sowie Massenbach Blüchers Unzulänglichkeit tadelten, während der Verfasser einer anonym erschienenen Flugschrift umgekehrt darauf hinwies, dass nur derjenige bitte, "ihn *lieber* zu *exponiren*", der zugleich befürchte, "seine Leute sonst" unnötig beanspruchen zu müssen [301]. Varnhagen dagegen berücksichtigte bei der Beurteilung von Blüchers Entschluss nicht allein den Wortlaut von dessen Schreiben, von dem damals übrigens verschiedene Fassungen existierten [302].

---

[299] Blücher, Dkm III, 604. III², 527f. III³, 354. Vgl. [F. Buchholz] Der Generallieutenant von Blücher, a.a.O. S. 176f. "Ein Faraospieler und ein Soldat haben die grösste Ähnlichkeit mit einander; denn für beide gilt der Grundsatz: horae momento aut cita mors, aut victoria laeta! In dieser Hinsicht könnte man, ohne im mindesten paradox zu seyn, sogar behaupten, dass das Faraospiel eine sehr angemessene Beschäftigung für den Soldaten sey; es vergegenwärtigt ihm nämlich sein Metier unaufhörlich, und erhält ihn folglich in der Stimmung, worin man sich befinden muss, wenn man mit Erfolg Soldat seyn will. Ich wüsste in Wahrheit nicht, was man gegen einen in sich selbst so klaren Satz einwenden wollte, wenn das militärische Metier in der Region eines Generals nicht Verrichtungen mit sich brächte, die so rein-geistig sind, dass sie *alles* umfassen und folglich dem Zufalle so wenig als möglich anheimstellen müssen".

[300] Vgl. Blücher, Dkm III, 101f. III², 91f. III³, 62f. Dazu [F. Buchholz] Der Generallieutenant von Blücher, a.a.O. S. 182f. Ferner M. Lehmann. Scharnhorst I, 444, 454. Vgl. dagegen ebda S. 455f.

[301] Vgl. Generallieutenant von Blücher. In: Sendschreiben an den Obristen und Generalquartiermeisterlieutenant Herrn von Massenbach Hochwohlgeboren, S. 40; 38f.

[302] Vgl. [F. Buchholz] Der Generallieutenant von Blücher, a.a.O. S. 183 "Genöthigt seinen Marsch fortzusetzen, und durch die Nähe der Franzosen geängstigt, liess der Fürst von Hohenlohe eine zweite Aufforderung an Blücher gehen, worin er ihm befahl, sogleich nachzukommen. – 'Ich fürchte', antwortete Blücher, 'einen Nacht-

Der ganze Vorgang konnte an sich geringfügig bleiben, wenn man nicht wie Buchholz den versäumten Nachtmarsch als die Ursache der "Verlegenheiten" betrachtete, "von welchen die Capitulation bei Prenzlau das letzte Resultat seyn musste" und insofern die Besiegelung der preussischen Niederlage herrühren sollte [303]. Dagegen witterte Varnhagen im Hintergrund des Geschehens persönliche Interessen, die Blücher davon abhielten, einen Befehl auszuführen, dessen Befolgung schliesslich doch zunächst dem Befehlenden hätte zugute kommen müssen, und darin lag die "durchtriebenste Verschmitztheit", die ausgenutzte "Gelegenheit, ... einen Brief ausgehn zu lassen", wie es Varnhagen in seiner zusammenfassenden Charakteristik Blüchers andeutete [304]. Darin lag aber nicht zuletzt auch Blüchers Freimaurertum, insofern er sich nicht auf seine eigenen Worte festlegen liess [305], und tatsächlich "blieb sein Handeln nicht an sie gebunden". Was nämlich den konkreten Sachverhalt betraf, hatte er den Brief an Hohenlohe offenbar nicht selber geschrieben, sondern, wie Massenbach sicher mit Recht vermutete, Scharnhorst, und unter dieser Voraussetzung brauchte sich Blücher nur für die Folgen seiner effektiven Handlungsweise verantwortlich zu fühlen, jedoch nicht für die in dem Schreiben angegebene Begründung [306]. Er setzte deshalb noch am Abend des betreffenden Tages und ebenso auch während der folgenden Nacht vom 27. auf den 28. Oktober seinen Rückzug fort, und Varnhagen hat diesen Widerspruch, der ihm zugleich als eine Art 'Beytrag zur allgemeinen Geschichte' gelten musste, mit aller Schärfe durchschaut und dementsprechend richtig gedeutet [307].

Wenn Blüchers Verantwortlichkeit anlässlich dieser Episode nicht deutlich zu werden schien und seine Handlungsweise im Gegenteil den Eindruck von Verantwortungslosigkeit erwecken könnte, läge dies wesentlich an der beschränkten Sicht des Betrachters; denn Buchholz beispielsweise hatte dabei nur den einzelnen Fall vor Augen, während sich Varnhagen, sobald ihm der Charakter der betrachteten Person geläufig war, von deren Widersprüchlichkeit im Denken und Handeln nicht mehr irre machen liess. Den Verlauf der weiteren Ereignisse, die mit der Plünderung von Lübeck durch die Franzosen und mit Blüchers Gefangennahme einen vorläufigen Abschluss fanden, be-

marsch, den ich, um zu Ew. Durchlaucht zu stossen, machen müsste, bei weitem mehr, als den Feind, und bitte Sie, mich lieber der Gefahr bloss zu stellen, als mich zu einem Marsch zu zwingen, auf welchem meine Leute sich zerstreuen würden". Vgl. dagegen Generallieutenant von Blücher, a.a.O. S. 37f. u. 38f. "Durch Nachtmärsche zerstreuen sich unsere Truppen, ich fürchte sie mehr als den Feind ... Ich ersuche Ew Durchlaucht, mein Corps lieber zu exponiren, als es durch all zu forcirte Märsche und den damit verbundenen Mangel an Kräften und Lebensunterhalt in einen Zustand zu bringen, in dem es gar nicht mehr fechten kann' ". Dazu vgl. auch W. v. Unger. Blücher I, 289.
[303] [F. Buchholz] Der Generallieutenant von Blücher, a.a.O. S. 184.
[304] Vgl. Blücher, Dkm III, 603; 605. III², 526; 529. III³, 353; 355.
[305] Vgl. dazu Blücher, Dkm III, 574f. III², 502. III³, 337. Ferner W. v. Unger. Blücher II, 353. J. R. Haarhaus, a.a.O. S. 144f. Vgl. auch P. Stettiner, a.a.O. S. 5. Dazu oben S. 28f.
[306] Vgl. Massenbachs Memoiren. In: M. Lehmann. Scharnhorst I, 457 A. 1.
[307] Vgl. Blücher, Dkm III, 103 u.f. III², 93 u.f. III³, 63f. Dagegen W. v. Unger. Blücher I, 289.

urteilte Varnhagen nicht nach ihrer effektiven Wirkung, sondern stellte sie in den Zusammenhang, der sich ihm vom Standpunkt des Charakterschilderers aufdrängte. Buchholz und Massenbach haben dagegen diese Entwicklung als Folge von Blüchers angeblicher Befehlsverweigerung aufgefasst und unter dieser Voraussetzung eine augenblickliche Eingebung in unangemessener Weise verallgemeinert. Gerade das Verhalten nämlich, welches Blücher vor Lübeck bei seiner eigenen Kapitulation bezeigte, führte zu einem Ereignis, das bei einer solchen Betrachtungsweise, wie sie Buchholz anwandte, im Vordergrund hätte stehen müssen. Denn als Blücher daraufhin durch eine Untersuchungs-kommission zur Rechenschaft gezogen wurde, hatte er seinerseits einen konkreten Anlass, sich zu verantworten, und von diesem Ergebnis her beurteilte auch Varnhagen den gesamten Zusammenhang des Geschehens [308]. Im Mittelpunkt stand für ihn dabei ein angeblich von Blücher selbst verfasstes Zeugnis, das in Form eines Artikels in der 'Berliner Zeitung' veröffentlicht war und die Verantwortlichkeit sogar quellenmässig bezeugte [309]. Blücher wurde schliesslich offiziell von jeder Schuld freigesprochen [310], und damit erübrigte sich auch die publizistisch geführte Auseinandersetzung in der Öffentlichkeit.

Für Varnhagen aber, der die realen Verhältnisse zuletzt meistens ausser Acht liess, blieb Buchholz auch nach dessen publizistischer Niederlage doch ein Zeuge jener Zeit und somit einer der wenigen zeitgenössischen Schrift-steller, deren Urteil gegenüber demjenigen späterer seiner Auffassung nach den Vorrang besitzen musste. Buchholz erklärte nämlich in seiner abschliessen-den Würdigung Blüchers: "Ich habe genug von ihm gesagt, um die Über-zeugung zu bewirken, dass er *für den kleinen Krieg* ungemeine Fähigkeiten hat. Mit seinen Talenten würde er sich vor einigen Jahrhunderten bleibenden Ruhm erworben haben; in dem gegenwärtigen Jahrhundert aber ist er durch die Höhe zu welcher die Kriegswissenschaft sich aufgeschwungen hat, nur allzu sehr in Schatten gestellt" [311]. Obwohl dieses Urteil durch die folgenden Ereignisse der Jahre 1813 bis 1815 historisch widerlegt wurde, entsprach es teilweise trotzdem auch Varnhagens eigener Ansicht, derzufolge zwischen den einzelnen Kommandanten seinerzeit, was ihre persönliche Bedeutung betraf, kein Unterschied bestand, und insofern sie sich ebenbürtig waren, kam es nur auf ihr Verantwortungsbewusstsein an [312]. Dabei bedeutete die Furcht, sich verantworten zu müssen ein Hemmnis, welches nach dem Zeugnis Müfflings Gneisenau zu beseitigen suchte, indem er erklärte: "Es verderbe eine Armee,

---

[308] Vgl. Blücher, Dkm III, 117ff.; 129ff. III², 105ff.; 115ff. III³, 71ff.; 79ff. Dagegen [F. Buchholz] Der Generallieutenant von Blücher, a.a.O. S. 185f. "Die Capitulation bei Travemünde widerspricht aber dem wahren Heldengeist, und erniedrigt die Verwüstung Mecklenburgs, und die Gräuelscenen in Lübeck zu Gegenständen eines ewigen Abscheues; denn man sieht daraus, dass der General Blücher zwar brav thun, aber – was doch ein braver General können soll – weder *vorhersehen*, noch *zuvor-kommen* konnte..." Vgl. auch W. v. Unger. Blücher I, 310.
[309] Blücher, Dkm III, 131f. III², 117f. III³, 80f. Vgl. W. v. Unger. Blücher I, 315.
[310] Blücher, Dkm III, 133f. III², 119f. III³, 81. Vgl. W. v. Unger. Blücher I, 317.
[311] [F. Buchholz] Der Generallieutenant von Blücher, a.a.O. S. 188.
[312] Vgl. dazu oben S. 91 u. A. 21.

wenn man den Grundsatz ausspreche, niemand dürfe ohne Befehl angreifen; denn daraus folge der Grundsatz: wer ohne Befehl angreife, bleibe dafür verantwortlich. Hinter diesen Satz verkröchen sich die Faulen und die Feigen" [313].

Wegen dieser nicht zuletzt hochpolitischen Haltung war für Varnhagen Gneisenau von massgeblichem Einfluss. Aber Gneisenau selbst hatte bei aller Verantwortung, die er trug, für die Folgen seiner Tätigkeit unter Blücher nicht einzutreten, da dieser sich mit ihm völlig identifizierte und damit zugleich auch alle Anfechtungen auf sich nahm. Darin lag die Einzigartigkeit ihres Verhältnisses, das in dieser Beziehung für Varnhagens Begriff von politischer Wirksamkeit vorbildlich war [314]. Gerade weil aber Gneisenau nicht direkt als handelnde Person auftrat, blieb seine Gestalt in Varnhagens biographischer Geschichtschreibung ohne charakteristische Züge, und so kam es dagegen Tettenborn zugute, dass er ein zwar nicht bedeutendes, jedoch weitgehend unabhängiges Kommando innehatte, bei dem er sich zudem durch Entschiedenheit auszeichnen konnte. Tettenborns Teilnahme in den Befreiungskriegen gehörte dabei ganz in den Bereich der Fragestellung, die Varnhagen bei seiner Auffassung von Blüchers Grösse voraussetzte. Wenn er aber eine charakterliche Beziehung zwischen ihm und Tettenborn wahrzunehmen vermochte, hatte er an den Kriegshandlungen, die dieser 1814 in Nordfrankreich ausgeführt hatte [315], weniger Vergleichsmöglichkeit als gerade an den Ereignissen, die 1806 zum Fall von Lübeck führten. Die Parallele zum Schicksal der hanseatischen Schwesterstadt Hamburg im Jahr 1813 leuchtet sofort ein, und ebenso gilt sie auch hinsichtlich der Beurteilung, die beide Vorgänge in der Öffentlichkeit erfuhren; denn die Zweifel, welche Buchholz an Blüchers militärischen Fähigkeiten geäussert hatte, entsprachen genau dem Tadel, der auch Tettenborn nicht erspart blieb [316]. In unmittelbarer Verbindung sah Varnhagen jedoch die Begeisterungsstürme, die sich in Hamburg zuerst anlässlich von Tettenborns Einzug im März 1813 erhoben hatten und nachher noch einmal laut wurden, als Blücher dort im Jahr 1816 als Ehrengast weilte, wobei er nach Varnhagens ausdrücklicher Mitteilung auch die Freimaurerloge besucht haben soll [317].

Wenn Buchholz aber betonte, dass Blücher nur auf Grund seiner persönlichen Anlagen noch "vor einigen Jahrhunderten bleibenden Ruhm erworben" haben müsste [318], verbanden sich ihm damit ähnliche Vorstellungen wie Goethe, der die von Varnhagen zum Gegenstand seiner Biographien gewälten Gestalten typologisch mit den italienischen Condottieri verglich [319]. Varnhagens bio-

[313] F. K. F. Müffling. Aus meinem Leben, S. 96f. Dazu Varnhagens Notiz, 19. Mai 1851: Tgb VIII, 179. Dagegen W. v. Unger. Blücher II, 374. Ferner Varnhagens Notiz: Bülow S. 460. Dkm VIII³, 410.
[314] Vgl. Dkw NF I (= V), 57. III², 285f. IV³, 229.
[315] Vgl. Blücher, Dkm III, 388f.; 424ff.; 434. III², 339f.; 370ff.; 380. III³, 228; 249ff.; 255.
[316] Dazu vgl. oben S. 55 A. 142.
[317] Blücher, Dkm III, 572f.; 574f. III², 501; 502. III³, 336; 337.
[318] [F. Buchholz] Der Generallieutenant von Blücher, a.a.O. S. 188.
[319] Vgl. J. W. v. Goethe. Biographische Denkmale von Varnhagen von Ense, a.a.O. S. 149. Goethes Werke XLI/2, 110 Z. 11ff.

graphisches Interesse war dementsprechend geradezu auf einen Menschentypus gerichtet, dessen Charakter sich im offenen Widerstreit von Verantwortlichkeit und Anfechtung abzeichnete und den er nicht zuletzt in seiner eigenen Person durchschaute und wohl allgemein in jedem Menschen unter gewissen – nämlich geschichtlichen – Umständen wahrnehmen zu können glaubte. Denn in dieser innerlich gespaltenen Lage spiegelte sich für ihn stets die vorherrschende Frage nach der Teilnahme am zeitlichen Geschehen. Dabei konnte demjenigen, dem sich unter realistischen Voraussetzungen keine eindeutige Bestimmung eröffnete, die Geschichtschreibung eine Art Ersatz werden, und je mehr er sich als Schriftsteller polititisch verpflichtet fühlte und publizistisch auf den Gang der öffentlichen Angelegenheiten selbst einzuwirken suchte, wuchs auch seine Verantwortlichkeit. Ebenso lag aber in der Geschichtschreibung ein Mittel für denjenigen bereit, der den Anfechtungen des öffentlichen Lebens nicht zu begegnen imstande war, vorausgesetzt, dass er in einem literarischen Sinn das Schreiben beherrschte, und es war dies die Problematik, die sogar Metternich an sich selber erfahren hatte, wenn er erklärte: "Ich habe Geschichte gemacht und deshalb die Zeit, sie zu schreiben nicht gefunden" [320].

Bei Blücher verhielt es sich jedoch insofern anders, als er, wie seine selbstgeschriebenen Briefe bezeugen, keinen gebildeten Sprachstil pflegte und in seinen offiziellen Schreiben die Federführung anderer, 1813 vor allem Gneisenau, überliess [321]. Ebenso war auch Tettenborn, wie einige seiner Briefe an Varnhagen zeigen, kein vollkommener Stilist, sodass dieser nach den gemeinsam überstandenen Kriegsjahren immer noch Gelegenheit erhielt, wichtigere Briefe für ihn aufzusetzen [322]. Die Geschichtschreibung aber, wie Varnhagen sie ursprünglich in Hamburg erfasst hatte, konnte er im Sinne der eigenen Verantwortlichkeit erst 1848 in ähnlicher Weise wieder, wenn auch nur teilweise, verwirklichen. Wenn ihn dagegen Metternich als seinen künftigen Biographen betrachtete und ihn zu dieser Bestimmung von vornherein noch beeinflussen wollte [323], war dies ein ebenso missglückter Versuch wie derjenige, den Varnhagen selbst unternahm, um Hardenbergs Biographie schreiben zu dürfen [324], und so, wie sich in ihm seit Rahels Tod in verstärktem Mass eine hypochondrische Neigung bemerkbar machte [325], konnte dies nach einem Urteil des zeitgenössischen Arztes und Dichters Ernst von Feuchtersleben geradezu der Ausdruck einer mangelnden geschichtlichen Ergriffenheit sein; Feuchtersleben

---

[320] Metternich. Mein politisches Testament, (1849-1855): Aus Metternich's nachgelassenen Papieren VII, 641.

[321] Vgl. Blücher, Dkm III², 529. III³, 355. Vgl. III, 605. Dazu oben S. 241 u. A. 306.

[322] Vgl. Tettenborn an Varnhagen, Mannheim 7. Mai 1816 [Kopie]: Klr G.L.A. 48/1297 Nr. 20 "Nun bitte ich Sie lieber Varnhagen mir eine Antwort auf diesen Brief aufzusetzen würdig und herzlich wie Sie glauben es mir aus der Seele kommen könte [sic!]". Dazu vgl. auch oben S. 179 A. 160.

[323] Vgl. oben S. 137.

[324] Vgl. oben S. 203f.

[325] Vgl. Varnhagen an Ölsner, Berlin 9. Jan. 1823: Ölsner-Bfw III, 2f. Varnhagen an Pückler, Berlin 29. Mai 1836; 9. Feb. 1837: Pückler-Bfw S. 327; 342. Dazu Pückler an Varnhagen, Naxos 11. Nov. 1836: ebda S. 333. Vgl. auch H. Laube. Erinnerungen, a.a.O. S. 236f. Ferner C. Misch, a.a.O. S. 84f.

glaubte nämlich im Hinblick auf die Hypochondrie, dass "nur das Studium der Geschichte, die reine Theilnahme an dem Weltganzen auf Augenblicke von solchen Qualen" Befreiung schaffen könnte [326].

Unter dieser Voraussetzung wurde für alle diejenigen, die, um mit Metternich zu reden, Geschichte machten, Hypochondrie eine Art Flucht vor Verantwortlichkeit, die auf ihnen lastete, und insofern war Blücher offenbar hypochondrisch veranlagt [327]. Doch wenn Varnhagen "von heftigem Fieber" berichtete, das Blücher anlässlich seiner umstrittenen Kapitulation vor Lübeck "befallen" hatte [328], suchte er ihn unwillkürlich auch zu rechtfertigen. Demgegenüber war die Tatsache, dass Tettenborn während seines knapp zweieinhalbmonatigen Verbleibens in Hamburg seinerzeit nur die Nachwehen einer schmerzhaften Fussrose ausheilen wollte und daher in manchem nachlässig handelte, für Varnhagen nicht erwähnenswert, solange ihm die Unmittelbarkeit der Ereignisse keinen konkreteren Gedanken gestattete, und erst in der 1818 veröffentlichten Charakteristik Tettenborns kam er auch auf dessen Erkrankung zu sprechen [329]. Das medizinische Interesse, welches in Varnhagen seit seiner Studienzeit nie erlosch [330], hatte auf seine biographische Geschichtschreibung aber keinen direkten Einfluss, und nur in menschenkundlicher Beziehung bestand zunächst ein gewisser Zusammenhang zwischen seinen beiden Neigungen. Doch um diesen Bezug zu erkennen, bedurfte es einer stillschweigenden Voraussetzung, die ursprünglich nur "für den denkenden Krieger", dann für den "Menschenkenner überhaupt" und erst zum Schluss "für den Geschichtsforscher" gelten konnte. Die verschiedenen Standpunkte des Verstehens, die der General Rühle von Lilienstern in seiner Rezension des 'Blücher' mit diesen Bezeichnungen auseinanderhielt [331], waren aber im einzelnen auch für ihn nicht ausreichend. Denn so, wie er Varnhagens Buch beurteilte, musste er dagegen in umfassender Weise mit den Zielen vertraut gewesen sein, die diesem bei der Niederschrift vorgeschwebt hatten. Indem er nämlich die ganze Darstellung nach Abschnitten untersuchte, in denen Blüchers Charakter sichtbar wurde und dabei alle "Andeutungen zur eigentlichen Charakteristik Blücher's" publizistisch erst zusammenstellte [332], vollzog er Varnhagens Arbeit nicht nur innerlich richtig nach, sondern hob sie ausserdem noch über den durch die faktische Bezogenheit begrenzten Rahmen hinaus. Er missachtete insofern zwar den rein historio-

---

[326] E. v. Feuchtersleben. Zur Diätetik der Seele. Vierte, vermehrte Auflage, S. 146. Vgl. dagegen auch ebda S. 133. Dazu ferner M. Necker. Ernst Freiherr v. Feuchtersleben. Jahrbuch der Grillparzer-Gesellschaft, 3 (1893) S. 83.

[327] Vgl. dazu H. Haberkant. Blüchers Hypochondrie, a.a.O. S. 110ff. Ferner Das Tagebuch des Generals der Kavallerie, Grafen v. Nostitz, a.a.O. S. 122.

[328] Blücher, Dkm III, 115. III², 103. III³, 70. Dagegen W. v. Unger. Blücher I, 308.

[329] Vgl. [Varnhagen] Fr. Carl Freiherr v. Tettenborn. In: Zeitgenossen II/1 (1818) S. 21. Dazu Dkw III, 240. II², 392. III³, 267. Vgl. Hoppenstedts Notiz, 26. März [1813]: B. Jacobi. Hannover's Theilnahme an der deutschen Erhebung im Frühjahre 1813, S. 39 A.**. Ferner H. Ulmann. Geschichte der Befreiungs-Kriege I, 265.

[330] Vgl. dazu L. Geiger. Berliner Berichte aus der Cholerazeit 1831-1832. Berlinische Klinische Wochenschrift, 54 (1917) S. 189f. Ferner auch J. Moleschott, a.a.O. S. 294.

[331] [J. O. A.] Rühle v. Liliensterns Rezension, JfwK (1827) Sp. 1646.

[332] [J. O. A.] Rühle v. Liliensterns Rezension, JfwK (1827) Sp. 1648ff.

graphischen Anspruch des Buches, aber er ging auf die Anregung seines Verfassers ein und ergänzte selbst, was er als Augenzeuge berichtigen konnte [333], und dadurch würdigte er Varnhagens Bemühungen um die Geschichtsforschung mit der dafür angemessenen höflichen Anerkennung.

---

[333] Varnhagen. Vorwort. In: Blücher, Dkm III, S. IV. III², S. VIf. III³, S. VI. Vgl. auch K. G. Jacobs Rezension, JfwK 2 (1845) Sp. 834.

Genau fünfunddreissig Jahre nach der Befreiung Hamburgs durch Tetten-born, am 18. März 1848, kam es in Berlin auf dem Schlossplatz zu Unruhen und zum Ausbruch einer revolutionären Bewegung, die in Paris bereits im Februar das Julikönigtum Louis Philippes und in Wien die Herrschaft Metternichs beseitigt hatte. Die Vorgänge in Berlin gehörten daher in einen allgemeineren Zusammenhang, und unter dieser Voraussetzung war auch Varnhagen der Geschichtlichkeit dessen, was er damals in Berlin teils als Augenzeuge selber miterleben oder sich als Zuhörer und durch die Lektüre fremder Äusserungen aneignen konnte [1], gewiss. Historiographisch vermochte er seine Eindrücke aber nicht umzusetzen, und so blieb seine 'Darstellung des Jahres 1848' ein Bruchstück [2], wobei er als Erlebnisschriftsteller an den faktischen Realitäten scheiterte, die er bei seinen biographischen Arbeiten teilweise hatte ausser Acht lassen dürfen [3].

Solange er dagegen die revolutionäre Bewegung als politische Erscheinung betrachtete und in ihr zunächst nur die konstitutionelle Frage berücksichtigte, schränkte sich sein geschichtliches Interesse auf den Ablauf eines Geschehens ein, das er formal ohne konkret stoffliche Bezüge leicht zu überblicken ver-mochte; denn bei der geistreichen Objektivität, deren er fähig war, fehlten ihm zu einer ideellen Konzeption nur die staatsrechtlichen Begriffe, die es ihm ermöglicht hätten, mehr als bloss gesellschaftliche Lebensformen wahr-zunehmen [4]. Wenn er nämlich die Verwirklichung der "Volksfreiheit" im Wandel der Geschichte verfolgte und dabei das demokratische Athen sowie Frankreich in den Jahren 1789, 1830 und 1848 als Stationen einer immer wiederkehrenden Entwicklung bezeichnete [5], war seine Schlussfolgerung

---

[1] Vgl. dazu H. Oncken. Zur Genesis der preussischen Revolution von 1848, FBPG 13 (1900) S. 129.
[2] Vgl. L. Assing. In: Tgb IV, 172 A.*. Vgl. dazu ebda S. 229 A.*. Ferner Varnhagen an Marie d'Agoult, Berlin 18. April 1850: Paris Bibl. Nat. N.A.F. 25189 Bl 135-136 "Seit dem Herbst 1848, wo sich die deutschen, die preussischen Angelegenheiten zu so traurigen Wendungen beugten, hatte ich den Vorsatz, die Geschichten dieses Jahres wahrheitsgetreu zu erzählen, ich war Zeuge von so vielem gewesen, hatte vieles aus den sichersten und geheimsten Quellen geschöpft ... als ich an die Aus-arbeitung gehen wollte, musst' ich entdecken, dass ich ihrer nicht fähig sei; die Sachen hatten noch zu viele Leidenschaft, meine Nerven zuckten, meine Pulse schlugen bei ihrer Berührung, ich musste für die nächste Zeit verzichten, und habe auch jetzt noch nicht die Fassung, die zum Beginn der Arbeit nöthig ist". Vgl. Varnhagens Notiz, 28. Aug. 1849: Tgb VI, 339f. Dazu auch R. Haym, a.a.O. S. 505.
[3] Vgl. dazu oben S. 161; 242.
[4] Vgl. dazu oben S. 121 u. A. 23; 190 u. A. 43.
[5] Vgl. Varnhagens Notiz, 7. April 1850: Tgb VII, 121.

wenigstens nicht ohne die ihm eigene universalhistorisch witzige Färbung geblieben. Historisch fehlte für ihn nur die Unmittelbarkeit eines konkreten Problems, und diesen Mangel vermochte er auch bei einer formal politischen Betrachtung der damaligen Zeitereignisse nicht zu beheben. Was er in seinem Fragment gebliebenen Aufsatz über die Aussicht auf eine "deutsche Volksvertretung" äusserte, die neben dem Bundestag in Frankfurt zugelassen werden sollte, gehörte in einen geschichtlichen Zusammenhang, dessen Hauptfigur er von sich aus gesehen selber war, nachdem er ja bereits im Jahr 1816 diese Forderung öffentlich ausgesprochen hatte [6]. Es handelte sich daher bei dieser Frage ursprünglich bloss um eine autobiographische Reminiszenz und nicht um ein innerlich befreiendes Ereignis, an dem sich das geschichtliche Erlebnisvermögen hätte entzünden können. Ein solches Ereignis aber war die Märzrevolution in Berlin allgemein nicht, und daran zeigte sich erneut die lokale Bedeutung des individuellen Standpunkts.

Berlin erlebte in den Tagen der Revolution den sichtbaren Einbruch einer weltbürgerlichen Bewegung, die über die nationalen Grenzen hinaus ganz Europa anging. Doch der Anteil, welcher ihm an dieser gesamteuropäischen Erscheinung zufiel, blieb beschränkt und war unbestritten zuletzt nur die Bestätigung seines hauptstädtischen Charakters, den eine Handelsstadt wie Frankfurt damals endgültig verlor [7]. Daneben wurde die Berliner Märzrevolution höchstens noch im Hinblick auf die deutsche Einheitsbewegung und insofern auch unter einem eng begrenzten Gesichtspunkt wichtig, und mit dieser Voraussetzung ging Varnhagen an die Ausarbeitung seiner historiographischen Darstellung. Nachdem es aber in Wien bereits am 13. März zu Unruhen gekommen und Metternich geflohen war, verlor das Geschehen in Berlin auch bei einer bloss auf das Gebiet des Deutschen Bundes bezogenen Betrachtungsweise an ursprünglicher Wirkung, und vor den Wiener Ereignissen brach denn auch Varnhagens begonnene Erzählung durchaus folgerichtig ab.

Von den lebendigen Eindrücken, die er damals trotzdem historiographisch umzusetzen versuchte, zeugen vor allem Varnhagens persönliche Aufzeichnungen [8], die er als "Tagesblätter" zum Zeitgeschehen regelmässig fortführte und in denen er selten tagebuchartige Bekenntnisse niederschrieb, sondern grundsätzlich jene Form der Geschichtsüberlieferung anstrebte, die er 1815 mit der Gründung einer Ministerialzeitung zu verwirklichen gesucht hatte [9]. Um so unangemessener wäre es deshalb, Varnhagens sogenannte 'Tagebücher' als unbefangene historische Quellen einzuschätzen; denn ihre tagebuchähnliche Unmittelbarkeit lag zunächst in Varnhagens persönlicher geschichtlicher

---

[6] Darstellung des Jahres 1848: Tgb IV, 196. Dazu vgl. oben S. 189f.

[7] Vgl. R. Stadelmann. Soziale und politische Geschichte der Revolution von 1848, S. 52. Ferner K. Frenzel. Die Berliner Märztage, DtRs 94 (1898) S. 356. Dazu auch H. Beck. Alexander von Humboldt II, 200. Vgl. ferner oben S. 191 u. A. 48.

[8] Vgl. Darstellung des Jahres 1848: Tgb IV, 229. Ferner L. Assing. ebda A.*. Dazu vgl. auch H. Beck. Alexander von Humboldt II, 195.

[9] Vgl. oben S. 141. Ferner W. Fischer. Vorwort. In: Die Briefe Richard Monckton Milnes' an Varnhagen von Ense (= Anglistische Forschungen 57, S. V.) Dazu auch H. H. Houben. Varnhagen von Ense, a.a.O. S. 324.

Erlebnisbereitschaft und nicht in der Spontaneität ihrer Formulierung. Daher ersetzen sie für jene Zeitspanne auch keine "Darstellung der preussischen Geschichte" [10], wogegen umgekehrt, was Varnhagen subjektiv beim Umsturz in Wien empfunden hatte, seine prinzipiell unveränderte Geschichtsauffassung verriet. Immer noch war für ihn nämlich der richtige Augenblick die ursprüngliche Triebkraft der Geschichte, und dadurch, dass 1848 bei der revolutionären Entwicklung Österreich die vorangehende Macht im Deutschen Bund geworden war, blieb Preussen innerhalb der deutschen Einheitsbewegung, wie Varnhagen notierte, "nur wieder der zweite Rang angewiesen" [11].

Bei einem derartigen Wettbewerbsdenken hatte Varnhagen allerdings keine Aussicht, als erster mit einer historischen Darstellung der Revolutionsereignisse an die Öffentlichkeit zu treten. Der Vortritt Frankreichs in der europäischen Politik war für ihn ein selbstverständliches Ärgernis, das er nicht zu leugnen vermochte [12], und er durfte sich daher nur beglückwünschen, dass der Verfassername Daniel Stern, unter dem eine der ersten französisch geschriebenen Revolutionsgeschichten erschien, das Pseudonym der Gräfin Marie d'Agoult war; denn das Lob, das er ihr zuteil werden liess, war für ihn gleichzeitig Ausdruck einer gesellschaftlichen Umgangsform. Einer literarisch gebildeten Dame den Vortritt zu gewähren, war ihm um so willkommener, als er damit zugleich auch ein politisches Bekenntnis ablegen konnte und alle korporativ denkenden Gelehrten übertraf, die diese Form weltbürgerlicher Höflichkeit vielleicht nicht beachten zu müssen glaubten [13].

Von den deutschen Darstellungen bevorzugte er die 'Preussische Revolution' von Adolf Stahr. Aber bezeichnenderweise erachtete er erst die zweite Auflage von 1851 als gültiges Geschichtswerk und berücksichtigte damit wiederum den zeitlichen Vorrang der französischen Geschichtschreiberin, deren erster Band 1850 erschienen war. Varnhagen legte also auf den zeitgeschichtlichen Standpunkt des Historikers einen besonderen Wert und dementsprechend schrieb er eine Rezension, in der er sich auf eine grundsätzliche Analyse des Zeithistorikers beschränkte, dessen Züge er direkt seinem Freund Stahr entlieh. Je theoretischer sich ihm dabei die Voraussetzungen des geschichtlichen Lebens offenbarten,

---

[10] Dagegen vgl. L. Assing. Vorwort. In: Tgb I, S. V. Ferner R. Haym, a.a.O. S. 506. Dazu auch Varnhagen von Ense eine neue preussische Geschichtsquelle, a.a.O. S. 17ff. Ferner auch dagegen E. Heilborn. Varnhagen und Rahel, a.a.O. S. 455f. Dazu C. Misch, a.a.O. S. 141. Ferner ebda S. 8f.

[11] Varnhagens Notiz, 17. März 1848: Tgb IV, 288. Dazu vgl. oben S. 114f. Ferner F. Rachfahl. Deutschland, König Friedrich Wilhelm IV. und die Berliner Märzrevolution, S. 99ff.

[12] Vgl. Darstellung des Jahres 1848: Tgb IV, 203. Ferner Varnhagens Notizen, 6.; 8.; 9. März 1848: Tgb ebda S. 264f.; 268; 270.

[13] Vgl. Varnhagens Notiz, 18. April 1850: Tgb VII, 137. Ferner VSchr VIII, 440ff. Varnhagen an A. Bölte, Berlin 26. April 1850: Briefe an eine Freundin, S. 213. Vgl. auch Varnhagen an Marie d'Agoult, Berlin 18. April 1850: Paris Bibl. Nat. N.A.F. 25189 Bl 135-136 "Urtheilen Sie mit welcher Freude, mit welch inniger Theilnahme ich nun Ihre Ausführung empfangen habe, die so gelungen im französischen Stoffe liefert, was ich im deutschen leisten wollte, und vielleicht noch wirklich leiste, wenn Leben und Kräfte dazu nicht fehlen". Dazu J. Vier. La comtesse d'Agoult et son temps IV, 79; III, 291f.

desto fragwürdiger erschien es ihm, dass diese Voraussetzungen einmal konkret gegeben sein könnten und sich damit für ihn historiographisch auswerten liessen. Umgekehrt war er aber auch nicht in der Lage, philosophisch ein unveränderliches geistiges Gesetz zu entwickeln. Einige prinzipielle Andeutungen zu einer historiographischen Existenz vermochte er jedoch zu machen, und je widersprüchlicher sie zueinander standen, desto geschichtsbezogener in einem höheren Sinn musste er sie bewerten. Somit war Adolf Stahr, wie Varnhagen darlegte, zwar Augenzeuge der Berliner Revolutionsereignisse gewesen, und als "geborener Preusse" hatte er auch ein ursprüngliches Interesse für die preussische Geschichte. Aber ohne selbst ein gebürtiger Berliner zu sein, wahrte er sich in Berlin trotzdem jene Unbefangenheit, die den Fremden immer vor dem Einheimischen auszeichnen kann und die Varnhagen selber in den Hamburgischen Verhältnissen des Jahres 1813 bewiesen hatte [14]. Doch diese Auszeichnung kam Adolf Stahr erst recht zugute, wenn er mit verschiedenen einflussreichen Personen der Berliner Gesellschaft verkehrte, ohne sich dadurch von lokalpolitischen Überlegungen leiten zu lassen, und dazu war es von entscheidender Wichtigkeit, dass er keine Veranlassung fühlte, selbst an den äusseren Umständen eine konkrete Mitverantwortung zu tragen. Seine Teilnahme blieb ganz auf geistige Eindrücke beschränkt, bei deren Veranschaulichung es nur auf seine stilistische Fertigkeit ankam.

Soweit charakterisierte Varnhagen den Standpunkt des Historikers am Beispiel Adolf Stahrs, und im Gegensatz zu der entsprechend individuellen Aufnahmefähigkeit des einzelnen stand alles Faktische, das in den "wesentlichen Thatsachen" nicht bestritten werden konnte. Die einzige Veränderung, mit deren Möglichkeit Varnhagen bei der Beurteilung eines geschichtlichen Sachverhalts rechnete, war für ihn aus dem selbständigen Fortschreiten der Geschichte zu erklären. Denn nachdem der unmittelbare Eindruck eines Geschehens allmählich erloschen sei, meinte er, zeige es sich, dass vielleicht nicht schon "alles ... im ersten Augenblick aufzufassen" gewesen sein konnte, und deshalb war eine direkt unter dem Eindruck äusserer Ereignisse geschriebene historische Darstellung für ihn niemals auch von vornherein eine endgültige. Eine gewisse Zeitspanne musste der Nachforschung ergänzender und berichtigender Zeugnisse eingeräumt bleiben, jedoch nicht länger, als auch die Unmittelbarkeit des Geschehens wenigstens in der Erinnerung noch lebendig war [15]; andernfalls nämlich würde sich der Standpunkt des Augenzeugen nicht

---

[14] Vgl. dazu oben S. 73f.
[15] Vgl. VSchr VIII, 445ff. Ferner Varnhagens Notizen, 8.; 30. April; 12.; 13.; 14.; 19. Mai 1848: Tgb IV, 372; 402; V, 16; 17; 20; 28. u.ö. Ferner auch Varnhagen an Stahr, Berlin 24. Okt. 1851: Ddf LuStB ohne Signatur-Nr. "Εὐκαίρως traf Ihr werthes Geschenk ein ... Von neuerer, neuester Geschichtschreibung weiss ich kein Werk, das ich dem Ihrigen an die Seite stellen dürfte. Sie huldigen vor allem der Wahrheit, auch wenn solche den eignen Wünschen nicht günstig ist. Ihr Ausdruck ist edel und massvoll, auch wo er Gemeines, Niedriges zu berichten hat. Ihr Buch erscheint in der neuen Auflage trefflich bereichert; ..." Dazu auch Stahr an Varnhagen, Oldenburg 29. Juni 1841; 3. Juni 1850: Briefe Adolf Stahrs an Varnhagen von Ense und Bettine von Arnim, NuS 120 (1907) S. 408; 411 u.f. Ferner dazu Varnhagen an Ölsner, Berlin 12. Feb. 1825: Ölsner-Bfw III, 266.

mehr konkret als charakteristische Voraussetzung einer aus dem Erlebnis gewonnenen Geschichtsauffassung erweisen.

Für Varnhagen persönlich aber verlor dieser grundsätzliche Zusammenhang während der Ereignisse des Jahres 1848 an äusserer Notwendigkeit. Im Unterschied zu Adolf Stahr hatte er nach liberalen Grundsätzen alle Veranlassung, die Vorgänge in Berlin, wo er selber ansässig war, nicht geschichtlich mitzuerleben, sondern an ihnen politisch und insofern als Mitverantwortlicher teilzunehmen und seine Auffassung handelnd zu vertreten. Doch anders als in publizistischer Form nahm er damals abgesehen vom Besuch einiger Wahlversammlungen [16] am öffentlichen Leben keinen politischen Anteil. Die Hoffnungen, Abgeordneter zu werden und in dieser Stellung seine "Schuldigkeit" zu tun, zerschlugen sich an den konkreten Forderungen, vor denen er zuletzt, wenn auch unter schweren Anfechtungen, lieber zurückwich. Den Ministersitz im Kabinett des Generals von Pfuel lehnte er ebenso wie die Kandidatur für das Frankfurter Parlament ab [17], aber zugleich fühlte er selbst, dass er dadurch um so mehr verpflichtet war, seine eigene Ansicht wenigstens im Bewusstsein zu bewahren und allenfalls auch vertreten zu können. Solange er deshalb in der 'Allgemeinen Zeitung' regelmässig Artikel veröffentlichte, hatte er die Möglichkeit, über seinen örtlich begrenzten Standpunkt hinaus eine allgemeine Auffassung auszusprechen, ohne sich dabei unmittelbar verantworten zu müssen [18]. Erst nachdem sich der Abdruck seiner Einsendungen jeweils zu verzögern begann und schliesslich überhaupt aufhörte [19], verschlechterte sich sein persönlicher Zustand, und was bei ihm noch vor dem 18. März nur hypochondrischer Einbildung entsprungen sein mag, griff zuletzt seine wirkliche Gesundheit an, sodass er darin die Entschuldigung für seine politische Zurückhaltung finden zu können glaubte [20]. So, wie daher Feuchtersleben die Geschichte als Seelenheilmittel betrachtete [21], blieb sie auch für Varnhagen zum Schluss immer noch die beste Ablenkung.

---

[16] Vgl. Varnhagens Notizen, 25.; 29. April 1848: Tgb IV, 396f.; 402.

[17] Vgl. Varnhagens Notizen, 8.; 18. Sept. 1848: Tgb V, 185; 197. Vgl. H. v. Brandt. Berlin vor, unter und nach dem Ministerium Pfuel. (Juli bis October 1848), DtRs 12 (1877) S. 431.

[18] Vgl. Varnhagens Notizen, 4. April; 12.; 14. Mai 1848: Tgb IV, 368; V, 14; 19. Dazu auch C. Schultze. Theodor Fontane und K. A. Varnhagen von Ense im Jahre 1848. Fontane Blätter, 1 (1967) S. 144.

[19] Vgl. Varnhagens Notizen, 18. Mai; 6. Juni 1848: Tgb V, 25f.; 56f.

[20] Vgl. Varnhagen an Uhland, Berlin 30. Juli 1848: Uhland-Bfw III, 393f. Varnhagen an Uhland, Berlin 4. Okt. 1851: SNM HsAbt Nachlass Uhland 47623 "Hätte mein Gesundheitszustand mir erlaubt, in den öffentlichen Angelegenheiten thätig aufzutreten, so würdest Du den alten Freund an Deiner Seite nicht vermisst haben". Vgl. Uhland-Bfw IV, 10. Varnhagen an Koenig, [März 1848]: H. Koenig. Erinnerungen an Varnhagen von Ense, a.a.O. S. 62. Varnhagen an Troxler, Berlin 18. Nov. 1848; 5. März 1850: Troxler-Bfw S. 341; 347. Varnhagen an A. Bölte, Berlin 1. April; 25. Juni 1848: Briefe an eine Freundin, S. 92; 116. Ferner Varnhagens Notizen, 3.; 25.; 26. März; 14. Mai; 30. Juni; 14. Okt. 1848; 2. April 1849: Tgb IV, 259; 348; 351; V, 19; 92; 326; VI, 109. Vgl. auch H. Beck. Alexander von Humboldt II, 199. Vgl. ferner dagegen den [Varnhagen-Artikel] In: E. Lennhoff/O. Posner. Internationales Freimaurerlexikon, Sp. 1630.

[21] Vgl. oben S. 244f. u. A. 326.

Wenn er also unter dieser Voraussetzung weiterhin sein geschichtliches Anschauungsvermögen übte, musste er in Berlin, wo er sonst unwillkürlich wieder in die Rolle des Verantwortlichen und trotzdem Machtlosen zurückgefallen wäre, seinen Standpunkt neu bestimmen und gewissermassen ausserhalb der preussischen Hauptstadt festlegen; denn dadurch erreichte er notgedrungen, dass, indem er nun in einem höheren Sinn nach Berlin zurückblickte, das verantwortliche Handeln der andern Gegenstand seiner eigenen historischen Betrachtung wurde. Den inneren Standortswechsel, den er so vollziehen konnte, zeigt aufs deutlichste die Flugschrift 'Schlichter Vortrag an die Deutschen über die Aufgabe des Tages', die er im August des Jahres 1848 niederschrieb und die daher ähnlich wie die frühere 'Deutsche Ansicht der Vereinigung Sachsens mit Preussen' ein Teilstück seiner Geschichtschreibung darstellt. Nur als dem Ausdruck seiner Verantwortlichkeit fehlt ihr jene politische Aktualität, die am Wiener Kongress offensichtlich bestanden hatte, und nachdem er davon ausging, dass er ein politisches Bekenntnis öffentlich nicht ohne Übertreibung aussprechen durfte, wurde er schliesslich unfähig, gegebenenfalls auch die Unwahrheit zu sagen, und bewahrte sogar in der Politik vor allem sein ästhetisches Empfinden [22]. Das geschichtliche Blickfeld beschränkte sich innerhalb der politischen Beziehungen auf ein formales Staatsleben, und dementsprechend lauteten die ersten Sätze seiner Flugschrift: "Im Staatswesen kommt es nicht darauf an, neue und glänzende Einfälle zu haben; wäre dies erforderlich, so würden die folgenden Worte nicht ans Licht treten. Haben schon Andre vor uns dasselbe gesagt, desto besser! ... Neue Schöpfungen im Reiche der Philosophie und Poesie so hauptsächlich und willkommen, sind in der politischen Welt nicht ohne Vorsicht aufzunehmen, hier ist weit mehr die richtige Erkenntniss und geschickte Anwendung zweckmässiger Wahrheit am Platz, sollte diese auch allbekannt sein" [23].

Varnhagen hat mit diesem einleitenden Gedanken sein ursprünglich historiographisches Streben nach einmaliger Unmittelbarkeit zwar verleugnet, aber die Ereignisse selbst waren damals schon nicht unmittelbar genug, und so kam er schliesslich ganz davon ab, das Geschehen im allgemeinen an seiner Geschichtsauffassung zu messen und deren Richtigkeit im Konkreten nachweisen zu wollen. Wie er nämlich bei der Beurteilung eines Menschen zuletzt nur noch ein handschriftliches Zeugnis benötigte und dabei bereits graphologische Kenntnisse anwandte [24], genügten ihm wenige Tatsachen, die er selbst mitansehen konnte, um in ihnen ihren weltgeschichtlichen Gehalt wahrzunehmen [25],

[22] Vgl. Varnhagens Notiz, 1. Juni 1848: Tgb V, 50f. Dazu auch Varnhagen an Ölsner, Berlin, 9. Jan. 1823: Ölsner-Bfw III, 5. Ferner Varnhagens Notizen, 1.; 9. Sept. 1848: Tgb V, 178; 187. Varnhagen an Troxler, Berlin 7. Sept. 1849: Troxler-Bfw S. 343. Dazu vgl. oben S. 117.
[23] Schlichter Vortrag an die Deutschen, S. 3.
[24] Vgl. oben S. 226. Ferner J. Kirchner. Varnhagen von Ense als Handschriftendeuter. Vierteljahresblätter des Volksverbands der Bücherfreunde, 2 (1926) S. 29, zitiert nach K. Goedeke. Grundriss zur Geschichte der deutschen Dichtung XIV², 797 Nr. 71a.
[25] Vgl. dazu Varnhagen an A. Bölte, Berlin 8. Aug. 1848: Briefe an eine Freundin, S. 124.

und dazu gehörte auch der Strassenkampf, den er vom Fenster seiner Wohnung an der Mauerstrasse in Berlin beobachtete. Der Ausblick, den er damals hatte war aber zudem ganz besonders geeignet dafür; denn gegenüber dem Haus, in dem er wohnte, lag die Einmündung der Französischen Strasse, deren Verlauf er bis zu ihrer Kreuzung mit der Charlottenstrasse zu überblicken vermochte [26]. Dazwischen befand sich innerhalb dieses überschaubaren Stücks an der Kreuzung mit der Kanonierstrasse eine Barrikade, von der ihm die Rückseite zugewendet war, sodass er, wie es seine Aufzeichnungen bezeugen, das angreifende Militär von der Charlottenstrasse heranrücken sah und gleichzeitig auch die Massnahmen der Verteidiger hinter der Barrikade beobachten konnte. Weitere Barrikaden sperrten die nächsten Abzweigungen der Mauerstrasse ab, die auf der einen Seite in die Behrenstrasse einmündete und auf der anderen zunächst zur Jägerstrasse führte.

Die Vorgänge, deren Augenzeuge Varnhagen damals ohne innere Vorbereitung notgedrungen werden musste und die er, da er dort wohnte, ebensowenig übersehen konnte, vermittelten ihm einen Eindruck, der ihm im Vergleich zu seinen sonstigen Lebensgewohnheiten um so wesentlicher erschien. Obschon nämlich die wenigen Kampfhandlungen, die in seiner Wohngegend stattfanden, faktisch überhaupt nicht ins Gewicht fielen, wurde für ihn, gerade weil er keine historische Darstellung daran anknüpfte, das Geschehen selbst ein überwältigendes Ereignis. Nirgends aber war die Schlichtheit, der er sich in seinem 'Vortrag an die Deutschen' unterzog, so angemessen bewahrt wie in den Sätzen, mit denen er in der 'Allgemeinen Zeitung' auf den 18. und 19. März zu sprechen kam; denn er erklärte der Leserschaft: "Ich will Sie nicht mit den Einzelfällen der Tapferkeit, der Entsagung, der Grossmuth, deren unzählige sind, überschütten. Die Zeitungsblätter, denen darüber Notizen von allen Seiten zuströmen, werden Ihnen den reichsten Stoff liefern.", und dann setzte er hinzu: "Diese Eine Nacht ist ein Capitel der Weltgeschichte, das schwerer wiegen dürfte, als manches Jahrzehnt!" [27]

In dieser kurzen Feststellung erschöpfte sich für Varnhagen bereits der historiographisch wahrnehmbare Inhalt der Märzrevolution in Berlin. Die einzelnen Vorgänge erfuhren bei seiner Betrachtungsweise keine unterschiedliche Beurteilung, und von Bedeutung war nur der Gesamtverlauf als ein ursprünglich in sich selber verständliches historisches Geschehen, dem auch Varnhagen persönlich von vornherein angehörte und dem er sich nicht erst als teilnehmender Betrachter nähern musste. Dabei handelte er im Gegensatz zu seiner bisherigen Lebenserfahrung damals ebenso realistisch wie alle anderen, die im Augenblick nur daran dachten, noch vor Ausbruch der Kämpfe und, ehe

[26] Vgl. Ranke an Ritter, Wien 14. Juni 1828: L. v. Ranke. Zur eigenen Lebensgeschichte (= SW LIII/LIV, 204) "Sende beiliegendes Blatt an Herrn v. Varnhagen, Mauerstrasse, ungefähr Nr. 31; das Haus stösst auf die Französische Strasse; 1 Treppe". Vgl. L. v. Ranke. Das Briefwerk, S. 163.
[27] [Varnhagens Artikel] *Berlin, 20 März, AZ (1848) S. 1348. Vgl. A. Wolff. Revolutionschronik, herausgegeben von C. Gompertz, S. 99.

die Barrikaden die Strassen völlig versperrten, nach Hause zu gelangen [28]. Die Revolution war ein Ereignis, das, je mehr Menschen von ihr betroffen wurden, desto deutlicher die Züge einer höheren Gewalt aufwies und insofern ein Werk der Vorsehung zu sein schien. Nachdem daher Varnhagen noch vor dem 18. März schon immer rastlos teils als Augenzeuge und teils auf Grund von persönlichen Mitteilungen und sonstigen Quellen die äusseren Zeitereignisse mitverfolgt hatte und diesen "Geistesdienst", wie er sich ausdrückte, als eine Art "Gottesdienst" verstand, war für ihn der offenkundige Ausbruch der Revolution nahezu eine religiöse Offenbarung [29]. Dieser Eindruck erhielt sich in ihm zwar nur für kurze Zeit lebendig, aber sein geschichtliches Lebensgefühl hatte sich durch diese Erfahrung an seiner eigenen Person als angemessen erwiesen, und mit spürbarer Genugtuung stellte er deshalb auch später fest, dass, wie er an Troxler schrieb, "seine Ansichten der geschichtlichen Dinge . . . sich seit dreissig Jahren nicht geändert" hatten [30]. Ein weiteres Ergebnis, das er der Konfrontation mit dem Revolutionsgeschehen verdankte, war seine neu gewonnene Überzeugung, derzufolge die revolutionäre Entwicklung damals noch in keiner Weise als abgeschlossen gelten durfte und daher umgekehrt jede Revolution nur ein Teilstück in der fortschreitenden Entwicklung der "Weltgeschichte" bedeuten konnte [31].

Eine realistische Beurteilung der durch die revolutionären Ausschreitungen in Berlin geschaffenen Lage war im Zeitpunkt ihres Andauerns unwahrscheinlich, und jeder Versuch dazu hing damals paradoxerweise von der Fähigkeit

[28] Vgl. Varnhagens Notiz, 18. März 1848: Tgb IV, 290f.
[29] Varnhagen an Pückler, Berlin 7. Jan. 1834: Pückler-Bfw S. 177. Vgl. Varnhagen an Kerner, Berlin 28. März 1848: Kerner-Bfw II, 310. Varnhagen an Troxler, Berlin 5. April 1848; 29. Sept. 1851: Troxler-Bfw S. 334f.; 360. Varnhagen an Lappenberg, Berlin 14. Juni 1849: HH StuUB HsAbt Literatur-Archiv 1930.320 "Genug, es bleibt mir eine Genugthuung, das Jahr 1848 erlebt zu haben, und wenn im Augenblicke der Himmel verdunkelt ist, so weiss ich doch, dass er sich wieder hellen wird". Varnhagen an A. Bölte, Berlin 16. Mai; 5. Dez. 1848; 26. April 1850: Briefe an eine Freundin, S. 97; 133f.; 216. Varnhagen an Uhland, Berlin 4. Okt. 1851: SNM HsAbt Nachlass Uhland 47623 "Was uns für jetzt nicht geworden ist, seh' ich keineswegs als verloren an, das Erlebte ist ein unzerstörbarer Besitz geworden, und dass ich alles, was ich im Geiste sehe und erwarte, noch selbst erlebe, ist nicht nöthig". Vgl. Uhland-Bfw IV, 10. Ferner Varnhagens Notizen, 15.; 17. März 1848: Tgb IV, 281; 287. Vgl. auch Varnhagen an K. Grün, Berlin 11. Aug. 1850: Dortmund StuLB HsAbt Atg 1713 "Noch hab' ich kein Ereigniss gesehen, keines, sei es auch noch so schmerzlich oder empörend, dem ich nicht für die Zukunft gute Früchte zuschreiben dürfte. Ich selbst brauche sie nicht zu erleben, ich geniesse sie im Geiste voraus". Ferner F. Wehl. Zeit und Menschen II, 14f.
[30] Varnhagen an Troxler, Berlin 20. März 1851; 16. April 1856: Troxler-Bfw S. 353; 406. Varnhagen an Stahr, Berlin 24. Okt. 1851: Ddf LuStB ohne Signatur-Nr. "Ich sehe den Lauf der Dinge noch aus demselben Standpunkt, wie vor drei Jahren; alle Veränderungen, die vor gehen, befestigen nur meine Ansichten. Aber nicht nur vor drei Jahren, auch vor fünf, vor zehn Jahren, ja schon vor dreissig hatte ich dieselben Aussichten, . . ." Dazu auch Varnhagen an Kerner, Berlin 22. Feb. 1841: Vgl. oben S. 200.
[31] Vgl. Varnhagens Notiz, 13. Juni 1849: Tgb VI, 219f. Varnhagen an Koenig, 6. Sept. 1849: H. Koenig. Erinnerungen an Varnhagen von Ense, a.a.O. S. 65. Varnhagen an Pückler, Berlin 9. Juli 1857: Pückler-Bfw S. 460. Ferner Varnhagens Notizen, 6.; 17. Juni 1848: Tgb V, 56; 73.

des einzelnen ab, seinen Standpunkt ausserhalb jener politischen Kampfstimmung zu behaupten, in welcher es für ihn keine Zeit zu Überlegungen mehr gab und die Entscheidungen drängten. Varnhagen hat sich deshalb nicht nur in die Anonymität zurückgezogen, sondern er hat sich ausserdem eine geistreiche Begründung einfallen lassen, die ihn gewissermassen völlig dem Bereich der personalen Verantwortlichkeit entrückte; denn am Ende seiner Flugschrift führte er aus: "Der Schreiber dieser Zeilen, sei es zum Überflusse noch gesagt, ist so frei von persönlicher Rücksicht, als schriebe er in Nordamerika" [32]. Damit war freilich die Frage der Verantwortlichkeit noch lange nicht gelöst, aber an ihr scheiterten schliesslich nicht allein die Vertreter des Bürgertums, sondern ebenso die Militärs und Vertreter der Aristokratie [33]. Dabei entzündete sich an dieser Frage bereits unter den in Berlin direkt beteiligten Zeitgenossen eine Auseinandersetzung, deren Mittelpunkt die entscheidenden, jedoch in ihrem konkreten Zusammenhang nicht ganz durchsichtigen Ereignisse des 19. März 1848 bildeten.

Nachdem bereits vor dem 18. März Unruhen in Berlin ausgebrochen waren und auch Schiessereien stattgefunden hatten, kam es am Vormittag dieses Tages auf dem Schlossplatz zu einer Kundgebung, welche ursprünglich eine Form der Dankesbezeugung für das Verfassungsversprechen des Königs hatte darstellen sollen. Als sich aber die Menge vor dem Schloss zu vergrössern begann und Rufe gegen das Militär laut wurden, schien die Lage plötzlich bedrohlich zu werden, worauf Dragoner und Infanteristen die Versammlung vom Schlossplatz zurückdrängten. Dabei fielen angeblich aus Versehen zwei Gewehrschüsse, die zwar niemanden verletzten, aber eine allgemeine Empörung bewirkten, sodass sich aus dieser Stimmung heraus der Strassenkampf entwickelte, der bis zum folgenden Tag andauerte. Am Morgen des 19. März vernahm die Bevölkerung den Aufruf des Königs 'An meine lieben Berliner', in welchem er sie aufforderte, die Barrikaden abzubrechen und dafür versprach, die Truppen von allen Strassen und Plätzen abziehen zu lassen und auf den Bereich des Zeughauses und des Schlosses zu beschränken. Überraschenderweise aber war das Militär gegen Mittag fast ausnahmslos aus der Stadt abmarschiert, und an seiner Stelle übernahm eine Bürgerwehr die Wache am Schloss; wer dagegen für den Abzug der Truppen aus der Stadt verantwortlich war, lässt sich mit Sicherheit aus den vorhandenen Zeugnissen nicht ermitteln. Die fraglichen Persönlichkeiten, mit deren Anteil auch Varnhagen sich in seinen Aufzeichnungen auseinandersetzte, waren der Gouverneur von Berlin General von Pfuel, der neue Kommandant des Gardekorps von Prittwitz, der Bruder des Königs mit dem Titel Prinz von Preussen sowie der König selber und sein Minister von Bodelschwingh.

Wenn nun Pfuel in Varnhagens Aufzeichnungen in einem vorteilhaften

[32] Schlichter Vortrag an die Deutschen, S. 14.
[33] Vgl. H. Oncken. Zur Genesis der preussischen Revolution von 1848, a.a.O. S. 127f. Ferner R. Stadelmann, a.a.O. S. 84.

Licht erscheint, erklärt sich dies zunächst aus ihren damals schon Jahrzehnte dauernden freundschaftlichen Beziehungen. Seit dem Jahr 1812, als sie beide den Zeitpunkt der Erhebung in Preussen abwarten wollten und in Böhmen als Agenten des Tugendbundes bereits verdächtigt wurden, aber auch noch von früher her waren sie miteinander bekannt [34]. Danach kamen sie im Jahr 1813 beide nach Hamburg, wo sie unter Tettenborn Generalstabsarbeit leisteten, und später wirkten sie gemeinsam in der Redaktion der 'Zeitung aus dem Feldlager' mit [35]. 1848 übernahm Pfuel erst am 11. März, also sieben Tage vor Ausbruch des Strassenkampfes, seine neue Stellung, in der er den kurz davor verstorbenen General von Müffling ersetzte. Da er bis dahin aber nur auf militärischen Aussenposten in Koblenz, Köln, Neuenburg und Münster gestanden hatte [36], galt er in Berlin vom kriegstechnischen Standpunkt als ortsunkundig, und diese Auffassung vertrat beispielsweise der Prinz von Preussen [37], welcher seinerseits gerade angesichts der in der Hauptstadt herrschenden Unruhen seine eigene Versetzung ins Rheinland aufgeschoben, sein bisheriges Kommando aber bereits seinem Nachfolger General von Prittwitz abgetreten hatte [38]. In der Folge herrschte zwischen Pfuel und dem Prinzen eine interne Spannung, weil sie, was den Einsatz der Truppe betraf, verschiedener Auffassung waren. Am 15. März hatte die Lage nämlich schon grössere Schwierigkeiten gezeigt, doch der General von Pfuel liess sich zu keinen übereilten Schritten bewegen, sondern hatte im Gegenteil seine Truppen zurückgezogen und versuchte, unter persönlicher Lebensgefahr mit den aufrührerischen Gruppen ins Gespräch zu kommen und sie zu beschwichtigen. Seine eigene Person war dabei offenen Tätlichkeiten ausgesetzt und so gefährdet, dass ihn, wie ein Leutnant der Garde bezeugt hat, zuletzt drei Mann "heraushauen mussten". Über diese Zurückhaltung von seiten Pfuels geriet dagegen der Prinz von Preussen in äusserste Erregung und machte ihm deswegen schwere Vorwürfe.

Der ganze Zwischenfall ist offenbar authentisch überliefert, und nur die "Färbung" der einzelnen Zeugnisse wirkt nicht einheitlich. So verschwieg Varnhagen beispielsweise das heldenmütige Verhalten des Generals von Pfuel und erwähnte von konkreten Einzelheiten nur die zwanzig gefangenen "Meuterer", deren Anzahl jener Gardeleutnant seinerseits bestätigte. Ausführlicher gab er dagegen die Rede des Prinzen wieder, dessen Vorwurf, Pfuel

[34] Vgl. Dkw III, 169; 209. II², 276; 365. III³, 171f.; 242. Ferner Dkw II³, 31f. Vgl. III, 16f. I², 457. Dazu Hochs Bericht nach Wittgenstein: J. v. Gruner. Wittgensteins Aufenthalt in Teplitz im Jahre 1812, FBPG 7 (1894) S. 222f. A. Fournier. Stein und Gruner in Österreich, a.a.O. S. 244f. Ferner C. Misch, a.a.O. S. 21; 143.
[35] Vgl. oben S. 96f.
[36] Wippermann. [Pfuel-Artikel] In: ADB 25 (1887) S. 709f.
[37] Vgl. O. Perthes nach Roon. Beiträge zur Geschichte der Märztage 1848. Preussische Jahrbücher, 63 (1889) S. 530. Dazu K. Haenchen. Flucht und Rückkehr des Prinzen von Preussen im Jahre 1848, HZ 154 (1936) S. 38. Vgl. dagegen ebda S. 38 A. 3. Ferner auch Nobiling nach Prittwitz: F. Rachfahl. König Friedrich Wilhelm IV. und die Berliner Märzrevolution im Lichte neuer Quellen. Preussische Jahrbücher, 110 (1902) S. 274. Dazu K. Haenchen. In: Neue Briefe und Berichte aus den Berliner Märztagen des Jahres 1848, FBPG 49 (1937) S. 257.
[38] Vgl. W. Busch, a.a.O. S. 17. Vgl. auch Varnhagens Notiz, 16. März 1858: Tgb IV, 283f. Dazu L. v. Gerlach. Denkwürdigkeiten I, 131.

demoralisiere die Truppen, sogar dem Wortlaut nach richtig festgehalten zu sein scheint, und noch weiter ging er, insofern er in der Rede des Prinzen das Problem der Verantwortlichkeit in den Mittelpunkt rückte und überhaupt einen Wortwechsel stattfinden liess, der sonst offenbar nirgends so genau überliefert steht. Nach Varnhagens Darstellung soll nämlich Pfuel geantwortet haben: "Königliche Hoheit, ich beschwere mich sogleich über Sie bei Seiner Majestät; was ich gethan, hatte guten Grund und Erfolg und ich werd' es verantworten". In dieser Erwiderung bleibt es aber trotzdem ungewiss, inwieweit der Prinz von Preussen und der General von Pfuel selber als Verantwortliche fühlten; denn Varnhagen setzte dieses Bewusstsein in der damaligen Situation der Zeit grundsätzlich voraus und sah es nicht empirisch in der Handlungsweise einzelner ausgewählter Persönlichkeiten wirksam werden. Doch da er sich bei der betreffenden Aufzeichnung auf Pfuels eigene Aussagen stützen konnte, gab er unwillkürlich auch dessen persönliche Art der Auffassung wieder, und die Tatsache, dass dieser "Genugthuung oder Entlassung" gefordert hatte, war ein hinreichendes Zeichen seines politischen Selbstgefühls [39].

Solange Varnhagen dementsprechend vom Standpunkt Pfuels die Frage als eine vor allem politische ansah, waren für ihn rein psychologische Motive, wie sie der Prinz von Preussen im Hinblick auf die Truppenmoral anführte, nicht ausschlaggebend. Dabei erblickte Varnhagen in der Person des Prinzen einen durchaus verantwortungsbewussten Politiker, der nur, insofern er die militärische "Befehlführung" an sich reissen wollte [40], den geschichtlichen Zeitgeist nicht begriffen hatte; denn die von ihm im militärischen Sinn geübte personale Verantwortlichkeit schuf gesamthaft eine existentiell gefährdete Lage, deren Auflösung zuletzt bloss mit äusserer Gewalt zu erreichen war. Seine Entschlüsse besassen daher eine unmittelbare Notwendigkeit, die den Ereignissen selbst ursprünglich gar nicht innewohnte, und unter dieser Voraussetzung wurde es für Varnhagen verständlich, dass der General von Pfuel im Augenblick, in dem die Revolution ausgebrochen zu sein schien, gleich sein Kommando verlor. Doch obschon dieser Vorgang dem revolutionären Geschehen zweifellos Vorschub

[39] Vgl. Varnhagens Notizen, 16. März 1848; Zum 15. März 1848; 30. Mai 1848: Tgb IV, 283; 297; V, 47. Dazu L. v. Gerlach. Denkwürdigkeiten I, 131 "Pfuel stellte sich vor die Infanterie in voller Uniform, verbot aber jede feindliche Erwiderung, worüber der Prinz von Preussen empört war und sehr heftig von Demoralisiren der Truppen und dergleichen sprach". Ferner W. Busch, a.a.O. S. 9. E. Marcks. Kaiser Wilhelm I., S. 68. H. Oncken. Zur Genesis der preussischen Revolution von 1848, a.a.O. S. 143 u. A. 1. F. Rachfahl, a.a.O. S. 130 u. A. 1. K. Haenchen. Flucht und Rückkehr des Prinzen von Preussen im Jahre 1848, a.a.O. S. 38f. Vgl. dazu auch V. Valentin. Geschichte der deutschen Revolution von 1848-49 I, 423f. Vgl. H. v. Keyserling an seinen Schwager, Berlin 16. März 1848: K. Haenchen. Aus dem Nachlass des Generals v. Prittwitz, FBPG 45 (1933) S. 110f.
[40] Vgl. Varnhagens Notizen, Zum 18. März 1848; (11. Aug. 1848): Tgb IV, 298; 307. Ferner Varnhagens Notiz, 5. April 1848: Tgb IV, 370. Vgl. auch Nobiling nach Prittwitz: F. Rachfahl. König Friedrich Wilhelm IV. und die Berliner Märzrevolution im Lichte neuer Quellen, a.a.O. S. 280. Ferner Wilhelm [Prinz v. Preussen] an Prittwitz[?], Berlin 12. März 1848: Neue Briefe und Berichte aus den Berliner Märztagen des Jahres 1848, a.a.O. S. 262. Dazu K. Haenchen ebda S. 257.

leistete, betrachtete ihn Varnhagen nicht als die geschichtlich entscheidende Wendung.

Pfuel hatte das Schloss am 18. März in Gegenwart der versammelten Menge verlassen, deren bedrohlicher Charakter zu diesem Zeitpunkt noch nicht eindeutig zu erkennen war, und seine Abwesenheit gab den nach konkreten Entscheidungen strebenden Männern in der Umgebung des Königs das Übergewicht. Die Schmährufe, die gegen das Militär laut geworden waren, konnten nur ein Anlass sein, dem General von Pfuel sein Kommando zu entziehen und ihn durch eine tatkräftige Persönlichkeit zu ersetzen. Prittwitz, der daher den Oberbefehl übernahm [41], zeigte sich jedoch gerade der politischen Aufgabe nicht gewachsen; denn auf der antirevolutionären Seite konnte alles entschlossene Handeln damals bloss in der Person des Prinzen von Preussen seinen Ursprung haben, und deshalb war es, wenn auch nicht faktisch erwiesen, trotzdem um so denkbarer, dass er selber den Befehl zur Räumung des Schlossplatzes gegeben hatte. Friedrich Wilhelm IV. versuchte dagegen möglichst zurückhaltend zu verbleiben und lieferte darin Pfuel ein wirksames Beispiel.

Varnhagen neigte nun trotz des Mangels an konkretem Beweismaterial dazu, die offenkundige Verantwortungsbereitschaft des Prinzen von Preussen mit dem Geschehen vom 18. März in direktem Zusammenhang zu sehen, doch bei dieser Betrachtungsweise erlag er zugleich auch dem Druck der öffentlichen Meinung, der zufolge die Rolle des Prinzen angeblich eine betont militaristische war [42]. Andrerseits machte er aber aus dieser blossen Annahme keine politische Forderung, sondern konnte sie, wenn auch nur durch subjektive Zeugnisse von Drittpersonen, wenigstens vor sich selbst ausreichend begründen, sofern er ihnen persönlich vertrauen konnte. Sein wichtigster Gewährsmann war der Stadtrat Karl Philipp Nobiling, der seinerseits mit dem Fürsten Radziwill in vertrautem Verkehr stand und mit dessen sowie seinen eigenen Angaben für Varnhagen eine Quelle zeitgeschichtlicher Nachrichten wurde [43]. Was dabei die Verantwortungsbereitschaft des Prinzen von Preussen betraf, stimmte das Urteil über dessen Militarismus in den Kreisen, die den Ereignissen nahestanden,

---

[41] Vgl. Varnhagens Notiz nach Alvensleben, Zum 18. März 1848; (April 1848): Tgb IV, 303. Dazu vgl. oben S. 254. Ferner O. Perthes nach Bodelschwingh an Fallenstein. Beiträge zur Geschichte der Märztage 1848, a.a.O. S. 533f. W. Busch, a.a.O. S. 17. F. Rachfahl, a.a.O. S. 140f.; 141 A. 1. Vgl. auch Nobiling nach Prittwitz: F. Rachfahl. König Friedrich Wilhelm IV. und die Berliner Märzrevolution im Lichte neuer Quellen, a.a.O. S. 290.

[42] Vgl. Varnhagens Notizen, Zum 18. März 1848: Tgb IV, 298; 299. Dazu E. Marcks, a.a.O. S. 68f.; 71. Dazu ebda S. 399. Vgl. auch A. Kramer an F. Kramer, Berlin 20. März 1848: R. H. W. Müller. Briefe eines Augenzeugen der Berliner Märztage 1848. Zeitschrift für Geschichtswissenschaft, 2 (1954) S. 320. Ferner H. Oncken. Zur Genesis der preussischen Revolution von 1848, a.a.O. S. 142. Dagegen Varnhagen an Kerner, Berlin 28. März 1848: Kerner-Bfw II, 310. Vgl. auch Varnhagen an A. Bölte, Berlin 1. April 1848: Briefe an eine Freundin, S. 92. Varnhagen an Troxler, Berlin 5. April 1848: Troxler-Bfw S. 335. Varnhagens Notiz, 26. März 1848: Tgb IV, 351f.

[43] Vgl. Varnhagens Notizen, Zum 18. März 1848: Tgb IV, 299; 298. Vgl. Nobilings Erinnerungen: F. Rachfahl. König Friedrich Wilhelm IV. und die Berliner Märzrevolution im Lichte neuer Quellen, a.a.O. S. 295. Dazu K. Haenchen. Der Quellenwert der Nobilingschen Aufzeichnungen über die Berliner Märzrevolution, FBPG 52 (1940) S. 326. Ferner H. H. Houben: Tgb XV, 6f.

allgemein überein, und teilweise sogar wörtlich [44]. In einem Fall lässt sich daher auch quellenmässig nachweisen, dass Varnhagens Aufzeichnungen mit denen von Nobiling übereinstimmen, und dessen entsprechende Sätze lauten: "Der Prinz sprach sehr entschieden gegen den völligen Rückzug der Truppen aus den Positionen, der Minister dafür, worauf der Prinz ausrief: *'Dann müssen sie lieber ganz zurückgehen'*. Ich habe mir später gedacht, dass in Folge dieser Äusserung, die durch Unberufene ganz falsch aufgefasst und weiter verbreitet sein mochte, der spätere Abzug einzelner Truppentheile veranlasst worden sei". Auf dieses Urteil, das ihm Nobiling vielleicht nicht einmal selber übermittelte, bezog sich in Varnhagens Aufzeichnungen folgende Bemerkung: "Noch wird gesagt, der Prinz von Preussen habe in heftiger Leidenschaft, als er hörte, die Truppen sollen sich zurückziehen, wüthend ausgerufen: 'Nun, so sollen sie ganz und gar zurück aus Berlin hinausmarschiren!' Dieser Befehl – obschon der Prinz eigentlich nichts zu befehlen hatte – wurde befolgt" [45]. Wie formal Varnhagen aber die politischen Zusammenhänge zu verknüpfen suchte, zeigt sich, wenn er den Befehl zur Räumung des Schlossplatzes in fast gleicher Weise zur Ausführung gelangen liess und seine Entstehungsgeschichte folgendermassen überliefert: "Die allgemeine Überzeugung ist, dass der Prinz von Preussen und die aristokratischen Offiziere den Augenblick günstig fanden, ihre Wuth zu kühlen und das 'Gesindel' zu Boden zu schmettern. Ein Ausruf des erschöpften Königs: 'Ach ich kann nicht mehr! Schafft mir die Leute weg!' – gar kein militärischer Befehl – diente zum Vorwand, der Prinz gab den Befehl einzuschreiten, und fügte leise hinzu: 'Und nur tüchtig, blindlings und schonungslos!' " [46]

In diesen Erklärungsversuchen wiederholte sich eine künstlich vorausgesetzte Wortverdrehung, deren grundsätzliche Anwendung Varnhagen früher in seinen 'Beyträgen zur allgemeinen Geschichte' veranschaulicht hat. Der Kerngedanke dieser zunächst nur geistreich klingenden Sinnsprüche lag in der Erkenntnis, dass der Ablauf der Geschichte eine Folge von Willensäusserungen darstellte, die, sofern sie in einem sprachlich korrekten Wortlaut überliefert waren, deshalb noch lange keine unmittelbare Richtigkeit beanspruchen durften. Umgekehrt enthielt daher nach Varnhagens Auffassung jedes Wort eine Sinngebung, die über seine nächstliegende Bedeutung hinausweisen musste und die erst dadurch, dass es proklamatorisch eine Art politischer Wirkung erzielte, einzuleuchten

---

[44] Vgl. Nobiling nach Radziwill: F. Rachfahl. König Friedrich Wilhelm IV. und die Berliner Märzrevolution im Lichte neuer Quellen, a.a.O. S. 281. Varnhagens Notiz nach Canitz, 25. März 1848: Tgb IV, 349. Vgl. auch E. Marcks, a.a.O. S. 60f.
[45] Varnhagens Notiz, Zum 19. März 1848: Tgb IV, 327. Vgl. Nobilings Erinnerungen: F. Rachfahl. König Friedrich Wilhelm IV. und die Berliner Märzrevolution im Lichte neuer Quellen, a.a.O. S. 417f. Dazu auch Varnhagens Notizen, 4.; 6. Dez. 1852: Tgb IX, 425; 427.
[46] Varnhagens Notiz, 20. März 1848: Tgb IV, 330. Vgl. dazu O. v. Natzmer. Unter den Hohenzollern I, 194. H. v. Sybel. Aus den Berliner Märztagen 1848, HZ 63 (1889) S. 441. Ferner O[elrichs] Aufzeichnungen: Die Flucht des Prinzen von Preussen, nachmaligen Kaisers Wilhelm I. Der Türmer, XVI/1 (1913/14) S. 209f. Zur Verfasserschaft vgl. L. Bergsträsser. Neue Beiträge zur Geschichte der Berliner Märzrevolution, HVjS 17 (1914/15) S. 85.

vermochte. Der buchstäbliche Wortsinn konnte somit geradezu eine Verfälschung des Tatbestandes sein, und diese Erscheinung, die auch Friedrich Schlegel beobachtet hat, war zugleich wieder ein Hinweis auf Varnhagens freimaurerische Dialektik [47].

Bei seiner Beurteilung des Prinzen von Preussen, welcher selbst dem Freimaurerorden angehörte [48], litt Varnhagen offenbar unter schweren Anfechtungen; denn in gewisser Beziehung, und sei es auch nur, weil er im Haus des Grafen von Königsmarck und Adjutanten des Prinzen wohnte, war es ihm unmöglich, namentlich gegen diesen aufzutreten [49], und schliesslich hatte er doch selbst in seinen Lebensbeschreibungen deutscher und vor allem preussischer Generäle das politische Verantwortlichkeitsdenken als ein militärisches veranschaulichen wollen [50]. Wenn deshalb der Prinz von Preussen diese von Varnhagen bildlich gemeinte Lebenshaltung nicht umzusetzen vermochte, folgte daraus, dass sich die entferntere Sinngebung seiner Veröffentlichungen faktisch nicht erfüllt hatte, aber umgekehrt lag gerade darin die Eigengesetzlichkeit des politischen Handelns, die Varnhagen formal leicht erfassen konnte [51]. Der Prinz von Preussen verkörperte für ihn dagegen einen Abenteurer, dessen Gattung sich Varnhagen wohl für das 18., nicht aber für das 19. Jahrhundert vergegenwärtigt hatte [52], und diesem ungeschichtlichen Anspruch suchte er wenigstens in seinen damaligen Zeitungsartikeln entgegenzutreten. Um dabei zu keinen weiteren Missverständnissen Anlass zu geben, glaubte er nun jede Zweideutigkeit zu vermeiden, wenn er beispielsweise ausdrücklich zwischen "Militärwesen" und "Diplomatie" unterschied, und mit seinen Wünschen für eine "Volksvertretung", die schliesslich für "das *Gemeinsame* des ganzen Vaterlandes" zuständig sein sollte [53], machte er sich eine politische Forderung zu eigen, bei welcher er weithin auf Verständnis zählen konnte. Doch mit dem Prinzen von Preussen, den er vom Standpunkt freimaurerischer Denkformen unmittelbar durchschauen konnte, gab für ihn keine entsprechende Verständigungsmöglichkeit, und so bemerkte er auch mit Interesse, dass sogar die "Meinung der Freimaurer" selbst gegen den Prinzen eingestellt gewesen sei [54].

---

[47] Vgl. dazu oben S. 29. Ferner [F. Schlegel] Fragmente. Athenaeum I/2 (1798) S. 7.
[48] Vgl. Varnhagens Notiz, 24. Mai 1840: Tgb I, 177. Ferner E. Berner. In: Kaiser Wilhelms des Grossen Briefe, Reden und Schriften I, 140 A. 1. Vgl. Wilhelms [Prinzen von Preussen] Erklärung für den Freimaurerorden, Ende 1841: ebda S. 140. Dazu G. Schuster. Die geheimen Gesellschaften, Verbindungen und Orden II, 41ff. A.* (= S. 43).
[49] Vgl. Varnhagens Notiz, 9. Sept. 1848: Tgb V, 188. Ferner H. H. Houben. Varnhagen v. Ense, Karl August (1785-1858), a.a.O. S. 604. Dagegen ebda S. 601. Vgl. auch Erinnerungen aus Varnhagen und die preussische Gegenwart. Historisch-politische Blätter für das katholische Deutschland, 49 (1862) S. 774f. Dazu auch M. Ring. Varnhagen von Ense und der letzte Berliner Salon, a.a.O. S. 77; Erinnerungen II, 83. Varnhagens Notiz, 20. März 1848: Tgb IV, 330.
[50] Vgl. oben S. 209f.
[51] Vgl. dazu oben S. 123.
[52] Vgl. oben S. 215f.
[53] [Varnhagens Artikel] *Berlin, 16 April, AZ (1848) S. 1782f. Ferner *Berlin, 23 April, AZ (1848) S. 1893.
[54] Vgl. Varnhagens Notizen, 26. März; 15. Mai 1848: Tgb IV, 351; V, 22f.

Varnhagen persönlich erschien der Ausschluss jüdischer Logenmitglieder, den der Prinz von Preussen veranlasst hatte, besonders bedenklich, weil bei ihm die realistisch und somit falsch verstandene militärische Lebensauffassung demselben Irrtum entsprang, den er auch dann beging, wenn er den Geist der Freimaurerei sachlich auf die mit dem Christentum übereinstimmenden Züge zurückführte [55].

Innerhalb der äusseren Begebenheiten der Märzrevolution nahm die Gestalt des Prinzen von Preussen eine Stellung ein, deren Eigentümlichkeit sich nach Varnhagens Aufzeichnungen aus zwei verschiedenen Einflüssen erklärt. Neben dem stets gewissermassen nur durch einen Irrtum erkennbaren freimaurerischen Denken lag die Ursache vor allem an den inneren politischen Verhältnissen. Das diplomatische Geschick, mit dem der König Friedrich Wilhelm IV. regierte, bestand für ihn selbst in seinem Bemühen, die persönlichen Gegensätze seiner Untergebenen zu fördern und die einzelnen Minister und Militärs in ihrer Verantwortlichkeit zu lähmen [56], und dadurch entstand in der Umgebung des Hofes eine beklemmende Atmosphäre. Während die Minister diesem Spiel ziemlich machtlos gegenüberstanden, konnten die Militärs die politische Lage verschärfen, aber solange der König äussere Gefahren mit Fassung ertrug, vermochte auch eine künstlich geschürte Spannung ihn zu keiner Veränderung seines Standpunktes zu veranlassen. Erst ausserhalb seiner nächsten Umgebung hatte der einzelne selber die Möglichkeit, verantwortlich werden zu können, sofern er nicht sogleich draufgängerisch, wie es der Prinz von Preussen zu sein versuchte, oder auch wie die Barrikadenkämpfer eine direkte Auseinandersetzung anstrebte. Offenbar aber entsprach es einem allgemeinen Freiheitsbedürfnis, den König und sogar die Hauptstadt zu verlassen, und diese Fluchtbewegung gehörte zu den wichtigsten und zweifellos rätselhaftesten Augenblicken der ganzen Revolution. Varnhagen schickte seine Artikel an die 'Allgemeine Zeitung' in Augsburg und verlegte seinen Standort in der von ihm verfassten Flugschrift innerlich nach Nordamerika. Der General von Pfuel verliess das Schloss, um, wie bezeugt ist, wenigstens in seiner eigenen Wohnung einen Brief an seine Gattin schreiben zu können [57], und in den Monaten nach seinem Kommandoentzug befand er sich auf militärischer und diplomatischer Mission in Posen und Russland [58]. Das spektakulärste Ereignis in dieser Beziehung war

---

[55] Vgl. Varnhagens Notizen, 20. Jan. 1850; 24. Jan. 1854: Tgb VII, 29; X, 418f. Ferner L. v. Gerlach. Denkwürdigkeiten I, 208. Vgl. Erinnerungen aus Varnhagen und die preussische Gegenwart, a.a.O. S. 762f. Ferner auch Wilhelm [Prinz von Preussen] an eine Anzahl jüdischer Freimaurer, 1843: Kaiser Wilhelms des Grossen Briefe, Reden und Schriften I, 143f. Vgl. Varnhagens Notizen, 13. Okt. 1846; 12. Juli 1855: Tgb III, 453; XII, 171.
[56] Vgl. H.-J. Schoeps. Preussen, S. 190f.
[57] Vgl. Varnhagens Notiz, 20. März 1848: Tgb IV, 329f. Dazu W. v. Loewe[-Kalbe]. Erinnerungen an den General Ernst von Pfuel, DtRs 54 (1888) S. 208f. Ferner O. Perthes nach Bodelschwingh an Fallenstein, Beiträge zur Geschichte der Märztage 1848, a.a.O. S. 533f. Vgl. auch Berlin in der Bewegung von 1848. Die Gegenwart, 2 (1849) S. 550f.
[58] Vgl. Varnhagens Notizen, 29.; 30. April; 6. Mai; 24. Juni; 20. Juli 1848: Tgb IV, 401f.; 402; V, 8; 82; 124. Ferner [Varnhagens Artikel] *Berlin, 23 April, AZ (1848)

die Flucht des Prinzen von Preussen [59], der darin wiederum ganz als Abenteurer handelte, aber ebenso können die, wenn auch unausgeführten Fluchtpläne des Königs [60] und nicht zuletzt der Auszug der unter Prittwitz stehenden Truppen die damals in Berlin herrschende Beklommenheit veranschaulichen.

Nach der Pariser Februarrevolution und nach dem Umsturz in Wien, bestand von vornherein kein Zweifel mehr, dass es in Berlin zu ähnlichen Ausschreitungen kommen musste [61], und dieses zeitgeschichtliche Denken war vielleicht in keinem der direkt Beteiligten lebendiger und gegenständlicher als in der Person des Generals von Prittwitz. Prittwitz hatte sich nämlich seinerzeit sogar als professioneller Geschichtschreiber ausgewiesen und mit den von ihm verfassten 'Beiträgen zur Geschichte des Jahres 1813', welche 1843 erschienen waren, beispielsweise Varnhagens uneingeschränktes Lob erhalten [62]. Unter dieser Voraussetzung war Prittwitz auch dank des Überblicks, den ihm seine Stellung verschaffen musste, wie kein anderer in der Lage, die Geschichte der Ereignisse vom 18. und 19. März zu überliefern, und daher traf Bismarck, der ihn später ausdrücklich dazu aufforderte [63], genau das Richtige. Vom militärischen Standpunkt dagegen war Prittwitz sein eigener Aufgabenkreis schon vor dem 18. März als ungeklärt erschienen, und nur die "Ernennung des Generals von Pfuel" hatte ihn einigermassen beruhigen können [64]. Grundsätzlich blieb jedoch die Frage der Befehlführung für den Entscheidungsfall zwischen Pfuel, Prittwitz und dem Stadtkommandanten Ditfurth ungelöst, wobei nur Pfuel und Prittwitz von sich aus möglichst jedes Aufsehen vermeiden wollten, während Ditfurth sichtbare Massnahmen befürwortete [65]. Im Unterschied zu Pfuel gehörte aber Prittwitz im Sinne des aristokratisch-liberalen oder militärisch-bürgerlichen Gegensetzes keiner der bestehenden Richtungen an, und dieser Umstand machte seine Ernennung zum Oberfehlshaber für den König zu einem ver-

S. 1893; *Berlin, 2 Mai, BzAZ (1848) S. 2043. Wippermann. [Pfuel-Artikel] In: ADB 25 (1887) S. 710.

[59] Vgl. dazu K. Haenchen. Flucht und Rückkehr des Prinzen von Preussen im Jahre 1848, a.a.O. S. 32ff.

[60] Vgl. Varnhagens Notizen, Zum 18. März 1848; In der Nacht vom 18. zum 19. März 1848; Nacht vom 18. zum 19. März 1848; (Berlin, 20. Sept. 1850); Zum 18. und 19. März 1848: Tgb IV, 299; 306; 310; 313; 314. Dazu auch O. Perthes nach Dobeneck u. anonym. Beiträge zur Geschichte der Märztage 1848, a.a.O. S. 539f. Dagegen F. Rachfahl. a.a.O. S. 195 u.f. A. 1. Ferner W. Busch, a.a.O. S. 73f. R. Stadelmann, a.a.O. S. 59.

[61] Vgl. F. Rachfahl, a.a.O. S. 102ff. R. Stadelmann, a.a.O. S. 52.

[62] Vgl. Varnhagens Notiz: Bülow S. 459. Dkm VIII³, 408. Varnhagens Notiz, 29. Feb. 1852: Tgb IX, 445. Dazu B. Poten. [Prittwitz-Artikel] In: ADB 26 (1888) S. 608. Vgl. dazu auch J. D. E. Preuss. Vorrede. In: Friedrich der Grosse IV, S. VIII.

[63] Vgl. Bismarck an Prittwitz, [9. Mai 1848]: [O. v.] Bismarck. Erinnerung und Gedanke (= Die Gesammelten Werke XV, 23f.) Ferner K. Haenchen. Aus dem Nachlass des Generals v. Prittwitz, a.a.O. S. 100. Dagegen auch H. Oncken. Zur Genesis der preussischen Revolution von 1848, a.a.O. S. 128.

[64] Vgl. Nobiling nach Prittwitz: F. Rachfahl. König Friedrich Wilhelm IV. und die Berliner Märzrevolution im Lichte neuer Quellen, a.a.O. S. 272. Dagegen V. Valentin. Geschichte der deutschen Revolution von 1848-49 I, 427f.

[65] Vgl. Nobiling nach Prittwitz: ebda S. 273f.; 291. Ferner F. Rachfahl ebda S. 273 A. 3. Dazu Varnhagens Notizen, 17. März 1848: [Zum 18. März 1848]: Tgb IV, 287; 300.

hängnisvollen Enscheid. Doch so, wie sich der König in ihm verrechnen musste, scheint ihn auch die Gruppe um den Prinzen von Preussen in politischer Hinsicht falsch beurteilt zu haben; denn was die Übereinstimmung zwischen ihnen betraf, brauchte sie von Prittwitz' seiten ausschliesslich von dessen geschichtlichem Verständnisvermögen herzurühren [66], und nachdem er seine gesinnungsmässige Einstellung insofern zu verleugnen schien und Varnhagen ihn deshalb auch tadelte und ihm vorwarf, er schone sich nur selbst, wenn er die anderen schone, gab es trotzdem noch ausreichende Belege, dass er, wie Varnhagen bemerkte, als Mann von "soldatischer Aufrichtigkeit" gelten durfte [67].

Für die von Prittwitz angewandte geschichtliche Betrachtungsweise befindet sich das deutlichste Beispiel, das er damals lieferte, in seinem umstrittenen Lagebericht, den er am 18. März noch kurz vor Mitternacht dem König unterbreitete. In ihm berief sich Prittwitz nämlich auf französische Generäle, die im Pariser Strassenkampf von 1830 ihre Erfahrungen gemacht hatten und deren Urteil er übernahm, ohne die besonderen Verhältnisse in Berlin zu berücksichtigen. Aus dieser Quelle bezog er daher auch die Auffassung, dass ein Aufstand innerhalb von zwei Tagen niedergeschlagen werden müsse, wogegen es andernfalls besser wäre, "die Garnison herauszuziehen, und zu einer engen Blokade [zu] verwenden" [68]. Solche historische Lehren glaubte er befolgen zu dürfen, als er schliesslich die Gardetruppen aus Berlin abziehen liess und dadurch das Schloss seiner Bewachung beraubte; doch ausserdem erklärte er in seinen Aufzeichnungen, *"dass er die Geschichte der französischen Garde im Jahre 1789 nur zu gut kenne"* [69] und dementsprechend gehandelt habe. Die "innere Opposition" [70], in der sich Prittwitz zum König befand, war eine Folge

[66] Vgl. H. Delbrücks Rezension zu F. Rachfahl. Preussische Jahrbücher, 100 (1902) S. 545. F. Rachfahl. Zur Beurteilung König Friedrich Wilhelms IV. und der Berliner Märzrevolution, HVjS 5 (1902) S. 222f. Vgl. auch Varnhagens Notiz, Zum 18. März 1848: Tgb IV, 82f.; Dagegen F. Rachfahl. Zur Beurteilung König Friedrich Wilhelms IV. und der Berliner Märzrevolution, a.a.O. S. 219f. Vgl. F. Thimme. König Friedrich Wilhelm IV., General von Prittwitz und die Berliner Märzrevolution, FBPG 16 (1903) S. 572. Ferner Varnhagens Notiz, Zum 18. März 1848: Tgb IV, 302f. Nobiling nach Prittwitz: F. Rachfahl. König Friedrich Wilhelm IV. und die Berliner Märzrevolution im Lichte neuer Quellen, a.a.O. S. 291. Dazu M. Lenz. Geschichte der Universität zu Berlin II/2, 210. F. Rachfahl, a.a.O. S. 141. Vgl. Ferner V. Valentin. Geschichte der deutschen Revolution von 1848-49 I, 428; 429.
[67] Vgl. Varnhagens Notizen, 5. Mai 1848; 23. Aug.; 27. Okt. 1852; 3. April 1853: Tgb IV, 82f.; IX, 343; 393; X, 89.
[68] Nobiling nach Prittwitz: F. Rachfahl. König Friedrich Wilhelm IV. und die Berliner Märzrevolution im Lichte neuer Quellen, a.a.O. S. 306. Vgl. H. v. Sybel. Aus den Berliner Märztagen 1848, a.a.O. S. 437.
[69] Vgl. Nobiling nach Prittwitz: F. Rachfahl. König Friedrich Wilhelm IV. und die Berliner Märzrevolution im Lichte neuer Quellen, a.a.O. S. 427; 288. Ferner K. Haenchen. Aus dem Nachlass des Generals v. Prittwitz, a.a.O. S. 107.
[70] L. v. Gerlach. Denkwürdigkeiten I, 729. Dazu H. Oncken. Zur Genesis der preussischen Revolution von 1848, a.a.O. S. 147ff. F. Rachfahl, a.a.O. S. 167ff. Ders. Zur Beurteilung König Friedrich Wilhelms IV. und der Berliner Märzrevolution, a.a.O. S. 217f. Ders. Zur Berliner Märzrevolution, FBPG 17 (1904) S. 214. Ders. Die Opposition des Generals von Prittwitz, FBPG 18 (1905) S. 252ff. Dagegen F. Thimme. König Friedrich Wilhelm IV., General von Prittwitz und die Berliner Märzrevolution, a.a.O. S. 566ff.; 573ff. Ders. Der "Ungehorsam" des Generals von Prittwitz, FBPG 18

seines zeitgeschichtlichen Selbstbewusstseins, welches für ihn gleichzeitig den Anspruch enthielt, dass er sich dem König unmittelbar gleichgestellt fühlen durfte, und von dieser gesellschaftlichen Form der Ebenbürtigkeit zeugen einige anekdotenhafte Mitteilungen, die Varnhagen als genügend wichtig erachtete, um sie für die Überlieferung aufzuzeichnen. "Man erzählt auch", heisst es in seinen Tagesblättern, "dass der König einem General ganz gesprächsweise, in ruhiger Unterhaltung eine tief beleidigende Äusserung hingeworfen, dafür aber von diesem eine Antwort von so unerhörter Grobheit bekommen habe, dass ihm nichts übrig blieb, als den General auf der Stelle verhaften zu lassen, oder zu thun als habe er gar nichts gehört. Er wählte das letztere. Es soll von Courage die Rede gewesen sein. War der General vielleicht Prittwitz? Es sieht ihm ähnlich" [71].

Die reale Beziehung dieser Anekdote war für Varnhagen also nicht zu ermitteln, aber das geistige Verhältnis der beiden Persönlichkeiten leuchtete ihm aus der blossen Erzählung unmittelbar ein. Als Geschichtschreiber war er damit zwar noch immer weit entfernt davon, ein faktisch begründetes Urteil fällen zu können, aber gerade frei von realistischen Voraussetzungen und nur aus dem Zusammenhang seiner eigenen Geschichtlichkeit hatte er die Fragestellung, welche sich ihm ganz unerwartet für den zwischen dem König und Prittwitz bestehenden Gegensatz aufzudrängen schien, begriffen. Dabei entsprang seine Urteilsbildung keiner gezielten Forschungstätigkeit, sondern lag so, wie ihm die einzelne Nachricht zukam, selbst im Lauf der Geschichte begründet, und deshalb stand Varnhagen von vornherein über den faktischen Gegebenheiten, wobei sich seine persönliche Betrachtungsweise derjenigen von Prittwitz annäherte und er von ihm zwar kein fertiges Urteil, aber einen günstigen Eindruck vermitteln konnte. Die Tatsache dagegen, dass Friedrich Wilhelm IV. König, Prittwitz General und somit eine gesellschaftliche Ordnung zu beachten war, besass für Varnhagen vom Standpunkt der Geschichte keine geistige Begründung, und bei der inneren Spannung, die er ganz zu Recht zwischen ihnen voraussetzte [72], wurde Prittwitz' Ebenbürtigkeit um so anschaulicher, je konkreter die entsprechenden Nachrichten lauteten. " 'Der König' ", notierte Varnhagen später, " 'hat den General von Prittwitz recht schnöde behandelt!' sagte jemand. 'Oh', versetzte ein General, 'Prittwitz den König noch weit mehr!' In Potsdam, nach dem 18. März 1848, alle Gardeoffiziere eben so, sie gingen aus dem Wege, wenn der König kam, um nicht zu grüssen, sie schimpften . . ." [73]

Die Frage nach der Verantwortlichkeit, wie sie grundsätzlich durch den Rückzug der Truppen aus Berlin akut geworden war, erscheint im Licht der persönlichen Beziehungen zwischen dem König und Prittwitz von vornherein als belastet. Sachlich gehörte dieser Konflikt jedoch in eine Reihe von Fällen,

(1905) S. 360f. G. Kaufmann. Beiträge zur Geschichte des Jahres 1848, HVjS 5 (1902) S. 517. Vgl. auch F. Meinecke. Friedrich Wilhelm IV. und Deutschland, HZ 89 (1902) S. 47.
[71] Varnhagens Notiz, 29. Juli 1853: Tgb IX, 311.
[72] Vgl. auch K. Haenchen. Aus dem Nachlass des Generals v. Prittwitz, a.a.O. S. 104
[73] Vgl. Varnhagens Notizen, 25. Mai; 12. März 1853: Tgb X, 163; 62.

bei denen seit dem eigenmächtigen Auftreten des Prinzen von Preussen ein allgemeiner Mangel an militärischer Subordinationsbereitschaft sichtbar wurde, und daher war die Möglichkeit, dass einzelne Soldaten zu den Barrikaden-kämpfern übergingen, ein von Anfang an hinreichender Anlass, um die Truppen aus der Stadt abziehen zu lassen. Dies war jedenfalls die am meisten zeitge-schichtliche Begründung, die für einen Fernerstehenden, der nicht persönlich eine Verantwortung zu tragen hatte, nach und nach selbstverständlich wurde, und Pfuel sowie Canitz waren die Gewährsleute, denen Varnhagen diese Auffassung verdankte [74]. Ebenso bestanden aber an der politischen Absicht, die sich in Prittwitz' Verhalten aussprach, keine Zweifel, und Varnhagen hat auch davon entsprechende Angaben erhalten. Sofern aber wirklich eine Art Verschwörung gegen den König geplant gewesen wäre und es dazu seiner Abwesenheit von Berlin bedurft hätte [75], musste sich Prittwitz als eine zu wenig entschlossene Persönlichkeit erweisen. Nachdem er nämlich den Abzug der Truppen bereits vor dem 18. März gesprächsweise angedeutet hatte, fehlte seinem nächtlich verfassten Lagebericht das politische Gewicht eines neuen Gedankens, und die Tatsache, dass die Lage vom Standpunkt der geschichtlichen Voraussetzungen auch wirklich gefährlich war [76], wurde im Licht der Spannung zwischen dem König und Prittwitz zu einer blossen Zweckmeldung.

Das Verdienst Friedrich Wilhelms IV. bestand in dem für seine Person erstaunlichen Beharrungsvermögen; denn darin zeigte sich zugleich die Überlegenheit, die er als personal verantwortlicher Herrscher gegenüber Ministern und Militärs zu beweisen vermochte. In einer Situation, die nach allem, was die Geschichte Frankreichs gebracht hatte, für ein Königshaus den Sturz bedeuten musste, war gerade der König selbst der einzige, der zuletzt die Verantwortung zu übernehmen wagte, da die Minister, die ihm von der Flucht abrieten, nicht dazu geneigt zu sein schienen. Auch wenn er nämlich schliesslich nur aus Rücksicht auf den Gesundheitszustand seiner Gattin nicht mehr fliehen wollte und selbst sogar lieber in Potsdam gewesen wäre, war die blosse

[74] Vgl. Varnhagens Notizen, Zum 19. März 1848; Zum 18. März 1848; Zum 18. und 19. März 1848 (18. Aug. 1848); Zum 19. März 1848: Tgb IV, 327; 304f.; 308; 326. Vgl. auch H. v. Sybel. Aus den Berliner Märztagen 1848, a.a.O. S. 453. V. Valentin. Geschichte der deutschen Revolution von 1848-49 I, 442. Dagegen F. Rachfahl, a.a.O. S. 260. R. Stadelmann, a.a.O. S. 57. Vgl. auch Wilhelm [Prinz von Preussen] an Prittwitz [?], Berlin 12. März 1848: Neue Briefe und Berichte aus den Berliner Märztagen des Jahres 1848, a.a.O. S. 262.
[75] Vgl. Varnhagens Notizen, 3. März 1852; Zum 19. März 1848: Tgb IX, 98; IV, 326. Ferner A. v. d. Goltz nach Wussow: L. Bergsträsser. Neue Beiträge zur Geschichte der Berliner Märztage, a.a.O. S. 69. Dagegen A. Kramer an F. Kramer, Berlin 20. März 1848: R. H. W. Müller. Briefe eines Augenzeugen der Berliner Märztage 1848, a.a.O. S. 319. Vgl. auch F. Rachfahl, a.a.O. S. 171f.; 174f. Dagegen F. Rachfahl. Zur Beurteilung König Friedrich Wilhelms IV. und der Berliner Märzrevolution, a.a.O. S. 217f. F. Thimme. König Friedrich Wilhelm IV., General von Prittwitz und die Berliner Märzrevolution, a.a.O. S. 570ff.
[76] Vgl. R. Stadelmann, a.a.O. S. 57f. Ferner H. Delbrücks Rezension zu F. Rachfahl, a.a.O. S. 543. Dagegen Nobiling über Prittwitz: F. Rachfahl. König Friedrich Wilhelm IV. und die Berliner Märzrevolution im Lichte neuer Quellen, a.a.O. S. 308. Vgl. auch Nobiling nach Prittwitz: ebda S. 272.

Tatsache, dass er in Berlin verweilte [77], trotzdem ein politisches Ereignis. Wie stark seine Anwesenheit aber ins Gewicht fiel, zeigte sich nicht nur im Vergleich zur Flucht seines Bruders, sondern auch gemessen an dem Umstand, dass zur gleichen Zeit Prittwitz und einzelne der Offiziere schon im Hinblick auf ihre spätere Rechtfertigung militärische Dokumente quellenmässig zu sammeln begannen [78].

Varnhagen war von der politischen Wirkung, die sich nur aus der Standhaftigkeit erklärte, zutiefst berührt, und eine Mitteilung, derzufolge der König bereits nach Metternichs Sturz entschlossen gewesen sein soll, nach Berlin zu eilen und durch seine "Königliche Gegenwart" Ruhe zu stiften, veranschaulichte klar diesen Gedanken [79]. Gegenüber solcher Beharrlichkeit sowie Selbständigkeit konnten sich die übrigen Mitglieder des Hofes und der Militärführung als politisch Verantwortliche nicht behaupten, und so geschah auch die Abberufung Pfuels durchaus im persönlichen Interesse des Königs, weil ihn Pfuel an Heldenhaftigkeit vielleicht noch übertraf [80] und, je weniger er sich als einseitiger Militär erwies, seine politischen Fähigkeiten desto sichtbarer wurden. Friedrich Wilhelm IV. war als Politiker zwar keine staatsmännische Persönlichkeit, aber er vereinigte auf sich die entscheidende Macht, wobei er nach Varnhagens Auffassung einen "Grundfehler" beging; denn der "Vortheil der Initiative" [81], dessen er sich so versichern konnte, stellte sich im Bereich seiner ministeriellen Berufungspolitik als trügerisch heraus, sobald die Not der äusseren Umstände eine sofortige Entscheidung verlangte, und nur sein im besten Sinne politischer Dilettantismus bewahrte den König vor falschen Entschlüssen. Doch ebenso gehörte dazu sein Gottvertrauen, von dem er in den Tagen der Revolution ein echtes Zeugnis ablegte.

Wenn Varnhagen daher den Bericht des Hofpredigers Strauss ausführlich aufzeichnete, war er sich zunächst nur grundsätzlich der Stellung bewusst, die der Geistliche in der Umgebung des Königs innehaben musste, und es kam ihm dabei weniger auf die Richtigkeit der einzelnen Aussage an, als dass die religiösen Voraussetzungen sichtbar wurden, aus denen der König seine Verantwortungsbereitschaft und seinen Mut schöpfen konnte. Sobald er sich nämlich in diesem Sinn einer höheren Macht unterwarf und auf das zeitgeschichtlich undenkbare Gottesgnadentum verzichtete, war er nach Varnhagens Auffassung durchaus imstande, seinerseits für die revolutionäre Bewegung einzutreten und sie sogar als Zeichen der Vorsehung zu begreifen [82]. Nur verge-

---

[77] Vgl. Nobiling nach Manteuffel: ebda S. 302f. Ferner Nobiling nach Prittwitz: ebda S. 288. Dazu W. Busch, a.a.O. S. 73f. F. Rachfahl, a.a.O. S. 171f. Ferner vgl. oben S. 262 A. 60.
[78] Vgl. Prittwitz' Aufzeichnungen: K. Haenchen. Aus dem Nachlass des Generals v. Prittwitz, a.a.O. S. 101.
[79] Vgl. Varnhagens Notizen, März 1848: Tgb IV, 282f.; 296.
[80] Vgl. oben S. 255f.
[81] Vgl. Varnhagen. Geschichtliches. In: Preussische Ständesache: Tgb IV, 20. Vgl. dazu Varnhagens Notiz, 17. Mai 1847: Tgb IV, 90. Ferner R. Stadelmann, a.a.O. S. 63.
[82] Vgl. Darstellung des Jahres 1848: Tgb IV, 189; 191. Ferner Varnhagen an Troxler, Berlin 11. Nov. 1848: Troxler-Bfw S. 441. Vgl. dazu H. v. Petersdorff. König Friedrich Wilhelm IV., S. 1ff.

genwärtigen und in die Tat umsetzen musste er sein religiöses Erlebnis [83], und deshalb erhielt der Gedanke an ein "Gottesurteil", das der König in der Nacht vom 18. auf den 19. März angenommen habe, erst im Zusammenhang mit dem Gottesdienst, den er in Anwesenheit des Hofpredigers im Schloss hatte stattfinden lassen können, für Varnhagen eine anschauliche Bestätigung [84]. Der König galt für ihn daher zwar nicht als Staatsmann, aber immerhin als der "schicklichste und nützlichste Träger" der "Vaterlandssache" und somit der politischen Einheitsbewegung in Deutschland [85].

Erst 1849, durch die Ablehnung der deutschen Kaiserkrone zerstörte der König jene Vorstellung endgültig, und Varnhagen fühlte sich am meisten von der Unaufrichtigkeit betroffen, die darin für ihn zum Ausdruck kam [86]. Schon früher hatte er aber bemerkt, dass der König *"nicht* aufrichtig" sei, und damit bezog er sich vor allem auf dessen Verhalten im menschlichen Verkehr [87]. Gerade in dieser Beziehung zeigte sich Varnhagen freilich besonders empfindlich, und der demokratische Gedanke, von dessen Geltung er damals immer stärker überzeugt wurde, entsprach zunächst nur einer Abneigung gegen die Hofgesellschaft. Umgekehrt hatte nämlich die Revolution ein Beispiel von Zucht und Ordnung geliefert, die Varnhagen in seinen Aufzeichnungen und Briefen häufig erwähnte; denn er selbst konnte aus eigener Anschauung bezeugen, dass

[83] Vgl. Varnhagen an Kanzler v. Müller, Berlin 4. Sept. 1848: NFG (GSA) Kanzler v. Müller Nr. 483 Bl 8 "Mir fällt für die deutschen Fürsten immer als Warnung der Spruch von Angelus Silesius ein: 'Es ist zwar wahr, dass Gott dich selig machen will; Glaubst du, er will's ohn' dich, so glaubest du zu viel!' Wenn die Fürsten nicht selber dazu mitthun, so können nicht andre Menschen, so will das Geschick sie nicht retten". Varnhagen an Lappenberg, Berlin 14. Juni 1849: HH StuUB HsAbt Literatur-Archiv 1930.320 "... und mir fällt hundertmal Angelus Silesius ein, der da sagt: 'Es ist zwar wahr...' Unsre Fürsten hätten das von Anfang an beherzigen sollen, das Volk wollte sie und will wohl auch noch, aber wenn sie so gar nichts dazu thun, und vielmehr das Gegentheil, – 'so glauben sie zu viel!' "
[84] Vgl. Varnhagen an A. Bölte, Berlin 1. April 1848: Briefe an eine Freundin, S. 91. Varnhagen an Troxler, Berlin 5. April 1848: Troxler-Bfw S. 335. Ferner Varnhagens Notiz, Zum 18. und 19. März 1848: Tgb IV, 313f. Dazu H. H. Houben: Tgb XV, 7. Vgl. H. v. Sybel. Aus den Berliner Märztagen 1848, a.a.O. S. 443. L. Bergsträsser. Neue Beiträge zur Geschichte der Berliner Märztage, a.a.O. S. 65ff. F. Rachfahl, a.a.O. S. 194ff. Dagegen ebda S. 195 u.f. A. 1. Vgl. auch Varnhagens Notiz, Zum 18. und 19. März 1848: Tgb IV, 313.
[85] Vgl. Varnhagens Notiz, 21. März 1848: Tgb IV, 338. Dazu F. Meinecke. Friedrich Wilhelm IV. und Deutschland, a.a.O. S. 21. Ferner [Varnhagens Artikel] *Berlin, 24 Febr, AZ (1848) S. 951; *Berlin, 20 März, AZ (1848) S. 1348; *Berlin, 31 März, AZ (1848) S. 1507f.; *Berlin, 6 Mai, BzAZ (1848) S. 2124f. *Aus Preussen, 11 Nov, BzAZ (1831) S. 1292. Schlichter Vortrag an die Deutschen, S. 13f. Vgl. auch H. H. Houben. Varnhagen v. Ense, Karl August (1785-1858), a.a.O. S. 605.
[86] Vgl. Varnhagen an Boas, Berlin 1. Nov. 1850: Ddf LuStB 54.2199 "Diese Demüthigung wird uns aufgedrückt nach der Hoffahrt des Verschmähens der Kaiserkrone". Vgl. ferner Varnhagens Notizen, 3.; 4.; 21. Mai 1848; 29.; 31. März; 3.; April 1849; 4.; 5. April 1849: Tgb V, 4; 5; 31; VI, 103f.; 106f.; 110f.; 111f.; 113; 114f. Dazu H. v. Petersdorff, a.a.O. S. 132ff.
[87] Vgl. Varnhagens Notiz, 29. April 1848: Tgb IV, 401. Dagegen Varnhagen an A. Bölte, Berlin 1. April 1848: Briefe an eine Freundin, S. 91. Varnhagen an Troxler, Berlin 5. April 1848: Troxler-Bfw S. 335. [Varnhagens Artikel] *Berlin, 26 März, AZ (1848) S. 1444; *Berlin, 3 April, AoBzAZ (1848) S. 7. Vgl. auch Varnhagens Notizen, 13. Jan. 1844; 17. Juni; 17.; 18.; 23. Okt.; Zum 23. Okt. 1848: Tgb II, 247; V, 73; 242f.; 246; 247.

die Barrikadenkämpfer, welche in seinem Wohnviertel nach Waffen suchten, nicht nur keine Raubgelüste gezeigt, sondern sich auch mit den bestürzten Damen der Königsmarckschen Familie höflich zu betragen verstanden hatten [88]. Im Schloss dagegen waren die Verhältnisse entsprechend andere gewesen und vermittelten deshalb auch ein Bild von der inneren Haltlosigkeit, die sich in der Umgebung des Königs entwickeln musste [89]. Katastrophal wurde dieser Zustand aber erst, wenn es darauf ankam, lebenswichtige Entschlüsse auf dem ministeriellen Weg oder durch militärischen Befehl in die Wirklichkeit umzusetzen, und unter dieser Voraussetzung konnte zuletzt nur der König für alles verantwortlich sein, wodurch er persönlich in ein ungünstiges Licht gesetzt wurde. Sobald er nämlich die Verantwortung immer nur scheinbar seinem Minister übertrug [90], erwies er sich bereits als unaufrichtig, und so entsprachen die versteckten Angriffe, wie sie vom Standpunkt des verantwortlichen Politikers Bismarck gegen Bodelschwingh richtete, nicht der ursprünglichen Problematik [91]; denn die ministerielle Verantwortlichkeit unter Friedrich Wilhelm IV. bezog sich auf eine möglichst angemessene, nahezu literarische Deutung des königlichen Worts, und daher war es um so bezeichnender, wenn zum Beispiel Alvensleben dem König die umstrittene Ernennung von Prittwitz schriftlich abverlangt hat [92].

Bodelschwingh dagegen gelang es offenbar nicht, sich in den Äusserungen des Königs zurechtzufinden, und so soll er nach Varnhagens und Nobilings Angaben auch die Bekanntmachung des königlichen Verfassungsversprechens bis zum 18. März verzögert haben. Während aber in diesem Fall der Vorwurf unzutreffend und wohl nur eine durch Nobiling Varnhagen inspirierte

[88] Vgl. Varnhagens Notizen, 18.; 19. März 1848: Tgb IV, 292f.; 315. Varnhagen an Troxler, Berlin 18. Nov. 1848: Troxler-Bfw S. 340. Varnhagen an Koenig, 23. Okt. [1848]: H. Koenig. Erinnerungen an Varnhagen von Ense, a.a.O. S. 62. Ferner [Varnhagens Artikel] *Berlin, 20 März, AZ (1848) S. 1348. Vgl. auch A. Kramer an die Familie seines Bruders, Berlin 18. März 1848: R. H. W. Müller. Briefe eines Augenzeugen der Berliner Märztage 1848, a.a.O. S. 317. Berlin in der Bewegung von 1848, a.a.O. S. 554.
[89] Vgl. Varnhagens Notiz, 21. März 1848: Pückler-Bfw S. 422. Varnhagens Notiz, Zum 18. und 19. März 1848: Tgb IV, 314. Dagegen F. Rachfahl, a.a.O. S. 195 A. 1. Ferner O. v. Natzmer. Unter den Hohenzollern I, 194 u. ff. Dazu H. v. Sybel. Aus den Berliner Märztagen 1848, a.a.O. S. 440f. Vgl. auch F. Rachfahl, a.a.O. S. 187f.
[90] Vgl. dazu Varnhagens Notiz, 9. Sept. 1853: A. v. Humboldt-Bfw S. 274.
[91] Vgl. Bismarck nach Prittwitz: [O. v.] Bismarck. Erinnerung und Gedanke (= Die gesammelten Werke XV, 24f.) Dazu H. v. Petersdorff, a.a.O. S. 82. Dagegen F. Rachfahl, a.a.O. S. 181; 265 A. 1. H. Delbrücks Rezension zu F. Rachfahl, a.a.O. S. 542. Ferner Wilhelm [Prinz von Preussen] an seine Schwester Charlotte von Russland, London 28. März 1848 [Abschrift L. v. Gerlachs]: H. v. Petersdorff, a.a.O. S. 232f. Vgl. Kaiser Wilhelms des Grossen Briefe, Reden und Schriften I, 174f. Dazu F. Rachfahl, a.a.O. S. 214. Ferner A. v. d. Goltz nach Roon, 5. Jan. 1849: L. Bergsträsser. Neue Beiträge zur Geschichte der Berliner Märztage, a.a.O. S. 70. Nobiling an Prittwitz, Berlin 16. Nov. 1850: Aus den Briefen Nobilings an Prittwitz, FBPG 53 (1941) S. 130. Vgl. auch H. v. Petersdorff, a.a.O. S. 90f. E. Kaeber. Bodelschwingh und die Märzrevolution. In: Beiträge zur Berliner Geschichte, S. 160f.; 178ff. Ferner H.-J. Schoeps. In: Briefwechsel zwischen Ernst von Bodelschwingh und Friedrich Wilhelm IV., S. 18f.
[92] Vgl. Varnhagens Notiz, Zum 18. März 1848: Tgb IV, 302. Vgl. dazu H. v. Petersdorff, a.a.O. S. 133.

Schlussfolgerung war [93], scheint Bodelschwingh bei der Übermittlung des umstrittenen Rückzugsbefehls nicht ohne wirkliche Schuld geblieben zu sein; denn nun deutete er die Worte des Königs falsch oder mindestens nicht genug. Wenn er jedoch nur die Person des Königs schonen wollte [94], lag darin erneut die Bestätigung, dass, wie Varnhagen notierte, "Eigentlich ... alles gegen den König selbst" gerichtet gewesen sei [95], und nachdem im übrigen Prittwitz nie zur Rechenschaft gezogen wurde und sich im Unterschied beispielsweise zu Blücher nicht zu verantworten brauchte [96], nahm Varnhagen an, der König schäme sich, die Frage öffentlich zur Sprache zu bringen [97]. Diese Furcht war aber nur der Ausdruck eines allgemeinen Mangels an politischem Vertrauen, dessen Auswirkungen sich Varnhagen bereits 1846 in einem Brief an Heinrich Koenig vergegenwärtigen konnte, denn damals sah er den ganzen Konflikt in der Tatsache, dass "alles, was die Behörden" vernachlässigten "oder nicht mehr" konnten, "natürlich in andere Hände" fallen musste und dadurch in "dem, was die Zeit" erforderte, eine geschichtlich verhängnisvolle Stockung entstand [98].

Nachdem nun vor allem die Verantwortlichkeit, soweit sie keine militärische war, eine ausschliesslich auf den Bereich der Sprache bezogene wurde, wobei Prittwitz und Nobiling sich in historiographischen Darstellungen versuchten und sogar Friedrich Wilhelm IV. in seinem Aufruf an die Berliner Bevölkerung zur Feder gegriffen hatte, stand im Sinne seiner literarischen Existenz auch Varnhagen den politischen Forderungen dieser Zeit ganz von selbst richtig gegenüber. Seine Tagesblätter enthalten aber nur einen Teil seiner politischen Aktivität und sind daher umgekehrt der historiographische Ertrag einer die Zukunft realistisch miteinbeziehenden Art von Geschichtsschreibung. Der

---

[93] Vgl. Varnhagens Notiz, Zum 18. März 1848: Tgb IV, 306f. Ferner Nobiling nach Manteuffel: F. Rachfahl. König Friedrich Wilhelm IV. und die Berliner März-revolution im Lichte neuer Quellen, a.a.O. S. 431. Dagegen E. Kaeber. Bodelschwingh und die Märzrevolution. In: Beiträge zur Berliner Geschichte, S. 174f. V. Valentin. Geschichte der deutschen Revolution von 1848-49 I, 424.

[94] Vgl. Varnhagens Notiz, Zum 19. März 1848 (Aus des Majors von V[incke] Mund, 19. Sept. 1848.): Tgb IV, 312f. Dazu H. H. Houben: Tgb XV, 7. Vgl. dagegen Varnhagens Notiz, 19. März 1848: Tgb IV, 324. Ferner W. Busch, a.a.O. S. 61ff. F. Rachfahl, a.a.O. S. 214f.; 264f.

[95] Varnhagens Notiz, 3. Feb. 1850: Tgb VII, 49f. Vgl. Varnhagens Notizen, 19. März 1848; 30. Sept. 1858: Tgb IV, 319; XIV, 404. Dazu Bettine an Friedrich Wilhelm IV. nach Varnhagen: Bettine von Arnim und Friedrich Wilhelm IV., S. 129f. Ferner Berlin in der Bewegung von 1848, a.a.O. S. 562. H. v. Sybel. Aus den Berliner Märztagen 1848, a.a.O. S. 453. W. Busch, a.a.O. S. 27. E. Marcks, a.a.O. S. 69f. Dagegen M. Lenz. 1848. Preussische Jahrbücher, 91 (1898) S. 535. F. Rachfahl, a.a.O. S. 156. Vgl. auch E. Kaeber. Bodelschwingh und die Märzrevolution, a.a.O. S. 179.

[96] Vgl. dazu oben S. 242.

[97] Vgl. Varnhagens Notizen, Zum 19. März 1848 (Aus Mittheilungen P[fuel]'s, K[önigsmarck]'s); Zum 19. März 1848: Tgb IV, 325; 327. Dazu H. H. Houben: Tgb XV, 7. Ferner Varnhagens Notiz, 19. März 1848: Tgb IV, 324. Dazu W. Busch, a.a.O. S. 67. Vgl. auch O. Perthes nach Wilhelm [Prinz von Preussen]. Beiträge zur Geschichte der Märztage 1848, a.a.O. S. 542.

[98] Varnhagen an Koenig, Berlin 1846: H. Koenig. Erinnerungen an Varnhagen von Ense, a.a.O. S. 56. Dazu H. Oncken. Zur Genesis der preussischen Revolution von 1848, a.a.O. S. 151. Vgl. [Varnhagens Artikel] *Berlin, 29 April, AZ (1848) S. 2005.

Proteststurm, den ihre Veröffentlichung später hervorrief, war darum nur die notwendige Folge ihrer eigentlichen Geschichtswerdung. Schon Varnhagen selbst hat aber seine Aufzeichnungen benützt, um Meinungen zu erwecken und zu beeinflussen, und mit Genugtuung stellte er den Erfolg seiner entsprechenden Machenschaften fest [99]. Der Ursprung aller Wirkung, die er so erzielte, war der Freundeskreis politisch Gleichgesinnter und nicht zuletzt deren regelmässige Gespräche, die sie in den damals bereits historisch angehauchten Räumen von Varnhagens Wohnung zu führen pflegten. Alexander von Humboldt, Bettina und Pfuel gehörten zu den vielleicht einflussreichsten heimlichen Befürwortern seiner literarischen Agitation [100].

[99] Vgl. Varnhagens Notizen, 21.; 26. Juni 1848: Tgb V, 78; 85. Dazu R. Haym, a.a.O. S. 512. Ferner Varnhagen an Lappenberg, Berlin 6. Jan. 1848: HH StuUB HsAbt Literatur-Archiv 1930.319 "In meinen litterarischen Aufgaben bin ich sehr von Umständen abhängig, und vieles wartet auf neue Hülfsmittel, während andres, wozu sich diese darbieten, leicht vordrängt; so scheine ich bisweilen Allotria zu treiben". Vgl. auch H. Koenig nach Varnhagen: Erinnerungen an Varnhagen von Ense, a.a.O. S. 61. H. Oncken. Zur Genesis der preussischen Revolution, von 1848, a.a.O. S. 130.
[100] Vgl. Varnhagen an Pfuel, Berlin 12. Okt. 1848: S. Rahmer. Zum Gedenktage Varnhagens von Ense, a.a.O. S. 279. Friedrich Wilhelm IV. an Pfuel, Sanssouci 2. Okt. 1848 [Abschrift]: Aus Friedrich Wilhelms IV. Briefwechsel mit Pfuel und mit Pfuels Ministerium. In: A. Stern. Geschichte Europas von 1848-1871 I, 790. Pfuel an Friedrich Wilhelm IV., Berlin 2. Okt. 1848: Revolutionsbriefe 1848, S. 188. Dazu K. Haenchen ebda A. 3. L. v. Gerlach. Denkwürdigkeiten I, 208. Varnhagens Notizen, 22.; 23. März 1848: Tgb IV, 340; 346 u.ö. H. v. Brandt. Berlin im October und November 1848, DtRs 14 (1878) S. 141f. – Varnhagen an Stahr, 22. Feb. 1844; Bettina an Friedrich Wilhelm IV., [10.; 13. Sept. 1848]: Bettine von Arnim und Friedrich Wilhelm IV., S. 52f.; 130; 139. L. Geiger ebda S. 124f. Dagegen Goltz' Bericht: H. H. Houben. Varnhagen v. Ense, Karl August (1785-1858), a.a.O. S. 604. Dazu Varnhagens Notiz, 15. März 1848: Tgb IV, 282. Ferner Varnhagens Notizen, 19. März, 10.; 12.; 15.; 20. Sept. 1848: Tgb IV, 318; V, 188 u.f.; 191; 195; 200. – Varnhagens Notizen, 16.; 17.; 18. März 1848: Tgb IV, 284; 287; 289. Vgl. auch A. v. Humboldt-Bfw u.ö. ebda. – Ferner dazu M. Ring. Varnhagen von Ense und der letzte Berliner Salon, a.a.O. S. 87f.; Erinnerungen II, 93f. F. Wehl. Zeit und Menschen II, 10. Vgl. D. Meyer. Das öffentliche Leben in Berlin im Jahr vor der Märzrevolution, S. 55f. Vgl. auch K. Griewank. Vulgärer Radikalismus und demokratische Bewegung in Berlin 1842-1848, FBPG 36 (1924) S. 23.

VIII. ERFOLG   Varnhagen und die Geschichtswissenschaft.

Varnhagens politischer Liberalismus enthält grundsätzlich die Forderung nach individueller Verantwortlichkeit im öffentlichen Leben. Unter dieser Voraussetzung waren die Kampfhandlungen in der Strassenschlacht vom 18. März 1848 der Ausdruck einer liberalen Bewegung, deren Politik sich freilich auf gewalttätige Mittel beschränkte und damit ganz konkret Varnhagens existentiell kämpferischer Lebensauffassung entsprach, und seine demokratische Gesinnung war deren unmittelbare Folge [1]. Solange nämlich faktisch keine Kriegsereignisse eintraten, blieb Varnhagens "Radikalismus", wie Fanny Lewald bemerkte, "mehr ein theoretischer", und gerade nachdem das Jahr 1848 hauptsächlich den geschichtlichen Zeitgeist offenbart hatte, fühlte sich Varnhagen von früher her in seiner Rolle als "rückwärts gekehrter Prophet" nur bestätigt. Vom Standpunkt der Geschichte, deren Betrachtung ihm im letzten Jahrzehnt seines Lebens eine Art religiöser Gewissheit vermittelte, war er weit davon entfernt, sich zu einer politischen Parteirichtung zu bekennen. Aber gleichzeitig wurde er sich klar darüber, dass er unter diesen Bedingungen eine konservative Haltung einnehmen musste, und so vertrat er eine politische Überzeugung, die zwar seiner gesellschaftlichen Stellung nach für ihn nicht geeignet sein konnte, bei seiner beruflichen Eigenschaft als Historiker aber eine durchaus zeitgemässe Einstellung verriet [2].

In einem an den Historiker Lappenberg gerichteten Schreiben aus dem Jahr 1849 enthüllte Varnhagen den konservativen Ursprung seiner im Zeichen

---

[1] Vgl. Varnhagens Notiz, 26. Juli 1851: Tgb VIII, 270.
[2] F. Lewald. Befreiung und Wanderleben III/2, 126f. Dazu Varnhagen an Heine, [Sommer 1854]: Heine-Reliquien, S. 341f. Varnhagens Notizen, 30. März 1848; 3. Dez. 1850; 25. Sept. 1854: Tgb IV, 359; VII, 441; IX, 249. Varnhagen an Stahr, Berlin 24. Okt. 1851: Ddf LuStB ohne Signatur-Nr. "Aber nicht nur vor drei Jahren..., ja schon vor dreissig, hatte ich dieselben Ansichten, wie sich mir zur eignen Verwunderung eben jetzt aus alten Briefen und Blättern, die ich durchsehe erweist. Das nenn' ich doch konservativ!" Dazu auch Varnhagens Notiz, 2. Feb. 1849: Tgb IV, 41f. Varnhagen an Pückler, Berlin 9. Feb. 1837: Pückler-Bfw S. 341f. Ferner [K. Gutzkow] Wolfgang Menzel und der deutsche Tiersparti. Phönix, 1 (1835) S. 406. Zur Verfasserschaft vgl. H. H. Houben. In: Bibl. Rep. IV, 1 Z. 8ff. [F. G. Kühne] Varnhagen von Ense, a.a.O. S. 566. Dagegen vgl. R. Haym, a.a.O. S. 511ff. C. Misch, a.a.O. S. 3f.; 9. Ferner Droysen an Below, Jena 25. Aug. 1852: T. v. Schön-Bfw S. 235. Vgl. Droysen-Bfw II, 127. Dazu F. Römer, a.a.O. S. 103. H. v. Olfers an L. Stosch, [Mitte Aug. 1848]: H. v. Olfers geb. v. Staegemann II, 231. Ferner vgl. oben S. 189 u. A. 39. – Vgl. auch L. v. Ranke. Am neunzigsten Geburtstag 21. December 1885: SW LI/LII, 597f. Dazu A. Dove. Ranke's Leben im Umriss. In: Ausgewählte Schriftchen, S. 181. E. Kessel. Ranke und Burckhardt. Archiv für Kulturgeschichte, 33 (1951) S. 371. Ferner C. Schmid. Theodor von Mohr und die bündnerische Geschichtsforschung in der I. Hälfte des 19. Jahrhunderts, S. 106.

der Geschichte stehenden Existenz. "Ich weiss", erklärte er darin, "was alles das leichtsinnige Leben schnell und ganz vergisst, und finde bisweilen eine wahre Befriedigung, den Beruf des Erhaltens bisher mit redlichem Eifer geübt zu haben ... Auch im Staatswesen bin ich ursprünglich konservativ, ich möchte das Vorhandene fortbilden und so bewahren, durch Bildung und Güte zu den Entwicklungen gelangen, die uns zugedacht sind. So thut es mir bitter leid, dass manche Geschichtsgestalt, die mir lieb ist und an der ich hänge, ernstlich bedroht ist ..." [3]

Eine solche "Geschichtsgestalt" war für Varnhagen vor allen anderen Goethe [4], denn sein Name vergegenwärtigte ihm stellvertretend einen ganzen historischen Zeitraum. Gerade bei der Person Goethes ging es Varnhagen nämlich weniger um den Dichter und Schriftsteller als um ein Lebensgefühl, das er selber zu verwirklichen suchte und auch richtig begriffen hatte. Solange er jedoch den realen Zusammenhang von Dichtung und Erlebnis nicht genügend berücksichtigte, war er seinerseits nicht imstande, sich ein entsprechendes Leben aufzubauen; und wie umgekehrt Feuchtersleben einmal von Varnhagen und überhaupt einem Teil der "durch Goethe Influenzirten oder Gebildeten" meinte, zeigte sich an ihm, "dass die günstige Wirkung sich mehr in den *Betrachtungen* als in deren *Character* aussprach" [5], und vom Standpunkt des blossen Betrachters, der der betrachteten Epoche noch als Zeitgenosse angehörte, beschränkte sich die Deutung Goethes auf seine gesellschaftliche Stellung. Was Varnhagen als "Geschichtsgestalt" bezeichnete und für die Nachwelt zu bewahren strebte, war daher ebenso die gesellschaftliche Ordnung, deren Überlieferung er bis ins 18. Jahrhundert zurückverfolgen konnte und die sich in Goethe am wirksamsten veranschaulichen liess. "Dieser Goetheschen Zeit", schrieb er 1853, "diesem Fortwirken des achtzehnten Jahrhunderts in das neunzehnte hinein, gehör' ich mit Leib und Seele, mit Haut und Haar an ..." [6] Dabei musste ihn freilich die Beschäftigung mit dem 18. Jahrhundert auf die Frage nach den damals herrschenden Gesellschaftsformen hinführen, und es ist bezeichnend, wenn er gerade bei seinem beschränkten Sinn für das Dichterische "Geheime Verbindungen ... die Poesie jener nüchternen Zeit" nannte [7]. Allgemein glaubte er aber, dass es kaum ein "grösseres Lebensgebilde aus der zweiten Hälfte des

---

[3] Varnhagen an Lappenberg, Berlin 14. Juni 1849: HH StuUB HsAbt Literatur-Archiv 1930.320. Vgl. Schlichter Vortrag an die Deutschen, S. 3. Dazu vgl. oben S. 252 u. A. 23.
[4] Vgl. Varnhagens Notiz, 9. Sept. 1842: Tgb II, 97f. Varnhagen an Eckermann, Berlin 20. Mai 1836: H. H. Houben. J. P. Eckermann II, 155f. Varnhagen an K. Grün, Berlin 15. Mai 1846: Dortmund StuLB HsAbt Atg 1712 "Mir war dies schmerzlich in Betreff Goethe's, denn ihm wurde das schöne ... ihm gebührende Loos, in der Jugend fortzuleben und weiter [zu] wirken, ungerecht verkümmert ..." Varnhagen an Troxler, Berlin 11. Okt. 1855: Troxler-Bfw S. 399.
[5] Feuchtersleben an Zauper, Wien 5. März 1840: Briefe Feuchterslebens an Zauper. Jahrburch der Grillparzer-Gesellschaft, 15 (1905) S. 300.
[6] Varnhagen an Düntzer, Berlin 8. Jan. 1853: Köln UuStB. Vgl. dazu Varnhagen an Troxler, Berlin 17. Sept. 1844: Troxler-Bfw S. 284. Varnhagen an Boas, 7. Feb. 1850: F. Römer, a.a.O. S. 128. Ferner Varnhagen an Koenig, 1846: H. Koenig. Erinnerungen an Varnhagen von Ense, a.a.O. S. 55.
[7] Vgl. [Varnhagens Rezension] BzAZ (1844) S. 2369. VSchr NF III (= VII), 480.

18ten Jahrhunderts" gäbe, das nicht "geheime Verbindungen" offenbaren könnte [8], und so war auch seine eigene Lebensgeschichte noch ein Stück jener Zeit [9].

Das Jahr 1848 erwies sich deshalb als eine Art geistiger "Prüfung", welche mancher von Varnhagens früheren Gesinnungsgenossen seiner Meinung nach nicht bestanden hatte [10], und zu ihnen gehörte auch Leopold Ranke. Was Varnhagen nämlich an ihm persönlich enttäuschte, war der Umstand, dass er gerade als Historiker die Märzrevolution nicht unmittelbar aus seinem eigenen zeitgeschichtlichen Lebensgefühl zu begreifen vermochte [11], und um so schwerer lastete daher auf Varnhagen der Verlust seiner älteren Freunde, die wie er die Gegenwart geschichtlich miterleben und sich den Zeitgeist ins Bewusstsein rufen konnten. Denn trotz seiner Anteilnahme, die er bei den Ereignissen von 1848 gezeigt hatte, fehlte ihm die persönliche Umgebung, in der er sich von vornherein für verstanden halten durfte und in der Rahel, Schlabrendorf, Fichte, Ölsner, Erhard und Eduard Gans die vertrautesten Mitglieder waren [12]. An dieser Erlebnisfähigkeit schieden sich Varnhagens und Rankes historische Ansichten, wobei die Gegensätzlichkeit ihrer Standpunkte zuletzt nur gesellschaftlich begründet war.

Als Varnhagen 1825 Rankes 'Geschichten der romanischen und germanischen Völker' sowie dessen Schrift 'Zur Kritik neuerer Geschichtschreiber' rezensierte, hatten sie sich beide bereits persönlich kennengelernt. Für Ranke, der damals gerade von Frankfurt an der Oder nach Berlin übersiedelte, folgten aus dieser Beziehung Anregungen, die ihm später zugute kommen sollten; denn schon in seiner Rezension deutete Varnhagen darauf hin, dass Ranke erst, nachdem er "in den Ländern selbst" gewesen wäre und dort seine Forschungen fortgesetzt hätte, sein historiographisches Streben erfolgreich verwirklichen könnte [13],

---

[8] Vgl. [Varnhagens Rezension] BzAZ (1845) S. 370. VSchr NF III (= VII), 522.
[9] Vgl. dazu M. Laubert. In: Varnhagen von Enses Briefe an Legationssekretär Heinrich Küpfer, a.a.O. S. 338.
[10] Varnhagen an Troxler, Berlin 11. Okt. 1855: Troxler-Bfw S. 399. Vgl. Varnhagen an A. Bölte, Berlin 9. März 1849: Briefe an eine Freundin, S. 145. Varnhagen an Heine, 2. Aug. 1850: H. Heine. Briefe VI, 102f. Dazu Heine an Laube, Paris 30. Nov. 1850: H. Heine. Briefe III, 245.
[11] Vgl. Varnhagens Notiz, 28. März 1848: Tgb IV, 355. Vgl. dazu T. Wiedemann. Leopold v. Ranke und Varnhagen v. Ense nach der Heimkehr Rankes aus Italien, a.a.O. S. 362. Ferner H. F. Helmolt. Leopold Rankes Leben und Wirken, S. 102ff. Vgl. auch Varnhagen an Troxler, Berlin 5. April 1848: Troxler-Bfw S. 337. Dagegen vgl. R. Vierhaus. Rankes Verständnis der "neuesten Geschichte". Archiv für Kulturgeschichte, 39 (1957) S. 93f.
[12] Vgl. Varnhagens Notiz, 11. April 1848: Tgb IV, 377. Dazu Varnhagen an Kerner, Berlin 28. März 1848: SNM HsAbt Nachlass J. Kerner KN 7293 "An alle dahingegangenen Freunde musste ich denken, an deinen Bruder, Schlabrendorf, Ölsner, Reinhold, wenn die das erlebt hätten, was wir jetzt sehen. Meine Jugendeindrücke beleben sich neu. Wie es auch komme, ich habe das Gefühl eines ungeheuren Gewinnstes, den ich sterbend mit Freuden den Nachlebenden gönne!" Vgl. Kerner-Bfw II, 312.
[13] Zur Geschichtschreibung, S. 599. Vgl. dazu T. Wiedemann. Leopold von Ranke und Varnhagen von Ense vor Rankes italienischer Reise, DtR XXI/3 (1896) S. 197ff.

und so wies er ihn auf eine Lebensbahn, deren existentielle Gestalt ein welt-bürgerliches Lebensgefühl voraussetzte. Sobald er nämlich zu reisen begann und damit seinen Standpunkt veränderte, konnte er einen direkteren Zugang in die europäischen Verhältnisse finden, und es lag nur an ihm, wenn er sich innerhalb der politischen Welt keinen unmittelbaren Überblick zu verschaffen suchte, sondern seine Auslandsaufenthalte mit archivalischen Studien zubrachte. Unabhängig von dieser Arbeit blieb er aber trotzdem auf die Politik seiner Förderer angewiesen, und auch ohne sich dessen bewusst zu werden, war er der Nutzniesser eines gesellschaftlichen Verkehrs, der gerade im Salon der Rahel aus früherer Zeit noch eine lebendige Stätte besass. Wenn Varnhagen sich daher persönlich für Ranke einsetzte und ihm zu privaten Empfehlungs-schreiben verhalf [14], brauchte er nur an teilweise alte Beziehungen zu erinnern, deren Pflege zugleich Ausdruck seiner liberalen Gesinnung war, und nachdem Ranke diesen zeitgeschichtlichen Zusammenhang gar nicht zu erkennen schien, erwies er sich Varnhagen gegenüber als unterlegen. Was Ranke aber ohne politisches Gegenwartsinteresse erreichen konnte, vermochte Varnhagen schon sehr bald zu ermessen, und wie ein Brief von ihm an Rotteck bezeugt, hatte er sich sein Urteil über Ranke bereits im Jahr 1825 folgendermassen gebildet: "Dieser junge Mann", schrieb er ihm, "wird in der Wissenschaft Epoche machen. Doch in der Wissenschaft genügt hier vielleicht am wenigsten, in der Welt ist bei weitem nöthiger! Die Geschichte steht in dem Anspruch auf allgemeine Theilnahme am nächsten der Poesie, in beiden haben gelehrte esoterische Werke nur einen halben Werth; Diess verkennen die Teutschen noch allzu sehr; ja zuweilen mit thörichtem Stolze verabsäumen sie geflissentlich, was zu erreichen sie endlich unfähig werden" [15].

In dieser Hinsicht also blieben Varnhagens Bemühungen um Ranke fast erfolglos, und es musste ihm genügen, dass er von sich aus in der Gestalt vom "reisenden Gelehrten" grundsätzlich ein hochpolitisches Ereignis feststellen konnte [16]. Seitdem Hardenberg in der Rigaer Denkschrift das Reisen als Ausdruck einer revolutionären Agitationspolitik gewürdigt hatte, waren schon im Tugendbund und im Hoffmannschen Bund Verbindungen zustande gekommen, die nach diesem Grundsatz einen politischen Einfluss zu gewinnen suchten. Aber gerade der Hoffmannsche Bund vereinigte bereits eine Reihe von

[14] Vgl. Rahel an Varnhagen, 2.; 4.; (18.) Sept. 1827: Bfw VI, 131; 141; 183. Ranke an Varnhagen, Wien 21. Okt. 1827: Leopold von Ranke und Varnhagen von Ense. Ungedruckter Briefwechsel, a.a.O. S. 180. Dazu Varnhagen an Ranke, Berlin 8. Nov. 1827: ebda S. 182. Ferner Varnhagens Notizen, 30. Juli; 6. Aug. 1827: BpG IV, 272; 274f. Vgl. T. Wiedemann. Mittheilungen zu Ranke's Lebensgeschichte, BzAZ (1895) Nr. 293 S. 3ff. H. F. Helmolt, a.a.O. S. 175 u.f. A. 74. Dazu Ranke an Varnhagen, Venedig 18. Okt.; Dez. 1828: Briefe Leopold von Ranke's an Varnhagen und Rahel. Biographische Blätter, 1 (1895) S. 436; 437. L. v. Ranke. Das Briefwerk, S. 171; 177.
[15] Varnhagen an Rotteck, Baden b. Rastatt 28. Juli 1825: Rotteck-Bfw S. 249f. Vgl. dazu H. F. Helmolt, a.a.O. S. 23 "Ranke hat also damit Epoche gemacht".
[16] Varnhagen an Ölsner, Berlin 21. Mai 1824: Ölsner-Bfw III, 232f. Vgl. dagegen Ranke an Varnhagen, Venedig 18. Okt. 1828: Briefe Leopold von Ranke's an Varnhagen von Ense und Rahel, a.a.O. S. 436. Vgl. L. v. Ranke. Das Briefwerk, S. 170.

Mitgliedern, die aus der höheren Bildungsschicht stammten [17], und insofern war auch die Gründung der Hegelschen "Kritiksozietät" ein Ereignis, das vom wissenschaftlichen Standpunkt auf entsprechenden gesellschaftlichen Voraussetzungen beruhte. Die faktische Bedeutung dieser parallelen Erscheinungen bliebe dabei im einzelnen kaum zu ermitteln, wenn nicht auf Grund von personalen Zusammenhängen eindeutige Anhaltspunkte gegeben wären. Die Tatsache nämlich, dass Altenstein und damit ein ehemaliger Mitarbeiter Hardenbergs das Kultusministerium leitete, genügte allein schon, um einen liberalen Einfluss geltend zu machen, und dieser Anspruch, den die "Kritiksozietät" gegenüber der Öffentlichkeit erhob, äusserte sich nicht einmal als Parteirichtung, sondern in der Verantwortlichkeit des einzelnen Mitgliedes, das beispielsweise seine Beiträge in den 'Jahrbüchern' unter dem eigenen Namen publizieren musste. Damit war innerhalb der wissenschaftlichen Kritik eine Neuerung eingetreten, die sogar demokratischen Vorstellungen zu entsprechen schien, insofern neben den eigentlichen Schülern Hegels auch andere Gelehrte und Schriftsteller in die 'Sozietät' aufgenommen wurden [18], und so erlangten ehemalige Freiheitskämpfer wie Pfuel und Rühle von Lilienstern durch Varnhagens Vermittlung ihre Mitgliedschaft [19].

Goethes scheinbaren Einwand, demzufolge im Kreis berühmter Namen "auch das Verfängliche und Schädliche sich Zutrauen und Beistimmung gewinnen" könnte, vermochte Varnhagen nur zu widerlegen, wenn er seinerseits von der Verantwortlichkeit der einzelnen Mitglieder überzeugt war, und solange sich daher für die politische Literatur keine Rezensenten fanden, war seiner Meinung nach überhaupt das ganze Organ gefährdet, da, wie er an Rotteck schrieb, ohne Politik "in jetziger Zeit auch die Wissenschaften ihren Weg im Publikum schwer finden" könnten [20]. Die sachlichen Gesichtspunkte, unter denen Ranke seine historische Forschung begriff, verrieten aber ein Standesgefühl, das Varnhagen im Sinne einer gesellschaftlichen Neuordnung schon in Görres' 'Koblenzer Adresse' publizistisch angegriffen hatte, und so, wie Ranke deshalb seine Mitarbeit an den Hegelschen 'Jahrbüchern' ablehnte und diesen Entschluss

[17] Vgl. H. Tiedemann. Der deutsche Kaisergedanke vor und nach dem Wiener Kongress, a.a.O. S. 130. Dazu vgl. auch oben S. 208.
[38] Vgl. C. Varrentrapp, a.a.O. S. 437ff. Ferner A. Carlsson. Die deutsche Buchkritik I, 138f.
[19] Vgl. Varnhagen an Goethe, Berlin 29. Feb. 1828: Goethe-Jb 14 (1893) S. 74f. Varnhagen an Rotteck, Berlin 6. Dez. 1829: Rotteck-Bfw S. 272f. Ferner Varnhagen an [?], Berlin 3. Mai 1827: Original in Privatbesitz "Um die Zögerungen aufzuheben, welche wegen des unsrem Freunde Gans zugehörigen Exemplars von Blüchers Biographie sich ereignen, habe ich das Buch einem andren Freunde abgefordert, und sende dasselbe hiebeifolgend Ihnen, mein Hochverehrter, zur gütigst beabsichtigten Mittheilung an Hrn General von Rühle..." Dazu vgl. oben S. 245f.
[20] Varnhagen an Rotteck, Berlin 23. Nov. 1831: Rotteck-Bfw S. 285. Vgl. Goethe an Varnhagen, Weimar 8. Nov. 1827: Einige Briefe Goethe's an Varnhagen von Ense, a.a.O. S. 266. Goethes Briefe (= Goethes Werke IV/43, 156 Z. 6ff.) Vgl. bei Goethe auch die umgekehrte Auffassung in einem nicht abgesandten Entwurf dieses Briefes, ebda S. 368 Z. 14ff. Ferner Varnhagen an Pückler, Berlin 23. Jan. 1833: Pückler-Bfw S. 138.

aus seiner wissenschaftlichen Gebundenheit zu erklären versuchte [21], musste er Varnhagens Sinn für Zeitgeschichte verletzen. Doch was er in seinen Briefen an ausländischen Nachrichten für Varnhagen aufzeichnete, stand durchaus im Zeichen eines unter Eingeweihten bestehenden Korrespondenzverkehrs; denn nur der Gedanke, dass er zum Beispiel einen Brief, den Gentz von Rahel erwartete, "sicher überliefern" könnte, entstammte schon diesem Vorstellungsbereich, und in seinem Antwortschreiben nahm Varnhagen auch auf Rankes Anerbieten direkten Bezug, wobei er sich umgekehrt noch entschuldigte, seinen eigenen Brief nicht durch einen Bekannten übersandt zu haben [22]. Unter dieser Voraussetzung ist es nun kein Wunder, wenn in Rankes Briefen an Varnhagen eine grössere Nachrichtenfülle enthalten war als in jenen, die er gleichzeitig an andere Freunde schrieb [23]; denn was er ihm aus Wien und Rom berichtete, vermittelte zugleich ein Stück Zeitgeschichte, und soweit es inhaltlich von Interesse war, hat es Varnhagen wie beispielsweise in einem Brief an Goethe sogar zu weiterer Mitteilung aufs neue verwendet [24]. Ein Quellenschriftsteller im historiographischen Sinn ist Ranke aber auch in den an Varnhagen gerichteten Briefen nie gewesen, und nur in seiner geschichtlichen Erlebnisfähigkeit fühlte er zumindest ähnlich wie Rahel, wenn er meinte: "Rahel schrieb ihre Briefe, wie ich meine Geschichte schreibe" [25].

Was Varnhagen also mit Ranke verband, beschränkte sich ursprünglich auf die gesellige Gemeinschaft im Rahelschen Freundeskreis, und sobald die in ihm herrschende, gesellschaftlich ausgleichende Wirkung fehlte, zeigte es sich, wie verschieden sie beide vom geschichtlichen Standpunkt die einzelnen Zeitereignisse verarbeiteten [26]. Wenn nämlich Ranke den Plan fasste nach Italien zu reisen, um dort seine Forschungen fortzusetzen, handelte er völlig aus sachlichen Überlegungen, und nur insofern er seinen Entschluss ausdrücklich damit begründete, dass zu "allen Dingen . . . die Anschauung nötig" sei, äusserte sich bei ihm die an Varnhagen erinnernde Empfindlichkeit für die Lage seines Standorts, wobei er nun nicht mehr ausschliesslich an Archivalien dachte,

---

[21] Vgl. Ranke an Varnhagen, Wien 8. April; Varnhagen an Ranke, Berlin 21. März 1828: Leopold von Ranke und Varnhagen von Ense. Ungedruckter Briefwechsel, a.a.O. S. 350f.; 346. Vgl. L. v. Ranke. Das Briefwerk, S. 151f. Ferner Varnhagen an Ranke, Baden b. Rastatt 17. Aug. 1829: H. Oncken. Aus Rankes Frühzeit, S. 139. Dazu vgl. oben S. 160 A. 90.
[22] Vgl. Varnhagen an Ranke, Berlin 3. Feb. 1828: Leopold von Ranke und Varnhagen von Ense. Ungedruckter Briefwechsel, a.a.O. S. 342f. Ranke an Varnhagen, Wien 9. Dez. 1827: ebda S. 190. L. v. Ranke. Das Briefwerk, S. 129. Dazu vgl. oben S. 170.
[23] Vgl. dazu T. Wiedemann. Vorwort. In: Leopold von Ranke und Varnhagen von Ense. Ungedruckter Briefwechsel, a.a.O. S. 175f.
[24] Vgl. Varnhagen an Goethe, Berlin 16. April 1830: Goethe-Jb 14 (1893) S. 83f. Dazu Ranke an Varnhagen, Rom 29. März 1830: Briefe Leopold von Ranke's an Varnhagen von Ense und Rahel, a.a.O. S. 445. – Zu den Abweichungen in dem bei Varnhagen zitierten Wortlaut vgl. H. F. Helmolt, a.a.O. S. 171 A. 53. Ferner ders. Ein verschollener politischer Aufsatz Leopold Rankes, HZ 99 (1907) S. 549 A. 1.
[25] Rankes Worte: H. F. Helmolt nach L. Geiger. Ranke und Scherer. Vossische Zeitung vom 20. Juni 1918, a.a.O. S. 170 A. 48.
[26] Vgl. T. Wiedemann. Sechzehn Jahre in der Werkstatt Leopold von Ranke's, DtR XVII/2 (1892) S. 103. Ders. Leopold v. Ranke und Varnhagen v. Ense nach der Heimkehr Rankes aus Italien, a.a.O. S. 220. H. F. Helmolt, a.a.O. S. 75.

sondern auch an den allgemeinen Eindruck der historischen und teils sogar kunsthistorischen Stätten. Bei dieser Verallgemeinerung setzte er aber eine konkrete Sinngebung voraus, die für Varnhagen ursprünglich nur aus den gesellschaftlichen Beziehungen gefolgt war und erst später auch seinem lokalgeschichtlichen Interesse entsprach. Denn wo Ranke von der "Physiognomie" italienischer Städte sprach, bezog er sich trotzdem auf ein antiquarisch dokumentiertes Wissen, und die kosmopolitischen Zusammenhänge, die Varnhagen unter diesem Begriff vereinigte und personell aus eigener "Anschauung" kannte, rückten für Ranke, der sich angesichts dieser Wahrnehmung selbst bloss als "armer Professor" vorkam, in eine vorerst nicht greifbare geistige Ferne [27].

Ranke hatte jedoch während seines Wiener Aufenthalts selber die Wirkung weltbürgerlicher Gesinnung erfahren, wobei ihm die Begegnung mit Gentz am meisten Anregung gewährte, und er, "was die Tagesbegebenheiten anlangte", durch den Verkehr mit ihm "einer der bestunterrichteten Männer in Wien" wurde. Aber nachdem er diese Tatsache erst rückblickend einzugestehen vermochte und nicht gleich damals seine Informationen historiographisch hatte auswerten wollen, blieb für ihn trotz aller Anschaulichkeit der gesellschaftliche Zusammenhang ohne lebendige Beziehung, und erst wenn er sich "in Gedanken die neue Welthistorie" zu vergegenwärtigen suchte, näherte er sich wieder dem kosmopolitischen Standpunkt [28]. Doch um beispielsweise Metternichs geschichtliche Bedeutung gleich bei der ersten Begegnung schon erfassen zu können, fehlte Ranke ein gesellschaftliches Vertrauensverhältnis, das ihm den persönlichen Zugang erleichtert hätte, und nur insofern er ihm die Einsicht in die Aktenbestände verdankte, anerkannte er Metternichs Verdienst um die Geschichte [29]. Ranke versäumte also die Gelegenheit in Wien, seine persönlichen Kenntnisse und seine Einweihung publizistisch zur Geltung zu bringen, und

[27] Ranke an Varnhagen, Wien 10. März 1828: Leopold von Ranke und Varnhagen von Ense. Ungedruckter Briefwechsel, a.a.O. S. 343. L. v. Ranke. Das Briefwerk, S. 145f. Ranke an Varnhagen, Venedig Dez. 1828: Briefe Leopold von Ranke's an Varnhagen von Ense und Rahel, a.a.O. S. 437. L. v. Ranke. Das Briefwerk, S. 178. Vgl. Ranke an Ritter, Wien 22. März 1828: ebda S. 150. Ferner Ranke an Varnhagen, Rom 29. März 1830: Briefe Leopold von Ranke's an Varnhagen von Ense und Rahel, a.a.O. S. 444. H. F. Helmolt, a.a.O. S. 54f. Ranke an Ritter, Rom 6. Nov. 1829: L. v. Ranke. Das Briefwerk, S. 201. Dagegen Ranke an Varnhagen, Rom 10. Okt. 1829: Briefe Leopold von Ranke's an Varnhagen von Ense und Rahel, a.a.O. S. 442f. L. v. Ranke. Das Briefwerk, S. 198f. Ranke an H. Ranke, Wien 24. Feb. 1828: L. v. Ranke. Das Briefwerk, S. 143. Dazu auch Ranke an Varnhagen, Wien 9. Dez. 1827: ebda S. 127. Vgl. Leopold von Ranke und Varnhagen von Ense. Ungedruckter Briefwechsel, a.a.O. S. 188. Vgl. dazu oben S. 125f.; 142; 147f. Ferner 158; 187.
[28] Rankes 4. Dictat vom November 1885: L. v. Ranke. Zur eigenen Lebensgeschichte, a.a.O. S. 66. Vgl. Ranke an Varnhagen, Wien 9. Dez. 1827: Leopold von Ranke und Varnhagen von Ense. Ungedruckter Briefwechsel, a.a.O. S. 190. L. v. Ranke. Das Briefwerk, S. 129. Vgl. auch E. Guglia. Ranke und Gentz. Die Grenzboten, L/1 (1891) S. 409ff. Ferner Ranke an Varnhagen, Rom 10. Okt. 1829: Briefe Leopold von Ranke's an Varnhagen von Ense und Rahel, a.a.O. S. 443. H. F. Helmolt, a.a.O. S. 51. L. v. Ranke. Das Briefwerk, S. 199.
[29] Vgl. Ranke an Varnhagen, Wien 9. Dez. 1827: Leopold von Ranke und Varnhagen von Ense. Ungedruckter Briefwechsel, a.a.O. S. 187f. L. v. Ranke, Das Briefwerk, S. 126f. Ranke an H. Ranke [Wien Ende Nov. 1827]: ebda S. 125. Ferner Rankes 4. Dictat vom November 1885: L. v. Ranke. Zur eigenen Lebensgeschichte, a.a.O. S. 63.

während Varnhagen in ihm damals jede Form politischer Gleichgültigkeit zu bekämpfen suchte und dazu sogar mit den Verlockungen der "Poesie, Natur und Geselligkeit" an ihn herantrat, hat er seine entsprechenden Versuche später aufgegeben und zugleich auch sein ursprünglich lobendes Urteil über ihn zurückgenommen [30]. Denn am Anfang ihrer Bekanntschaft hatte er Ranke völlig vertraut und ihm dadurch auch den Einblick in seine private und damit in eine weltbürgerliche Existenz verschafft, wobei er ihn schliesslich stillschweigend für ebenso beschlagen in den "Weltverhältnissen" hielt wie sich selber [31].

Solange sein Leben gesellschaftlich noch nicht gesichert war, liess sich Ranke die Protektion seiner liberalen Gönner gerne gefallen. Dabei machte er sich selber geradezu die Sprache jener "Gleichgesinnten" zu eigen, und unter diesem Eindruck war es für Varnhagen um so selbstverständlicher, dass er ihn persönlich zu fördern suchte [32]. Sowie Ranke aber die Redaktion der 'Historisch-politischen Zeitschrift' übernahm und einer Tätigkeit zustimmte, die Varnhagen damals aus politischen Gründen selber abgelehnt hatte, trat der Gegensatz ihrer Gesinnungen sichtbar zutage. Die Unmittelbarkeit eines geschichtlichen Erlebnisses blieb Ranke im ursprünglichen Sinn versagt, und so gestaltete sich für ihn nach Varnhagens Worten "die Geschichte der Gegenwart ... wie eine alte vergangene" [33]. Vollständig hat jedoch Ranke die Zeitgeschichte auch nicht vernachlässigt, und es war dabei gerade ein Zeichen des Varnhagenschen Einflusses, dass er sie im Rahmen seiner akademischen Vorlesungen behandelte und insofern mit einem gesellschaftlichen Anlass verknüpfte, den die blosse Buchveröffentlichung nicht bieten konnte [34]. Ausserdem befand sich Varnhagen

---

[30] Varnhagen an Ranke, Berlin 3. Feb. 1828: Leopold von Ranke und Varnhagen von Ense. Ungedruckter Briefwechsel, a.a.O. S. 339. Vgl. Varnhagen an Bettina, Berlin 18. Dez. 1832: Briefe von Stägemann, Metternich, Heine, S. 304f. Varnhagen an Troxler, Berlin 7. Feb. 1848: Troxler-Bfw S. 332. Varnhagens Notiz, 11. Aug. 1847: Tgb IV, 129f. Vgl. T. Wiedemann. Leopold v. Ranke und Varnhagen v. Ense nach der Heimkehr Rankes aus Italien, a.a.O. S. 361. [Varnhagens Artikel] *Berlin, 20 Febr, BzAZ (1848) S. 937.

[31] Vgl. Varnhagen an Ranke, Berlin 3. Feb. 1828: Leopold von Ranke und Varnhagen von Ense. Ungedruckter Briefwechsel, a.a.O. S. 342. Dazu vgl. Ranke an H. Ranke, [Berlin] 11. Juli; 23. Nov. 1825: L. v. Ranke. Das Briefwerk, S. 87; 92.

[32] Vgl. Varnhagen an Rahel, München 3.; 9. Sept. 1827: Bfw VI, 135; 154. Varnhagen an Perthes, Berlin 29. Nov. 1828: HH StA Perthes Nachlass I M 17b Bl 35-36 "Von Ranke erwarte ich Briefe aus Venedig. Er rühmt sich Ihrer uneigennützigen, grossmüthigen Zuvorkommenheit, ... Er ist ein trefflicher Mensch, rein wie Gold, und einzig begabt für seine erwählte Bahn". Dazu Ranke an Varnhagen, Wien 8. April 1828: Leopold von Ranke und Varnhagen von Ense. Ungedruckter Briefwechsel, a.a.O. S. 348f. Vgl. L. v. Ranke. Das Briefwerk, S. 151. Vgl. Ranke an Varnhagen, Rom 10. Okt. 1829: Briefe Leopold von Ranke's an Varnhagen von Ense und Rahel, a.a.O. S. 442 u.f. L. v. Ranke. Das Briefwerk, S. 197f. u.f.

[33] Varnhagen an Perthes, Berlin 15. Mai 1832: HH StA Perthes Nachlass I M 18c Bl 138-139. Vgl. Varnhagen an Cotta, Berlin 16. Feb. 1832: SNM Cotta-Archiv Nr. 164 "Von der Ranke'schen Zeitschrift erwarte ich gute historische Aufsätze, aber schlechte politische..." Varnhagen an Pückler, Berlin 13. Aug. 1832; 13. Feb. 1834: Pückler-Bfw S. 113; 187. Dagegen M. Lenz. Geschichte der Universität zu Berlin II/2, 93 u. A. 1. Dazu Varnhagens Notiz, 2. April 1845: Tgb III, 55. Ferner C. Misch, a.a.O. S. 82.

[34] Vgl. R. Vierhaus. Ranke und die soziale Welt (= Neue Münstersche Beiträge zur Geschichtsforschung I, 45ff.) Ferner R. Vierhaus. Rankes Verständnis der "neuesten Geschichte", a.a.O. S. 83f.

persönlich unter den ersten Hörern, die Rankes Vorlesungen besuchten, und nachdem er früher schon im Kreis der Gräfin Laura Fuchs eine entsprechend gesellige Atmosphäre für geschichtliche Fragen gefunden hatte [35], konnte sich Varnhagen nun sogar als Zeuge einer methodologischen Überlieferung erachten. Aber das geistesgeschichtliche Bedürfnis nach gesellschaftlichen Verbindungen wurde vielleicht selten so deutlich enthüllt wie anlässlich von Rahels Tod, als ihren Freunden der gesellige Verkehr zu fehlen begann und Ranke kurz darauf die ersten seiner später berühmt gewordenen historischen Übungen abhielt [36]. Das Zustandekommen einer wissenschaftlichen Arbeitsgruppe, die zuerst in Rankes Wohnung an der Jägerstrasse ihren Treffpunkt hatte, war ein Vorgang, der sich unauffällig damals sogar in der Nähe von Rahels einstiger Wirkungsstätte, ereignen konnte [37], und nur in einem höheren Sinn bedeutete es gleichzeitig auch die Fortsetzung der von Friedrich August Wolf entwickelten Idee des Universitätsseminars. Was sich nämlich gesellschaftlich hinter dieser geistigen Bewegung verbarg, war ebenso ein politisch-verantwortliches Denken, und die reale Verwirklichung dieser Geistesrichtung war nur möglich, weil im Ministerium Altensteins ein Mann wie Johannes Schulze das notwendige Vertrauen genoss und seine wissenschaftspolitischen Reformideen auch durchzusetzen vermochte [38].

Johannes Schulze hatte in Halle 1806 zum engeren Kreis der Schüler Friedrich August Wolfs gehört, und an diese Zeit knüpften sich seine vertrauten Beziehungen zu Varnhagen, mit dem er damals in den Vorlesungen am Tisch der bevorzugten Hörer hatte sitzen dürfen [39]. Dabei fand der Einfluss, den Wolf gerade in gesellschaftlicher Hinsicht auf seine Schüler auszuüben suchte [40], in Varnhagen und Johannes Schulze keine völlig gleiche Aufnahme, aber insofern ihre Bemühungen politisch auf eine gesellschaftliche Verbesserung der wissenschaftlichen Existenz gerichtet waren, vertraten sie beide Grundsätze, deren Gemeinsames nicht zuletzt in freimaurerischen Vorstellungen entstanden war. Die Rolle, die Varnhagen als stiller Ratgeber und Förderer innerhalb der Wissenschaft zu spielen verstand, war bloss die Weiterführung seines früheren publizistischen Wirkens, und für diese Tätigkeit, die Varnhagen selber offenbar als "Freimaurerei der Litteratur" bezeichnete, nannte ihn Feodor Wehl den "Meister vom Stuhl in der Literatur" [41].

---

[35] Vgl. Varnhagens Notiz, 19. Mai 1825: BpG III, 291f. Ranke an H. Ranke, Berlin 23. Nov. 1825: L. v. Ranke. Das Briefwerk, S. 92. Ferner T. Wiedemann. Leopold von Ranke und Varnhagen von Ense vor Rankes italienischer Reise, a.a.O. S. 200. Ferner vgl. oben S. 126.
[36] Vgl. H. F. Helmolt, a.a.O. S. 77. Dagegen A. Dove. Ranke's Leben im Umriss, a.a.O. S. 162.
[37] Vgl. M. Lenz. Geschichte der Universität zu Berlin II/1, 505. W. Erben. Die Entstehung der Universitäts-Seminare. Internationale Monatsschrift für Wissenschaft, Kunst u. Technik, 7 (1913) Sp. 1344. Dazu vgl. oben S. 253.
[38] Vgl. M. Lenz. Geschichte der Universität zu Berlin I, 129. W. Erben, a.a.O. Sp. 1257; 1259ff. Ferner C. Varrentrapp, a.a.O. S. 392f.; 427; 500.
[39] Vgl. C. Varrentrapp, a.a.O. S. 33.
[40] Vgl. W. Erben, a.a.O. Sp. 1260ff.
[41] Varnhagen an Rahel, Kassel 10. Feb. 1829: Bfw VI, 223. F. Wehl. Zeit und Menschen II, 4. Dazu D. Kazda, a.a.O. S. 81 "Varnhagen war in jener Zeit gleichsam

Varnhagen hatte 1816 einen Brief erhalten, in welchem ihm Gruner sein Urteil über den in württembergischen Diensten stehenden Staatsmann Karl von Wangenheim anvertraute. Diese Gelegenheit war für Varnhagen damals ein willkommener Anlass gewesen, und er hatte sogleich den Wortlaut an Cotta weitergeleitet, wobei er es, wie er hinzusetzte, ihm überliess, eine direkte Bekanntschaft zwischen Wangenheim und Gruner zu vermitteln. Was er jedoch persönlich als seine "Pflicht" erachtete, war, wenigstens "solche Näherungen zu bewirken und zu fördern" [42], und so hat Varnhagen sich auch um die persönlichen Beziehungen einzelner Geschichtsforscher und damit allgemein um die Wissenschaft verdient gemacht. Die Geschichte war dabei ein Gegenstand, dessen Studium bereits im Bildungsplan des Tugendbundes eine wichtige Forderung dargestellt hatte, und gerade Gruner liess sich später von Varnhagen historische Bücher empfehlen [43]. Vom wissenschaftlichen Standpunkt konnte es daher Varnhagen nicht um die Entwicklung einer neuen Methode gehen, sondern alles, was er produktiv für die Wissenschaft leistete, beruhte auf dem ursprünglich revolutionären Prinzip der agitatorischen Nachrichtenübermittlung und beschränkte sich dementsprechend auf notizenmässige Mitteilungen, denen inhaltlich meistens nicht mehr als lexikalische Bedeutung zukam [44]. Einen echten publizistischen Sinn erhielt dagegen diese Tätigkeit, sobald er handschriftliches Material aus seiner Autographensammlung zur Verfügung stellte und dessen Herausgabe gestattete, wie beispielsweise in den von Gustav Schlesier veröffentlichten 'Schriften von Friedrich von Gentz' und 'Erinnerungen an Wilhelm von Humboldt' [45]. Dabei war in diesen beiden Werken die Person des Herausgebers weniger umstritten, als es in den gleichzeitig erschienenen Quellensammlungen von Wilhelm Dorow der Fall war. Indem Varnhagen nämlich Dorow eine Reihe von Briefen zur Veröffentlichung überlies, unterstützte er die Tätigkeit eines Mannes, der sich damals zwar bereits als Archäologe einen Namen gemacht hatte, aber ursprünglich ein Mitglied des Agentenkreises

der Meister vom Stuhl in der Literatur. Er besass ein ungemeines Ansehen und übte eine weitgreifende Macht aus". Vgl. auch VSchr VIII, 303. III³, 104. Vgl. Varnhagen. Karl Müller, a.a.O. S. 15. Ferner C. Varrentrapp, a.a.O. S. 62 u. ff. A.*.
[42] Varnhagen an Cotta, Frankfurt a.M. 1. Juli 1816: SNM Cotta-Archiv Nr. 52.
[43] Vgl. Varnhagen an Gruner, Karlsruhe 20. Dez. 1817: Bln StB StPrKb HsAbt Ms. Germ. Quart. 1988 Bl 21-22 "Ich sollte Ihnen schon früher einmal einen Beitrag zu einem Verzeichnisse historischer Bücher liefern; dass ich dessen nicht aus Versäumniss mich noch nicht entledigt habe, davon sei Ihnen die Empfehlung Zeugniss, die ich hier von F. C. Schlossers allgemeiner Weltgeschichte beifügen will... Niklas Vogts rheinische Geschichten und Sagen kennen Sie gewiss schon?" Dazu vgl. oben S. 22f. A. 28. Ferner auch Gruner an Varnhagen: P. Wentzcke, a.a.O. S. 55f. Vgl. ferner Verfassung der Gesellschaft zur Hebung öffentlicher Tugenden, oder des sittlich-wissenschaftlichen Vereins, 1808: Der Tugendbund, S. 179.
[44] Vgl. dazu Varnhagen an Viehoff, Berlin 12. Aug. 1846: Vier Briefe Varnhagens an Heinrich Viehoff über Goethe, DtR XII/4 (1887) S. 106. Varnhagen an Düntzer, Berlin 15. Feb. 1847: Köln UuStB "Kann ich Ihnen, Verehrtester, ferner hin zur Beantwortung eines oder des andern Zweifels dienen oder sonst bei Ihren Vorhaben nützlich sein, so werden Sie mich stets bereit finden". Varnhagen an Rosenkranz, Berlin 24. April 1840: Rosenkranz-Bfw S. 87ff. Dazu vgl. oben S. 136f.
[45] Vgl. H. H. Houben. Jungdeutscher Sturm und Drang, S. 632; 634.

um Borbstedt und später des Hoffmannschen Bundes gewesen war [46]. Die Beziehung, welche daher zwischen ihnen bestand, entsprach neben dem wissenschaftlichen Zweck im Sinne der Erhaltung unbekannter Schriftquellen [47] noch am ehesten auch der ursprünglichen Voraussetzung, die Varnhagen für alles Publizistische zu machen pflegte.

Unter den zünftigen Geschichtschreibern aber, die zu seinem Bekanntenkreis zählten, schätzte Varnhagen am meisten den Königlichen Historiographen Johann David Erdmann Preuss, und er ging darin so weit, dass er ihm namentlich Ranke gegenüber, den er früher als den ”Matador der neuern Geschichtsmänner“ bezeichnet hatte [48], den Vorrang einräumte. Was seine persönlichen Beziehungen zu Preuss betraf, waren sie vor allem der Ausdruck ihres gemeinsamen Forschungsinteresses. Doch in wissenschaftlicher Hinsicht erwies sich in der Regel Varnhagen als der blosse Nutzniesser der von Preuss bereits vollbrachten archivalischen Vorarbeiten [49], und so beschränkte sich sein eigener Anteil auf die Behandlung kleinerer biographischer Stoffe, die er dem von Preuss gesamthaft durchforschten Zeitraum entnahm. Historiographisch begab er sich damit in eine Art von Vertrauensverhältnis, die er vorher nicht gekannt hatte, aber gerade in dieser Voraussetzung äusserte sich ein menschlicher Kontakt, den Varnhagen unmittelbar schon an Tettenborn erfahren und bei Hardenberg zuletzt vergeblich gesucht hatte. Denn im Unterschied zu Tettenborn und im Gegensatz zu Hardenberg, der seine Papiere wählerisch an Günstlinge mitteilte [50], ging es Preuss um keine publizistische Wirkung, sondern um eine historisch sachgerechte Bearbeitung seines Gegenstands. Dadurch wurde Varnhagen plötzlich der führende Teil ihrer freundschaftlichen Beziehung, und je mehr er sich dabei persönlich verantwortlich fühlte, desto eher konnte er Preuss als unverdächtigen Mittelsmann beispielsweise in seinen Verbindungen mit dem 'jungen Deutschland' einsetzen [51]. Wenn

---

[46] Vgl. Dorow an Hardenberg, Paris 30. Aug. 1815: F. Meinecke. Die Deutschen Gesellschaften und der Hoffmannsche Bund, S. 75ff. Dazu ebda S. 61 A. 2. Dazu vgl. oben S. 130f. A. 69; 152f. Ferner F. v. Oppeln-Bronikowski, a.a.O. S. 47*. P. G. Thielen, a.a.O. S. 355.

[47] Vgl. dazu Varnhagens Notiz, 18. Dez. 1845: Tgb III, 267. Ferner VSchr II, 471ff. V², 440ff. Vgl. auch [W.] Dorow. In: Denkschriften und Briefe I, S. Vff.; II, S. IIIff.; NF (= V), S. V.ff.

[48] Varnhagen an Perthes, Berlin 25. Nov. 1827: HH StA Perthes Nachlass I M 17a Bl 124-125. Vgl. T. Wiedemann. Leopold v. Ranke und Varnhagen v. Ense nach der Heimkehr Rankes aus Italien, a.a.O. S. 358. Ferner Varnhagens Notizen, 26. Jan.; 6. Feb.; 4 April; 15. Nov.; 29. Dez. 1843: ebda S. 358f. Vgl. auch A. von Humboldt an Varnhagen, Berlin 25. Jan. 1846: A. v. Humboldt-Bfw S. 190. Ferner vgl. [Varnhagens Artikel] *Berlin, 5 Jun, AZ (1845) S. 1287.

[49] Vgl. Varnhagens Notizen: Seydlitz S. 240. Dkm II³, 324; Winterfeldt S. 234. Dkm VI³, 307; Sophie Charlotte S. 255. Dkm IV³, 393; Schwerin S. 310. Dkm VI³, 310; Keith S. 275. Dkm VII³, 326. Ferner J. D. E. Preuss. Vorrede. In: Friedrich der Grosse IV, S. IX. – Varnhagens Briefe an Preuss, die sich vor dem Krieg noch in dessen Nachlass befanden, haben sich laut Auskunft des DZA, Hist. Abt. II, Merseburg nicht wieder feststellen lassen.

[50] Vgl. dazu oben S. 203.

[51] Vgl. Mundt an Varnhagen, Berlin 22. Juni 1835: H. H. Houben. Jungdeutscher Sturm und Drang, S. 500. Dazu vgl. O. Dräger, a.a.O. S. 46. Ferner Preuss an

er sich aber Preuss gegenüber verpflichtet fühlte und sich zum Beispiel bei Altenstein um eine Erhöhung von dessen Einkommen bemühte, wenn er ihn ausserdem in aller Welt bekannt machen wollte und dazu in Paris und London die Aufmerksamkeit auf ihn zu lenken suchte, verfolgte er zugleich auch ein ursprünglich politisches Ziel.

Die Tatsache nämlich, dass Preuss in seinen wichtigsten Büchern das Leben und die Persönlichkeit Friedrichs des Grossen geschildert hatte und anschliessend im Auftrag der Königlichen Akademie der Wissenschaften dessen Werke neu herauszugeben begann, gab Varnhagen sofort wieder Gelegenheit, seine borussische Geschichtsauffassung ins Politische zu wenden [52]. Dabei war für ihn nicht nur die Herausgabe literarischer Quellen ein von vornherein schon revolutionäres Ereignis, das im Fall Friedrichs des Grossen strenggläubige Hofkreise zum Widerspruch geradezu nötigte [53], sondern neben diesem konkret publizistischen Anlass verkörperte nach Varnhagen die Gestalt Friedrichs des Grossen einen geschichtlichen Zusammenhang, dessen Ursprung die ganze Geistigkeit des 18. Jahrhunderts zu enthüllen vermochte. Varnhagen sah die Zeit, in der er lebte, in einer Art dialektischem Gegensatz zur Epoche Friedrichs des Grossen [54], und so war die innere Bewahrung dieser, seinen Lebensdaten nach zu schliessen, noch zeitgeschichtlichen Vergangenheit vielleicht der für ihn am meisten politische Gedanke. Der Sachbezug, der sich dadurch wie von selbst ergab, und dessen Notwendigkeit, insofern er sein Altersgenosse war, auch für Preuss gelten musste [55], bildete jene historiographische Voraussetzung, die Varnhagen vom Standpunkt des Zeitgenossen immer höher bewertete als jede andere, und unter diesem beschränkten Gesichtspunkt kam er zu seinem abfälligen Urteil über Rankes 'Neun Bücher Preussischer Geschichte'. Dabei

Varnhagen, 3. Aug. 1836: ebda S. 95. Gans an Varnhagen, Berlin 6. Aug. 1836: Denkschriften und Briefe NF (= V), 49.

[52] Vgl. Beyme an Varnhagen, Steglitz 30. April 1837: Briefe von Chamisso, Gneisenau, Haugwitz II, 261ff. Ferner Varnhagen an Beuchot, Berlin 9. Feb. 1845: Paris Bibl. Nat. N.A.F. 25136 Bl 281-282 "Les explications relatives au Mercure de France ont été communiquées sur le champ à M. Preuss, historiographe de Prussie et directeur de la nouvelle édition que par ordre du Roi l'Academie de Berlin prépare des oeuvres de Frédéric le Grand; avec mes remerciments je vous exprime donc en même temps ceux de cet excellent ami, qui depuis bien des années se voue avec zèle le plus consciencieux à la tâche laborieuse et difficile qui lui est imposé". Varnhagen an A. Bölte, Berlin 1. Feb. 1848: Briefe an eine Freundin, S. 71. Dazu Carlyle an Varnhagen, Chelsea 22. Okt.; 13. Nov. 1845; Chelsea London 16. Dez. 1846: T. Carlyle. Briefe, S. 90; 93; 98. Ferner Varnhagen an Kanzler v. Müller, Berlin 31. Dez. 1832: NFG (GSA) Kanzler v. Müller Nr. 483 Bl 3 "Hr Preuss ist hier Professor am Friedrich-Wilhelms-Institut, und hat seit sechszehn Jahren in der Stille an seinem Werke über Friedrich den Grossen gearbeitet, ohne sich durch andre Schriften frühzeitig bekannt zu machen..." Dazu vgl. J. D. E. Preuss. Vorrede. In: Friedrich der Grosse IV, S. IV. Ferner Varnhagen an Pückler, Berlin 12. Nov. 1832: Pückler-Bfw S. 126. Ferner vgl. auch oben S. 138.

[53] Vgl. Varnhagens Notizen, 14. Jan.; 6.; 19.; 20. März 1842; 2. Sept. 1844: Tgb II, 11; 32; 40; 41f.; 357. Ferner Varnhagens Notizen, Hamburg 15. Juli 1846; 17. Okt. 1849; 24. Juli 1852: Tgb III, 385; VI, 399; IX, 304. Ferner vgl. oben S. 227.

[54] Vgl. Varnhagen an Troxler, Berlin 12. Jan. 1844: Troxler-Bfw S. 280.

[55] Vgl. Varnhagens Rezension zu J. D. E. Preuss, JfwK 2 (1832) Sp. 644. Zur Geschichtsschreibung, S. 463. Dazu vgl. Dkw II, 11. I², 8. I³, 7.

konnte sich der Unterschied ihrer geschichtlichen Betrachtungsweise auch kaum deutlicher offenbaren als in dem Leitsatz, welchen Ranke am Schluss seiner Vorrede allgemein aufgestellt hatte. "Die Alten", bemerkte er nämlich, "schrieben gleichzeitige Geschichte mit rücksichtsloser Wahrheitsliebe; uns sei der Versuch gestattet, Ereignisse, die nun schon ein Jahrhundert hinter uns liegen, unbekümmert um die Neigungen oder Abneigungen des Tages, zu so viel möglich objectiver Anschauung zu vergegenwärtigen".

Dieses sachbezogene Streben nach Unparteilichkeit musste Varnhagen mit höchstem Interesse verfolgen; denn er erkannte darin eine politisch begründete Standortsverschiebung, wie er sie 1848 selbst zur Niederschrift seines 'Schlichten Vortrags an die Deutschen' als notwendig erachten sollte [56], und er billigte Ranke auch stillschweigend zu, dass er den Gegenstand mit politischem Geschick bewältigt hatte. Vom Standpunkt der Geschichte dagegen konnte ihm Varnhagen kein Vertrauen schenken, da es seiner Meinung nach für die Darstellung preussischer Vergangenheit keinen besseren Platz als Berlin zu geben schien, und die bewusste Objektivierung dieser selbstverständlichen Voraussetzung konnte insofern nur zu einer Verallgemeinerung des Anschauungsbegriffs führen, über den Varnhagen und Ranke schon während dessen Aufenthalten in Wien und Rom ungleicher Auffassung waren [57]. Die konkrete Bezogenheit, in der sich Varnhagen die Frage des Standorts darstellte, war jeweils für ihn das unmittelbarste Problem, und gerade diese Frage musste sich erübrigen, sobald der historische Überblick mit dem Überblick über das dokumentarische Archivmaterial gleichbedeutend blieb. Nachdem Ranke in Wien die Erlaubnis erhalten hatte, seine archivalischen Studien in Venedig weiterauszudehnen, sich aber trotzdem bewusst geworden war, dass er ursprünglich nur "für deutsche Geschichte geboren" sei "und nicht für welsche", fehlte es Varnhagen nun an der entsprechenden Konsequenz. Während Ranke nämlich seinen historiographischen Standpunkt kaum zu verändern vermochte, besass Varnhagen so viel Anschauungsvermögen, dass er sogar geographisch Rankes Standort in der 'Preussischen Geschichte' zu bestimmen wagte und dazu meinte: "Wenn er in Zara in Dalmatien lebte, oder in Zürich, da möchte er preussische Geschichte schreiben, einen Bericht aus den Vorlagen, gelehrt, kritisch, nach Massgabe dessen, was sein Tisch darbietet; nicht in Berlin!" [58]

Daneben lag aber auch in der mangelnden Konsequenz die Ursache, dass Varnhagen Rankes 'Preussische Geschichte' ausdrücklich kritisierte; denn die Benutzung von unbekanntem Archivmaterial hielt er nur insofern für über-

---

[56] L. Ranke. Vorrede. In: Neun Bücher Preussischer Geschichte I, S. XII. Vgl. H. F. Helmolt, a.a.O. S. 81. Ferner vgl. oben S. 255 u. A. 32. Vgl. dazu auch T. Wiedemann. Leopold v. Ranke und Varnhagen v. Ense nach der Heimkehr Rankes aus Italien, a.a.O. S. 217f.
[57] Vgl. oben S. 276ff.
[58] Vgl. Varnhagens Notiz, 9. Aug. 1847: Tgb IV, 129. T. Wiedemann. Leopold v. Ranke und Varnhagen v. Ense nach der Heimkehr Rankes aus Italien, a.a.O. S. 361. Ferner Ranke an Varnhagen, Wien 9. Dez. 1827: Leopold von Ranke und Varnhagen von Ense. Ungedruckter Briefwechsel, a.a.O. S. 188. L. v. Ranke. Das Briefwerk, S. 127.

trieben, als es den Blick für das "gegenwärtige Leben" abstumpfen konnte. In der lexikalischen Art, in der dagegen Preuss historische Urkunden sammelte und herausgab, hielt er es für ungleich "verdienstlicher", auch wenn daraus kein angenehm lesbares Buch zustande kam. Doch was bei Ranke ausserdem den Mangel an zeitgeschichtlichem Mitgefühl betraf, war ihm Varnhagen noch mehr als in der Frage des Standpunkts entrückt, und so schrieb er gegen Rankes 'Preussische Geschichte': "Vom pragmatischen Geist ist hier wenig zu finden, noch weniger militärischer Sinn, und bei einer Geschichte Preussens im achtzehnten Jahrhundert sollte doch beides nicht fehlen!" [59].

In dieser Aussage kündigt sich Varnhagens tragische Verstrickung an, insofern er gegenüber den Historikern seiner Zeit den eigenen Standpunkt zu behaupten suchte; denn er selbst übersah nicht, dass der Pragmatismus in der Geschichtschreibung für die Generation, welcher Ranke angehörte, eine ihrer konkreten Sinngebung beraubte Idee geworden war und das pragmatische Lebensgefühl nicht mehr ursprünglich dem Gelehrtenberuf entsprach [60]. Die Überwindung der pragmatischen Geschichtschreibung konnte für Ranke keine Frage seiner Existenz werden, sondern vollzog sich teils abstrakt im Bereich dessen, was er "Anschauung" nannte, und sonst in steter Beziehung zum Erlebnis des einzelnen Quellentextes [61]. Dabei entging ihm jedoch eine Widersprüchlichkeit, gegen die schon Stenzel verstossen hatte und in noch stärkerem Mass Heinrich von Treitschke verstiess, wenn er Varnhagen zwar als Menschen schlechthin verurteilte, aber trotzdem seine diplomatischen Berichte als historische Quelle benutzte [62]. Bei Ranke selbst konnte sich dagegen ein derartiges Missverhältnis innerlich gar nicht auswirken; denn die von ihm benutzten venezianischen Gesandtschaftsrelationen veranschaulichten ihm eine geschichtliche Welt, von der sie zunächst ein weitgehend literarisch gefärbtes Bild vermittelten. Die Tatsache aber, dass er diplomatischen Berichten überhaupt einen besonders hohen Quellenwert beilegte, war bei ihm nicht wie bei Varnhagen in eigener diplomatischer Erfahrung begründet, und so zeigte sich

---

[59] [Varnhagens Artikel] *Berlin, 20 Febr, BzAZ (1848) S. 937. Dazu vgl. oben S. 205f. Ferner Varnhagen an Kanzler v. Müller, Berlin 31. Dez. 1832: NFG (GSA) Kanzler v. Müller Nr. 483 Bl 3 "Seine [= Preuss'] bescheidene Rechtschaffenheit und sein strenger Fleiss kommen nun [= nach Erscheinen der Biographie Friedrichs des Grossen] endlich aber zu vollen Ehren in dem Unternehmen, zu welchem er den Muth und die Ausdauer hatte, und das um so verdienstlicher ist, als er um der Fülle des Stoffes willen grösstentheils auf den Glanz der Darstellung und den Lesereiz für die Menge verzichtet". Varnhagen an A. Bölte, Berlin 1. Feb. 1848: Briefe an eine Freundin, S. 71.

[60] Vgl. Varnhagen an Ranke, Berlin 3. Feb. 1828: Leopold von Ranke und Varnhagen von Ense. Ungedruckter Briefwechsel, a.a.O. S. 342. "Das neunzehnte Jahrhundert scheint mit der Geschichtsschreibungsart des achtzehnten nicht mehr auskommen zu können. Jedes Zeitalter scheidet einen andern Bestandteil aus dem Gesamtstoffe für seinen nächsten Gebrauch aus; das Ganze zu umfassen ist nur den seltensten Geistern eigen –"

[61] Vgl. F. Meinecke. Die Entstehung des Historismus, S. 588f. E. Kessel. Rankes Idee der Universalhistorie, HZ 178 (1954) S. 288f.

[62] Vgl. H. v. Treitschke. Deutsche Geschichte II, 362 A.*, **; 366 A.*. Dagegen ebda S. 370 u. A.**; 371 u. A.*. Dazu H. Haering, a.a.O. S. 52f. Ferner vgl. oben S. 20f.

an dieser Frage die Begriffsverschiebung, welche zwischen ihnen beiden zu persönlichen Spannungen und Missverständnissen Anlass gab [63].

Die Ausschaltung der existentiellen Bezüge, wie sie für Varnhagen noch die Voraussetzung alles Geistigen waren, verlieh der neuen nicht mehr pragmatischen Geschichtschreibung eine Geistigkeit, die historisch allen anderen Epochen besser entsprechen musste als gerade derjenigen, die geistesgeschichtlich ins 18. Jahrhundert fiel [64], und daher war sich Varnhagen um so mehr seiner eigenen Geschichtlichkeit bewusst, wenn er sich als Historiker stofflich nur mit dieser Zeit beschäftigte [65]. In einzelnen Augenblicken jedoch, in denen der Pragmatismus der Geschichte auch im 19. Jahrhundert noch lebendig wurde und in denen deshalb die existentielle Notwendigkeit stärker war als alle abstrakte Verallgemeinerung, entstand die gesellschaftliche Voraussetzung für ein weitverbreitetes historisches Verstehen, und so führte beispielsweise das Jahr 1848 Ranke und Varnhagen näher zusammen, als sie bei aller Verschiedenheit ihrer politischen Gesinnungen bis dahin gestanden waren. Wenn nämlich Ranke in seiner Denkschrift vom Mai 1848 das "Pariser Ereigniss vom 24. Februar ... als ein allgemein europäisches" erkannte, bewies er durchaus denselben geistigen Überblick, welchen Varnhagen, allerdings ohne sich zuerst über die faktischen Voraussetzungen erhoben zu haben, auch hatte, denn er glaubte von sich aus den Gang der Geschichte von vornherein in revolutionären Ereignissen verfolgen zu können [66]. Ebenso gemeinsam aber war ihnen die Anhänglichkeit an die preussische Monarchie als einer gesellschaftlichen Ordnung; auch Varnhagen lehnte nämlich 1848 einen "rücksichtslosen Terrorismus" ab, sowie er "auf das Gebiet des Menschlichen, der Dichtung, der Geselligkeit ... überspringen" wollte und nicht ausschliesslich auf "Staats- und Volkssachen" beschränkt blieb. Die Abschaffung der Adelsprivilegien betrachtete er daher zwar als eine richtige "Kriegsmassregel gegen Anmassungen", aber gesellschaftlich war für ihn der Standpunkt des Adels unantastbar, und in dieser Annahme bestätigte ihn das Verhalten jener Bevölkerungskreise, die sich, wie er beobachtete, nur schon in der Kleidung an das adlige Vorbild anzupassen suchten [67]. Nur sein "militärischer Sinn", dessen Berechtigung er aus der preussischen Geschichte

---

[63] Vgl. dazu [Varnhagens Rezension] JfwK 1 (1828) Sp. 578 u.f. A.*. Zur Geschichtschreibung, S. 116 A.*. Dazu Varnhagens Notiz, 1846: T. Wiedemann. Leopold v. Ranke und Varnhagen v. Ense nach der Heimkehr Rankes aus Italien, a.a.O. S. 360. Ferner vgl. oben S. 57f. Vgl. ferner W. Andreas. Die venezianischen Relationen und ihr Verhältnis zur Kultur der Renaissance, S. 16. E. Fueter. Geschichte der neueren Historiographie, S. 480ff.

[64] Vgl. dazu E. Kessel nach Meinecke. Ranke und Burckhardt, a.a.O. S. 370.

[65] Vgl. oben S. 181.

[66] Vgl. Rankes Politische Denkschrift, Mitte Mai 1848: L. v. Ranke. Zur Geschichte Deutschlands und Frankreichs im neunzehnten Jahrhundert (= SW IL/L, 587). Vgl. dagegen oben S. 273. Ferner W. Mommsen. Ranke und die deutsche Frage. In: Stein, Ranke, Bismarck, S. 146.

[67] Varnhagen an A. Bölte, Berlin 9. März 1849; 4. Feb. 1850: Briefe an eine Freundin, S. 143f.; 186. Varnhagens Notiz, 28. Feb. 1852: Tgb IX, 90. Dazu auch oben S. 267f. Dagegen Varnhagen an Chamisso, Karlsruhe 15. Dez. 1816: Bln DtStB HsAbt Nachlass Chamisso. Vgl. dazu oben S. 159. – Ferner W. Mommsen, a.a.O. S. 113; 116. R. Vierhaus. Ranke und die soziale Welt, a.a.O. S. 35. H. F. Helmolt, a.a.O. S. 103.

herleitete, war eine beunruhigende Eigenschaft, doch innerhalb seines Freundeskreises festigte sie den Zusammenhalt der einzelnen Mitglieder, und Heinrich Laube, der in den dreissiger Jahren selber der Gruppe angehört hatte, war nachträglich geistreich genug, um ihn treffend mit einem "Generalstabschef" zu vergleichen [68].

Varnhagen selbst gewährte seine generalstabsmässige Form wissenschaftlicher Arbeit eine grosse Genugtuung; denn, wie er versicherte, war für ihn die Tatsache, dass beispielsweise Rotteck in seiner 'Allgemeinen Geschichte' den ersten Band der 'Biographischen Denkmale' zitiert hatte, "unschätzbar, und ... ein bleibender Gewinn" [69]. Dabei gelang es Varnhagen, an derartige Anlässe, so geringfügig sie waren, ganze Beziehungen zwischen einzelnen Menschen zu knüpfen, und wenn umgekehrt Ranke in der 'Preussischen Geschichte' Förster "mehrmals", Preuss dagegen aber "nur einmal" zitierte, missachtete er die von Varnhagen unter seinen Gesinnungsgenossen bewusst angewandten publizistischen Umgangsformen [70]. Angemessener hat sich deshalb Guhrauer in seinen Studien über die Königin Sophie Charlotte von Preussen verhalten, indem er sich ausdrücklich auf Varnhagens biographische Schilderung berief und ihm am Anfang sogleich seinen Dank für die "Anregung" aussprach [71]. Noch enger gestalteten sich solche Beziehungen, falls, wie es zwischen Varnhagen und Karl Georg Jacob geschah, zwei Freunde ihre Veröffentlichungen gegenseitig im günstigen Sinne rezensierten [72], und so war beispielsweise in Paris von früher her immer noch Ölsner der Vertrauensmann, wobei die anonyme Anzeige der 'Biographischen Denkmale' in der 'Revue Encyclopédique' offenbar von ihm stammte [73]. Doch zu welchen Mitteln Varnhagen ausserdem fähig war, zeigt eine Bemerkung im siebten Band seiner 'Denkwürdigkeiten', wo es heisst: " 'Patriotische Phantasieen' aber, wie Justus Möser in seiner Zeit sie aufstellen durfte, werden auch wohl heutigen Tages noch gestattet sein!"; denn in dieser Versicherung lag zweifellos eine Anspielung auf den von Möser über-

---

[68] H. Laube. Erinnerungen, a.a.O. IX, 38. Vgl. auch Varnhagens Notiz, 25. Juli 1848: Tgb V, 132 "Es fehlt der Schrecken, die Gefahr!" Ferner vgl. oben S. 157.
[69] Vgl. C. v. Rotteck. Allgemeine Geschichte VIII, 474 A.*. Dazu Varnhagen an Rotteck, Berlin 7. Jan. 1827: Rotteck-Bfw S. 257.
[70] Vgl. Varnhagens Notiz, 11. Aug. 1847: Tgb IV, 130. T. Wiedemann. Leopold v. Ranke und Varnhagen v. Ense nach der Heimkehr Rankes aus Italien, a.a.O. S. 361. Dazu L. Ranke. Neun Bücher Preussische Geschichte I, 220 A. 1; 292 A. 1; 349 A. 1; 470 A. 1. Dagegen ebda S. 301 A. 1. Vgl. auch Varnhagen an Weill, Berlin 24. Nov. 1843: Briefe hervorragender verstorbener Männer Deutschlands an Alexander Weill, S. 70. Ferner Varnhagen an Koenig: H. Koenig. Erinnerungen an Varnhagen von Ense, a.a.O. S. 57. Varnhagen an Rosenkranz, Berlin 12. Juni 1847: Rosenkranz-Bfw S. 160f. Vgl. auch oben S. 270 u. A. 100.
[71] Vgl. G. [E.] Guhrauer. Zur Jugendgeschichte der Königin von Preussen Sophie Charlotte. Nach französischen Berichten. Der Freihafen, 3 (1838) S. 94; 130.
[72] Vgl. [Varnhagens Rezension] BzAZ (1846) S. 2585f. Dazu vgl. VSchr VIII, 405ff. Vgl. auch Mundt an Varnhagen, 16. Jan. 1835; Jacob an Varnhagen, 5. Feb. 1845; Halle 15. Okt. 1846: Bibl. Rep. III, 190 Z. 37ff.; 191 Z. 5ff. Ferner H. H. Houben nach Jacob an Varnhagen, 2. Okt. 1843: ebda Sp. 190 Z. 59ff. Ferner K. G. Jacobs Rezensionen, LitZod (1835) S. 487f.; JfwK 2 (1845) Sp. 821ff.
[73] Vgl. [K. E. Ölsners Anzeige] Revue Encyclopédique, 27 (1825) S. 779. Dazu Varnhagen an Ölsner, Berlin 13. Juni 1825: Ölsner-Bfw III, 287.

nommenen Titel eines Kapitels in Schaumanns 'Geschichte des zweiten Pariser Friedens' [74]. Wie aufmerksam Varnhagen aber dergleichen Stellen auch in der Tagesliteratur verfolgte und wie ernst es ihm damit war, zeigt ein seiner eigenen Auffassung nach "merkwürdiges Beispiel von Plagiat", das er in den 'Blättern für literarische Unterhaltung' entdeckt hatte und dessen Urheberschaft ihm selbst nicht klar zu werden schien. Es handelte sich dabei um die Besprechung eines geschichtlichen Werks, in welcher dort, "wo die Grundsätze der Beurtheilung aufgestellt" waren, der Wortlaut weitgehend mit demjenigen übereinstimmte, was ursprünglich Varnhagen selber in der Rezension von Alisons 'History of Europe' allgemein zur Sprache gebracht hatte, und nachdem er nun den anonymen Einsender nicht zu identifizieren vermochte, sah er sich auch nicht unmittelbar wie von einem Gleichgesinnten angesprochen. Bloss das Prinzip entsprach seiner eigenen Gewohnheit, und so schrieb er nicht ohne ein unsicheres Gefühl an seinen Freund Hitzig: "Ich bin nicht böse darüber finde es nur seltsam! –" [75]

So, wie Varnhagen jedoch auch durch Übersendung seiner Schriften Beziehungen anzuknüpfen suchte und bereits bestehende erhielt [76], schätzte er seinerseits die ihm von befreundeten oder noch unbekannten Autoren geschenkten Bücher gleichermassen als "Zeichen" eines verbindlichen Entgegenkommens, und unter diesen zugesandten Werken war für ihn die 'Literaturgeschichte des achtzehnten Jahrhunderts' von Hermann Hettner eine der wichtigsten neueren Buchveröffentlichungen der Zeit. Hettner verwirklichte nämlich in seiner Darstellung Forderungen, die Varnhagen im Lauf seiner historiographischen Entwicklung grundsätzlich an sich selbst gestellt und nur teilweise erfüllt hatte. Denn nicht nur verfügte er über die nötige Höhe des Standpunktes, sondern bewies ausserdem in einer Reihe von einzelnen Menschenschilderungen eine Kenntnisfülle, die aus seinem Buch eine Art Lexikon machte, und dadurch, dass, wie Varnhagen meinte, "eine Galerie von Bildnissen" darin enthalten war, hatte Hettner selbständig die gleiche Arbeit geleistet, welche Varnhagen zusammen mit Preuss für den Kreis um Friedrich den Grossen in Angriff nahm, wobei er selbst vor allem die kleineren Einzel-

---

[74] Vgl. Dkw NF III (= VII), 293. Dazu vgl. V³, 33. Ferner A. F. H. Schaumann. Geschichte des zweiten Pariser Friedens, S. 232. Vgl. auch oben S. 136 u. A. 91.
[75] Varnhagen an Hitzig, 29. Mai 1840: Bln Märkisches Museum Nachlass Hitzig. XV 875. Vgl. die anonyme Rezension. Blätter für literarische Unterhaltung, 1 (1840) S. 593. Dazu Varnhagens Rezension, JfwK 1 (1837) Sp. 525. VSchr IV, 358f. V², 473f.
[76] Vgl. Varnhagen an Rotteck, Berlin 9. Feb. 1824: Ddf LuStB 62.743 "In treuester Verehrung übersendet beifolgenden Versuch biographischer Darstellung zum Zeichen innigstbewahrten Andenkens mit den herzlichsten Grüssen…" Vgl. Rotteck an Varnhagen, Freiburg 1. Mai 1823[?]: Rotteck-Bfw S. 243. – Der Brief stammt von 1824. Ferner C. Wynn an Milnes. In: The Letters of Varnhagen von Ense to Richard Monckton Milnes, S. 5. Dazu vgl. Varnhagens Notiz im Widmungsexemplar der Biographie Keiths für Milnes: Original in Privatbesitz "Dem edlen Dichter Herrn R. M. Milnes als Zeichen inniger Hochachtung dankbar und ergebenst von Varnhagen von Ense. Berlin, März 1844". Dagegen P. [F.] Glander. In: The Letters of Varnhagen von Ense to Richard Monckton Milnes, S. 5 A. 1. Ferner vgl. Varnhagen an Rosenkranz, Berlin 3. April 1843: Rosenkranz-Bfw S. 93. Droysen an Varnhagen, Kiel 11. Juli 1846: Droysen-Bfw I, 317f. u. ebda A. 2. Dazu auch oben S. 189f. u. A. 44.

darstellungen verfasste. Sobald er aber kaum mehr eigene Schriften veröffentlichte, hatte er bloss noch die eine Möglichkeit, gesellschaftlich an der Geschichtschreibung seiner Zeit beteiligt zu bleiben, und wie er in seinem Dankschreiben an Hettner bekannte, wusste er daher für sich "kein grösseres Vergnügen, als solches zu lesen, was man selbst möchte geschrieben haben, wenn Kenntniss und Fähigkeit dazu vorhanden wären!" [77]

Unter diesem Gesichtspunkt hatte Varnhagen bereits 1844 Dahlmanns 'Geschichte der englischen Revolution' besprochen und war später auch aufs angenehmste von der Person des Verfassers überrascht, der sich seiner im übrigen noch aus dem Jahr 1814 zu erinnern vermochte [78]. Was er dabei in seiner Rezension an Dahlmanns Buch besonders rühmte, war der Umstand, dass die Darstellung, wie er schrieb, "nichts von dem Gepräng und Wuste der Forschung und Arbeit an sich" trug, "sondern frei und schmuck als reiner Text" hervortrat, "ohne irgend eine Anmerkung oder Citat". Danach zu schliessen, setzte Dahlmann also eine stillschweigende Form von Einverständnis voraus, die nur für einen begrenzten Leserkreis bestimmt zu sein schien, für einen Forscher aber von vornherein undenkbar bleiben musste, solange er gerade zu einer auf erweiterten Kenntnissen beruhenden Ansicht der Geschichte gelangen wollte. Die Voraussetzung, die bei Dahlmann den Eindruck von Selbstverständlichkeit erweckte, enthielt jedoch keine unzumutbaren Ansprüche an das historische Wissen der Leserschaft, sondern betraf den politischen Kern seiner geschichtlichen Fragestellung. Nur für den politisch Gleichdenkenden war der äusserlich unwissenschaftliche Stil kein fachlicher Mangel, und nur für ihn konnte Dahlmanns Buch, wie Varnhagen ausdrücklich formulierte, "ein Buch des Vertrauens" sein.

Indem nun Dahlmann aber die "Forderungen der Fachgenossen" unberücksichtigt liess, um dadurch "den Bedürfnissen der Nation desto sicherer zu entsprechen", stellte er sich auf einen Standpunkt, der, wie Varnhagen erklärte, ein "allgemein menschlicher" war, und während Rankes Streben nach "Unparteilichkeit" in der quellenmässigen Forschung begründet lag, galt für Dahlmann eine Art von "Unparteilichkeit", die nach Varnhagens Auffassung nur in "wahrhaftem Freisinn" wirksam werden konnte. Hatte dagegen Ranke sein eigenes "Selbst gleichsam auszulöschen" versucht, so liess Varnhagen lieber von Anfang an nur Quellenzeugnisse reden, um damit in der Richtung eines freisinnig revolutionären Geistes zu wirken. Während also Ranke um die geistige Anschauung erst ringen musste, suchte Varnhagen umgekehrt seinen geistigen Besitz faktisch zu veranschaulichen, und dafür bedeutete ihm Dahlmanns Buch

[77] Varnhagen an Hettner, Berlin 26. Jan. 1856: E. Glaser-Gerhard. Aus Hermann Hettners Nachlass III. Euphorion, 30 (1929) S. 395. Vgl. Varnhagen an Düntzer, Berlin 15. Feb. 1847: Köln UuStB "... so gereicht es mir zum eifrigsten Vergnügen, ja zur wahren Genugthuung, wenn ich von Andern gethan sehe, was ich selber auszuführen wünschte". Ferner VSchr VIII, 508f. Varnhagens Notiz, 25. Jan. 1856: Tgb XII, 369 u.f.

[78] Vgl. Varnhagens Notiz, Bonn 30. Juli 1846: Tgb III, 415. – Die frühere Begegnung in Kiel kann erst 1814, nicht 1813, wie Varnhagen überliefert, stattgefunden haben. Vgl. Varnhagen an Rahel, Kiel 21. Jan. 1814: Bfw III, 282.

ein gelungenes Beispiel. Als politischer Schriftsteller zeigte Dahlmann nämlich auch in seiner 'Geschichte der englischen Revolution' eine Verantwortlichkeit, die sich schon allein durch die Wahl des Stoffes, kundtat, und nachdem Varnhagen in dieser Weise die persönlichen Vorraussetzungen des Verfassers klargestellt hatte, kam er über ihn zu der günstigen Auffassung, dass sein Buch "im wahrsten Sinne *pragmatisch*" sei [78]. Daher verlebendigte sich ihm in Dahlmanns Geschichtschreibung durchaus der Geist des 18. Jahrhunderts, und insofern der historische Stoff einem früheren Jahrhundert angehörte, kam es Varnhagen nur darauf an, das "Buch ... unter dem rechten Gesichtspunkte zu rühmen". Als dagegen ein Jahr später die 'Geschichte der französischen Revolution' erschien, lieferte Dahlmann ein Werk, in dem nach Varnhagens Worten bereits von vornherein "alles zum Tagesgebrauch eingerichtet" war, und darin berührte es sich für ihn sogar mit Hettners 'Literaturgeschichte'. Das politische Vertrauensverhältnis erwies sich dabei aber als so stark, dass auch die persönliche Abneigung, die Varnhagen allmählich gegen Dahlmann empfunden hatte, keinen Einfluss auf seine Beurteilung gewann [80]; denn grundsätzlich hielt er daran fest, dass die direkte "Bekanntschaft" mit jedem die sicherste Voraussetzung für ein Verständnis war, das, insofern es konkret auf einem gesellschaftlichen Verhältnis beruhte, der existentiellen Wirklichkeit am nächsten kam.

Im Lichte dieser speziellen Überlegungen verliert das vernichtende Urteil Rudolf Hayms, das sich für Varnhagens Nachruhm geradezu verhängnisvoll ausgewirkt hat, seine tendenziöse Schärfe. Als Zeitgenosse von ihm hatte Haym nämlich alle Vorteile, die Varnhagen vom Standpunkt des Historikers darin grundsätzlich anerkannte, aber sowohl in politischer als in gesellschaftlicher Hinsicht herrschte zwischen ihnen keine vertrauliche Beziehung, und soweit deshalb Haym in seinem Urteil auch aus persönlicher Erinnerung sprach, zeigte er selbst jenen Mangel an Sachlichkeit, den er Varnhagen gerade zum Vorwurf machte. Nichts ist jedoch dafür bezeichnender als die Behauptung Hayms, nach der Varnhagen "sich nie unangemeldet in Gesellschaft begab" und umgekehrt "dieser gern gönnte, sich ihm gegenüber in Positur zu setzen". Denn in diesen Worten spiegelt sich die ganze vornehme Abgeschlossenheit des Varnhagenschen Kreises, dem Haym im Unterschied zu Ranke nicht einmal vorübergehend angehört hatte. Im Gegensatz aber zu früher, als Varnhagen seinerseits in Karlsruhe noch Anstoss nahm, dass niemand ohne besondere Einladung auf Besuch kam oder überhaupt "aus eignem Antrieb" ein gesellschaftliches Zu-

[79] Vgl. [Varnhagens Rezension] AoBzAZ (1844) S. 37f. VSchr NF III (= VII), 459ff. Dazu vgl. Droysen an Varnhagen, Kiel 20. Dez. 1846: Droysen-Bfw I, 344. Dazu E. Howald. Varnhagen von Ense, a.a.O. S. 149f. Dagegen E. Simon. Ranke und Hegel, a.a.O. S. 18. Ferner L. Ranke. Vorrede. In: Deutsche Geschichte im Zeitalter der Reformation III, S. VII. Ders. Englische Geschichte vornehmlich im sechszehnten und siebzehnten Jahrhundert II, 3. Dazu H. F. Helmolt, a.a.O. S. 81. Vgl. ferner oben S. 227.
[80] Varnhagens Notizen, 4. März 1844; 22.; 24. Sept. 1845: Tgb II, 268; III, 212; 214. Dagegen Varnhagens Notizen, 1.; 17. Dez. 1848; 14. Juni; 22. Nov. 1849; 22. Mai 1850: Tgb V, 321; 347f.; VI, 220; 448; VII, 191. Ferner VSchr VIII, 508f.

sammenleben ermöglichte, war er es nun selbst, der den persönlichen Umgang auf seine nähere Umgebung beschränkte [81]. Doch reichte dafür der Kreis, in dessen Bereich er seine wissenschaftlichen und menschlichen Beziehungen anknüpfen konnte, über die Grenzen Preussens und sogar des Deutschen Bundes hinaus; denn brieflich erörterte er mit Carlyle dessen Plan einer Biographie Friedrichs des Grossen [82], beriet die Gräfin d'Agoult bei ihren Studien über Hegel [83], und eine besondere Förderung liess er seinen zahlreichen russischen Freunden zuteil werden [84].

Varnhagens wissenschaftliche Tätigkeit entsprang einem weltbürgerlichen Zusammengehörigkeitsgefühl, als dessen lebendiges Beispiel er in seiner Gruppe von Freunden die führende Persönlichkeit wurde, doch selbst hat er freilich die Idee des Weltbürgertums nicht zum Gegenstand einer historiographischen Darstellung machen können, und nur die Bekanntschaft mit Alexander von Humboldt führte ihn wenigstens in die Nähe eines Forschers, dessen Materie er zwar nicht sachgerecht beherrschte, aber vom Standpunkt der Geschichtlichkeit gerne beurteilen wollte. Soweit ihn nämlich Humboldt in stilistischen Fragen zu Rate gezogen hatte, war er schliesslich sogar an dessen umfassender Darstellung beteiligt, die 1845 unter dem Titel 'Kosmos. Entwurf einer physischen Weltbeschreibung' zu erscheinen begann und die vielleicht das letzte im Geiste des 18. Jahrhunderts weltbürgerliche Geschichtswerk war; denn für Varnhagen galt es durchaus noch als "ein glänzender Gang durch die Weltgeschichte" [85].

[81] Vgl. Dkw IX, 547f. VI³, 100f. Dazu vgl. oben S. 158f. Ferner R. Haym, a.a.O. S. 446. Dazu Varnhagen an Rosenkranz, Berlin 16. Feb. 1858: Rosenkranz-Bfw "Er [= Haym] kam vor einiger Zeit zu mir, und wollte mich für seine Zeitschrift werben, ich lehnte jede Mitwirkung ab..." Ferner auch E. Howald. Varnhagen von Ense, a.a.O. S. 152ff. C. Misch, a.a.O. S. 2ff. Vgl. auch Varnhagen an A. Bölte, Berlin 8. Juli 1849: Briefe an eine Freundin, S. 162f. Dazu A. Bölte an Varnhagen, 15. Juni [1849]: Amely Böltes Briefe aus England an Varnhagen von Ense, S. 71.
[82] Vgl. Carlyle an Varnhagen, Chelsea 22. Okt. 1845: T. Carlyle. Briefe, S. 90. Varnhagen an A. Bölte, Berlin 1. Feb. 1848: Briefe an eine Freundin, S. 71.
[83] Vgl. Varnhagen an Marie d'Agoult, Berlin 26. Jan. 1845: Paris Bibl. Nat. N.A.F. 25189 Bl 131-132 "So sehr ich mit Ihnen übereinstimme, ... die beabsichtigte Arbeit über Hegels Philosophie für jetzt noch aufzuschieben, so dringend möchte ich darauf bestehen, dass Sie die Arbeit über Hegel's Leben in keinem Fall sich leid werden lassen, sondern fest im Auge behalten, und sobald Musse und Stimmung vorhanden, in rascher Förderung ausführen". Dazu J. Vier. La comtesse d'Agoult et son temps II, 187. Ferner Varnhagen an Rosenkranz, Berlin 24. Sept. 1844: Rosenkranz-Bfw S. 134f.
[84] Vgl. G. Wiegand. Zum deutschen Russlandinteresse im 19. Jahrhundert. E. M. Arndt und Varnhagen von Ense (= Kieler Historische Studien III, 217f.) Ferner auch G. Ziegengeist. Varnhagen von Ense und V. A. Zukovskij. Zeitschrift für Slavistik, 4 (1959) S. 1ff. Ders. N. I. Borchardt und Varnhagen von Ense, ebda 8 (1963) S. 9ff. – Vgl. dazu ferner W. Müller an Varnhagen, Dessau 22. Juni; 14. Sept. 1824; 4. Jan. 1825: W. Müller. Unpublished letters. The american Journal of Philology, 14 (1903) S. 137f.; 138f.; 143f.
[85] Vgl. Varnhagens Notiz, 18. April 1846: Tgb III, 339. Dazu A. v. Humboldt. Kosmos II, 135ff. Vgl. auch VSchr NF III (= VII), 525ff. Ferner L. Döring. Wesen und Aufgaben der Geographie bei Alexander von Humboldt (= Frankfurter Geographische Hefte, 5 (1931) Heft 1 S. 35). – A. v. Humboldt an Varnhagen, Berlin 15. April 1828; 27. Okt. 1834; 24. April 1841: A. v. Humboldt-Bfw S. 4f.; 21f.; 89. Dazu L. Döring, a.a.O. S. 62f. H. Beck. Alexander von Humboldt II, 228f. Ferner

Die Idee des Weltbürgertums hatte sich aber in Humboldts Darstellung weitgehend in die existentielle Gestalt eines fast nur geographisch oder naturwissenschaftlich bestimmten Interesses umgewandelt, und das historische Standortsgefühl knüpfte sich nicht mehr an eine unmittelbare Erlebnisbereitschaft, sodass für eine nicht standortsgebundene naturwissenschaftliche Geschichtsforschung die gesellschaftlichen Voraussetzungen fehlten. Daher hat Varnhagen als eine Lösung dieser neuentstandenen geistigen Lage den politischen Zusammenschluss der europäischen Nationen als "Vereinigte Staaten von Europa" vorgeschlagen und die für ihn im Sinne der Geschichtlichkeit notwendigen Konsequenzen folgendermassen formuliert: "Ich sehe in allen Ereignissen nur die dringende Mahnung, unsren Standpunkt zu erhöhen und weitere Räume und grössere Zeiten in allgemeinem Überblick zusammen zu fassen. Es gilt nicht mehr ein einzelnes Volk, einen einzelnen Staat, es gilt gemeinsame Entwicklungen, die alle Nationalität durchbrechen und alle Staatsgränzen. Darauf deutet alles hin, war irgend geschieht ..." [86]

Mit diesem Ausblick auf die Zukunft entrückte Varnhagen seinem geographisch durch Berlin bezeichneten Standpunkt, und Nordamerika, dessen Lage er sich bereits 1848 innerlich vergegenwärtigt hatte [87], wurde allgemein für ihn zum politischen Leitbild. Erst damals rächte es sich aber, dass er nach der Abberufung aus Karlsruhe die ihm angebotene Bestimmung als Minister-Resident in Washington nicht angenommen hatte, und auch darin lag ein tragisches Moment [88]; denn um seine liberale Gesinnung richtig glaubhaft machen zu können, fehlte ihm später die entsprechend konkrete Welterfahrung, die beispielsweise Tocqueville während seines Aufenthalts in Nordamerika erworben hatte und durch die es ihm, wie auch Alexander von Humboldt, gelang, für seine rationalistisch gefärbten Anschauungen eine im einzelnen damals noch nicht zu überprüfende realistische Voraussetzung zu schaffen [89]. Solange Varnhagen dagegen imstande blieb, die neuen Entwicklungen verstandesmässig nur aus gesellschaftlichen Beziehungen abzuleiten, und dazu keiner persönlichen Anschauung mehr bedurfte, konnte er wenigstens die geistigen Veränderungen im Zeitgeschehen mitverfolgen. Dabei verharrten die

---

ebda S. 230f. Vgl. auch R. Vierhaus. Rankes Verständnis der "neuesten Geschichte", a.a.O. S. 98.

[86] Varnhagen an Marie d'Agoult, Berlin 27. Feb. 1852: Paris Bibl. Nat. N.A.F. 25189 Bl 137-138. Vgl. J. Vier. La comtesse d'Agoult et son temps V, 178. Ferner Varnhagens Notizen, Im Jan.; 29. Jan.; 22. Mai 1850: Tgb VII, 2; 41; 190. Vgl. C. Misch, a.a.O. S. 121.

[87] Vgl. oben S. 255. Ferner auch Varnhagen an M. d'Agoult, Berlin 27. Feb. 1852: Paris Bibl. Nat. N.F.A. 25189 Bl 137-138 "... ein Schlusswort ..., das ich schon im Jahre 1848 öfters gesagt: Europa wird ein Ganzes werden, ein Bund vereinigter Staaten".

[88] Vgl. Varnhagen an Troxler, Karlsruhe 21. Sept. 1819: Troxler-Bfw S. 206. Varnhagen an Kerner, Karlsruhe 20. Sept. 1819: Kerner-Bfw I, 491f. Dazu Kerner an Varnhagen, 29. Sept. 1819: Briefe von Justinus Kerner an Varnhagen von Ense, a.a.O. S. 72. Dagegen Rotteck an Varnhagen, Freiburg 1. Mai 1824: Rotteck-Bfw S. 244f. Vgl. H. Haering, a.a.O. S. 157. Dkw IX, 623f. VI³, 157ff. C. Misch, a.a.O. S. 70f.

[89] Vgl. dazu P. Stadler. Geschichtschreibung und historisches Denken in Frankreich 1789-1871, S. 229ff.; 233. Ferner L. Döring, a.a.O. S. 33.

von ihm geförderten Autoren und vor allem er selbst in einem Lebenszustand, in welchem sie sich bespielsweise von den Herausgebern der Monumenta Germaniae historica unterschieden, obschon sie als wissenschaftliche Forscherkreise beide denselben gesellschaftlichen Ursprung hatten.

Mit seinem Plan, in den wichtigen städtischen Zentren des Deutschen Bundes "besondere örtliche Gesellschaften" zu gründen und dadurch die Erforschung mittelalterlicher Schriftquellen systematisch zu fördern, hatte der Freiherr vom Stein eine revolutionäre Idee erneuert, deren politische Wirkung unabhängig von der wissenschaftlichen Begründung keinem Politiker verborgen bleiben konnte, der wie Metternich zum Beispiel jede gesellschaftliche Erscheinung als politische Bedrohung des Bestehenden empfand [90]. Für ihn, dessen Politik auf den pragmatischen Richtlinien der europäischen Staatenordnung beruhte, war alles national beschränkte Politisieren ein unverantwortliches Tun, und diese Einsicht festigte sich gleicherweise auch in Varnhagen immer mehr, nachdem er das Jahr 1848 erlebt hatte. Bei aller Neigung, die er nämlich für den preussischen Pragmatismus des 18. Jahrhunderts und allgemein für die Geschichte Preussens hegte, beobachtete er die Befürworter einer nationalen Geschichtsauffassung mit um so grösserem Misstrauen, je weniger sie ihrerseits sich ihrer eigenen geistigen und gesellschaftlichen Zugehörigkeit bewusst werden wollten. Ganz als Zeitgenosse konnte er diesen Vorwurf beispielsweise gegen Rudolf Haym richten, der, ohne Gentz, Wilhelm von Humboldt und Hegel persönlich gekannt zu haben, trotzdem über alle drei geschrieben hatte und bei seiner Kritik an Hegel eine Autorität verleugnete, der er noch dazu seinen eigenen Standpunkt verdanken musste. Denn wie einheitlich Varnhagen innerhalb einer Epoche die zeitgenössische Gesellschaft sah, zeigt sich daran, dass er nach den Angriffen gegen Hegel Haym sein Vertrauen grundsätzlich entzog und auch sein Buch über Humboldt nicht mehr mit der bisherigen Anerkennung beurteilen wollte [91].

Noch entschiedener äusserte sich dagegen Varnhagens Ablehnung aller historisierenden Betrachtung des Mittelalters und der daraus entstehenden Folgen für die Gegenwart. Die Geschichtlichkeit des mittelalterlichen Staatsgefüges hatte für ihn von vornherein überhaupt keinen Zusammenhang mit der seit der französischen Revolution einsetzenden Neuordnung der Gesellschaft, und was deshalb Savigny und die Historische Schule als geschichtliche Notwendig-

---

[90] Vgl. Stein an Eichhorn, Frankfurt a.M. 26. März 1816: Stein-Bfw V, 306. Pertz an Stein, Wien 24. Aug. 1821: Stein-Bfw VI, 28f. Vgl. R. Hering. Freiherr vom Stein, Goethe und die Anfänge der "Monumenta Germaniae historica", Jahrbuch des FDtHSt (1907) S. 301; 297. Ferner Bericht eines französischen Geheimagenten über die Gründung der "Monumenta Germaniae Historica", Frankfurt a.M. 24. Aug. 1819: Französische Geheimberichte zur Geistesgeschichte Deutschlands, HZ 157 (1938) S. 542f.
[91] Vgl. Varnhagens Notizen, 17. April; 20. Mai 1856; 2. Juni; 9.; 12. Feb. 1857: Tgb XII, 437f.; XIII, 20; 410; 316; 319. Dazu Varnhagen an C. R. Lessing, Berlin 15. Feb. 1857: Carl Robert Lessings Bücher- und Handschriftensammlung II/2, 306. Ferner Varnhagens Notizen, 5.; 6. Jan.; 15. Feb. 1858: Tgb XIV, 172f.; 175; 210. Varnhagen an Rosenkranz, Berlin 16. Feb. 1858: Rosenkranz-Bfw S. 226f.

keit aus dem Mittelalter herleiteten, konnte nach Varnhagens Geschichts-auffassung keine entsprechende Unmittelbarkeit voraussetzen [92]. Nur der politische Anspruch, den die neue Geschichtswissenschaft an die damals bereits bestehenden staatsrechtlichen Voraussetzungen zu knüpfen schien, war für Varnhagen sogleich zu ersehen, und was dementsprechend die Verantwortlich-keit betraf, musste die ganze Frage zunächst mit der Besetzung des Kultus-ministeriums zusammenhängen, über dessen innere Vorgänge er durch Johannes Schulze genügend Bescheid wusste [93].

Der Ministerwechsel im Jahr 1840 begünstigte nämlich die Gruppe um Savigny und damit eine politische Richtung, zu der sich Varnhagen ebenso im Gegensatz fühlen musste wie Hardenberg zu derjenigen Steins. Unter Altenstein dagegen war ein weltbürgerlicher Geist vorherrschend gewesen, dem beispielsweise auch Hegel sich nicht hatte entziehen können, und dem er sich auf Kosten seines persönlichen Einflusses beugen musste. Solange aber in diesen Kreisen die liberale Gesinnung ausschlaggebend blieb, und sich bei Altenstein vor allem in der akademischen Berufungspolitik auswirkte [94], kam Varnhagen mit ihm in ein ebensowenig persönliches Vertrauensverhältnis wie seinerzeit mit Hardenberg, und bei aller Hochachtung, die er für Altenstein fühlte, beklagte er sich doch zum Beispiel über die Verzögerungen, die durch ihn beim Erscheinen der Hegelschen Jahrbücher entstanden [95]. Während Varnhagen also mit ihm vor allem in allgemeinen Fragen der Gesinnung und Gesellschaft übereinstimmte, hatte er zu seinem Nachfolger eine viel engere Beziehung. Denn Eichhorn war früher dem Tugendbund nahegestanden, hatte in der Steinschen Zentralverwaltung gewirkt und von dieser Tätigkeit eine anonyme Schrift veröffentlicht, die Varnhagen damals zum Anlass nahm, um wie auch an anderen Stellen Eichhorns Verdienste anzupreisen. Nach dem Wiener Kongress war er dann einer der ersten gewesen, die Stein in den Plan der Monumenta eingeweiht hatte, aber gleichzeitig gehörte er auch in den liberalen Kreis von Gesinnungsgenossen, als Varnhagen noch in Karlsruhe weilte. Was daher die Wandlung betraf, die Eichhorn als Minister zuletzt auf die Seite der Konservativen drängte, musste sie Varnhagen geradezu als eine Art Verrat erscheinen sein [96]. Doch die Tatsache, dass auch in der Person des

[92] Vgl. Varnhagens Notizen, 9. Sept.; 13. Nov. 1842; 21. Feb.; 30. April 1847: Tgb II, 98; 117; IV, 33; 79. Ferner Varnhagen. Kritisches. In: Preussische Ständesache: Tgb IV, 23f. Vgl. auch [Varnhagens Artikel] Frankfurt, den 18. April, AaZ (1817) S. 259f. Zur Verfasserschaft vgl. C. Misch, a.a.O. S. 171. Ferner vgl. oben S. 19; 266f.
[93] Vgl. dazu auch oben S. 186f. u. A. 24.
[94] Vgl. C. Varrentrapp, a.a.O. S. 435.
[95] Vgl. Varnhagen an Cotta, B[erlin] 17. Okt. 1828: SNM Cotta-Archiv Nr. 139 "Hr Minister von Altenstein ist erst dieser Tage hier angekommen; auch mit ihm hat sich die Sache sehr verspätet, doch hoffen wir, dass von dieser Seite etwas geschehn werde". Ferner Varnhagen an Cotta, Berlin 15. Okt. 1829: SNM Cotta-Archiv Nr. 144 "Der Mann weiss seine Wege nicht zu finden, sonst wäre längst alles in Ordnung, denn das Ziel ist ihm ernst und wichtig und er wird es auch zuverlässig erreichen, – aber der Ärger und die Arbeit bis dahin!" Vgl. auch Varnhagens Notiz, 30. April 1840: Tgb I, 173. Vgl. Varnhagen an Ölsner, Karlsruhe 22. Jan. 1819: Ölsner-Bfw I, 229f.
[96] Vgl. Varnhagens Notizen, 30. April 1840; 26. Mai; 7. Dez. 1841; 21. Jan.; 8. Sept. 1842; 17. April 1843: Tgb I, 172; 303; 375; II, 15; 97; 175. Dagegen Varnhagens

Ministers Thile sogar ein ordentliches Mitglied des Tugendbundes auf die antiliberale Seite übergegangen war [97], zeigt, inwiefern bei gemeinsamen gesellschaftlichen Voraussetzungen verschiedene politische Richtungen Wirklichkeit werden konnten, und im Hinblick darauf verteidigte Varnhagen seinen weltbürgerlichen Standpunkt zu Recht als einen dem nationalstaatlichen übergeordneten.

Notizen, 8.; 23. Jan. 1841: Tgb I, 262; 268. Dazu Varnhagen an Cotta, Frankfurt a.M. 1. Juli 1816: SNM Cotta-Archiv Nr. 52 "Eichhorn hat etwas zu Gunsten der Mediatisierten geschrieben; Sie kennen Eichhorn, und ich brauche Ihnen nicht erst zu sagen, dass wenn Eichhorn Aristokratisches verficht seine Absicht keine aristokratische ist. Doch darüber mündlich!" L. v. Gerlachs Notiz, 3. Sept. 1815: Aus den Jahren preussischer Not und Erneuerung, S. 161. Ferner vgl. Varnhagens Notizen, 4.; 22. März 1842: Tgb II, 30; 43 u.ö. ebda. Dazu H. H. Houben: Tgb XV, 89f. – Vgl. M. Lenz. Geschichte der Universität zu Berlin II/2,5. Stein an Eichhorn, Frankfurt a.M. 26. März 1816: Stein-Bfw V, 306. Dazu vgl. oben S. 119f. u. A. 17 u. 18. Ferner H. Bresslau. Geschichte der Monumenta Germaniae historica, a.a.O. S. 8ff.
[97] Der Tugendbund, S. 34.

IX. SCHLUSS   Zeitbetrachtung als Lebensgefühl.

Innerhalb der deutschen Geschichtschreibung hat Varnhagen keinen festen Platz erhalten. Diejenigen, die wie Theodor Mundt und Rudolph Gottschall seine Rolle als Historiker hervorgehoben haben, waren ihm persönlich freundschaftlich verpflichtet gewesen, und obschon sie daher seinen Ehrgeiz als Forscher kennen mussten, konnten auch sie ihm keine einwandfrei historiographischen Verdienste nachrühmen [1]. Sein Verhältnis zur Geschichte stand unter Voraussetzungen, die er selbst in der Realität erst allmählich zu erweisen versuchte und die sich umgekehrt von vornherein an keine metaphysische Fragestellung knüpfen liessen. Aus diesem Grund war er nicht nur kein zünftiger Geschichtschreiber, sondern auch kein historischer Denker, und was ihn schliesslich überhaupt in den 'Bann der Geschichte' zog, blieb auf den Raum seiner eigenen historischen Existenz beschränkt. Grundsätzlich umfasste dabei seine Lebensgeschichte zugleich die geschichtliche Welt, in der er sich zurechtzufinden vermochte. Ereignisse, die deshalb seinem persönlichen Erfahrungsbereich nicht angehörten, hätte er nur als geistige Denkvorgänge ohne konkrete Beweise beurteilen können, und je schlechter er sich dabei von seinem Standpunkt löste, desto schwieriger musste es ihm fallen, den entsprechend notwendigen Überblick zu gewinnen. Varnhagen hat daher bei allen seinen historiographischen Versuchen den Bezug zu seiner eigenen existentiellen Wirklichkeit nie völlig preisgegeben, aber innerhalb der damit festgelegten Begrenzung blieb er trotzdem jeweils bestrebt, die Beweglichkeit seines Standpunkts wenigstens geographisch zu erhalten.

Die höchste geistige Erlebnisstufe erreichte er in den Jahren 1813 und 1848 anlässlich der Befreiung und Verteidigung Hamburgs sowie während der Berliner Märztage, wobei in beiden Fällen die Ereignisse eine Wendung nahmen, die den realistischen Voraussetzungen widersprach und sich ihm eine geistige Deutung geradezu aufdrängte. Faktisch waren nämlich die Besetzung Hamburgs und der Rückzug der Gardetruppen aus Berlin in gleichem Masse fragwürdig gewesen, und wie sich nur schon an diesen Beispielen zeigte, wusste Varnhagen, dass die geschichtliche Betrachtung eine Beweglichkeit des Standpunkts und damit ein Abstrahierungsvermögen erforderte, dessen er selbst auch durchaus fähig sein konnte, sofern es sich um eine zunächst reale Begebenheit handelte, die nicht kausal verlief. Dazu hat Varnhagen in den

---

[1] Vgl. T. Mundt. Geschichte der Literatur der Gegenwart, S. 529f. Ferner R. Gottschall. Die deutsche Nationallitteratur I, 431f. Dazu auch H. Koenig. Erinnerungen an Varnhagen von Ense, a.a.O. S. 59.

'Beyträgen zur allgemeinen Geschichte' eine Sammlung von Anekdoten angelegt, in denen sich ihm trotz seiner existentiellen Verstrickung jeweils ein universalhistorischer Ausblick öffnete, und gegenüber Ranke, dessen "Absicht" es gewesen war, "die Mär der Weltgeschichte aufzufinden", hatte Varnhagen im Rahmen seiner universalgeschichtlich begrenzten Möglichkeiten, das entsprechende Ziel schon immer nahe vor Augen gehabt, sodass es über ihn wohl kein tiefsinnigeres Wort geben konnte, als wenn Goethe die Lebensbeschreibungen im ersten Band der 'Biographischen Denkmale' "Weltmärchen" nannte. So, wie Ranke aber allmählich den Zugang zur Weltgeschichte fand [2], vermochte Varnhagen sich nicht in die Geisteswelt der Vergangenheit zu vertiefen; denn sobald er die Geschichte in ihrer geistigen Gestalt betrachtete, entrückte sie für ihn im Sinne Lessings und Rahels jeder zeitlichen Ordnung [3], und um geschichtliche Zusammenhänge durchschauen zu können, durfte er deshalb umgekehrt seinen materiellen Lebensraum gar nicht verlassen.

Varnhagen erwarb sich nämlich in der diplomatischen Gesellschaftssphäre zwei von einander unabhängige Fertigkeiten, die ihm auch als Historiker zustatten kamen; erstens beherrschte er das pragmatisch aufgebaute, politische Gleichgewichtsdenken des 18. Jahrhunderts [4] und zweitens den publizistisch verschleierten Stil des verantwortlichen Politikers. Beides wurden innerhalb seiner Geschichtschreibung formale Gesichtspunkte, deren Anwendbarkeit von den äusseren Umständen abhing; doch sobald er wie in den Jahren 1813/14 zunächst faktisch und danach im Hinblick auf seine existentielle Gefährdung überhaupt einen Kriegszustand voraussetzte, erwies sich seine formale Betrachtungsweise als durchaus angemessen. Denn der Krieg schuf Beweggründe, die sich direkt aus konkreten Anlässen erklären und keinen höheren geschichtlichen Zusammenhang aufzeigen mussten; doch war Krieg auch nur *eine* mögliche Bedingung, um Varnhagens existenzbezogener Geschichtsauffassung reale Gültigkeit zu verschaffen. Solange es nämlich grundsätzlich nur um eine Gefährdung ging, konnte auch Krankheit dasselbe bedeuten; denn die universalhistorische Sicht blieb in beiden Fällen bestehen, sofern das Ergebnis eine Widersprüchlichkeit klarstellte. Ein Beispiel dafür war es deshalb auch, wenn Varnhagen während der Choleraepidemie in Berlin beobachten konnte, dass der Medizinalrat Barey wie immer seinen Geburtstag zu feiern imstande war, obschon er am Tag davor die erste "Choleraleiche" seziert hatte, und entsprechend seiner weltgeschichtlichen Erfahrung bemerkte Varnhagen dazu bloss: "So geht um die Welt! Das Widerstreitendste immer dicht zusammengepackt!" [5] Daneben entwickelte sich aber noch eine weitere Bestimmung des Menschen, die für Varnhagens gesamtes geschichtliches Bewusstsein grundlegend war, insofern

---

[2] Vgl. Kanzler v. Müller nach Goethe, 31. März 1823: Goethes Gespräche IV, 221. Vgl. Ranke an H. Ranke, Berlin 24. Nov. 1826: L. v. Ranke. Neue Briefe, S. 89f. Ferner vgl. oben S. 17ff.; 47f.; 264f.
[3] Vgl. oben S. 11ff.
[4] Vgl. oben S. 123.
[5] Vgl. Varnhagen an D.u.R.M. Assing-Varnhagen, Berlin 31[sic!] April 1831: L. Geiger. Berliner Berichte aus der Cholerazeit 1831-1832, a.a.O. S. 189.

unter dem Eindruck der Erkrankungsgefahr das Verhalten des Einzelnen vorbildlich wurde, und Rahel hat diese Tatsache auch anschaulich festgestellt, wenn sie bemerkte: "Alle Menschen haben jetzt Kaffee vor sich, nie Bier; führen sich exemplarisch auf." [6] Aber schon vorher hatte sie, als sich in den äusseren Gewohnheiten der Bevölkerung eine Veränderung zum Guten abzuzeichnen begann, ausgerufen: "Bliebe dies auch in gesunden Tagen so!" [7], und Varnhagen selbst hat seinen historiographischen Standpunkt vielleicht nirgends so geistreich veranschaulichen können wie in einem seiner damaligen Schreiben, in welchem er meinte: "Wir wollen noch in künftigen Jahren von diesen Katastrophen als glücklich vergangenen zusammen reden!" [8]

Was diese Ankündigung geistreich machte, entsprang dem Witzigen, das seinen 'Beyträgen zur allgemeinen Geschichte' zugrunde lag, nur war er dabei selber der Gegenstand jener Wandlung, die seiner Auffassung nach den Inbegriff alles Geschichtlichen kennzeichnete [9]. Indem er nämlich seinen Standpunkt in die Zukunft verlegte, entrückte er dem Bereich, in welchem seine Handlungen von vornherein durch materielle Notwendigkeiten bestimmt waren, und umgekehrt hat er vergeblich versucht, sich als realistisch handelnde Person im Leben durchzusetzen [10]. Er hat die angebliche "Katastrophe" seiner Abberufung erfahren, aber die Tatsache, dass er sich damals nicht verantworten durfte, musste ihm als genügender Hinweis ihrer Gefahrlosigkeit gelten [11], und demgegenüber ist wohl nur ein einziges Ereignis näher bekannt, anlässlich dessen Varnhagen eine rein personale Verantwortlichkeit zu beweisen hatte. Es handelte sich dabei um eine Episode aus der Zeit, da er in österreichischen Diensten stand und sein damaliger Oberst, Prinz von Bentheim, erkrankte. Seine 'Denkwürdigkeiten', die den Krankheitsverlauf und die Begleitumstände im einzelnen schildern, sind nun zwar eine einseitige Quelle dafür, aber wenn er sich auf seine medizinischen Kenntnisse etwas zugute hielt und dem Obersten schliesslich sogar das Leben gerettet haben wollte, war er doch insofern zu einer ausführlichen Würdigung seiner Verdienste berechtigt, als sein ehemaliges Medizinstudium keine Vorspiegelung falscher Tatsachen war. Entscheidend war jedoch in diesem Fall nur, dass er sein Wissen anwenden konnte und überhaupt etwas Realistisches tat, wobei er gegen den Willen der rangmässig höhergestellten Militärärzte handelte. So, wie er nämlich den Sachverhalt darstellte, erreichte er seine Absicht erst, indem er geradezu drohte, die Verantwortung übernehmen zu wollen. Denn die Begründungen, er werde sich "der Verantwortung nicht feige ... entziehen" oder umgekehrt "nicht verantworten", was im Gegensatz zu seinen Anweisungen stände, waren psychologisch geschickte Äusserungen, in denen seine personale Verantwortlichkeit nie in

[6] Rahel an L. Robert, 30. Sept. 1831: ebda S. 190.
[7] Rahel an L. Robert, 20. Sept. 1831: Rahel. Ein Buch des Andenkens III, 524.
[8] Varnhagen an Cotta, Berlin 21. Sept. 1831: SNM Cotta-Archiv Nr. 163.
[9] Vgl. oben S. 17f.
[10] Vgl. dazu K. Bömer. Varnhagen von Ense, ein "Offiziosus" von ehedem, a.a.O. S. 57. Ferner vgl. oben S. 22 u. A. 25.
[11] Vgl. C. Misch, a.a.O. S. 65f. Dazu vgl. auch oben S. 174f.

Frage gestellt war, und durch sie versuchte er nur, den Divisionär, mit dem er sich besprechen musste, allmählich von dessen eigener Verantwortlichkeit zu befreien. Dabei hatte Varnhagen den Vorteil, dass er im Unterschied zu seinem Vorgesetzten kein iuristisches Verantwortungsgefühl besass und nicht den Rang, sondern die Tauglichkeit in Zweifel zog, und wenn dadurch allgemein auch der Rang keine Gewähr mehr zu bieten schien, war dies doch nicht von vornherein seine politische Absicht gewesen. Nachdem er aber die Erlaubnis einmal hatte, "so zu verfahren, wie" er "es vor Gott und" seinem "Gewissen rechtfertigen" konnte [12], war sein Handeln von jeder realen Verpflichtung befreit, und die revolutionäre Triebkraft einer solchen Haltung hat sich bei ihm grundsätzlich nie völlig verschleiern lassen. Schmeichelhaft bleibt es dagegen trotzdem für ihn, dass seit den Befreiungskriegen sein indirekter Gegner immer wieder kein geringerer als Metternich war [13].

Die Frage des Verschleierns ist bei Varnhagen vielleicht die verhängnisvollste. Gelöst hat er sie im Bereich des sprachlichen Ausdrucks, aber daneben konnte er sie allgemein auch überwinden, wenn er realistisch auf eigene Verantwortung zu handeln begann. Wie das Beispiel mit Bentheim zeigt, verlor er unter dieser Voraussetzung auch am ehesten die innere Furcht vor der existentiellen Gefährdung; denn während er sich beispielsweise noch in den 'Beyträgen zur allgemeinen Geschichte' die Trennung zwischen dem geistigen und realen Existenzbereich vergegenwärtigte, hatte er, sowie er eine personale Verantwortung übernahm, sein entsprechendes Standortsgefühl verdrängt. Daher konnte er umgekehrt durch sein eigenes Selbstbewusstsein für die Umwelt gefährlich werden, und diese Wirkung bestätigt ein Ausspruch der Prinzessin Luise, die gesagt haben soll, dass Varnhagen "am meisten zu fürchten sei", wenn er rechtfertige [14].

Als Schriftsteller und Publizist stand er dagegen von vornherein in einem anderen Verhältnis zur Realität; denn insofern sein Handeln sich darin erschöpfte, dass er schrieb und drucken liess, war er doch nicht mehr unmittelbar für die Folgen seiner Tätigkeit verantwortlich, und damit rückte für ihn auch die Frage des Standpunkts wieder ins Blickfeld. Solange diese Frage aber nicht dringlich zu sein schien, war es möglich, ihre Lösung im Faktischen aufzuschieben, und dazu fanden sich in der Manier des publizistischen Stils verschiedene Mittel, wobei im Sinne der Verantwortlichkeit in allem, was der Verfälschung von Tatsachen diente, die persönliche Verpflichtung am stärksten sein musste. Je gewissenhafter er daher als Publizist seinen Gegenstand auffasste und je mehr Belege er heranzog, desto weniger schien er geneigt zu sein, personale Verantwortung zu übernehmen und desto weniger konnte er demnach für seine blosse Person Vertrauen erwecken. Unter dieser Voraussetzung war

---

[12] Vgl. Aus Varnhagen's Denkwürdigkeiten. Rheinisches Jahrbuch, 1 (1846) S. 189f. Dkw VIII, 28f. II³, 297f.
[13] Vgl. dazu oben S. 37; 123; 159.
[14] Vgl. A. v. Humboldt an Varnhagen nach Luise [v. Radziwill?], Berlin 7. Nov. 1837: A. v. Humboldt-Bfw S. 49. Dazu vgl. F. Lewalds Notiz, 20. Jan. 1859: F. Lewald. Gefühltes und Gedachtes, S. 51. Dagegen L. Geiger, ebda. Vgl. dazu oben S. 161.

umgekehrt sogar jede Lüge berechtigt, sofern sie grundsätzlich nur einen politischen Anspruch geltend machte und keine faktisch verbindliche Feststellung sein sollte. Doch insofern nun der Geschichtsforscher von Beruf seine Auffassung durch Quellen zu erhärten versucht und gerade damit seine Vertrauenswürdigkeit als Wissenschaftler veranschaulichen möchte, liegt ein Verzicht auf politische Wirkung vor, deren er nur als lautstarker Verkünder unkontrollierbarer Angaben fähig sein könnte. Was seine Vertrauenswürdigkeit betrifft, muss er deshalb bei der Umwelt eine Loyalität voraussetzen, dank der er zunächst einmal keine politischen Rücksichten zu nehmen braucht. Aber diese Loyalität enthebt ihn schliesslich doch nicht völlig seiner personalen Verantwortung; denn sobald er seine Ansicht nicht nur vor sich selbst bestätigen, sondern auch allgemein in Geltung bringen will, vermag er die dazu notwendigen politischen Richtlinien nicht zu umgehen, und es ist geschichtlich nur so zu begreifen, wenn Varnhagen die Geschichtschreibung von vornherein nach ihrer Wirkung als eine politische Tätigkeit einschätzte und daher in der historischen Quellenkritik kein menschlich entscheidendes Verdienst anerkannte. Im Hinblick auf die Verantwortlichkeit des Historikers war für ihn die Forschung umgekehrt eine Art Flucht, und er selbst hat diesen Ausweg immer wieder gesucht und benützt. Sowie er aber bei seinen historiographischen Schriften genaue Quellenzitate und "alles, ... was blosser Luxus bei der Sache" sei, vermied, wurde er sich jeweils sogleich über seine politische Aufgabe klar, und in diesem Sinn hat er auch Dahlmann sein uneingeschränktes Vertrauen aussprechen dürfen [15].

Dabei war für Varnhagen eine eindeutige Unterscheidung zwischen quellenkritischer und politischer Geschichtschreibung nur denkbar, wenn sie auf stilistischen Merkmalen beruhte, und dementsprechend veranschaulichte er im Stil sogar seine politische Überzeugtheit, ohne jedoch deren parteimässige Richtung dadurch zu verraten. Ebenso pflegte er aber in kritischen Fragen seine eigenen Worte gewissermassen als politische Lüge zu verschleiern, und sofern er nun voraussetzte, dass kein Missverständnis herrschte, wandte er sich an alle jene, die er seinem Denken nach als "Gleichgesinnte" erachten durfte. Denn von ihnen glaubte er ein ausreichendes Verständnis erwarten zu dürfen, um auch den im Sinne Rahels wahren Inhalt einer Lüge realisieren zu können [16], und diese Art des Verstehens war weit mehr als nur Loyalität. In einem höheren Sinn war sie "Einweihung", die konkret meistens mündlich geschah und daher notwendig mit einem geselligen Anlass zusammenfallen musste. Die persönliche Begegnung bildete für Varnhagen eine grundsätzliche Voraussetzung seiner Geschichtschreibung, wobei es schliesslich sogar gleichgültig war, ob die zweite Person die betrachtete Begebenheit selbst als handelnder Teilnehmer, als Augenzeuge, als Zeitgenosse oder auch nur rückblickend als Historiker miterlebt hatte. Das Gespräch erwies sich für ihn als eine geradezu literarische Ausdrucksform,

---

[15] Vgl. Varnhagen. Vorwort. In: Dkm I, S. III. I², S. III. I³, S. V. Dazu vgl. oben S. 288.
[16] Vgl. oben S. 16f.

in der ein Gegenstand durch die Vielzahl der Stimmen notwendig mehrdeutig bleiben musste, und von dieser Tatsache zeugen am meisten Varnhagens 'Tagebücher', denn fast alle Nachrichten und Mitteilungen, die sie enthalten, gehen auf Gespräche zurück, und was in ihrer literarischen Überlieferung einseitig verzerrt zu sein scheint, hatte in der Sphäre des geselligen Anlasses sicherlich seine innere Berechtigung [17]. Der gesellschaftliche Zusammenhang ist daher bei Varnhagen jeweils mit ein Bestandteil seiner Feststellungen, der für deren Deutung erst die dazu notwendige Tiefe bewirken kann, und die Schwierigkeit, die sich daraus schon zu seinen Lebzeiten für eine dauerhafte Verständigung ergeben musste, blieb so lange bestehen, wie es an unmittelbarer Geselligkeit fehlte. Auch der Briefwechsel, den Varnhagen führte, bot nämlich nur einen künstlichen Ersatz dafür, und so erklärt sich schliesslich die in seinen Briefen befremdlich wirkende Zurückhaltung, die er sogar seinen gleichgesinnten Freunden gegenüber beobachtete.

Die Frage nach der Gesellschaft und seiner eigenen Stellung in ihr war für Varnhagen stets eine der dringlichsten, und erst ihre Lösung ermöglichte, dass er jeweils eine unmittelbare Anschauung der Geschichte gewann. Das Literarische, soweit es sich in Geselligkeit umsetzen liess, fand er vor allem im Bereich der Politik als Rhetorik, aber auch schon im persönlichen Verkehr mit Dichtern, Schriftstellern, Verlegern und Buchhändlern, im Theater, in den Räumen der Bibliotheken und Lesegesellschaften und schliesslich überall, wo er sich der Lektüre widmen konnte oder wo er selber zur Feder griff. Varnhagen hat nicht zuletzt die Tätigkeit des schriftlichen Fixierens als die geradezu existentielle Voraussetzung der Geschichtschreibung empfunden, und darin zeigte sich bei ihm zugleich sein Sinn für die entsprechend notwendige künstlerische Gestaltung des geschichtlichen Stoffes [18]. Die Sprache war für ihn sogar ein Stilmittel, das er optisch anzuwenden vermochte; denn ebenso wie er in seinen eigenen handschriftlichen Aufzeichnungen und Schreiben auf die äusserlich formschöne Darstellung wert legte, konnte er umgekehrt die Manuskripte anderer willentlich mit der Schere verstümmeln, um dadurch ganz materiell ihren Aussagewert zu vermindern [19]. Was daher grundsätzlich sein Verhältnis zur Sprachlichkeit der Geschichte betraf, unterschied sich Varnhagen wiederum vor allem von Ranke, der in dieser Beziehung ständig um den Ausdruck seiner historischen Formulierungen ringen musste und seinen Stil bis

---

[17] Vgl. dazu Bismarck an seine Schwester, Petersburg 17/5. Jan. 1862: [O. v.] Bismarck. Briefe I (= Die gesammelten Werke XIV, 582). Ferner H. H. Houben. Varnhagen von Ense, a.a.O. S. 324.
[18] Vgl. dazu Varnhagens Rezension, JfwK 1 (1837) Sp. 525 "Ihre höchste Erscheinung aber hat die Geschichtschreibung als Kunst". VSchr IV, 358. V², 473. Vgl. auch VSchr II, 338f. V², 278.
[19] Vgl. R. Steig. Achim von Arnim und Clemens Brentano (= Achim von Arnim und die ihm nahe standen I, 295; 316 A. 1.) Ferner L. Brentano, a.a.O. S. 267. – Vgl. A. Weill. Varnhagen von Ense. In: Genrebilder aus Berlin. Zeitung für die elegante Welt, 2 (1843) S. 1007. M. Ring. Varnhagen von Ense und der letzte Berliner Salon, a.a.O. S. 83; Erinnerungen II, 89. Ferner auch Rahel an K. Woltmann, Wien 29. Nov. 1814: Rahel. Ein Buch des Andenkens III, 246.

ins hohe Alter immer zu verbessern bestrebt war [20]. Dieselbe Schwierigkeit aber, die bei ihm auf den Vorgang des Schreibens beschränkt blieb, lag bei Varnhagen im Bereich des gesellschaftlichen Lebens, insofern es überhaupt erst die Voraussetzung für eine sprachliche Verständigung bilden sollte, und den inneren Zusammenhang ihrer beiden Standpunkte veranschaulichte jene Fragestellung, wie sie Troxler einmal andeutete, wenn er zunächst nach dem ''Wort der Zeit" fragte und darauf im Hinblick auf sich selbst erklärte: ''Ich ringe nach Lauten, aber der Mensch lernt nur in der Gesellschaft reden, und ich fühle, dass ich unendlich weiter wäre, lebte ich in ihr". [21]

Was Troxler bei dieser Bemerkung an persönlicher Erfahrung berücksichtigte, zeigt ihn durchaus auf der geistigen Höhe von Varnhagens 'Beyträgen zur allgemeinen Geschichte'; seine Schlussfolgerung reichte nämlich über den Bereich des literarisch Aussprechbaren hinaus und setzte sich damit unter Voraussetzungen fort, in denen das anfänglich Verschwiegene selbstverständlich wurde und deshalb gleichzeitig seine faktische Dringlichkeit verlor. Inwiefern aber Ranke als Historiker den Schutz einer bereits bestehenden gesellschaftlichen Verstehensgemeinschaft suchte, geht am deutlichsten aus seinen Beziehungen zu Rahel, Bettina und Varnhagen hervor; denn von ihnen übernahm er das gesellige Prinzip, das er stillschweigend seiner eigenen historischen Forschung und seiner Geschichtschreibung zugrunde legte. Doch den politischen Anspruch, wie er grundsätzlich in jeder geselligen Lebensform enthalten sein musste, hat er dabei offensichtlich nicht durchschaut und sich daher nur aus Mangel an persönlicher Rücksicht die Feindschaft des Varnhagenschen Kreises zugezogen. Ohne aber faktisch dieselbe Wirkung wie Ranke zu erzielen, hatte unter diesem Gesichtspunkt Fichte seinerzeit eine bedeutend tiefer gehende Einsicht bewiesen, nachdem er in seinen bereits 1794 gedruckten 'Vorlesungen über die Bestimmung des Gelehrten' erklärte, dass sich dessen Aufgabe von vornherein nur ''durch Beziehung auf die Gesellschaft" erfüllen lasse [22]. Fichte hatte diese Forderung später in seinem 'Erlanger Universitätsplan' wiederholt, wobei er nun ausdrücklich von einer ''Verwandlung der fortgehenden Rede in Unterredung" sprach und überhaupt den ''litterarischen" und dementsprechend auch gesellschaftlichen Charakter der Universitäten betonte [23].

Insofern Varnhagen aber Fichte darin folgte [24], übernahm er dessen Auffassung nicht nur dem sprachlichen Ausdruck und politischen Inhalt nach, sondern er versuchte sie zugleich auch praktisch zu verwirklichen, indem er als Historiker selbst gerade seinen gesellschaftlichen Standpunkt in Frage stellte und damit andrerseits den Bereich seiner Verantwortlichkeit individuell begrenzte.

---

[20] Vgl. Ranke an Reimer, Frankfurt a.d.O. 13. Nov. 1824: L. v. Ranke. Das Briefwerk, S. 66. Dazu H. F. Helmolt, a.a.O. S. 21. Ferner ebda S. 34. Dagegen auch Varnhagen an Ölsner, Berlin 11. Nov. 1825: Ölsner-Bfw III, 330.
[21] Troxler an Varnhagen, Beromünster 7. Sept. 1818: Troxler-Bfw S. 204. Vgl. E. Vischer. Troxler und Varnhagen, a.a.O. S. 134.
[22] J. G. Fichte's sämmtliche Werke VI, 293.
[23] Vgl. J. G. Fichte. Ideen für die innere Organisation der Universität Erlangen. In: W. Erben. Fichte's Universitätspläne, S. 52; 57.
[24] Vgl. dazu Dkw I², 351. I³, 316.

Dabei hatte in diesem Sinn schon Fichte von vornherein die "Bestimmung des Gelehrten" einschränkend betrachtet und den Begriff "Gesellschaft" so umrissen, dass unter ihr "nicht etwa bloss der Staat, sondern überhaupt jede Aggregation vernünftiger Menschen verstanden" werden konnten, "die im Raume beieinander leben und dadurch in gegenseitige Beziehungen versetzt werden" [25]. Für Varnhagen wurde diese Unterscheidung eine innere Voraussetzung seiner geschichtlichen Erlebnisfähigkeit, weil seine Auffassung der Geschichte nicht abstrakt an die Idee der Staatsräson, sondern an ein staatsmännisches Lebensgefühl geknüpft war, wovon historiographisch vor allem die Biographie Zinzendorfs zeugen kann, aber ebenso beispielsweise auch die kürzere Charakteristik Schlabrendorfs, den Varnhagen in seiner universalhistorischen Manier überspitzt "amtlos Staatsmann" nannte. Dort, wo deshalb in der Zeit das Verständnis für die Individualität und Eigengesetzlichkeit des Staates und damit auch die historistische Betrachtungsweise lebendig wurde [26], begann sich im Sinne Varnhagens ein politisches Verantwortungsbewusstsein zu regen, dessen Wirkung allerdings zunächst auf den Bereich eines gesellschaftlich begrenzten Kreises beschränkt blieb. Die Idee der Staatsräson konnte für Varnhagen kein geistesgeschichtlicher Begriff sein, sondern war eine existentielle Frage, die sich allgemein mit dem Schwinden der absolutistischen Herrschergewalt in Preussen immer heftiger aufdrängte und die erst dadurch eine Lösung fand, dass einzelne im Dienste der Geselligkeit entstandene Einrichtungen wie Theater, Lesegesellschaften, Universitätsseminare, aber auch rein briefliche Beziehungen eine politische Bedeutung erhielten [27].

Soweit sich nun in solchen Lebensräumen personale Verantwortlichkeit durchzusetzen vermochte, hatte auch Fichte seinen 'Erlanger Universitätsplan' ausgearbeitet und hatte er bereits früher durch die Freimaurerei eine politische Wirkung zu erzielen versucht. In einer weiteren gesellschaftlichen Verbindung, der er sich 1807 in Königsberg anschloss, fand er erneut Gelegenheit, seine entsprechend publizistischen Bemühungen fortzusetzen, und damals erschien der bezeichnende Aufsatz von ihm, in welchem er sich mit Machiavelli auseinandersetzte. Doch während sich durch diesen Gegenstand bei Fichte ein, wenn auch begrenztes, Verständnis der Individualität des Staates bemerkbar machte [28], ging es für Varnhagen immer noch um ein vor allem gesellschaftliches Ereignis. Machiavelli galt ihm nicht als der Begründer eines rationellen Staatsdenkens, sondern er sah in ihm ursprünglich nur den verantwortungsbereiten Bürger von

---

[25] Vgl. J. G. Fichte's sämmtliche Werke VI, 293. Ferner W. Erben. Fichte's Universitätspläne, S. 26.

[26] Vgl. Varnhagen. Graf Schlabrendorf, amtlos Staatsmann, heimathfremd Bürger, begütert arm. Historisches Taschenbuch, 3 (1832) S. 247. VSchr I, 142. IV², 422. I³, 340. Vgl. auch [Varnhagen] an Schlabrendorf, Steinfurt 3. Jan. 1811. In: Friedrich Wilhelm Meyern. Ein Briefwechsel aus dem Anfange unseres Jahrhunderts, LitZod (1835) S. 216. VSchr I, 309. IV², 625. II³, 60. Zur Verfasserschaft vgl. H. H. Houben. Bibl. Rep. III, 191 Z. 22ff. Dazu auch Varnhagens Notiz, 5. Sept. 1854: Tgb XI, 218. Vgl. oben S. 213f. Ferner F. Meinecke. Die Idee der Staatsräson, S. 23ff.

[27] Vgl. F. Valjavec, a.a.O. S. 229f.; 237ff.

[28] Vgl. F. Meinecke. Die Idee der Staatsräson, S. 438f.

Florenz, der als persönlicher Gegner der Medici alles unternehmen musste, um seinen eigenen politischen Wirkungskreis nicht zu verlieren, und in dieser Deutung glaubte er sich seinerzeit sogar von Ranke bestätigt zu sehen. Wie Varnhagen nämlich in seiner Rezension der Schrift 'Zur Kritik neuerer Geschichtschreiber' ausführte, hatte Ranke darin eine "klare Natürlichkeit und einfache Kürze" bewiesen, wie sie angeblich nur unter Berücksichtigung der gesellschaftlichen Verhältnisse denkbar sein konnte, und nur deshalb liess sich Varnhagen sogleich überzeugen, dass Ranke nach einer unmittelbaren Anschauung der Geschichte strebte und damit sogar die, wenn auch "geistreichen Erklärungen von Fichte" entscheidend ergänzte. In diesem Sinne betrachtete Varnhagen daher die "populare Parthei" und die "Medici", wie sie Ranke innerhalb der florentinischen Geschichte unterschied, ursprünglich als zwei gesellschaftlich und nicht politisch entgegengesetzte Gruppen [29].

Nachdem Machiavelli aber zu seinen Lebzeiten selber keine dauerhafte staatsmännische Leistung zu vollbringen vermochte und in seinen Schriften bloss grundsätzlich die verschleierte Gestalt des politischen Lebens enthüllte, verriet er für immer die politische Unschuld aller jener, die sich ihrer Verantwortlichkeit in einem noch nicht bestehenden Staatswesen auch noch gar nicht hatten bewusst werden können, und insofern musste er für die Zeit von Metternichs Restaurationspolitik geradezu als richtungsweisend gelten. Erst unter dieser Voraussetzung kam Varnhagen schliesslich zu seiner entschieden ungünstigen Auffassung von Machiavelli und zu dem Urteil, das er in einer späten Aufzeichnung vom Jahr 1854 ausgesprochen hat [30]. Er zeigte dabei für dessen Individualität kein historistisches Verständnis, sondern ging davon aus, dass nur in einem bereits bestehenden gesellschaftlichen Rahmen die Verantwortlichkeit den Verhältnissen angemessen aufzufassen sei, und diese Tatsache fand ihre Bestätigung wiederum durch Fichte, der nach dem Tilsiter Friedensschluss von Königsberg wieder abgereist war und nach Berlin zurückkehrte. Fichte brachte nämlich damals erste Nachrichten, die auf das Bestehen einer antinapoleonischen Widerstandsgruppe in Königsberg hinwiesen und in denen die frühesten Andeutungen dessen, was später der Tugendbund wurde, enthalten waren. Dabei befand sich unter den Zeugnissen, in denen sich dessen Existenz bereits anzukündigen schien, neben einer freiheitlich gestimmten Ode Stägemanns vor allem die Zeitschrift 'Vesta', in welcher Fichte gerade seinen Aufsatz über Machiavelli veröffentlicht hatte, und der Kreis, zu dem er auf diese Weise zu sprechen versuchte, war offensichtlich begrenzt und daher entsprechend auserlesen [31].

---

[29] Vgl. Zur Geschichtschreibung, S. 599. Dazu L. Ranke. Zur Kritik neuerer Geschichtschreiber, S. 201f. Ferner A. Elkan. Die Entdeckung Machiavellis in Deutschland zu Beginn des 19. Jahrhunderts, HZ 119 (1919) S. 444 A. 3. Vgl. auch F. Meinecke. Die Idee der Staatsräson, S. 445f.

[30] Vgl. Varnhagens Notiz, 17. März 1854: Tgb X, 476. Dagegen VSchr II, 435. V², 399f.

[31] Vgl. H. Freyer. Über Fichtes Machiavelli-Aufsatz, S. 4; 11. Dazu auch Dkw III, 31ff. I², 469ff. II³, 51f. Ferner vgl. P. Czygan. Neue Beiträge zu Max von Schenkendorfs Leben, Denken, Dichten I. Euphorion, 13 (1906) S. 792ff.

Was aber Machiavelli betraf, hatte er für die Gruppe um Varnhagen eine besondere Vertrautheit, und dazu gehörte es, dass Wilhelm Neumann damals Machiavellis 'Florentinische Geschichten' zu übersetzen begann und ebenso auch für die gemeinsam mit Varnhagen herausgegebene Gedichts- und Novellensammlung 'Erzählungen und Spiele' eine Übersetzung beisteuerte, deren Vorlage eine von Machiavellis Erzählungen war. Eine Episode aus den 'Florentinischen Geschichten' verwertete Neumann jedoch literarisch bereits in den 'Versuchen und Hindernissen Karls', und erst ein Jahr später erschien 1809 seine eigentliche Übersetzung im Druck [32]. Dabei hatte sich auch Varnhagen insofern an Neumanns Arbeit beteiligt, als er in dessen Auftrag Johannes von Müller den Vorschlag machte, eine "Vorrede und Anmerkungen" dazu zu schreiben [33]. Aber was Varnhagen von sich aus schliesslich doch nicht zu vermitteln vermochte, kam dafür in ähnlicher Weise durch den Aufsatz Fichtes zustande, und es war bezeichnend genug, dass er später in der von Fouqué und Wilhelm Neumann herausgegebenen Zeitschrift 'Musen' im Jahr 1813 aufs neue abgedruckt wurde [34].

Diese wenigen Umstände weisen nun doch darauf hin, dass Machiavelli eine in gewissen Kreisen, wenn auch nicht verstandene, aber wenigstens geläufige geschichtliche Persönlichkeit verkörperte, und Fichte selbst hat sich zunächst ganz unmittelbar zu Machiavelli bekannt, indem er bemerkte: "Wir kamen eben vorbei, und gewannen die Erscheinung lieb". Er verschleierte damit also den politischen Zweck, den er grundsätzlich verfolgte [35], aber nicht im Hinblick auf die Frage, inwiefern "Machiavells Politik" immer noch Geltung besitzen könnte [36], sondern angesichts der bereits bestehenden gesellschaftlichen Gruppierung, für die der Machiavellismus selbstverständlich zu werden begann, und unter dieser Voraussetzung wurde der Tugendbund faktisch die Verwirklichung dessen, was bei Machiavelli durch den Begriff der Virtù erst theoretisch umrissen war, nämlich eine im Sinne von "virtù ordinata" "organisierte Kraft" [37]. Während dagegen bei Montesquieu der Tugendbegriff noch einseitig ein republikanisches Prinzip beinhaltet hatte, beruhte er damals wieder in einem allgemeineren Sinn auf einem "sozialen Verantwortungsgefühl" [38], und so hat ihn auch Fichte verstanden, wenn er die Ursprünglichkeit bewahrte, mit der er sich anfänglich Machiavelli genähert hatte, und ausserdem noch den

[32] Vgl. [W. Neumann] Die Versuche und Hindernisse Karls. In: Der Doppelroman der Berliner Romantik I, 107ff. Dazu H. Rogge ebda II, 202. Ferner W. Neumann. Novelle vom Erzteufel Belfagor. Aus dem Italienischen des Nicolaus Machiavelli. In: Erzählungen und Spiele, S. 117ff.
[33] Vgl. Dkw III, 4. I², 445f. II³, 21.
[34] Vgl. H. Freyer, a.a.O. S. 4 A. 1.
[35] J. G. Fichte. Machiavell, S. 2. Vgl. H. Freyer, a.a.O. S. 10.
[36] J. G. Fichte. Machiavell, S. 19 u.ff. Vgl. H. Freyer, a.a.O. S. 9f.; 11f.
[37] Vgl. E. W. Mayer. Machiavellis Geschichtsauffassung und sein Begriff virtù, S. 20 u. A. 5. Ferner ebda S. 86f. Vgl. auch F. Meinecke. Die Idee der Staatsräson, S. 41.
[38] Vgl. F. Brüggemann. Der Kampf um die bürgerliche Welt- und Lebensanschauung in der neuesten deutschen Literatur des 18. Jahrhunderts. Deutsche Vierteljahrsschrift für Literaturwissenschaft und Geistesgeschichte, 3 (1925) S. 98f. Ferner J. G. Droysen. Vorlesungen über die Freiheitskriege I, 281ff.

Unterschied berücksichtigen konnte, der zwischen Virtü im Sinne von Bontà und im Sinne von Scelleratezza bestand. Fichte machte nämlich selbst geltend, "dass Machiavells Moral nicht etwa eine einzige, in sich selber geschlossene und zusammenstimmende Tugendhaftigkeit, sondern dass sie einzelne Tugenden zu Dutzenden habe", die "freilich ... weder untereinander, noch mit der Bestimmung eines Regenten zusammenstimmen wollten" [39].

Umgekehrt hat sich Fichte selber aber über die Fragwürdigkeit dieser Unterscheidung nicht getäuscht und in seinen entsprechenden "Real-Bemerkungen" zu Machiavelli meinte er dagegen einschränkend, "dass es ja nur eine *Tugend* gebe, da Tugenden nicht nach Schoken zu zählen seyen" [40]. Wenn es ihm deshalb trotzdem gelang, die Widersprüchlichkeit in sich selbst zu beseitigen, bewies er ein unmittelbares Stilempfinden, und von dieser ursprünglichen Gabe zeugt nicht nur der Aufsatz selber [41], sondern auch der Blick, mit dem er Machiavellis Sprache beurteilte. Fichte machte sich nämlich von vornherein klar, dass "wirkliche Tugenden" wie beispielsweise "eine weise Sparsamkeit, eine Strenge, die unerbittlich über die Ausübung des Gesetzes hält", in der "Volkssprache" die "Namen von Lastern, der Kargheit, der Grausamkeit" erhielten, und insofern sah er bei Machiavelli eine Wechselwirkung zwischen der "Beschränktheit der Einsichten" und der "Beschränktheit seiner Sprache". Indem er ihn daher vor unvorteilhaften Deutungen in Schutz nahm und jeder Beurteilung widersprach, sofern sie sich "nach Begriffen" richte, die ihm fremd seien und "nach einer Sprache, die er nicht" rede, zog Fichte die einzige entsprechend konsequente Folgerung. "Das allerverkehrteste aber", setzte er hinzu, "ist, wenn man ihn beurteilt, als ob er ein transzendentales Staatsrecht hätte schreiben wollen, und ihn Jahrhunderte nach seinem Tode, in eine Schule zwingt, in welche zu gehen er gleichwohl im Leben keine Gelegenheit hatte". Der existentielle Standpunkt, den Fichte damit vertrat, entsprach faktisch der politischen Stellung, in der sich Machiavelli den Medici gegenüber befand. Dabei lag das Gemeinsame in der Gefährdung ihrer beiden gesellschaflichen Existenzen, die sie jeder für sich im Bereich des Literarischen zu bewältigen suchten, und wenn nun Fichte als "die erste Pflicht des Fürsten ... die Selbsterhaltung; als höchste und einzige Tugend desselben, die Konsequenz" bezeichnete [42], bestimmte er zugleich auch die grundsätzliche Wirkungsweise des Tugendbundes.

Als eine gesellschaftliche Gruppierung ist der Tugendbund gerade angesichts der Bedrohung, die ihn umgab, nur ein literarisches Ereignis geblieben; denn solange die konkreten Gegebenheiten keine realistischen Massnahmen zuliessen, konnte sich ein politisches Ziel zunächst nur literarisch idealisiert verwirklichen lassen. Umgekehrt aber brauchten sich die Urheber dieser Idealisierung nicht verantwortlich zu fühlen, wenn sie sich für die realen Folgen ihrer meistens

[39] J. G. Fichte. Machiavell, S. 4. Vgl. E. W. Mayer, a.a.O. S. 15. Ferner L. v. Muralt. Machiavellis Staatsgedanke, S. 72.
[40] J. G. Fichte. Machiavell, S. 4 A. 1. Vgl. H. Freyer, a.a.O. S. 9f.
[41] Vgl. H. Freyer, a.a.O. S. 8; 9f.
[42] Vgl. J. G. Fichte. Machiavell, S. 4f. Vgl. dazu oben S. 239 A. 298.

publizistisch geäusserten Ideen verantworten sollten, und darin zeigt sich zur Genüge, inwiefern sich ihr geschichtliches Dasein durch ihren gesellschaftlichen Geist jeder historisch-kritischen Betrachtung entziehen konnte. Die Zugehörigkeit zum Tugendbund war gesinnungsmässig nicht an die ordentliche Mitgliedschaft geknüpft, und die Verneinung der Zugehörigkeit enthielt nicht grundsätzlich eine Ablehnung der Gesinnung. Zudem wechselte nicht nur ständig die Benennung und damit auch die äussere Gestalt der Gruppe, sondern überhaupt war die Eintracht sogar unter den Gleichgesinnten selbst häufig gestört, und es kam zwischen ihnen zu schweren Missverständnissen, die sich konsequenterweise in publizistischen Polemiken auszudrücken pflegten. Dabei war eines der seinerzeit am meisten umstrittenen Ereignisse die Besetzung Hamburgs durch Tettenborn; denn damals standen sich zugleich Gesinnungsgenossen dreier verschiedener Richtungen gegenüber, nämlich Holstein-Beck, Rist und Poel auf der dänischen Seite, Hess, Perthes und Beneke auf der hanseatischen und Tettenborn, Pfuel, Baersch und eine Reihe weiterer seiner Stabsoffiziere auf der russisch-preussischen Seite, der auch Varnhagen angehörte. Sein erster Gegenspieler wurde Rist, sein zweiter in Niebuhr ein weiterer Däne, sein dritter Hess, und schliesslich zerstritt er sich noch Jahrzehnte später mit Perthes [43], während er dagegen Poel zeit seines Lebens als einen unbescholtenen Mann verehrte. Als nach dem Wiener Kongress in Theodor Schmalz ein weiterer Gesinnungsgenosse, der übrigens sogar Scharnhorsts Schwager war, Verleumdungen gegen den Tugendbund ausstiess, stellte sich Varnhagen umgekehrt wieder hinter Niebuhr, der diesen publizistischen Angriff zurückwies [44]. In der folgenden Zeit bis zu den Beschlüssen von Karlsbad war das Feld der literarischen Befehdung in die diplomatische Berichterstattung verlegt, wobei Varnhagen selbst das Opfer von Verleumdungen wurde und seinen Posten an Otterstedt verlor, mit dem er am Wiener Kongress noch gemeinsam der engeren Vertrautengruppe um Stein angehört hatte [45]. Nach seiner Abberufung beschränkte Varnhagen sein literarisches Auftreten in der Öffentlichkeit auf Rezensionen in den Hegelschen Jahrbüchern, und dabei bildete die 'Abfertigung' an Schlosser, mit dem er aber einst ebenso gesinnungsmässig befreundet gewesen war wie mit den anderen seiner Gegenspieler, eine Ausnahme [46].

Im Bewusstsein solcher Verhältnisse, deren Widersprüchlichkeit dem "Eingeweihten" nicht entgehen konnte, entwickelte Varnhagen die ihm eigene Form

[43] Vgl. oben S. 57f.; 77ff.; 67ff. Ferner unten S. 313f.; 316ff.
[44] Vgl. Varnhagen an Troxler, Frankfurt a.M. 13. Dez. 1815; 6. Jan. 1816: Troxler-Bfw S. 83f.; 91f. MAL II, 234; 243f. Varnhagen an Perthes, Frankfurt a.M. 14. Dez. 1815: HH StA Perthes Nachlass I M 9b Bl 247-248 "Niebuhr hat mit seiner viel trefffliches enthaltenden Schrift kein Glück gemacht, ... wer gegen Schmalz auftreten will, der muss nicht vom Tugendbunde reden, auf den es dabei weder ankommt noch abgesehn ist, sondern mit der Wahrheit grade herausgehn, und dem Könige und dem Volk unerschrocken sagen, wo eigentlich der Streit und was er ist!" Dazu Dkw NF III (= VII), 245ff. IV³, 371ff.
[45] Vgl. oben S. 129ff.; 172.
[46] Vgl. oben S. 21f.; 274f.

'historistischen' Betrachtens, und er zeigte darin eine geistige Beweglichkeit, in der sich ganz konkret sein Sinn für das Individuelle und insofern auch für das Kleine und Unscheinbare auszubilden begann [47]; denn es war kein geschichtsphilosophisch begründetes Verstehen, sondern in seinem faktischen Bezug zur Gesellschaft geradezu ein Lebensgefühl. Dadurch, dass er aber seine historische Standortsgebundenheit nicht nur zeitlich, sondern auch örtlich und vor allem sozial auffasste [48], machte er sich einen Existenzbereich bewusst, den der Historiker vom Fach in der Regel selbst als geschichtliche Person für sich zu beanspruchen pflegt, und da Varnhagen kein Berufsinteresse vertrat, ist es nur begreiflich, wenn er von vornherein im Kreis der fachlich geschulten Geschichtsforscher keine würdige Aufnahme fand [49] und als Historiker ein Aussenseiter blieb. So, wie er sich dagegen persönlich zur Geschichte stellte, vermochte er sich in einem weit höheren Mass Rechenschaft zu geben, als es einem professionellen Wissenschaftler möglich sein konnte [50]; doch gerade darin lag bei Varnhagen das Fürchterliche seiner historiographischen Tätigkeit überhaupt, und darin war auch sein eigenes Dasein durch einen Widerspruch gekennzeichnet. Während er nämlich einerseits die örtlich und sozial notwendigen Voraussetzungen des historischen Berufs realistisch zu durchschauen glaubte, gelang es ihm andrerseits doch nicht, seine Einsicht für die Geschichtswissenschaft fruchtbar zu machen, und nur umgekehrt konnte er mit seinem für das Widersprüchliche geschärften Blick erkennen, inwiefern die Verfasser historiographisch wissenschaftlicher Schriften von zeitlichen Einflüssen abhängig waren und inwiefern somit der Anspruch auf Objektivität nur die Verschleierung der persönlichen Befangenheit bedeutete. Denn dazu brauchte er sich bloss vom Standpunkt des Zeitgenossen zu vergegenwärtigen, was ihn selbst bei der Lektüre eines Buches betroffen machte, und in dieser Beziehung sind die Anstreichungen in den Bänden seiner Privatbibliothek die allerbeste Quelle. So nämlich, wie zum Beispiel im Exemplar von Rankes 'Fürsten und Völker von Südeuropa' die Striche gesetzt sind, auch wenn sie, was nicht auszumachen ist, von Rahel stammen sollten, entsteht daraus eine Sammlung aphoristischer Bemerkungen, in deren Pointierung der ganze geistreiche Charakter des Salongesprächs enthalten sein muss; denn es ist freilich nicht zu bestreiten, dass Varnhagen zu Recht an sich selber dachte, wenn Ranke von Karl V. erzählte: "Indem er nun harren musste, behielt er seine Feinde unausgesetzt im Auge... *Endlich kam die Gelegenheit, die günstige oder die dringende Stunde doch. Dann war er auf, dann führte er aus,* was er vielleicht seit zwanzig Jahren im Sinne gehabt" [51].

---

[47] Vgl. Varnhagens Notiz, 7. April 1846: Tgb III, 330f. Dazu J. Schondorff. In: Varnhagen von Ense. Friedrich Fürst Schwarzenberg. Europäische Zeitenwende, S. 171.
[48] Vgl. dazu K. Mannheim. Historismus. Archiv für Sozialwissenschaft und Sozialpolitik, 52 (1924) S. 50.
[49] Vgl. dazu oben S. 42 u. A. 62.
[50] Vgl. dazu L. v. Muralt. Friedrich der Grosse als Historiker. In: Der Historiker und die Geschichte, S. 20ff.
[51] L. Ranke. Fürsten und Völker von Süd-Europa im sechszehnten und siebzehnten Jahrhundert, S. 108. Bibl. Varnh. Nr. 902. Kursivgedrucktes bedeutet Anstreichung.

In der Problematik dieser Stelle kündigt sich die gesamte Fragwürdigkeit an, die in Varnhagens eigener Lebensgestaltung ihren Ausdruck gefunden hat und die er dabei selbst nicht zu meistern vermochte. Ranke war es dagegen beschieden gewesen, sich der existentiellen Gefährdung zu entziehen, und im Hinblick auf den, wie er sich ausdrückte, "Zusammenhang des Ganzen" fasste er dieselbe Fragestellung geschichtsphilosophisch in folgende einschränkende Worte: *"Nicht durch diesen allein gewinnen uns Natur und Geschichte Theilnahme ab. Der Mensch heftet seine Augen zuerst mit lebhafter Wissbegier auf das Einzelne.* Wir möchten es gern zugleich in dem Grunde seines Daseyns und der Fülle seiner eigenthümlichen Erscheinung vollkommen begreifen, wofern es uns nur möglich wäre" [52]. Wie die Anstreichung bezeugt, hat Varnhagen diesen Grundsatz offenbar gebilligt, aber er hat ihn seinerseits als Bekenntnis aufgefasst und zu verwirklichen gesucht, und damit entrückte er jener geistigen Vorstellungswelt, in der sich das Allgemeine und Individuelle wenigstens begrifflich unterscheiden lassen. In seiner örtlich und sozial geprägten Standortsgebundenheit gab es für ihn angesichts ständig wechselnder Eindrücke und Erlebnisse keine Ruhepause, die ihm eine historistische, das Individuelle liebevoll annähernde Betrachtungsweise ermöglicht hätte, sodass für die unterschiedliche Beurteilung der Ereignisse schliesslich nur deren Nachdrücklichkeit entscheidend war, und umgekehrt nahm ohne diese Voraussetzung jede historische Beschäftigung eine politische Wendung. Daher bedeutete die Geschichtschreibung als Beruf bereits ein Stück Politik, und so hat grundsätzlich Varnhagen zuerst nie die Urteilskraft, sondern immer die Zuständigkeit des Historikers in Zweifel gezogen [53]. Wie vielschichtig aber auch für ihn diese Fragestellung wurde, zeigt ein Schreiben an Ölsner, wo er erklärte, dass "kein anderes Mittel" bleiben könnte, "als dass die Vornehmen wirklich die Unterrichtetsten und Fähigsten werden und nicht mehr bloss scheinen" wollten [54]. Doch dementsprechend gestattete Varnhagen sogar seinen politischen Gegnern, so, wie er die ihre, seine eigene Zuständigkeit in Frage zu stellen, und der einzige Bereich, für den er sich selbst schliesslich noch als unumschränkt zuständig erachten durfte und in dem er sich auch am besten gegen politisierende Angriffe verteidigen konnte, umfasste seine eigene gesellschaftliche Lebenserfahrung.

Dabei waren aber auch für diesen geschichtlichen Raum nicht alle Gefahren der Publizität sogleich beseitigt, und Varnhagen durfte beispielsweise aus seinen persönlichen Erinnerungen nichts veröffentlichen, worin er nicht auf den Ruf der von ihm erwähnten Zeitgenossen und ihrer Familien Rücksicht genommen hätte [55]. Doch solange er diese Verpflichtung fühlte und danach handelte, wurde seine Zuständigkeit allgemein anerkannt und geschätzt, und indem er sich faktisch auf die Geschichtschreibung seiner eigenen Erlebnisse

---

[52] L. Ranke. Fürsten und Völker von Süd-Europa im sechzehnten und siebzehnten Jahrhundert, S. 102. Bibl. Varnh. Nr. 902. Vgl. oben S. 307 A. 51.
[53] Vgl. dazu T. Litt. Geschichte und Leben, S. 37.
[54] Varnhagen an Ölsner, Berlin 28. Dez. 1821: Ölsner-Bfw II, 338.
[55] Vgl. oben S. 183ff.

beschränkte, entschuldigte ihn wenigstens die literarische Gattung für die Begrenztheit seines Standpunktes [56]. Um so bezeichnender aber ist es deshalb, dass nach Woltmann ihm in der Person des Publizisten Ölsner ein weiterer politischer Agent den Rat gab, Memoiren zu schreiben, noch ehe Goethe und Heine ihn dazu angeregt hatten [57], und wenn er dabei als Historiker auch grundsätzlich "in die Fehler der Memoirenschreiber" verfallen musste, kam er so doch seinem Ideal pragmatischer Geschichtschreibung am nächsten [58]. Insofern er sich aber als ein "Schreiber der Zeitgeschichte" einem historischen Denker verpflichtet fühlte, berief er sich nicht direkt auf Lessing, sondern auf Herder, dessen Auffassung von "Denkwürdigkeiten" ihn darin am meisten bestärken konnte, und so notierte er in einem Auszug aus dem entsprechenden Aufsatz: "Folgendes Wort von *Herder* muss in unsern Tagen wiederholt werden: 'Wenn einer Nation, so wäre der unsrigen zuzurufen: Schreibt Denkwürdigkeiten, ihr stillen, fleissigen, zu bescheidenen, zu furchtsamen Germanen! Ihr stehet hierin andern Nationen weit nach. Diese erhoben ihre Helden, ihre Entdecker, ihre ausgezeichneten Männer und Frauen auf Schwanen- oder Adlerfittigen in die Wolken; ihr lasset sie matt und vergessen im Staube! ... *Denkwürdigkeiten sein*[er] *selbst* müssen, zu welchem Stande man auch gehöre, *rein menschlich* geschrieben sein; nur dann interessiren sie den Menschen. Uns Deutschen zumal, bei unsrem Karakter, unsern Sitten, unserer Verfassung und Lebensweise, ist diese *Gemüthlichkeit* unentbehrlich, ja vielleicht unableglich. Der galante Scherz mit sich selbst und der Welt, geschweige mit der Politik, ist uns selten gegeben. *Menschliche Denkwürdigkeiten* aber, wem wären sie untersagt? ja von wem würden sie, seiner eigenen Bildung wegen, nicht gefordert?' " [59]

So, wie Varnhagen nun den Herderschen Gedanken zu verwirklichen suchte, musste er unweigerlich eine Prägung erhalten, in welcher der geschichtsphilosophische Blick auf die Menschheit einer gesellschaftlich politisierenden Betrachtungsweise wich. Während Herder die "Nation" historistisch in ihrer Individualität gelten liess und sein Ruf nach "Denkwürdigkeiten" dem deutschen Nationalcharakter zu entsprechen trachtete, ging es Varnhagen

[56] Vgl. H. H. Houben. Varnhagen von Ense, a.a.O. S. 321; 324. Ferner R. Haym, a.a.O. S. 504f.
[57] Vgl. Ölsner an Varnhagen, Paris 16. Juli 1825: Ölsner-Bfw III, 300f. Dazu E. Howald. Varnhagen von Ense, a.a.O. S. 168. [K. L. v. Woltmanns Rezension] JALZ XI/4 (1814) Sp. 203. Ferner Varnhagen an Perthes, Berlin 29. Nov. 1828: HH StA Perthes Nachlass I M 17b 35-36 "Goethe räth mir, vorzüglich Neueres, dem Selbsterlebten Näheres zu bearbeiten, und ich finde er hat ausserordentlich Recht. Auch den ganzen Umfang dieses Selbsterlebten in persönlichen Denkwürdigkeiten gestaltet zu überschauen, wäre wohl Neigung genug vorhanden; doch muss ich abwarten, inwiefern die nächsten Jahre mir dazu oder zu anderem günstig sein wollen". Dazu auch Dkw II, 9. I², 6. I³, 5f. Varnhagens Notiz, 2. Sept. 1842: C. Misch, a.a.O. S. 138 u. ebda. Vgl. Heine an Varnhagen, Hamburg 4. Jan. 1831: H. Heine. Briefe I, 473. Vgl. ferner Varnhagens Notizen, 29. Juni 1842; 11. Juli 1844: Tgb II, 83f.; 323.
[58] Vgl. dazu G. G. Gervinus. Grundzüge der Historik, S. 35. Ferner J. Wach. Das Verstehen III, 77f.
[59] Varnhagens Notiz nach Herder: Dortmund StuLB HsAbt Atg 2374. Vgl. J. G. Herder. Denkwürdigkeiten (Memoires) In: Adrastea II (= Herders Sämtliche Werke XXIII, 226; 228) Ferner G. G. Gervinus. Grundzüge der Historik, S. 77. Dazu vgl. oben S. 14f.

zunächst nur darum, für Deutschland das Vorbild der französischen Memoiren aufzugreifen und zuerst einmal die literarische Gattung einzubürgern. Dabei hat Ölsner ihm diese Aufgabe beinahe zugewiesen, und er hat ihn auch gut genug gekannt, um sie ihm reizvoll erscheinen lassen zu können, wenn er beispielsweise schrieb: "Fehlt uns die edle Familiarität, wodurch sich das Memoire von der Geschichte unterscheidet?" [60] Denn damit war für Varnhagen die Frage nach dem gesellschaftlichen Zustand bereits hinreichend ausgesprochen, und während er selbst bis dahin literarisch den "Mangel an dieser Schriftenart" als einen Mangel "des Talents" aufgefasst hatte, verschob sich bei ihm unter Ölsners Einfluss plötzlich sein Standpunkt, sodass er umgekehrt den literarischen Mangel als einen "Fehler im Stoffe" begriff. "Allerdings", bemerkte er daher in seiner Antwort, "ist unser deutsches Leben beschränkter, als das irgend eines andern Volkes; ich glaube, wir sind am wenigsten gesellig, wollen uns nie vereinen, immer nur absondern...", und daraus folgerte er, dass die "Deutschen... einmal ein grosses Räthsel für geistige Geschichtsforscher sein" würden, und es belastete ihn, "selber zu einem solchen Volksräthsel mitzugehören und sich nicht lösen zu können" [61].

Was Herder "Gemüthlichkeit" nannte, war für Varnhagen keine Lösung dieser Frage, und er verzweifelte selber fast an der Inkonsequenz, die sich durch eine solche Eigenschaft verbreiten konnte. "Überhaupt", schrieb er nämlich an Ölsner, "herrscht in allen unsern Dingen eine unsichtbare Macht, die keine Richtung zum Äussersten gelangen lässt, sondern immer wieder nach der Mitte umlenkt, und die den Nachteil mancher Grundsätze durch die Güte der Persönlichkeiten unaufhörlich auszugleichen strebt". "Jene deutsche Macht", führte er weiter aus, "ist der deutsche Karakter", nämlich eine "gutmüthige Billigkeit", die das politische Leben lähme und die zwar "ungeduldigen Zorn, aber auch bewundernde Rührung hervorrufen" könne [62]. In diesem Zustand, den Varnhagen als eine "politische Idylle" bezeichnete [63], entwickelte sich allgemein ein historistisches Weltverständnis, dessen lähmende Wirkung faktisch wohl am deutlichsten während der Berliner Märztage sichtbar wurde; denn damals zeigte es sich, inwiefern äussere Ereignisse jeden einzelnen zwar direkt seiner Verantwortlichkeit bewusst werden liessen, aber doch nicht genügend nachdrücklich sein konnten, um eine dauerhafte Veränderung herbeizuführen. So, wie sich damals nämlich die Februarrevolution in Paris auf die deutschen Verhältnisse auszuwirken vermochte, blieb vom weltbürgerlichen Standpunkt der Vorrang der französischen Nation offensichtlich, und in der Zeitspanne bis zum 18. März hatte sich unter den Verantwortlichen in Berlin bereits ein historischer Sinn ausgebildet, der ihre politische Handlungsfreiheit beschränkte. Um so zahlreicher waren dagegen später die teils historiographi-

[60] Ölsner an Varnhagen, Paris 16. Juli 1825: Ölsner-Bfw III, 301.
[61] Varnhagen an Ölsner, Berlin 11. Nov. 1825: Ölsner-Bfw III, 327. Vgl. Varnhagen an Ölsner, Berlin 9. März 1824: ebda S. 204f.
[62] Varnhagen an Ölsner, Berlin 12. Feb. 1825: Ölsner-Bfw III, 268f.
[63] Vgl. Varnhagen an Ölsner, Berlin 25. Mai 1826: Ölsner-Bfw III, 356.

schen, teils als kürzere Denkschriften verfassten Rechtfertigungsversuche [64], und grundsätzlich unbeantwortet war dabei nur, inwiefern unter allgemeineren Voraussetzungen die mangelnde Unmittelbarkeit des Geschehens auch den Standpunkt eines Augenzeugen nachteilig zu beeinflussen vermochte.

In dieser Beziehung gab sich Varnhagen allerdings von vornherein keinen falschen Vorstellungen hin, sondern verzichtete lieber sogleich auf die Ausführung seines historiographischen Planes, als dass er den Rahmen seiner persönlichen Zuständigkeit überschritten hätte, und wenn er deshalb zuletzt die Geschichtlichkeit seiner Erlebnisse so beurteilte, wie sie ihn selber faktisch zum Mitbeteiligten machten, wurde er nicht nur sein "eigener Geschichtsschreiber" [65], sondern gleichzeitig entwickelte er sich zu jenem "Erleber" seiner "Tage", dessen teilweise prätentiöses Gebahren Gottfried Keller noch persönlich an ihm kennengelernt hatte, und dementsprechend charakterisierte er ihn später auch mit der nötigen Ironie als den "angeblichen Allteilnehmer" [66]. Grundsätzlich lag aber in der Beschränkung auf das unmittelbar Erlebte die Voraussetzung, dass Varnhagen faktisch seinen weltbürgerlichen Überblick nicht verlor, und was bei ihm zunächst nur Prätention zu sein schien, bedeutete gleichzeitig ein politisches Bekenntnis. Nicht der Inhalt, aber die Niederschrift und Veröffentlichung seiner 'Denkwürdigkeiten' waren nämlich ein politisches Ereignis, und in diesem Sinn hatte er an Ölsner geschrieben, "dass der Mangel an Memoiren nicht bloss ein litterarischer, sondern auch ein politischer" sei [67]. Doch nachdem er überhaupt die Erinnerung an die eigene Geschichte zu bewahren suchte, wandte er um so entschlossener seine ganze publizistische Erfahrung an, um im Bereich der Politik das historische Denken als Weltanschauung [68] zu verdrängen und das nationalpolitisch verheerende Individualitätsbewusstsein durch die Vermittlung einer teilweise bis ins letzte einzelne gehenden Geschichtskenntnis zu konkretisieren. Wie stark er dabei von politischen Vorstellungen erfüllt war, zeigte sich, sobald er die ersten umfangreicheren Bruchstücke seiner 'Denkwürdigkeiten' veröffentlicht hatte; denn was er persönlich als deren Verfasser nicht, ohne publizistisch angefochten zu werden, aussprechen konnte, wiederholten für ihn seine gesinnungsmässigen Freunde, indem sie in öffentlichen Organen jene Auffassung verbreiteten, die ihn selber ursprünglich veranlasst hatte, Memoiren zu schreiben.

Beispielsweise über die Schilderung der 'Schlacht von Deutsch-Wagram', von

---

[64] Vgl. oben S. 262f.
[65] Varnhagen an Ölsner, Berlin 27. Juni 1825: Ölsner-Bfw III, 294. Vgl. Ölsner an Varnhagen, Paris 14. Feb. 1825: ebda S. 274.
[66] Keller an Heyse, Zürich 25. Jan. 1879: G. Keller. Gesammelte Briefe III/1, 37. Ferner Varnhagen an Troxler, Berlin 18. April 1839: Troxler-Bfw S. 232. Vgl. auch Varnhagens Notizen, 5. Sept. 1837; 17. Juli 1850: Tgb I, 59; VII, 250f. Ferner [R.] Abekens Rezension zu Varnhagens Denkwürdigkeiten, JfwK 2 (1837) Sp. 431. D. Kazda, a.a.O. S. 73 "Eine grosse Bedeutung hat für Varnhagen immer das Selbstbeobachtete und Selbsterlebte… einen anschaulichen Eindruck gewinnen wir erst, wenn Varnhagen persönliche Erfahrungen mitsprechen lässt".
[67] Varnhagen an Ölsner, Berlin 9. März 1824: Ölsner-Bfw III, 205.
[68] Vgl. dazu K. Mannheim, a.a.O. S. 3. Ferner K. Heussi. Die Krisis des Historismus, S. 15.

deren Geschehen Varnhagen seinerzeit erklärte, dass es ihn "gleichsam lebendig" in die geschichtliche Welt "hineingeführt" habe [69], bemerkte Karl Gutzkow in seiner Rezension: "Der Umstand, dass es *persönliche* Denkwürdigkeiten sind, die Varnhagen schrieb, verleiht denselben keinen geringen Reiz; man kann sie eine Reihe von historischen Genrebildern nennen, an welchen man den schaffenden Geist, der mit Ruhe und Klarheit die Massen sichtet und zu einzelnen trefflich beleuchteten, vollständig abgerundeten Gruppen ordnet, kurz: in welchem man den Geschichtsschreiber als *Künstler* erkennt, der aus den gegebenen *Daten,* nach gegebenen Gesetzen dennoch freithätig *componiren* darf, ja componiren *soll,* wenn das Geschichtswerk keine blosse dürre Chronik oder Relation sein soll. Die ganze Darstellung Varnhagen's athmet eine wahrhaft *dramatische* Handlung, mit Peripethie und Catastrophe, und einen klassischen Geist. Und welch ein saftiges frisches Leben in jedem Glied dieser Gruppen; und welche Porträtähnlichkeit der einzelnen Hauptgestalten! Wahrlich: das heisst Geschichte *leben,* indem man sie *denkt,* Geschichte *denken,* indem man *sie lebt,* und Geschichte *schreiben,* wenn man *stets beides* thut. Der Styl ist das Muster einer organisch-feingegliederten und vollendet ausgemeisselten Prosa" [70].

Karl Georg Jacob, der sich ebenso anerkennend äusserte, ging in seinem grundsätzlichen Lob aber noch entschieden weiter, und der ganze Artikel, den er unter dem Titel 'Deutsche Memoirenliteratur' verfasst hat, war nichts anderes als eine Zusammenfassung dessen, was Varnhagen schon früher im Briefwechsel mit Ölsner und später als Rezensent in den 'Jahrbüchern für wissenschaftliche Kritik' an Hand von deutschen und französischen Memoiren erörtert hatte. Sogar das Herderzitat, welches Jacob ohne weiteren Quellennachweis wiedergab, scheint er von Varnhagen persönlich übernommen zu haben [71], und was er dabei konkret noch zu leisten hatte, wenn er nur Varnhagens 'Denkwürdigkeiten' und dessen Urteile über Memoiren verglich, beschränkte sich auf eine völlig äusserliche Kompilation. Nichts dagegen liess Jacob bezeichnenderweise von der offensichtlichen Unstimmigkeit verlauten, die darin bestehen musste, dass Varnhagen unter Berufung auf das literarische Vorbild Goethes und zugleich nach französischem Muster als Memoirenschreiber das politische Bewusstsein in Deutschland wecken wollte, und ebenso wenig waren Gutzkow und Theodor Mundt auf diese Tatsache eingegangen [72], womit sie durch ihr blosses Schweigen alle drei bezeugten, inwiefern sie gesellschaftlich mit Varnhagen derselben Gruppe angehörten.

Dazu hat Hermann Marggraf, der zwar nicht zu Varnhagens engstem Freundeskreis, aber doch zu seinen wohlwollenden Kritikern zählte, einen bemerkens-

---

[69] Vgl. Varnhagen an Rahel, Steinfurt 2. Nov. 1810: Bfw II, 107.
[70] [K. Gutzkows Rezension] Phönix, 2 (1835) S. 1223. Zur Verfasserschaft vgl. H. H. Houben. In: Bibl. Rep. IV, 402 Z. 62. Vgl. ferner auch oben S. 88.
[71] Vgl. K. G. Jacob. Deutsche Memoirenliteratur, a.a.O. S. 176; 214f. u.ö. Dazu oben S. 310 u. A. 61.
[72] Vgl. [T. Mundts Rezension] LitZod (1835) S. 448; 449f. Zur Verfasserschaft H. H. Houben. In: Bibl. Rep. III, 296 Z. 26f.

werten Gedanken ausgesprochen, wenn er erklärte: "In dem wenig offiziellen Deutschland, wo man so ausserordentlich empfindlich und übelnehmisch ist, hat die Memoirenliteratur nie recht gedeihen wollen. Die Deutschen sind ein Volk von Geheimschreibern und packen ihre Lebensacten am liebsten in Archive, wozu nur das betreffende Individuum den Schlüssel hat" [73]. Ähnlich hatte sich nämlich Varnhagen schon früher in einem Brief geäussert, der aber ausserdem noch jene gesellschaftliche Fragestellung enthielt, in der eine historistisch individualisierende Betrachtungsweise ausgeschlossen bleiben musste. Der namentlich nicht genannte Adressat hatte einer privaten Lesung aus Varnhagens damals noch unveröffentlichten 'Denkwürdigkeiten' beigewohnt, und an diesen geselligen Anlass knüpften sich Varnhagens nachträgliche Überlegungen, die er nun mit einem konkreten Zitat aus Goethes Werken belegte. "Goethe", schrieb er, "sagt: 'Die Geheimnisse der Lebenspfade darf und kann man nicht offenbaren; es giebt Steine des Anstosses, über die ein jeder Wanderer stolpern muss...'" Gegen diese Maxime machte Varnhagen jedoch seine grundsätzlichen Bedenken geltend und bemerkte dazu: "Es ist aber gerade das ein fürchterlicher Riss in unsrer Bildung, der eine gräuelhafte Roheit sehen lässt, dass die wichtigsten, zartesten, folgenreichsten Bezüge der Menschen, die sein innerstes Wesen unbedingt ergreifen und bestimmen, jenseits aller Vortheile der Erfahrung, der Leitung, des höheren Einflusses, liegen sollen!... Es muss eine Zeit kommen, wo in keinem Roman dieses Element offenbarer Geheimnisse fehlen darf". Dabei glaubte er gewisse Anfänge dieser Zeit vor allem durch "die grosse Litteratur schlüpfriger Bücher" wahrnehmen zu können, aber seine eigenen "Denkschriften" hielt er noch für weit davon entfernt, jene "Geheimnisse" zu offenbaren, und sie hatten, wie er selber versicherte, nur "wenigstens eine Richtung zu dem, was sie nicht erreichen" konnten, doch "hieraus erklärt sich dann", wie Varnhagen schloss, "zugleich das Mass an Aufrichtigkeit wie das der Zurückhaltung, die darin beobachtet werden" [74]. Varnhagen selbst war sich demnach seiner zwiespältigen Lage durchaus bewusst, und es kam nun bloss darauf an, dass zum mindesten ein Kreis von Gleichgesinnten diesem Umstand Rechnung trug und ihn nicht gerade deswegen vor aller Welt blossstellte. Umgekehrt waren aber auch nur solche Gleichgesinnte gut genug unterrichtet, um, ohne dabei weiter aufzufallen, einen der ihren persönlich schädigen zu können, und in dieser Beziehung bot die Memoirenliteratur zahlreiche Anknüpfungsmöglichkeiten.

Ein bezeichnendes Beispiel für die Art, in der damals unter Eingeweihten gelesen wurde, war die Auseinandersetzung, die sich zwischen Arndt und

---

[73] H. Marggraf. Deutschland's jüngste Literatur- und Culturepoche, S. 395.
[74] Vgl. Varnhagen an [?], Berlin 15. Jan. 1833: Ddf LuStB 55.449. Dazu J. W. v. Goethe. Aus Makariens Archiv. In: Maximen und Reflexionen. Goethes Werke XLII/2, 184 Z. 2ff. Vgl. auch Varnhagens Notiz, 13. März 1844: Tgb II, 273f. Ferner vgl. auch Ölsner an Varnhagen, Paris 18. Feb. 1824: Ölsner-Bfw III, 197f. "So lange Sie sich mit den Biographien in einer gewissen Entfernung halten vom dem gegenwärtigen Zeitalter, bleibt Ihnen ziemlich freies Spiel. Wie Sie ihm aber näher rücken, wird Ihre Laufbahn schlüpfricht, sehr schlüpfricht".

Perthes auf der einen und Varnhagen auf der anderen Seite ereignet hat. In seinen 'Erinnerungen aus dem äusseren Leben' hatte Arndt den Freiherrn vom Stein mit dessen eigener Schwester verglichen und bei ihnen verschiedene Ähnlichkeiten festgestellt. "Man mogte sagen", schrieb er, "sie war ganz das Ebenbild ihres Bruders des Ministers, dasselbe Gesicht, dieselben Züge, nur alles feiner und kürzer, alles besonnener und milder, wie das Weib neben dem Manne seyn soll; dieselbe Kürze und Gewandtheit in der Rede, derselbe unbewusste Witz, fast noch mehr Geist. Doch bei dem Worte *Geist* erschrecke ich, weil sich darunter oft ein Bastard- oder gar ein Kastraten-Geschlecht versteckt, wovon ich eben nicht viel halte. Weiber haben mehr Klarheit, haben mehr Besonnenheit, und, wenn sie wirklich Geist haben, leicht mehr Bestimmtheit und Spitzigkeit als Männer. Vielleicht hatte sie wirklich mehr Geist als ihr Bruder; aber was Herr von Varnhagen auch sagen mag, welcher in ihm keinen Geist bemerkt haben will, ich denke, er hatte davon, und zwar solcher Art, wovon er manchen spitzigen und spitzelnden armen Sündern zur Genüge hätte abgeben können, ohne dass er darum daran verarmt wäre. Es giebt aber Viele, welche die Kraft und Einfalt, wodurch der Geist in einem grossen Karakter untergeht und sich in Muth und Demuth und Glauben versenkend selbst unscheinbar wird, aber den rechten Männerstrahl der Tugend und Thatkraft macht, nimmer begreifen können. Es heisst im Sprichwort fulmine, non grandine, wie soll aber ein sogenannter geistreicher armer Teufel begreifen, dass man mit einem tüchtigen Keulenkopf viel wirksamer schlägt und trifft, als wenn man ihn in hundert kleine Speerspitzen ausgeschnitzelt hätte?" [75]

Wen Arndt im Speziellen meinte, wenn er von den "spitzigen und spitzelnden armen Sündern" sprach, denen Stein noch reichlich "Geist" abzutreten vermöchte, war auch ohne einen namentlichen Bezug genügend angedeutet, und Varnhagen hat nicht gezögert, eine entsprechende Rezension als Antwort darauf zu veröffentlichen. Arndt hat dagegen nichts von seiner Aussage zurückgenommen, sondern beharrte weiterhin auf dem von ihm Gesagten, und in einem privaten Brief, in dem er auf die "Recensenten" seiner 'Erinnerungen' zu sprechen kam, erklärte er sogar in fast wörtlicher Übereinstimmung, dass Varnhagen "ein feiger und schlauer Spitzkopf" sei, dem er seinerseits sich "nimmer habe freundlich zeigen können" [76]. Bei aller Abneigung gegen ihn waren Arndts Formulierungen aber keine offensichtliche Beleidigung, sondern liessen sich dem Inhalt nach ebenso leicht als unpersönliche Überlegungen verstehen, und um so bezeichnender war es deshalb, wenn als aufrichtiger Freund Alexander von Humboldt Varnhagen bestätigte, dass auch er die "Anfeindung" gegen ihn "allerdings bemerkt" hatte [77].

Die umstrittenen Sätze, auf die Arndt sich direkt zu beziehen schien, hatte Varnhagen schon 1833 in der Rezension der 'Briefe des Freiherrn v. Stein an

[75] E. M. Arndt. Erinnerungen aus dem äusseren Leben, S. 224f.
[76] Arndt an C. Pistorius, Bonn 17. Jan. 1841: Heimatbriefe E. M. Arndts, S. 153. Vgl. G. Wiegand, a.a.O. S. 227 A. 87.
[77] Vgl. A. v. Humboldt an Varnhagen, Berlin 27. Okt. 1840: A. v. Humboldt-Bfw S. 77.

den Freiherrn v. Gagern' geschrieben. Insofern er aber allgemein in Brief-
publikationen einen Ersatz für die im deutschen Sprachraum fehlenden Memoi-
renwerke erblicken zu können glaubte [78], war er bei der Beurteilung dessen, was
Stein zu seiner eigenen Vergegenwärtigung Gagern mitzuteilen vermochte,
enttäuscht gewesen, und gegen diese unvorteilhafte Verzeichnung in der
Öffentlichkeit hatte Varnhagen Stellung genommen. Ihm selbst war seinerzeit
bei Stein die "ausserordentliche Lebhaftigkeit des Geistes" wohl spürbar
geworden, aber für den "Leser der vorliegenden Briefe", dem das unmittelbare
Erlebnis der persönlichen Begegnung fehlte, musste es "daher nur verdriesslich"
auffallen, "wie wenig Geist im Ganzen . . ., wie wenig neue Ideen darin" zum
Ausdruck kamen. Stein hatte nach Varnhagens und übrigens auch Theodor von
Schöns Auffassung weder eine ästhetisch, noch philosophisch geschulte
"Geistesbildung", sodass ihm Gagern deshalb "an Umfang und Gewandtheit
des Geistes unendlich überlegen" war. Doch wenn er nun "vermittelst dieser
Gaben" Stein "in einer fortwährenden huldigenden Beugung zu erhalten"
wusste, verfälschte er dessen unbeugsamen Charakter, und was Varnhagen gegen
diese Art von Gagerns herausgeberischer Arbeit geistreich genug einzuwenden
hatte, musste gerade für Arndt, dessen wichtigster Ruhm sich an seine Beziehungen zu Stein knüpfte, äusserst verfänglich erscheinen [79].

In seiner Rezension von Arndts 'Erinnerungen' hat Varnhagen diesen
Sachverhalt wieder klarzustellen versucht und vor allem die persönliche Verunglimpfung als etwas die Höflichkeit Verletzendes zurückgewiesen [80]. Dagegen
war er aber durchaus bereit, die Auseinandersetzung weiterhin in literarisch
verschleierten Umgangsformen fortzusetzen, und dementsprechend erklärte er:
"Arndt, wie jeder öffentliche Karakter, konnte das Geschrei schnöder Widersacher, den Hohn vornehmer, wie die Tücke geringer Feinde stolz und muthig
verachten, solange diese ihm gegenüber und in gleichem Felde standen, –
selbst wenn dies nicht immer das offne war" [81]. Damit billigte ihm Varnhagen
nämlich eine publizistische Ritterlichkeit zu, die nach dem beleidigenden Ausfall
in den 'Erinnerungen aus dem äusseren Leben' allerdings in Frage gestellt
sein konnte, und die deshalb umgekehrt für Arndt beinahe schon belastend
wirken musste. Doch unter dieser Voraussetzung vermochte ihn Varnhagen
ausserdem noch persönlich aufzufordern, seine Darstellung neu zu überarbeiten,
und als Grund gab er dafür an, dass durch den Thronwechsel in Preussen neue
politische Verhältnisse entstanden seien und er nunmehr Einzelheiten hätte veröffentlichen können, die dagegen in der Regierungszeit Friedrich Wilhelms III.

---

[78] Vgl. H. Laube. Die Memoiren. In: Moderne Charakteristiken I, 350ff. Dazu
Varnhagens Notiz, 15. April 1838: Tgb I, 87f. K. G. Jacob, Deutsche Memoirenliteratur, a.a.O. S. 181ff.
[79] Varnhagens Rezension, JfwK 1 (1833) Sp. 599; 603. Zur Geschichtschreibung,
S. 495; 498. Vgl. Schön an Pertz, Preussisch-Arnau 5. Jan. 1848: T. v. Schön-Bfw S. 18.
Schön an Droysen, Preussisch-Arnau 12. Dez. 1847: ebda S. 116f. Droysen-Bfw I, 373.
Dazu vgl. oben S. 227 u. A. 236. Ferner R. Haym, a.a.O. S. 462.
[80] Varnhagens Rezension, JfwK 2 (1840) Sp. 579f. VSchr NF II (= VI), 371f. V²,
711f. Dazu Varnhagens Rezension, JfwK 1 (1833) Sp. 597f. Zur Geschichtschreibung,
S. 493.
[81] Varnhagens Rezension, JfwK 2 (1840) Sp. 568. VSchr NF II (= VI), 357. V². 696.

noch kompromittierend hätten sein müssen. Als nämlich Friedrich Wilhelm IV. die Untersuchung gegen die angeblich staatsgefährdenden Umtriebe geheimer Gesellschaften einstellen liess, gehörte auch Arndt zu den Verdächtigten, die damals ihre volle Rehabilitierung wiedererlangten. Aber die Niederschrift seiner 'Erinnerungen' hatte er zu diesem Zeitpunkt bereits beendet, und wenn Varnhagen nun den zu knappen Stil bedauerte, weckte er zugleich die Vorstellung, dass Arndt angesichts der entschwundenen Gefährdung manches Geheimnis ruhig hätte enthüllen dürfen, wie er es später im 'Nothgedrungenen Bericht aus seinem Leben' auch wirklich noch tat; denn in dieser Publikation fand Varnhagen nachträglich und begreiflicherweise nicht ohne Genugtuung einen Brief, der sogar ein entsprechend ungünstiges Urteil von Arndt über Stein enthielt. Bei seinen ursprünglichen Erwartungen spielte Varnhagen jedoch auf die Beziehungen Arndts zur Tugendbundgruppe an, und um diesen gesellschaftlichen Tatbestand wenigstens nicht völlig in Vergessenheit geraten zu lassen, schrieb er in seiner Rezension folgenden verschleierten Satz, der Arndt vor jedem Metternichschen Spitzel aufs neue belasten musste: "In solchen Bedrängnissen weder dem Kleinmuthe noch der Bitterkeit zu verfallen, sondern ruhig und fest seinen eignen Standpunkt zu behaupten, ist eine grosse Tugend, und Arndt hat sie trefflich bewährt; waren noch viele andre Männer mit ihm in ähnlichem Falle, nach verschiedenem Mass und unter eigenthümlichen Bedingungen, und haben noch viele sich in solchen Verhältnissen ehrenhaft dargethan, so dürfte doch den Preis wackrer und würdiger Ausdauer kaum ein Andrer mehr verdienen" [82].

Nachdem bekanntlich schon bloss der Gebrauch des Wortes "Tugend" verdachterregend sein konnte [83], war gemessen an dem, was er Arndt zugute hielt, Varnhagen in der Lage, diesen selbst, aber auch die ganze Gruppe um ihn dadurch aufs neue einem Verdacht auszusetzen, und je eindringlicher er auf die mangelnde Ausführlichkeit hinwies, desto verdächtiger war der Eindruck. Nun tadelte Varnhagen aber ebenso die richterliche Strenge, mit der sich Arndt über seine Zeitgenossen geäussert habe, und bemerkte dazu: "Vieler Namen wird auch in entschiedener Ungunst gedacht, ja mit Hass und Verachtung, wie dies in solchem Buche der Wahrheit und Aufrichtigkeit nicht anders sein kann". Als Beispiel zitierte er wörtlich das abfällige Urteil über Kotzebue und erklärte im folgenden, inwiefern sich Goethe dagegen der politischen Beurteilung durch Arndt entzöge. Im weiteren Verlauf seiner Rezension kam Varnhagen auf die Standortsgebundenheit aller Urteile überhaupt zu sprechen und suchte unter dieser Voraussetzung umgekehrt wenigstens die Individualität von Arndt zu erfassen. "Die Urtheile Arndt's", fuhr er daher fort, "tragen sichtbar das Gepräge seiner Eigenheit, und wir dürfen sie als die seinigen auch da gelten lassen, wo wir sie nicht als die unsrigen aufnehmen. Wir begreifen, dass er in dem Leben und Karakter des Grafen

[82] Varnhagens Rezension, JfwK 2 (1840) Sp. 569. VSchr NF II (VI), 357. V², 697. Vgl. Arndt an Niebuhr, Dresden 24. April 1813: E. M. Arndt. Nothgedrungener Bericht aus seinem Leben II, 163f. Dazu Varnhagens Notiz, 1. Juni 1847: Tgb IV, 98.
[83] Vgl. dazu oben S. 174.

Reinhard nur Widriges erschaut, allein abgesehen davon, dass in der Anklage vieles thatsächlich dürfte zu berichtigen sein, wird der Gegenstand auch in noch ganz andre Gesichtspunkte sich stellen lassen. Wir wollen hierüber nicht rechten, doch werden Andre den Beruf haben, auch dieses im Strome der Zeiten schwimmende Blatt, das jenen Namen trägt, in möglichster Reinheit zu erhalten. So mögen auch Andre für den hier doch allzu hart behandelten Grafen von Münster auftreten, für Heeren und für Perthes" [84].

Insofern nun die Frage nach der Ausführlichkeit einen politischen Ursprung hatte, waren die namentlich genannten Personen allerdings direkt betroffen, und nur im Hinblick darauf wird es sogleich verständlich, wenn Perthes Varnhagen aufforderte, seine in der Rezension über ihn geäusserte Bemerkung zurückzunehmen. Perthes behauptete nämlich, dass zwischen jenen "Namen", derer nach Varnhagens Worten bei Arndt mit "Hass und Verachtung" gedacht worden sei, und den anderen "doch allzu hart behandelten" ein sachlicher Zusammenhang bestände, und demzufolge verhielt es sich für Perthes so, als ob dort, wo Arndt ihn erwähnt hatte, Varnhagen eine böswillige Absicht vermutete. Perthes glaubte sich also, wie er wenigstens öffentlich erklärte, zu Unrecht jener Gruppe von "Männern" zugeordnet, "welche Arndt mit Hass und Verachtung behandelt" habe und wegen ihrer unrühmlichen "Bestrebungen in den Jahren 1806-14 mit Härte beurtheile". Während ihn dagegen Varnhagen nur als Beispiel der von Arndt seinem Stil gemäss "hart", nämlich zu wenig profiliert behandelten Personen erwähnt haben wollte, stellte sich Perthes auf den Standpunkt, dass ihn Arndt ausdrücklich nur einmal als "Verleger" des "vaterländischen Museums" genannt habe und dass deshalb der Ausdruck "Hartes", welchen Varnhagen aber gar nicht buchstäblich benutzt hatte, ungerechtfertigt sei. Wenn jedoch Perthes ausserdem von vornherein von einer "unwahren und gehässigen Ausstellung" seiner eigenen "Person" sprechen konnte [85], missachtete er, dass Varnhagen überhaupt jede offene persönliche Verunglimpfung zu vermeiden suchte, und damit verletzte er ihn zutiefst. In seinem privaten Antwortschreiben auf die von Perthes in der 'Spenerschen Zeitung' publizierte 'Aufforderung' bemerkte er daher gekränkt: "Sie sprechen von 'unwahr und gehässig'; doch nur in *Ihrem eignen* Thun ist dergleichen vorhanden. *Unwahr und gehässig* ist der Bezug, den Sie zwischen den Worten 'Hass und Verachtung' und der um 37 Zeilen später nach vielen Zwischensätzen ganz unverfänglichen Erwähnung Ihres Namens machen".

Unter diesem Gesichtspunkt durfte sich Varnhagen zweifellos im Recht fühlen; doch weil er grundsätzlich in der Rezension einen polemischen Zweck verfolgt hatte, konnte er auch Perthes gegenüber nicht völlig unbefangen

[84] Varnhagens Rezension, JfwK 2 (1840) Sp. 574f. Vgl. Vschr NF II (= VI), 365f. V², 704f. "So mögen auch Andre für den hier doch allzu hart behandelten Grafen von Münster auftreten, für Heeren und Andre. –" Ferner vgl. E. M. Arndt. Erinnerungen aus dem äusseren Leben, S. 195f.; 109.
[85] Perthes' Aufforderung, Gotha Nov. 1840. Spenersche Zeitung, (1840) Nr. 278 [Zeitungsausschnitt]: HH StA Perthes Nachlass I M 21e Bl 116. Vgl. E. M. Arndt. Erinnerungen aus dem äusseren Leben, S. 111. Ferner Savigny an Perthes, Berlin 18. April 1841: A. Stoll. Friedrich Karl v. Savigny II, 529.

geblieben sein, und bezeichnenderweise stellte er ihm in seinem Brief dazu die Frage, ob er denn "gänzlich das Lesen verlernt" habe, dass er "das einemal *nicht* sehen, was *gesagt* ist, das andremal aber *sagen*" könne, "was nicht gesagt ist?" [86] Während nämlich in Arndts 'Erinnerungen', wie es dort wörtlich heisst, von dem "von Perthes herausgegebenen Deutschen Museum" die Rede war, hatte Perthes im Unterschied dazu behauptet, dass ihn Arndt als "Verleger" des "vaterländischen Museums" bezeichnet habe, und wie es scheint, verbarg sich hinter dieser offensichtlich falsch wiederholten Angabe seitens Perthes' eine bewusste Verschleierungsabsicht, wogegen Arndt vielleicht nur ein Versehen beging, wenn er an Stelle von 'Vaterländischem Museum' 'Deutsches Museum' einsetzte und damit den Namen von Perthes' mit demjenigen von Friedrich Schlegels Zeitschrift verwechselte. Tatsache bleibt jedenfalls, dass, nachdem Hamburg im Jahr 1806 bereits französisch war, Perthes das 'Vaterländische Museum' aus politischen Rücksichten eingehen lassen musste, aber später dafür Friedrich Schlegel bei der Herausgabe und Verbreitung von dessen 'Deutschem Museum' persönlich unterstützte [87].

Varnhagen hat diese Umstände allerdings auch nicht ausdrücklich klargestellt, sondern sich darauf beschränkt, die von Perthes im Rahmen seiner Polemik irrtümlich gemachten Angaben zu berichtigen, und so schrieb er ihm nur: "Unwahr ist es, dass Arndt Sie als *Verleger* nennt, er nennt Sie als *Herausgeber* (und dass Sie der waren, weiss ich!)" [88] Damit stimmt nun aber auffällig überein, was seinerzeit Perthes selber am 22. April 1810 an Görres geschrieben hatte; denn dort heisst es: "Überhaupt treibe ich Verlagsgeschäfte als Nebensache, Sortimentshandel ist mein Metier; der Ort hier ist überdem sehr ungünstig dazu, wegen Theuerung, lässt man's *hier* drucken! – und thut man dies nicht, so lässt man's durch die zweite Hand besorgen, was auch nichts taugt. Überdem muss ich alle Sorgfalt nun für das Vaterl[ändische] Museum anwenden" [89]. Wenn Varnhagen deshalb Perthes nur als Herausgeber, nicht aber als Verleger genannt wissen wollte, musste darin offenbar auch die finanzielle Seite eine Rolle spielen, und so hat beispielsweise Varnhagen selber zweifellos aus finanziellen Gründen seine Mitarbeit an Schlegels 'Deutschem Museum' abgelehnt sowie überhaupt sein Missfallen an dieser Zeitschrift geäussert [90]. Perthes dagegen hatte ursprünglich mit dem Honorar von "Zwei

[86] Varnhagen an Perthes, Berlin 28. Nov. 1840: HH StA Perthes Nachlass I M 21e Bl 122-123. Vgl. auch Varnhagen an Troxler, Berlin 9. Feb. 1843: Troxler-Bfw S. 266.
[87] Vgl. Görres an Perthes, Koblenz 31. Jan. 1811: Briefe von Joseph von Görres an Friedrich Christoph Perthes, S. 25f. Ferner F. Schlegel an Perthes, Wien 5. Mai; 12. Okt. 1811; 17. Jan. 1812: Briefe von und an Friedrich und Dorothea Schlegel, S. 135f.; 139f.; 151ff. Dazu T. F. Böttiger, a.a.O. S. 43ff.; 46.
[88] Varnhagen an Perthes, Berlin 28. Nov. 1840: HH StA Perthes Nachlass I M 21e Bl 122-123.
[89] Perthes an Görres, Hamburg 22. April 1810: J. v. Görres. Gesammelte Briefe II (= Gesammelte Schriften VIII 96.) Vgl. Perthes an Görres, Hamburg 24. Feb. 1811: ebda S. 172. Dazu W. Schellberg. Einleitung. In: Briefe von Joseph von Görres an Friedrich Christoph Perthes, S. 21; 36.
[90] Vgl. Varnhagen an Rahel, Prag 24. Jan. 1812: Bfw II, 231. Dazu Dkw II, 150. II², 260. III³, 159. Ferner vgl. oben S. 34 u. A. 10. – Vgl. Varnhagen an Fouqué, 17. Feb. 1812: In: Briefe von und an Friedrich und Dorothea Schlegel, S. 508. Ferner

Friedrichs d'Or für den Bogen" als Herausgeber einen so günstigen Ansatz gemacht, dass er sich von seinem Standpunkt sogar als "Verleger des vaterländischen Museums" für erwähnt halten durfte [91]. Sofern er aber im Jahr 1840 immer noch hinreichende Gründe hatte, die von ihm geleitete Herausgabe vom Jahre 1810 zu verschweigen, war doch wohl auch die Verwechslung in Arndts 'Erinnerungen' diesem Zweck untergeordnet, und Varnhagen konnte allerdings für beide durchaus peinlich werden, sobald er in der Öffentlichkeit enthüllte, was er dahinter herausgelesen hatte.

Während sich nämlich die Auseinandersetzung mit Arndt noch weiter entwickelte und Heinrich Theodor Rötscher auf Varnhagens Seite in sie miteingriff [92], gab sich Perthes bezeichnenderweise mit Varnhagens brieflicher Erklärung befriedigt und nahm in einer weiteren öffentlichen Anzeige den "Ausdruck 'gehässig' ... zurück". Entscheidend war dabei besonders der Zusatz, mit dem er die eigene Gefährdung durch Varnhagens Antwortschreiben einsah und zugleich durchblicken liess, dass er sich nun auf Grund seines öffentlichen Widerrufs auf dessen Loyalität verlassen wolle; denn dazu meinte er ausdrücklich: "...mit dem Bemerken..., dass die Äusserungen in dem Briefe des Herrn Geheimen Legations-Rathes, über die Art, in welcher ich die Anführung meines Namens in der gedachten Recension aufgefasst habe, jedes Interesse für das Publicum entbehren" [93]. Dies war aber die direkte Antwort auf Varnhagens Brief, der folgende Drohung enthielt: "Sehen Sie", hatte er ihm geschrieben, "wenn ich das alles, und vieles Andre dahin gehörige, umständlich dem Publikum vorlegte, müssten Sie nicht in einer gar kläglichen Gestalt erscheinen, und würden nicht diejenigen, die schon längst von protestantischen Jesuiten munkeln, ihren Verdacht nur bestätigt glauben?" [94]

Was nun diesen Vorwurf betraf, hatte schon Woltmann 1797 in einem Brief den Protestanten Johannes von Müller einen "Jesuiten" genannt [95], und zweifellos kam darin derselbe persönliche Gegensatz zum Ausdruck, der die langjährige freundschaftliche Beziehung zwischen Varnhagen und Perthes zerstörte. Gerade zwischen ihnen jedoch blieb ein stillschweigend vorausge-

Varnhagen an D. Schlegel, Prag [März 1812]: ebda S. 136. Vgl. auch D. Schlegel an Varnhagen, Wien 3. April 1812; 23. Feb. 1813: D. v. Schlegel geb. Mendelssohn und deren Söhne J. und P. Veit. Briefwechsel II, 71f.; 143.

[91] Vgl. Perthes an Görres, Hamburg 21. Jan. 1810: J. v. Görres. Gesammelte Briefe II, a.a.O. S. 69. Dazu vgl. Varnhagen an [Hoff], Berlin 6. Okt. 1837: Bonn UB HsAbt Varnhagen von Ense, Karl August. 167 Bl 3 "Ich frage bei Ihnen an, ... ob Sie zu Ostern k[ommenden] J[ahres] einen dritten und vierten Band meiner 'Denkwürdigkeiten und vermischten Schriften' liefern wollen? – ... Den Ansatz des Honorars werden Sie nicht unbillig finden, es sind noch nicht zwei Friedr[ichs] d'Or für den Bogen..."

[92] Vgl. H. T. Rötschers Rezension, JfwK 2 (1842) Sp. 754.

[93] Perthes' Artikel, Gotha 8. Dez. 1810. Spenersche Zeitung, (1840) Nr. 292 [Zeitungsausschnitt]: HH StA Perthes Nachlass I M 21e Bl 116.

[94] Varnhagen an Perthes, Berlin 28. Nov. 1840: HH StA Perthes Nachlass I M 21e Bl 122-123.

[95] Vgl. Woltmann an G. Hufeland, Oldenburg 5. Okt. 1797: P. Raabe. Der Junge Karl Ludwig Woltmann, a.a.O. S. 77. Dazu vgl. auch A. Fournier. Zur Geschichte des Tugendbundes. In: Historische Studien und Skizzen, S. 314.

setztes Vertrauensverhältnis weiterhin bestehen, sodass sie sich nicht nachträglich gegenseitig zu verunglimpfen suchten, während Woltmann seinerzeit in seiner Schrift über Johannes von Müller den ehemaligen "Freund" alles andere als schonte und Arndt dagegen später in seinen 'Erinnerungen aus dem äusseren Leben' Woltmanns "Oberflächlichkeit" kritisierte [96]. Umgekehrt urteilte aber auch Varnhagen über Woltmann nicht uneingeschränkt günstig, wobei er ihn jedoch gerade gegenüber Perthes wieder in Schutz nahm und ihm wie Johannes von Müller trotz seiner persönlichen Fehler eine gewisse Hochachtung bewahrte [97]; Woltmann selbst hat dagegen vor allem als Rezensent Varnhagens Verdienste oft genug gepriesen [98].

Die Bedingungen, unter denen solche Äusserungen überhaupt zustande kommen konnten, waren grundsätzlich immer nur im Rahmen einer Gruppe von Gesinnungsgenossen zu suchen, und im Hinblick darauf erklärte Varnhagen: "Ich kann überhaupt nicht zugeben, dass in der Geschichte die Einzelnen vor Gericht gezogen werden, ohne dass ihre ganze Zeitgenossenschaft miterscheine..." [99] Denn erst unter dieser Voraussetzung wurde trotz der im einzelnen bestehenden Spannungen eine allgemeinere, nach Varnhagens Auffassung eben die geschichtliche Grundlage eines gegenseitigen Verstehens geschaffen, und dabei zeigte sich die Gemeinsamkeit am eindrücklichsten in der Anwendung sprachlicher Umgangsformen, deren Beherrschung allerdings nicht jedem Zeitgenossen in gleichem Masse gegeben sein konnte. Gerade Perthes galt darin nämlich, wie Benzenberg bezeugt, als wenig erfahren, und so schrieb dieser auch in einem Brief an Stägemann: "Perthes versteht nichts vom kleinen Krieg. Er gleicht den Scheibenschützen, die der Meinung sind, dass man unmenschlich viel Pulver in die Büchse thun müsse. – Es knallt dann freylich, als wenn eine junge Kanone losginge; allein sie treffen nicht" [100].

Varnhagen dagegen bewahrte seine gesellschaftliche Gewandtheit auch im Bereich des Literarischen, und je stärker sich sogar das Gesellschaftliche mit dem Gesprochenen und Geschriebenen vereinen liess, desto leichter vermochte er sich zur Geltung zu bringen. Dabei war er konsequent genug, um auch bei anderen vorauszusetzen, dass sie ihre existentielle Gefährdung ebenso wie er

[96] Vgl. A. G. Weiss. C. L. v. Woltmann. Masch.-Diss. Phil. I (Wien 1937) S. 306ff. Ferner E. M. Arndt. Erinnerungen aus dem äusseren Leben, S. 73.

[97] Vgl. Varnhagen an Perthes, Paris 23. Aug. 1815: HH StA Perthes Nachlass I M 9b Bl 156-157 "Die Memoiren des Freiherrn von S-a habe ich nur bruchstückweise in der Minerva gelesen; ich glaube auch, dass sie von Woltmann sind, ja ich meine sogar äussere Kennzeichen dafür zu haben. Da ich das Ganze nicht gelesen, so habe ich kein Urtheil darüber, wundere mich aber doch, dass Sie eine überall durchschimmernde Schlechtigkeit darin finden". Ferner Varnhagen an Cotta, Frankfurt a.M. 17. Nov. 1815: SNM Cotta-Archiv Nr. 38. Dazu oben S. 102 A. 81. Vgl. auch oben S. 26f.

[98] Vgl. Varnhagen an Perthes, Wien 24. Nov. 1814: HH StA Perthes Nachlass I M 7b Bl 149-150. Dazu oben S. 39 A. 52. Ferner S. 39 u.f.; 138 u. A. 98.

[99] Varnhagen an G. F. Kolb, Berlin 12. Jan. 1844: Bundesarchiv Abt Ffm N 3 G. F. Kolb. ZS g 1/3. Ferner vgl. Varnhagens Notiz, 7. April 1855: Tgb XII, 30.

[100] Benzenberg an Stägemann, Brüggen 17. Dez. 1819: Briefe und Aktenstücke zur Geschichte Preussens II, 415.

ohne einen klassifizierten Beruf bloss als sprachliches Geschehen bewältigten. Was sich ihm für die Gegenwart in der publizistischen Tätigkeit anbot, fand er bei Betrachtung der Vergangenheit in der philologischen Methode, aber umgekehrt äusserte er ebenso die Auffassung, "dass die Anwendung eines Verfahrens, welches bisher nur den alten Griechen und Römern gegönnt wurde, auf die Schriftsteller der neueren Zeit, mit den Würden und Ehren der Philologie volkommen bestehen" könnte [101], und daher berief er sich auch literarisch auf antike Vorbilder, wenn er als Geschichtschreiber seine publizistische Darstellungsweise bestimmte [102]. Für seine gesellschaftliche Beziehung zur Wissenschaft war bei ihm jedoch die Teilnahme an den Übungen des Philologen Wolf, eines Mitbegründers der modernen Seminargestaltung, von entscheidendem Einfluss, und insofern war die Vergegenwärtigung der Antike geradezu ein weltbürgerliches Verständigungsmittel, dem Varnhagen beispielsweise seine persönlichen Verbindungen zu Johannes von Müller und Pardo de Figeroa verdankte [103].

So formal beschränkt, wie Varnhagen aber das Antike in Gegenwärtiges umsetzte, blieb sein Blick nur auf faktische Einzelheiten gerichtet, und da er dabei weder als Philologe noch wie zum Beispiel sein Gesinnungsgenosse Wilhelm Dorow als Archäologe auftrat, hatte er mit seiner philologisch individualisierenden Methode selber keinen persönlichen Erfolg. Nachdem er jedoch die gegenwärtigen Ereignisse so formal betrachtete, wurde er der Gegenwart und ihren geistigen Strömungen unwillkürlich entrückt, und darin bestätigte sich an ihm aufs neue die von Friedrich Schlegel stammende Definition des Historikers [104]. Denn Varnhagen wusste, inwiefern seine täglichen Aufzeichnungen, Mitteilungen und Briefe einst historischen Wert erhalten mussten, weil er sich seiner eigenen Zeit gegenüber bereits den künftigen Forscher ebenso ununterrichtet vorstellen konnte, wie ihm zu seinen eigenen Lebzeiten die Forscher gegenüber der Antike zu sein schienen, und was er deshalb in seinen historiographischen Schriften formuliert hat, war teilweise geradezu im Hinblick auf eine philologisch exakte Ausdeutung angelegt, da er von vornherein schon die konkreten Bezüge und den Ursprung seines informativen Wissens möglichst verschwieg. Am stärksten gegenwärtig war für ihn das geschichtliche Leben aber gerade dort, wo sich an Stelle von literarischen Nachweisen persönliche Beziehungen verwenden liessen. Denn unter dieser Voraussetzung vermittelte der Gegenstand die Tat und deren Zeugnis in einem, und daher waren für ihn Goethes Leben und Werk, Rahels Briefwechsel und Freundeskreis und die Erhebung von 1813 im Spiegel der öffentlichen Meinung seine grössten historischen Eindrücke [105].

Um jedoch die seiner Meinung nach geschichtliche Lebendigkeit dieser

---

[101] Vgl. Varnhagen an Viehoff, Berlin 14. Okt. 1846: Vier Briefe Varnhagens an Heinrich Viehoff über Goethe, a.a.O. S. 107.
[102] Vgl. dazu oben S. 63; 102.
[103] Vgl. Dkw III, 4ff. I², 446f. II³, 21f. Vgl. dazu oben S. 26; 279.
[104] Vgl. dazu oben S. 15.
[105] Vgl. dazu Varnhagens Notiz, 8. Aug. 1852: Tgb IX, 323.

drei gesellschaftlichen Einheiten wahrnehmen zu können, durfte er sich ihnen weder als zugehörig erachten, um den perspektivischen Blickwinkel nicht zu verlieren, noch die innere Beziehung zu ihnen vernachlässigen. Er war daher vor allem auf Nachrichten unmittelbar Beteiligter angewiesen, aber er durfte nicht den Eindruck erwecken, dass er innerhalb ihres Kreises persönliche Absichten hegte, da er sonst unwillkürlich seine Unparteilichkeit hätte preisgeben müssen. Grundsätzlich konnte ihm nur an der Erhaltung solcher Kreise gelegen sein, und dazu hat er deren geselligen Zustand bewusst in literarische Überlieferung übertragen. Doch die geheimsten Beziehungen konnte er, ohne dabei auf schlüpfrige Abwege zu geraten, nicht ausprechen, und so war er selbst geistreich genug, um diese Gefahr zu erkennen und zu umgehen.

Zuletzt diente Varnhagens individueller Beruf der Vermittlung einzelner, teilweise lexikalisch einfacher Tatsächlichkeiten, und je mehr Vergesslichkeit im öffentlichen Bewusstsein herrschte, desto sicherer konnte er jener politischen Wirkung sein, die grundsätzlich jeder Form von Mitteilung innewohnt [106]. Politik war bei ihm aber immer nur die Folge von äusseren Einflüssen und nicht deren Ursprung. Was ihn in Bewegung versetzte, waren Begegnungen und Gespräche, Verbindungen zu aller Welt, und darin musste ihn jede Form geordneter Geselligkeit, sei es im beruflichen, im staatlichen oder auch im kirchlichen Leben, behindern. Umgekehrt hat er sich dadurch aber auch mit Menschen umgeben, denen seinerzeit noch etwas Anrüchiges anhaftete, doch hat er sich selbst davon nichts anmerken lassen.

Die gesellschaftliche Gruppierung war für ihn immer nur der Hintergrund, vor dem er den einzelnen Menschen in seiner eigenen durch persönliche Verhältnisse bestimmten Stellung relativiert beurteilen konnte, und auch bei dieser Voraussetzung erwies er sich als geistreich genug, um zu erkennen, inwiefern eine gesellschaftliche Relativierung grundsätzlich der Notwendigkeit allen historischen Denkens entsprach. Dabei war sein eigener Standpunkt natürlich am wenigsten relativiert, solange er selbst sich in seinem Urteil auf die Angaben unmittelbar Beteiligter stützte, und so konnten sich die Vorteile, die er ursprünglich nur dem Augenzeugen zugute halten wollte, schliesslich sogar auf die Frage nach der Anwendung philologischer Grundsätze auswirken. "Über die Sache selbst", schrieb er nämlich an Viehoff, "dünkt mich, lässt sich gar nicht streiten, nur über das Mass und die Art ihrer Ausübung. Da leuchtet denn sogleich ein, dass ein Ausleger, der seinem Autor noch nahe steht, für die Folgezeit unschätzbare Vorzüge hat; diese wird dankbar auch das anerkennen, was manchen Jeztlebenden, eben weil sie dies sind, überflüssig dünkt" [107]. Dementsprechend soll also nach Varnhagens Worten die Spannung zwischen dem historisch Betrachtenden und seinem Gegenstand möglichst vermindert sein, wobei die Verzögerung, wie sie im Rahmen einer philologischen Auslegung eintreten muss, durch den Verkehr mit entsprechend unter-

---

[106] Vgl. Varnhagen an Boas, 7. Feb. 1815: F. Römer, a.a.O. S. 128 u. ebda. Ferner Varnhagens Notiz, 22. Feb. 1857: Tgb XIII, 327f. Vgl. dazu auch oben S. 16.
[107] Varnhagen an Viehoff, Berlin 14. Okt. 1846: Vier Briefe Varnhagens an Heinrich Viehoff über Goethe, a.a.O. S. 108.

richteten Zeitgenossen rasch behoben werden kann, und erst wenn die zeitgenössischen Gewährsleute unterschiedliche Angaben machen und damit
ihrerseits die Überlieferung verzögern, bleibt die Philologie das einzige Mittel,
um die publizistische Absicht ihrer gesellschaftlich bedingten Angaben zu
durchschauen.

Daher war die Rezension der 'Erinnerungen aus dem äusseren Leben' von
Arndt ein bezeichnendes Beispiel für Varnhagens methodisches Vorgehen.
Denn wo er grundsätzlich gegen Arndt Stellung nahm, beschränkte er sich
darauf, dass er dessen sprachliche Eigentümlichkeit hervorhob und sie dabei
nicht einmal kritisierte, sondern als ein stilistisches Merkmal auffasste. Nachdem
er aber keinen Vergleich mit anderen Memoirenschriftstellern durchführte, und
damit nicht die literarische Gattung zum Gegenstand seiner Betrachtung
machte, musste sich seine scheinbar äusserliche Charakterisierung der Sprache
zu einem persönlichen Urteil zuspitzen, und er konnte nur deshalb ungestraft
die Verantwortung dafür übernehmen, weil er realistisch genug die politischen
Zeitumstände berücksichtigt hatte. Die philologische Lektüre publizistischer
Quellenschriften war nämlich offenbar nicht die erste Aufgabe, die er sich
jeweils als Kritiker zu stellen pflegte, sondern meistens kannte er die gesellschaftlichen Verbindungen und demzufolge auch die politische Richtung der
Autoren, noch bevor er eine gedruckte Äusserung von ihnen zu Gesicht bekam[108],
und seine eigene polemisch überspitzte Diktion erzielte er deshalb nicht, indem
er die Verfänglichkeit von Arndts politischen Ideen zu enthüllen suchte, sondern
indem er dessen gesellschaftliche Stellung in einem sprachlichen Ereignis
konkretisierte. Denn über die Fähigkeit, die jemand haben musste, um erlebnis-
hafte Eindrücke innerlich zu verarbeiten, konnte er auf Grund von dessen
Sprache bereits ein abschliessendes Urteil fällen und damit jede Fragestellung,
die dieser Fähigkeit nicht entsprach, für unangemessen erklären und deshalb
ablehnen. Alles aber, was Varnhagens eigene Erlebnisfähigkeit überforderte,
lag daher notgedrungen ausserhalb seines individuellen Verständnisbereichs, und
gerade bei Stein, dem er "spekulativen Geist" absprach, musste er gestehen,
dass er selber "diese Gabe" ebensowenig besass. Doch auch wenn er nun
"darum nicht weniger zu wissen" glaubte, "was sie werth" sei[109], gab er sich
mit dieser Versicherung trotzdem eine Blösse, und bei aller Gründlichkeit, mit
der er Einzelheiten in der geschichtlichen Überlieferung zu bestimmen und zu
berichtigen suchte, machte er sich über die unermesslichen Möglichkeiten seines
persönlichen Berufs keine falschen Vorstellungen; gerade wenn er nämlich
Arndt in den 'Erinnerungen aus dem äusseren Leben' einige "kleine Unrichtig-
keiten" nachweisen konnte, fand er darin noch lange nicht jene Form von
Bestätigung, die er sich dringend wünschte[110].

Da nun aber die literarische Überlieferung notwendig Fehlerquellen enthalten
musste, war für Varnhagen die geschichtliche Fragestellung ursprünglich nicht

---

[108] Vgl. dazu oben S. 19ff.
[109] Varnhagens Rezension, JfwK 2 (1840) Sp. 580. VSchr NF II (= VI), 372. V², 711.
[110] Varnhagens Rezension, JfwK 2 (1840) Sp. 577f. VSchr NF II (= VI), 368f.
V², 708.

der Ausdruck seines antiquarischen Interesses, sondern sie bestand zunächst nur, insofern er einen Überblick innerhalb der ihn unmittelbar bedrängenden Ereignisse finden sollte und seinen entsprechenden Eindruck in eine von ihm selbst verantwortete Wirkung umzusetzen vermochte. Dabei hingen die entscheidenden Momente, in denen sich zwischen dem einzelnen Menschen und dem allgemeinen Geschehen eine wechselseitige Beziehung ergab, von der Unmittelbarkeit der äusseren Begebenheiten ab, ferner vom Standpunkt des Betroffenen, von dessen innerem Erlebnis und personaler Verantwortlichkeit. So erschloss für Varnhagen die Unmittelbarkeit den zeitlichen Raum der Geschichte, der Standpunkt den örtlichen, das Erlebnis den gesellschaftlichen und die Verantwortlichkeit den politischen. Gleichzeitig zerfiel für ihn das geschichtliche Geschehen aber in zwei grundsätzlich getrennte Bereiche, in denen die geschichtliche Wirkung des einzelnen Menschen materiell beziehungsweise geistig verlief. Für den zeitlichen Raum war demnach der quellenmässige Beleg im materiellen Bereich Zeichen der Unmittelbarkeit, im geistigen Bereich war es als Höchstes die absolute Notwendigkeit. Für den örtlichen Raum war im materiellen Bereich der geographische Standort Zeichen des Standpunkts, im geistigen Bereich war es als Höchstes die absolute Freiheit. Für den gesellschaftlichen Raum waren im materiellen Bereich das Gespräch und noch stärker das blosse Wort sowie zuletzt überhaupt nur der musikalische Laut jeweils Zeichen des Erlebnisses, im geistigen Bereich war es das Göttliche allgemein und zuletzt Gott. Für den politischen Raum war im materiellen Bereich als letztes die Selbsterhaltung Zeichen der Verantwortlichkeit, im geistigen Bereich war es die Rechtfertigung ausserhalb der realen Wirklichkeit [111].

Für Varnhagen selber war die Gespaltenheit des geschichtlichen Geschehens selbstverständlich, und nur insofern er sich persönlich darin zurechtfinden musste, hat er sich die Bezugspunkte 'Unmittelbarkeit', 'Standpunkt', Erlebnis' und 'Verantwortlichkeit' bewusst gemacht. An diese Begriffe knüpfte sich grundsätzlich seine dialektische Geschichtsauffassung, wobei die Bezugspunkte innerhalb ihres eigenen Raumes nie eindeutig auf den materiellen beziehungsweise geistigen Bereich festgelegt waren. Denn gerade dadurch, dass ein Bezug in keinem der beiden Bereiche unveränderlich blieb, entstanden in Varnhagens Sinn universalhistorische Ereignisse, und dazu war die Voraussetzung gegeben, sooft ein Übergang zwischen den Bereichen stattfand.

[111] Graphisch dargestellt ergäbe sich dazu etwa folgendes Diagramm:

	MATERIELLER BEREICH	ÜBERBLICK	GEISTIGER BEREICH
ZEITLICH	Zeitdokument	Unmittelbarkeit	Notwendigkeit
ÖRTLICH	Lokalität	Standpunkt	Freiheit
GESELLSCHAFTLICH	Sprache	Erlebnis	Göttliches
POLITISCH	Selbsterhaltung	Verantwortlichkeit	Rechtfertigung

Dementsprechend hat Varnhagen selbst zwei weltgeschichtliche Ereignisse historiographisch geschildert, nämlich zuerst, nachdem Hamburg im Jahr 1813 den Schauplatz der Freiheit bedeutet hatte, und später noch einmal, nachdem 1814 in Nordfrankreich durch den aufgefangenen Brief Napoleons die geschichtliche Notwendigkeit plötzlich sichtbar geworden war. Beide Male hatte Varnhagen als Augenzeuge im Brennpunkt des Geschehens stehen können, sodass für ihn die 'Unmittelbarkeit' gewährleistet blieb, und beide Male hatte er gesellschaftlich durch Tettenborn jenen persönlichen Umgang, den er dazu benötigte. Nur insofern er sich damals auch vor einem breiteren Kreis von Teilnehmern zu verantworten hatte, geriet er in Konfliktsituationen.

Am Wiener Kongress war er zwar ebenfalls Augenzeuge gewesen, aber die gesellschaftliche Umgebung, wie er sie bei Tettenborn hatte finden können, fehlte ihm nun, und bloss in der 'Verantwortlichkeit', die sich ihm damals plötzlich aufdrängte, fand er einen entsprechenden Ersatz dafür. Ausserdem ging von der Örtlichkeit eine Freiheit aus, die nur innerhalb der gesellschaftlichen "Physiognomie" zu beobachten war, und daraus ergaben sich für eine im Sinne Varnhagens historiographische Darstellung zu viele Einschränkungen. Das gleiche galt später auch während des Aufenthalts in Karlsruhe, wo Varnhagen vor allem als Korrespondent der 'Allgemeinen Zeitung' eine selbstverantwortete politische Tätigkeit entfaltete, die ihm als Diplomaten nicht erlaubt sein konnte. Daneben veranlasste ihn der Mangel an gesellschaftlicher Umgebung damals, die landständischen Bestrebungen zu unterstützen, aber gerade als er unter den Vertretern dieser neu entstandenen gesellschaftlichen Gruppierung einen entsprechenden Erlebnisraum entdeckt hatte und sein historiographisches Interesse wieder Nahrung fand, wurde er abberufen. Augenzeuge war er zwar gewesen, aber Freiheit fehlte, und sowohl die Ermordung Kotzebues, als auch die in der Tasche des Mörders gefundenen Papiere standen in keinem notwendigen Bezug zur geistigen Lage.

Nach der Abberufung nahm Varnhagens innere Entwicklung eine insofern entscheidende Wendung, als ihn daraufhin nur noch die Frage des grundsätzlich gesellschaftlichen Zustands beschäftigte. Denn vorher war es ja noch denkbar gewesen, dass die 'Unmittelbarkeit' wie seinerzeit in Hamburg gleichzeitig auch eine Folge des 'Standpunkts' sein konnte und deshalb die Übersiedlung nach der Hauptstadt Berlin historiographisch von Vorteil wäre; doch die Bewegung von 1848 zeigte, inwiefern diese Annahme falsch war. Gesellschaftlich liess sich dagegen nicht nur die 'Unmittelbarkeit', sondern auch der 'Standpunkt' und die 'Verantwortlichkeit' dem 'Erlebnis' unterordnen, und faktisch beschränkte sich dadurch die geschichtliche Betrachtung auf die Wirksamkeit einer Gruppe. Dabei äusserte sich die 'Unmittelbarkeit' in der gegenseitigen Unterrichtung, der 'Standpunkt' im geselligen Verkehr und Briefwechsel, die 'Verantwortlichkeit' in der Rücksicht auf die Angehörigen der Gruppe. Dementsprechend hatte Varnhagen unter Tettenborn zum Beispiel eine anspruchsvolle Beschäftigung als dessen privater Korrespondent gefunden, und ebenso belieferte er schon damals, aber auch später noch Zeitungen mit seinen Berichten, wobei die von ihm verfassten diplomatischen Depeschen die umfangreichsten Zeugnisse dieses Strebens sind. Daneben blieb er jedoch auch im täglichen Leben stets um ein geselliges Zusammensein besorgt, und wo nicht allenfalls ein Konzert, Theater oder ein Gespräch eine reale Form von Geselligkeit vermittelten, bildete allgemein die Sprache den Zusammenhang innerhalb der Gruppe.

Im Sinne von Varnhagens universalhistorischem Denken, wie er es in seinen 'Beyträgen zur allgemeinen Geschichte' entwickelt hatte, konnte im Umgang mit Menschen das einzelne Wort plötzlich zwei Bedeutungen in sich vereinigen, insofern es bald den Begriff von einer Idee vermittelte, bald aber, wie beispielsweise im Bereich militärischer Kriegführung als Befehl oder proklamativer Ausruf, ein konkretes Geschehen einleitete. Doch je mehr sich dabei die gesellschaftliche Gruppierung konkretisierte und damit auf einzelne Mitglieder beschränkte, entrückte sie dem geistigen Bereich, und je mehr sie ihm entrückte, trat ihr parteipolitischer Sinn zutage und damit ihr Mangel an Freiheit. So, wie Varnhagen nämlich von seinem englischen Freunde Milnes versicherte, dass er "einer politischen Parthei nicht eigentlich..., jedoch eben darum den im schönsten Sinne Freisinnigen" zugehörig sei, fühlte er selbst eine Abneigung gegen alles einschränkende parteiliche Denken [112], und eindeutig glaubte er nur im sprachlichen Ausdruck jede Parteilichkeit überwinden zu können; denn der "Geschichtschreiber muss", wie er einmal bemerkte, "wie der Dichter auch die Gegner seiner Helden in ihrem Recht und in ihrer Würde auftreten lassen" [113], und ebenso kündigten sich bei Varnhagen nur in seiner literarischen Stilform seine politischen Ideen an, wobei er gerade dadurch Widerspruch erregte. Was er aber zuletzt damit bezweckte, war nicht deren reale Verwirklichung, sondern bloss die Bewährung dessen, was Rahel als die ihnen gemeinsame "Denkungsart" bezeichnete und was sie höher einschätzte als alle erfolgversprechenden sogenannten "schönen Fähigkeiten" [114].

Varnhagens "Denkungsart", wie sie aus dem dialektischen Prinzip seiner historistischen Bezugspunkte deutlich wird, ist deshalb notwendige Voraussetzung für die Beurteilung seiner Geschichtschreibung, und war er selbst vom Standpunkt des zünftigen Geschichtsforschers bloss ein Dilettant [115], so kam doch gerade in diesem Vorwurf nicht nur sachliche Kritik zum Ausdruck, sondern zugleich wurde damit auch die Frage der Zuständigkeit und dementsprechend der gesellschaftlichen Stellung berührt. Dabei hat Varnhagen aber umgekehrt hinter jeder individuellen Äusserung schon von vornherein eine gesellschaftlich begrenzte Gruppierung vorausgesetzt, und er hat sich, indem er sich diese Tatsache jeweils erst vergegenwärtigte und damit eine Aufforderung zur Selbstbesinnung aussprach, seine Widersacher allmählich geschaffen, aber ebenso hat er sich dadurch seiner Gesinnungsgenossen ständig aufs neue ver-

[112] Vgl. Varnhagen an Goldstücker, Berlin 6. März 1850: J. A. Stargardt. Der Autographensammler, (1968) Nr. 584 S. 26.
[113] Varnhagens Notiz, 8. Sept. 1855: Tgb XII, 239.
[114] Vgl. Varnhagens Notiz, 10. Okt. 1839: Tgb I, 149. Dazu vgl. Rahels Notiz, 5. Jan. 1800: Rahel. Ein Buch des Andenkens I, 193.
[115] Vgl. dazu oben S. 63 u. A. 192.

sichern können. Er hat, wo er nicht materiell abhängig war, seinen gesellschaftlichen Standpunkt immer so verändert, dass sein geistiges Prinzip jeweils
noch im Bereich des Möglichen blieb und nicht brüsk durch die Realität verletzt
wurde. Er hat stets versucht, jenen gesellschaftlichen Kreisen nahezustehen, in
denen sich dieses Prinzip im Bereich der Realität möglichst festigen konnte.
Er hat deshalb jeden geradezu als einen Verräter betrachtet, der, um sich
persönlich durchzusetzen, seine ursprüngliche "Denkungsart" verleugnete, und
er gehörte daher weder zu den von Friedrich Wilhelm IV. rehabilitierten
Liberalen, noch zu den Gelehrten, die für das Frankfurter Parlament kandidier-
ten, noch zu den später verbürgerlichten Kämpfern des Vormärz. Wenn er
deshalb nach 1848 auf die Seite der Demokraten überging, glaubte er nicht
seine politische Gesinnung gewechselt zu haben, sondern er beharrte dabei
auf jenen geistigen Grundsätzen, die ihm bereits geläufig waren, als er im
"Idealismus Fichte's durchaus einen demokratischen Karakter" wahrgenommen
hatte [116].

Fichte war für Varnhagen der ihm am nächsten stehende und zudem ge-
waltigste Zeuge einer im letzten unveränderlichen "Denkungsart" geworden,
und dementsprechend hielt er sogar den "sozialistischen Kommunismus" grundsätzlich nur für eine ihrer zahlreichen unbeständigen Ausdrucksformen. "Ich
glaube", schrieb er nämlich an Troxler, "wohl an die Forderung, die ja seit
achtzehnhundert Jahren entschieden aufgestellt ist, aber ich glaube nicht, dass
der gegenwärtigen Gesellschaft von daher eine Gefahr droht. Wie wenig
Grundsätze als solche wirken, wie leicht sie in der Anwendung sich geradezu
in ihr Gegenteil verkehren, das sehen wir ja deutlich am Christenthum selbst,
das seit achtzehn Jahrhunderten verkündigt wird und in Wahrheit doch heute
noch auf seine Einführung wartet. Das Heidentum hat sich schlau in der neuen
Form eingenistet und missbraucht sie unaufhörlich zu den unchristlichsten
Dingen. Der echte Kommunismus wäre ein Segen, auf den aber noch Jahrhunderte warten mögen" [117]. Solange sich also, wie Varnhagen das Christentum
charakterisierte, "sein inneres Wesen von dem Geschichtsereignis, an welches
es geknüpft worden, immer mehr ablöst", ging seine Unmittelbarkeit verloren,
und "dabei", schrieb er an Troxler, "kann man sich immer noch ein Paar
hundert Jahre mit den Formen herumschlagen!" Je mehr aber Varnhagen selbst
jener Zeit entrückte, an deren Geschichtlichkeit seine eigene "Denkungsart"
"geknüpft" war, suchte er, innerhalb der durch den "Geist der Zeit" bestimmten
geschichtlichen Strömung einen allgemeinen Standpunkt zu behaupten [118], und

---

[116] Vgl. [Varnhagens Artikel] *Vom Rhein, 18 März, BzAZ (1817) S. 153. Ferner
Varnhagen an Troxler, Karlsruhe 6. Feb. 1817: Troxler-Bfw S. 161. MAL II, 327.
Vgl. dazu auch F. Medicus. Fichtes Leben, S. 5ff.
[117] Varnhagen an Troxler, Berlin 26. Juni 1852: Troxler-Bfw S. 372. Vgl. dazu
Varnhagen an Rosenkranz, Berlin 7. April 1850: Rosenkranz-Bfw S. 173 "Nun
mein' ich zwar, dass wir nur der richtigen Anwendung dessen bedürfen, was wir
schon haben, z.B. des seit achtzehnhundert Jahren so wenig gebrauchten Christenthums..."
[118] Vgl. Varnhagen an Troxler, Karlsruhe 21. Jan. 1818: Troxler-Bfw S. 189. MAL
II, 360.

dadurch befreite er sich gleichzeitig von der für ihn indessen unzeitgemäss gewordenen, nationalistisch beschränkten franzosenfeindlichen Richtung seiner ehemaligen Gesinnungsgenossen Stein, Görres und Arndt [119].

Varnhagen überblickte nämlich den geistigen Zusammenhang der Geschichte ursprünglich genug, um sich vergegenwärtigen zu können, dass die nationale Erhebung in Preussen und den deutschen Ländern auf das Werk einer kleinen, zuerst in Königsberg gebildeten Gruppe von Weltbürgern zurückzuführen war, und ebenso war er konsequent genug, um sich selber aus dem politischen Leben zurückzuziehen, als er sah, dass diese gesellschaftliche Voraussetzung in der preussischen Politik allmählich verloren ging. Nachdem Fichte ihn seinerzeit angeregt hatte, an einen höheren Beruf Preussens zu glauben, und er unter dessen persönlichem Einfluss überhaupt die deutsche Nation als die geschichtsbildende zu betrachten begann, wurde er bereits 1830 durch die Julirevolution und zuletzt 1848 in seinem politischen Glauben erschüttert. Wenn er deshalb noch ein Anliegen an seine Zeit hatte, war es nur die Wiederherstellung des weltbürgerlichen Zustandes, auf Grund dessen die grossen nationalen Leistungen in Deutschland möglich geworden waren, und gegen dieses Streben wandte sich jene Kritik, die den gesellschaftlichen, bei Varnhagen weltbürgerlichen Lebensraum nicht berücksichtigte; denn für Kritiker, die wie Arndt und Haym einen nationalistisch beschränkten Standpunkt vertraten, war von Varnhagens weltbürgerlicher Geselligkeit nur die literarische Nachahmung des Goetheschen Prosastils zu erkennen [120], und im Hinblick auf diese gesamte Problematik hatte Heinrich Heine eine geradezu prophetische Ansicht geäussert, wenn er anlässlich des Todes von Varnhagens Schwester schrieb: "... und obgleich ich sie nicht allzu oft sah, so zählte ich sie doch zu den Vertrauten, zu dem heimlichen Kreise, wo man sich versteht ohne zu sprechen – Heilger Gott, wie ist dieser Kreis, diese stille Gemeinde, allmählig geschmolzen, seit den letzten zehn Jahren! Einer nach dem andern geht heim – Unfruchtbare Thränen weinen wir ihnen nach – bis auch wir abgehn – Die Thränen, die alsdann für uns fliessen, werden nicht so heiss seyn, denn die neue Generation weiss weder, was wir gewollt, noch was wir gelitten! Und wie sollten sie uns gekannt haben? Unser eigentliches Geheimniss haben wir nie ausgesprochen, und werden es auch nie aussprechen, und wir steigen ins Grab mit verschlossenen Lippen! Wir, wir verstanden einander durch blosse Blicke, wir sahen uns an und wussten, was in uns vorging – diese Augensprache wird bald verloren seyn, und unsere hinterlassenen Schriftmähler, z.B. Rahels Briefe, werden für die Spätergeborenen doch nur unenträthselbare Hieroglifen seyn – das weiss ich, und daran denk' ich bey jedem neuen Abgang und Heimgang" [121].

[119] Vgl. dazu Varnhagen an Troxler, Frankfurt a.M. 3. Mai 1816: Troxler-Bfw S. 116. MAL II, 270f.
[120] Vgl. E. M. Arndt. Gneisenau. In: Arndts Werke XII, 115ff. R. Haym, a.a.O. S. 515. Dazu vgl. auch F. Römer, a.a.O. S. 61.
[121] Heine an Varnhagen, Paris 5. Feb. 1840: H. Heine. Briefe II, 229f. Vgl. auch B. Paoli an Varnhagen, Worlik 16. Juli 1845: B. Paoli. Ungedruckte Briefe. Das Literarische Echo, 18 (1915/16) Sp. 153. Ferner Heine an Lassalle, Paris 10. Feb.

Unter der Voraussetzung dessen, was Heine über die Verständigung im Varnhagenschen Kreis aussagt, wird die Geschichtsforschung im klassischen Sinn fragwürdig. Solange sie sich nämlich auf die weltanschauliche und die politische Fragestellung beschränkt, kann sie notwendig nur Persönlichkeiten berücksichtigen, die durch ihre geschichtlich sichtbar gewordene Existenz das Vertrauen des Historikers geweckt haben, und wenn deshalb Vertrauenswürdigkeit, um mit Meinecke zu reden, "an der hochgelegenen Quelle und nicht in der breiten Ebene der sogenannten öffentlichen Meinung, der kleinen politischen Tagesliteratur" zu finden ist, zeigt es sich, dass die Beschränktheit der Fragestellung nicht nur aus ihr selbst erklärt werden darf, sondern dass sie ebenso auch die Folge eines bewussten quellenmässigen Auswahlprinzips ist und damit vom Standpunkt der empirischen Forschung nicht statthaft sein kann [122].

Überall dort nämlich, wo Verantwortlichkeit keine juristische Befugnis voraussetzt, sondern zunächst noch eine Frage des Charakters bedeutet, wo mangels einer konkreten Wirkungsmöglichkeit publizistische Äusserungen laut werden und wo sich deshalb gesellschaftliche Gruppierungen zu bilden beginnen, muss sich die weltanschauliche und entsprechend politische Deutung als völlig unzureichend erweisen, und gerade in dieser Entwicklungsstufe menschlichen Daseins liegt das unaussprechbare "Geheimniss". Ohne den Begriff für die eigengesetzlich geschichtliche Wirkung des blossen Wortes, für den publizistischen Geist der Zeit, für die Lüge als gesellschaftsbildende Macht bleibt daher Varnhagen eine durchaus lächerliche Erscheinung, während er sonst als der in seiner Zeit vielleicht letzte Vertreter des friderizianischen Preussens und Weltbürger im Sinne des 18. Jahrhunderts gelten darf.

Varnhagen war, wie er es selbst bei Hardenberg empfand, bereits zu seinen Lebzeiten eine Art geschichtlich gewordener Gestalt [123], und um den Zugang zu seiner Persönlichkeit finden zu können, bedarf es deshalb immer noch einer entsprechend zeitbedingten Voraussetzung, die Gottfried Keller einmal umschrieb, wenn er grundsätzlich von der "Tradition des Verständnisses für jene Zeit und jene Berliner" sprach [124]; eine solche "Tradition" lässt sich aber nicht an einer bestimmten literarischen Quellengattung verfolgen, sondern sie äussert sich in allen gesellschaftlichen Stufen des menschlichen Lebens, bis sie schliesslich überhaupt im allgemeinen Bewusstsein erlischt und ihr geistiger Inhalt selbstverständlich wird. Daher war beispielsweise die fortschrittliche Entwicklung des 18. Jahrhunderts die stillschweigende Voraussetzung für die Geschichte des 19., und zweifellos liegt bei Varnhagen in der ständigen Vergegenwärtigung

1846: H. Heine. Briefe III, 47. Varnhagens Notiz, 9. Juni 1839: A. v. Humboldt-Bfw S. 57f.
[122] Vgl. F. Meinecke. Weltbürgertum und Nationalstaat, S. 24f. Dazu H. Dreyhaus. Der Preussische Correspondent von 1813/14 und der Anteil seiner Gründer Niebuhr und Schleiermacher, a.a.O. S. 376. Ferner F. Meinecke. Weltbürgertum und Nationalstaat, S. 142f.
[123] Vgl. dazu oben S. 199f.
[124] Vgl. Keller an E. Kuh, Zürich 18. Mai 1875: G. Keller. Gesammelte Briefe III/1, 191.

dieser Tatsache der Grund für die Fragwürdigkeit seiner Person und seines beruflichen Tuns; doch fragwürdig ist dabei nur sein zeitbezogenes Lebensgefühl.

ZEITTAFEL ZU VARNHAGENS LEBEN

1785   Februar 21   Karl August Varnhagen in Düsseldorf geboren. Sein Vater, von Beruf Arzt, war Katholik und den Idealen der Aufklärung verpflichtet, seine Mutter protestantisch. Varnhagen selbst war wie sein Vater katholisch

1785–1790   Kindheit in Düsseldorf, gemeinsam mit seiner anderthalb Jahre älteren Schwester Rosa Maria

1790   Erste grössere Reise, in Begleitung seines Vaters nach Brüssel; Übersiedlung der ganzen Familie nach Strassburg, der Heimatstadt seiner Mutter

1792   Trennung von Mutter und Schwester infolge einer zweiten Reise nach Brüssel in Begleitung seines Vaters

1792   Sommer   Übersiedlung des Vaters nach Aachen

1792/93   Wegzug mit dem Vater von Aachen

1793–1794   Vorübergehende Niederlassung wieder in Düsseldorf, wo Varnhagen seine erste gründlichere Ausbildung erhält, Besuch einer lutheranischen Schule, Trennung vom Vater, Aufenthalt in Herdt bei Düsseldorf als Pensionär, Ausschluss aus der Schule, Wiedervereinigung mit seinem Vater und Fortsetzung seiner Ausbildung unter dessen persönlicher Anleitung

1794   Übersiedlung nach Hamburg mit dem Vater

1794–1800   Aufenthalt in Hamburg, weitere Ausbildung durch seinen Vater und Vorbereitung zum Arztberuf

1796   Frühling   Zuzug von Mutter und Schwester aus Strassburg

1799   Juni 5   Varnhagens Vater gestorben und in Hamburg protestantisch beerdigt

1800   September   Übersiedlung Varnhagens nach Berlin und Eintritt in die Medizinisch-Chirurgische Pepiniere auf Empfehlung des Prinzen Louis Ferdinand von Preussen

1803   Ausschluss aus dem Institut, nachdem die Zahlungen von Varnhagens Geldgeber, Konsul Kirchhof in Hamburg, aufgehört hatten
Schwere Erkrankung und erste Begegnung mit dem Arzt Johann Benjamin Erhard, dem Varnhagen seine Genesung verdankt

1803   Sommer   Annahme einer Erzieherstelle beim Fabrikanten Cohen, Bekanntschaft mit Wilhelm Neumann, der bei Cohen im Kontor arbeitet, Bildung eines Freundeskreises mit dem Dichter Chamisso, Fichte u.a., Herausgabe eines Musenalmanachs (bis 1805)

1804   Bankrott des Hauses Cohen
Annahme einer neuen Erzieherstelle im Hause des Hamburger Bankiers Hertz, enge persönliche Beziehung zu dessen bedeutend jüngerer Gemahlin Fanny, die im Verlauf der folgenden Jahre Varnhagen sowie seine Freunde finanziell unterstützt

1805   Februar   Begegnung mit Friedrich Heinrich Jacobi
Teilnahme am Griechischunterricht für Gymnasiasten im Johanneum in Hamburg

1805   März   Ankunft Wilhelm Neumanns in Hamburg, Austritt aus dem Hause Hertz und gemeinsame Unterkunft mit Neumann

1805 Herbst   Ferienreise nach Berlin und Rückkehr nach Hamburg
1806 März   Erneute Abreise von Hamburg, gemeinsam mit Neumann nach Halle
1806 April 21   Ankunft in Halle und Aufnahme des Medizinstudiums an der
       Universität, Beziehungen zum Philologen Friedrich August Wolf
       Zusammenstellung des Büchleins 'Erzählungen und Spiele', das 1807
       erscheint
1806 Herbst   Ferienreise nach Berlin, Wiedersehen mit Fichte, Frau Cohen u.a.
1806 Oktober 14   Sieg Napoleons über Preussen bei Jena und Auerstedt
1806 Oktober 27   Augenzeuge beim Einmarsch der Franzosen in Berlin
1807   Rückkehr nach Halle, wo die Universität geschlossen ist
       Erste Inangriffnahme des Doppelromans gemeinsam mit Neumann
1807 April   Reise nach Berlin und Bekanntschaft mit Johannes von Müller
1807 Pfingsten   Besuch bei Fouqué in Nennhausen bei Rathenow
1807 Juli 9   Friede von Tilsit zwischen Russland und Frankreich
       Fortsetzung der Beziehungen zu Fichte im Hinblick auf ein nationales
       Zusammengehen in Deutschland
1807 Oktober   Erneuter Besuch bei Fouqué in Nennhausen
1807   Reise nach Hamburg gemeinsam mit Chamisso
1807 Oktober 20   Ankunft in Hamburg, Aufenthalt im Kreis seiner Mutter und
       Schwester, der Familie Hertz u.a.
1807   Rückreise nach Berlin
1807–1808   Aufenthalt in Berlin, Besuch der Reden Fichtes ''an die deutsche Nation'',
       Bekanntschaft und Beginn seiner Freundschaft mit Rahel Levin, seiner
       späteren Gemahlin
1808 September   Abreise von Berlin nach Tübingen zur Fortsetzung des Medizin-
       studiums an der dortigen Universität
1808 Oktober 23/24   Aufenthalt in Bayreuth: Besuch bei Jean Paul
1808 November   Ankunft in Tübingen, Bekanntschaft mit dem Verleger Cotta,
       sowie dem später als Dichter bekannt gewordenen Justinus Kerner und
       Ludwig Uhland
       Finanzielle Unterstützung durch den Hamburger Freund [J. A.] Lüders,
       Aussicht auf ständige Niederlassung in Hamburg und Verheiratung
       mit Fanny Hertz
1809 März 2   Abreise von Tübingen
1809 März 24   Ankunft in Hamburg
1809 März–April   Aufenthalt in Hamburg, ohne dass es wegen Fanny Hertz zu
       einer Entscheidung gekommen wäre
1809 Mai 16   Abreise von Hamburg nach Berlin
1809 Mai   Aufenthalt in Berlin
1809 Mai 21/22   Sieg des Erzherzogs Karl von Österreich über die Franzosen
       bei Aspern
1809 Juni 12   Abreise von Berlin und Eintritt in den österreichischen Kriegsdienst
1809 Juni   Anschluss an den Obersten Fürst Wilhelm von Bentheim im k.k.
       Infanterieregiment Vogelsang als Fähnrich
1809 Juli 5/6   Teilnahme an der Schlacht bei Deutsch-Wagram. Varnhagen wird
       durch seinen Schuss in die 'Lende' verletzt
1809 Juli–August   Aufenthalt im Lazarett zu Zistersdorf bei Wien
1809 August 14   Ankunft in Wien und Aufenthalt bis zu seiner Auswechslung als
       Gefangener. Beziehungen zu den Häusern der Bankiersfamilien von
       Arnstein und von Eskeles u.a. Bekanntschaft mit dem Schweizer Paul
       Ignaz Vital Troxler
1809 September 23   Abreise von Wien nach Pressburg und Stationierung beim
       Regiment in Ungarn, Erkrankung des Obersten von Bentheim und dessen
       erfolgreiche Behandlung durch Varnhagen nach dem von Erhard ver-
       tretenen Brownschen Prinzip

1809 Oktober 14 Friede von Schönbrunn zwischen Frankreich und Österreich
1809 November Rückkehr nach Wien
1809–1810 Aufenthalt in Wien, Beziehung zum Haus der Gräfin Laura Fuchs und
    ihrem Kreis, Theaterbesuche, Wiedersehen mit Justinus Kerner
1810 Februar Abreise aus Wien nach Prag, gemeinsam mit dem Obersten von
    Bentheim
1810 Februar–April Aufenthalt in Prag
1810 April 11 Abreise von Prag nach Burgsteinfurt im Auftrag des Obersten von
    Bentheim
1810 April 24 Ankunft in Kassel und Zwischenhalt
1810 April–Mai Aufenthalt in Burgsteinfurt am Sitz des Erbprinzen Alexis von
    Bentheim
1810 Mai 4 Abreise von Burgsteinfurt
1810 Mai 26 Rückkehr nach Prag
1810 Juni 9 Abreise von Prag nach Wien in Begleitung des Obersten von
    Bentheim, der seine Angelegenheiten in Paris vortragen will
1810 Juni 18 Abreise von Wien
1810 Juni 25 Ankunft in Paris
1810 Juni–September Aufenthalt in Paris, Audienz bei Napoleon, Teilnahme am
    Fest des Fürsten von Schwarzenberg und Augenzeuge der Brandkata-
    strophe, Beziehungen zu Metternich und dem bei der österreichischen
    Botschaft als Attaché wirkenden Freiherrn Friedrich Karl von Tettenborn,
    der später an der Seite des Freiherrn vom Stein in russische Dienste trat,
    Wiedersehen mit Ludwig Uhland
1810 Oktober Abreise von Paris nach Burgsteinfurt
1810–1811 Aufenthalt in Burgsteinfurt
1811 Januar Abreise von Burgsteinfurt
1811 März 1 Ankunft in Wien
1811 April Rückkehr nach Prag und Begegnung mit dem Freiherrn vom Stein
1811 Mai Reise nach Wien in Auftrag des Obersten von Bentheim
1811 Juni Aufenthalte in Dresden und Berlin, um Rahel Levin zu treffen und sie
    nach Teplitz abzuholen
1811 Juni–September Aufenthalt in Teplitz mit Rahel Levin, Bekanntschaft mit
    Beethoven u.a.
1811 September 17 Rückkehr nach Prag
1811   Erste Veröffentlichung von Artikelserien im 'Morgenblatt für gebildete
    Stände'
1811–1812 Aufenthalt in Prag, Wiedersehen mit Metternich, Beziehungen zum
    Fürsten von Wittgenstein und zu den aus Preussen geflohenen Justus
    Gruner und Ernst von Pfuel
    Erste briefliche Kontakte mit Goethe
    Beurlaubung aus dem österreichischen Dienst im Hinblick auf eine neue
    Anstellung in Preussen
1812 August Abreise von Prag nach Berlin
1812 September–1813 Februar Aufenthalt in Berlin, Arbeit an der Biographie des
    Fürsten Wilhelm zur Lippe-Schaumburg, Äussere Notlage
1812 Oktober 24 Beginn des Rückzugs der französischen Truppen aus Russland und
    dessen katastrophale Folgen
1813 Februar 20 Erstes Auftauchen der russischen Verfolger in Berlin, unter dem
    General Czernitscheff, dem nunmehrigen Obersten von Tettenborn und
    anderen Avantgardeführern. Varnhagen war Augenzeuge ihres Er-
    scheinens
1813 März 4 Abzug der französischen Besatzung aus Berlin
1813 März Mission beim Staatskanzler Hardenberg in Breslau
1813 März 10 Ankunft in Breslau

1813 März   Rückkehr nach Berlin und Weiterreise nach Hamburg
1813 März 18 Einzug des russischen Obersten von Tettenborn in Hamburg
1813 März 22 Ankunft in Hamburg, Eintritt in Tettenborns Stab als Sekretär,
      Aufsicht über die "gesammte Anstellung der Ärzte und Einrichtung des
      Medizinalwesens" (Varnhagen an Rahel, Hamburg 30. März 1813:
      Bfw III, 22)
1813 März–Mai Aufenthalt in Hamburg
1813 Mai 30 Im Gefolge Tettenborns, Abzug der russischen Truppe aus Hamburg
      und Preisgabe der Stadt vor der erdrückenden französischen Übermacht
      unter dem Marschall Davout und General Vandamme
1813 Juni–August In Tettenborns Gefolge Aufenthalte in Lauenburg, Boitzenburg
      u.a., Waffenstillstand zwischen den Franzosen und Alliierten, Arbeit an
      der 'Geschichte der hamburgischen Begebenheiten'
1813 September Wiederbeginn der Feindseligkeiten, in Tettenborns Stab an der
      Herausgabe der 'Zeitung aus dem Feldlager' mitbeteiligt
1813 Oktober Teilnahme an Tettenborns Streifzug gegen Bremen
1813 November Aufenthalt in Bremen und materielle Festigung von Varnhagens
      Existenz durch Sicherung eines Beuteanteils
1813 Dezember–1814 Januar Teilnahme an Tettenborns Operationen im Krieg des
      schwedischen Kronprinzen Bernadotte gegen Dänemark, Begegnung mit
      Bernadotte
1814 Februar–März Teilnahme an Tettenborns Operationen auf französischem
      Boden, Überwindung Napoleons durch die Alliierten und dessen
      Abdankung
1814 April–Juni Aufenthalt in Paris, Arbeit an der Fragment gebliebenen Dar-
      stellung 'Die Rückkehr der Bourbons', schwere Erkrankung nach den
      Strapazen des Krieges
1814 Juni 16 Abreise von Paris
1814 Juli–August Erholungsaufenthalt in Teplitz, Wiedersehen mit Rahel Levin,
      Arbeit an der 'Geschichte der Kriegszüge des Generals Tettenborn'
1814 August–September Aufenthalt in Hamburg und Eintritt in die Freimaurerloge
1814 September 27 In Berlin Hochzeit mit Rahel Levin
1814 Oktober–1815 Juni Aufenthalt am Wiener Kongress im Gefolge Hardenbergs,
      ohne feste Anstellung, nur mit der Zusicherung eines künftigen Postens
      im diplomatischen Dienst, zunächst als Legationssekretär in Wien, am
      Wiener Kongress ausschliesslich mit publizistischen Aufgaben betraut,
      erste Artikeleinsendungen in der 'Allgemeinen Zeitung'
1814 Oktober 12 Ankunft in Wien, zuerst ohne Rahel
1815 März Rückkehr Napoleons von Elba nach Frankreich
1815 Juni 11 Abreise von Wien nach Berlin ohne Rahel
1815 Juni 18 Ankunft in Berlin
      Niederlage Napoleons bei Belle-Alliance
1815 Juli 4 Abreise von Berlin nach Paris im Gefolge Hardenbergs
1815 Juli 15 Ankunft in Paris
1815 Juli–Oktober Aufenthalt in Paris als 'Pressechef' von Hardenberg mit der
      Pflicht zur Berichterstattung über die politischen Richtungen der öffent-
      lichen Meinung, offiziöse Artikeltätigkeit im 'deutschen Beobachter' und
      in der 'Allgemeinen Zeitung', Arbeit an einem nicht zustandegekommenen
      Werk über die zeitgeschichtliche Entwicklung bis zu den zweiten Pariser
      Verhandlungen
1815 November Abreise nach Frankfurt am Main und Wiedersehen mit Rahel
1815 November–1816 Juli Aufenthalt in Frankfurt in Erwartung des Ausferti-
      gungsschreibens für den zuerst noch nicht ausdrücklich genannten
      diplomatischen Posten in Karlsruhe als Vertreter Preussens, Arbeit an
      der nur Entwurf gebliebenen 'Geschichte des Wiener Kongresses'

1816 April Besuch bei Gneisenau in Koblenz mit Tettenborn
1816 Juli–1819 Juli Preussischer Geschäftsträger am Badischen Hof, unterstellt dem preussischen Gesandten in Stuttgart, Johann Emanuel von Küster. Der Aufenthalt in der badischen Hauptstadt Karlsruhe ist unterbrochen durch Aufenthalte in Mannheim, wo Tettenborn lebt, Baden-Baden, Stuttgart und Strassburg
1817 August–November Längere Unterbrechung des Karlsruher Aufenthalts: Reise nach Frankfurt, Brüssel, Berlin und Weimar, wo Varnhagen zum erstenmal Goethe persönlich begegnet
1817 November Verleihung des Titels eines Minister-Residenten an Varnhagen
1819 Juli Abberufung Varnhagens nach ungelösten Kompetenzstreitigkeiten zwischen ihm und von Küster und auf Betreiben Metternichs wegen liberaler Umtriebe. Dazukommen als Ursache auch antisemitische Regungen gegen Varnhagens Gemahlin vor allem von seiten des badischen Ministers von Berstett. Varnhagen zur Disposition gestellt
1819 Oktober Übersiedlung nach Berlin und Ablehnung einer diplomatischen Mission in den Vereinigten Staaten von Amerika
1820–1821 Annäherungsversuche an Hardenberg und teilweise Wiederaufnahme der offiziösen Journalistentätigkeit
1821 August–Oktober Aufenthalte in Teplitz und Dresden
1822 August–Oktober Aufenthalt in Teplitz und teilweise Rehabilitierung durch die Gunst des Königs Friedrich Wilhelm III. von Preussen
1822 Oktober 14 Rückkehr über Dresden nach Berlin
1823 Juli Aufenthalt in Hamburg ohne Rahel bei der Familie seiner inzwischen verheirateten Schwester und seiner Mutter
1824 Varnhagen in den Ruhestand versetzt
Veröffentlichung des ersten Bandes der 'Biographischen Denkmale'
1824 Juli–August Reise nach Alexisbad und Leipzig
1825–1831 Halbamtlicher Mitarbeiter im Ministerium unter dem Grafen Christian Günther von Bernstorff
1825 Ernennung zum Geheimen Legationsrat
1825 Juli–September Reise mit Rahel nach Baden-Baden mit Aufenthalten in Weimar, Frankfurt am Main, Strassburg und Karlsruhe
1826 Varnhagens Mutter gestorben
Bestätigung des von Varnhagen usurpierten Adels
1827 Mitarbeit in der Hegelschen Kritiksozietät
1827 August–September Reise nach München ohne Rahel, Besuch bei Franz von Baader, Friedrich von Roth und anderen Mitgliedern des ehemaligen Jacobischen Freundeskreises
1828 Juli–August Aufenthalt beim Fürsten Pückler in Muskau mit Rahel
1829 Januar–März Aufenthalt am Kurhessischen Hof in Kassel im Auftrag der preussischen Regierung, Abstecher nach Bonn
1829 Juli–September Reise mit Rahel nach Baden-Baden mit Aufenthalten in Strassburg, Frankfurt am Main und Weimar, Besuch bei Goethe
1831/32 Reise nach Paris[?] [1] und Beziehungen zu den Saint-Simonisten
1832 April Reise nach Holland [?] [2]
1833 März 7 Rahel gestorben, Herausgabe des einbändigen Buches 'Rahel' in erster Auflage

---

[1] Zu schliessen nach [Varnhagen] Über den Saint-Simonismus. (Aus dem Briefe eines Deutschen vom Rhein, Februar 1832.), AoBzAZ (1832) S. 345.
[2] Zu schliessen nach [Varnhagen] Noch ein Wort über den Saint-Simonismus. Vom Rheine, Mai 1832, AoBzAZ (1832) S. 781.

1834–1835 Zerwürfnis mit dem Nachfolger Bernstorffs im Ministerium, Johann Peter Friedrich von Ancillon, und gänzliches Ausscheiden aus dem Staatsdienst

1834 Vorübergehendes Verlöbnis mit Marianne Saaling
Interesse für die Bewegung der Jungdeutschen

1834 Juli–August Aufenthalt in Wien, Wiedersehen mit Metternich und Tettenborn

1836 Juli–Oktober Reise nach Holland mit Unterbrechungen in Düsseldorf und Ems, Bekanntschaft mit Charlotte Wynn

1837 Veröffentlichung des ersten Bandes 'Denkwürdigkeiten und vermischte Schriften'

1837 August Aufenthalt in Hannover

1839 Varnhagens Schwester Rosa Maria Assing gestorben

1839 Sommer Aufenthalt in Kissingen

1840 Juni Aufenthalt in Kissingen, Wiedersehen mit Tettenborn

1841 Juni–Juli Aufenthalt in Kissingen, Wiedersehen mit Tettenborn

1842 Varnhagens Schwager Assing gestorben. Seine Nichte Ludmilla zieht zu ihm nach Berlin und führt später seinen Haushalt

1842 Juli–August Aufenthalt in Kissingen

1843 Juli–August Aufenthalt in Kissingen

1844 Juli–August Aufenthalt in Homburg vor der Höhe

1845 Juli–September Reise nach Kissingen über Weimar, Fulda, Homburg vor der Höhe, Heidelberg, Würzburg; letztes Wiedersehen mit Tettenborn, der im Dezember desselben Jahres stirbt

1846 Juli–August Reise nach Homburg vor der Höhe über Weinsberg, Besuch bei Justinus Kerner

1847 Juli–August Aufenthalt in Homburg vor der Höhe

1848 März 18/19 Augenzeuge des Strassenkampfes in Berlin beim Ausbruch der Revolution

1850 Juni Reise nach Hamburg mit Ludmilla Assing

1853 Juli–August Reise an den Rhein mit Aufenthalten in Düsseldorf, Köln, Strassburg, Schaffhausen (Rheinfall) u.a.

1856 Juni–Juli Reise nach der Schweiz über Hannover, München, Lindau; Aufenthalte in Zürich und Aarau, Wiedersehen mit Troxler

1857 Juli–August Reise nach Teplitz mit Aufenthalten in Dresden und Prag

1858 Juli–August Reise nach Weimar und Gotha

1858 September Reise nach Hamburg

1858 Oktober 10 Varnhagen gestorben in Berlin

SIGLEN- UND ABKÜRZUNGSVERZEICHNIS

AaZ	Aarauer Zeitung
ADB	Allgemeine Deutsche Biographie
ALZ	Allgemeine Literatur-Zeitung
AoBzAZ	Ausserordentliche Beilage zur [Augsburger] Allgemeinen Zeitung
A. v. Humboldt-Bfw	Briefe von Alexander von Humboldt an Varnhagen von Ense aus den Jahren 1827 bis 1858. Leipzig 1860.
AZ	[Augsburger] Allgemeine Zeitung
Bfw	Briefwechsel zwischen Varnhagen und Rahel. 6 Bde. Leipzig 1874-1875.
Bibl. Nat.	Bibliothèque Nationale
Bibl. Rep.	Bibliographisches Repertorium
Bibl. Varnh.	Bibliotheca Varnhagen
Bln DtStB	Berlin Deutsche Staatsbibliothek
Bln StB StPrKb	Berlin Staatsbibliothek der Stiftung Preussischer Kulturbesitz
BpG	Blätter aus der preussischen Geschichte. 5 Bde. Leipzig 1868-1869.
Bülow	Leben des Generals Grafen Bülow von Dennnewitz Berlin 1853.
BzAZ	Beilage zur [Augsburger] Allgemeinen Zeitung
Ddf LuStB	Düsseldorf Landes- und Stadtbibliothek
Dkm	Biographische Denkmale
Dkw	Denkwürdigkeiten [des eignen Lebens]
Droysen-Bfw	Johann Gustav Droysen. Briefwechsel. 2 Bde. Berlin und Leipzig 1929.
DtM	Deutsches Museum. Zeitschrift für Literatur, Kunst und öffentliches Leben
DtR	Deutsche Revue über das gesamte nationale Leben der Gegenwart
DtRs	Deutsche Rundschau
DZA, Hist. Abt. II, Merseburg	Deutsches Zentralarchiv, Historische Abteilung II, Merseburg
Erhard-Dkw	Denkwürdigkeiten des Philosophen und Arztes Johann Benjamin Erhard. Stuttgart und Tübingen 1830.
FBPG	Forschungen zur Brandenburgischen und Preussischen Geschichte
FDtHSt FGM	Freies Deutsches Hochstift Frankfurter Goethemuseum
Goethe-Jb	Goethe-Jahrbuch
Grimm-Bfw	Briefwechsel zwischen Jacob und Wilhelm Grimm aus der Jugendzeit. Zweite, vermehrte und verbesserte Auflage. Weimar 1963.
GStA StPrKb	Geheimes Staatsarchiv der Stiftung Preussischer Kulturbesitz
Hbg UB	Heidelberg Universitätsbibliothek
Hegel-Bfw	Briefe von und an Hegel. Band 3. Hamburg (1954) (= Georg Wilhelm Friedrich Hegel. Sämtliche Werke.

	Neue kritische Ausgabe. Band XXVII-XXX)
HH StA	Hamburg Staatsarchiv
HH StuUB	Hamburg Staats- und Universitätsbibliothek
HsAbt	Handschriften-Abteilung
Humboldt-Bfw IV, V	Wilhelm und Caroline von Humboldt in ihren Briefen. Vierter und Fünfter Band. Berlin 1910-1912.
HVjS	Historische Vierteljahrschrift
HZ	Historische Zeitschrift
JALZ	Jenaische Allgemeine Literatur-Zeitung
JfwK	Jahrbücher für wissenschaftliche Kritik
Keith	Leben des Feldmarschalls Jakob Keith. Berlin 1844.
Kerner-Bfw	Justinus Kerners Briefwechsel mit seinen Freunden. 2 Bde. Stuttgart und Leipzig 1897.
Klr G.L.A.	Karlsruhe Badisches Generallandesarchiv
K. v. Humboldt-Bfw	Briefwechsel zwischen Karoline von Humboldt, Rahel und Varnhagen. Weimar 1896.
LitZod	Literarischer Zodiacus. Journal für Zeit und Leben, Wissenschaft und Kunst
MAL II	Mittheilungen aus dem Litteraturarchive in Berlin. Zweiter Band. Berlin 1900.
MGFA	Militärgeschichtliches Forschungsamt, Freiburg i. Brsg.
MIöG	Mitteilungen des Instituts für österreichische Geschichtsforschung
MVGB	Mitteilungen des Vereins für die Geschichte Berlins.
MVHG	Mitteilungen des Vereins für Hamburgische Geschichte
NA	Neue Ausgabe
NF	Neue Folge
NFG (GSA)	Nationale Forschungs- und Gedenkstätten, Weimar (Goethe- und Schiller-Archiv)
NND	Neuer Nekrolog der Deutschen
NR	Neue Reihe
NuS	Nord und Süd. Eine deutsche Monatsschrift
Ölsner-Bfw	Briefwechsel zwischen Varnhagen von Ense und Ölsner nebst Briefen von Rahel. 3 Bde. Stuttgart 1865.
ÖRs	Österreichische Rundschau
Pückler-Bfw	Briefwechsel zwischen Pückler und Varnhagen von Ense nebst einigen Briefen von Rahel und der Fürstin von Pückler-Muskau. Berlin 1874 (= Briefwechsel und Tagebücher des Fürsten Hermann von Pückler-Muskau. Dritter Band)
Rosenkranz-Bfw	Briefwechsel zwischen Karl Rosenkranz und Varnhagen von Ense. Königsberg Pr. 1926.
Rotteck-Bfw	Briefwechsel zwischen Karl von Rotteck und Varnhagen von Ense. In: Carl von Rotteck's gesammelte und nachgelassene Schriften. Fünfter Band. Pforzheim 1843. S. 243-302
SB	Sonntagsbeilage
Schwerin	Leben des Feldmarschalls Grafen von Schwerin. Berlin 1841.
Seydlitz	Leben des Generals Freiherrn von Seydlitz. Berlin 1834.
SNM	Schiller-Nationalmuseum Marbach a.N.
Sophie Charlotte	Leben der Königin von Preussen Sophie Charlotte. Berlin 1837.
StB	Stadtbibliothek
Stein-Bfw [NA] IV, V, VI	Freiherr vom Stein. Briefwechsel Denkschriften und

338

	Aufzeichnungen. Vierter, Fünfter u. Sechster Band. Berlin (1933-35). Briefe und amtliche Schriften. Fünfter und Sechster Band (Stuttgart 1964-1965)
StuLB	Stadt- und Landesbibliothek
SW	Sämmtliche Werke
SZsG	Schweizerische Zeitschrift für Geschichte
Tgb	Tagebücher. 15 Bde. Leipzig 1861-1862; Zürich 1865; Hamburg 1868-1870; Berlin 1905.
Troxler-Bfw	Der Briefwechsel zwischen Ignaz Paul Vital Troxler und Karl August Varnhagen von Ense 1815-1858. Aarau 1953.
T. v. Schön-Bfw	Briefwechsel des Ministers und Burggrafen von Marienburg Theodor von Schön mit G. H. Pertz und J. G. Droysen. Leipzig 1896.
UB	Universitätsbibliothek
Uhland-Bfw	Uhlands Briefwechsel. 4 Tle. Stuttgart und Berlin 1912-1916 (= Veröffentlichungen des Schwäbischen Schillervereins. Vierter, Fünfter, Sechster und Siebenter Band)
UuStB	Universitäts- und Stadtbibliothek
VSchr	Vermischte Schriften
Winterfeldt	Leben des Generals Hans Karl von Winterfeldt. Berlin 1836.
WIDM	Westermanns Illustrierte Deutsche Monatshefte
ZsGOR	Zeitschrift für die Geschichte des Oberrheins
ZsVHG	Zeitschrift des Vereins für hamburgische Geschichte
Zur Geschichtschreibung	Zur Geschichtschreibung und Literatur. Berichte und Beurtheilungen von K. A. Varnhagen von Ense. Hamburg 1833.

QUELLEN- UND LITERATURVERZEICHNIS

1. VARNHAGEN VON ENSE

A. AUTOGRAPHA

BERLIN

Deutsche Staatsbibliothek zu Berlin. Handschriftenabteilung. Nachlass Chamisso.
4 Briefe an ihn: 1816 Dezember 15, Karlsruhe – 1818 Juli 12, Baden b. Rastatt –
1818 November 24, Karlsruhe – 1836 September 26, Berlin.
Sammlung Autographa.
Abschrift aus Goethes Brief an Friedrich Heinrich Jacobi, Karlsbad 10. Mai 1812:
1847 Dezember 14, Berlin.

Märkisches Museum Berlin.
Nachlass Hitzig: Varnhagen von Ense, Karl August und seine Schwester Rose Maria
Assing. XV 875.
2 Briefe an Hitzig: 1840 Mai 29, o.O. – 1842 April 4, o.O.

Staatsbibliothek der Stiftung Preussischer Kulturbesitz. Handschriftenabteilung.
Varnhagen von Ense. Briefe an den Kgl. Preuss. Gesandten in der Schweiz Justus
v. Gruner. 1816–1819. Ms. Germ. Quart. 1988. Bl 1-84.

BONN

Universitätsbibliothek Bonn. Handschriftenabteilung.
Autographen-Sammlung: Varnhagen von Ense, Karl August. 167 Bl 3. 1 Brief an
[Heinrich Hoff]: 1837 Oktober 6, Berlin.

DORTMUND

Stadt- und Landesbibliothek Dortmund. Handschriftenabteilung. Atg 1712; 1713; 2169;
2374.
2 Briefe an Karl Grün: 1846 Mai 15, Berlin – 1850 August 11, Berlin.
Abschrift aus Goethes Brief an Friedrich Heinrich Jacobi, Karlsbad 10. Mai 1812:
1846 November 20, Berlin.
Abschrift aus Herders [Adrastea], o.O.u.D.

DÜSSELDORF

Landes- und Stadtbibliothek. [Varnhagen-Autographen].
54.2196: Varnhagens eigenhändig ausgefüllter Fragebogen für das Gelehrte Berlin.
54.2199: 1 Brief an Eduard Boas: 1850 November 1, Berlin.
55.449: 1 Brief an einen Ungenannten: 1833 Januar 15, Berlin.
62.743: 1 Brief an Karl von Rotteck: 1824 Februar 9, Berlin.
62.2543: 1 Brief an Eleonore Wolbrecht: 1814 Juli 25, Teplitz.
64.2020: 1 Brief an Eduard von Bülow: 1852 Dezember 13, Berlin.
ohne Signatur-Nr: 1 Brief an Adolf Stahr: 1851 Oktober 24, Berlin.

FRANKFURT

Bundesarchiv Abteilung Frankfurt am Main. N 3 G.F. Kolb ZS g 1/3.
1 Brief an Georg Friedrich Kolb: 1844 Januar 12, Berlin.
Freies Deutsches Hochstift Frankfurter Goethemuseum.
Hs 8356: 1 Brief an [Gottschalk Eduard Guhrauer?]: 1849 November 12, Berlin.
Hs 14039: 1 Brief an Eduard von Bülow: 1853 Februar 23, Berlin.

Staatsarchiv der freien und Hansestadt Hamburg. Friedrich Perthes Nachlass I.
Mappe 7c Bl 153-163: Bruchstück der 'Geschichte der hamburgischen Begebenheiten'.
22 Briefe an Perthes:
Mappe 5c Bl 73: 1813 Juli 4, Boitzenburg.
Mappe 5c Bl 144-145: 1813 September 8, Zarensdorf.
Mappe 7b Bl 130-131: 1814 April 10, Villeneuve [-le-Roi].
Mappe 7b Bl 135-136: 1814 Juni 22, Baden b. Rastatt.
Mappe 7b Bl 143: 1814 September 29, Berlin.
Mappe 7b Bl 149-150: 1814 November 24, Wien.
Mappe 9b Bl 3-5 [Kopie]: [1815 Frühjahr Wien].
Mappe 9b Bl 156-157: 1815 August 23, Paris.
Mappe 9b Bl 214: 1815 Oktober 13, Paris.
Mappe 9b Bl 247-248: 1815 Dezember 14, Frankfurt a.M.
Mappe 10a Bl 38: 1816 März 4, Frankfurt a.M.
Mappe 10a Bl 69-70: 1816 Mai 13, Frankfurt a.M.
Mappe 10a Bl 95: 1816 Juni 28, Frankfurt a.M.
Mappe 10a Bl 98: 1816 Juli 6, Frankfurt a.M.
Mappe 10d Bl 221-222: 1817 August 8, Karlsruhe.
Mappe 11a Bl 293-294: 1818 Dezember 24, Karlsruhe.
Mappe 17a Bl 124-125: 1827 November 25, Berlin.
Mappe 17b Bl 35-36: 1828 November 29, Berlin.
Mappe 33a Bl 15-16: 1830 Dezember 28, Berlin.
Mappe 18c Bl 138-139: 1832 Mai 15, Berlin.
Mappe 21a Bl 116: 1838 April 15, Berlin.
Mappe 21e Bl 122-123: 1840 November 28, Berlin.
Familie Lappenberg C 38 a.
Johann Martin Lappenberg. Briefwechsel mit Partnern in Berlin.
1 Brief an ihn: 1831 August 10, Berlin.
Familie Sieveking V 15 k. 30. 1 Brief an Karl Sieveking: 1838 Juni 12, Berlin.
Dienststelle Altona. Bestand 94 Mappe 64.
1 Brief an [Friedrich Arnold Brockhaus?]: 1816 Mai 21, Frankfurt a.M.
2 Briefe an [Friedrich Immanuel Niethammer?]: 1828 Januar 21, Berlin – 1828 August
18, Berlin.

Staats- und Universitätsbibliothek Hamburg. Handschriftenabteilung. Campe 4 (392) d.
1 Brief an Benjamin Gottlob Hoffmann: 1814 September 12, Hamburg.
Literatur-Archiv: 6 Briefe an Johann Martin Lappenberg: 1930.306: 1832 August 8,
Berlin – 1930.307: 1833 Januar 9, Berlin – 1930.309: 1834 September 28, Berlin –
1930.317: 1846 Dezember 5, Berlin – 1930.319: 1848 Januar 6, Berlin – 1930.320:
1849 Juni 14, Berlin.

Universitätsbibliothek Heidelberg. Handschriftenabteilung. Wessenberg'sche Correspon-
denzen Heid Hs 695.
2 Briefe an ihn: Bl 261-262: 1818 Juni 26, Baden b. Rastatt – Bl 265-266: 1818 November
20, Karlsruhe.

Badisches Generallandesarchiv
Grossherzogliches Haus- & Staatsarchiv III. Staatssachen. Correspondenz. Fasc. 45.
Varnhagen-Zeugmeister. G.L.A. 48 Nr. 1297-1298.
Briefe aus dem Nachlass des Kgl. preuss. Geschäftsträgers am badischen Hofe Varnhagen
von Ense. 1816-1843.
G.L.A. 48 Nr. 1297 Nr. 34 [Kopie]: Bruchstück 'Zur Biographie v. Tettenborns'.
Korrespondenz des preuss. Gesandten [sic!] am bad. Hof Varnhagen v. Ense: Brief an

einen Unbekannten [= Luden] über die bad. Verfassung. G.L.A. 48 Nr. 1298: 1818 August 30, Karlsruhe.

Grossherzogliches Haus- & Staatsarchiv III. Staatssachen. Diplomatische Correspondenz Preussen I B, II B und III B. Correspondenz Königlich preuss. Minister und Gesandten mit den badischen Ministern 1789-1843. G.L.A. 48 Nr. 2670-2677.

I B. Correspondenz des Königl. preuss. Ministerresidenten Varnhagen von Ense mit dem Staatsminister Freih. v. Berstett. 1818-1819. G.L.A. 48 Nr. 2671.

1 Brief an [Hacke?]: 1816 September 25, Mannheim.

1 Brief an [Tettenborn?]: 1816 Mai 8, Frankfurt a.M.

KÖLN

Universitäts- und Stadtbibliothek Köln. [Varnhagen-Autographen].

XI 1282: 1 Brief an Wilhelm [Neumann?]: 1811 August 12, Teplitz.

6 Briefe an Friedrich von Otterstedt: XV 910: 1815 Juli 16, Paris – XV 910: 1815 August 19, Paris – XV 910: 1815 August 30, Paris – XV 911: 1815 September 9, Paris – XV 911: 1815 Oktober 2, Paris – XV 911: 1816 Juli 15, Karlsruhe.

3 Briefe an Heinrich Düntzer: 1847 Februar 15, Berlin – 1853 Januar 8, Berlin – 1854 März 26, Berlin.

MARBACH A.N.

Cotta-Archiv im Schiller-Nationalmuseum in Marbach am Neckar (Stiftung der Stuttgarter Zeitung): 166 Briefe an Johann Friedrich von Cotta.

Schiller-Nationalmuseum Marbach a. N. Handschriftenabteilung.

Varnhagen von Ense, Karl August. Verschiedenes. Notizen m.U. 2 7582: Notiz: 1846 März 27, Berlin. Nachlass Uhland 47623: 1 Brief an ihn: 1851 Oktober 4, Berlin. Nachlass Justinus Kerner. 10 Briefe an ihn: KN 7256: 1816 März 1, Frankfurt a.M. – KN 7257: 1816 Mai 6, Frankfurt a.M. – KN 7258: 1816 Juli 16, Karlsruhe – KN 7266: 1818 Juni 16, Baden b. Rastatt – KN 7267: 1818 Juli 6, Baden b. Rastatt – KN 7268: 1818 Oktober 1, Baden b. Rastatt – KN 7269: 1818 Dezember 6, Karlsruhe – KN 7271: 1819 Mai 10, Karlsruhe – KN 7279: 1841 Februar 22, Berlin – KN 7293: 1848 März 28, Berlin.

MARBURG A.D.L.

Staatsbibliothek der Stiftung Preussischer Kulturbesitz.

Bibliotheca Varnhagen Nr. 282; 902; 943; 1124; 1186; 1187; 1188; 1189; 1190: Notae adscriptae.

MERSEBURG

Ehem. Preuss. Geh. Staatsarchiv, heute: Deutsches Zentralarchiv, Historische Abteilung II, Merseburg.

Ministerium des Inneren, Rep. 92 Hardenberg K 72: Schriftwechsel mit dem Geh. Legations-Rath Varnhagen von Ense 1814-1821.

Rep. 92: Nachlass G. A. Reimer VII. Varnhagen von Ense an R. 8/8. 1814.

Ministerium für auswärtige Angelegenheiten, A.A.I. Rep. I. Nr. 653: Die Mission am grossherzoglich badenschen Hofe. 1813-41.

A.A.I. Rep. I. Nr. 659; 660; 662; 665: Carlsruhe. Correspondance avec la Mission du Roi. 1816-1819.

A.A.I. Rep. I. Nr. 672: Acta betr. Die vom König dem Grossherzog von Baden verliehene Stelle eines Generals der Infanterie und Chefs des 4. Infanterie-Regiments in der königlichen Armee: 2 Briefe an Bernstorff: 1819 Januar 10, Karlsruhe – 1819 Februar 9, Karlsruhe.

A.A.I. Rep. 4. Nr. 1946. Vol. I: 3 Depeschen an Friedrich Wilhelm III.: Bl 1-2: 1819 März 24, Karlsruhe – Bl 7-8: 1819 März 25, Karlsruhe – Bl 97-98: 1819 April 5, Karlsruhe.

A.A.I. Rep. 4. Nr. 2825: Acta betr. Die persönlichen Verhältnisse des Geh. Legations-Raths Varnhagen von Ense.

Bl 1-2: 1 Brief an Hardenberg: 1814 Juli 15, Teplitz.

Bl 11-12: 1 Brief an [Philipsborn?]: 1824 Dezember 23, Berlin.

Bl 29-32: Varnhagens Rechtfertigungsschreiben in der Adelssache: 1826 Juni 1, Berlin.
Bl 74: 1 Brief an Wittgenstein: 1832 August 11, Berlin.

PARIS
Bibliothèque Nationale. Cabinet des Manuscrits. Archives Daniel Ollivier tome XV.
Lettres adressées à Marie d'Agoult. Sc-Z. N.A.F. 25189.
4 Briefe an Marie d'Agoult: Bl 131-132: 1845 26, Berlin – Bl 133-134: 1846 Februar 10,
Berlin – Bl 135-136: 1850 April 18, Berlin – Bl 137-138: 1852 Februar 27, Berlin.
Beuchot Notes & Papiers. N.A.F. 25136: 1 Brief an Andrien Jean Quentin Beuchot:
Bl 281-282: 1845 Februar 9, Berlin.

SCHAFFHAUSEN
Stadt-Bibliothek.
Ms C Müll. 237 Bl 295: 1 Brief an Johannes von Müller: o.O.u.D.

WEIMAR
Nationale Forschungs- und Gedenkstätten, Weimar (Goethe- und Schiller-Archiv).
Reinhold: II,6,4: 1 Brief an Ernst Reinhold: 1844 Mai 8, Berlin.
Kanzler v. Müller Nr. 483: 2 Briefe an ihn: Bl 3: 1832 Dezember 31, Berlin – Bl 8:
1848 September 4, Berlin.
Frommann [-Nachlass].
Briefe. Karl A. Varnhagen v. Ense an Allwina Frommann. Nr. 292. 6. Bl V 3. 1 Brief
an sie: 1835 Feb.
Goethe egg. Briefe: Nr. 931 XIV: 1 Brief an Goethe: 1826 Dezember 19, Berlin.

PRIVATBESITZ
1 Brief an einen Ungenannten: 1827 Mai 3, Berlin.
Widmungsexemplar der Biographie Keiths mit einer Widmung für Richard Monckton
Milnes: 1844 März, Berlin.
Varnhagens Porträt. Lithographie von P. Gottheiner. Nach d. Nat. gez. v. Ludmilla
Assing. Verlag und Eigenthum der Artistischen Anstalt (E. Mecklenburg). o.O.u.J. mit
Varnhagens eigenhändigen Aufzeichnungen im Faksimiledruck.

B. EINZELPUBLIKATIONEN

Geschichte der hamburgischen Begebenheiten während des Frühjahrs 1813. London 1813
[= Bremen 1814]. (= Bibl. Varnh. Nr. 1124).
Hanseatische Anregungen. Hamburg 1814.
Geschichte der Kriegszüge des Generals Tettenborn während der Jahre 1813 und 1814.
Stuttgart und Tübingen 1814.
Deutsche Ansicht der Vereinigung Sachsens mit Preussen. Deutschland [= Leipzig] 1814.
(= Bibl. Varnh. Nr. 1091).
Hambourg avant Davoust, ou relation de ce qui s'est passé à Hambourg en 1813 depuis
la sortie des François jusqu'à leur rentrée. [Traduction de M. Schoel] Paris 1814.
(= Bibl. Varnh. Nr. 1121).
Biographische Denkmale. [Erster Theil. Graf Wilhelm zur Lippe. Graf Matthias von der
Schulenburg. König Theodor von Corsica] Berlin 1824. – Dritter Theil. Fürst Blücher
von Wahlstadt. Berlin 1826. (= Preussische Biographische Denkmale. Zweiter Theil.) –
Fünfter Theil. Graf Ludwig von Zinzendorf. Berlin 1830. (= Leben des Grafen von
Zinzendorf.)
Zur Geschichtschreibung und Litteratur. Berichte und Beurtheilungen. Aus den Jahr-
büchern für wissenschaftliche Kritik und andern Zeitschriften gesammelt. Hamburg 1833.
Leben des Generals Freiherrn von Seydlitz. Berlin 1834.
Leben des Generals Hans Karl v. Winterfeldt. Berlin 1836.
Leben der Königin von Preussen Sophie Charlotte. Berlin 1837.
Denkwürdigkeiten und vermischte Schriften. Erster und Zweiter Band. Mannheim 1837. –
Dritter und Vierter Band. Mannheim 1838. – Neue Folge. Erster Band. (= Fünfter
Band.) Leipzig 1840.
Leben des Feldmarschalls Grafen von Schwerin. Berlin 1841.

Denkwürdigkeiten und vermischte Schriften. Neue Folge. Zweiter Band. (= Sechster Band.) Leipzig 1842.

Denkwürdigkeiten und Vermischte Schriften. Zweite Auflage. Erster, Zweiter und Dritter Band. Leipzig 1843. (= Denkwürdigkeiten des eignen Lebens. Erster, Zweiter und Dritter Theil.) Vierter, Fünfter und Sechster Band. Leipzig 1843. (= Vermischte Schriften. Erster, Zweiter und Dritter Theil.)

Leben des Feldmarschalls Jakob Keith. Berlin 1844.

Hans von Held. Ein preussisches Karakterbild. Leipzig 1844.

Biographische Denkmale. Erster Theil. [Graf Wilhelm zur Lippe. Graf Matthias von der Schulenburg. König Theodor von Corsica] Berlin 1845. – Dritter Theil. Berlin 1845. (= Leben des Fürsten Blücher von Wahlstadt.) – Fünfter Theil. Berlin 1846. (= Leben des Grafen Ludwig von Zinzendorf.)

Denkwürdigkeiten und vermischte Schriften. Neue Folge. Dritter Band. (= Siebenter Band.) Leipzig 1846.

Schlichter Vortrag an die Deutschen über die Aufgabe des Tages. Berlin 1848.

Leben des Generals Grafen Bülow von Dennewitz. Berlin 1853.

Denkwürdigkeiten und Vermischte Schriften. [Herausgegeben von Ludmilla Assing] Achter und Neunter Band. Leipzig 1859.

Tagebücher. [Herausgegeben von Ludmilla Assing] Erster und Zweiter Band. Leipzig 1861. Dritter, Vierter, Fünfter und Sechster Band. Leipzig 1862. Siebenter und Achter Band. Zürich 1865. Neunter und Zehnter Band. Hamburg 1868.

Blätter aus der preussischen Geschichte. [Herausgegeben von Ludmilla Assing] Erster Zweiter und Dritter Band. Leipzig 1868. Vierter und Fünfter Band. Leipzig 1869.

Tagebücher. [Herausgegeben von Ludmilla Assing] Elfter Band. Hamburg 1869. Zwölfter, Dreizehnter und Vierzehnter Band. Hamburg 1870.

Biographische Portraits. Nebst Briefen von Koreff, Clemens Brentano, Frau von Fouqué, Henri Campan und Scholz. [Herausgegeben von Ludmilla Assing] Leipzig 1871.

Denkwürdigkeiten des eignen Lebens. Dritte vermehrte Auflage. Erster, Zweiter, Dritter, Vierter, Fünfter und Sechster Theil. Leipzig 1871. (= Ausgewählte Schriften. [Herausgegeben von Ludmilla Assing] Erster, Zweiter, Dritter, Vierter, Fünfter und Sechster Band. Erste Abtheilung.)

Biographische Denkmale. Dritte vermehrte Auflage. Erster, Zweiter, Dritter und Vierter Theil. Leipzig 1872. (= Ausgewählte Schriften. [Herausgegeben von Ludmilla Assing] Siebenter, Achter, Neunter und Zehnter Band. Zweite Abtheilung.) – Fünfter, Sechster und Siebenter Theil. Leipzig 1873. (= Ausgewählte Schriften. [Herausgegeben von Ludmilla Assing] Elfter, Zwölfter und Dreizehnter Band. Zweite Abtheilung.) – Achter, Neunter und Zehnter Theil. Leipzig 1874. (= Ausgewählte Schriften. [Herausgegeben von Ludmilla Assing] Vierzehnter, Fünfzehnter und Sechzehnter Band. Zweite Abtheilung.)

Vermischte Schriften. Dritte vermehrte Auflage. Erster und Zweiter Theil. Leipzig 1875. (= Ausgewählte Schriften. [Herausgegeben von Ludmilla Assing] Siebzehnter und Achtzehnter Band. Dritte Abtheilung.) – Dritter Theil. Leipzig 1876. (= Ausgewählte Schriften. [Herausgegeben von Ludmilla Assing] Neunzehnter Band. Dritte Abtheilung.)

Reiz und Liebe. In: Deutsche Erzählungen. Zweite Auflage. Stuttgart 1879. S. 109-163.

Tagebücher. Fünfzehnter Band (Register) Berlin 1905. (= Veröffentlichungen der Deutschen Bibliographischen Gesellschaft. Band 3. (1904). Bearbeitet von Heinr[ich] Hub[ert] Houben).

Denkwürdigkeiten des eignen Lebens. Herausgegeben und eingeleitet von Joachim Kühn. Erster Teil 1785-1810. Berlin 1922. Zweiter Teil 1810-1815. Berlin 1923.

Der Doppelroman der Berliner Romantik. Zum ersten Male herausgegeben und mit Erläuterungen dargestellt von Helmuth Rogge. Erster und Zweiter Band. Leipzig 1926. (= Der Klinkhardt-Drucke zweiter Band.)

(Friedrich Fürst Schwarzenberg) Europäische Zeitenwende. Tagebücher 1835-1860. (Ausgewählt, herausgegeben und eingeleitet von Joachim Schondorff) München (1960).

C. BEITRÄGE IN ZEITSCHRIFTEN UND ZEITUNGSARTIKEL

AARAUER ZEITUNG (AaZ)

Frankfurt, den 18 April: Montag Nr. 51. den 28 April 181} S. 259-260.
Düsseldorf, den 19 April: Mittwoch Nr. 51. den 29 April 1l 18. S. 263.
Frankfurt, den 20 Februar: Sonnabend Nr. 25. den 27 Febi 1ar 1819. S. 99-100.

AUSSERORDENTLICHE BEILAGE ZUR ALLGEMEINEN ZEITUN((AoBzAZ) [1]
Über den Saint-Simonismus. (Aus dem Briefe eines Deutschen vom Rhein, Februar 1832.):
Nr. 87 1832 (6 März) S. 345-346.
Noch ein Wort über den Saint-Simonismus. Vom Rheine, Mai 1832: Nr. 196 und 197.
1832 (21 Mai) S. 781-782.
Rezension: 'Geschichte der englischen Revolution. Von F. C. Dahlmann': Nr. 73
[13. März 1844] S. 37-38.
*Berlin, 3 April: Nr. 99 [8. April 1848] S. 6-7.

ARCHIV FÜR GEOGRAPHIE, HISTORIE, STAATS- UND KRIEGSKUNST. ZWEYTER JAHRGANG,
1811. MITTWOCH DEN 23. UND FREYTAG DEN 25. OCTOBER 1811. (127 UND 128)
Talleyrand über Kolonien. Übersetzt von K. A. Varnhagen von Ense: S. 536-540.

ALLGEMEINE ZEITUNG (AZ) [1]

*Aus Östreich, 2 März: Nr. 69. Freitag 10. März 1815. S. 275-276.
*Vom Rheinstrom, 3 März: Nr. 70. Sonnabend 11. März 1815. S. 279.
*Wien, 13 April: Nr. 114. Montag 24. April 1815. S. 460.
*Paris, 3 Okt: Nr. 285. Donnerstag 12. Okt. 1815. S. 1147-1148.
*Paris 18 Okt: Nr. 302. Sonntag 29. Okt. 1815. S. 1215.
*Paris, 29 Okt: Nr. 311. Dienstag 7. Nov. 1815. S. 1250.
*Paris, 31 Okt: Nr. 314. Freitag 10. Nov. 1815. S. 1262-1263.
*Paris, 31 Okt. (Beschluss.): Nr. 315. Sonnabend 11. Nov. 1815. S. 1266.
*Vom Main, 16 Jan: Nr. 25. Donnerstag 25. Jan. 1816. S. 99-100.
*Düsseldorf, 16 Febr: Nr. 53. Donnerstag 22. Febr. 1816. S. 212.
*Vom Main, 24 März: Nr. 86. Dienstag 26 März 1816. S. 343.
*Vom Main, 5 Mai: Nr. 136. Mittwoch 15. Mai 1816. S. 544.
*Aus dem Preussischen, 13 Mai: Nr. 141. Montag 20. Mai 1816. S. 564.
*Berlin, 8 Jun: Nr. 169. Montag 17. Jun. 1816. S. 675-676.
†Frankfurt am Main, 21 Jun: Nr. 181. Sonnabend 29. Jun. 1816. S. 724.
*Berlin, 30 Jun: Nr. 194. Freitag 12. Jul. 1816. S. 775-776.
*Vom Rhein, 7 Sept: Nr. 258. Sonnabend 14. Sept. 1816. S. 1032.
*Frankfurt, 1 Jan: Nr. 8. Mittwoch 8. Jan. 1817. S. 31-32.
*Frankfurt, 6 Jan: Nr. 14. Dienstag 14. Jan. 1817. S. 60.
*Vom Rheine, 7 Jan. (Eingesandt.): Nr. 13. Montag 13. Jan. 1817. S. 52.
*Frankfurt, 18 Jan: Nr. 24. Freitag 24. Jan. 1817. S. 96.
*Vom Main, 25 Jan: Nr. 31. Freitag 31. Jan. 1817. S. 124.
*Vom Main, 5 Febr: Nr. 43. Mittwoch 12. Febr. 1817. S. 172.
*Aus dem Preussischen, 16 März: Nr. 86. Donnerstag 27. März 1817. S. 344.
*Vom Main, 18 Mai: Nr. 144. Sonnabend 24. Mai 1817. S. 576.
*Vom Main, 20 Jun: Nr. 176. Mittwoch 25. Jun. 1817. S. 702-703.
*Frankfurt, 29 Jun: Nr. 188. Montag 7. Jul. 1817. S. 751.
*Von der Elbe, 20 Jul: Nr. 208. 27. Jul. 1817. S. 832.
†Aus dem Preussischen, 11 Dec: Nr. 354. 20. Dec. 1817. S. 1416.
*Vom Oberrhein, 28 Jan: Nr. 39. Sonntag 8. Febr. 1818. S. 156.
*Vom Niederrhein, 20 März: Nr. 99. Donnerstag 9. April 1818. S. 396.
*Von der Spree, 1 Aug: Nr. 234. Sonnabend 22. Aug. 1818. S. 936.
*Von der Spree, 22 Aug: Nr. 244. Dienstag 1. Sept. 1818. S. 976.

[1] Varnhagens Verfasserschaft ergibt sich an Hand des Redaktionsexemplars der Allgemeinen Zeitung, Standort: SNM Cotta-Archiv.

*Von der Spree, 13 Sept: Nr. 265. Dienstag 22. Sept. 1818. S. 1060.
*Vom Main, 14 Sept: Nr. 267. Donnerstag 24. Sept. 1818. S. 1068.
*Vom Main, 26 Okt: Nr. 306. Montag 2. Nov. 1818. S. 1224.
*Vom Main, 9 Dec: Nr. 350. Mittwoch 16. Dec. 1818. S. 1399.
*Vom Rhein, 5 April: Nr. 102. Montag 12. April 1819. S. 408.
*Vom Main, 30 April: Nr. 127. Freitag 7. Mai 1819. S. 508.
*Frankfurt, 6 Mai: Nr. 131. Dienstag 11. Mai 1819. S. 524.
*Mannheim, 10 Mai: Nr. 137. Montag 17. Mai 1819. S. 548.
*Heidelberg, 12 Jun: Nr. 168. Donnerstag 17. Jun. 1819. S. 672.
*Vom Main, 14 Jun: Nr. 172. Montag 21. Jun. 1819. S. 688.
*Aus Sachsen, 20 Jun: Nr. 178. Sonntag 27. Jun. 1819. S. 711-712.
Schreiben aus Berlin: Nr. 30. Sonntag 30. Jan. 1820. S. 120.
**Berlin, 21 Jan: Nr. 34. Donnerstag 3. Febr. 1820. S. 136.
**Berlin, 8 Febr: Nr. 51. Sonntag 20. Febr. 1820. S. 204.
†Berlin, 8 Okt: Nr. 288. Donnerstag 15. Okt. 1829. S. 1151-1152.
†Berlin, 17 Nov: Nr. 329. Mittwoch 25. Nov. 1829. S. 1316.
†Berlin, 3 Mai: Nr. 130. Montag 10. Mai 1830. S. 520.
*Berlin, 5 Jun: Nr. 161. Dienstag 10. Jun. 1845. S. 1287-1288.
*Berlin, 24 Febr: Nr. 60. Dienstag 29. Febr. 1848. S. 951-952.
*Berlin, 20 März: Nr. 85. Sonnabend 25. März 1848. S. 1348.
*Berlin, 26 März: Nr. 91. Freitag 31. März 1848. S. 1444.
*Berlin, 31 März: Nr. 94. Dienstag 4. April 1848. S. 1507-1508.
*Berlin, 16 April: Nr. 112. Freitag 21. April 1848. S. 1782-1783.
*Berlin, 23 April: Nr. 119. Freitag 28. April 1848. S. 1893.
*Berlin, 29 April: Nr. 126. Freitag 5. Mai 1848. S. 2005-2006.

BEILAGE ZUR ALLGEMEINEN ZEITUNG (BzAZ) [2]
*Vom Rhein, 14 Febr. (Eingesandt.): Nr. 25. Mittwoch 26. Febr. 1817. S. 102.
*Frankfurt, 15 Febr: Nr. 27, Sonnabend 1. März 1817. S. 109.
*Vom Rhein, 18 März: Nr. 38. Donnerstag 27. März 1817. S. 153.
†Berlin, 15 Jun: Nr. 171. 20. Jun. 1831. S. 684.
*Aus Preussen, 11 Nov: Nr. 323. 19. Nov. 1831. S. 1291-1292.
†Berlin, 3 April: Nr. 99. 9. April 1833. S. 396.
Rezension: 'Leben und Schriften des Freiherrn Adolf v. Knigge.': Nr. 297. 23 Okt. 1844.
S. 2369-2370.
Rezension: 'Samuel Thomas v. Sömmerings Leben und Verkehr mit seinen Zeitgenossen.
Von Rudolf Wagner.': Nr. 47. 16. Febr. 1845. S. 369-370.
Rezension: 'Beiträge zur französischen Geschichte. Von Karl Georg Jacob.': Nr. 324.
20. Novbr. 1846. S. 2585-2586.
*Berlin, 20 Febr: Nr. 59. 28. Febr. 1848. S. 937.
*Berlin, 2 Mai: Nr. 128. 7. Mai 1848. S. 2043-2044.
*Berlin, 6 Mai: Nr. 133. 12. Mai 1848. S. 2124-2125.

BERLINER TASCHENBUCH. 1843.
Ankunft und erster Aufenthalt in Hamburg 1794: S. 3-42.

DER DEUTSCHE BEOBACHTER [3]
Rezension: 'Kriegsgesänge aus den Jahren 1806 bis 1813. Deutschland 1813.': Nr. 12.
Freytag, den 30sten April 1813.
Fragment über Bonaparte: Nr. 6. Dienstag, den 11. Januar 1814.
Rüge: Nr. 7. Donnerstag, den 13. Januar 1814.
Anzeige: 'Geschichte der hamburgischen Begebenheiten während des Frühjahrs 1813.':
Nr. 37. Montag, den 7. März 1814.
Schreiben aus Paris, vom 24. Juli: Nr. 124. Donnerstag, den 3. August 1815.
Schreiben aus Paris, vom 21. August: Nr. 149. Freytag, den 1. Sept. 1815.

[2] Vgl. oben S. 345 A. 1.
[3] Standort des benutzten Exemplars: HH StA.

DEUTSCHES MUSEUM. ERSTER JAHRGANG. 1851. JANUAR–JUNI. (DtM)
Kotzebue's Ermordung. Bruchstück aus den ungedruckten Denkwürdigkeiten. (1819.):
S. 649-673.

DER FREIHAFEN. GALERIE VON UNTERHALTUNGSBILDERN AUS DEN KREISEN DER
LITERATUR, GESELLSCHAFT UND WISSENSCHAFT. ERSTES HEFT. 1838.
Scheidewege. Tübingen 1808. 1809. (Aus den Denkwürdigkeiten des Verfassers.):
S. 1-34.

HISTORISCHES TASCHENBUCH
Das Fest des Fürsten von Schwarzenberg zu Paris, im Jahre 1810. (Aus persönlichen
Denkwürdigkeiten.): Vierter Jahrgang. 1833. S. 1-43.
Die Schlacht von Deutsch-Wagram, am 5ten und 6ten Juli 1809. (Aus persönlichen
Denkwürdigkeiten.): Siebenter Jahrgang. 1836. S. 1-77.
Aufenthalt in Paris im Jahre 1810: Neue Folge. Sechster Jahrgang. 1845. S. 307-387.

JENAISCHE ALLGEMEINE LITERATUR-ZEITUNG (JALZ)
Rezension: 'Die Central-Verwaltung der Verbündeten unter dem Freyherrn von Stein.
1814.': Zwölfter Jahrgang. Erster Band. Nr. 16. 17. Januar 1815. Sp. 121-131.
Rezension: 'Mémoire adressé au Roi en Juillet 1814. Par M. Carnot. 1814.': Zwölfter
Jahrgang. Erster Band. Nr. 21. Januar 1815. Sp. 161-168.
Rezension: 'Deutsche Blätter, herausgegeben von Karl Friedrich [sic!] Woltmann.
1814 und 1815.': Zwölfter Jahrgang. Zweiter Band. Nr. 89. 90. May 1815. Sp. 225-226.
Rezension: 'Kriegsgesänge aus den Jahren 1806 bis 1814. (Von Stägemann). 1814.':
Ergänzungsblätter zur JALZ. Dritter Jahrgang. Erster Band 1815. Sp. 11-16.
Berichtigende Mittheilungen an das Publicum: Intelligenzblatt der JALZ. Nr. 18.
März 1816. Sp. 137-144.
Rezension: 'Lebensansichten aus höherem Standpuncte. Nach Rochefoucauld. Von
Freyherrn von Hacke. 1817.': Vierzehnter Jahrgang. Erster Band. Nr. 45. März 1817.
Sp. 357-360.
Rezension: 'Die Übergabe der Adresse der Stadt Koblenz und der Landschaft an Se.
Majestät den König in öffentlicher Audienz bey Sr. Durchl. dem Fürsten Staatskanzler
am 12. Januar 1818. Als Bericht für die Theilnehmer. 1818.': Fünfzehnter Jahrgang.
Zweyter Band. Nr. 89. 90. May 1818. Sp. 249-260.
Rezension: 'Über die Trennung der Volksvertretung in zwey Abtheilungen und über
landschaftliche Ausschüsse. 1816.': Fünfzehnter Jahrgang. Vierter Band. Nr. 194. 195.
November 1818. Sp. 182-187.

JAHRBÜCHER FÜR WISSENSCHAFTLICHE KRITIK (JfwK)
Rezension: 'Mémoires inédits de Louis Henri de Loménie, comte de Brienne... par
F. Barrière... Paris 1828.': Erster Band. Nr. 71 u. 72; 73 u. 74. April 1828. Sp.
569-588.
Rezension: 'Geschichte Deutschlands unter den Fränkischen Kaisern, von Gustav
Adolph Harald Stenzel.': Erster Band. Nr. 102. Juni 1830. Sp. 808-816.
Rezension: 'Histoire du Congrès de Vienne. Par l'auteur de l'histoire de la diplomatie
française. Paris 1829.': Zweiter Band. Nr. 49; 50; 51. September 1830. Sp. 391-403.
Abfertigung. An Herrn Schlosser in Heidelberg: Anzeigeblatt zu den JfwK. 1831.
Nr. 3. Sp. 3-7.
Rezension: 'Friedrich der Grosse. Eine Lebensgeschichte von J. D. E. Preuss. Erster
Band.': Zweiter Band. Nr. 81; 82. November 1832. Sp. 641-655.
Rezension: 'Die Briefe des Freiherrn v. Stein an den Freiherrn v. Gagern, von
1813-1831.': Erster Band. Nr. 74; 75; 76. April 1833. Sp. 592-603.
Rezension: 'History of Europe during the French Revolution 1789-1815. By Archibald
Alison.': Erster Band. Nr. 63; 64; 65; 66. April 1837. Sp. 500-509; 513-527.
Rezension: 'Lebensnachrichten über Barthold Georg Niebuhr... Erster Band.':
Erster Band. Nr. 21; 22; 23. Februar 1838. Sp. 161-182.
Rezension: 'Erinnerungen aus dem äusseren Leben von Ernst Moritz Arndt.': Zweiter
Band. Nr. 69; 70. October 1840. Sp. 568-580.

MINERVA. EIN JOURNAL HISTORISCHEN UND POLITISCHEN INHALTS. DRITTER BAND. SEPTEMBER 1814.
Geschichtsandacht: S. 333-346.

MORGENBLATT FÜR GEBILDETE STÄNDE [4]
Prag, im Oktober: Fünfter Jahrgang. Nr. 260. Mittwoch 30. Oktober 1811. S. 1040; Nr. 261. Donnerstag 31. Oktober 1811. S. 1044.
Beyträge zur allgemeinen Geschichte: Siebenter Jahrgang. Nr. 220. Dienstag 14. September 1813. S. 879-880; Nr. 221. Mittwoch 15. September 1813. S. 883-884; Nr. 223. Freitag 17. September 1813. S. 891; Nr. 225. Montag 20. September 1813. S. 899-900; Nr. 251. Mittwoch 20. Oktober 1813. S. 1003-1004; Nr. 266. Sonnabend 6. November 1813. S. 1063; Nr. 273. Montag 15. November 1813. S. 1091.
Bühnenfeyer der Leipziger Schlacht: Achter Jahrgang. Nr. 288. Freitag 2. Dezember 1814. S. 1149-1150.
Johanna Stegen: Neunter Jahrgang. Nr. 22. Donnerstag 26. Januar 1815. S. 87.
Frankfurt am Main, Februar: Zehnter Jahrgang. Nr. 44. Dienstag 20. Februar 1816. S. 176.
Von Höflichkeit und guter Lebensart: Eilfter Jahrgang. Nr. 54. Dienstag 4. März 1817. S. 215.
Aus Sachsen, April. Goethes Tod, ein Abschnitt in der Geschichte des deutschen Volks: Sechsundzwanzigster Jahrgang. Nr. 103. Montag 30. April 1832. S. 412.

NEMESIS. ZEITSCHRIFT FÜR POLITIK UND GESCHICHTE. ACHTER BAND 1816. IV. STÜCK.
Votum eines freien Teutschen Mannes gegen Errichtung eines Oberhauses: S. 552-567.

ORGAN FÜR AUTOGRAPHENSAMMLER UND AUTOGRAPHENHÄNDLER. 1. JAHRGANG. 1859.[5]
[?] Über Zweck und Werth der Autographensammlungen: S. 33-35.

ORIENT [6] ODER HAMBURGISCHES MORGENBLATT. NR. 101. DONNERSTAG, DEN 30. SEPTEMBER 1813.
Beiträge zur allgemeinen Geschichte: Sp. 214-215.

RHEINISCHES JAHRBUCH. ERSTER JAHRGANG. 1846.
Aus Varnhagen's Denkwürdigkeiten. [I. Ungarn. Pressburg. Wagha. Szered. Tyrnau. 1809. II. Nach dem Wiener Frieden.]: S. 165-224.

STAATS- UND GELEHRTE ZEITUNG DES HANSEATISCHEN UNPARTHEYISCHEN CORRESPONDENTEN. NR. 128. DIENSTAG DEN 27. DECEMBER 1814. [7]
Wilhelm, Freyherr von Humboldt.

ÜBER KUNST UND ALTERTHUM. DRITTES HEFT DES SECHSTEN UND LETZTEN BANDES. 1832.
"Im Sinne der Wanderer".: S. 533-551.

ÜBERLIEFERUNGEN ZUR GESCHICHTE UNSERER ZEIT. JAHRGANG 1818. JANUAR BIS JUNI.
Die Rückkehr der Bourbons. Bruchstück zur Geschichte unserer Zeit: S. 126-145.

ZEITGENOSSEN. BIOGRAPHIEEN UND CHARAKTERISTIKEN.
Zur Charakteristik des Fürsten Talleyrand. (Aus einem Briefe, in Wien, zur Zeit des Congresses geschrieben.): Erster Band. Dritte Abtheilung. 1816. S. 186-187.
Charakteristik des Generals, Grafen Wallmoden: Erster Band. Dritte Abtheilung. 1816. S. 188-189.
Fr. Carl Freiherr v. Tettenborn: Zweiter Band. [Erste Abtheilung] 1818. S. 3-51.
[?] Gabriel Honoré Riquetti, Graf von Mirabeau: Neue Reihe. Fünfter Band [XVIII.] 1826. S. 1-165.

---

[4] Vgl. dazu oben S. 345 A. 1.
[5] Diesen Titel verdanke ich einem Hinweis von Herrn Vetterli, Zentralbibliothek Zürich.
[6] Standort des benutzten Exemplars: HH StA.
[7] Standort des benutzten Exemplars: HH StuUB.

Aussichten der Gegenwart: Nr. 8. Den 16ten Oktober 1813. S. 2-4.
Friedrichsstadt, den 10. December: Nr. 13. Sonnabend, den 11. December 1813.
Wo ist Hamburg?: Nr. 13. Sonnabend, den 11. December 1813.
Frankreichs Aussichten: Nr. 15. Sonnabend, den 8. Januar 1814.

D. ERINNERUNGSAUSGABEN UND SONSTIGE QUELLENPUBLIKATIONEN

Über Goethe. Bruchstücke aus Briefen, herausgegeben von K. A. Varnhagen von Ense.
Morgenblatt für gebildete Stände. Sechster Jahrgang. Nr. 161. Montag 6. Juli 1812.
S. 641-643.
Bruchstücke aus Briefen und Denkblättern. Mitgetheilt von K. A. Varnhagen von
Ense. Schweizerisches Museum. Erster Jahrgang. 1816. S. 212-242; 329-375.
Goethe in den Zeugnissen der Mitlebenden. Beilage zu allen Ausgaben von Goethe's
Werken. Erste Sammlung. Zum 28. August 1823. Berlin 1823.
Denkwürdigkeiten des Philosophen und Arztes Johann Benjamin Erhard. Herausge-
geben von K. A. Varnhagen von Ense. Stuttgart und Tübingen 1830.
Graf Schlabrendorf, amtlos Staatsmann, heimathfremd Bürger, begütert arm. Züge
zu seinem Bilde. Mitgetheilt von K. A. Varnhagen von Ense. Historisches Taschen-
buch. Dritter Jahrgang. 1832. S. 247-308.
Rahel. Ein Buch des Andenkens für ihre Freunde. Erster, Zweiter und Dritter Theil.
Berlin 1834.
Einige Briefe Goethe's an Varnhagen von Ense. Literarischer Zodiacus. Journal für
Zeit und Leben, Wissenschaft und Kunst. October 1835. S. 260-280.
Galerie von Bildnissen aus Rahel's Umgang und Briefwechsel. Herausgegeben von
K. A. Varnhagen von Ense. Erster und Zweiter Theil. Leipzig 1836.
Zum Gedächtnisse Adelbert's von Chamisso. Der Freihafen. Galerie von Unterhal-
tungsbildern aus den Kreisen der Literatur, Gesellschaft und Wissenschaft. Erstes
Heft. 1838. S. 1-61.
Karl Müller's Leben und Kleine Schriften. Berlin 1847.

E. EINZELNE BRIEFVERÖFFENTLICHUNGEN

Briefe an eine Freundin. Aus den Jahren 1844 bis 1853. [Herausgegeben von Amely
Bölte] Hamburg 1860.
*Ein Brief Varnhagens von Ense an Johann Smidt. Bremer Sonntagsblatt. Elfter
Jahrgang. Nr. 13. 29. März 1863. S. 101-102 [9].
Vier Briefe Varnhagens an Heinrich Viehoff über Goethe. Mitgeteilt von Viktor Kiy.
Deutsche Revue über das gesamte nationale Leben der Gegenwart. Zwölfter Jahrgang.
Vierter Band. (Oktober bis Dezember 1887.) S. 105-112.
Varnhagens Denkschrift an den Fürsten Metternich über das junge Deutschland 1836.
Mitgeteilt und erläutert von Ludwig Geiger. Deutsche Revue. Eine Monatsschrift.
Einunddreissigster Jahrgang. Erster Band. (Januar bis März 1906.) S. 183-197.
Rahels Tod. Ein unbekannter Brief Varnhagen von Enses. Berliner Tageblatt und
Handelszeitung. Nr. 249. 17. Mai 1918 [10].
Varnhagen von Enses Briefe an Legationssekretär Heinrich Küpfer 1817/18. Erläutert
und herausgegeben von Manfred Laubert. Zeitschrift für die Geschichte des Ober-
rheins. 92. Band. 1940. S. 338-382.
John Hennig. Ein unveröffentlichter Brief von K. A. Varnhagen von Ense an F. A.
Brockhaus. Archiv für Kulturgeschichte. 47. Band. 1965. S. 355-360.
Philip [Frederic] Glander. The Letters of Varnhagen von Ense to Richard Monckton
Milnes. Heidelberg 1965. (= Anglistische Forschungen. Heft 92.)

---

[8] Standort des benutzten Exemplars: Staatsbibliothek Bremen.
[9] Standort des benutzten Exemplars: Staatsarchiv Bremen.
[10] Standort des benutzten Exemplars: Bln DtStB.

2. ALLGEMEINES VERZEICHNIS

A. HILFSMITTEL ZUR BIBLIOGRAPHIE UND QUELLENKUNDE

Bestandsverzeichnis des Cottaarchivs (Stiftung der Stuttgarter Zeitung) I, Dichter und Schriftsteller bearbeitet von Liselotte Lohrer. Stuttgart (1963). (= Veröffentlichungen der deutschen Schillergesellschaft. Band 25.)

Bibliographie der deutschen Literaturwissenschaft. Herausgegeben von Hanns W. Eppelsheimer. Band III. 1957-1958, bearbeitet von Clemens Köttelwesch. Frankfurt am Main (1960).

Bibliographie der deutschen Zeitschriften-Litteratur. Band I. 1896 u.ff.

Bibliographisches Repertorium. (= Veröffentlichungen der Deutschen Bibliographischen Gesellschaft.) Dritter Band. Zeitschriften des jungen Deutschlands. (Erster Teil) Herausgegeben von Heinrich Hubert Houben. Berlin 1906. Vierter Band. Zeitschriften des jungen Deutschlands. (Zweiter Teil, nebst Register zum 1. und 2. Teil) Herausgegeben von Heinrich Hubert Houben. Berlin 1909. Sechster Band. Denkwürdigkeiten der Befreiungskriege. Herausgegeben von Karl Linnebach. Berlin 1912.

Karl Bömer. Internationale Bibliographie des Zeitungswesens. Unter Mitarbeit von R. Roehlin herausgegeben im Auftrage des deutschen Instituts für Zeitungskunde. Berlin. Leipzig 1932. (= Sammlung Bibliothekswissenschaftlicher Arbeiten. 43. Heft. II. Serie, 26. Heft.)

Bücherkunde zur Hamburgischen Geschichte. Verzeichnis des Schrifttums der Jahre 1900-1937 . . . herausgegeben von Kurt Detlev Möller und Anneliese Tecke. Hamburg 1939.

Dahlmann-Waitz. Quellenkunde der deutschen Geschichte. 9. Auflage. Herausgegeben von Hermann Haering. Leipzig 1931.

Die Varnhagen von Ensesche Sammlung in der Königlichen Bibliothek zu Berlin. Geordnet und verzeichnet von Ludwig Stern. Berlin 1911.

Deutsches Anonymen-Lexikon 1501-1850. Aus den Quellen bearbeitet von Michael Holzmann und Hanns Bohatta. Band II. E-K. Weimar 1903.

Wilhelm Frels. Deutsche Dichterhandschriften von 1400 bis 1900. Gesamtkatalog der eigenhändigen Handschriften deutscher Dichter in den Bibliotheken und Archiven Deutschlands, Österreichs, der Schweiz und der ČSR. Leipzig 1934. (= Bibliographical Publications. Germanic section modern language. Association of America. Volume II.)

Gelehrten- und Schriftstellernachlässe in den Bibliotheken der Deutschen Demokratischen Republik. Teil 1. Die Nachlässe in den wissenschaftlichen Allgemeinbibliotheken. Stand vom 1.8.1959. Berlin 1959.

Karl Goedeke. Grundriss zur Geschichte der deutschen Dichtung aus den Quellen. Zweite ganz neu bearbeitete Auflage. Nach dem Tode des Verfassers in Verbindung mit Fachgelehrten fortgeführt von Edmund Goetze. Sechster Band. Zeit des Weltkrieges. Siebentes Buch, erste Abteilung. Leipzig, Dresden, Berlin 1898. Vierzehnter Band. Herausgegeben von Herbert Jacob. Berlin 1959.

Karl Goedeke. Grundriss zur Geschichte der deutschen Dichtung aus den Quellen. Dritte neu bearbeitete Auflage. Nach dem Tode des Verfassers in Verbindung mit Fachgelehrten fortgeführt von Edmund Goetze. Vierter Band. II. Abteilung. Vom siebenjährigen Krieg bis zum Weltkriege. Sechstes Buch. Erste Abteilung II. Teil. Dresden 1910.

Goethe- und Schiller-Archiv. Bestandsverzeichnis. Bearbeitet von Karl-Heinz Hahn. Weimar 1961.

Jahresberichte für deutsche Geschichte. 1. Jahrgang 1925 u.ff.

Jahresberichte für neuere deutsche Litteraturgeschichte. Erster Band (Jahr 1890). 1892 u.ff.

Tilman Krömer. Die Handschriften des Schiller-Nationalmuseums. Teil 6. Die Nachlässe von Carl Mayer und Gustav Schwab. Die Briefsammlung Schwab-Noltenius. Jahrbuch der deutschen Schillergesellschaft. 7. Jahrgang 1963. S. 581-614. Teil 8. Die Nachlässe Hauff-Kölle und Wilhelm Hauff. Jahrbuch der deutschen

Schillergesellschaft. 9. Jahrgang 1965. S. 593-632.

Carl Robert Lessings Bücher und Handschriftensammlung herausgegeben von ihrem jetzigen Eigentümer Gotthold Lessing. Zweiter Band. Handschriftensammlung Teil 2: Deutschland. Bearbeitet von Arend Buchholtz. Berlin 1915.

Lexikon der hamburgischen Schriftsteller bis zur Gegenwart. Im Auftrage des Vereins für hamburgische Geschichte begründet von Hans Schröder. Fortgesetzt von A. H. Kellinghusen. Siebenter Band: Hamburg (1879).

Wolfgang Mommsen. Die schriftlichen Nachlässe in den zentralen deutschen und preussischen Archiven. Koblenz 1955. (= Schriften des Bundesarchivs 1.)

Ernst Müller und Ernst Posner. Übersicht über die Bestände des Geheimen Staatsarchivs zu Berlin-Dahlem. I. Hauptabteilung. Mitteilungen der Preussischen Archivverwaltung. Heft 24. 1934.

Paul Raabe. Quellenkunde zur neueren deutschen Literaturgeschichte. Stuttgart 1962. (= Sammlung Metzler. Realienbücher für Germanisten. Abt. B. Literaturwissenschaftliche Methodenlehre. M 21.)

Ernst Schellenberg. Johannes von Müller-Bibliographie. Schaffhauser Beiträge zur vaterländischen Geschichte. 29. Heft. 1952. S. 161-216. Erster Nachtrag. Schaffhauser Beiträge zur vaterländischen Geschichte. 37. Heft. 1960. S. 227-268.

Verzeichniss im Jahre 1845 in Berlin lebender Schriftsteller und ihrer Werke. Berlin 1846. (= Gelehrtes Berlin im Jahre 1845.) (= Bibl. Varnh. Nr. 275.)

Werner Volke. Die Handschriften des Schiller-Nationalmuseums. Teil 5. Justinus Kerner und Ludwig Uhland. Jahrbuch der deutschen Schillergesellschaft. 6. Jahrgang 1962. S. 554-615.

Emil Weller. Die falschen und fingirten Druckorte. Repertorium der seit Erfindung der Buchdruckerkunst unter falscher Firma erschienenen deutschen, lateinischen und französischen Schriften. Erster Band enthaltend die deutschen und lateinischen Schriften. Leipzig 1864.

Gero von Wilpert und Adolf Gühring. Erstausgaben Deutscher Dichtung. Eine Bibliographie zur deutschen Literatur 1600-1960. Stuttgart (1967).

B. UNGEDRUCKTE QUELLEN

FREIBURG I.BRSG.

Militärgeschichtliches Forschungsamt. Dokumentenzentrale.
Rep. 92 Nachlass Gneisenau. Karton 1 A 110-112: Vermischte Papiere aus dem Feldzuge von 1813. Vol. I. Januar bis Juni.

HAMBURG

Staatsarchiv der freien und Hansestadt Hamburg. Friedrich Perthes Nachlass I. 1 Brief von Perthes an Varnhagen: Mappe 7b Bl 145-148 [Konzept]: 1814 September [?] 27, Hamburg.
Mappe 21e Bl 116 [Zeitungsausschnitte]: Varnhagen v. Ense. Recension von Arnds Erinnerungen.

KARLSRUHE

Badisches Generallandesarchiv.
Grossherzogliches Haus- & Staatsarchiv III. Staatssachen. Correspondenz. Fasc. 43. von Schäffer-von Tettenborn. G.L.A. 48 Nr. 1251-1283.
G.L.A. 48 Nr. 1283: Correspondenz des Generals von Tettenborn mit Geheim. Legationsrat Varnhagen von Ense. 1816-1818.
Grossherzogliches Haus- & Staatsarchiv III. Staatssachen. Correspondenz. Fasc. 45. Varnhagen-Zeugmeister. G.L.A. 48 Nr. 1297-1298.
G.L.A. 48 Nr. 1297: Briefe aus dem Nachlass des Kgl. preuss. Geschäftsträgers am badischen Hofe Varnhagen von Ense. 1816-1843.

C. GEDRUCKTE QUELLEN

[Rudolf] Abeken. Rezension der 'Denkwürdigkeiten und vermischten Schriften von K. A. Varnhagen von Ense. Erster und zweiter Band. Mannheim 1837.', JfwK 2 (1837) Sp. 430-443.

Achim und Bettina in ihren Briefen. Briefwechsel Achim von Arnim und Bettina Brentano. Herausgegeben von Werner Vordtriede. Erster und Zweiter Band. (Frankfurt am Main 1961).

Anzeige. 'Geschichte der Kriegszüge des Generals Tettenborn während der Jahre 1813 bis 1814. Von K. A. Varnhagen von Ense'. Deutsche Blätter. Herausgegeben von Friedr. Arn. Brockhaus, 6 (1815) S. 480.

Ernst Moritz Arndt. Erinnerungen aus dem äusseren Leben. Leipzig 1840. (= Bibl. Varnh. Nr. 282.)

E[rnst] M[oritz] Arndt. Nothgedrungener Bericht aus seinem Leben und aus und mit Urkunden der demagogischen und antidemagogischen Umtriebe. Zweiter Theil. Leipzig 1847.

Ernst Moritz Arndt. Gneisenau. (geschrieben in Nassau, Sommer 1843.) In: Arndts Werke. Zwölfter Teil. Kleine Schriften III. Herausgegeben von Wilhelm Steffens. Berlin, Leipzig, Wien, Stuttgart [1912]. S. 94-117.

[L. Assing] Karl Theodor von Schön, preussischer Staatsminister und Burggraf von Marienburg. Aus dem Nachlass Varnhagens von Ense mitgetheilt von Ludmilla Assing. Die Gegenwart. Wochenschrift für Literatur, Kunst und öffentliches Leben, 2 (1872) S. 68-71; 98-101; 114-117.

Ludmilla Assing. Fürst Hermann von Pückler-Muskau. Eine Biographie. Hamburg 1873.

Carl Atzenbeck [Hrsg.] Pauline Wiesel. Die Geliebte des Prinzen Louis Ferdinand von Preussen. Ein Charakterbild aus der Zeit der Romantiker in zeitgenössischen Zeugnissen und Briefen. Leipzig o.J.

Aufgefangener Brief. Zeitung aus dem Feldlager. Nr. 12. Sonnabend 27. November 1813. (Standort: Staatsbibliothek Bremen.)

Aus Bauernfelds Tagebüchern. I. (1819-1848.) Mitgetheilt von Carl Glossy. Jahrbuch der Grillparzer-Gesellschaft, 5 (1895) S. 1-217.

Aus dem Nachlass des Legationsrats Heinrich Küpfer. Erläutert und herausgegeben von Manfred Laubert, FBPG 54 (1943) S. 304-341.

Aus den Briefen Nobilings an Prittwitz. Mitgeteilt von Karl Haenchen, FBPG 53 (1941) S. 129-154.

Aus den Jahren preussischer Not und Erneuerung. Tagebücher und Briefe der Gebrüder Gerlach und ihres Kreises 1805-1820. Herausgegeben von Hans Joachim Schoeps. Berlin 1963.

Aus den Papieren des Ministers und Burggrafen von Marienburg Theodor von Schön. Erster Theil. Halle a/S 1875. Zweiter Band. Berlin 1875.

Aus der Glanzzeit der Weimarer Altenburg. Bilder und Briefe aus dem Leben der Fürstin Carolyne zu Sayn-Wittgenstein. Herausgegeben von La Mara [= Marie Lipsius] Leipzig 1906.

Aus Friedrich Wilhelms IV. Briefwechsel mit Pfuel und mit Pfuels Ministerium. In: Alfred Stern. Geschichte Europas von 1848-1871. Erster Band. Stuttgart und Berlin 1916. S. 788-791.

Aus Johannes v. Müllers Briefen an einen Freund, geschrieben in den Jahren 1805 und 6. (Bisher noch ungedruckt.) Der deutsche Beobachter. Nr. 15. Donnerstag, den 6ten May 1813. (Standort: HH StA)

Aus Karls von Nostitz, weiland Adjutanten des Prinzen Louis Ferdinand von Preussen, und später russischen General-Lieutenants, Leben und Briefwechsel. Auch ein Lebensbild aus den Befreiungskriegen. Dresden und Leipzig 1848. (= Bibl. Varnh. Nr. 943)

Aus Metternich's nachgelassenen Papieren. Herausgegeben von Richard Metternich-Winneburg. Geordnet und zusammengestellt von Alfons v. Klinkowström. Autorisirte deutsche Original-Ausgabe. Erster, [Dritter und Siebenter] Band. Wien 1880-1883.

Georg Baersch. Beiträge zur Geschichte des sogenannten Tugendbundes, mit Berücksichtigung der Schrift des Herrn Professor Johannes Voigt in Königsberg und Widerlegung und Berichtigung einiger unrichtigen Angaben in derselben. Hamburg 1852.

Beiträge zur Geschichte Preussens zur Zeit der Befreiungskriege. "Über den Tugendbund" und "Preussische Charaktere" von Karl v. Woltmann. Mitgeteilt von Franz Hadamowsky, FBPG 40 (1927) S. 88-124.

[Ferdinand Beneke] Heer-Geräth für die hanseatische Legion. [Hamburg] 1813. (Standort: HH StA)

Ferdinand Beneke. Abgenöthigte Erklärung. Intelligenzblatt der JALZ Nr. 4. Januar 1819. Sp. 27-28.

Berlin in der Bewegung von 1848. Die Gegenwart. Eine encyklopädische Darstellung der neuesten Zeitgeschichte für alle Stände, 2 (1849) S. 538-597.

Theodor von Bernhardi. Denkwürdigkeiten aus dem Leben des kaiserl. russ. Generals von der Infanterie Carl Friedrich Grafen von Toll. Vierter Band. Leipzig 1858.

Bettine von Arnim und Friedrich Wilhelm IV. Ungedruckte Briefe und Aktenstücke herausgegeben und erläutert von Ludwig Geiger. Frankfurt a.M. 1902.

[Otto von] Bismarck. Die gesammelten Werke. 1. Auflage. [Band 14] Berlin (1933); [Band 15] Berlin (1932).

Maximilian Blumenthal. [Hrsg.] Wilhelm v. Humboldt und Varnhagen v. Ense. Mit einer bisher unbekannten Biographie Wilhelm v. Humboldts von Varnhagen, WIDM 96 (1904) S. 422-436.

Max[imilian] Blumenthal. [Hrsg.] Aus Hardenberg's letzten Tagen. Berlin 1912. (= Bausteine zur Preussischen Geschichte. 2. Jahrgang. Heft II.)

Amely Böltes Briefe aus England an Varnhagen von Ense (1844-1858). Mit einer Einleitung und Anmerkungen herausgegeben von Walther Fischer und Antje Behrens. Düsseldorf 1955.

[H. v. Boyen] Erinnerungen aus dem Leben des General-Feldmarschalls Hermann von Boyen Aus seinem Nachlass im Auftrag der Familie herausgegeben von Friedrich Nippold. Zweiter und Dritter Theil. Leipzig 1889-1890.

[H. v. Brandt] Berlin vor, unter und nach dem Ministerium Pfuel. (Juli bis October 1848.) Aus den bisher unveröffentlichten Denkwürdigkeiten des Generals der Infanterie z.D. Heinrich von Brandt. V., DtRs 12 (1877) S. 426-451.

[H. v. Brandt] Berlin im October und November 1848. Pfuel's Entlassung; das Ministerium Brandenburg und der Einmarsch Wrangel's in Berlin. Aus den bisher unveröffentlichten Denkwürdigkeiten des Generals der Infanterie z.D. Heinrich von Brandt, DtRs 14 (1878) S. 122-145.

Lujo Brentano. Mein Leben im Kampf um die soziale Entwicklung Deutschlands. Jena (1931).

Briefe Adolf Stahrs an Varnhagen von Ense und Bettine von Arnim. Mitgeteilt von Adolph Kohut, NuS 120 (1907) S. 406-416.

Briefe an Cotta. Das Zeitalter Goethes und Napoleons 1794-1815. [Erster Band] Herausgegeben von Maria Fehling. Stuttgart und Berlin 1925.

Briefe an Cotta. Das Zeitalter der Restauration 1815-1832. [Zweiter Band] Herausgegeben von Herbert Schiller. Stuttgart und Berlin 1927.

Briefe an Friedrich Baron de la Motte Fouqué von Chamisso, Chézy, Collin, Eichendorff, Gneisenau, Heine, E. T. A. Hoffmann, Fr. Horn, Immermann, Jung-Stilling, Just. Kerner, H. v. Kleist, Wilh. Müller, Nicolovius, Jean Paul, Rückert, Schelling, A. W. v. Schlegel, Friedr. v. Schlegel, Dorothea v. Schlegel, Schwab, F. L. Stolberg, Uhland, Voss, u.s.w. Mit einer Biographie Fouqué's von Jul[ius] Ed[uard] Hitzig und einem Vorwort und biographischen Notizen von H[ermann] Kletke herausgegeben von Albertine Baronin de la Motte Fouqué. Berlin 1848.

Briefe an Ludwig Tieck. Ausgewählt und herausgegeben von Karl von Holtei. Vierter Band. Breslau 1864.

Briefe des Prinzen Louis Ferdinand von Preussen an Pauline Wiesel. Nebst Briefen von A. v. Humboldt, Rahel, Varnhagen, Gentz und Marie von Méris. Herausgegeben von Alexander Büchner. Leipzig 1865.

Briefe Feuchterslebens an Zauper. Mit Einleitung und Anmerkungen. Mitgeteilt von Franz Ilwof. Jahrbuch der Grillparzer-Gesellschaft, 15 (1905) S. 290-313.

Briefe hervorragender verstorbener Männer Deutschlands an Alexander Weill. Zürich 1889.

Briefe Leopold von Ranke's an Varnhagen von Ense und Rahel aus der Zeit seines Aufenthaltes in Italien. Zur Säcularfeier von Rankes Geburt – 21. Dezember 1795 – mitgetheilt von Theodor Wiedemann. Biographische Blätter. Jahrbuch für lebensgeschichtliche Kunst und Forschung, 1 (1895) S. 435-447.

Briefe und Aktenstücke zur Geschichte Preussens unter Friedrich Wilhelm III. vorzugsweise aus dem Nachlass von F. A. Stägemann. Herausgegeben von Franz Rühl. Erster, Zweiter und Dritter Band. Leipzig 1899-1902.

Briefe von Alexander von Humboldt an Varnhagen von Ense aus den Jahren 1827 bis 1858. Nebst Auszügen aus Varnhagen's Tagebüchern, und Briefen von Andern an Humboldt. [Herausgegeben von Ludmilla Assing und Ferdinand Lassalle] Leipzig 1860.

Briefe von B. G. Niebuhr und G. A. Reimer. [Herausgegeben von Heinrich von Treitschke] Preussische Jahrbücher, 38 (1876) S. 172-201.

Briefe von Chamisso, Gneisenau, Haugwitz, W. v. Humboldt, Prinz Louis Ferdinand, Rahel, Rückert, L. Tieck u.a. Nebst Briefen, Anmerkungen und Notizen von Varnhagen von Ense. [Herausgegeben von Ludmilla Assing] Erster und Zweiter Band. Leipzig 1867.

Briefe von Friedrich August von Stägemann an Karl [sic!] Engelbert Ölsner aus den Jahren 1818 und 1819. Herausgegeben von Franz Rühl. Berlin 1901. (= Bausteine zur Preussischen Geschichte. 1. Jahrgang. Heft III.)

Briefe von Joseph von Görres an Friedrich Christoph Perthes (1811-1827) herausgegeben, eingeleitet und erläutert von Wilhelm Schellberg. Köln 1913.

Briefe von Justinus Kerner an Varnhagen von Ense. Mitgetheilt und erläutert von Ludwig Geiger, NuS 92 (1900) S. 51-80.

Briefe von Stägemann, Metternich, Heine und Bettina von Arnim, nebst Briefen, Anmerkungen und Notizen von Varnhagen von Ense. [Herausgegeben von Ludmilla Assing] Leipzig 1865.

Briefe von und an August Wilhelm Schlegel. Gesammelt und erläutert durch Josef Körner. Erster und Zweiter Teil. Zürich, Leipzig, Wien (1930).

Briefe von und an Friedrich und Dorothea Schlegel. Gesammelt und erläutert durch Josef Körner. Berlin 1926.

Briefe von und an Hegel. Herausgegeben von Johannes Hoffmeister. Band 3. 1823-1831. Hamburg (1954). (= Georg Wilhelm Friedrich Hegel. Sämtliche Werke. Neue kritische Ausgabe. Band XXVII-XXX.)

Briefwechsel des Ministers und Burggrafen von Marienburg Theodor von Schön mit G. H. Pertz und J. G. Droysen. Herausgegeben von Franz Rühl. Leipzig 1896.

Briefwechsel Varnhagens von Ense mit Troxler 1815-1818. [Herausgegeben von Heinrich Meisner] In: Mittheilungen aus dem Litteraturarchive in Berlin. Zweiter Band. 1898-1900. Berlin 1900. S. 201-370.

Briefwechsel zwischen Ernst von Bodelschwingh und Friedrich Wilhelm IV. Herausgegeben von Hans-Joachim Schoeps. Berlin (1968).

Briefwechsel zwischen Jacob und Wilhelm Grimm aus der Jugendzeit. Herausgegeben von Herman Grimm und Gustav Hinrichs. Zweite, vermehrte und verbesserte Auflage besorgt von Wilhelm Schoof. Weimar 1963.

Briefwechsel zwischen Karl Rosenkranz und Varnhagen von Ense. Herausgegeben von Arthur Warda. Königsberg Pr. 1926.

Briefwechsel zwischen Karl von Rotteck und Varnhagen von Ense. In: Carl von Rotteck's gesammelte und nachgelassene Schriften mit Biographie und Briefwechsel.

354

Geordnet und herausgegeben von seinem Sohne Hermann von Rotteck. Fünfter Band. Pforzheim 1843. S. 243-302.

Briefwechsel zwischen Karoline von Humboldt, Rahel und Varnhagen herausgegeben von Albert Leitzmann. Weimar 1896.

Briefwechsel zwischen Pückler und Varnhagen von Ense, nebst einigen Briefen von Rahel und der Fürstin von Pückler-Muskau herausgegeben von Ludmilla Assing-Grimelli. Berlin 1874. (= Briefwechsel und Tagebücher des Fürsten Hermann von Pückler-Muskau herausgegeben von Ludmilla Assing-Grimelli. Dritter Band.)

Briefwechsel zwischen Varnhagen und Rahel. [Herausgegeben von Ludmilla Assing] Erster und Zweiter Band. Leipzig 1874. Dritter, Vierter, Fünfter und Sechster Band. Leipzig 1875.

Briefwechsel zwischen Varnhagen von Ense und Ölsner nebst Briefen von Rahel. Herausgegeben von Ludmilla Assing. Erster, Zweiter und Dritter Band. Stuttgart 1865.

[Friedrich Buchholz] Der Generallieutenant von Blücher. In: Gallerie Preussischer Charaktere. Aus der französischen Handschrift übersetzt. Germanien [= Berlin] 1808. S. 173-188.

[Burgersh] Memoiren über die Operationen der verbündeten Heere unter dem Fürsten Schwarzenberg und dem Feldmarschall Blücher während des Endes 1813 und 1814. Vom Lord Burgersh, jetzigem Grafen von Westmoreland. Aus dem Englischen übersetzt von F. W. Schreiber. Berlin 1844.

Thomas Carlyle. Varnhagen von Ense's Memoirs (1838). In: Critical and miscellaneous Essays: collected and republished. Vol. V. Second edition. London 1842. S. 314-352.

[T. Carlyle] Briefe Thomas Carlyle's an Varnhagen von Ense aus den Jahren 1837-1857. Übersetzt und herausgegeben von Richard Preuss. Berlin 1892.

[A. v. Chamisso] Leben und Briefe von Adelbert von Chamisso. Herausgegeben von Julius Eduard Hitzig. Erster Band. Leipzig 1839.

Correspondance de Napoléon Ier publiée par ordre de l'empereur Napoléon III. Tome vingt-cinquième et vingt-septième. Paris 1867-1869.

Correspondence, Despatches, and other Papers, of Viscount Castlereagh. Edited by his brother, Charles William Vane. Vol. VIII. London 1851.

Das Biedermeier im Spiegel seiner Zeit. Briefe, Tagebücher, Memoiren, Volksszenen und ähnliche Dokumente, gesammelt von Georg Hermann. Berlin, Leipzig, Wien, Stuttgart (1913).

Das Buch deutscher Reden und Rufe. Erstmals herausgegeben von Anton Kippenberg und Friedrich v. der Leyen. Neue erweiterte Ausgabe von Friedrich von der Leyen. (Wiesbaden) 1956.

Das Tagebuch des Generals der Kavallerie, Grafen v. Nostitz. I. Teil. Kriegsgeschichtliche Einzelschriften. Herausgegeben vom Grossen Generalstabe. Abtheilung für Kriegsgeschichte. Heft 5. Berlin 1884.

Denkschriften und Briefe zur Charakteristik der Welt und Litteratur. [Herausgegeben von Wilhelm Dorow] Erster, Zweiter, Dritter, Vierter und Neue Folge (= Fünfter) Band. Berlin 1838-1841.

Der Briefwechsel zwischen Ignaz Paul Vital Troxler und Karl August Varnhagen von Ense. 1815-1858. Veröffentlicht und eingeleitet durch Iduna Belke. Herausgegeben durch die Stiftung von Schnyder von Wartensee. Aarau 1953.

Der Tugendbund. Aus den hinterlassenen Papieren des Mitstifters Professor Dr. Hans Friedrich Gottlieb Lehmann. Herausgegeben von August Lehmann. Berlin 1867.

Der Wiener Kongress in Augenzeugenberichten. Herausgegeben und eingeleitet von Hilde Spiel. (Düsseldorf 1965).

Deutsche Briefe. [Herausgegeben von Karoline von Woltmann] I. [Band] Leipzig 1834.

Deutsches Lesebuch. Herausgegeben von Hugo von Hofmannsthal. Zweite vermehrte Auflage. (Zweiter Teil. München 1926).

Die Briefe Napoleons I. an Marie-Louise. Mit Kommentar von Charles de la Roncière.

(Deutsche Übertragung von Georg Goyert) Berlin (1935).

Die Briefe Richard Monckton Milnes' ersten Barons Houghton an Varnhagen von Ense (1844-1854). Mit einer literarhistorischen Einleitung und Anmerkungen herausgegeben von Walther Fischer. [Nachdruck] Amsterdam 1967. (= Anglistische Forschungen. Heft 57. 1922.)

Die Flucht des Prinzen von Preussen, nachmaligen Kaisers Wilhelm I. Nach den Aufzeichnungen des Majors O[elrichs] im Stabe des Prinzen von Preussen (Fortsetzung). Ratlosigkeit und Verwirrung im Schlosse. Der Türmer. Monatsschrift für Gemüt und Geist, XVI/1 (1913/14) S. 207-215.

Die Reorganisation des Preussischen Staates unter Stein und Hardenberg. Erster Teil: Allgemeine Verwaltungs- und Behördenreform. Herausgegeben von Georg Winter. Band I. Leipzig 1931. (= Publikationen aus den Preussischen Staatsarchiven. Dreiundneunzigster Band. Neue Folge. Erste Abteilung: Erster Teil.)

Wilhelm Dorow. Erlebtes aus den Jahren 1813-1820. Erster Theil. Leipzig 1843.

Drei Briefe aus August Wilhelm Schlegels Nachlass. Mitgeteilt von Hermann Stanger. Euphorion. Zeitschrift für Litteraturgeschichte. Fünftes Ergänzungsheft. 1901. S. 203-205.

Joh[ann] Gust[av] Droysen. Vorlesungen über die Befreiungskriege. Erster Theil. Kiel 1846.

Johann Gustav Droysen. Briefwechsel. Herausgegeben von Rudolf Hübner. Erster und Zweiter Band. Berlin und Leipzig 1929. (= Deutsche Geschichtsquellen des 19. Jahrhunderts. Band 25 und 26.)

E.C.G.F. Schriften, den Krieg an der Unterelbe und besonders die Hamburgischen Angelegenheiten in den Jahren 1813 und 14 betreffend, JALZ XV/2 (1818) Sp. 305-364.

E.C.G.F. Antwort des Recensenten auf Hrn. Fr. Perthes Aufsatz im Intell. Bl. No. 61. Intelligenzblatt der JALZ Nr. 90 und 91. October 1818. Sp. 713-725.

E.C.G.F. Antwort des Recensenten. Intelligenzblatt der JALZ Nr. 8 u. 9; 10. Februar 1819. Sp. 65-72; 73-77.

E.C.G.F. Antwort desselben Recensenten auf Herrn Ferd. Beneke's abgenöthigte Erklärung in No. 4 des Int. Blattes von diesem Jahr. Intelligenzblatt der JALZ Nr. 10. Februar 1819. Sp. 78-80.

Erinnerungen aus Varnhagen und die preussische Gegenwart. Historisch-politische Blätter für das katholische Deutschland, 49 (1862) S. 758-782.

Ernst Freih. v. Feuchtersleben. Zur Diätetik der Seele. Vierte, vermehrte Auflage. Wien 1846.

Johann Gottlieb Fichte's sämmtliche Werke. Herausgegeben von I[manuel] H[ermann] Fichte. Sechster und Siebenter Band. Berlin 1845-1846.

Joh[ann] Gottlieb Fichte. Machiavell. Nebst einem Briefe Carls von Clausewitz an Fichte. Kritische Ausgabe von Hans Schulz. Leipzig 1918.

Johann Gottlieb Fichte. Philosophie der Maurerei. Neu herausgegeben und eingeleitet von Wilhelm Flitner. Leipzig 1923.

August Fournier [Hrsg.] Die Geheimpolizei auf dem Wiener Kongress. Eine Auswahl aus ihren Papieren. Wien, Leipzig 1913.

Französische Geheimberichte zur Geistesgeschichte Deutschlands am Anfang des 19. Jahrhunderts. Mitgeteilt von Anton Chroust, HZ 157 (1938) S. 537-545.

Karl Frenzel. Die Berliner Märztage. Ein Stimmungsbild, DtRs 94 (1898) S. 354-373.

Carl Friccius. Geschichte des Krieges in den Jahren 1813 und 1814. Mit besonderer Rücksicht auf Ostpreussen und das Königsbergische Landwehrbataillon. Erster Theil. Altenburg 1843. (Standort: Bln DtStB)

Karl Theodor Gaedertz [Hrsg.] Goethe-Erinnerungen von Alwine Frommann. In: Bei Goethe zu Gaste. Neues von Goethe, aus seinem Freundes- und Gesellschaftskreise. Ein Schwänchen zum 150-jährigen Geburtstage des Dichters. Leipzig 1900. S. 33-62.

H[ans] C[hristoph] Freiherr von Gagern. Der zweite Pariser Frieden. Erster und

Zweiter Theil. Leipzig 1845. (= Mein Antheil an der Politik V.)

J. G. Gallois. Geschichte der Stadt Hamburg. Nach den besten Quellen bearbeitet. Zweiter Band. Hamburg [ca. 1857]. (Standort: HH StA)

[Eduard Gans] Rezension der 'Biographischen Denkmale von K. A. Varnhagen von Ense. Berlin, bei Reimer 1824.' Königlich privilegirte Berlinische Zeitung von Staats und gelehrten Sachen. (Vossische Zeitung) 286stes Stück. Mittwoch, den 7ten Dezember 1825. (Standort: Bln DtStB)

Eduard Gans. Rezension der 'Biographischen Denkmale von K. A. Varnhagen v. Ense. Berlin, bei Reimer 1824.' In: Vermischte Schriften, juristischen, historischen, staatswissenschaftlichen und ästhetischen Inhalts. 2. Band. Berlin 1834. S. 224-236.

Ludwig Geiger [Hrsg.] Michael Sachs und Moritz Veit an Varnhagen von Ense. Allgemeine Zeitung des Judenthums, 61 (1897) S. 305-308.

Ludwig Geiger [Hrsg.] Aus Chamissos Frühzeit. Ungedruckte Briefe nebst Studien. Berlin 1905.

Ludwig Geiger [Hrsg.] Berliner Berichte aus der Cholerazeit 1831-1832. Berliner Klinische Wochenschrift. Organ für praktische Ärzte, 54 (1917) Montag, den 19. Februar 1917. S. 189-190.

L[udwig] Geiger [Hrsg.] Ein Stimmungsbild aus dem Jahre 1813, MVGB Nr. 3. März 1917. S. 20-21. (Standort: Bln StB StPrKb HsAbt)

[L. Geiger] Neues über Heine. Mitgeteilt von Ludwig Geiger. Allgemeine Zeitung des Judenthums, 81 (1917) Berlin, 3. August 1917. S. 367-369.

Ludwig Geiger [Hrsg.] Vom Wiener Kongress. I. Die Zeit. Wien, Samstag, den 29. September 1917. [Nr. 5393]. (Standort: Bln StB StPrKb HsAbt)

Geliebter Sohn. Elternbriefe an berühmte Deutsche. Herausgegeben von Paul Elbogen. Berlin 1930.

Generallieutenant von Blücher. In: Sendschreiben an den Obristen und Generalquartiermeisterlieutenant Herrn von Massenbach Hochwohlgeboren, die Anklage mehrerer bedeutender Staatsbeamten prüfend. Von einem unbefangenen Patrioten. Königsberg und Leipzig 1809. S. 20-45. (Standort: Bln DtStB)

[F. v. Gentz] Tagebücher von Friedrich von Gentz. [Herausgegeben von Ludmilla Assing] Erster Band. Leipzig 1873.

[L. v. Gerlach] Denkwürdigkeiten aus dem Leben Leopold von Gerlachs Generals der Infanterie und General-Adjutanten des Königs Friedrich Wilhelm IV. Nach seinen Aufzeichnungen herausgegeben von seiner Tochter. Erster Band. Berlin 1891.

G[eorg] G[ottfried] Gervinus. Grundzüge des Historik. Leipzig 1837.

G[eorg] G[ottfried] Gervinus. Geschichte des neunzehnten Jahrhunderts seit den Wiener Verträgen. Erster Band. Leipzig 1855.

Ernst Glaser-Gerhard [Hrsg.] Aus Hermann Hettners Nachlass III. Euphorion. Zeitschrift für Literaturgeschichte, 30 (1929) S. 366-402.

Karl Glossy [Hrsg.] Literarische Geheimberichte aus dem Vormärz. Anmerkungen. Jahrbuch der Grillparzer-Gesellschaft, 21 (1912) S. 1-153.

Karl Glossy [Hrsg.] Politik in Karlsbad. (Aus Metternichs Geheimakten.), ÖRs 60 (1919) S. 128-136.

Joseph von Görres. Gesammelte Briefe. Zweiter Band. Herausgegeben von Franz Binder. München 1874. (= Gesammelte Schriften. Herausgegeben von Marie Görres. Achter Band.)

[Joseph Görres] Übersicht der neuesten Zeitereignisse. Rheinischer Merkur. Dienstag Nro. 27. den 15. März 1814. In: Rheinischer Merkur 1. Band 1814 u. 2. Band 1815/16 herausgegeben von Karl d'Ester, Hans A. Münster, Wilhelm Schellberg, Paul Wentzcke. (= Der Gesammelten Schriften sechster bis achter u. neunter bis elfter Band. Köln 1928.)

[J. W. v. Goethe] Biographische Denkmale von Varnhagen von Ense. Über Kunst und Altherthum. Von Goethe. Fünften Bandes erstes Heft. 1824. S. 149-154.

[J. W. v. Goethe] Varnhagen von Ense's Biographien. Über Kunst und Alterthum. Von Goethe. Sechsten Bandes erstes Heft. 1827. S. 134-136.

Goethe-Jahrbuch, 6 (1885); 10 (1889); 14 (1893); 24 (1903).

Goethes Gespräche. Herausgeber Woldemar Freiherr von Biedermann. 4. Band. Leipzig 1889.

Goethes Werke. Herausgegeben im Auftrage der Grossherzogin Sophie von Sachsen. 10. Band. Weimar 1889; 41. Band. Zweite Abtheilung. Weimar 1903; 42. Band. Zweite Abtheilung. Weimar 1907. IV. Abtheilung: 23. Band. Weimar 1900; 26. Band. Weimar 1902; 39. Band. Weimar 1907; 43. Band. Weimar 1908; 47. Band. Weimar 1909; 49. Band. Weimar 1909.

Rudolph Gottschall. Die deutsche Nationallitteratur in der ersten Hälfte des neunzehnten Jahrhunderts. Literarhistorisch und kritisch dargestellt. Erster und Zweiter Band. Berlin 1855.

Gr. Über den angeblichen Einfluss der Freimaurerei auf die grossen Ereignisse der Jahre 1813 und 1814. Minerva. Ein Journal historischen und politischen Inhalts, 2 (1815) S. 314-334.

[Wilhelm Grimm] Rezension der 'Biographischen Denkmale. Von K. A. Varnhagen von Ense. 1824.' Göttingische Gelehrte Anzeigen, 3 (1824) S. 1428-1431.

Wilhelm Grimm. Biographische Denkmale von K. A. Varnhagen von Ense. In: Kleinere Schriften von Wilhelm Grimm herausgegeben von Gustav Hinrichs. Zweiter Band. Berlin 1882. S. 348-350.

[Gröger] [Heinrich Christian Gottfried v. Struve-Artikel] In: NND 29/2 (1851) S. 981-984.

[Karl Wilhelm von Grolmann und von Damitz] Geschichte des Feldzuges von 1814, in dem östlichen und nördlichen Frankreich bis zur Einnahme von Paris als Beitrag zur neueren Kriegsgeschichte. Zweiter Theil. Berlin, Posen und Bromberg 1843. (Standort: Bln DtStB)

Justus von Gruner [Hrsg.] Justus Gruner und der Hoffmannsche Bund, FBPG 19 (1906) S. 485-507.

[F. W. Gubitz] Erlebnisse von F[riedrich] W[ilhelm] Gubitz. Nach Erinnerungen und Aufzeichnungen. Erster Band. Berlin 1868.

G[ottschalk Eduard] Guhrauer. Zur Jugendgeschichte der Königin von Preussen Sophie Charlotte. Nach französischen Berichten. Der Freihafen. Galerie von Unterhaltungsbildern aus den Kreisen der Literatur, Gesellschaft und Wissenschaft, 3 (1838) S. 94-130.

[Karl Gutzkow] Wolfgang Menzel und der deutsche Tiersparti. Phönix. Frühlingszeitung für Deutschland, 1 (1835) Literatur-Blatt Nr. 17. S. 405-408.

[Karl Gutzkow] Historische Taschenbücher. Phönix. Frühlingszeitung für Deutschland, 2 (1835) Literatur-Blatt Nr. 51. S. 1221-1223.

Karl Haenchen [Hrsg.] Aus dem Nachlass des Generals v. Prittwitz, FBPG 45 (1933) S. 99-125.

[Wilhelm Häring] Karl Ludwig Sand. 1820. In: Der neue Pitaval. Eine Sammlung der interessantesten Criminalgeschichten aller Länder aus älterer und neuerer Zeit. Herausgegeben von J[ulius] E[duard] Hitzig und W[ilhlem] Häring. Erster Theil. Leipzig 1842. S. 1-123.

R[udolf] Haym. Varnhagen von Ense. Tagebücher von K. A. Varnhagen von Ense. Sechs Bände. Leipzig, F. A. Brockhaus, 1861 u. 1862. Zweite Aufl. 1863. Preussische Jahrbücher, 11 (1863) S. 445-515.

Friedrich Hebbel. Tagebücher. Erster und Vierter Band. Berlin 1903. (= Sämtliche Werke. Historisch-kritische Ausgabe besorgt von Richard Maria Werner. Zweite Abteilung.)

Heimatbriefe Ernst Moritz Arndts. Aus dem Besitz und unter Mitwirkung von Josef Loevenich herausgegeben von Erich Gülzow. Greifswald 1919. (= Pommersche Jahrbücher. 3. Ergänzungsband.)

Heinrich Heine. Briefe. Erste Gesamtausgabe nach den Handschriften herausgegeben, eingeleitet und erläutert von Friedrich Hirth. Erster, Zweiter, Dritter, Vierter, Fünfter und Sechster Band. Mainz (1950-1951).

Heine-Reliquien. Neue Briefe und Aufsätze Heines. Herausgegeben von Maximilian Freiherrn v. Heine-Geldern u. Gustav Karpeles. Berlin 1911.

[H. F. Helmolt] Ein verschollener politischer Aufsatz Leopold Rankes. Mitgeteilt von Hans F[erdinand] Helmolt, HZ 99 (1907) S. 548-563.

[Johann Gottfried] Herders Sämtliche Werke. Herausgegeben von Bernhard Suphan. Dreiundzwanzigster Band. Berlin 1885.

A[lex] Heskel. [Hrsg.] Ein Brief aus den ersten Monaten des Jahres 1813, MVHG 24 (1904) S. 449-464.

J[onas] L[udwig] v. Hess. Agonieen der Republik Hamburg im Frühjahr 1813. Hamburg 1815. (Standort: HH StA)

[Hohnhorst] Vollständige Übersicht der gegen Carl Ludwig Sand, wegen Meuchelmordes, verübt an dem K. Russischen Staatsrath v. Kotzbue, geführten Untersuchung. Aus den Originalakten ausgezogen, geordnet, und herausgegeben von dem Staatsrath von Hohnhorst. Erste und Zweite Abtheilung. Stuttgart und Tübingen 1820.

Alexander von Humboldt. Kosmos. Entwurf einer physischen Weltbeschreibung. Zweiter Band. Stuttgart und Tübingen 1847.

[W. v. Humboldt] Tagebuch Wilhelm von Humboldts von seiner Reise nach Norddeutschland im Jahre 1796. Herausgegeben von Albert Leitzmann. Weimar 1894.

Wilhelm von Humboldts Briefe an eine Freundin. Zum ersten Male nach den Originalen herausgegeben von Albert Leitzmann. (Zweite Auflage) Zweiter Band. Leipzig 1909.

Wilhelm und Caroline von Humboldt in ihren Briefen. Herausgegeben von Anna von Sydow. Vierter und Fünfter Band. Berlin 1910-1912.

K[arl] G[eorg] Jacob. Rezension des 'Lebens des Generals Freiherrn von Seydlitz. Von K. A. Varnhagen von Ense. Berlin 1834.' LitZod (1835) S. 487-488.

K[arl] G[eorg] Jacob. Deutsche Memoirenliteratur. Minerva. Ein Journal historischen und politischen Inhalts, 1 (1837) S. 163-250.

K[arl] G[eorg] Jacob. Rezension der 'Biographischen Denkmale. Von K. A. Varnhagen von Ense. Erster, Zweiter und Dritter Theil. Zweite vermehrte u.verb. Auflage. 1845.' JfwK 2 (1845) Sp. 821-836.

Friedrich Heinrich Jacobi's auserlesener Briefwechsel. [Herausgegeben von Friedrich Roth] Erster und Zweiter Band. Leipzig 1825-1827.

Kaiser Wilhelms des Grossen Briefe, Reden und Schriften. Ausgewählt und erläutert von Ernst Berner. I. Band. Erste bis dritte Auflage. Berlin 1906.

K., Dr. Hamburg unter Französischer Herrschaft. Nemesis. Zeitschrift für Politik und Geschichte, 3 (1814) S. 45-69; 205-239; 4 (1815) S. 177-213; 365-417.

Gottfried Keller. Gesammelte Briefe. In vier Bänden herausgegeben von Carl Helbling. (Zweiter Band, und Dritter Band, erste Hälfte.) Bern 1951-1952.

Justinus Kerners Briefwechsel mit seinen Freunden. Herausgegeben von seinem Sohn Theobald Kerner. Durch Einleitungen und Anmerkungen erläutert von Ernst Müller. Erster und Zweiter Band. Stuttgart und Leipzig 1897.

Carl Ludwig Klose. Leben Karl August's Fürsten von Hardenberg, Königlich Preussischen Staatskanzlers. Halle 1851.

Heinrich Koenig. Erinnerungen an Varnhagen von Ense, DtM 9 (1959) S. 1-16; 55-68.

Josef Körner [Hrsg.] Nur ein Dichterling. Aus ungedruckten Akten der Wiener Geheimpolizei. Vossische Zeitung. Freitag 3. Mai 1918. Nr. 225 Abend-Ausgabe.

Joachim Kühn [Hrsg.] Zur Lebensgeschichte Jenny von Gustedts. Neue Dokumente. Preussische Jahrbücher, 239 (1935) S. 230-246.

[Ferdinand Gustav Kühne] Varnhagen von Ense. Zeitung für die elegante Welt, 37 (1837) S. 565-567; 569-571.

Graf Aug[ust] de la Garde. Gemälde des Wiener Kongresses 1814-1815. Erinnerungen, Feste, Sittenschilderungen, Anekdoten. Eingeleitet und erläutert von Gustav Gugitz. Zweite, vermehrte und verbess. Auflage. Erster und Zweiter Band. München 1914. (= Denkwürdigkeiten aus Altösterreich I und II.)

Ferdinand Lassalle. Nachgelassene Briefe und Schriften. Herausgegeben von Gustav Mayer. Dritter Band. Stuttgart-Berlin 1922.

Heinrich Laube. Die Memoiren. In: Moderne Charakteristiken. Erster Band. Mannheim 1838. S. 341-399.

Heinrich Laubes ausgewählte Werke in zehn Bänden. Herausgegeben von Heinrich Hubert Houben. Achter und Neunter Band. Leipzig o.J.

Heinrich Leo. Lehrbuch der Universalgeschichte zum Gebrauche an höheren Unterrichtsanstalten. Sechster Band. Halle 1844.

Gotthold Ephraim Lessings sämtliche Schriften. Herausgegeben von Karl Lachmann. Dritte, auf's neue durchgesehene und vermehrte Auflage, besorgt durch Franz Muncker. Zweiter und Achter Band. Stuttgart 1886-1892; Dreizehnter Band. Leipzig 1897.

Fanny Lewald. Befreiung und Wanderleben. Meine Lebensgeschichte. Dritte Abtheilung: Zweiter Theil. Berlin 1862.

Fanny Lewald. Gefühltes und Gedachtes (1838-1888). Herausgegeben von Ludwig Geiger. Dresden und Leipzig 1900.

Liederbuch der Hanseatischen Legion gewidmet. [Herausgegeben von Johann Daniel Runge] Hamburg 1813. (Standort: HH StuUB)

W. v. Loewe [-Kalbe] Erinnerungen an den General Ernst von Pfuel, DtRs 54 (1888) S. 202-231.

Lyr. Rezension von 'F. Stillers Schleswig-Holsteinischem Historischen Almanach auf 1815.' Orient oder Hamburgisches Morgenblatt. Nr. 32. Donnerstag, den 15. September 1814. Sp. 263. (Standort: HH StA)

[J. K. Friedrich Manso] Geschichte des Preussischen Staates vom Frieden zu Hubertusburg bis zur zweyten Pariser Abkunft. Dritter Band. Frankfurt am Main 1820 (Standort: Bln DtStB)

Hermann Marggraf. Deutschland's jüngste Literatur- und Culturepoche. Charakteristiken. Leipzig 1839.

Friedrich August Ludwig von der Marwitz. Ein märkischer Edelmann im Zeitalter der Befreiungskriege. Herausgegeben von Friedrich Meusel. Erster Band. Berlin 1908.

[K. Mayer] Ludwig Uhland, seine Freunde und Zeitgenossen. Erinnerungen von Karl Mayer. Zweiter Band. Stuttgart 1867.

Wilhelm Friedrich Meyern. Ein Briefwechsel aus dem Anfange unseres Jahrhunderts. (Mitgetheilt von C. F. Hock) Zweiter Artikel. LitZod (1835) S. 213-235.

Jac[ob] Moleschott. Für meine Freunde. Lebens-Erinnerungen. Giessen 1894.

[Friedrich Karl Ferdinand von Müffling] Zur Kriegsgeschichte der Jahre 1813 und 1814. Die Feldzüge der schlesischen Armee unter dem Feldmarschall Blücher von der Beendigung des Waffenstillstandes bis zur Eroberung von Paris. Von C.v.W. Erster Theil. Berlin und Posen 1824. (Standort: Bln DtStB)

Friedrich Karl Ferdinand Müffling sonst Weiss genannt. Aus meinem Leben. Zwei Theile in einem Bande. Berlin 1851. (Standort: Bln DtStB)

Friedrich von Müller. Schlusswort. In: Über Kunst und Alterthum. Von Goethe. Aus seinem Nachlass herausgegeben durch die Weimarischen Kunstfreunde. Drittes Heft des sechsten und letzten Bandes. 1832. S. 626-648.

Johannes von Müllers sämmtliche Werke. Herausgegeben von Johann Georg Müller. Dreiunddreissigster und Neununddreissigster Theil. Stuttgart und Tübingen 1835.

R. H. Walther Müller [Hrsg.] Briefe eines Augenzeugen der Berliner Märztage 1848. Zeitschrift für Geschichtswissenschaft, 2 (1954) S. 315-320.

Wilhelm Müller. Unpublished letters of Wilhelm Müller. [Edited by James Taft Hatfield] The american Journal of Philology, 14 (1903) S. 121-148.

[Theodor Mundt] Rezension des 'Historischen Taschenbuchs. Siebenter Jahrgang. Leipzig 1836.' LitZod (1835) S. 448-451.

Theodor Mundt. Geschichte der Literatur der Gegenwart. Vorlesungen. Berlin 1842.

[O. v. Natzmer] Unter den Hohenzollern. Denkwürdigkeiten aus dem Leben des Generals Oldwig v. Natzmer. Allen deutschen Patrioten gewidmet von Gneomar

Ernst v. Natzmer. Aus der Zeit Friedrich Wilhelms IV. I. Theil. Gotha 1888.

Neue Bremer Zeitung. Nr. 3. Donnerstag, den 21. October 1813. (Standort: Staats-archiv Bremen)

Neue Briefe und Berichte aus den Berliner Märztagen des Jahres 1848. Mitgeteilt von Karl Haenchen, FBPG 49 (1937) S. 254-288.

W[ilhelm] Neumann. Novelle vom Erzteufel Belfagor. Aus dem Italienischen des Nicolaus Machiavelli. In: Erzählungen und Spiele. Herausgegeben von Wilhelm Neumann und Karl August Varnhagen [von Ense]. Hamburg 1807. S. 117-142.

B[arthold] G[eorg] Niebuhr. Preussens Recht gegen den sächsischen Hof. Zweite Auflage: mit Zusätzen. Berlin 1815.

B[arthold] G[eorg] Niebuhr. Über geheime Verbindungen im preussischen Staat, und deren Denunciation. Berlin 1815.

[B. G. Niebuhr] Die Briefe Barthold Georg Niebuhrs. Herausgegeben von Dietrich Gerhard und William Norvin. Band I und II. Berlin 1926-1929. (= Das Literatur-Archiv. Veröffentlichungen der Literaturarchiv-Gesellschaft. Erster und Zweiter Band.)

[Konrad Engelbert Ölsner] Anzeige der 'Biographischen Denkmale. Monumens biographiques, par M. K. A. Varnhagen von Ense, 1824.' Revue encyclopédique, ou analyse raisonnée des productions les plus remarquables dans les sciences, les arts industriels, la littérature et les beaux-arts, 27 (1825) S. 779.

Hedwig v. Olfers geb. v. Staegemann 1799-1891. Ein Lebenslauf. [Herausgegeben von Hedwig Abeken] Erster und Zweiter Band. Berlin 1908-1914.

[L. v. Ompteda] Politischer Nachlass des hannoverschen Staats- und Cabinetts-Ministers Ludwig von Ompteda. Aus den Jahren 1804 bis 1813. Veröffentlicht durch F. v. Ompteda. III. Abtheilung 4 und 5. 1813. Jena 1869.

Hermann Oncken [Hrsg.] Aus Rankes Frühzeit. Mit den Briefen Rankes an seinen Verleger Perthes und anderen unbekannten Stücken seines Briefwechsels. Gotha 1922.

Friedrich v. Oppeln-Bronikowski [Hrsg.] David Ferdinand Koreff. Serapionsbruder, Magnetiseur, Geheimrat und Dichter. Der Lebensroman eines Vergessenen. Aus Urkunden zusammengestellt und eingeleitet. Berlin, Leipzig (1928).

Betty Paoli. Ungedruckte Briefe. Mitgeteilt von Wilhelm Schenkel. Das literarische Echo. Halbmonatsschrift für Literaturfreunde, 18 (1915/16) Sp. 151-164.

L[udwig] Pelt. Rezension der 'Lebens des Grafen von Zinzendorf. Von K. A. Varn-hagen von Ense. Berlin 1830.' JfwK 2 (1831) Sp. 56-63.

Clemens Theodor Perthes. Friedrich Perthes Leben. Nach dessen schriftlichen und mündlichen Mittheilungen. Erster und Zweiter Band. Hamburg und Gotha 1848-1851; Dritter Band. Gotha 1855.

Friedrich Perthes. Berichtigender Nachtrag zu der Recension der Schriften über die Hamburgischen Begebenheiten im Jahre 1813. Intelligenzblatt der JALZ Nr. 61. August 1818. Sp. 484-488.

Friedrich Perthes. Erwiederung. Intelligenzblatt der JALZ Nr. 8 u. 9. Februar 1819. Sp. 57-64.

Friedrich Perthes. Nachschrift, nicht für den Recensenten. Intelligenzblatt der JALZ Nr. 8 u. 9. Februar 1819. Sp. 64-65.

Otto Perthes [Hrsg.] Beiträge zur Geschichte der Märztage 1848. Preussische Jahr-bücher, 63 (1889) S. 527-543.

G[eorg] H[einrich] Pertz. Das Leben des Ministers Freiherrn vom Stein. Dritter, Vierter, Fünfter und Sechster Band. Berlin 1851-1855. (= Bibl. Varnh. Nr. 1186; 1187; 1188; 1189; 1190)

Caroline Pichler geborne von Greiner. Denkwürdigkeiten aus meinem Leben. Mit einer Einleitung und zahlreichen Anmerkungen nach dem Erstdruck und der Urschrift neu herausgegeben von Karl Emil Blümml. Erster und Zweiter Band. München 1914. (= Denkwürdigkeiten aus Altösterreich V und VI.)

Ludwig Pietsch. Wie ich Schriftsteller geworden bin. Erinnerungen aus den Fünfziger Jahren. Berlin 1893.

P[eter] Poel. Hamburgs Untergang (Geschrieben im Juli 1813), ZsVHG 4 (1858) S. 1-66.

J[ohann] D[avid] E[rdmann] Preuss. Friedrich der Grosse. Eine Lebensgeschichte. Vierter Band. Berlin 1833.

[H. Pröhle] Die Lützower. Nach den Papieren Friedrich Ludwig Jahn's. Mitgetheilt von Heinrich Pröhle, DtM 4 (1854) S. 49-54; 97-106; 139-144; 166-175; 209-218.

Heinrich Pröhle. Friedrich Ludwig Jahn's Leben. Nebst Mittheilungen aus seinem literarischen Nachlass. Berlin 1855.

Rahel und Alexander von der Marwitz in ihren Briefen. Ein Bild aus der Zeit der Romantiker. Nach den Originalen herausgegeben von Heinrich Meisner. Gotha/ Stuttgart 1925.

Leopold Ranke. Zur Kritik neuerer Geschichtschreiber. Eine Beylage zu desselben romanischen und germanischen Geschichten. Leipzig und Berlin 1824.

Leopold Ranke. Fürsten und Völker von Süd-Europa im sechszehnten und siebzehnten Jahrhundert. Vornehmlich aus ungedruckten Gesandtschafts-Berichten. Erster Band. Hamburg 1827. (= Bibl. Varnh. Nr. 902)

Leopold Ranke. Deutsche Geschichte im Zeitalter der Reformation. Dritter Band. Berlin 1840.

Leopold Ranke. Neun Bücher Preussischer Geschichte. Erster Band. Berlin 1847.

Leopold Ranke. Englische Geschichte vornehmlich im sechszehnten und siebzehnten Jahrhundert. Zweiter Band. Berlin 1860.

[L. v. Ranke] Denkwürdigkeiten des Staatskanzlers Fürsten von Hardenberg. Herausgegeben von Leopold von Ranke. Vierter Band. Leipzig 1877.

Leopold von Ranke's Sämmtliche Werke. Neunundvierzigster und fünfzigster Band. Leipzig 1887; Einundfünfzigster und zweiundfünfzigster Band. Leipzig 1888; Dreiundfünfzigster und vierundfünfzigster Band. Leipzig 1890.

Leopold von Ranke und Varnhagen von Ense. Ungedruckter Briefwechsel. Herausgegeben von Theodor Wiedemann, DtR XX/3 (1895) S. 175-190; 338-355.

Leopold von Ranke. Das Briefwerk. Eingeleitet und herausgegeben von Walther Peter Fuchs. Hamburg 1949.

Leopold von Ranke. Neue Briefe. Gesammelt und bearbeitet von Bernhard Hoeft. Nach seinem Tod herausgegeben von Hans Herzfeld. Hamburg 1949.

Heinrich Reincke [Hrsg.] Aus dem Briefwechsel von Karl und Dietrich Gries 1796-1819, ZsVHG 25 (1924) S. 226-277.

Revolutionsbriefe 1848. Ungedrucktes aus dem Nachlass König Friedrich Wilhelms IV. von Preussen. Herausgegeben von Karl Haenchen. Leipzig 1930.

Rezension der 'Geschichte von Rügen und Pommern. Verfasst durch F. W. Barthold. Erster Theil. Hamburg 1839.' Blätter für literarische Unterhaltung, 1 (1840) S. 593-596; 597-598.

Rezension von 'Hambourg avant la rentrée de Davoust, par le capitaine Varnhagen de Ense, traduit de l'allemand [chez Schoell].' Le Spectateur ou variété historiques, littéraires, critiques, politiques, et morales; par M. Malte-Brun, II/13 (1814) S. 122-123. (Standort: Paris Bibl. Nat.)

Rezension von 'Varnhagen von Ense, K. A. Leben des Generals Grafen Bülow von Dennewitz.' Literarisches Centralblatt für Deutschland, (1854) Sp. 103-104.

Max Ring. Varnhagen von Ense und der letzte Berliner Salon. In: Berliner Leben. Kulturstudien und Sittenbilder. Leipzig, Berlin 1882. S. 77-109.

Max. Ring. Erinnerungen. Zweiter Band. Berlin 1898.

J[ohann] G[eorg] Rist. Historische Denkschrift über das Verhältniss Dännemarks zu Hamburg im Frühjahr 1813 (Geschrieben 1815), ZsVHG 4 (1858) S. 67-152.

Johann Georg Rists Lebenserinnerungen. Herausgegeben von G[ustav] Poel. Zweite verbesserte Auflage. Erster und Zweiter Teil. Gotha 1884-1886.

Julius Rodenberg. Erinnerungen aus der Jugendzeit. Erster Band. Berlin 1899.

Julius Rodenberg. Aus seinen Tagebüchern. (Herausgegeben von Justine Rodenberg und Ernst Heilborn.) Berlin 1919.

H[einrich] Th[eodor] Rötscher. Rezension der 'Denkwürdigkeiten und vermischten Schriften von K. A. Varnhagen von Ense. Sechster Band. Leipzig 1842.' JfwK 2 (1842) Sp. 745-768.

P. Roloff [Hrsg.] Tettenborns Einzug in Hamburg von einem Augenzeugen erzählt. Hamburgische Schulzeitung. Wochenschrift für das gesamte hamburgische Schulwesen. Festausgabe zur Erinnerung an die Franzosenzeit. 21. Jahrgang. Nr. 11. Sonnabend, den 15. März 1913. S. 109-110.

Otto Roquette. Siebzig Jahre. Geschichte meines Lebens. Zweiter Band. Darmstadt 1894.

[K. Rosenkranz] Georg Wilhelm Friedrich Hegel's Leben beschrieben durch Karl Rosenkranz. Berlin 1844.

Carl von Rotteck. Allgemeine Geschichte vom Anfang der historischen Kenntniss bis auf unsere Zeiten für denkende Geschichtsfreunde bearbeitet. Achter Band. Freiburg 1826.

[J. O. August] Rühle von Lilienstern. Rezension der 'Preussischen biographischen Denkmale. Zweiter Theil. Von K. A. Varnhagen v. Ense. Berlin 1826.' JfwK (1827) Sp. 1641-1684.

August Ludwig Schlözer's Briefwechsel meist historischen und politischen Inhalts. Zehender Theil, Heft LV-LX. Göttingen 1782.

A[dolf] F[riedrich] H[einrich] Schaumann. Geschichte des zweiten Pariser Friedens für Deutschland. Aus Aktenstücken. Göttingen 1844.

Adolf Friedrich Heinrich Schaumann. Geschichte der Bildung des Deutschen Bundes auf dem Wiener Congresse. Aus gedruckten und ungedruckten Quellen. Historisches Taschenbuch. Dritte Folge. Erster Jahrgang. Leipzig 1850. S. 151-280.

Dorothea v. Schlegel geb. Mendelssohn und deren Söhne Johannes und Philipp Veit. Briefwechsel im Auftrage der Familie Veit herausgegeben von J. M. Raich. Zweiter Band. Mainz 1881.

[Friedrich Schlegel] Fragmente. Athenaeum. Eine Zeitschrift von August Wilhelm Schlegel und Friedrich Schlegel. (Ersten Bandes Zweytes Stück.) Berlin 1798. (= Erster Druck der Reihe Neudrucke Romantischer Seltenheiten. München 1924.) S. 3-178.

Friedrich Schlegels Briefe an seinen Bruder August Wilhelm herausgegeben von Oskar F. Walzel. Berlin 1890.

Friedrich Christoph Schlosser. Weltgeschichte in zusammenhängender Erzählung. Dritten Bandes erster Theil. Frankfurt am Main 1821.

[Friedrich Christoph] Schlosser. Rezension der 'Biographischen Denkmale von K. A. Varnhagen von Ense. Berlin 1824.' Heidelberger Jahrbücher der Literatur, NF 4 (= 7)/2 (1824) S. 361-367.

Fr[iedrich] Chr[istoph] Schlosser. Über die neusten Bereicherungen der Literatur der deutschen Geschichte. Archiv für Geschichte und Literatur, 2 (1831) S. 240-318.

Ludwig Schmidt [Hrsg.] Ein Brief August Wilhelm v. Schlegels an Metternich, MIöG 23 (1902) S. 490-495.

Friedrich Anton von Schönholz. Traditionen zur Charakteristik Österreichs, seines Staats- und Volkslebens unter Franz I. Eingeleitet und erläutert von Gustav Gugitz. Zweiter Band. München 1914. (= Denkwürdigkeiten aus Altösterreich IV.)

Schreiben aus Ratzeburg, den 21sten September. Zeitung aus dem Feldlager. Nr. 4. Donnerstag, den 23. September 1813. (Standort: Staatsbibliothek Bremen)

Philipp Anton von Segesser. Erinnerungen. Separatabdruck aus den "Kathol. Schweizer-Blätter". Jahrgang 1890. Luzern 1891.

[Seruzier] Mémoires militaires du Baron Seruzier, mis en ordre et rédigés par M. le Miere de Corvey. Paris 1823. (Standort: Bln DtStB).

(7761) Carl August Varnhagen von Ense. Illustrirte Zeitung, Leipzig 21 (1853) Juli-December. S. 39-41.

J. H. W. Smidt. Erinnerungen an die Zeit der Freiheitskriege. Bremisches Jahrbuch, 4 (1869) S. 385-435.

J. A. Stargardt [Firmenname] Autographen-Auktion Kat. 506. Marburg und Stuttgart 1952.

J. A. Stargardt [Firmenname] Der Autographensammler. Eine Katalogfolge des Antiquariats J. A. Stargardt. Neue Folge. 18. Jahrgang Nr. 1. Februar 1968. Nr. 584 der Gesammtfolge.

Freiherr vom Stein. Briefwechsel Denkschriften und Aufzeichungen. Im Auftrag der Reichsregierung, der Preussischen Staatsregierung und des Deutschen und Preussischen Städtetages bearbeitet v. Erich Botzenhart. Vierter, Fünfter u. Sechster Band. Berlin (1933-35).

Freiherr vom Stein. Briefe und amtliche Schriften. Bearbeitet von Erich Botzenhart. Neu herausgegeben von Walter Hubatsch. Fünfter Band. Neu bearbeitet von Manfred Botzenhart. (Stuttgart 1964); Sechster Band. Neu bearbeitet von Alfred Hartlieb von Wallthor. (Stuttgart 1965).

Salomon Ludwig Steinheim zum Gedenken. Ein Sammelband. Herausgegeben von Hans-Joachim Schoeps in Verbindung mit Heinz Mosche Graupe und Gerd-Hesse Goeman. Leiden 1966.

Gustav Adolf Harald Stenzel. Geschichte Deutschlands unter den Fränkischen Kaisern. Erster und Zweiter Band. Leipzig 1827-1828.

Alfred Stern [Hrsg.] Documents sur le Premier Empire. Revue historique, IX/24 (1884) S. 308-329.

Alfred Stern [Hrsg.] Documents sur le Premier Empire. (Suite et fin.) Revue historique, IX/25 (1884) S. 82-107.

A[lexander]von Sternberg. Erinnerungsblätter. Dritter Teil. Leipzig 1857.

Adolf Stoll [Hrsg.] Friedrich Karl v. Savigny. Ein Bild seines Lebens mit einer Sammlung seiner Briefe. Zweiter Band. Berlin 1929.

[Johann Gustav v. Struve-Artikel] In: NND 6/1 (1828) S. 372-378.

Franz L. J. Thimm. The Literature of Germany, from its earliest period to the present time, historically developped. Edited by William Henry Farn. London 1844. (= Bibl. Varnh. Nr. 1625)

Gräfin Lulu Thürheim. Mein Leben. Erinnerungen aus Österreichs grosser Welt. 1788-1819. In deutscher Übersetzung, mit einem Vorwort, vier Stammtafeln, Anmerkungen und Personenregister versehen, herausgegeben von René van Rhyn. Zweiter Band. München 1913. (= Denkwürdigkeiten aus Altösterreich VIII.)

Übersicht der neuesten Literatur. 1815. Morgenblatt für gebildete Stände, 9 (1815) Nr. 10. S. 37-40.

Uhlands Briefwechsel. Im Auftrag des Schwäbischen Schillervereins herausgegeben von Julius Hartmann. Erster, Zweiter, Dritter und Vierter Teil. Stuttgart und Berlin 1911-1916. (= Veröffentlichungen des Schwäbischen Schillervereins. Vierter, Fünfter, Sechster und Siebenter Band.)

Ungedruckte Briefe an Georg Andreas Reimer. Mitgeteilt von Georg Hirzel, DtR XVIII/4 (1893) S. 98-114; 238-253.

Ungedruckte Briefe Gneisenaus. Die Grenzboten. Zeitschrift für Politik und Literatur, XIX/1,2 (1860) S. 7-18.

Le Général Vandamme et sa Correspondance par A. du Casse. Tome second. Paris 1870.

Varnhagen von Ense eine neue preussische Geschichtsquelle. Historisch-politische Blätter für das katholische Deutschland, 49 (1862) S. 17-32.

Vorläufiger Bericht von der Schlacht bey Gross-Görschen am 2. May. Der deutsche Beobachter. Nr. 18. Dienstag, den 11. May 1813. (Standort: HH StA)

[Ludwig Georg Theodor von Wallmoden] Nachrichten über den Feldzug der Verbündeten gegen den Marschall Davoust, im Jahr 1813. Von einem Augenzeugen. Europäische Annalen, 2 (1815) S. 278-323.

Feodor Wehl. Zeit und Menschen. Tagebuch-Aufzeichnungen aus den Jahren von 1863-1884. Zweiter Band. Altona 1889.

M[aurice] H[enri] Weil. [Hrsg.] Les dessous du Congrès de Vienne d'après les documents originaux des archives du ministère impérial et royal de l'intérieur à Vienne. Tome premier et II. Paris 1917.

A[lexander] Weill. Varnhagen von Ense. In: Genrebilder aus Berlin. Zeitung für die elegante Welt, 2 (1843) S. 1005-1007.

Theodor Wiedemann. Sechzehn Jahre in der Werkstatt Leopold von Ranke's. Ein Beitrag zur Geschichte seiner letzten Lebensjahre. (Fortsetzung.), DtR XVII/2 (1892) S. 100-116.

Theodor Wiedemann [Hrsg.] Mittheilungen zu Ranke's Lebensgeschichte. Beilage zur Allgemeinen Zeitung. Nr. 351. Donnerstag 19. December 1895. Beilage-Nr. 293. S. 1-5.

Theodor Wiedemann [Hrsg.] Leopold von Ranke und Varnhagen von Ense vor Rankes italienischer Reise, DtR XXI/3 (1896) S. 197-204.

Theodor Wiedemann [Hrsg.] Leopold v. Ranke und Varnhagen v. Ense nach der Heimkehr Rankes aus Italien, DtR XXVI/3 (1901) S. 211-225; 352-365.

Adolf Wohlwill [Hrsg.] Zur Geschichte Hamburgs im Jahre 1813, MVHG 11 (1888) S. 185-195.

Ad[olf] Wohlwill [Hrsg.] Das Urlaubsgesuch Joh. Georg Rist's vom 18. Mai 1813, MVHG 16 (1893/94) S. 76-79.

Friedrich August Wolf. Ein Leben in Briefen. Die Sammlung besorgt und erläutert durch Siegfried Reiter. Zweiter und Dritter Band. Stuttgart 1935.

Karl Ludwig von Woltmann. Johann von Müller. Berlin 1810.

[Karl Ludwig von Woltmann] Rezension der 'Geschichte der hamburgischen Begebenheiten während des Frühjahrs 1813. 1813.' JALZ XI/4 (1814) Sp. 198-203.

[Karl Ludwig von Woltmann] Rezension der 'Hanseatischen Anregungen. 1814.' JALZ XI/4 (1814) Sp. 203-206.

[Karl Ludwig von Woltmann] Rezension der 'Geschichte der Kriegszüge des Generals Tettenborn während der Jahre 1813 und 1814. Von K. A. Varnhagen von Ense. 1814.' JALZ XII/4 (1815) Sp. 91-94.

Carl Ludwig von Woltmann. Selbstbiographie. In: Zeitgenossen I/2 (1816) S. 123-176.

Karl Ludwig von Woltmann. Österreichs Politik in den drei letzten Jahren. In: Politische Blicke und Berichte. Erster Theil. Leipzig und Altenburg 1816. S. 7-96.

C[hristian] F[riedrich] Wurm. Vorbemerkung zu den beiden Aufsätzen von P. Poel und J. G. Rist, ZsVHG 4 (1858) S. I-IV.

Zeitung aus dem Feldlager. Nr. 4. Donnerstag, den 30. September 1813. (Standort: Staatsbibliothek Bremen)

[Fr. G. Zimmermann] Schriften, die neueste Geschichte der freyen und Hansestadt Hamburg betreffend, ALZ Vierter Band. Die Ergänzungsblätter dieses Jahrgangs enthaltend. März 1816. Sp. 193-264.

D. UNGEDRUCKTE DARSTELLUNGEN

Philip Frederic Glander. K. A. Varnhagen von Ense: man of letters, 1833-1858. Diss. Phil. I. Wisconsin 1961, University Microfilms, Inc. Ann Arbor, Michigan.

Dorothea Kazda. Varnhagen von Ense als Novellist. Masch.-Diss. Phil. I. (Wien 1932).

Paula Schnirch. Fürst Hermann von Pueckler-Muskau und K. A. Varnhagen von Ense. Masch.-Diss. Phil. I. (Wien 1914).

Alfred Georg Weiss. C. L. v. Woltmann. Masch.-Diss. Phil. I. (Wien 1937).

E. GEDRUCKTE DARSTELLUNGEN

Willy Andreas. Die venezianischen Relationen und ihr Verhältnis zur Kultur der Renaissance. Leipzig 1908.

Hannah Arendt. Rahel Varnhagen. Lebensgeschichte einer deutschen Jüdin aus der Romantik. Mit einer Auswahl von Rahel-Briefen und zeitgenössischen Abbildungen. München (1959).

F. Arndt. Hardenberg's Leben und Wirken. Nach authentischen Quellen. Berlin (1864).

J. Barthélemy-Saint-Hilaire. M. Victor Cousin sa vie et sa correspondance. Tome premier. Paris 1895.

Walter Barton. Theodor Körners Schwanengesang. Eine Untersuchung verschiedener Fassungen des Körnerschen Schwertliedes. Zur 150. Wiederkehr seines Todestages am 26.8.1963. Jahrbuch der Wittheit zu Bremen, 8 (1964) S. 23-39.

M[argarete] Baumann. Theodor von Schön. Seine Geschichtschreibung und seine Glaubwürdigkeit. Berlin 1910.

Hanno Beck. Alexander von Humboldt. Band II. Wiesbaden 1961.

Ernst Bergmann. J. G. Fichte, der Erzieher. Zweite, erheblich vermehrte Auflage. Leipzig 1928.

Ludwig Bergsträsser. Neue Beiträge zur Geschichte der Berliner Märztage, HVjS 17 (1914/15) S. 54-85.

F[ranz] R[udolf] Bertheau. Geschichte der Buchhandlung W. Mauke Söhne vormals Perthes, Besser & Mauke in Hamburg. Gegründet 1796. Festschrift zum 125jährigen Bestehen des Geschäfts am 11. Juli 1921. Hamburg 1921.

Albert Bielschowsky. Goethe. Sein Leben und seine Werke. Zweiter Band. Sechste unveränderte Auflage. München 1905.

Wilhelm von Bippen. Geschichte der Stadt Bremen. Dritter Band. Halle a/S und Bremen 1904.

Karl Bömer. Varnhagen von Ense, ein "Offiziosus" von ehedem. Der Türmer. Monatsschrift für Gemüt und Geist, XXXI/2 (1929) S. 57-61.

Theodor Fr. Böttiger. Das Einströmen des Nationalgefühls in Hamburg während der Franzosenzeit (1800-1814). Diss. Hamburg 1926.

M[odeste Iwanow] Bogdanowitsch. Geschichte des Krieges 1814 in Frankreich und des Sturzes Napoleon's I., nach den zuverlässigsten Quellen. Aus dem russischen von G. Baumgarten. I. und II. Band. Leipzig 1866.

Otto Brandt. August Wilhelm Schlegel. Der Romantiker und die Politik. Stuttgart und Berlin 1919.

Robert Brendel. Die Pläne einer Wiedergewinnung Elsass-Lothringens in den Jahren 1814 und 1815. Strassburg 1914. (= Beiträge zur Landes- und Volkskunde von Elsass-Lothringen und den angrenzenden Gebieten XLVII.)

Harry Bresslau. Geschichte der Monumenta Germaniae historica im Auftrage ihrer Zentraldirektion bearbeitet. Hannover 1921. (= Neues Archiv der Gesellschaft für ältere deutsche Geschichtskunde. Zweiundvierzigster Band.)

Heinrich Eduard Brockhaus. Friedrich Arnold Brockhaus. Sein Leben und Wirken nach Briefen und andern Aufzeichnungen geschildert. Erster, Zweiter und Dritter Theil. Leipzig 1872-1881.

Fritz Brüggemann. Der Kampf um die bürgerliche Welt- und Lebensanschauung in der neuesten deutschen Literatur des 18. Jahrhunderts. Deutsche Vierteljahrsschrift für Literaturwissenschaft und Geistesgeschichte, 3 (1925) S. 94-127.

Wilhelm Busch. Die Berliner Märztage von 1848. Die Ereignisse und ihre Überlieferung. München und Leipzig 1899. (= Historische Bibliothek. Siebenter Band.)

[Rudolph] v. Caemmerer. Geschichte des Frühjahrsfeldzuges 1813 und seiner Vorgeschichte. Zweiter Band. Berlin 1909. (= Geschichte der Befreiungskriege 1813-1815. Zweiter Band.)

Anni Carlsson. Die deutsche Buchkritik. Band I. Stuttgart (1963).

Oscar Criste. Der Wiener Kongress. Wien 1914. (= 1813-1815. Österreich in den Befreiungskriegen. Achter Band.)

Elena Croce. Un memorialista liberale tedesco nella prima metà dell'ottocento. In: Romantici tedeschi ed altri saggi. Napoli 1962. (= Collana di Saggi XXI.) S. 107-135.

Paul Czygan. Neue Beiträge zu Max von Schenkendorfs Leben, Denken, Dichten I. Literarische Tätigkeit in Königsberg i. Pr. Euphorion. Zeitschrift für Literaturgeschichte, 13 (1906) S. 787-804.

Paul Czygan. Zur Geschichte der Tagesliteratur während der Freiheitskriege. Band I und II. Leipzig 1911.

Paul Czygan. Neue Beiträge zu Max von Schenkendorfs Leben, Denken, Dichten IV. Gedichte und Festspiele aus dem Foliobande der Familie Auerswald. Euphorion.

366

Zeitschrift für Literaturgeschichte, 19 (1912) S. 198-229.

L[udwig] Dehio. Wittgenstein und das letzte Jahrzehnt Friedrich Wilhelms III., FBPG 35 (1923) S. 213-240.

Hans Delbrück. Das Leben des Feldmarschalls Grafen Neithardt von Gneisenau. Vierter und Fünfter Band. Berlin 1880.

Lothar Döring. Wesen und Aufgaben der Geographie bei Alexander von Humboldt. Frankfurt a.M. (1931). (= Frankfurter Geographische Hefte, 5 (1931) Heft 1.)

Alfred Dove. Ranke's Leben im Umriss. In: Ausgewählte Schriftchen vornehmlich historischen Inhalts. Leipzig 1898. S. 150-186.

Otto Dräger. Theodor Mundt und seine Beziehungen zum Jungen Deutschland. Marburg 1909. (= Beiträge zur deutschen Literaturwissenschaft Nr. 10.)

Hermann Dreyhaus. Der Preussische Correspondent von 1813/14 und der Anteil seiner Gründer Niebuhr und Schleiermacher, FBPG 22 (1909) S. 375-446.

Albert Elkan. Die Entdeckung Machiavellis in Deutschland zu Beginn des 19. Jahrhunderts, HZ 119 (1919) S. 427-458.

Wilhelm Erben. Die Entstehung der Universitäts-Seminare. Internationale Monatsschrift für Wissenschaft, Kunst u. Technik, 7 (1913) Sp. 1247-1264; 1335-1348.

Wilhelm Erben. Fichte's Universitätspläne. Inaugurationsschrift. Innsbruck 1914.

Fritz Ernst. Zeitgeschehen und Geschichtschreibung. Eine Skizze. Die Welt als Geschichte. Eine Zeitschrift für Universalgeschichte, 17 (1957) S. 137-189.

Franz Eyssenhardt. Georg Barthold Niebuhr. Ein biographischer Versuch. Gotha 1886.

August Fournier. Zur Geschichte des Tugendbundes. In: Historische Studien und Skizzen. Prag, Leipzig 1885. S. 301-330.

August Fournier. Stein und Gruner in Österreich. Ein Beitrag zur Vorgeschichte der Befreiungskriege, DtRs 53 (1887) S. 120-142; 214-247; 348-362.

Hans Freyer. Über Fichtes Machiavelli-Aufsatz. Leipzig 1936. (= Berichte über die Verhandlungen der Sächsischen Akademie der Wissenschaften zu Leipzig. Philologisch-historische Klasse, 88 (1936) Heft 1.)

Ernst Friedländer. Blüchers Austritt aus dem Heere, FBPG 12 (1889) S. 97-109.

Franz Fröhlich. Fichtes Reden an die deutsche Nation. Eine Untersuchung ihrer Entstehungsgeschichte. Berlin 1907. (= Wissenschaftliche Beilage zum Jahresbericht des Königl. Kaiserin-Augusta-Gymnasiums zu Charlottenburg. Ostern 1907.)

Eduard Fueter. Geschichte der neueren Historiographie. Dritte, um einen Nachtrag vermehrte Auflage, besorgt von Dietrich Gerhard und Paul Sattler. München und Berlin 1936. (= Handbuch der mittelalterlichen und neueren Geschichte. Abtheilung I.)

C. A. Geil. Karl August Varnhagen von Ense. (Ein kulturhistorisches Lebensbild.) Rheinische Blätter für Erziehung und Unterricht, 60 (1886) S. 256-268; 348-362.

[Karl Glossy] Fürst Metternich und die Gründung einer Goethe-Gesellschaft, ÖRs 46 (1916) S. 169-176.

Karl Griewank. Vulgärer Radikalismus und demokratische Bewegung in Berlin 1842-1848, FBPG 36 (1924) S. 14-38.

Karl Griewank. Preussen und die Neuordnung Deutschlands 1813-1815, FBPG 52 (1940) S. 234-279.

Karl Griewank. Der Wiener Kongress und die Neuordnung Europas 1814/15. Leipzig (1942).

Wolfgang von Groote. Die Entstehung des Nationalbewusstseins in Nordwestdeutschland 1790-1830. Göttingen, Berlin, Frankfurt (1955). (= Göttinger Bausteine zur Geschichtswissenschaft. Band 22.)

Justus von Gruner. Wittgensteins Aufenthalt in Teplitz im Jahre 1812, FBPG 7 (1894) S. 221-224.

Justus von Gruner. Müffling und Gruner bei Beschaffung eines Fonds für die Polizeiverwaltung während der Occupation von Paris im J. 1815. Deutsche Zeitschrift für Geschichtswissenschaft, XI/1 (1894) S. 364-368.

Justus von Gruner. Die Ordensverleihung an den Geheimen Rat Professor Schmalz

367

1815, FBPG 22 (1909) S. 169-182.

Eugen Guglia. Ranke und Gentz. Die Grenzboten. Zeitschrift für Politik, Literatur und Kunst, L/1 (1891) S. 409-417.

Julius R. Haarhaus. Deutsche Freimaurer zur Zeit der Befreiungskriege. Jena 1913.

Hans Haberkant. Blüchers Hypochondrie, FBPG 39 (1927) S. 110-117.

Karl Haenchen. Flucht und Rückkehr des Prinzen von Preussen im Jahre 1848, HZ 154 (1936) S. 32-95.

Karl Haenchen. Der Quellenwert der Nobilingschen Aufzeichnungen über die Berliner Märzrevolution, FBPG 52 (1940) S. 321-339.

Hermann Haering. Varnhagen und seine diplomatischen Berichte aus Karlsruhe 1816-1819, ZsGOR 75 (1921) S. 52-86; 129-170.

Hermann Haering. Varnhagen von Enses Denkwürdigkeiten. Die Pyramide. Wochenschrift zum Karlsruher Tageblatt, 12 (1923) Nr. 33.

Adolf Harnack. Geschichte der Königlich Preussischen Akademie der Wissenschaften zu Berlin. Erster Band. Berlin 1900.

Hans Haussherr. Hardenbergs Reformdenkschrift Riga 1807, HZ 157 (1938) S. 267-308.

Hans Haussherr. Stein und Hardenberg, HZ 190 (1960) S. 267-289.

Hans Haussherr. Hardenberg. Eine politische Biographie. III. Teil Die Stunde Hardenbergs. 2. durchgesehene Auflage. Köln, Graz 1965.

Ernst Heilborn. Varnhagen und Rahel. Ein Gedenkblatt zu Varnhagens 50. Todestage. Velhagen & Klasings Monatshefte, 1 (1908/1909) S. 452-456.

Ernst Heilborn. Die gute Stube. Berliner Geselligkeit im 19. Jahrhundert. Wien, München, Leipzig 1922.

Bernhard Heinemann. Wilhelm und Alexander von Blomberg. Zwei westfälische Dichter. Diss. Münster (1916).

Hans F[erdinand] Helmolt. Leopold Rankes Leben und Wirken. Nach den Quellen dargestellt. Mit achtzehn bisher ungedruckten Briefen Rankes, seinem Bildnis und der Stammtafel seines Geschlechts. Leipzig 1921.

Carl Henke. Hamburg in den Kriegsereignissen der Jahre 1813 und 1814, ZsVHG 18 (1914) S. 280-316.

Helmuth Herfurth. Die französische Fremdherrschaft und die Volksaufstände vom Frühjahr 1813 in Nordhannover. Hildesheim und Leipzig 1936. (= Quellen und Darstellungen zur Geschichte Niedersachsens. Band 45.)

Robert Hering. Freiherr vom Stein, Goethe und die Anfänge der "Monumenta Germaniae historica", Jahrbuch der FrDtHSt (1907) S. 278-323.

A[lex] Heskel. Hamburgs Schicksale während der Jahre 1813 und 1814, ZsVHG 18 (1914) S. 245-279.

Karl Heussi. Die Krisis des Historismus. Tübingen 1932.

Julius Heyderhoff. Johann Friedrich Benzenberg der erste Rheinische Liberale. Vereinsgabe des Düsseldorfer Geschichts-Vereins 1909. Düsseldorf (1909).

Edmund Hildebrandt. Friedrich Tieck. Ein Beitrag zur deutschen Kunstgeschichte im Zeitalter Goethes und der Romantik. Leipzig 1906.

Karl Hillebrand. Briefwechsel zwischen Varnhagen und Rahel. Die Gegenwart. Wochenschrift für Literatur, Kunst und öffentliches Leben, 7 (1875) S. 36-39; 58-60; 86-89.

Karl Hillebrand. Varnhagen, Rahel und ihre Zeit. In: Wälsches und Deutsches. Berlin 1875. (= Zeiten, Völker und Menschen. Zweiter Band.) S. 420-463.

Emanuel Hirsch. Christentum und Geschichte in Fichtes Philosophie. Tübingen 1920.

[Albert] v. Holleben. Geschichte des Frühjahrsfeldzuges 1813 und seine Vorgeschichte. Erster Band. Berlin 1904. (= Geschichte der Befreiungskriege 1813-1815. Erster Band.)

Heinrich Hubert Houben. Gutzkow-Funde. Beiträge zur Litteratur- und Kulturgeschichte des neunzehnten Jahrhunderts. Berlin 1901.

H[einrich] H[ubert] Houben. Varnhagen von Ense. (Geboren am 21. Februar 1785, gestorben am 10. Oktober 1858.) Königlich privilegirte Berlinische Zeitung von Staats- und gelehrten Sachen. (Vossische Zeitung), SB (1908) Nr. 41. S. 321-324.

H[einrich] H[ubert] Houben. Jungdeutscher Sturm und Drang. Ergebnisse und Studien. Leipzig 1911.

H[einrich] H[ubert] Houben. Varnhagen v. Ense, Karl August (1785-1858). In: Verbotene Literatur von der klassischen Zeit bis zur Gegenwart. Ein Kritisch-historisches Lexikon über verbotene Bücher, Zeitschriften und Theaterstücke, Schriftsteller und Verleger [1. Band] Berlin 1924. S. 595-605.

H[einrich] H[ubert] Houben. J. P. Eckermann sein Leben für Goethe. Nach seinen neuaufgefundenen Tagebüchern und Briefen dargestellt. [Der erste] und der zweite Teil. Leipzig 1925-1928.

Ernst Howald. Rahel. In: Deutsch-Französisches Mosaik. Stuttgart und Zürich (1962) S. 133-147.

Ernst Howald. Varnhagen von Ense. Eine Ehrenrettung. In: Deutsch-Französisches Mosaik. Stuttgart und Zürich (1962) S. 148-173.

B. Jacobi. Hannover's Theilnahme an der deutschen Erhebung im Frühjahre 1813, mit besonderer Rücksicht auf die Truppen-Formationen an der Elbe. Hannover 1863.

Emil Jacobs. Beethoven, Goethe und Varnhagen von Ense. Mit ungedruckten Briefen von Beethoven, Oliva, Varnhagen u.a. Die Musik. Illustrierte Halbmonats-Schrift, 13/1 (1904-1905) Heft 6. S. 387-402.

Emil Jacobs. Aus Gottfried Kellers Berliner Zeit, WIDM 97 (1904/5) S. 56-64.

H[ermann] J[oachim] In: Hinweise und Nachrichten, ZsVHG 21 (1916) S. 226-228.

Ernst Kaeber. Bodelschwingh und die Märzrevolution. In: Beiträge zur Berliner Geschichte. Ausgewählte Aufsätze. Mit einem Vorwort von Johannes Schultze. Bearbeitet und mit einer biographischen Darstellung versehen von Werner Vogel. Berlin 1964. (= Veröffentlichungen der Historischen Kommission zu Berlin beim Friedrich-Meinecke-Institut der Freien Universität Berlin. Band 14.) S. 160-180.

Heinz Kamnitzer. Stein und das "Deutsche Comité" in Russland 1812/13. Zeitschrift für Geschichtswissenschaft, 1 (1953) S. 50-92.

G[eorg] Kaufmann. Beiträge zur Geschichte des Jahres 1848, HVjS 5 (1902) S. 504-517.

Eberhard Kessel. Ranke und Burckhardt. Ein Literatur- und Forschungsbericht. Archiv für Kulturgeschichte, 33 (1951) S. 351-379.

Eberhard Kessel. Rankes Idee der Universalhistorie, HZ 178 (1954) S. 269-308.

Leonie von Keyserling. Studien zu den Entwicklungsjahren der Brüder Gerlach. Mit Briefen Leopolds von Gerlach und seiner Brüder an Karl Sieveking. Heidelberg 1913. (= Heidelberger Abhandlungen zur mittleren und neueren Geschichte. Heft 36.)

Hermann H. K. Kindt. Hardenbergs Pressechef. (Zu Varnhagen von Ense's 70. Todestag am 10. Oktober 1928.) Zeitungswissenschaft. Monatsschrift für internationale Zeitungsforschung, 3 (1928) S. 156.

Werner Kirchner. Napoleons Unterredung mit Johannes v. Müller. Jahrbuch der Goethe-Gesellschaft, 16 (1930) S. 109-120.

Rudolf Körner. Die Wirkung der Reden Fichtes, FBPG 40 (1927) S. 65-87.

Ernst Kornemann. Niebuhr und der Aufbau der Altrömischen Geschichte, HZ 145 (1932) S. 277-300.

Bernhard Lange. Die öffentliche Meinung in Sachsen von 1813 bis zur Rückkehr des Königs 1815. Diss. Leipzig 1912.

Max Lehmann. Scharnhorst. Erster und Zweiter Theil. Leipzig 1886-1887.

Max Lehmann. Fichtes Reden an die deutsche Nation vor der preussischen Zensur. Gelesen in der K. Gesellschaft der Wissenschaften zu Göttingen am 16. November 1895. Preussische Jahrbücher, 82 (1895) S. 501-515.

Max Lehmann. Freiherr vom Stein. Dritter Theil. Leipzig 1905.

Albert Leitzmann. Die Freundin Wilhelm von Humboldts, DtRs 140 (1909) S. 253-279.

Max Lenz. 1848. Preussische Jahrbücher, 91 (1898) S. 532-544.

Max Lenz. Geschichte der Königlichen Friedrich-Wilhelms-Universität zu Berlin.

Erster und Zweiter Band. Halle a.d.S. 1910-1918.

Max von Lettow Vorbeck. Zur Geschichte des Preussischen Correspondenten von 1813 und 1814. Berlin 1911. (= Historische Studien. Heft XCV.)

Theodor Litt. Geschichte und Leben. Probleme und Ziele kulturwissenschaftlicher Bildung. Zweite, teilweise umgearbeite und erweiterte Auflage. Berlin 1925.

Else Lüders. Ein Hamburger Lüders und Varnhagen von Ense. Lüders. Mitteilungen, im Auftrage des Familienverbandes herausgegeben von Ludwig Lüders, Fallersleben, 4 (1936) Heft 4. S. 77-81. (Standort: Bln StB StPrKb HsAbt)

Otto Mallon. Bibliographische Bemerkungen zu Bettina von Arnims sämtlichen Werken. Zeitschrift für deutsche Philologie, 56 (1931) S. 446-465.

Karl Mannheim. Historismus. Archiv für Sozialwissenschaft und Sozialpolitik, 52 (1924) S. 1-60.

Erich Marcks. Kaiser Wilhelm I. Dritte verbesserte und vermehrte Auflage. Leipzig 1899.

Eduard Wilhelm Mayer. Machiavellis Geschichtsauffassung und sein Begrif virtù. Studien zu seiner Historik. München und Berlin 1912. (= Historische Bibliothek. 31. Band.)

Josef Karl Mayr. Metternichs Geheimer Briefdienst. Postlogen und Postkurse. Wien 1935. (= Inventare des Wiener Haus-, Hof- und Staatsarchivs.)

Fritz Medicus. Fichtes Leben. Zweite, umgearbeitete Auflage. Leipzig 1922.

Friedrich Meinecke. Die Deutschen Gesellschaften und der Hoffmannsche Bund. Ein Beitrag zur Geschichte der politischen Bewegungen in Deutschland im Zeitalter der Befreiungskriege. Stuttgart 1891.

Friedrich Meinecke. Zur Beurteilung Bernadottes im Herbstfeldzuge 1813, FBPG 7 (1894) S. 459-477.

F[riedrich] Meinecke. Zur Geschichte des Gedankens der preussischen Hegemonie in Deutschland. HZ 82 (1899) S. 98-107.

Friedrich Meinecke. Friedrich Wilhelm IV. und Deutschland, HZ 89 (1902) S. 17-53.

Friedrich Meinecke. Zur Geschichte des Hoffmannschen Bundes. Quellen und Darstellungen zur Geschichte der Burschenschaften und der deutschen Einheitsbewegung, 1 (1910) S. 4-17.

Friedrich Meinecke. Die Idee der Staatsräson in der neueren Geschichte. Herausgegeben und eingeleitet von Walther Hofer. München 1957. (= Werke. Band I.)

Friedrich Meinecke. Die Entstehung des Historismus. Herausgegeben und eingeleitet von Carl Hinrichs. München 1959. (= Werke. Band III.)

Friedrich Meinecke. Weltbürgertum und Nationalstaat. Herausgegeben und eingeleitet von Hans Herzfeld. München 1962. (= Werke. Band V.)

Friedrich Meusel. Alexander von der Marwitz. Unter Mittheilung eines Briefes an Rahel. Königlich privilegirte Berlinische Zeitung von Staats- und gelehrten Sachen. (Vossische Zeitung.), SB (1908) Nr. 1. S. 4-5.

Dora Meyer. Das öffentliche Leben in Berlin im Jahr vor der Märzrevolution. Diss. Berlin 1912.

Werner Milch. Die Junge Bettine 1785-1811. Ein biographischer Versuch. Im Manuskript überarbeitet, eingeleitet und herausgegeben von Peter Küpper. Heidelberg (1968).

Carl Misch. Varnhagen von Ense in Beruf und Politik. Gotha 1925. Rezensionen von: H[ermann] Haering, ZsGOR 78 (1926) S. 488-490. Paul Joachimsen, Euphorion. Zeitschrift für Literaturgeschichte, 27 (1926) S. 578-580. Heinrich Ritter von Srbik, Deutsche Literaturzeitung für Kritik der internationalen Wissenschaft, 46 (1925) Sp. 1069-1073. A[dalbert] Wahl, ZsVHG 26 (1925) S. 219-221.

Carl Misch. Varnhagen von Ense und sein Adelsprädikat, FBPG 38 (1926) S. 101-116.

Kurt Detlev Möller. Beiträge zur Geschichte des kirchlichen und religiösen Lebens in Hamburg in den ersten Jahrzehnten des 19. Jahrhunderts, ZsVHG 27 (1926) S. 1-129.

Kurt Detlev Möller. Johann Daniel Runge, der Bruder des Malers Philipp Otto

Runge. In: Hamburger geschichtliche Beiträge. Hans Nirrnheim zum siebzigsten Geburtstage am 29. Juli 1935 dargebracht. Hamburg 1935. S. 179-237.

Wilhelm Mommsen. Ranke und die deutsche Frage. In: Stein, Ranke, Bismarck. Ein Beitrag zur politischen und sozialen Bewegung des 19. Jahrhunderts. München (1954). S. 77-175.

Karl Alexander von Müller. Karl Ludwig Sand. München (1925). (= Stern und Unstern. Eine Sammlung merkwürdiger Schicksale und Abenteuer. Fünftes Buch.)

Paul Müller. Untersuchungen zum Problem der Freimaurerei bei Lessing, Herder und Fichte. Diss. Bern 1965. (= Sprache und Dichtung. Neue Folge. Band 12.)

Ernst Müsebeck. Ernst Moritz Arndt. Erstes Buch. Gotha 1914.

Leonhard von Muralt. Machiavellis Staatsgedanke. Basel (1945).

Leonhard von Muralt. Bismarcks Verantwortlichkeit. Göttingen, Berlin, Frankfurt (1955). (= Göttinger Bausteine zur Geschichtswissenschaft. Band 20.)

Leonhard von Muralt. Friedrich der Grosse als Historiker. Eine methodologische Studie 1945. In: Der Historiker und die Geschichte. Ausgewählte Aufsätze und Vorträge. (Herausgegeben von Fritz Büsser, Hanno Helbling, Peter Stadler) Zürich 1960. S. 19-29.

Moritz Necker. Ernst Freiherr v. Feuchtersleben, der Freund Grillparzer's. Eine Charakterstudie. Jahrbuch der Grillparzer-Gesellschaft, 3 (1893) S. 61-93.

Wilhelm Oechsli. Geschichte der Schweiz im Neunzehnten Jahrhundert. Zweiter Band. Leipzig 1913.

Hermann Oncken. Zur Genesis der preussischen Revolution von 1848, FBPG 13 (1900) S. 123-152.

G[eorg] H[einrich] Pertz. Das Leben des Feldmarschalls Grafen Neithardt von Gneisenau. Zweiter und Dritter Band. Berlin 1865-1869.

Herman v. Petersdorff. König Friedrich Wilhelm der Vierte. Stuttgart 1900.

H[erman] v. Petersdorff. [Otterstedt-Artikel] In: ADB 52 (1906) S. 731-733.

Julius Petersen. Varnhagen v. Ense über Kleist. Mitteilungen aus seinem Briefwechsel mit Eduard v. Bülow. Jahrbuch der Kleist-Gesellschaft (1923 und 1924). (= Schriften der Kleist-Gesellschaft, 3/4 (1925).) S. 135-141.

B. Poten. [Prittwitz-Artikel] In: ADB 26 (1888) S. 606-608.

B. Poten. [Tettenborn-Artikel] In: ADB 37 (1894) S. 596-605.

Barthold von Quistorp. Geschichte der Nord-Armee im Jahre 1813. Erster, Zweiter und Dritter Band. Berlin 1894.

Paul Raabe. Der junge Karl Ludwig Woltmann. Ein Beitrag zur deutschen Geistesgeschichte. Oldenburger Jahrbuch des Oldenburger Landesvereins für Geschichte, Natur- und Heimatkunde, 54 (1954) S. 6-82.

Felix Rachfahl. Deutschland, König Friedrich Wilhelm IV. und die Berliner Märzrevolution. Halle a.S. 1901. Rezension von: [Hans] Delbrück, Preussische Jahrbücher, 100 (1902) S. 541-546.

Felix Rachfahl. Zur Beurteilung König Friedrich Wilhelms IV. und der Berliner Märzrevolution, HVjS 5 (1902) S. 196-229.

Felix Rachfahl. König Friedrich Wilhelm IV. und die Berliner Märzrevolution im Lichte neuer Quellen. Preussische Jahrbücher, 110 (1902) S. 264-309; 413-462.

Felix Rachfahl. Zur Berliner Märzrevolution, FBPG 17 (1904) S. 193-236.

Felix Rachfahl. Die Opposition des Generals von Prittwitz, FBPG 18 (1905) S. 252-257.

S[igismund] Rahmer. Zum Gedenktage Varnhagens von Ense. Eine Nachlese nebst zwei unveröffentlichten Briefen Varnhagens. Die Gegenwart. Wochenschrift für Literatur, Kunst und öffentliches Leben, 74 (1908) S. 276-279.

Paul Requadt. Johannes von Müller und der Frühhistorismus. München (1929).

Gerhard Ritter. Stein. Eine politische Biographie. Neugestaltete (3.) Auflage. Stuttgart (1958).

Walter Robert-tornow. Ferdinand Robert-tornow, der Sammler und die Seinigen. Ein Beitrag zur Geschichte Berlins, DtRs 65 (1890) S. 428-446.

Friedrich Römer. Varnhagen von Ense als Romantiker. Diss. Berlin 1934.

F[riedrich] Römer. Ein Lebensbild: Karl August Varnhagen von Ense. Geistige Arbeit, 2 (1935) Nr. 10. S. 12.

Theodor Roller. Georg Andreas Reimer und sein Kreis. Zur Geschichte des politischen Denkens in Deutschland um die Zeit der Befreiungskriege. Diss. Freiburg/Brsg. 1924.

Jan Romein. Die Biographie. Einführung in ihre Geschichte und ihre Problematik. (Übersetzt von U. Huber Noodt.) Bern (1948).

Heinz Ryser. Johannes von Müller im Urteil seiner schweizerischen und deutschen Zeitgenossen. Basel und Stuttgart 1964. (= Basler Beiträge zur Geschichtswissenschaft. Band 94.)

W. Sange. Eduard Gans. Archiv für Rechts- und Wirtschaftsphilosophie, 7 (1913/14) S. 580-585.

Christian Schmid. Theodor von Mohr und die bündnerische Geschichtsforschung in der I. Hälfte des 19. Jahrhunderts. Diss. Zürich 1950.

Erich Schmidt. Lessing. Geschichte seines Lebens und seiner Schriften. Erster Band. Berlin 1884.

Franz Schnabel. Ludwig von Liebenstein und der politische Geist vom Rheinbund bis zur Restauration. ZsGOR 69 (1915) S. 2-43.

F[ranz] Schnabel. Rezension von 'Varnhagen von Ense, Denkwürdigkeiten des eigenen Lebens. Die Karlsruher Jahre 1816-1819. Neuausgabe mit Einleitung von Hermann Haering. Karlsruhe 1924.' HZ 131 (1925) S. 305-306.

Hans-Joachim Schoeps. Preussen. Geschichte eines Staates. Berlin (1966).

Th[eodor] Schrader. Ein Aufruf des Rittmeisters Hanfft, MVHG 16 (1893/94) S. 42-47.

Christa Schultze. Theodor Fontane und K. A. Varnhagen von Ense im Jahre 1848 (mit einem Brief Varnhagens an Fontane vom 11. Februar 1852). Fontane Blätter, 1 (1967) Heft 4. S. 139-153.

Georg Schuster. Die geheimen Gesellschaften, Verbindungen und Orden. Zweiter Band. Leipzig 1906.

August Schwertmann. Hamburgs Schicksal im Jahre 1813 nach den Befehlen Napoleons und in den Händen Davouts. Diss. Greifswald 1911.

Heinrich Sieveking. Karl Sieveking 1787-1847. Lebensbild eines hamburgischen Diplomaten aus dem Zeitalter der Romantik. I., II. und III. Teil. Hamburg 1923-1928. (= Veröffentlichungen des Vereins für Hamburgische Geschichte. Band V.)

Heinr[ich] Sieveking. Zur Geschichte der geistigen Bewegung in Hamburg nach den Freiheitskriegen, ZsVHG 28 (1927) S. 129-154.

Ernst Simon. Ranke und Hegel. München und Berlin 1928. (= Beiheft 15 der HZ.)

Martin Spahn. Metternich 1773-1859. In: Die Grossen Deutschen. Neue Deutsche Biographie. Herausgegeben von Willy Andreas und Wilhelm Scholz. Dritter Band. Berlin (1936). S. 7-27.

Hilde Spiel. Fanny von Arnstein oder die Emanzipation. Ein Frauenleben an der Zeitenwende 1758-1818. (Frankfurt am Main) 1962.

Heinrich Ritter von Srbik. Metternich der Staatsmann und der Mensch. Band I und II. München (1925).

Rudolf Stadelmann. Soziale und politische Geschichte der Revolution von 1848. München 1948.

Peter Stadler. Geschichtschreibung und historisches Denken in Frankreich 1789-1871. Zürich 1958.

Reinhold Steig. Achim von Arnim und Clemens Brentano. Stuttgart 1894. (= Achim von Arnim und die ihm nahe standen. Herausgegeben von Reinhold Steig und Hermann Grimm. Erster Band.)

Reinhold Steig. Clemens Brentano und die Brüder Grimm. Stuttgart und Berlin 1914.

Karl Gustav Wilhelm Stenzel. Gustav Adolf Harald Stenzels Leben. Gotha 1897.

Paul Stettiner. Der Tugendbund. Königsberg i. Pr. 1904.

Alois Stockmann. Varnhagen von Ense und sein Zerwürfnis mit Klemens Brentano.

Stimmen der Zeit (= Stimmen aus Maria-Laach, 89 (1915) S. 463-473.)

Fritz Straube. Frühjahrsfeldzug 1813. Die Rolle der russischen Truppen bei der Befreiung Deutschlands vom napoleonischen Joch. Berlin 1963. (= Veröffentlichungen des Instituts für Geschichte der Völker der UdSSR an der Martin-Luther-Universität Halle-Wittenberg. Reihe B. Abhandlungen. Band 5.)

H[einrich] v. Sybel. Aus den Berliner Märztagen 1848, HZ 63 (1889) S. 428-453.

Peter Gerrit Thielen. Karl August von Hardenberg 1750-1822. Eine Biographie. (Köln und Berlin 1967).

Friedrich Thimme. König Friedrich Wilhelm IV., General von Prittwitz und die Berliner Märzrevolution, FBPG 16 (1903) S. 545-582.

Friedrich Thimme. Der "Ungehorsam" des Generals von Prittwitz, FBPG 18 (1905) S. 360-361.

Helmut Tiedemann. Der deutsche Kaisergedanke vor und nach dem Wiener Kongress. Breslau 1932. (= Untersuchungen zur Deutschen Staats- und Rechtsgeschichte. 143. Heft.)

Heinrich von Treitschke. Deutsche Geschichte im Neunzehnten Jahrhundert. Zweiter Teil. Leipzig 1882.

Ferdnand Troska. Die Publizistik zur sächsischen Frage auf dem Wiener Kongress. Diss. Halle a.S. 1891.

Otto Tschirch. Friedrich Buchholz, Friedrich von Coelln und Julius von Voss, drei preussische Publizisten in der Zeit der Fremdherrschaft 1806. Ein Nachtrag zur Geschichte der öffentlichen Meinung in Preussen 1795-1806, FBPG 48 (1936) S. 163-181.

Heinrich Ulmann. Zur Beurteilung des Kronprinzen von Schweden im Befreiungskriege 1813/14, HZ 102 (1909) S. 304-324.

Heinrich Ulmann. Geschichte der Befreiungs-Kriege 1813 u. 1814. 1. Band. München und Berlin 1914.

W[ilhelm] v. Unger. Blücher. Erster und Zweiter Band. Berlin 1907-1908.

Veit Valentin. Geschichte der deutschen Revolution von 1848-49. Erster Band. Berlin (1930).

Fritz Valjavec. Die Entstehung der politischen Strömungen in Deutschland 1770-1815. München 1951.

[Varnhagen-Artikel] In: Eugen Lennhoff / Oskar Posner. Internationales Freimaurerlexikon. Zürich, Leipzig, Wien (1932) Sp. 1630.

C[onrad] Varrentrapp. Johannes Schulze und das höhere preussische Unterrichtswesen in seiner Zeit. Leipzig 1889.

Jacques Vier. La comtesse d'Agoult et son temps. Avec des Documents inédits. Tome II, III, IV et V. Paris 1959-1962.

Rudolf Vierhaus. Ranke und die soziale Welt. Münster Westfalen 1957. (= Neue Münstersche Beiträge zur Geschichtsforschung. Band 1.)

Rudolf Vierhaus. Rankes Verständnis der "neuesten Geschichte" untersucht auf Grund neuer Quellen. Archiv für Kulturgeschichte, 39 (1957) S. 81-102.

Eduard Vischer. Troxler und Varnhagen, SZsG 4 (1954) S. 132-138.

Joachim Wach. Das Verstehen. Grundzüge einer Geschichte der hermeneutischen Theorie im 19. Jahrhundert. III. Das Verstehen in der Historik von Ranke bis zum Positivismus. Tübingen 1933.

Fritz Wagner. Moderne Geschichtsschreibung. Ausblick auf eine Philosophie der Geschichtswissenschaft. Berlin (1960). (= Erfahrung und Denken. Band 4.)

Adalbert Wahl. Hamburg und die europäische Politik im Zeitalter Napoleons, ZsVHG 18 (1914) S. 317-330.

Oskar F. Walzel. [Varnhagen-Artikel] In: ADB 39 (1895) S. 769-780.

Hildegard Wegscheider-Ziegler. K. A. Varnhagen von Enses Denkwürdigkeiten des eigenen Lebens. In: Aus der Humboldt-Akademie. Dem Generalsekretär Herrn Dr. Max Hirsch zu seinem 70. Geburtstage gewidmet von der Dozentenschaft. Berlin 1902. S. 178-186.

[Maurice Henri] Weil. La campagne de 1814 d'après les documents des Archives impériales et royales de la guerre à Vienne. La cavallerie des armées alliées pendant la campagne de 1814. Tome troisième et quatrième. Paris 1894-1896.

Hermann Wendorf. Die Ideenwelt des Fürsten Talleyrand. Ein Versuch, HVjS 28 (1934) S. 335-384.

Paul Wentzcke. Justus Gruner, der Begründer der preussischen Herrschaft im Bergischen Lande. Festgabe des Düsseldorfer Geschichtsvereins zur hundertjährigen Erinnerung an die Befreiung des Landes 1813. November 1913. Heidelberg 1913.

Paul Wetzel. Die Genesis des am 4. April 1813 eingesetzten Zentral-Verwaltungsrates und seine Wirksamkeit bis zum Herbst dieses Jahres. Diss. Greifswald 1907.

Günther Wiegand. Zum deutschen Russlandinteresse im 19. Jahrhundert. E. M. Arndt und Varnhagen von Ense. Stuttgart (1967). (= Kieler Historische Studien. Band 3.)

Wilhelm Windelband. Fichtes Geschichtsphilosophie. Ein Vortrag 1908. In: Präludien. Aufsätze und Reden zur Philosophie und ihrer Geschichte. Sechste, unveränderte Auflage. Erster Band. Tübingen 1919. S. 260-272.

Georg Winter. Zur Entstehungsgeschichte des Oktoberedikts und der Verordnung vom 14. Februar 1808, FBPG 40 (1927) S. 1-83.

Wippermann. [Pfuel-Artikel] In: ADB 25 (1887) S. 705-712.

Adolf Wohlwill. Zur neueren Literatur über Davout in Hamburg, ZsVHG 16 (1911) S. 346-356.

Adolf Wohlwill. Neuere Geschichte der Freien und Hansestadt Hamburg insbesondere von 1789 bis 1815. Gotha 1914. Rezension von: Heinrich Sieveking, ZsVHG 21 (1916) S. 203-206.

Erik Wolf. Grotius, Pufendorf, Thomasius. Drei Kapitel zur Gestaltgeschichte der Rechtswissenschaft. Tübingen 1927. (= Heidelberger Abhandlungen zur Philosophie und ihrer Geschichte 11.)

Adolf Wolff. Berliner Revolutionschronik. Darstellung der Berliner Bewegung im Jahre 1848 in politischer, sozialer und litterarischer Beziehung. Jubiläums-Volksausgabe, herausgegeben von C. Gompertz. Berlin 1898.

Karl Wolff. Die deutsche Publizistik in der Zeit der Freiheitskämpfe und des Wiener Kongresses 1813-1815. Diss. Leipzig (1934).

Karl Woynar. Österreichs Beziehungen zu Schweden und Dänemark vornehmlich seine Politik bei der Vereinigung Norwegens mit Schweden in den Jahren 1813 und 1814. Mit Benützung von Acten des K.u.K. Haus-, Hof- und Staats-Archivs in Wien. Archiv für österreichische Geschichte, 77/1 (1891) S. 377-542.

C[hristian] F[riedrich] Wurm. Zugaben. II. betreffend die Politik des Kronprinzen von Schweden und sein Verhältniss zur Sendung Dolgorukys. In: ZsVHG 4 (1858) S. 154-183.

Heinrich Wuttke. Karl Ludwig Klose. In: [K. L. Klose]. Wilhelm I. von Oranien, der Begründer der niederländischen Freiheit. Leipzig 1864. S. IX-XXI.

G[erhard] Ziegengeist. Varnhagen von Ense und V. A. Zukovskij. (Ein ungedruckter Brief Varnhagens vom 11.IX.1839 an Zukovskij). Zeitschrift für Slawistik, 4 (1959) S. 1-14.

G[erhard] Ziegengeist. N. I. Borchardt und Varnhagen von Ense. (Mit einem ungedruckten Brief Varnhagens an Borchardt). Zeitschrift für Slawistik, 8 (1963) S. 9-25.

K. J. von Zwehl. Die Befreiung Bremens von französischer Herrschaft durch Tettenborn im Jahre 1813. (Vortrag, gehalten in der historischen Gesellschaft zu Bremen.) Bremisches Jahrbuch, 20 (1902) S. 163-187.

INDEX

Die kursiven Zahlen verweisen ausschliesslich auf den Anmerkungsteil.

375